Gesammelte Werke Max Nordaus

Le portail des sciences humaines et sociales
Illustration de couverture : © domaine public
Edition : SHS éditions (Hérault, 34)
Contact : infos@culturea.fr
Imprimé en Allemagne par Books on Demand,
In de Tarpen 42, Norderstedt.
Design typographique : Derek Murphy
Layout : Reedsy (https://reedsy.com/)
ISBN : 9791041943265
Dépôt légal : février 2023

Maha-Rog

I

An dem flachen Ufer des Tursaflusses, dessen graugrüne Wellen langsam zum heiligen Brahmaputra fließen, stand auf dem schwachen Bodenrücken, der das Riedgelände scharf von den Weizenäckern scheidet, die Hütte Dasas und seiner jungen Gattin Udschli.

Dasa war ein Rayat von guter Kaste und in der Dorfschaft angesehen.

Udschli galt für das schönste Weib der Gegend. Sie trug ihren Namen – Udschli bedeutet auf Hindustanisch die Weiße – mit Recht. Sie war von auffallend heller Haut, deren warme Tönung nur schwach ins Gelbe hinüberspielte, wie die äußeren Blätter einer Teerose. Ihr schweres schlichtes Haar, schwarz und glänzend wie geglätteter Gagat, fein wie Seide und duftend wie Zimt, war nach der Landesart gescheitelt und mit Korallen- und Schmelzperlensträhnen durchflochten. Ein silbernes Geschmeide, mit vier kleinen Türkisen besetzt, hing in die glatte Stirn und ließ sie bernsteinfarben erscheinen. Ihre großen Mandelaugen mit dem kleinen dunkeln Stern im bläulich schimmernden Apfel blickten still und sanft unter dem Schatten der sehr langen aufgekrümmten Wimpern. Den linken Flügel des wundervoll fein modellierten Näschens schmückte ein Silberplättchen. Der edle Mund bezauberte mit seinen frischen tiefroten Lippen, hinter denen beim Sprechen und Lächeln die schönsten Zähne aufblitzten. Wenn die Nachbarinnen sie in ihrem rosa und weiß gestreiften Baumwollkleide, die Büste von einem Seidennetz modelliert, die silbernen Fußringe bei jedem Schritte leise erklirrend, durch die Dorfstraße dahinschreiten sahen, blickten sie ihrer hohen biegsamen Gestalt nach und flüsterten Segenssprüche für ihr junges Haupt.

Sie war bei groß und klein beliebt. Wegen ihrer Schönheit, wegen ihrer Sanftmut, auch wegen ihres Schicksals.

Sie war das einzige Kind ihrer Mutter Rani, von der die Familie sie in frühem Alter getrennt hatte. Denn Rani hatte das Unglück, bald nach der Geburt Udschlis am Aussatz zu erkranken. In der ganzen Familie war bis dahin kein einziger Fall dieses schrecklichen Siechtums bekannt. Die

Umgebung ahnte auch viele Monate lang die Natur des Übels nicht, bis es sich so schlimm entwickelt hatte, daß selbst die Unkundigen es nicht länger verkennen konnten. Nun suchte die Familie den Schicksalsschlag zu verheimlichen. Nicht um der Kranken willen, sondern wegen ihrer Angehörigen, um ihrem Gatten, besonders aber ihrem Kinde nicht zu schaden. An das weitläufige Haus, worin nach dem Brauche der Kaste die vollständige Sippe, Eltern, verheiratete Geschwister und Kinder, drei Geschlechter desselben Blutes, zusammenlebten, wurde ein besonderes Gelaß angebaut, das man von dem zum Eingang führenden Pfade nicht wahrnehmen konnte, und dort verbrachte Rani, von den Verwandten und Hausgenossen abgesondert, ihre trostlosen Tage. Es fiel aber den Nachbaren bald auf, daß man die junge Frau nicht mehr sah, um den Dorfteich begann man zu munkeln, der Gatte, die Schwiegereltern, die Schwestern und Schwägerinnen wurden mit immer häufigeren Erkundigungen, immer dringenderen Fragen verfolgt und es dauerte nicht lange, da war das Dorf hinter das Geheimnis gekommen. Die öffentliche Meinung forderte gebieterisch, daß die Kranke aus dem Hause und Dorfe entfernt und nach dem Heim für Aussätzige des Kreises gebracht werde.

Gegen die Stimme der Kaste, des Ortes gilt in Indien kein Widerstand. Die Familie mußte sich unterwerfen.

Eines frühen Morgens, als noch der Tau auf den Gräsern blinkte, die Tiger aber sich schon in das Röhricht zurückgezogen hatten, hoben Ranis Gatte und seine Brüder eine dicht in Schleier und Decken gehüllte unbewegliche Gestalt in den mit zwei Zebus bespannten Dachwagen, schoben eine kleine mit Spiegelstückchen geschmückte Sandelholztruhe unter ihren Sitz und schlugen den Pfad nach der stäubenden Landstraße ein. An der Schwelle des Hauses standen schluchzend die Frauen der Familie und sahen dem sich entfernenden Gefährt nach. Die Kranke allein weinte nicht und blickte nicht zurück. Sie war ergeben, wie es ihres Volkes Art ist. Sie wußte, daß sie von nun ab von den Lebenden und dem Leben abgeschnitten war, aber sie wußte es schon lange. Sie sollte den Gatten nicht mehr sehen, aber sie sah ihn schon seit Monaten nur aus einiger Entfernung. Sie wurde von ihrem einzigen Kinde losgerissen, aber sie durfte es schon seit Monaten nicht berühren, und fast brach es ihr das Herz weniger, davon ganz getrennt zu sein, als durch die Stäbe einer Gittertür zu sehen, wie es scheu zu ihr hinüberstarrte, immer seltener begehrende Händchen nach ihr ausstreckte, immer weniger in ihr von Liebe bereitetes und gehütetes Gefängnis hineinsprach und ihr allmählich fremd wurde, als dehnten sich unabsehbare Fernen zwischen ihnen. Da sie ihr Haus für immer verlassen mußte, ging sie an dem Bettchen der damals Zweijährigen vorbei, ohne den Kopf danach zu wenden. Das war ihr leichter, als davor zu stehen, das Kind im Schlummer zu betrachten, es aber nicht berühren zu dürfen.

Udschli vergaß die Mutter bald, wie die gütige Natur es kleinen Kindern gestattet. Niemand sprach ihr von der Fernen und ihre Sippe wie das ganze Dorf behandelte sie wie eine Waise. Viele Augen wachten ängstlich über sie und prüften, vor Entdeckungen bangend, bei jedem Aus- und Ankleiden ihren zierlichen Puppenleib, ihre wohlgerundeten Gliederchen. Aber ihre Haut blieb glatt und rein wie geschlagenes Gold und sie entwickelte sich wie auf schlankem Stengel eine Lilie. Dennoch fühlten die Angehörigen sich nicht ganz beruhigt, denn der Aussatz ist eine tückische Krankheit und die Vererbung wird manchmal erst nach langen Jahren offenbar. Man verheiratete sie nicht nach Landesbrauch im Kindesalter, sondern wartete damit, bis sie zur Jungfrau herangeblüht war.

Als sie verständig wurde, begann sie nach ihrer Mutter zu fragen. Man sagte ihr nur, sie habe sie früh verloren. Sie wollte Einzelheiten wissen, die Frauen der Familie baten sie jedoch, von ihrem Forschen abzulassen. Sie beschied sich, denn die Sehnsucht nach der Mutter, deren sie sich nicht einmal schattenhaft erinnern konnte, war nicht zwingend in ihrem Gemüte, sondern nur durch Vergleichung ihrer Verhältnisse mit denen anderer Kinder erregt.

Seit Dasa zehn Jahre alt war und Udschli sieben, waren die beiden von ihren Familien füreinander bestimmt, man traute sie aber einander nicht an, man verlobte sie nicht einmal förmlich, denn Dasa sollte nicht gebunden sein, falls die Krankheit Udschli dennoch heimsuchen würde. Die Sippe des Mädchens hatte dies selbst vorgeschlagen und die des Knaben die Abmachung billig gefunden.

Einmal monatlich pflegte Udschlis Vater früh morgens seine Zebus vor den Wagen zu spannen, einen am Vorabend von den Frauen bereiteten Korb mit Brot, Hirse, Reis,Giund allerlei Früchten, manchmal auch Leinen- und Baumwoll-Kleidungsstücken, unter den Sitz zu stellen und wegzufahren. Spät abends kam er dann mit dem leeren Korbe heim und hatte Schatten von Betrübnis in der Miene. Lange fiel ihr diese Gewohnheit nicht auf, denn sie hatte sie immer gekannt, so weit sie sich zurück erinnern konnte. Eines Abends jedoch, als die Frauen wieder einmal den Korb packten, fragte sie: "Wem bringt der Vater immer diese guten Sachen?« Alle schlugen betroffen die Augen nieder. Ihre Großmutter faßte sich indes rasch und erwiderte: "Das ist die Monatsabgabe, die dein Vater demSemindarbringt.« Das leuchtete Udschli ein. Nach einer Weile fragte sie weiter: "Wo wohnt der Semindar?« "InKutsch ,« lautete die Auskunft. Auch daran war nichts Auffallendes. Gleichwohl beschäftigte sie sich, ohne zu wissen warum, in der Folge mehr mit den monatlichen Reisen ihres Vaters und sie bat ihn eines Tages unversehens, er solle sie doch nach Kutsch mitnehmen, um ihr die schöne Stadt und das reiche Haus des Semindars zu zeigen. Der Vater fuhr zusammen und blickte sie aus weit offenen Augen an. Da er jedoch die Unbefangenheit seiner Tochter bemerkte, begnügte er sich, den Kopf zu schütteln und zu sagen: "Es kann nicht sein.«

"Warum nicht, Vater?«

"Der Weg führt durch eine Furt, da sind Gaviale; dann durch einen Wald, da sind Tiger; dann durch Hirsefelder, da sind Brillenschlangen. Es ist zu gefährlich.«

Udschli lächelte schalkhaft. "Es ist dir doch aber nie etwas geschehen, Vater.«

"Es geht nicht,« wiederholte der Vater barscher und schnitt das Gespräch ab. Die Ehrerbietung, die sie dem Vater schuldete, ließ sie schweigen, aber es blieb eine Neugierde und eine Sehnsucht in ihrem Geiste zurück und sie dachte oft, es müsse schön sein, mit dem Vater durch die Furt und den Wald und die Hirsefelder nach Kutsch zu fahren und sich in den Gärten und Bazaren der großen Stadt zu ergehen.

So verflossen die Jahre, Zeiten der Fülle und Zeiten der Hungersnot, bis Udschli sechzehn Jahre alt war und Dasa neunzehn. Schon lange waren sie der Gegenstand der allgemeinen Aufmerksamkeit bei den Aschtunfesten, an denen sie teilnahmen, denn sie waren die einzigen Unvermählten ihres Alters und das gab ihnen einen Reiz, den weder die unreife Jugend, noch die verheirateten Erwachsenen ausüben konnten. Udschli mußte sich bei den Aufzügen und Tänzen zu den Mädchen halten, die sie alle um Haupteslänge überragte und von denen sie als ihre Königin behandelt wurde. Dasa fühlte sich in schiefer Stellung. Mit den Knaben mochte er nicht gehen, unter die Familienväter durfte er sich noch nicht mischen. Er blieb deshalb gern abseits und weidete sich aus der Ferne an der Schönheit seiner Versprochenen. Es war ein Tag des Glücks und der Befreiung für ihn, als nach langer Beratung der beiden Familien ihm endlich eröffnet wurde, daß er seine Brautwerber zu Udschlis Vater schicken dürfe. Die jungen Leute zogen blumengeschmückt mit Blüten, Früchten, einem Körbchen voll Gerste und einem Wasserkruge nach dem Hause der Auserwählten, um diese Gaben dem Vater darzubieten, der durch ihre Annahme seine Zustimmung ausdrückt, während ihre Ablehnung die Zurückweisung des Werbers bedeuten würde. Ihnen folgten mit fröhlichem Geschrei radschlagende und katzbalgende Dorfrangen, die natürlich wohl wußten, was der Zweck ihrer Sendung war, während die Frauen und Mädchen der Nachbarschaft sich vor dem Hauseingang sammelten, um Zeugen des Empfanges der Werber durch die Familie zu sein.

Zu dem bunten Häuflein hatte sich auch ein junges Mädchen eingefunden, das von den übrigen abgesondert stand, da sie es nicht in ihrer Mitte geduldet hätten. Denn es war ein Mädchen von niedrigster Kaste und von schlechtem Rufe, dunkel an Haut, dürftig gekleidet und ohne Schmuck. Die wilde Dirne hatte sich in den letzten Monaten bei den Aschtunfesten mit kleinen herausfordernden Neckereien an Dasa heranzuschmeicheln gesucht, war aber von ihm zuerst nicht beachtet und dann schroff zurückgewiesen worden. Seine Tugend wurde ihm leicht durch die strahlende Schönheit seiner Versprochenen, durch seinen Kastenstolz und durch die Blicke der ihn beobachtenden Dorfschaft. Das dreiste Geschöpf hatte von ihm abgelassen, aber gegen Udschli einen Grimm gefaßt, der nach Rache dürstete.

Da stand das zerlumpte Mädchen nun in der Nähe der Tür und als die Brautwerber über die Schwelle traten, rief sie ihnen mit ihrer hellsten Stimme nach: "Seid ihr schon bei der aussätzigen Mutter in Kutsch gewesen?« Die Frauen und Mädchen wandten sich empört gegen sie und bedrohten sie mit Worten und Geberden. Sie aber kreischte noch lauter: "Ihr werdet doch die aussätzige Mutter in Kutsch auch zur Hochzeit laden?« Man drang mit erhobenen Fäusten und vorgestreckten Nägeln auf sie ein, sie machte aber eine lange Nase und lief behend wie eine Gazelle mit Gelächter davon.

Udschli, die hinter dem Fenster verborgen voll Mädchenneugierde nach den jungen Leuten mit den herkömmlichen Geschenken spähte, hatte alles gehört. Totenbleich taumelte sie in die Stube zurück und fragte angstvoll die sie umstehenden Frauen der Familie: "Was meint dieses Mädchen? Was ist es? Was sagt sie da?« Die Frauen suchten sie zu beruhigen. Sie zogen sie rasch in die anstoßende Schlafkammer und flüsterten: "Höre nicht auf die Landstreicherin. Sie ist der Auswurf des Dorfes. Sie weiß nicht, was sie schwatzt. Sie lügt.«

Udschli ließ sich nicht beruhigen. "Wie verfällt sie gerade auf diese Lüge? Was will sie mit meiner aussätzigen Mutter in Kutsch? Meine Mutter ist doch nicht in Kutsch? Meine Mutter ist doch lange tot, die

Teure, die Gute?« Die Frauen blickten weg und schwiegen und fanden unter den häufigen, drängenden Worten des immer ahnungsvolleren, immer erregteren Mädchens nicht rasch genug eine mitleidige Lüge. Da rief Udschli unter hervorbrechenden Tränen: "Sagt mir, was es ist, oder ich gehe unverweilt zu der Schwarzen und frage sie selbst, was sie gemeint hat.« Die überrumpelte schwache Großmutter konnte sich der Stürmenden nicht erwehren. Sie umfing ihr schönes Köpfchen, zog es an ihre alte Brust und sagte ihr mit trauriger, leiser Stimme ins Ohr: "Es ist wahr. Deine Mutter hat die große Krankheit und wir haben sie nach Kutsch bringen müssen. Ins Siechenhaus. Um deinetwillen.«

"Um meinetwillen?«

"Damit du das Übel nicht erbst.«

"Und sie lebt!«

"Sie lebt.«

Während in der großen Stube die Brautwerber ihre Zeremonien erfüllten und mit dem Vater die vom Brauche vorgeschriebenen Reden wechselten, erfuhr im Nebengemach Udschli mit bebendem Herzen die ganze Wahrheit über ihre Mutter. Ihre Fragen strömten unstillbar wie ihre Tränen und Großmutter, Muhmen und Basen konnten ihrem brennenden Verlangen nach Einzelheiten nicht genugtun. Und als nach einiger Zeit die jungen Leute das Haus verließen und der Vater, der sie bis an die Schwelle begleitet hatte, freudestrahlenden Antlitzes in die Stube zu den Frauen trat, da ward ihm die Überraschung, daß Udschli sich ihm an die Brust warf, seinen Hals mit ihren Armen umfing und ihm schluchzend zurief: "Vater, ich will zur Mutter. Nimm mich nach Kutsch mit.«

Was immer er einwenden mochte, es half nichts. Sie ließ nicht ab, bis er versprochen hatte, er werde mit ihr am nächsten Morgen nach Kutsch zur Mutter fahren. Sie war es, die nach schlafloser Nacht vor Tagesanbruch den Vater und eine ältere Muhme weckte, die mitkommen sollte, um immer bei Udschli zu sein. Unterwegs, während die Zebus gemach die wohlbekannte Straße entlang zogen, hielt die Muhme

Udschlis Hand in der ihrigen und der Vater suchte sie auf das bevorstehende Erlebnis vorzubereiten.

"Du darfst nicht erschrecken, wenn du deine arme Mutter siehst. Die Wahrheit ist, daß du deine Mutter nicht sehen wirst. Sie hat den ganzen Kopf mit Binden umhüllt. Denn sie ist blind. Und du darfst ihr auch nicht nahekommen.«

"Ach!«

"Nein. Du darfst ihr nicht nahekommen. Und ich auch nicht. Siehst du, und darum wäre es besser gewesen, du wärst daheim geblieben und hättest von alledem nichts gewußt.«

"Blind! Ach! Mutter, Mutter! Ist sie allein? Wer ist bei ihr?«

"Sie ist nicht allein. Sie ist mit den anderen.«

"Den anderen? Welchen anderen?«

"Nun, den anderen Kranken, die auch die große Krankheit haben. Es wird dich betrüben, sie zu sehen. Sie sind kein Anblick für eine schöne, glückliche Braut. Sie sind traurig und machen traurig.«

"Und die Mutter ist immer traurig?«

"Das Siechenhaus ist eine Stätte der Betrübnis. Aber den Rechtschaffenen erwartet die Wiedergeburt, die ihn erlösen wird. Deine Mutter wird im nächsten Erdenleben eine Königin sein, die lächelnde, hohe Rani mit Diamantenkrone und Dienerinnen und Musik- und Tanzmädchen. Was ist zu tun? Die Götter machen mit uns, was sie wollen. Sie sind manchmal hart. Doch immer gerecht. Wer weiß, was deine arme Mutter im vorigen Dasein verschuldet hat. Das muß sie jetzt büßen.«

Die heißen Tagesstunden waren schon heraufgezogen, als sie vor dem Hause der Aussätzigen ankamen. Es lag in einiger Entfernung von der Stadt, etwas abseits von der Straße, von dieser durch einen kleinen, schlecht gehaltenen Teich getrennt. Es glich einem alten, halbverfallenen, weitläufigen Schuppen, ohne Fenster, mit einem vielfach zersplitterten Holzgatter als Tür. Vor dem Haus, am flachen, schlammigen Ufer des Teiches, am Straßenrand, saßen und lagen einige Gestalten, die sich teils unbeweglich sonnten, teils gegen einen Baumstamm gelehnt, den Oberleib im Schatten, die Beine in der Tagesglut, den Kopf in langsamer, gleichmäßiger Pendelbewegung rechts und links schaukelten. Ob sie Männer oder Weiber, ob sie alt oder jung waren, konnte man nicht unterscheiden, auch wenn die Köpfe nicht in Tücher oder schmutzige Lappen eingebunden waren. Die meisten waren in Lumpen gehüllt, wenige ganz und reinlich gekleidet.

Der Wagen blieb auf der Straße, seine drei Insassen stiegen ab und Udschli schritt zwischen ihrem Vater und ihrer Muhme, ein Körbchen mit Früchten und Gi in der zitternden Hand, auf die jammervollen Gruppen zu. Einige Kranke regten sich nicht und blickten nicht auf, als der Schatten der Besucher auf sie fiel; andere streckten ihnen wortlos bettelnd die Hand entgegen und Udschli sah schaudernd, daß ihnen die Finger ganz oder teilweise fehlten; noch andere läuteten bei ihrer Annäherung langsam und matt mit einer dumpf tönenden, hölzernen Glocke, die sie im kraftlosen Handstummel hielten. So oft Udschlis Fuß festwurzeln wollte, zog ihr Vater sie sanft weiter, bis sie am Eingang des Siechenhauses standen. Dort saß im Schatten der Torwölbung auf einer Matte ein besser gekleideter Mann mit einem Turban, der auf eine gewisse obrigkeitliche Stellung hindeutete.

Udschlis Vater legte eine Paisa auf eine vorspringende Leiste an der Wand hinter dem Manne und fragte: "Willst du meine Frau, Frau Rani, die Gattin Ganapats aus Masrapur, herausrufen?«

Der Mann mit dem Turban blickte auf und Udschli bemerkte entsetzt, daß ihm im ungeheuerlich gedunsenen löwenähnlichen Gesichte die Nase und ein Teil der Oberlippe fehlten. Zwischen den fletschenden gelben Zähnen zischte es hervor: "Sei gegrüßt, Ganapat, ich will sehen, ob deine Rani im Hause ist.«

Er erhob sich mühsam vom Boden, steckte die Kupfermünze ein und ging langsam hinein. Während die Besucher seine Rückkehr erwarteten, schlichen vermummte und unvermummte Aussätzige aus und ein, die einen die hölzerne Warnglocke schwingend, die anderen die Harrenden anbettelnd. Der Türhüter oder Aufseher erschien wieder und zischte: "Deine Rani ist mit ihrer Freundin ausgegangen. Sie werden wohl nicht weit sein. Du wirst sie auf der Straße gegen die Stadt hin treffen.«

Udschlis Vater wußte Bescheid. Er ging mit seinen beiden Begleiterinnen den Pfad entlang bis nach der Straße, welcher er in der Richtung der aus der Ferne mit einigen hohen Türmen und blitzenden Kuppeln herüberschimmernden Stadt folgte. Er lugte aufmerksam nach den lagernden und wandelnden Kranken, die stärker oder schwächer mit ihrer Holzglocke klapperten, und setzte stumm seinen Weg fort. Wo der Teich aufhörte, da blieb er plötzlich stehen und faßte Udschlis Hand. Das Mädchen verstand und blickte auf. Wenige Schritte weit sah sie zwei Gestalten langsam am Saum der Straße herankommen. Die eine zeigte ein mit Schwären und Pusteln bedecktes Angesicht mit einem zerstörten Auge und einer Stirn, die wie ein Stück bemoster Baumrinde aussah. Die andere hatte den ganzen Kopf bis zur Höhe des Mundes in ein weißes Tuch gehüllt und nur eine entfärbte Unterlippe und ein zitterndes Kinn blieben vom Antlitz sichtbar. Die Vermummte war rein gekleidet, die Einäugige zerlumpt und verwahrlost. Als sie der Gruppe näherkam, zog sie ihre Begleiterin, die sie am Arm führte, enger an sich heran und rasselte, ohne aufzublicken, mit der Warnglocke.

"Die Mutter?« stieß Udschli mit gepreßter Stimme hervor und machte eine Bewegung, wie um zu ihr hinzustürzen. Ihr Vater und ihre Muhme hielten sie kraftvoll fest und jener sprach laut: "Sei gegrüßt, Rani, ich bin hier.«

Die beiden Kranken blieben überrascht stehen und die Vermummte erwiderte: "Bist du es, Ganapat? Sei gegrüßt und gesegnet. Was führt dich an dem ungewohnten Tage zu mir?« Ihre Stimme klang so rauh und heiser, daß sie mehr dem Knirschen einer rostigen Türangel als menschlichen Lauten glich.

"Mutter, Mutter, ich bin gekommen, um dich zu sehen, o Mutter, die man mir so früh genommen hat,« rief Udschli aufschluchzend und machte heftige Anstrengungen, um sich loszureißen.

Rani richtete sich auf, erhob den Kopf, das Zittern ihres sichtbaren Kinnes wurde stärker und aus ihrer tonlosen Kehle röchelte es hervor: "Wer bist du, die mich Mutter nennt?«

"Deine Udschli, Mutter, deine arme Udschli. O Mutter, weißt du denn nicht, daß du ein Mädchen hast?«

Die Kranke wiegte langsam den Kopf hin und her und krächzte mit deutlich bebender Stimme: "Ich habe es gewußt, aber ich habe es vergessen müssen. Ich habe dich mit meiner Milch genährt und du warst wohl ein Jahr lang meine Freude. Dann wurden meine Arme leer und sie trugen dich nicht mehr. Du warst mein Glück, aber ich habe dich wenig gekannt. Du hast mich gar nicht gekannt. Ich habe niemand, und mich hat die Krankheit. Mögen die Götter dir Glück und Segen geben, mein Kind. Geh heim und denke nicht an deine arme Mutter.«

"Nicht an dich denken! Mutter! Da ich dich gesehen habe! O Mutter, und du bist hier allein.«

"Ich bin nicht allein, Kind; diese Gute, die Motiya hier, pflegt mich und führt mich. Dein Vater Ganapat kommt oft und läßt es mir an nichts fehlen. Die Götter mögen ihn segnen. Und ich denke an mein nächstes Dasein. Es wird ja wohl bald beginnen. Geh, Kind, geh heim.«

Der Vater hatte gesenkten Hauptes und mit trauriger Miene zugehört, ohne Udschlis Hand loszulassen. Er flüsterte ihr jetzt zu: "Gib deiner Mutter, was im Korbe ist.«

Udschli wollte einen Schritt zu ihr tun. Der Vater belehrte sie aber: "Lege es auf den Boden vor sie hin.«

"Wie einem armen Tier!«

"Man darf nicht anders.«

Udschli kauerte nieder, holte den Topf mit Gi, die Bananen, die in Blätter gewickelten Pfirsiche und das Säckchen Reis heraus, legte alles säuberlich nebeneinander und sprach demütig, während ihre Tränen strömten: "Mutter, hier ist, was wir dir gebracht haben.«

Die Kranke nickte und ihre Begleiterin bückte sich, um die Lebensmittel aufzulesen und in den aufgerafften Saum ihres Rockes zu sammeln. Der Stoff war so schmutzig, daß Udschli ein Ekel ankam. "Ich will dir die Sachen ins Haus tragen, Mutter,« rief sie und machte Miene, der Einäugigen wieder abzunehmen, was sie schon in der Hand hielt. Der Vater zog sie aber lebhaft zurück und die Mutter krächzte mit schwacher Stimme: "Laß nur, Kind, laß nur, so ist es gut. Begleite mich nicht. Ganapat, warum hast du das Kind hergebracht?«

"Rani,« erwiderte er unsicher, "Udschli verheiratet sich, sie hat erfahren, wie es mit dir steht, und sie wollte dich vor der Hochzeit sehen.«

Die Kranke erhob den Kopf und das Zittern des Unterkiefers hörte einen Augenblick auf. "Wen heiratet sie?« kam es aus der zerstörten Kehle heraus.

"Den jungen Dasa, den Sohn von Bihari Lal Ram, wenn du dich seiner erinnerst.«

Sie dachte eine Weile nach, dann fragte sie weiter: "Wie alt ist das Kind?«

"Sechzehn Jahre.«

"Wie lange bin ich hier?«

"Nahe an die vierzehn Jahre.«

"Ist das Kind gesund?«

"Ganz gesund, Rani.«

"Sie ist schön wie der Vollmond,« murmelte die Einäugige.

"Allen Göttern sei Dank,« sagte Rani. Dann nickte sie einigemal mit dem Kopfe und fügte hinzu: "Ich bin müde. Es ist heiß. Ich muß ins Haus zurück. Lebt wohl, lebt wohl.« Und sie verließ mit kleinen schleifenden Schritten am Arm ihrer Führerin ihre Besucher.

"Mutter!« rief ihr Udschli nach, aber ihr Vater legte ihr die Hand auf den Mund und sprach leise, doch eindringlich: "Laß sie, Kind, es muß ja sein.« Da starrte das Mädchen der sich langsam Entfernenden einen

Augenblick nach, warf sich, ehe ihr Vater es verhindern konnte, in den Staub der Straße und berührte mit der Stirn die Stelle, wo der Fuß ihrer Mutter gestanden hatte.

Die Fahrt nach Kutsch ließ tagelang tiefe Schwermut in Udschlis Seele zurück, obwohl ihr Bräutigam und ihre Angehörigen alles taten, um sie zu zerstreuen, und obwohl die Vorbereitungen zur nahen Hochzeit ihr so viel Arbeit gaben, daß zum Versinken in Träumerei kaum Zeit blieb.

Dasa liebte seine schöne Braut leidenschaftlich und wich seit dem Tage der förmlichen Verlobung nicht von ihrer Seite. Er kam so früh am Morgen und ging so spät am Abend, wie es die Sitte irgend gestattete, streute ihr Blumen vor die Füße und in den Schoß, brachte ihr kleine Geschenke und begleitete sie heiß und trunken mit den Blicken, wenn sie am Herde unter religiösen Bräuchen und Gebetversen die Mahlzeiten bereitete oder wenn ihre kunstfertigen Finger mit bunter Seide glückbedeutende Sinnbilder in das feine Linnen stickten.

Udschli ihrerseits war Dasa innig zugetan und es wurde ihr warm ums Herz, wenn sie daran dachte, daß sie nun bald die Gattin des Jünglings werden sollte, zu dem sie, soweit sie sich zurückerinnern konnte, immer als zu ihrem künftigen Herrn und Beschützer aufgeblickt hatte. Dennoch drängte sich auch in den Tagen der kurzen Brautschaft das Bild der Mutter zwischen sie und den Bräutigam, dessen lebendige Gegenwart und blühende Jugend sie die unglückliche Abwesende und ihre jammervolle Zerstörung nicht vergessen machen konnte. Es war ein unklares Gemisch von starken Gefühlen; etwas wie Gewissensbisse über ihre glückliche Jugend, während die Mutter ein so furchtbares Dasein geführt hatte, Selbstvorwürfe, daß sie sie allein ließ, vielleicht auch eine Regung von leise schauderndem Bangen, daß ein so grauenhaftes Geschick möglicherweise auch von ihr noch nicht endgültig abgelenkt war.

Der große Tag der Hochzeit kam. Nach dem Brauche der besseren Familien wurde sie am Abend gefeiert. Sie war ein Fest des ganzen Dorfes, das Udschli bewunderte und liebte. Die Frauen wuschen und kämmten die Braut und zogen ihr das neue Hochzeitskleid an. Sie setzte sich hinter das Herdfeuer, während vor ihr die Gespielinnen den feierlichen Reigen tanzten und Vedische Verse dazu sangen und die eingeladenen Brahmanen am geweihten Feuer die Korn- und Mehlopfer darbrachten und den Göttern Hymnen psalmodierten. Dann erscholl frohes Getöse von außen, die Tür öffnete sich und unter den Klängen lärmender Musik, dem Jauchzen der ihn mit brennenden Fackeln begleitenden Altersgenossen und Freunde und den lauten Begrüßungsrufen der älteren Familienglieder trat der Bräutigam ein, schritt auf die Braut zu und überreichte ihr mit vor freudiger Erregung zitternden Händen das Ehrenkleid und den schön gearbeiteten silbernen Handspiegel. Die Großmutter, die Muhmen und Basen banden ihr mit bunten Fäden, deren Farben sinnbildliche Bedeutung haben, Amulette aus Elfenbein und Korallen, aus Halbedelsteinen und Filigran um die Arme und den Hals, um die Brust und den Leib, in größerer Zahl, unter inbrünstiger gemurmelten Zaubersprüchen, als es sonst wohl geschieht. Dann sangen die Brahmanen lauter und flehender neue Hymnen und verbrannten neue Opfer von Gewürz und Wohlgeruch und Butter und Mehl und endlich erfaßte Dasa Udschlis Hand und sprach bewegt und gedankenvoll die Trauungsformel: "Dies bin ich, das bist du. Das bist du, dies bin ich. Der Himmel ich, die Erde du. Du bist die Rik und ich bin der Saman. So sei denn mir ergeben. Wohlan! Wir wollen uns hier verheiraten. Und Abkömmlinge haben. Es sollen uns viele Söhne werden, die zu hohen Jahren kommen mögen.« Aus allen Winkeln des Raumes erhob sich Hymnengesang, die Musiker bliesen und geigten aus Leibeskräften, die Fackelträger vor der Tür jauchzten, das junge Paar schritt gemessen Hand in Hand um das Feuer, Udschli warf geröstete Körner in die Glut, tat mit dem angetrauten Gatten abgezählte sieben Schritte nach Nordosten und vollzog den Gruß der Dienerin vor dem Herrn. Die Zeremonie war zu Ende, die Gäste setzten sich zum Mahl, Dasa aber führte sein junges Gemahl durch die sternhelle, duftende Nacht nach dem neuen Hause, das seine Sippe ihm am Turfaufer erbaut hatte. Während dieser Weihestunde, die im Leben der Hindufrau einzig ist und einzig bleiben muß, schwebte der Schatten der Mutter fortwährend um die traumhaft in sich verlorene Braut und als Udschli am Arme des sie heiß an sich drückenden Gatten ihrem künftigen Heim zuschritt, da löste sich die bis dahin verhaltene Beklommenheit in lautlose Tränen, die ihr, vom glücktrunkenen Dasa unbemerkt, über die holden Wangen rieselten.

II.

Nach den ersten Tagen des Honigmonds verlangte Udschli nach Kutsch zu fahren. Dasa hatte einen starken Widerwillen gegen die Reise und wußte sie mit immer neuen Vorwänden hinauszuschieben, bis der Zustand seiner jungen Gattin ihm das Recht gab, ihr jede Unklugheit zu verbieten. Er beschwor sie, auch alle Anstrengungen zu machen, um in dieser Zeit möglichst wenig an die sieche Mutter zu denken, ihr Bild aus ihrer Vorstellung zu verscheuchen, bei inneren Gesichten der Schönheit zu verweilen. Udschli, ganz im Banne der ihrer harrenden Mutterpflichten, gehorchte ergeben und begnügte sich damit, dem Vater auf seine monatliche Fahrt nach Kutsch einen mit besonders liebevoller Sorgfalt gebackenen Honigkuchen für die Mutter mitzugeben.

Das süßeste kleine Mädchen, das man seit Menschengedenken in Masrapur gesehen hatte, erfüllte die Erwartung der jungen Eltern und vollendete das Glück des neuen Heims. So schön war das Kind, so köstlich in seiner rundlichen Fülle, mit dem winzigen Mündchen und den strahlenden schwarzen Äuglein, den strammen Strampelbeinchen und den Puppenhändchen, daß der Vater nicht daran dachte, eine enttäuschte Miene zu machen, und Udschli zärtlich die lieblose Rede verwies, als sie seufzte: "Warum ist es kein Knäblein!« Für die Welt nannte man das Kind Tschandni, für die nächsten Angehörigen aber hieß sie Kali, die Schwarze. Dieser vertraute Name war in kosender Gegensätzlichkeit zu dem der Mutter und zu ihrer eigenen Schönheit gewählt und er sollte durch seine zärtliche Geringschätzigkeit auch den bösen Blick und den Neid boshafter Götter abwenden.

Alle alten und jungen Frauen des Dorfes, denen ihre Kaste das Recht dazu gab, besuchten nach den zehn Tagen der strengen Absonderung und nach der Verbrennung des Zebu-Dunges und des Krautes Darba die glückliche Mutter und verlangten das Kind zu sehen und wunderten sich über die elfenbeinweiße Atlashaut und das entzückende Gesichtchen und die Vollkommenheit der Leibesbildung. Und als Udschli wieder ausging, sammelten sich die Nachbarinnen um sie, wenn sie auf der Schattenseite der Straße den weißen Schleier vom glänzenden Gesichtchen des Säuglings entfernte, damit es Kühlung bekomme und besser atme. "Ein richtiges Aryakind!« "O die kleine Fürstin!« "Keine Lotosblüte ist so schön!« hörte die glücklich lächelnde Mutter um sich murmeln und sie hatte zudringliche Hände sanft abzuwehren, die das Würmchen zu streicheln verlangten.

Alle ihre Gedanken waren jetzt bei ihrem Kinde und nur in der Ermüdung des Abends, im Halbtraum vor dem Entschlummern stieg manchmal auf Augenblicke schattenhaft undeutlich die vermummte Gestalt der Mutter vor ihr auf, um mit dem Erlöschen des Bewußtseins zu verschwinden.

Die Wochen und die Monde schwanden rasch, Tschandni lächelte längst und faßte auch schon lange mit den Händchen nach dem vorgehaltenen Finger der Mutter, seit einiger Zeit zwitscherte sie "Amma!« und "Ah! ah!« und nun war auch schon das erste Zähnchen durch. Es war an einem Tage gegen das Ende der Regenzeit. Udschli saß auf der Schwelle ihres Hauses und nährte Kali. Das Kind zog kräftig und schmatzte von Zeit zu Zeit laut vor Vergnügen und seine schwarzen Äuglein hafteten dabei unverwandt auf den Augen der Mutter, deren Antlitz über den Säugling geneigt war. Diese stumme Zwiesprache zwischen Mutter und Brustkind, diese geheimnisvolle, gegenseitige Anziehung der Blicke hielt Udschlis Aufmerksamkeit so vollständig gefangen, daß sie etwas Sonderbares nicht wahrnahm, was sich in diesem Augenblicke mit ihr zutrug. Auf den Rücken ihrer rechten Hand, die das Kind gegen die Brust hielt, hatte sich eine Hornisse von der großen räuberischen Gattung gesetzt, die bei der kleinsten Regung sofort losssticht. Dasa stand an die Wand gelehnt neben seiner Frau und erfreute sich an dem Anblick der säugenden Mutter mit dem Kinde. Da sah er die auf dem Handrücken hin- und herkriechende, mit den Fühlern und dem Rüssel tastende Hornisse und machte eine leichte Bewegung, um sie zu verscheuchen. Das Tier summte laut, stach mit Wut in die Hand, auf der sie stand, und schwirrte davon. Die Stiche der indischen Hornisse sind sehr schmerzhaft. Gleichwohl zuckte Udschli nicht und schien gar nicht zu bemerken, daß sie gestochen war.

"Hat sie dir nicht weh getan?« fragte Dasa erstaunt.

"Wer?« gab Udschli zurück, wie aus einem Traum auffahrend.

"Die Hornisse.«

"Ich habe nichts gespürt.«

Da wurde Dasa unter seiner Bronzefarbe fahl, er ergriff hastig Udschlis Rechte, betrachtete sie scharf, bemerkte die ein wenig aufgelaufene Stichstelle und ließ sie langsam sinken. Nun besah auch Udschli ihren Handrücken und bemerkte unbefangen: "Sie hat mich wirklich gestochen. Sonderbar. Ich habe es nicht gefühlt.«

Dasa blieb eine kleine Weile lautlos, dann trat er in die Hütte, während Udschli fortfuhr, den Säugling zu pflegen. Nach einiger Zeit kam er mit seinem Stocke heraus. Udschli blickte auf: "Wohin gehst du, mein Dasa?«

"Ich habe etwas zu besorgen,« murmelte er, strich ihr rasch mit der Hand über die schwere Seidenhaarfülle, berührte mit kosenden Fingern das Köpfchen des Kindes und ging.

Sowie er ihr aus den Augen war, beschleunigte er seinen Gang fast bis zum Lauf und war in weniger als einer halben Stunde im Nachbardorf bei einem im ganzen Kreise berühmtenVaëdya , den er mit dem Ordnen getrockneter Pflanzen beschäftigt fand.

"Sei gegrüßt,« sagte Dasa mit keuchender Brust, "du bist mir Vater und Mutter. Ich bin Dasa aus Masrapur, der Gatte Udschlis, der Tochter

Ganapats. Du weißt, daß Udschlis Mutter Rani im Siechenhaus von Kutsch ist.«

Der Vaëdya nickte.

"Udschli wurde soeben von einer Hornisse gestochen und sie hat es nicht gefühlt. Was bedeutet das? Bei allen Göttern, sage mir die Wahrheit, Balarama.«

Das Gesicht des weisen Alten war noch ernster geworden als gewöhnlich. "Wo ist deine Frau gestochen worden?«

"Am rechten Handrücken.«

"Ist an der Hand etwas Krankhaftes zu bemerken?«

"Ich habe nichts bemerkt.«

Der Vaëdya stützte das Kinn in die Hand, schloß die Augen und dachte nach. Dasa starrte ihn unverwandt mit flehenden Blicken an. Nach kurzem Schweigen sprach er: "Ich muß es selbst sehen. Ich werde kommen. Erwarte mich morgen früh.«

"Warum nicht heute? Warum nicht gleich?« bat Dasa angstvoll. "Meine Udschli nährt.«

"Wie alt ist das Kind?«

"Sieben Monate.«

"Ein Knäblein?«

"Ein Mädchen. Aber so köstlich,« fügte er hastig hinzu, "so schön, wie du nie eins gesehen hast.«

Der Vaëdya dachte wieder nach. Als er sah, mit welcher schmerzlichen Spannung Dasa seiner Entscheidung harrte, da sprach er: "Laß uns gehen.«

Udschli saß am Bettchen des eingeschlafenen Kindes und sang leise ein schwermütiges Schlummerlied, als die beiden Männer auf der Schwelle erschienen. Sie stand überrascht auf und eilte, sich in das Nebengelaß zurückzuziehen. Dasa hielt sie jedoch mit den Worten zurück: "Bleibe, Geliebte. Du kennst ja unseren Gast, es ist der Vaëdya Balarama, der unsere armselige Hütte mit seinem Besuch ehrt.«

Udschli stand still, verneigte sich leicht und schlug bescheiden die Augen nieder. Der alte Heilkünstler maß mit bewundernden Blicken ihre königliche Gestalt und ihr schönes Antlitz und ein unwillkürlicher Seufzer hob seine Brust.

"Zeige dem Vaëdya deine gestochene Hand,« fuhr Dasa fort, ohne in seiner folternden Ungeduld an schonende Übergänge zu denken.

"So viel Wesen mit einem Wespenstich, den ich gar nicht gefühlt habe!« rief Udschli und zwischen ihren lächelnden Lippen blitzten die kleinen weißen Zähne. Sie streckte aber dem Alten die Rechte entgegen und folgte ihm auf seinen schweigenden Wink zuerst ans Fenster, dann vor die Tür auf die Veranda. Im Freien betrachtete er lange die Hand und verglich sie mit der Linken. Zum erstenmal fiel es Dasa auf, daß die Rechte deutlich weißer war als die Linke.

"Schließe die Augen,« gebot der Vasdya.

Udschli gehorchte.

Er wickelte seinen rechten Zeigefinger in den Saum seines baumwollenen Gewandes und strich ihr über den Handrücken.

"Was fühlst du?«

"Nichts,« erwiderte Udschli und öffnete neugierig die Lider.

"Schließe die Augen!« rief der Alte herrisch, zog eine stählerne Nadel mit Carneolkopf aus seinem Turban und stach sie kräftig in Udschlis Hand. Sie zuckte nicht. Da ließ er sie sinken und sprach: "Meine Tochter, setze dich und zeige mir deine Füße.«

Udschli blickte errötend Dasa an, der ihr zuflüsterte: "Tue es, Geliebte.«

Der Vaëdya kauerte vor ihr nieder und seine knöchernen braunen Finger tippten da und dort auf die edelgeformten hochgewölbten Füße, die Udschli bei der Berührung unwillkürlich unter den Kleiderrand zurückzog.

Der Heilkünstler erhob sich mühselig, von Dasa unterstützt.

"Hast du in der letzten Zeit ziehende Schmerzen im Vorderarm gefühlt?«

Udschli stutzte, besann sich und antwortete stockend: "In der Tat – aber – es war wirklich nicht der Rede wert.«

Der Vaëdyll ging langsam in die Hütte zurück, trat an das Bettchen des süß schlummernden Kindes und sagte: "Kleide das Kleine ganz aus, damit ich es betrachte.«

Da stand Udschli mit einem Satz am Bettrand, faßte ihn rücklings mit beiden Händen, drängte den Vaëdya weg und starrte ihn mit weit aufgerissenen Augen an.

"Warum? warum?« entrang es sich heiser ihrer zugeschnürten Kehle. Ihr Blick wanderte vom verschlossenen Antlitz des Vaëdyas zu dem ihres Gatten, der furchtbar fahl war. Wie ein Blitz schoß es ihr durch den Kopf, in dem jäh eine grauenhafte Helle aufflammte. Ihre Beine zitterten sichtbar. Ihre Sprache wurde tonlos:

"Ist es – habe ich – die Krankheit?«

Der Vaëdya faßte Dasa am Arm und murmelte: "Komm, laß uns draußen sprechen.«

"Nicht draußen, nein, nicht draußen!« kreischte Udschli. "Balarama, du bist mir Vater und Mutter. Sage mir die Wahrheit! Ich muß sie doch wissen!«

Da sammelte sich der Vaëdya, schloß die Augen und nach einer qualvollen Pause sprach er dumpf:

"Die Götter seien euch und uns allen gnädig –Mahâ-Rôg !«

" Râm!Râm!« war das einzige, was Udschli röchelte, dann sank sie leblos zu Boden. Der Alte beugte sich mitleidig über sie und trug sie mit Hilfe Dasas zur Matte in der Stubenecke. Sie schlug alsbald die Augen auf, blickte verwirrt umher, die Erinnerung kam ihr wieder, mit einem Ruck setzte sie sich auf und fragte händeringend und mit bebender Stimme, während ein Tränenstrom hervorbrach: "Balarama, irrst du dich nicht? Es ist doch nichts zu sehen und ich fühle mich doch ganz gesund?«

Der Vaëdya schüttelte den Kopf. "Ach, meine Tochter, ich kann mich leider nicht irren. Du hast zurzeit erst denKhor , aber er wird sich später unabwendbar zumRaktapitiverschlimmern.«

"Und du weißt keine Heilung, du, der so viel weiß?«

"Wohl weiß ich viel, aber den Mahâ-Rôg haben die Götter unserer Kunst entzogen.«

Sie war ganz in sich zusammengesunken und Dasa hatte sich auf die Schwelle gesetzt und weinte bitterlich. Plötzlich schnellte sie wieder empor: "Und mein Kind?«

"Du mußt dich davon trennen.«

Ein wilder, fürchterlicher Schrei entrang sich ihrer Brust, der Notschrei der zu Tode gemarterten Kreatur. Er weckte die kleine Tschandni, die laut zu weinen begann. Udschli war im Nu auf den Beinen und schoß zum Bettchen hin, aber im Augenblicke, wo sie das Kind aufnehmen wollte, sanken ihr die Arme wie kraftlos herab und sie wich langsam zurück. Tschandni hatte die Mutter erblickt, schrie immer heftiger, streckte beide Ärmchen nach ihr aus und ließ klägliche Laute vernehmen, die wie: "Ma – ma – ma – da – dda – dda!« klangen. Udschli kämpfte grausam mit sich, aber der Säugling schrie jämmerlich, die Milch schoß ihr in die Brust, ihr Wille brach zusammen, ehe die beiden Männer ihr nahekommen konnten, hatte sie das Kind von seinem Lager gerafft, zur Matte getragen und angelegt. Es nahm sofort gierig schmatzend die Brust und seine Händchen spielten mit unbewußt liebkosenden Streichelbewegungen an seinem Labequell. Udschli beugte sich auf den Säugling nieder und ihre reichlich quillenden Tränen troffen dem Kinde schwer und häufig aufs Gesichtchen. Es ließ die Brust fahren, seine glänzenden Äuglein blickten erstaunt und mißvergnügt auf und es stieß eine Reihe kleiner, unwilliger Schreie aus. Udschli wischte sich mit dem Handrücken hastig die Tränen ab, trocknete dem Kinde mit dem

Kopftuch die Wängelchen und die Stirn und wiegte es sanft, um es zu beruhigen.

Dasa kam langsam an ihre Seite: "Geliebte, du sollst ja nicht.«

Udschli schien nicht zu hören.

"Balarama, sprich du zu ihr. Es schadet ja dem Kinde.«

Udschli warf den Kopf zurück und ihre Augen funkelten. "Hat es meiner Kali sieben Monate nicht geschadet, so wird es ihr auch heute nicht schaden.«

Der Vaëdya schüttelte das Haupt und sagte mit tiefem Mitleid in der Stimme: "Ich weiß nicht, ob es dem Kinde diese sieben Monate nicht geschadet hat, aber ich weiß, daß du es gefährdest, wenn du es weiter stillst.«

"Wie!« zischte sie mit kaum verhaltener Wut, "soll ich mein kleines Kind nach mir schreien lassen? Soll ich mein Fleisch und Blut leiden lassen? Soll ich es vor mir verschmachten sehen? Hast du ein Menschenherz, hast du ein Tigerherz in der alten Brust? Töte uns doch gleich, das Kind und seine Mutter! Das ist das beste.«

Der Heilkünstler blieb stumm und blickte nur den gelähmt dastehenden Dasa ausdrucksvoll an.

Tränen erstickten wieder Udschlis Stimme und während sie mit abgewandtem Kopfe ihr Kleines schaukelte, das im Begriffe war, wieder einzuschlafen, wimmerte sie: "Was soll aus meinem Blümchen werden, wenn ihr es jetzt von mir reißt?«

"Wir werden ohne Zweifel in Masrapur oder in der Umgegend eine gute Frau finden, die dem Kinde Amme sein kann,« suchte der Alte zu trösten.

Sie trug das eingeschlafene Kind zu seinem Lager zurück, bettete es zärtlich und fiel dann mehr, als sie sich setzte, auf ihre Matte. Die Bilder des Siechenhauses von Kutsch, ihrer Mutter und ihrer Führerin, der kauernden und schleichenden Leichname ohne Menschenantlitz und Hände stiegen vor ihr auf und sie preßte verzweifelt die Augenlider zusammen, um sie nicht zu sehen. Aber die inneren Gesichte wichen nicht und in ihre Ohren hallten dumpf die Rassellaute der hölzernen Glocken. Auch sie sollte diese schauerliche Klapper schütteln, auch sie alsbald ein antlitzloser, verstümmelter lebender Leichnam werden. Und nicht nur sie. Auch die süße Lotosblumenknospe, das köstliche Geschöpfchen, das dort so ahnungslos schlief, so schön, so weich, so kleinodartig – ah –

Sie schüttelte schaudernd den Kopf so heftig, daß die Silberkettchen in ihrer schweren schwarzen Haarfülle klirrten, als wollte sie die fürchterlichen Vorstellungen aus dem Gehirn schütteln.

Der Alte und Dasa waren mittlerweile über die Schwelle getreten und flüsterten miteinander.

"Was ist zu tun, mein Gönner? Herr, was ist zu tun?«

"Du mußt die arme Frau in das Krankenhaus schicken.«

"Nie und nimmer.«

"Du weißt, daß deine Leute dir nicht erlauben werden, sie hier zu behalten.«

"Aber so lange sie es nicht wissen.«

Der Vaëdya machte eine vielsagende Kopfbewegung. "Wenn du es nicht länger verheimlichen kannst, dann ist es vielleicht zu spät.«

"Wieso?«

"Ich meine für dich.«

"Dann gehe ich mit ihr. Wo Udschli ist, da will ich auch sein.«

"Und das Kind? Willst du es nicht retten? Soll es werden wie seine Mutter und Großmutter?«

Als hätte sie gehört, was die beiden außer ihrem Hörbereich sprachen, erhob hier Udschli die wehklagende Stimme.

"Vaëdya, Guter, Weiser, willst du meine Tschandni nicht retten?«

Der Angerufene trat wieder in die Hütte: "Ich kann es nicht. Du allein kannst es.«

"Wehe mir! Was muß ich tun?«

"Du mußt dich von dem Kinde trennen.«

"Wehe mir! Wehe mir! Aber wir sind ja so lange beisammen gewesen! Tag und Nacht! Bist du denn sicher, daß ich sie nicht schon angesteckt habe?«

Der Vaëdya blieb stumm.

Udschli schleifte sich auf den Knien zu ihm und wiederholte händeringend: "Vaëdya, du bist mir Vater und Mutter. Sage mir die Wahrheit. Bist du sicher, daß ich sie nicht schon angesteckt habe?«

"Was ist sicher?« murmelte er ausweichend. "Alles ist Sinnentrug. Alles ist Schein. Wir leben in der Welt des Scheins.«

Udschli sprang auf. "Ich will wissen,« rief sie, "ob ich meine Kali rette, wenn ich sie verlasse.«

Der Alte vermied ihren Blick. "Ich glaube es. Ich hoffe es.«

"Aber du weißt es nicht?«

Er schwieg.

"Du weißt es nicht. Nun denn: höre mich, Balarama, höre mich, Dasa, wenn ich nicht sicher bin, daß mein Kind heil ist, so will ich sie lieber mit eigener Hand erwürgen. Besser einen Tod sterben als tausend Tode wie ihre arme Mutter und wie die meine.«

Sie bedeckte ihr Antlitz mit dem Kopftuch und schluchzte dahinter herzbrechend.

Der Vaëdya griff nach seinem Stock, der am Türpfosten lehnte, und sagte halblaut zu Dasa: "Sorge für eine Amme, mein Freund.«

"Wer wird meiner Tschandni die Brust reichen wollen, wenn man im Dorf erfährt, daß ihre Mutter ins Siechenhaus gebracht wurde?« jammerte Udschli, ihr Gesicht enthüllend. Da sie auf diesen Einwand keine Antwort erhielt, sagte sie entschlossen: "Dasa, schicke mich weg, wenn du mußt und wenn der Vaëdya es befiehlt. Aber merke wohl auf: von jetzt an bin ich tot. Ich will nicht leben wie meine arme Mutter. Ich will nicht so lange sterben wie meine arme Mutter. Ich will es kurz machen.«

"Du willst dich töten?« fragte Dasa bang.

"Das will ich,« erwiderte Udschli fest.

"Dann tust du es nicht allein,« sprach Dasa und blickte sie tief an.

Udschli faltete die Hände: "Aber Kali? Unsere Kali?«

"Die Blüte mit dem Baum. Das Kind mit den Eltern,« gab Dasa mit düsterer Ruhe zurück.

Es klang solcher Ernst aus seiner Stimme, daß der Alte sich bewogen sah, in strengem Tone zu sagen: "Man darf kein Leben zerstören, um Leid von sich abzuwenden. Solchen Frevel müßtet ihr in siebenmal siebenhundert noch qualvolleren Wiederverkörperungen büßen. Wenn du am Leben nicht hängst, meine Tochter, dann gibt es ein Mittel, das Verhängnis von deinem Kinde abzuwenden.«

Ein langer Schrei entfuhr der Brust Udschlis. "Ah! es gibt ein Mittel! Und du hast es mir nicht gleich gesagt!«

"Es ist ein grausames Mittel.«

"Ist es sicher?«

"Ganz sicher.«

"Dann sprich! Sprich! Was ist es? Soll ich mir meine Hand abhacken? Soll ich mich den Gavialen zum Fraße hingeben? Soll ich mich Krischna Dschagannath opfern?«

Das Gesicht des Vaëdya nahm einen fremden, durchgeistigten Ausdruck an, seine Stimme bebte und seine Rede fiel in den eigentümlich singenden Ton, worin man vedische Hymnen und Mahâbhârata-Slokaszu rezitieren pflegt: "Leben kauft Leben. Der Tod löst vom Tode. Fährst du lebend zur Grube, mit Liebe im Blick und lächelndem Munde, so bist du gereinigt und rein ist dein Kind. Du bist dann den Arya gleich, selbst eine Arya, Mutter einer glänzenden Arya, und der Mahâ-Rôg ist überwunden, ist abgespült vom silbernen Leibe deines Kindes.«

Udschli war dem Alten zu Füßen gesunken und hatte mit weitgeöffneten Augen zugehört. "Balarama, verstehe ich dich recht? Mein freudiger Tod für das Kind ist seine Rettung?«

"Das ist er, meine Tochter.«

"Wie soll es geschehen? Wo? Wann? Fürchte nicht, mich zu betrüben. Deine Worte sind klare Butter und Honig.«

"Bei Neumond muß deine Sippe dir an drei Wegen an einer Stelle, die nie der Pflug geritzt hat, ein Grab schaufeln und darin mußt du dich betten. Und dein Mann muß dich mit der Erde bedecken.«

Dasa stöhnte dumpf. Udschli wandte sich mit weichen Schmeicheltönen zu ihm. "Geliebter, was ist da so Großes? Ist es nicht besser so? Wenn ich schon lebendig begraben sein soll, dann lieber gleich in der Erde, umgeben von den Meinen, als im Siechenhause inmitten des fremden Elends.«

Ihre Stimme verriet keine Aufregung mehr und keinen Schmerz. Der Gedanke des nützlichen Opfers schien ihr Frieden und einen Anflug innerer Freudigkeit zu geben.

"Darf ich dann aber meine Tschandni weiter nähren bis zur Entwöhnung?«

"Das darfst du.«

Udschli stieß einen Jubelschrei aus und sprang auf. "Dasa! Dasa!« war alles, was sie hervorbringen konnte. Ihre Augen leuchteten und ihre Wangen flammten.

"Ja,« fügte der Alte rasch hinzu, "aber du darfst sie nicht so lange nähren wie eine Radschatochter. Nur noch drei Monate, bis sie zehn Monate alt ist.«

"Kann sie mich denn aber dann wirklich entbehren?«

"Sie steht im besondern Schutz von Sabhadra und allen Göttern.«

Udschli warf auf den in sich versunkenen Dasa einen Blick und fragte etwas zögernd: "Und – den anderen um mich – schade ich ihnen nicht?«

Der Vaëdya dachte nach. "Darüber,« sprach er nach einer Pause, "steht in den Büchern nichts. Doch wirst du durch deinen Entschluß zur heiligen Büßerin und die Heiligen verbreiten Segen um sich, keinen Fluch.«

Die Nacht war inzwischen völlig hereingebrochen. Der Alte griff wieder zu seinem Stock und wandte sich zum Gehen.

Dasa raffte sich aus seinem wortlosen Brüten auf. "Mein Herr! Mein Gönner!« sagte er, "es ist zu spät geworden, um heimzukehren. Willst du nicht für die Nacht mit der armen Hütte deines Dieners vorlieb nehmen?«

"Nein,« erwiderte der Vaëdya etwas hastig, "nein, mein Sohn, ich gehe zu einem Freunde, den ich im Orte ganz nahebei habe. Der wird mich schon beherbergen.«

Er schritt rasch mit aufstoßendem Stock den Pfad hinab und verschwand bald an der Wegeskrümmung. In die Dunkelheit tönte ihm aus der Hütte ein Schlummerlied nach, das Udschli ihrem Püppchen sang, ein Stegreiflied von einer weißen Arya, einer Radschatochter mit silbernem Leib.

Am nächsten Morgen sah Dasa aus, als wäre er in der einen Nacht um zwanzig Jahre gealtert. Udschli dagegen zeigte helle Augen und eine unbewölkte Stirn. Sie hatte gegen ihre Gewohnheit ihr kleines Mädchen auf ihr Lager genommen und die ganze Nacht in ihren Armen schlafen lassen.

"Geliebter,« sagte sie sanft, nachdem sie das Frühmahl bereitet hatte, "ich will heute nach Kutsch fahren.«

Dasa blickte sie bestürzt an. "Nicht doch, Udschli. Wozu denn? Weshalb dir Kummer holen?«

"Es macht mir keinen Kummer. Nichts macht mir mehr Kummer, außer daß ich euch verlassen werde. Nichts anderes.«

"Du bist fast anderthalb Jahre nicht in Kutsch gewesen.«

"Gerade deshalb. Ich will meine arme Mutter noch einmal sehen.«

Da Dasa sich nicht gleich rührte, bat sie eindringlich: "Dasa, Geliebter, hole die Ochsen aus dem Stall. Ich habe recht. Und du darfst mir ja auch nichts mehr abschlagen.«

Bei dieser Anspielung zuckte es über Dasas Gesicht, er ließ den Kopf hängen und ging.

Udschli machte ein Körbchen mit den Gaben der Jahreszeit zurecht und hüllte ihr Kind, das sie aus dem Bettchen nahm, in weiche, bunte Tücher. Als Dasa wiederkam, berieten sie sich noch kurz darüber, ob Udschli ihrem Vater etwas sagen sollte. Sie kamen überein, daß dies besser unterblieb.

In der frischen Luft, vom Dache des zweiräderigen Karrens vor dem Regen geschützt, schlief das Kind mit geschlossenen Fäustchen und erwachte nur einmal während der Fahrt, um die Brust zu nehmen. Ans Ziel gelangt, bedeutete Udschli ihrem Manne, wo er zu halten habe, drückte das schlummernde Kleine fest an sich, hielt es eine Weile gegen ihre Brust gepreßt und legte es dann sanft ihrem Gatten in die Arme.

"Halte sie, bis ich wieder komme, Geliebter. Und wenn sie erwachen will, so wiege sie ein wenig, aber nicht stark, und sage nur nichts.«

"Bleibe nicht lange, Geliebte,« bat Dasa.

"Sei ruhig,« erwiderte Udschli mit einem langen Blick auf das Kind. "Nur so lang, wie Kali es zuläßt.«

Sie stieg ohne Hilfe ab und entfernte sich mit ihrem Körbchen.

Wegen des Regens waren keine Kranken am Straßenrand und am Ufer des Teiches, worin das Wasser hoch stand. Ohne Begegnung gelangte sie an das Türgatter des Hauses, stieß es mit ruhiger Entschlossenheit auf und trat ein. Ihren raschen Schritt bannte ein Schrei, der sie aus einem Gelaß neben dem gedeckten Flur anrief. Zugleich stürzte aus der sich auf den Flur öffnenden Tür ein Mann hervor. "Zurück! Zurück! Man tritt hier nicht ein!« Der dies sagte, war ein anderer als der Türhüter, den Udschli bei ihrem vorigen Besuche gesehen hatte. Er war noch jung und schien auf den ersten Blick gesund. Nur aufmerksamere Betrachtung ließ auf Stirn und Wangen helle, fast weiße, höckerig erhöhte Flecken an der dunkeln Haut wahrnehmen.

"Ich gehe zu meiner Mutter Rani, der Gattin des Ganapat aus Masrapur.«

"Du darfst nicht, Herrin. Kein Gesunder darf hier eintreten.«

"Ich bin nicht gesund,« erwiderte Udschli ruhig.

Der Torwart starrte sie einen Augenblick an, verschränkte seine Arme vor der Brust und neigte schweigend sein beturbantes Haupt.

"Willst du mir sagen, wo ich meine Mutter finde?«

Der Torwart trat über seine Schwelle, faßte ein mit dem Rücken gegen die Wand am Boden hockendes, anscheinend noch rüstiges Weib an der Schulter und gab ihr halblaute Anweisungen. Die Kranke erhob sich ohne Mühe und winkte Udschli, ihr zu folgen.

Der Weg führte unter Bogengängen, die einen weiten offenen Hof einrahmten, zu einer niedrigen, ziemlich großen Stube, die ihr Licht bloß durch die geöffnete Tür empfing. Bis dahin hatte Udschli nicht rechts noch links geblickt und sich nur triebhaft in acht genommen, die Bewohner des Heims nicht zu streifen, die einzeln, paarweis oder in größern Gruppen unter den Lauben hockten oder lagerten, die Vorgeschritteneren unbeweglich und lautlos, die leichter Erkrankten miteinander plaudernd oder in Brett- und Knöchelspiele vertieft.

Am Eingang der Stube hielt Udschli unwillkürlich still. Ihre Führerin wies mit einer Hand, an der, wie Udschli erst jetzt bemerkte, einige Fingerglieder fehlten, in eine dunkle Ecke und sagte: "Dort ist die Rani, die du suchst. Schenke mir etwas, Herrin, ich bin arm und verlassen.«

Udschli holte aus einem Beutelchen in ihrem Busen eine kleine Münze heraus und reichte sie der Kranken, die sich, einen Dankspruch murmelnd, entfernte.

Aus der Stube schlug Udschli ein fast unerträglicher Geruch entgegen, der sie zaudern ließ. Sie überwand jedoch tapfer ihre inneren Widerstände und trat in das Halbdunkel, woran ihr Auge sich allmählich gewöhnte. Die Wände entlang erhoben sich einige gemauerte Lagerstätten ein wenig über den gestampften Lehmboden, dessen Schmutz Udschli entsetzte. Einige der Lager waren leer, auf anderen saßen und lagen vermummte Gestalten. Auf die eine, die ihr bezeichnet worden war, ging Udschli langsam zu, blieb an ihrer Seite stehen und betrachtete sie lange.

Die Gestalt lag ausgestreckt auf dem Teppich, der die kahlen Mauersteine des Lagers bedeckte. Sie war in reinliche Stoffe gehüllt. Vom Kopfe, der auf eine kleine Schlummerrolle gestützt war, sah man unter dichten Binden nichts als Mund und Kinn. Am Boden standen neben dem Kopfende einige Näpfe, Schüsselchen und ein flachgedrücktes, vierbeiniges tönernes Wassergefäß. Es regte sich nichts an der Liegenden. Sie konnte eben so gut eine Leiche wie ein lebendes Wesen sein. War das denn auch ihre Mutter, die Udschli da vor sich hatte? Einen Anhaltspunkt, sie zu erkennen, gab es nicht.

Sie kauerte neben dem Lager nieder und berührte sanft die Schulter der Kranken. Diese rührte sich nicht. Sie rüttelte sie ein wenig und fragte mit bebender Stimme: "Bist du auch Rani, die Gattin Ganapats?« Sie erhielt keine Antwort. Eine alte Frau, zwei Lagerstätten weiter, rief ihr mit heiserer Stimme zu: "Sprich lauter, wenn sie dich hören soll, mein Blümchen.«'

Udschli wiederholte ihre Frage so laut, wie es ihre Bewegtheit zuließ. Da rollte die Kranke langsam ihren verhüllten Kopf seitwärts, ihr Unterkiefer begann zu beben und ein fast unhörbar schwacher röchelnder Laut summte: "Rani. Ich bin Rani. Wer ruft mich an?«

In demselben Augenblick hatte Udschli sich der ganzen Länge nach auf das schmale harte Lager geworfen, das arme Menschengetrümmer in ihre Arme genommen und an sich gezogen und ihr, am ganzen Leibe bebend, ins Ohr gerufen: "Dein Kind, deine Udschli.«

Zuerst blieb die Kranke völlig unbeweglich, wie gelähmt. Dann begann sie schwache Anstrengungen zu machen, um sich den Armen ihrer

Tochter zu entwinden, ihr Unterkiefer zitterte heftig und sie zischte: "Rühre mich nicht an! Du darfst nicht!«

"Ich darf, Mutter, ich darf alles,« gab Udschli zurück und ihre Arme schlangen sich fester um die Kranke, deren Kraftlosigkeit keinen weitern Widerstand gestattete. Sie überließ sich mit einer Wonne, die das Zittern ihres Unterkiefers und das Zucken ihrer weißen Lippen verrieten, der unbekannten Empfindung des Gehätscheltwerdens und suchte mit ihren jämmerlichen Armstummeln in schwachen, unsicheren Streichelbewegungen Udschlis Körper zu betasten. So ruhten Mutter und Tochter Brust an Brust und wurden nach lebelanger Trennung wieder eins.

"Warum bist du gekommen, Kind? Mein Ganapat ist doch nicht gestorben?« hörte Udschli endlich ganz nahe an ihrem Ohr.

"Nein, Mutter,« erwiderte sie schnell. "Mein Vater ist wohl und alles ist wohl. Ich habe ein Kind bekommen, ein kleines Mädchen. Wir haben es für uns Kali genannt und Tschandni für die anderen.«

"Ist es heil?« kam die ängstliche Frage aus der tonlosen Kehle.

"Ganz heil, Mutter, und schön wie der Vollmond. Ein Aryakind. Eine Radschatochter.«

Die Halbtote blieb nun ganz ruhig und sagte nichts mehr. Ihre Unbeweglichkeit und Stille ängstigten nach einiger Zeit Udschli und sie erhob sich vom Lager.

"Mutter, ich habe dir Gi und Früchte gebracht.«

Die Alte blieb still.

Udschli rüttelte sie sanft, doch ohne Erfolg.

"Mutter, Mutter, ich muß jetzt gehen.«

Keine Antwort, keine Regung.

Die Nachbarin krächzte: "Sie wird ohnmächtig geworden sein. Flöße ihr etwas Wasser ein.«

Udschli nahm den flachen Tonkrug auf, näherte seinen Hals den entfärbten Lippen der Mutter und fragte angstvoll: "Wer pflegt denn meine Mutter, wenn sie etwas braucht?«

"Wir alle pflegen sie, die wir uns noch rühren können. Ihr Mann bringt uns allerlei mit. Sie ist eine der glücklichsten unter uns.«

Das vorsichtig eingeträufelte Wasser rief eine Schlingbewegung und ein kaum hörbares Ächzen hervor.

Udschli schoß der Gedanke durch den Kopf, sie solle den Verband der Mutter erneuern und bei dieser Gelegenheit ihr Antlitz sehen. Sie gab ihm jedoch nicht nach, wie sie glaubte, weil sie ihre Ungeschicklichkeit fürchtete, auch keinen frischen Leinewandstreifen bei der Hand hatte; in Wirklichkeit, weil sie unbewußt vor dem Anblick zurückschrak, der entsetzlich sein mußte.

Sie näherte sich der Nachbarin, die ihr entgegen krächzte: "Bist du die Tochter der Rani?«

"Ja.«

"Fürchtest du dich nicht, in dieses Haus der Qual zu kommen und deine Mutter zu berühren?«

"Nein.«

"Du hast wohl ein kräftiges Amulett?«

"Das kräftigste,« erwiderte Udschli und ein geheimnisvoll wehmütiges Lächeln huschte über ihr Gesicht.

"Die Götter können wirklich nicht zugeben, daß der Mahâ-Rôg solche Schönheit zerstöre. Du zierst ihre Schöpfung, mein Blümchen.«

"Sei gütig gegen meine Mutter,« erwiderte Udschli bloß und reichte ihr einige Kupfermünzen.

"An uns soll es nicht fehlen,« rief die Kranke erfreut und verbarg das Geld unter ihren zerlumpten Gewändern. Leiser fügte sie hinzu: "Sie wird uns nicht lange mehr brauchen. Sie steht nicht mehr auf. Sie ißt nicht mehr. Nimm Abschied von ihr, sie wird wohl bald erlöst sein.«

Udschli kehrte zu ihrer Mutter zurück und versank in ihre Betrachtung. Plötzlich nahm sie sie, einem unwiderstehlichen Drange gehorchend, vom Lager auf und drückte sie zärtlich an ihre Brust. Die

Todkranke wog nicht viel schwerer als ihr Säugling und ihre Arme wiegten sie in der gewohnten Schaukelbewegung. Die Mutter ließ sonderbare, ganz schwache Laute vernehmen, die Udschli auf den Gedanken brachten, daß sie unter ihren Binden weinte. Sie bettete sie wieder behutsam, brachte ihr Antlitz ihrem verhüllten Kopfe ganz nahe, zog einigemale die Luft durch die Nase ein – das Küssen kennt der Hindu nicht – und verließ die halbdunkle Stube.

Als sie unter den Lauben nach dem Ausgange hinschritt, regte sie die stumpfen Kranken zu keinem Blick an. Nur wenige jüngere Insassen des Heims hatten noch Neugierde genug, den Kopf nach ihr zu wenden. Sie aber sah jetzt mit klarem Auge das ganze Grauen der Verstümmelungen, Entstellungen und Zerstörungen und sie schauderte.

"Wie lange du geblieben bist!« sagte Dasa vorwurfsvoll, als sie im Karren ihren Platz neben ihm einnahm.

"Ist Püppchen wach geworden?« fragte Udschli, während sie ihm das Kind aus den Armen nahm.

"Sie hat sich nicht gerührt. Geliebte, es war kein guter Gedanke, hierherzukommen.« Er hatte sich, vielleicht ohne es selbst zu merken, ein wenig von ihr weg ganz an den Wagenkorb gerückt.

"Es war ein guter Gedanke, Geliebter.« Nach einer Pause fügte sie, mehr zu sich, als zu ihrem Manne sprechend, hinzu: "Es hat mich ruhiger und fröhlicher gemacht.«

Ob wirklich auch fröhlicher? Sie blieb auf der Heimfahrt wortlos. Der stärker gewordene Regen klatschte laut auf die Wagendecke. Ihre Tränen tropften leise auf das verschleierte Kind in ihren Armen.

Etwa drei Wochen später kam Ganapat nach der Rückkehr von der monatlichen Fahrt nach Kutsch zu Dasas Hütte und berichtete ohne sonderliche Betrübnis, Rani sei tot und begraben. Sie war es für ihn ja längst gewesen und was er an Trennungsschmerz hatte empfinden können, das hatte er längst empfunden. Auch Udschli bereitete die Nachricht keinen eigentlichen Kummer. Es war ihr im Gegenteil, als löste sich ihr ein immer anwesender, immer beklemmender, wenn auch nicht immer bewußt wahrgenommener Druck vom Herzen und als atmete sie leichter. Das Bild der erlösten Mutter im Grabe war ihr unvergleichlich weniger grauenhaft als das der verlassenen, antlitzlosen Siechen im Krankenhause. Sie pries sich selbst wegen ihres Entschlusses glücklich, ein solches Dasein, ein solches Ende von sich und besonders von ihrem Püppchen abzuwenden.

Das Kind gedieh wunderbar. Sein rundes Gesichtchen war schön wie der leuchtende Tag und aus seinen groß geöffneten Augen lachte die ganze Herrlichkeit des Lebens. Mit acht Monaten richtete es sich ganz allein auf den strammen Beinchen auf und setzte unter jauchzenden kleinen Schreien ein Füßchen vor das andere. Mit neun Monaten griff es sich an den Wänden entlang und plumpste nur hin, wenn die Händchen die Stütze losließen. Es verstand alles, was man ihm sagte, rief seine Mutter: "Am! Am!«, begrüßte die aufgetragenen Speisen mit einem freudigen "Hö! Hö!«, lachte laut, wenn die Mutter es hinter dem Öhrchen kraute, und hob die Händchen hoch, wenn man es fragte: "Wie groß ist Kali?«

Udschli trennte sich von dem Kinde keinen Augenblick bei Tag und Nacht. Sie pflegte es, sie nährte es, sie belustigte es, sie trug es, sie hielt es während seiner drei Tagschläfchen unbeweglich in den Armen und sie fühlte es in der Nacht gegen ihre Brust. Die ganze Dorfschaft bewunderte Udschli. Sie hatte nie eine derartige mütterliche Hingebung gesehen. Und je mehr die junge Mutter sich selbst und alles ringsum vergaß, um so schöner wurde sie, um so prächtiger erblühte sie selbst, so daß ihre Schönheit im Orte sprichwörtlich wurde. Als bei einem Aschtunfeste in einer Frauengruppe wieder von Udschlis Schönheit gesprochen wurde und die schwarze Tschamardirne, die einzige Feindin, die sie hatte, grinsend auszurufen wagte: "Ja, ja! Und all das ist doch nur für den Mahâ-Rôg,« da erregte diese Lästerung solchen Unwillen, daß die Weiber über sie herfielen und sie blutig züchtigten. Alles pries Dasa glücklich und man wußte es sich nicht zu erklären, daß er sich scheu von allem Verkehr zurückzog, verfallen aussah und wie von Zentnerlasten gedrückt einherschlich. Man kam auf die Vermutung, daß er an einer zehrenden Krankheit litt, und wurde darin durch die Wahrnehmung bestärkt, daß der berühmte Vaëdya aus dem Nachbarort von Zeit zu Zeit herüberkam und die Schritte nach Dasas Hütte lenkte.

Er kam oft, der alte Balarama, doch immer nur bis an die Schwelle. Er sprach in die Hütte hinein, ohne einzutreten. Udschli erbebte, so oft sie ihn erblickte, denn sie fürchtete immer aus seinem Munde das Schicksalswort zu vernehmen: "Es ist Zeit.« Er begnügte sich aber damit, sich ihre Hand zeigen zu lassen, das Kind zu betrachten und dessen Schönheit anzustaunen. Nach zwei Monaten bemerkte er, daß das Kind schon sechs Zähnchen hatte, und er empfahl, es an Reis zu gewöhnen. Es war ein stechender Schmerz für Udschli, nicht mehr die einzige Lebensquelle ihres Püppchens zu sein, und als sie ihm den ersten Löffel gekochten Reises zum Mündchen führte, da schien ihr, als beginne die Entfremdung und Trennung zwischen ihnen. Sie gehorchte aber ohne Murren den Anordnungen des Heilkünstlers.

Das Kind gewöhnte sich rasch an die neue Nahrung und blühte wunderbarer denn je. Und als wieder ein Monat verstrichen war und der Vaëdya wieder kam und sich wie gewöhnlich von Udschli die Hand zeigen ließ, da verweilte sein Blick länger als sonst auf dem schmalen, langen Handrücken, sein in den Saum des Gewandes gehüllter Finger fuhr langsam einigemal darüber und fühlte deutliche Verhärtungen, die auch schon dem Auge als Knötchen wahrnehmbar wurden, und er sprach mit feierlicher Stimme: "Meine Kinder, bereitet euch für den nächsten Neumond.«

Udschli konnte einen bangen Schmerzenslaut nicht unterdrücken und Dasa verhüllte sein Gesicht in beide Hände. Die junge Frau faßte sich indes rasch und fragte nur leise: "Herr, Gebieter, muß es so bald sein?«

Er nickte und sagte mit tiefer Stimme: "Es muß.«

"Sei gütig! Sei gnädig! Denk an meine Tschandni! Kann sie denn die Mutter schon ohne Schaden entbehren?«

"Sie hat sechs Zähnchen, sie ißt Reis, sie läuft. Du kannst an ihr schon leibhaftig die Wirkung deines heiligen Entschlusses sehen.«

Da wischte Udschli sich ergeben die Tränen, die unaufhaltsam hervorgequollen waren, aus den Augen, faßte Dasa am Arm und sprach weich: "Geliebter, sei nicht betrübt. Denke an das Grauen des Krankenhauses. Freue dich über die Schönheit unseres königlichen Kindes.«

Statt aller Antwort sank Dasa vor seiner jungen Gattin auf den Boden, ergriff den Saum ihres Kleides und murmelte schluchzend die Formel der Anbetung.

Udschli hatte sich völlig überwunden und fragte den Vaëdya nach den Einzelheiten. Dieser bestand darauf, sie nur mit Dasa zu besprechen.

Die Sache sollte nicht länger geheim gehalten werden. Sie konnte es auch nicht. Denn da sich in der Dorfflur kein dreigeteilter Pfad mit anliegendem Ödland vorfand, so mußte er im Ried erst angelegt werden und das konnte nicht unbemerkt geschehen. Überdies waren bei der heiligen Handlung die Gebete und Opfer der Brahmanen und die Teilnahme der Kaste unentbehrlich. Man mußte nur verhüten, daß dies Vorhaben außerhalb des Ortes ruchbar wurde und etwa dem englischen Residenten in Kutsch zu Ohren kam, da der "Political« es sonst würde verhindern wollen.

Auf Dasas Bitte unterzog der Vaëdya sich der Aufgabe, den Brahmanen des Ortes und dem Vater Udschlis die erforderlichen Mitteilungen zu machen. Die sorgten dann dafür, daß die ganze Dorfschaft in den folgenden zwei Tagen erfuhr, was bevorstand. Das erste, was der Dorfälteste im Einverständnis mit seinen Beigeordneten tat, war, sich der dunkeln Tschamardirne und ihrer Mutter zu versichern und sie in Gewahrsam zu halten, bis das Opfer vollzogen sein würde. Denn nur von ihnen konnte man sich eines Verrats versehen. Die ganze übrige Dorfschaft, in der es keinen einzigen Mohammedaner gab, war zuverlässig. Das nächste war, daß alle arbeitsfähigen Männer und selbst halbwüchsige Jungen die drei Pfade durch das Ried bis zur Straße herstellten, die der Vaëdya für nötig erklärte. Eine tiefe Erregung herrschte im Orte, wo von nichts anderem gesprochen wurde. Die Brahmanen erklärten Udschlis Handlung für noch verdienstlicher als einSati . Sie besuchten täglich Dasas Hütte, verrichteten umständliche Bräuche davor und darin, und sagten Udschli, sie sei nunmehr eine Heilige, ja eine zur Göttin beförderte Sterbliche, eine Karmadêvata. Wenn sie sich in der Dorfstraße zeigte, knieten die Nachbaren nieder und streckten beide Hände mit aufwärts gekehrter Fläche nach ihr hin. Das war ihrer Demut so peinlich, daß sie ihre Dorfgänge aufgab und nur noch im Weizenfelde hinter ihrer Hütte ihren Säugling die Morgen- und Abendkühle genießen ließ. Sie konnte aber nicht verhindern, daß die Dorfbewohner täglich Blumen, Früchte und Reiskörbchen vor ihre Schwelle legten. Nicht ihr allein, auch Dasa und ihrer Sippe wurden große Ehren erwiesen und ihre ganze Kaste erfuhr eine hohe Rangsteigerung in der Schätzung der Dorfgenossen.

Die Opfernacht war endlich da. Bei Sonnenuntergang erschienen die Frauen ihrer Familie in der Hütte, wuschen Udschli und kleideten sie in neue weiße Gewänder, während die Brahmanen mit dem ganz vernichteten Dasa draußen standen und ihm ernst zuredeten, sich durch Fassung seiner selig zu preisenden Gattin würdig zu machen.

Das junge Weib, sehr bleich, doch ruhig und wunderbar schön, ließ alles mit sich geschehen, ohne den Blick von ihrem Kinde im Bettchen abzuwenden. Als sie angezogen, parfümiert und mit Kleinodien und Blumen geschmückt war, meldete ihre Großmutter der Versammlung vor der Tür, daß alles bereit sei.

Der Vaëdya trat ein, näherte sich Udschli mit einer Metallphiole und sprach: "Trinke dies, Herrin.«

Mißtrauisch blickte sie ihn an: "Was ist es?«

Er zögerte einen Augenblick, dann sagte er: "Es ist ein wohltätiger Schlaftrunk, Herrin.«

Sie wehrte mit einer sanften Handbewegung ab. "Ich will wach bleiben. Zum Schlafen finde ich dort unten Zeit genug. Ich will meine

Tschandni sehen, so lange ich kann.«

Der Vaëdya kreuzte die Arme vor der Brust, verneigte sich schweigend, steckte die Phiole in den Gürtel und sagte: "So wollen wir denn aufbrechen.«

"Nur noch einen Augenblick,« bat Udschli, nahm das Kind vom Lager, setzte sich auf die Matte und legte es an die Brust. Der Säugling erwachte nur halb, trank aber herzhaft.

"Sie schmeckt zum letztenmal die Milch ihrer Mutter,« flüsterte Udschli den Frauen zu, die sie umstanden. Alle vergossen heiße Tränen, so daß Udschli bat: "Weint nicht, seht, ich bin fröhlich.«

Als das Kind die Brust hatte fahren lassen und wieder eingeschlafen war, kämpfte Udschli ein wenig mit sich selbst, wand aber schließlich den Säugling in eine Decke und sagte: "Laßt mir sie noch; bis zuletzt; ich werde sie nicht wecken.«

Von den Frauen geführt trat sie vor die Tür. Da stand einPalki , das die Brahmanen sich verschafft und die Nachbaren mit Decken und Kissen ausgestattet und mit Blumen geschmückt hatten. Udschli wurde mit dem Kinde, das sie nicht aus den Armen ließ, hineingehoben und der Zug setzte sich in Bewegung.

Die Männer des Ortes drängten sich dazu, das Palki zu tragen. Sie mußten häufig wechseln, damit möglichst jeder seinen Anteil an der verdienstlichen Handlung habe. Zur Rechten schritt Dasa, von einem Brahmanen gestützt, zur Linken der Vaëdya; Brahmanen folgten, Fackelträger umgaben den Zug, die Frauen gingen hinterher.

Unterwegs flüsterten die Brahmanen in *"upamçu«oder lautloser Andacht unablässig leise Gebete.*

Nach wenigen Schritten sprach Udschli mehr zu sich als zu Dasa: "Wehe mir! Sie wird ihre Mutter nie gekannt haben. Nicht den Schatten einer Erinnerung an mich wird sie bewahren.«

Dann nach einer Pause: "Dasa, mein Geliebter, sage ihr, wenn sie groß ist, wie sehr ich sie geliebt habe; o, wie sehr! Mehr als alles in der Welt.«

Dasa schluchzte laut.

"Aber sage ihr nicht,« fügte sie hinzu, "daß ich für sie gestorben bin.«

Die Brahmanen beteten leise, Dasa weinte, in der stillen Nacht war das Zirpen der Grillen hörbar.

Nach einer Weile ließ Udschli sich wieder vernehmen: "Ach, daß ich sie niemals werde sprechen hören!«

Die Vorstellung überwältigte sie und sie brach in Tränen aus. Der Vaëdya faltete bittend die Hände zu ihr, aber sie bemerkte es nicht.

"Wer wird dir die Brautkleider anziehen, mein Schätzchen, mein Püppchen?« sagte sie leise zum schlafenden Kinde und beugte sich zu seinem Köpfchen hinab, um dessen Duft einzuatmen.

Der Zug war im Ried, das im Nachtwind rauschte. Der Tursafluß plätscherte dumpf gegen seine flachen Ufer. Eine ganz schmale Mondsichel hob das eherne Dunkel des sternbesäten Himmels hervor. Die flackernden Fackeln zogen den Feuerkreis enger. Die Träger des Palki hielten und setzten es behutsam nieder.

"Ist es hier?« fragte Udschli bang.

Der Vaëdya nickte. Die Frauen traten heran, um sie herauszuheben.

"Laßt mich!« schrie sie auf und drückte das Kind an sich. Es bewegte sich unruhig im Schlafe.

"Du wirst es wecken, Herrin,« mahnte der Vaëdya ernst.

Udschli wiegte es mit einigen Schaukelbewegungen, dann hielt sie inne, schloß die Augen und ließ sich von den Frauen das wieder gleichmäßig atmende Kind aus den Armen nehmen, die wie gelähmt herabsanken. Die Schwäche dauerte nur einen Augenblick. Sie schüttelte sich, richtete sich auf und stand wieder fest.

"Dasa,« sagte sie, als auf die Weisung des Brahmanen ihr Gatte sie an der Hand faßte, um ihr Führer auf dem letzten Gange zu sein, "gib Kali keine Stiefmutter.«

"O Herrin, wie kannst du glauben!« schluchzte er.

Sie tat einen Schritt, dann wandte sie sich plötzlich um. Die Frauen waren mit dem Kinde zurückgetreten und hielten es außer dem Kreise der Fackelträger.

"Das Kind!« rief sie heftig„ "bringt mir das Kind her! Ich will es sehen! Ich will es nicht aus den Augen verlieren!«

Auf einen Wink der Brahmanen gehorchten die Frauen. Den Blick starr auf den schlafenden Säugling geheftet tat Udschli einige Schritte und stand am Rand einer gähnenden Grube. Einige Fackelträger leuchteten in die Finsternis hinab. Fromme Hände hatten am Grunde Teppiche ausgebreitet. Das Grab war ein weiches Ruhelager.

Die Brahmanen faßten Udschli rasch unter den Armen, hoben sie vom Boden und senkten sie sacht in die Tiefe. Während sie in den Händen der Männer war, schrie sie: "Haltet mir das Kind über den Rand!« Sie fiel unten mit einem Schmerzlaut auf die Kniee, blieb so eine ganz kurze Zeit unbeweglich, dann legte sie sich langsam auf den Rücken, streckte sich aus und faltete die Hände, die Augen weit offen nach oben gerichtet.

Die Gebete der Brahmanen wurden dringender und heißer, ein Regen von Blumen prasselte in den Schacht hinab und der Vaëdya stieß den völlig geistesabwesend und knieschlotternd dastehenden Dasa an: "Bedecke sie!«

Seine erste Bewegung war, zu Udschli hinabzuspringen. Zahlreiche Fäuste hielten ihn jedoch zurück und der Vaëdya wiederholte, seine Hand erfassend und zu einem losen Erdhaufen führend: "Bedecke!«

Die zitternden Finger griffen zu und ließen einige Krumen am Fußende in das Grab rieseln. Gleichzeitig hatten aber alle anderen Erde hinabzuwerfen begonnen.

Mit einem Ruck setzte Udschli sich auf, wehrte heftig die herabkollernden Schollen von sich ab und schrie durchdringend: "Zeigt mir mein Kind!«

Ihr Schrei feuerte die Betenden an. Wie von plötzlicher Raserei ergriffen raffte alles nach Erde und Gras, im Nu war die dem Tode Geweihte bedeckt, ihr Kopf sank zurück und verschwand unter der Erde.

Noch zweimal drang ein ersticktes: "Kali! Kali!« kaum hörbar herauf, dann wurde es im Grabe still. Fast augenblicklich war es gefüllt und die immer noch niedersausende Erde erhob sich zu einem schwachen Hügel darüber. Die Brahmanen murmelten Gebete, die Frauen schluchzten laut und um den bewußtlosen Dasa beschäftigte sich der Vaëdya.

III.

Udschli wurde zu einer Art Schutzheiligen oder örtlichen Gottheit von Masrapur und ihr Grab zu einem wunderwirkenden Wallfahrtsorte. Da alle Welt von der hohen Tat sprach, kam sie auch dem englischen Residenten zu Ohren, der die eingeborene Regierung nötigte, eine Untersuchung einzuleiten. Es kam aber nichts dabei heraus, da niemand zum Verräter werden wollte, und das Verfahren hatte nur den Erfolg, daß das Ereignis im ganzen Lande Kutsch-Bihar und über seine Grenzen hinaus bis tief in Bengalen bekannt wurde und von vielen Tagereisen weit fromme Pilger herbeilockte. Über dem Grabe wurde ein kleiner Tempel errichtet, den kostbare Weihegeschenke der Gläubigen rasch zu einem der reichsten des Landes machten. In seinem Schatten ließen sich Fakire nieder, die immer wieder durch neu zuwandernde ersetzt wurden, als ein in der Gegend auftauchender menschenfressender Tiger sich einen nach dem andern wegholte. Zum höchsten Ruhme gelangte die Andachtstätte, als sich das seltene Wunder ereignete, daß man eines Morgens den Tiger vor den Stufen des Grabtempels an einem Cobrabisse verendet vorfand. Sein Fell wurde zubereitet, mit Purpurseide eingesäumt und über den niedrigen Grabhügel gebreitet. Mütter kamen mit ihren Kindern und ließen sie das Fell berühren, um die Gesunden vor feindlichem Zauber, bösem Blick und Krankheit zu behüten und die Kranken zu heilen.

Sie gingen auch die kleine Tschandni sehen, wenn ihnen das gegen eine besonders wertvolle Gabe gestattet wurde. Das war für erlesene Pilger die Ergänzung der Wallfahrt. Die Brahmanen, die durch ihr Heiligtum zu großem Ansehen und Wohlstand gelangten, sorgten auch für das Kind, die lebendige Vertreterin ihrer unter die Götter versetzten Mutter. Sie bestimmten Dasa, seine Hütte zu verlassen, und bauten ihm ein schönes Haus in der Nähe des Tempels. Er sah sich als einen Priester an, der sein eigenes Kind verehrte und bei ihm Tempeldienst verrichtete. Eine Schwester mit ihrem Manne wohnte bei ihm und zwei assamische Dienerinnen halfen ihr, das Kind zu pflegen.

Sie wuchs wie eine Königstochter auf, die nur unterwürfige Blicke und geneigte Stirnen um sich sieht. Sie war in silberdurchwirkten Musselin gekleidet, mit goldenem Geschmeide geschmückt und in der Mitte der Stirn mit dem gelben Tupf der Vornehmen ausgezeichnet. Sie war fast ganz weiß und entwickelte sich zu strahlender Schönheit. Die Dorffrauen sagten staunend unter sich, es geschehe, was sie nicht für möglich gehalten hatten: Tschandni werde noch schöner, als ihre Mutter Udschli gewesen. Um sie nicht einsam zu lassen, gab man ihr Altersgenossinnen, die täglich einige Stunden mit ihr spielen durften, doch wurden zu dieser Ehre nur Brahmanenkinder zugelassen.

Jedes andere Kind, das man derart verzogen hätte, wäre launisch und unausstehlich geworden; Tschandnis Charakter jedoch, so schien es, war nicht zu verderben. Sie war so gut wie schön und so klug wie gut. Die Brahmanen ließen sich ihre Geistesbildung angelegen sein. Früh besuchte sie dieDharmsala , die mit dem Tempel verbunden war und wo ein Pandit ihr liebevollen Unterricht in der Nagri- und Sanskrit-Schrift und Sprachlehre erteilte. Und als sie größer wurde, da urteilten die Brahmanen, daß es sich für sie nicht länger gezieme, in die öffentliche Schule zu gehen und mit den übrigen Dorfkindern, wenn auch von besserer Kaste, zusammen unterwiesen zu werden, und ihre weitere Ausbildung wurde einem altenBhaianvertraut, der ihr in ihres Vaters Hause alle Schätze seines eigenen tiefen Wissens mitteilte.

Da lernte sie sämtliche Schastras, die ganze Gelehrsamkeit, die den Geist eines Hindus von vornehmster Kaste schmückt: Sanskrit-Sprachlehre, Dichtkunst, Rhetorik, die Puranas (klassischen Dichtungen), die Itihas (alte Geschichte), Yotisch (Astronomie und Astrologie) und zuletzt selbst Vedanta und Nyaya (Philosophie und Logik), Mantra, Tantra und Pudscha Path (Religionswissenschaft), deren Studium den niedrigen Kasten streng untersagt ist. Schon als halbwüchsiges Mädchen war sie so gelehrt, daß die Brahmanen sie zu ihren Schastrarth-Mubahisas oder Vedantisten-Disputationen im Tempel zuließen, und als sie fünfzehn Jahre alt war, schrieb sie Sanskrit-Gedichte, die sich rasch durch das ganze Land verbreiteten.

Auch ihre hohe Bildung und Begabung machte sie weder pedantisch noch hochmütig, sie blieb so anmutig und lieblich wie das einfachste Mädchen ihres Alters und gegen ihren Lehrer und Vater so rührend bescheiden, daß beide sie wahrhaft abgöttisch verehrten.

Daß das Grab im Tempel die Ruhestätte ihrer Mutter war, das wußte sie seit dem Erwachen ihres Bewußtseins und es konnte ihr deshalb auch nicht entgehen, daß man der Mutter göttliche Ehren erwies. Als ihr Geist zum Nachdenken nach dem Grunde der Erscheinungen heranreifte, fragte sie denn auch häufig und immer häufiger; weshalb das Andenken ihrer Mutter von solcher Weihe umgeben sei, und die Sache beschäftigte sie schließlich so lebhaft und unausgesetzt, daß sie nicht abließ, bis der Bhai, der ihr ohnehin nichts abschlagen konnte, ihr eines Tages im Einverständnis mit den Brahmanen die Wahrheit offenbarte. Er tat es schonend und zartfühlend, wie man es von einem großen Pandit erwarten durfte. In einer Puranastunde, zwischen einem Mahâbhârata-Gesang und einem Mrikschakatika-Auftritt, sprach er ihr ein Gedicht von einer aussätzigen Mutter, die das Opfer ihres Lebens bringt, um den Mahâ-Rôg von ihrem kleinen Mädchen an der Brust abzuwenden und ihm Gesundheit und Schönheit zu sichern. Tschandni war davon so tief ergriffen, daß sie laut weinte und um die Wiederholung des Gedichtes bat, damit sie es auswendig lernte. Und als der Bhai ihrem Wunsche willfahrt hatte und Tschandni die Verse mit bewegter Stimme aus ihrem Gedächtnisse nachzusprechen begann, da faßte der Lehrer ihre Hand und fragte: "Meine Tochter, was würdest du sagen, wenn dieses Gedicht von deiner eigenen Mutter handelte?« Sie blickte ihn mit weit offenen Augen an und ihr Atem stockte. Sie hatte ihn sofort verstanden. Für sie also war ihre Mutter in den grausigsten Tod gegangen. Sie war das Kind des Opfers und des Wunders. In diesem Grabe also, an dem auch sie täglich zu beten und zu opfern gewohnt war, wurzelte ihre Schönheit und Herrlichkeit. Das Leben gewann von da ab ein ganz anderes

Ansehen für sie. Es lag etwas wie Geheimnis und Dämmer darüber. Daß sie schön war, hatte sie, der jedermann mit Anbetung nahte, natürlich früh gewußt. Ihre Schönheit schien ihr jetzt eine unmittelbare Gabe der Götter, ein Geschenk, das dem Himmel durch heilige Heldentat abgeschmeichelt worden war, ein Vermächtnis, das die Hand der Mutter ihr aus dem Grabe reichte, und in ihrem mit den mystischen Schriften ihres Volkes genährten Mädchengeiste setzten sich eigentümliche Begriffe von Pflichten fest, die sie gegen ihre eigene Schönheit, gegen sich, die Mutter, die Welt und die Götter zu erfüllen habe.

Sie erreichte das sechzehnte Lebensjahr, nach indischer Anschauung das Alter der vollen Reife für ein junges Mädchen, und man mußte sich nun ernstlich mit ihrer Zukunft beschäftigen. Die Brahmanen gedachten, sie mit dem Sohne des angesehensten von ihnen zu verheiraten. Dasa, der um seine Meinung nicht gefragt wurde, sondern dem man nur den Beschluß mitteilte, verneigte sich tief und dankte für die fast erdrückende Ehre, die seiner Familie und Kaste erwiesen wurde. Als man aber Tschandni selbst eröffnete, welches Los man ihr zugedacht habe, da begnügte sie sich damit, schweigend ihre Tagstube zu verlassen und sich in das innere Gemach zu ihrer Muhme und ihren Dienerinnen zurückzuziehen, wo man sie mit ihrer süßen, schwermütigen Stimme das Lied singen hörte:

"Asan apna tscharkha Katna
Due da munh nahin tschatna
Kyun due de karan roiye,
Bhed apne dil da khoiye?

Asan apne ghare de Radscha
Due kane kudschh nahin kadscha?
Kyun dschag manas khusch karna?
Parna Malik dia tscharna.«

"Ich spinne von früh bis spät meinen Rocken und gebe weder noch verlange ich Küsse. Weshalb sollte ich mich nach einem andern sehnen, weshalb ein Herzensgeheimnis hüten?«

"In meinem eigenen Hause bin ich die Königin; weshalb sollte ich mich in das Haus eines andern wünschen? Weshalb einen Mann als Herrn über mich erkennen? Vor meinem Gott allein neige ich mich.«

Die Brahmanen des Tempels hatten sie viel zu lieb, um sie zu bedrängen, ihr Ältester fragte sie aber dennoch nach einiger Zeit, wie sie sich ihr Leben einzurichten gedenke, wenn sie vor der Ehe Abneigung habe? Da enthüllte sie den Herzenswunsch, mit dem sie sich trug, seit ihr das Lied von der Selbstopferung der Mutter Tag und Nacht im Kopfe sang: sie wollte auch noch die den Frauen in der Regel untersagte höchste Stufe der Sanskrit-Gelehrsamkeit erklimmen, sie wollte Vaidik, die einheimische Heilkunde, studieren und ihren Hinduschwestern als Ärztin ihr Leben widmen.

Das war ein erschreckend kühner Gedanke. Er wich vom geheiligten Herkommen weit ab. Wer konnte jedoch daran denken, der holden Tschandni eine Bitte zu verweigern? Die Brahmanen bestellten also nach kurzem Widerstand den besten Arzt, den es im Lande gab, obschon er nicht einmal ein Pandit war und im Gegensatz zu einem solchen, der für seinen Unterricht niemals einen Lohn annimmt, hoch bezahlt werden mußte, und Tschandni begann tatsächlich von diesem Meister in die Geheimnisse desScham Radsch und Susruta, des Tscharaka und Madhana Nidan , eingeführt zu werden.

Sie gelangte indes in ihrem Studium nicht weit, denn das Schicksal fügte, daß in ihrem Leben eine plötzliche Wendung eintrat.

Tschandnis Ruf erfüllte das ganze Land. Das Lied von ihrer Mutter war in aller Munde, von ihrer eigenen, fast überirdischen Schönheit und Klugheit, Anmut und Gelehrsamkeit erzählte das Volk sich in Tempeln und Bazaren, und man erfuhr schließlich auch im Palaste des Radschas davon. Der Radscha hatte eines Tages die Laune, das lebende Wunder von Masrapur sehen zu wollen, um sie zu besitzen, wenn sie wirklich so bezaubernd war, wie der Volksmund sie schilderte. Er schickte deshalb seinen vertrautesten Kämmerer mit einem Gefolge von zwölfSipaisnach dem Dorfe, um Tschandni zu holen.

Als man im Orte den Auftrag des Höflings und der Bewaffneten erfuhr, da lief die ganze Bevölkerung, Männer und ältere Frauen, vor Dasas Hause zusammen und nahm eine so drohende Haltung an, daß der Abgesandte des Radschas es für klüger hielt, mit seinen Soldaten wieder abzuziehen. Er hatte aber Tschandni erblicken können und meldete seinem Herrn: "Du bist mir Vater und Mutter. Herr, nimm meinen Kopf, wenn es dir so gefällt, ich habe deinen Befehl nicht ausführen können. Ich fand das Mädchen von einem ganzen Volk umgeben, das sich bereit erklärte, sich lieber in Stücke hacken zu lassen, als ihre Entführung zuzugeben. Ich begreife es. Denn das Mädchen scheint mir eher eine junge Göttin als eine Sterbliche.«

Die Worte seines Vertrauten reizten den Radscha derart, daß er einem ganzen Regiment seines Heeres den Befehl erteilte, in einem Nachtmarsch nach Masrapur zu eilen und das Dorf eng zu umzingeln, um zu verhindern, daß man das Mädchen über die nicht allzuferne Grenze nach Bengalen schaffe.

Am nächsten Morgen aber begab er sich selbst in großem Aufzuge nach dem Orte, wo man sich seinem Befehle zu widersetzen wagte.

Er fand alle Einwohner in höchster Erregung um den Tempel und Dasas Haus zusammengedrängt. Wohl berührten sie den Staub mit der Stirne, als sie des Herrn ansichtig wurden, doch rührten sie sich nicht vom Fleck, auf die Gefahr hin, von seinen Elefanten zerstampft oder von seinen Sipais niedergemetzelt zu werden. Trotz ihrer gewohnten Demut schienen sie zum äußersten entschlossen. Ehe es jedoch zu einem Zusammenstoße kam, traten die Brahmanen in voller Zahl, elf Männer verschiedenen Alters, aus dem Tempel, drängten sich zwischen das Volk und die Soldaten, und der älteste, ein hochgewachsener, langbärtiger Greis, sprach laut: "Willkommen sei der Herrscher, der ein Beschützer der Gerechtigkeit ist.«

Der Radscha blickte ihn finster an, stieg vom reichenHaudaseines Elefanten herab und fragte, die Hand am rubinbesetzten Säbelgriffe: "Wo ist Tschandni?«

"Was willst du mit Tschandni?« lautete die Gegenfrage der Brahmanen.

"Wer wagt es, seinen Herrn zu befragen?« rief der Radscha heftig.

Der Greis antwortete unerschrocken: "Ein Diener der Götter und Bewahrer der Väterweisheit.«

"Jagt den Schwätzer fort!« befahl der Radscha, zum Führer seiner Leibwache gewendet.

Das Volk erhob ein ungeheures Geschrei, die Sipais zögerten, der Radscha wurde dunkelrot im Gesicht und machte eine Bewegung, um blank zu ziehen. – Da verstummte plötzlich das Volksgeschrei, der Haufe wich ehrerbietig zurück und auf der Schwelle von Dasas Hause wurde Tschandni sichtbar. Sie war ganz weiß gekleidet, ihr Antlitz war sehr bleich, aber sie schien ruhig. Sie trat langsam vor, blieb drei Schritte vom Radscha stehen, neigte das Haupt und fragte sanft: "Erlauchter Herr, du hast meinen Namen gerufen. Was befiehlst du?«

Bei ihrem Anblick war der Radscha ganz starr und fassungslos geworden. Er ließ sein Auge lang in stumme Bewunderung verloren auf der herrlichen Gestalt ruhen, dann stammelte er: "Tschandni, du bist schön wie der Tag. Schöneres hat mein Auge nie gesehen.«

Tschandni blieb stumm und blickte mit hoch errötendem Angesicht zu Boden.

Der Radscha näherte sich ihr und sagte mit erregter Stimme: "Mädchen, ich nehme dich mit, mein Palast ist öde ohne dich.«

Tschandni wich rasch zurück, ehe er ihre Hand ergreifen konnte, und erhob ihre leuchtenden Augen zu ihm: "Erlauchter Herr, wenn du mich kennst, so kennst du auch die Geschichte meiner Mutter. Ihr Grab ist hier und sie hört dich und mich. Unser aller Leben ist in deiner Gewalt. Aber dein Spielzeug darf ich nicht sein.«

Ein Murmeln der Bewunderung ging durch das Volk. Wütend wandte der Radscha sich um. "Jagt das Gesindel weg!« schrie er seinen Soldaten zu. Inmitten des folgenden großen Geschreis und Tumults führten einige

Brahmanen Tschandni rasch in ihr Haus zurück, der älteste aber bat den Radscha: "Erlauchter Herr, möge es dir belieben, in den Tempel einzutreten. Das ist eine würdigere Stätte für Zwiegespräche als der offene Dorfplatz.«

Der Radscha folgte finster der Aufforderung. Im Innern des Tempels angelangt, erhob der Brahmane mit größerem Selbstbewußtsein die Stimme: "Herrscher, gibst du den Göttern in den Himmeln Ehre?«

"Ich gebe den Göttern in den Himmeln Ehre, wie ich auf Erden für mich Ehre fordere.«

"Sehr wohl, Herr, dann wirst du an der Karmadêvata, die hier unter dem Tigerfell ruht, nicht freveln wollen.« Und er erinnerte ihn in kurzen Worten an Udschlis Selbstopferung, an die Verehrung, der sie im ganzen Lande genoß, an die unzähligen Wunder, die sie fortwährend wirkte und deren Zeugen die an allen Wänden hängenden Weihgeschenke waren.

Die Rede des Brahmanen blieb nicht ohne Eindruck auf den abergläubischen Mann. Mit einem scheuen Blick auf den geschmückten flachen Grabhügel und die Spenden der Gläubigen murmelte er: "Ich bin der Herr des Landes und euer Gebieter. Tschandni ist mein und ich will sie bei mir haben.«

"Erlauchter Herr, wenn du sie bei dir haben willst, so mußt du sie heiraten.«

"Was unterstehst du dich?« fuhr der Radscha auf.

Der Greis ließ sich nicht einschüchtern. "Das Mädchen ist aus guter Kaste, eine Vaischia, also eine Zweimalgeborene.«

"Ich bin ein Kschatria und Träger des Schwertes!« rief der Radscha dazwischen.

"Tschandni ist durch die Tat ihrer Mutter und durch die eigene Gelehrsamkeit doppelt eine Arya. Sie ist einem Kschatria und Herrscher ebenbürtig.«

"Die Tochter eines Rayat!«

"Es liegt in deiner Hand, ihn zu erhöhen.«

"Es liegt auch in meiner Hand, das Mädchen mitzunehmen.«

"Du wirst Gewalt anwenden müssen und viel Blut vergießen. Ein Sturm wird durch das Land gehen. Der Engländer wird sich einmischen. Und du wirst deinen Willen vielleicht doch nicht durchsetzen.«

"Drohst du mir, Alter?«

"Erlauchter Herr, ich warne dich nur, wie mein Alter es mir gestattet.«

Der Radscha, ein Spielzeug jäher Launen, doch kein starker Charakter, versank in Nachsinnen. Er sah im Geiste Tschandni und er sah hinter ihr schattenhaft den Political. Die eine bezauberte, der andere erschreckte ihn. Nach einem langen innern Kampfe sagte er schließlich: "Alter, wenn du versicherst, daß Tschandni eine Arya ist, so muß ich mich wohl dem Gesetze fügen. Ich will denn eine Gandhârvâ Vivâha mit ihr eingehen und sie zu diesem Zwecke gleich mitnehmen.«

"Nein, Herr, das wäre ungeziemend. Wir werden sie dir zuführen, wie es der Brauch fordert.«

"Du stellst mich auf harte Proben, Alter!« rief der Radscha ungeduldig. "Ich will aber bis zuletzt nachgeben. Ich erwarte, daß ihr sie morgen nach Kutsch führt.«

"Dein Befehl ist Gesetz, erlauchter Herr.«

"Und jetzt will ich meine Braut in Ruhe sehen,« sprach der Radscha und verließ rasch den Tempel.

Man konnte ihn nicht verhindern, in Dasas Haus und bis in das Frauengemach einzudringen, wo Tschandni, von ihren Angehörigen und Dienerinnen umgeben, auf dem Diwan saß und weinte.

"Stille deine Tränen, Tschandni,« rief er, während die Frauen erschrocken auseinanderstoben und sich in die Ecken drückten. "Ich habe beschlossen, dich zu meiner Gattin zu machen, denn ich kann ohne dich nicht leben. Blicke mich freundlich an, meine Teure, meine Königin.«

"Ist das dein Ernst, erlauchter Herr?« fragte Tschandni, ihre Tränen trocknend und zu ihm aufblickend.

"Ein Königswort ist immer ernst, Herrin.«

Da faßte Tschandni den Saum seines goldbrokatenen Rockes und verneigte sich bis auf den Boden vor ihm, er aber hob sie auf und schloß die Erbebende in seine Arme.

Er schmückte ihr Armgelenk mit seinem eigenen Rubinen- und Diamantenarmband, beschenkte Dasa und die Brahmanen reichlich und nahm von Tschandni nach einiger Zeit zärtlichen Abschied. Als er an der Spitze seiner Truppen den Ort verließ, fiel die ganze Bevölkerung vor ihm in den Staub und stieß Freudenschreie aus, die ihm weithin nachhallten. Tschandni aber ging in den Tempel und kniete am Grabe der Mutter nieder. Ihre Stirne berührte den darübergebreiteten Teppich und ihre Tränen flossen auf ihn hinab. Von ihren Lippen strömten heiße Dankesworte an die Heilige, die da unten schlief, an die treue Mutter, die mit ihrem Leben dem Kinde Schönheit und Erhöhung erkauft hatte. Sie weihte der Mutter ihren ganzen Mädchenschmuck und behielt als einziges Geschmeide nur das Geschenk des königlichen Freiers.

Ein Elefant des Radschas holte am nächsten Tage Tschandni, die, in die ihr gesandten kostbaren Gewänder gehüllt, sich nochmals vom Grabe der Mutter verabschiedete und dann im vergoldeten Hauda Platz nahm.

Sie hatte sich ausgebeten, Dasa, ihre assamischen Dienerinnen und ihren Bhai mitnehmen zu dürfen.

Die ganze Dorfschaft geleitete sie eine Strecke Weges und die Rüstigsten kehrten erst um, als sie sie, am Stadttor von dem Radscha und seinem Gefolge empfangen, in den Palast hatten einziehen sehen. Obschon die Hochzeit nur eine Gandhârvâ Vivâha war, feierte Masrapur sie doch wie ein großes Fest.

IV.

Wie das Schicksal der schönen Tschandni sich entwickelte, das erzählt ein Lied, das im ganzen Lande zwischen Brahmaputra und Ganges von den Lippen des Volkes tönt und das sich anhört wie ein Sang des Mahâbhârata.

Von dem Augenblicke, wo Tschandni in den Palast des Radschas Raghunathe Tschakrawortti eingetreten war, bestrickte ihr Zauber den Gatten völlig und machte ihn zu ihrem willenlosen Sklaven. Seine älteren beiden Frauen und seine Dienerinnen waren aus seinem Herzen und Gedächtnisse verdrängt, sie wurden in einen abgelegenen Flügel des Palastes verbannt und sie sahen das Antlitz ihres Gebieters nicht mehr vor sich. Da verschworen sie sich gegen die glückliche Nebenbuhlerin, bestachen die assamischen Dienerinnen und ließen durch sie Tschandni und ihren Bhai mit einem schleichenden Gift aus zerstoßenen Diamanten vergiften. Nach der schwarzen Tat entflohen die Verräterinnen unter dem Schutze ihrer Anstifterinnen, der Bhai starb und Tschandni wurde sehr krank. Das Verschwinden der Assamerinnen, der Tod des Pandits, die Erkrankung Tschandnis, unkluge Worte der Frauen erweckten Verdacht, der Vaëdya des Radschas erkannte die Vergiftung, es fanden Folterungen und geheime Hinrichtungen statt und durch den Palast erging das Wort des Herrschers: "So soll es allen ergehen, die sich gegen meine Herzenskönigin verfehlen.«

Tschandni erholte sich, aber sie war nun allein, von fremden Gesichtern umgeben, schaudernd bei der Erinnerung an das Blut, das um ihretwillen vergossen worden, und ihre purpurnen Lippen verlernten das Lächeln, das Helligkeit verbreitete wie die lichte Sonne selbst.

Kaum war sie wieder gesund geworden, als Prinz Maksudan, der jüngere Bruder des Radschas, von einem Aufenthalt im Lande derFeringiheimkehrte und den Befehl über das Heer seines Bruders übernahm. Er war heißblütig und gewalttätig, ein richtiger Kschatria. Als er Tschandnis zum erstenmal ansichtig wurde, entbrannte er sofort in verbrecherischer Leidenschaft zu ihr und wagte es alsbald, ihr seine Gefühle zu erkennen zu geben. Sie floh ihn voll Grauen und wünschte sich den Tod. Prinz Maksudan fand Gelegenheit, bis zu ihr zu gelangen, und er ließ nicht ab, sie zu bedrängen. Eines Tages sagte er ihr frech heraus, sie müsse sein werden, denn er könne ohne sie nicht leben. Da stellte sie ihn vor die Wahl: entweder er ging ungesäumt unter einem

Vorwand auf Reisen und kehrte erst wieder, wenn er sich von seinem Wahnsinn geheilt fühlte, oder sie entdeckte alles seinem königlichen Bruder und suchte Schutz bei ihm.

Er verneigte sich stumm und entfernte sich aus ihrer Gegenwart, er ging aber nicht auf Reisen, sondern zettelte unter den Führern der Leibwache eine Verschwörung an und überfiel des Nachts seinen Bruder in dessen Schlafgemache.

Es war eine Schreckens- und Mordnacht. Der Radscha setzte sich zur Wehr, seine Diener und ein Teil seiner Krieger blieben ihm treu, der Kampf dauerte lang und wurde unerbittlich geführt, das Blut floß in Strömen durch die Gänge und über die Treppen des Palastes, die Leichen lagen zu Hauf in den Gemächern und Höfen, der Sieg blieb dem Prinzen Maksudan und dem Radscha Raghunathe Tschakrawortti schnitt der Oberst der Leibwache, der Vertraute des Prinzen, mit eigener Hand den Kopf ab. Als aber der Sieger seine Beute suchte, da erfuhr er zu seiner namenlosen Wut, daß sie im Palast nicht zu finden war.

Das Ende des Liedes voll Greuel und Entsetzen lautet:

"Beim Morgengrauen pochte eine zagende Hand an die Tür des Tempels der Karmadêvata Udschli.

"Wer fordert so früh Einlaß? Wer will so früh beten und opfern?«

"Tschandni, die Königin, Tschandni, eure Tochter, verlangt zu ihrer Mutter!«

Die Tür ging weit auf. Die Königin trat ein. Sie schwankte zum Grab und sank darauf.

Ihr Haar war gelöst. Ihr Kleid war taudurchnäßt. Ihre Füße waren staubig und wund.

Sie schluchzte und stöhnte: "O Mutter! Du bist für mich gestorben. Warum ließt du mich nicht mit dir sterben?

Meine Schönheit ist der Preis deines Lebens. Warum hast du mir Schönheit gekauft?

Sie ward zum Fluche für dich, für mich, zum Fluche für alle, die mir nahten.

O Mutter, heilige, göttliche, du bist für mich gestorben. Warum ließt du mich nicht mit dir sterben?«

Sie schluchzte und stöhnte. Fieberschauer schüttelte ihren Leib, den Leib von göttlicher Vollendung.

Der Arya nahte sich erschrocken und demütig: "Herrin, woher dein schwarzer Kummer?«

Er schrie auf, als er die Herrliche berührte. Der Saft der Mandragora hatte sein Werk getan.

Von Pferdehufen erbebte der Grund. Schwerthiebe dröhnten gegen die Pforte.

"Die Königin verbirgt sich hier! Ihr seid des Todes, wenn ihr sie verheimlicht.«

Der Priester wies die tobenden Krieger ins Heiligtum, an das geweihte Grab.

Fahl wurden die Lippen, stumm war das Entsetzen, am Boden klirrten die glänzenden Helme.

Was frommte dem Kinde die Mutterliebe, die mächtig besiegte den Mahâ-Rôg?

Max Nordau

Die konventionellen Lügen der Kulturmenschheit

Vorworte

Vorwort zur ersten Auflage.

Dieses Buch erhebt den Anspruch, die Anschauungen der meisten auf der Höhe der zeitgenössischen Bildung stehenden Menschen getreu wiederzugeben. Es sind gewiß Millionen Angehörige der Kulturvölker durch eigenes Nachdenken dahin gelangt, an den bestehenden staatlichen und gesellschaftlichen Einrichtungen genau dieselbe Kritik zu üben, die in den nachfolgenden Blättern enthalten ist, und die hier ausgesprochene Ansicht zu theilen, daß diese Einrichtungen unvernünftig, der naturwissenschaftlichen Weltanschauung widersprechend und darum unhaltbar sind. Trotzdem kann es nicht ausbleiben, daß man beim Lesen dieses Buches die Augen verdrehen und die Hände über dem Kopfe zusammenschlagen wird, und wohl nicht am wenigsten eifrig Mancher, der darin seine eigenen geheimsten Meinungen ausgedrückt findet. Das ist es eben, weshalb der Verfasser geglaubt hat, es sei nothwendig, es sei unerläßlich, dieses Buch zu schreiben. Die schwere Krankheit der Zeit ist die Feigheit. Man wagt nicht, Farbe zu bekennen, für seine Ueberzeugungen einzutreten, seine Handlungen mit seinen Empfindungen in Einklang zu bringen; man hält es für weltklug, äußerlich am Hergebrachten festzuhalten, wenn man auch innerlich damit völlig gebrochen hat; man will nirgends anstoßen, keine Vorurtheile verletzen; das nennt man wohl "die Ueberzeugungen Anderer respektiren«, jener Anderen, die ihrerseits unsere Ueberzeugungen durchaus nicht respektiren, sondern sie verunglimpfen, verfolgen, am liebsten mit uns zugleich ausrotten möchten. Dieser Mangel an Ehrlichkeit und Mannesmuth erstreckt die Lebensfrist der Lüge und verzögert unabsehbar den Triumph der Wahrheit. So hat denn wenigstens der Verfasser seine Pflicht gegen sich, die Wahrheit und die Gesinnungsgenossen erfüllen gewollt. Er hat seine Ueberzeugungen laut und ohne irgend einen Rückhalt ausgesprochen. Wenn die Geschickten, die Schlauen, die Diplomatisirenden, die Opportunisten, oder wie sich die Heuchler und Lügner sonst noch beschönigend nennen, dasselbe thun wollten, so würden sie – vielleicht zu ihrem Erstaunen – bemerken, daß sie vielerorten schon die Mehrheit sind, daß sie sich nur zu zählen brauchen, um die Stärkeren zu werden, und daß es bald für sie leichtlich vortheilhafter sein dürfte, ehrlich und folgerichtig, als doppelzüngig und hinterhältig zu sein.

Im Sommer 1883.

Der Verfasser.

Vorwort zur vierten Auflage.

Die ersten drei Auflagen dieses Buches, das am 20. Oktober, vor weniger als sechs Wochen, zur Versendung gelangte, wurden so rasch vergriffen, daß ich nicht Zeit fand, daran das Geringste zu ändern und zu bessern, oder selbst nur die Neudrucke zu revisiren. Kritische Stimmen sind bisher erst in sehr geringer Zahl laut geworden, sei es wegen Kürze der Zeit, sei es, weil man sich da und dort schmeichelt, das Buch todtschweigen zu können. Von den wenigen Besprechungen, die ich zu sehen bekam, sind etwa neun Zehntel offen feindselig. Freunde, die mir dieses Buch bereits erworben hat, und denen ich für ihren warmen Antheil an dessen Geschicke innig danke, beschwören mich, meinen Angreifern entgegenzutreten. Ich bedaure, ihnen nicht willfahren zu können. Ich will grundsätzlich nicht zum Kritiker meiner Kritiker werden. Des Verfassers Rolle ist zu Ende, wenn er sein Buch geschrieben hat. Das Einzige, was er dann noch thun kann, ist, es zu verbessern, sofern er dies vermag. In keinem Falle aber soll er mit seinen Rezensenten polemisiren. Denn entweder kann sein Buch mit der eigenen Lebenskraft die Angreifer niederringen, dann ist die Hilfe des Verfassers überflüssig, oder es hat nicht genug Lebenskraft, um sich allein seiner Haut zu wehren, dann ist diese Hilfe erfolglos.

Doch auch abgesehen von diesem allgemeinen Grundsatze habe ich meinen Angreifern wirklich nichts zu sagen. Bei denen, die persönlich sind, brauche ich mich gar nicht aufzuhalten. Wenn man zu verstehen giebt, dieses Buch sei eine Buchhändler-Spekulation, so drücke ich den armseligen Menschen, die vor Allem in den niedrigsten Beweggründen die Ursache einer Manneshandlung zu erspüren glauben, mein tiefes Mitleid aus. Auf Ungerechtigkeit und Haß, auf Unglimpf und Verleumdung war ich übrigens gefaßt, und es kann noch viel schlimmer kommen, ohne daß ich so naiv sein werde, überrascht zu sein oder mich zu beklagen. Aber auch die Rezensenten, die sich den Anschein geben, sachlich zu sein, erfordern bisher keine Antwort.

Die einen erzählen ihren Lesern mit äußerst kundiger Miene, meine Gedanken seien nicht neu. Was wissen diese braven Leutchen davon? Ich habe ihnen nicht den Gefallen gethan, bei jeder mir allein gehörenden Untersuchung zu gackern wie ein Huhn, das ein Ei gelegt hat, und da sie gar nicht in der Lage sind, zu unterscheiden, was neu und was alt ist, so glauben sie sehr schlau zu sein, wenn sie die Nase rümpfen und mit der Geberde von Kostverächtern sagen: "das Alles haben wir längst gewußt«. Sie beweisen durch diese drollige Kennermiene nur den wirklichen Kennern, wie wenig sie von den hier behandelten Fragen wissen. Der Fachmann wird gerechter sein und mir lassen, was in den Betrachtungen über die Wurzeln des religiösen Gefühls, in der Kritik der landläufigen Volkswirthschaftslehre, in den zahlreichen anthropo-, sozio- und psychologischen Anwendungen des Evolutionsprinzips mein ist.

Andere Kritiker lassen mich Dinge behaupten, von denen ich das gerade Gegentheil gesagt habe, und belehren mich dann triumphirend eines besseren, indem sie mir – meine wirklichen Aeußerungen wie einen eigenen Freund entgegenhalten. Wieder andere dichten mir Widersprüche an, die sie nur finden konnten, weil sie das Buch entweder nicht gelesen oder nicht verstanden haben, oder weil sie nicht guten Glaubens sind. Gegen alle diese Einwendungen und Ausstellungen vertheidigt sich das Buch selbst.

Auf einen Vorwurf indeß will ich meinen kritischen Gegnern die Antwort doch nicht schuldig bleiben. Er hat sich, das ist bezeichnend, unter der Feder aller meiner Angreifer gefunden. Sie werfen mir nämlich wie auf Verabredung vor, ich sei nicht berufen, ein Buch wie dieses zu schreiben. Ah, wie ich da meine geliebten Deutschen erkenne! Nicht berufen? Weshalb diese Umschreibung? Sagt doch geradeheraus, was ihr meint: ihr wollt sagen, daß ich weder Professor noch Rath bin, nicht das geringste staatliche Titelchen, nicht die kleinste amtliche Anstellung habe. "Was, ein freier, unabhängiger Schriftsteller wagt es, sich mit wissenschaftlichen Fragen ernst zu beschäftigen, selbstständig zu denken und zu untersuchen, eigene Lösungen vorzuschlagen? Das ist wirklich nicht zu dulden. Wenn er durchaus schreiben will, so schreibe er lyrische Gedichte; das ist das Grundrecht eines jeden Deutschen; aber nach Wahrheit forschen? lehrhaft sein wollen? in das Gebiet einbrechen, das den mit Ernennungsdekret angestellten zünftigen Weisen vorbehalten ist? Wehe ihm! Hinaus mit dem Eindringling! Alle Hunde hinter ihn gehetzt! Er ist ein Unberufener! Ein Unberufener!

Diese kümmerlichen Polizei- und Ranglisten-Seelen, die mir so den Beruf aberkennen, der Wahrheit nachzugehen und sie auszusprechen, wenn ich sie gefunden zu haben glaube, einen Beruf, den doch jeder vollwüchsige und ehrliche Mensch hat, sie gehören einer wohlbekannten Gattung an. Sie haben Vorfahren in der Geschichte und Legende. Ihr Schrei ist so alt wie die organisirte Autorität. Seit es eine amtliche Weisheit giebt, hat man dem Geiste, der nicht im obrigkeitlichen Schematismus steht, die Berechtigung abgesprochen und das Gehör verjagt. Unendlich Größere als ich, denen ich nicht das Fußwasser zu reichen würdig bin, sind diesem Schicksale nicht entgangen. "Was kann Gutes kommen von Nazareth?« hat man jedesmal voll Verachtung gefragt, so oft ein neuer Gedanke nicht aus dem Sanhedrin, sondern einer obskuren Hütte hervorging. Aber das hat seltsamer Weise die Gedanken von Nazareth niemals gehindert, ihren Weg zu machen.

Ich bin ein Unberufener. Das ist also wohl verstanden. Ihr habt ganz Recht. Ich gehöre nicht zum Sanhedrin. Ihr dürft mich ignoriren, ihr dürft mir achselzuckend den Rücken wenden. Ich hoffe aber, daß die armen Fischer, Zöllner, kleinen Leute, daß die Unglücklichen und Elenden mir zuhören werden. Und das genügt mir.

Am 27. November 1883.

Der Verfasser.

Vorwort zum 59. Tausend.

Am 20. Oktober sind es 25 Jahre geworden, daß dieses Buch erschienen ist. In diesem Vierteljahrhundert ist der Verfasser weit mehr gealtert als sein Werk. Dieses ist zeitgemäß und wahr geblieben, wie es am ersten Tage war – leider.

Der Verfasser hätte allen Grund, mit den Geschicken seines Buches zufrieden zu sein. Mit dem Erfolge ist er es; ob auch mit der Wirkung? Ach, wer doch die hochgemute Selbstsicherheit der Jugend immer bewahren könnte!

Als der Verfasser "Die konventionellen Lügen der Kulturmenschheit« schrieb, war er fest überzeugt, daß entlarvte Lügen ihre Rolle rasch ausgespielt haben müssen. Er dachte, alle kernfaulen Einrichtungen, alle abgestorbenen Überlieferungen, alle sinnlosen Vorurteile, aller gewohnte Betrug würden vor der Verkündigung der Wahrheit, vor dem erlösenden Worte der Vernunft verschwinden wie Nachtspuk vor dem Hahnenschrei. Ein Vierteljahrhundert lehrte ihn, daß dies eine freundliche Selbsttäuschung war.

Seit dem Erscheinen dieses Buches hat sich der Anblick der Welt vielfach geändert, der sachliche wie der geistig-sittliche. Die Erkenntnis hat sich ausgebreitet und ist in die Tiefe gedrungen. Millionen Seelen haben sich aus den Finsternissen urzeitlichen Aberglaubens zur Helle wissenschaftlicher Weltanschauung emporgerungen. Der kritische Sinn hat sich allgemein entwickelt und übt sich methodisch an allen dogmatischen Behauptungen. Die Folgen davon sind auf vielen Gebieten handgreiflich. Das Herrschertum von Gottes Gnaden weicht überall vor der verfassungsmäßigen Bekräftigung der Volkssouveränetät zurück. Frankreich hat das erste Beispiel der vollständigen Verweltlichung eines Staatswesens gegeben, das sich nicht mehr auf den Glauben stützt und ihn weder in der Schule noch im öffentlichen Leben in Erwartung nützlicher Gegenseitigkeit begönnert. Die Ehe ist auf die Anklagebank gesetzt und hat sich gegen schwere Beschuldigungen zu verantworten.

Die Persönlichkeit ist freier, positiver, von sich und den anderen höher gewertet als früher. Mit den Ansprüchen der Enterbten rechnen die rückständigsten Gewalten.

Aber neben diesen erfreulichen Zeichen der Vorwärts- und Aufwärtsbewegung wie viel Beweise des toten Stillstandes! Wie viel Vorgeschichte ragt noch in die Geschichte herein! Wie tief wurzeln noch die gröbsten Irrtümer in den Geistern! Wie fest verschlossen und verriegelt bleiben selbst Menschen mit formalem Buchwissen gegen die wissenschaftliche Wahrheit!

Heute wundert dies den Verfasser nicht mehr. Der Zweiunddreißigjährige, der dieses Buch zu schreiben unternahm, glaubte an die unwiderstehliche Macht der Vernunft. Der Neunundfünfzigjährige, der ihm ein Vierteljahrhundert nach seinem Erscheinen dieses neue Geleitwort mitgibt, hat gelernt, daß die Menschen von ihrem Gefühle beherrscht werden, nach ihrem Gefühle handeln und sich gegen die Vernunft wütend sträuben, wenn sie das Gefühl in ihre Zucht zu nehmen sich anschickt.

Die Gefühle sind die Wacht der konventionellen Lügen. Darum behaupten sie sich noch gegen die vernünftige Einsicht. Aber der Verfasser ist an der Schwelle des Alters so wenig entmutigt wie auf der sonnigen Höhe seines Lebens. Er hegt die Zuversicht, daß für die Vorbereitung der Geister zur Aufnahme der Wahrheitssaat dieses Buch auch in kommenden Jahrzehnten sich als taugliches Ackergerät bewähren wird wie in den drittehalb vergangenen. Im immer gewaltigeren Ringen der Vernunft mit altererbtem Gefühl werden Untergründe der Seele und des Gemüts wie mit dem Tiefpflug aufgewühlt, uralte Trugvorstellungen werden entwurzelt und dem Aufsprießen neuer Erkenntnis die Vorbedingungen geschaffen. Dazu ein wenig beigetragen zu haben gibt dem Leben eines Schriftstellers Wert und Bedeutung.

Im Frühling 1909.

Der Verfasser.

Mene, Tekel, Upharsin.

I.

Die Menschheit, die gleich Faust Erkenntniß und Glück sucht, war vielleicht zu keiner Zeit so weit entfernt wie jetzt, dem Augenblicke zuzurufen: "Verweile doch, du bist so schön!« Bildung und Gesittung breiten sich aus und nehmen von den wildesten Weltgegenden Besitz. Wo gestern noch Finsterniß herrschte, da flammen heute Sonnen. Jeder Tag sieht eine neue wunderbare Erfindung emporsprießen, welche die Erde wohnlicher, die Widerwärtigkeiten des Daseins erträglicher, die dem Menschenleben gewährten Befriedigungen mannigfaltiger und eindringlicher macht. Aber trotz dieser Vermehrung aller Bedingungen des Behagens ist die Menschheit unzufriedener, aufgeregter, rastloser als je. Die Kulturwelt ist ein einziger ungeheuerer Krankensaal, dessen Luft beklemmendes Stöhnen füllt und auf dessen Betten sich das Leiden in all seinen Formen windet. Wandere von Land zu Land und rufe die Frage hinein: "Wohnt hier Zufriedenheit? Habt ihr Ruhe und Glück?« Überall wird dir die Antwort entgegentönen: "Zieh weiter, wir haben nicht, wonach du fragst.« Horche über die Grenzen: der Wind trägt dir überall die wüsten Geräusche von Streit und Kampf, von Aufruhr und gewaltsamer Unterdrückung ans Ohr.

In Deutschland nascht der Sozialismus mit hunderttausend Mauszähnen an den Pfeilern aller staatlichen und gesellschaftlichen Einrichtungen und nicht die Lockpfeife der Rattenfänger Staats-, Katheder- und christlicher Sozialismus, noch die verschwenderisch umhergestellten Fallen der Ausnahmsgesetze, des kleinen Belagerungszustandes und der Polizeiwillkür wenden die unermüdlichen Nager auch nur einen Augenblick lang von ihrem unheimlich geräuschlosen unterirdischen Zerstörungswerk ab. In der Verkleidung des Antisemitismus, dieses bequemen Vorwandes zur Bekundung von Leidenschaften, die sich unter ihrem eigentlichen Namen nicht sehen lassen dürften, tritt bei den Armen und Unwissenden der Haß gegen die Besitzenden, bei den Nutznießern mittelalterlicher Vorrechte, also bei den sogenannten privilegirten Klassen, die Furcht vor begabteren Mitbewerbern um Einfluß und Macht, bei der verworren idealistischen Jugend eine übertriebene und unberechtigte Form des Patriotismus, nämlich die unerfüllbare Forderung nicht blos politischer Einheit des deutschen Vaterlandes, sondern auch ethnischer Einheit des deutschen Volkes zu Tage. Ein geheimes Weh, das hundertfach gedeutet und kein einziges Mal erklärt wurde, treibt jeden Monat Zehntausende aus dem Lande übers Meer und Guß auf Guß, immer erstaunlicher anschwellend, fließt der Auswandererstrom aus jedem deutschen Hafen gleich einer schweren Blutung des nationalen Leibes, die keine Verwaltungskunst zu stillen vermag. Die politischen Parteien führen gegen einander einen barbarischen Ausrottungskrieg und die Güter, um die sie ringen, sind hier das Mittelalter und die monarchische Selbstherrlichkeit, da die Neuzeit und das Selbstbestimmungsrecht der Völker.

In Österreich-Ungarn stehen zehn Nationalitäten gegen einander im Felde und suchen sich gegenseitig so viel Böses wie möglich zuzufügen. Die Mehrheiten setzen in jedem Kronlande, ja fast in jedem Dorfe, den Minderheiten den Fuß auf die Brust und die Minderheiten, wo sie nicht mehr widerstehen können, heucheln eine Ergebung, gegen die sie sich im innersten Herzen wüthend auflehnen, ja gegen die sie die Zerstörung des Reiches selbst als die einzige Möglichkeit einer Erlösung aus der unleidlichen Lage inbrünstig anrufen.

In Rußland herrschen solche Zustände, daß man beinahe von einem Rückfall in urweltliche Barbarei sprechen kann. Der Verwaltung ist jedes Gemeingefühl verloren gegangen und der Beamte denkt nicht an die Interessen des Landes und Volkes, die ihm anvertraut sind, sondern nur an die eigenen, welche er durch Raub und Diebstahl, durch Bestechlichkeit und Verschacherung des Rechts schamlos fördert. Die Gebildeten suchen im Nihilismus die Verzweiflungswaffe gegen das unleidliche Bestehende und setzen tausendfach ihr Leben ein, um mit Dynamit und Revolver, mit dem Dolch und der Brandfackel das blutige Chaos herbeizuführen, das ihr Fiebertraum ihnen als unerläßliche

Vorbedingung eines neuen Gesellschaftsaufbaus zeigt. Die Staatsmänner, die berufen sind, ein Heilmittel für diese entsetzliche Krankheit zu finden, verfallen auf die wunderlichsten Kuren. Der eine sieht das Heil in der Mündigsprechung des russischen Volkes und in seiner Begabung mit parlamentarischen Einrichtungen; der andere hat nur zu einem entschlossenen Sprung ins Schlammbad des franken Asiatenthums Vertrauen und fordert die Austreibung aller europäischen Errungenschaften und die Kräftigung des angestammten heiligen Zaren-Despotismus; der dritte glaubt an die Wirksamkeit der ableitenden Behandlung und empfiehlt einen frischen, fröhlichen Krieg gegen Deutschland, Österreich, die Türkei, gegen alle Welt, wenn es sein muß. Die dunkle Masse des Volks aber unterhält sich während dieser langwierigen Berathung ihrer Ärzte mit der Plünderung und Ermordung der Juden und wirft bereits Seitenblicke auf das Herrenschloß, indeß sie den Krug und die Synagoge des Hebräers der Erde gleich macht.

In England scheint bei oberflächlicher Betrachtung der Boden fest und der Staatsbau ganz. Wenn man aber das Ohr an die Erde legt, so fühlt man sie beben und hört die dumpfen Schläge der unterirdischen Riesen, die mit den Hämmern an die Decke ihres Gefängnisses pochen und wenn man die Mauern ganz nahe besieht, so erkennt man unter dem Firniß und der Vergoldung die gefährlichen Sprünge, die von unten bis oben laufen. Die Kirche, der Geburts- und der Geldadel sind stramm organisirt und stützen einander in richtiger Erkenntniß der Gemeinschaftlichkeit ihrer Interessen. Die Bürgerschaft fügt sich ergeben den geschriebenen und ungeschriebenen Gesetzen der herrschenden Kaste und heuchelt Frömmigkeit und bekundet Ehrfurcht vor einem Titel und schwört darauf, daß nur das, was den oberen Zehntausend nach dem Strich geht, anständig, was aber deren Vortheile zuwiderläuft, gemein und unaussprechlich sei. Allein der Arbeiter, der Pächter stehen außerhalb des Banns dieser Verschwörung; sie fordern ihren Antheil am Kapital und am Boden; sie bilden Vereine von Freidenkern und Republikanern; sie ballen die Faust gegen das

Königthum und gegen die Aristokratie und wer die Zukunft nicht im Kaffeesatz, sondern in den Augen der englischen Proletarier zu lesen sucht, der sieht sie finster und gewitterhaft. Von Irland spreche ich gar nicht. Dort ist die wirthschaftliche Revolution in donnerndem Gang, der Mord hält den Straßendamm im Besitze und wenn die englische Regierung das Volk nicht in einem Blutmeer ertränken kann, so wird sie zugeben müssen, daß der Besitzlose sich der Güter des Besitzenden gewaltsam bemächtige und ein Beispiel schaffe, das bald genug in England selbst und noch an vielen anderen Orten Nachahmung finden würde.

In Italien hält sich ein schwachwurzelndes Königthum mühsam gegen die steigende Fluth des Republikanismus. Die fiebergeschüttelten, vom Pellagra verwüsteten Tagelöhner der lombardischen Reisebene und der romagnischen Sumpf-Einöden wandern aus, oder wenn sie im heimischen Elend bleiben, so fragen sie untereinander nach dem Rechtstitel der Großgrundbesitzer, denen sie um 50 Centesimi täglich das Mark ihrer Knochen verkaufen. Die Irredenta sucht der Jugend, welcher seit der Einigung Italiens das feste Ziel traditioneller begeisterter Sehnsucht genommen ist, ein neues Ideal an Stelle des verwirklichten zu bieten. Die geheimen Leiden des Volks verrathen sich durch einzelne böse Anzeichen, die im Süden Camorrra und Maffia heißen und im Toskanischen die Form religiösen Fanatismus und kommunistischen Urchristenthums annehmen.

Frankreich konnte sich unter allen europäischen Ländern bis vor Kurzem vielleicht des besten staatlichen Gesundheitszustandes rühmen; aber auch da wie viele Krankheitsanlagen, wie viele Keime zukünftiger Übel! An allen Straßenecken der Großstädte predigen aufgeregte Volksredner Gütervertheilung und Petroleum, der vierte Stand rüstet sich, bald lärmend, bald in der Stille, von der Regierung Besitz zu ergreifen und die seit 1789 alleinherischende Bourgeoisie aus den Amtsstuben und Sinekuren, aus dem Parlament und den Gemeinde-Vertretungen hinauszujagen; die alten Parteien sehen den Tag des unvermeidlichen Zusammenstoßes kommen, und bereiten sich, aber zaghaft, ohne Vertrauen, ohne Hoffnung, ohne Einigkeit, mit klerikalen, monarchischen und militär-diktatorialen Komplotten auf ihn vor.

Wozu noch bei den kleineren Ländern verweilen? Der Name Spanien erweckt sofort die Darstellung des Karlismus und Kantonalismus. Bei Norwegen denkt man an den Konflikt zwischen Regierung und Volksvertretung, der die Republik in sich schließt wie das Fruchtfleisch den Samenkern. Dänemark hat seine Bauernpartei und chronische Ministerkrise, Belgien seinen wehrhaften Ultramontanismus. Alle Länder, die mächtigen so gut wie die schwachen, haben ihr besonderes schweres Gebreste und sie glauben Erleichterung, wenn schon keine Heilung zu finden, indem sie mit wachsender Beklemmung Jahr für Jahr Milliarden auf dem Altar des Militarismus opfern, wie im Mittelalter die Großen von gefährlichen Krankheiten genesen zu können hofften, wenn sie ihr Vermögen der Kirche darbrachten.

II.

Die Gegensätze zwischen Regierung und Volk, die Ergrimmtheit der politischen Parteien gegeneinander, die Gährung in einzelnen Gesellschaftsklassen sind aber nur eine Form der allgemeinen Zeitkrankheit, die in allen Ländern dieselbe ist, trotzdem sie überall einen anderen lokalen Namen trägt und bald Nihilismus, bald Fenianismus, bald Sozialismus, Antisemitenthum oder Irredenta-Bewegung heißt. Eine andere weit schwerere Form derselben Krankheit ist die tiefe Verstimmung und Zerrissenheit, die unabhängig von nationaler und Parteizugehörigkeit, ohne Rücksicht auf politische Grenzen und gesellschaftliche Stellung jeder Vollmensch, der auf der Höhe der zeitgenössischen Kultur steht, in seinem Gemüthe empfindet und welche die charakteristische Tonart unserer Epoche ausmacht wie die unbefangene Daseinsfreudigkcit die des klassischen Alterthums und die Frömmigkeit die des frühen Mittelalters. Jeder Einzelne fühlt ein zorniges Unbehagen, dem er, wenn er ihm nicht analytisch auf den Grund geht, tausend naheliegende, zufällige, immer unrichtige Ursachen zuschreibt und welches ihn alle Erscheinungen des gesellschaftlichen Zusammenlebens mit herber Kritik auffassen und grausam tadeln, wenn nicht verurtheilen läßt. Diese Ungeduld, auf welche alle äußeren Eindrücke aufregend und erbitternd wirken, nennen die einen Nervosität, die anderen Pessimismus, wieder andere Skeptizismus. Die Vielheit der Bezeichnungen deckt aber nur eine Einheit des Übels.

Dieses Übel tritt in allen Kundgebungen des menschlichen Geistes zu Tage. Die Literatur und die Kunst, die Philosophie und die positive Wissenschaft, die Politik und die Ökonomie sind von seiner Blässe angekränkelt. In der schöngeistigen Literatur finden wir seine ersten Spuren bereits am Ausgange des vorigen Jahrhunderts, wie denn die dichterische Hervorbringung diejenige Verrichtung des menschlichen Geistes ist, an der die leisesten Störungen und Veränderungen in der Verfassung der Menschheit am frühesten wahrnehmbar sind. Als die vornehmen Klassen sich noch in verderbten Lebensgenüssen wälzten und aus ihrem Dasein eine einzige Orgie machten, während die Philister nicht über ihre Nase hinaussahen und mit dem Weltlauf stumpf zufrieden schienen, da stieß Jean Jacques Rousseau seinen Sehnsuchtsruf nach Befreiung aus einer Gegenwart aus, die doch so viele Reize hatte, und schwärmte von einer Rückkehr in den Naturzustand, welchen er gewiß nicht buchstäblich als die ursprüngliche Barbarei, sondern blos allegorisch, als etwas von der Wirklichkeit Verschiedenes, ihr möglichst direkt Entgegengesetztes auffaßte. Sein Schrei erweckte in allen Zeitgenossen ein Echo, wie ein angeschlagener Ton alle in der Nähe befindlichen auf denselben Ton gestimmten Saiten zum Klingen bringt. Ein Beweis, daß Rousseaus Stimmung in allen Seelen vorbestand. Schwelger und Philister duselten sich mit Entzücken in ein heißes Verlangen nach Urwäldern und Wildniß-Existenzen hinein, das damals noch einen komisch wirkenden Kontrast zum Eifer bildete, mit dem sie sich alle Überfeinerungen und Laster der geschmähten Zivilisation für ihre Genüsse zu Nutzen machten. Von Rousseaus Verlangen einer Rückkehr zum Naturzustande stammt die deutsche Romantik in gerader

Linie ab. Sie ist ein inkonsequenter Rousseauismus, der nicht den Muth hat, bis ans Ende des eingeschlagenen Weges zu wandern. Die Romantik kehrt nicht bis zur vorgeschichtlichen Epoche um, sondern macht schon auf einer früheren Station, im Mittelalter, Halt. Das Mittelalter, das die Romantik mit so leuchtenden Farben malt, ist ebenso wenig das wirkliche historische Mittelalter, wie Rousseaus Naturzustand der wirkliche Zustand des primitiven Menschen ist. In beiden Fällen handelt es sich um eine willkürliche Schöpfung der Phantasie, die ihre künstliche Welt nach einer identischen Methode, nämlich in allen Theilen im Gegensatz zur bestehenden, aufbaut; in beiden Fällen handelt es sich um eine Kundgebung desselben, bewußten oder instinktiven, Grundgefühls, nämlich eines Hinausstreben aus einer als unzulänglich empfundenen Gegenwart, mit dem unausgesprochenen Hintergedanken, daß jeder Zustand ein besserer sein müsse als der thatsächliche. Verfolgen wir die Genealogie dieser literarischen Tendenz weiter, so gelangen wir zur französischen Romantik, die eine Tochter der deutschen ist, und zur Byronschen Weltverachtung, die einen besonderen Zweig derselben Familie bildet. Von der Byronschen Linie stammen in Deutschland die Weltschmerzpoeten, in Rußland Puschkin, in Frankreich Musset, in Italien Leopardi ab. Der gemeinsame Zug in ihrer geistigen Physiognomie ist die tragische Unzufriedenheit mit der Weltrealität, die der eine in beweglicher Klage, der andere in bitterer Selbstverhöhnung, der dritte in exaltirter Sehnsucht nach neuen besseren Verhältnissen aushaucht.

Und ist denn die Literatur unserer eigenen Generation, die schöngeistige Hervorbringung der beiden letzten Jahrzehnte, nicht durchaus ein Fluchtversuch aus der Zeit und ihren Widerwärtigkeiten? Das Publikum verlangt Romane und Gedichte, die ihm von möglichst fernen Ländern und Epochen sprechen. Es verschlingt die altgermanischen Lebensbilder von Gustav Freytag und Felix Dahn, die mittelalterlichen Lieder von Scheffel und seinen Nachäffern, die ägyptischen und korinthischen und römischen Geschichten von Ebers und Hausrath-Taylor, oder wenn es seine Gunst auch einmal einem Buche zuwendet, das vorgibt, einen modernen Vorwurf zu behandeln, so muß dieses Werk sich durch einen unwahren, krankhaft sentimentalen Idealismus empfehlen, es muß ein Versuch sein, in unsere Tracht Menschen und in unsere Umgebung Vorgänge hineinzulügen, wo sie unsere Sehnsucht wünscht, aber wie sie nie jemand gesehen hat. Die englische Belletristik hat längst aufgehört, ein Spiegelbild der Wirklichkeit zu sein. So weit sie nicht mit greisenhafter Wollust Verbrechen und Schandthaten aller Art, Todtschlag, Raub, Diebstahl, Verführung, Erbschleicherei schildert, zeigt sie eine für Wohlgesinnte eingerichtete Musterwelt, in der die Edelleute schön, stolz, weise, großmüthig und reich, die gemeinen Bürgerlichen gottesfürchtig und den Vornehmen voll Untertänigkeit ergeben sind, die Tugendhaften von Grafen und Baronen gnädig gelobt, die Schlechten von der Polizei eingesperrt werden, – eine Welt, die mit einem Worte die naive Idealisirung der in allen Fugen krachenden, innerlich bereits abgestorbenen und verwesten gegenwärtigen Gesellschaftsordnung Englands darstellt.

Die französische Literatur scheint auf den ersten Blick in diesen allgemeinen Rahmen nicht zu passen. Aber auch nur auf den ersten Blick. Es ist wahr, sie beschränkt ihren Ausblick mit gewollter Ausschließlichkeit auf das Gegenwärtige und Thatsächliche. Sie versagt sich jedes Hinüberahnen und Hinübersehen in Vergangenheit oder Zukunft, in eine bessere oder doch andere Idealität. Sie huldigt einem Kunstprinzip, wofür sie die Bezeichnung Naturalismus gefunden hat. Aber man sehe einmal näher zu: ist der Naturalismus etwa ein Beweis von Zufriedenheit mit dem Bestehenden und in diesem Sinne ein Gegensatz zu dem pseudohistorischen und phantastischen Idealismus, den ich als eine starke Kundgebung von Ekel am Thatsächlichen und von Sehnsucht nach einer Erhebung über die wirklichen Verhältnisse anspreche? Welches sind die Gegenstände, die der Naturalismus mit einer Einseitigkeit, welche man ihm kurzsichtig vorgeworfen hat, behandelt? Zeigt er uns etwa Bilder des Glücks? Malt er uns etwa schöne und erfreuliche Seiten des Erdenlebens? Nein. Er verweilt bei den häßlichsten und trostlosesten Zügen der Zivilisation, namentlich der großstädtischen Zivilisation. Er bemüht sich, überall die Fäulniß, das Leiden, die sittliche Haltlosigkeit, den todtkranken Menschen und die agonisirende Gesellschaft darzustellen, und am Schlusse eines jeden Buches, das dieser Richtung angehört, scheint eine traurige Stimme den eintönig wiederkehrenden Satz zu murmeln: "Du siehst, gequälter Leser, dieses Leben, das hier mit unerbittlicher Nichtigkeit geschildert wurde, ist wahrhaftig nicht werth, gelebt zu werden.« Das ist die unausgesprochene These, deren Beweis jede Schöpfung der naturalistischen Literatur darstellt; sie ist der Ausgangspunkt und die Endmoral dieser Bücher. Und sie ist nicht verschieden von der These, auf welcher der unwahre Idealismus der deutschen und englischen Literatur sich aufbaut. Die beiden Richtungen, weit entfernt, einander zuwider zu laufen, führen vielmehr zu demselben Ziele. Der Naturalismus spricht die Prämisse aus, der Idealismus zieht den Schluß aus ihr. Jener sagt: "Die realen Zustände sind unleidlich,« dieser fügt hinzu: "Darum fort mit ihnen, suchen wir sie einen Augenblick lang zu vergessen und uns in die tröstlichen idealen Zustände hineinzuträumen, die ich meinen Lesern vorgaukle.« Der Schriftsteller, der in schwärmerischen Versen fröhliches Leben fahrender Leute, holde Jungfrauen mit Liebe im Herzen und Lilien in den Händen und abenteuerliche Burgen auf morgenrothumglühten Bergspitzen singt und den der gerührte Philister den«edlen Dichter« nennt, ist blos die ergänzende Antinomie jenes andern Schriftstellers, der mit der Feder wie mit einem Stöberhaken in jedem Schlamme wühlt und für den derselbe Philister nicht genug kräftige Ausdrücke der Verachtung hat.

Ich bin bei der Literatur etwas länger verweilt, weil sie schließlich die vielseitigste, vollständigste Form ist, in welcher sich das Geistesleben einer Epoche äußert. Aber auch alle übrigen Kundgebungen des menschlichen Denkens in unserer Zeit lassen dieselben Züge erkennen, aus welchen sich die Physiognomie des zeitgenössischen Schriftthums zusammensetzt. Immer und überall Unruhe, Verstimmtheit, Erbitterung, die in den einen beim Schmerz oder Zorn über die unerträgliche Weltwirklichkeit stehen bleibt, bei den anderen sich zum bestimmten Verlangen einer Änderung aller Daseinsbedingungen weiterentwickelt. Die bildenden Künste hatten in früheren Epochen die Darstellung des Schönen zum Inhalt. Der Maler, der Bildhauer schilderte blos die gefälligen Anblicke ab, welche Welt und Leben boten. Wenn Phidias seinen Zeus skulpirt, wenn Raphael seine Madonna malt, so führt eine naive Bewunderung der menschlichen Form ihre Hand. Diese Künstler empfinden eine fröhliche Zufriedenheit mit den Hervorbringungen der Natur und wo ihr seines Gefühl ihnen eine leichte Unvollkommenheit derselben verräth, da eilen sie mit diskret nachbessernder, das heißt enschuldigender und idealisirender Hand darüber hinweg. Die heutige Kunst kennt weder jene naive Bewunderung noch diese fröhliche Zufriedenheit. Sie betrachtet die Natur mit gerunzelten Brauen und einem boshaften Blick, der besonders auf die Entdeckung der Fehler und Häßlichkeiten eingeübt ist; sie verweilt unter dem Vorwand der Wahrheit bei allen Mangelhaftigkeiten der Erscheinung, die sie unwillkürlich übertreibt, indem sie auf sie hindeutet und sie betont. Ich sage unter dem Vorwand der Wahrheit, denn die Wahrheit selbst liegt doch nicht in unseren Mitteln. Der Künstler gibt das Objekt nothwendig so wieder, wie er es persönlich schaut und empfindet, und der häßliche Steinklopfer Courbets ist ebenso subjektiv und von der absoluten Wahrheit in entgegengesetzter Richtung ebenso weit entfernt wie die holde Mona Lisa des Lionardo, für die sich Basari gerade um ihrer Naturtreue willen begeistert. Und selbst wo die moderne Kunst nicht umhin kann, die Schönheit anzuerkennen, wo sie ihr widerstrebend einen Tribut zollt, indem sie sie nachbildet, da sucht sie noch einen Makel auf sie zu werfen, indem sie eine Andeutung einschmuggelt, daß die edle und reine Form niedrigen Zwecken dient und durch sie entweiht wird. Die Hoheit des nackten Frauenleibes wird durch einen Zug von Sinnlichkeit und Liederlichkeit verleumdet, der in keinem derartigen zeitgenössischen Bilde fehlt und der auf einen Beschauer mit empfindlichen Sinnen ungefähr so wirkt wie das tückische: "Ja, wenn die Welt Alles wüßte«, das eine Klatschbase im Salon ihrem Nachbar ins Ohr zischt, nachdem jemand die Tugend einer Bekannten gepriesen. Die ältere Kunst zeigt ein behagliches Genügen an der Erscheinung, die neue eine selbstverbitternde Unzufriedenheit mit der Natur. Jene rühmt das Objekt, diese beklagt sich darüber. Jene ist eine stete Dithyrambe, diese eine endlose und nicht einmal immer gerechte Kritik. Die Grundanschauung, aus der beide hervorgehen, ist in dem einen Falle die, daß wir in der schönsten aller Welten leben, in dem andern die, daß unsere Welt kaum häßlicher sein könnte als sie ist.

In der Philosophie, sowohl in der zünftigen, die von den Lehrstühlen der Hochschulen herab gepredigt, wie auch in der, welcher in aller Freiheit von den Gebildeten gepflegt wird, die ohne Fachmänner zu sein, sich doch für die hohen Probleme der menschlichen Erkenntniß interessiren, in der Philosophie ist die Modeströmung der Pessimismus. Schopenhauer ist Gott und Hartmann sein Prophet. Der Positivismus Auguste Comtes macht als Doktrin keine Fortschritte und breitet sich als Sekte nicht aus, weil selbst seine Anhänger eingesehen haben, daß seine Methode zu eng und sein Ziel nicht hoch genug ist. Die französischen Philosophen studiren fast nur noch die Psychologie oder genauer Psycho-Physiologie. Die englische Philosophie kann kaum mehr Metaphysik genannt werden, da sie darauf verzichtet hat, sich mit ihrer erhabensten Aufgabe, dem Suchen einer befriedigenden Weltanschauung, zu befassen, und sich nur noch mit praktischen Fragen zweiten Ranges beschäftigt: John Stuart Mill schloß sich wesentlich in die Logik, also in dic Formenlehre des menschlichen Denkens ein; Herbert Spencer vertritt die Gesellschaftslehre, das heißt die geistigen und sittlichen Fragen, welche sich aus dem menschlichen Zusammenleben ergeben, Bain kultivirt die Theorie der Erziehung, treibt also angewandte Psychologie und Moralphilosophie. Nur Deutschland hat noch eine lebendige Metaphysik und diese ist eine düstere, trostlose.

Der gute Doktor Pangloß ist todt und hat keine Erben hinterlassen. Der Hegelianismus, der für alles Vorhandene einen zureichenden Grund fand und in der Selbstüberredung, daß das Seiende ein logisch Bedingtes und Nothwendiges sei, doch noch eine Art kümmerlicher Beruhigung und Zufriedenheit schöpfte, ist in die Rumpelkammer der eingetragenen Systeme gewandert und die Welt wird von der Philosophie erobert, die tragisch darin gipfelt, daß der unleidliche Kosmos durch den Willen zum Nichtsein aller Wesen ins Nichts zurückgeführt werden soll.

Auf ökonomischem Gebiete äußert sich dieselbe Zeitkrankheit in anderer, aber nicht minder bezeichnender Form. Beim Reichen suchen wir vergebens die Empfindung geruhiger Sicherheit des Besitzes und der Freude an demselben, beim Armen ebenso vergebens ein geduldiges Sichbescheiden mit der nach menschlicher Voraussicht doch nicht zu ändernden Dürftigkeit. Jenen verfolgt die unbestimmte Besorgniß vor einer nahen Gefahr, er fühlt aus den Menschen und Verhältnissen eine dunkle, aber sehr wirkliche Drohung heraus und sein Vermögen scheint ihm ein bloßes Lehen, das ihm von einem Augenblick zum andern rauh abgefordert werden kann; diesen erregt der Neid die Gier nach dem Besitze des andern, er findet weder in sich noch in der Weltordnung, wie er sie erfassen gelernt hat, überzeugende Gründe dafür, daß er arm und von der Tafel der Lebensgenüsse ausgeschlossen bleiben soll, und er horcht voll grimmiger Ungeduld auf innere Stimmen, die ihn Überreden, daß sein Anrecht auf einen verhältnißmäßigen Theil aller Güter so groß sei wie das des Besitzenden. Der Reiche fürchtet, der Arme hofft und erstrebt einen Wechsel der wirthschaftlichen Zustände und der Glaube an die Möglichkeit einer unveränderten Fortdauer derselben ist bei allen erschüttert, selbst bei jenen, die sich ihre Zweifel und Besorgnisse nicht eingestehen wollen.

Was lehrt uns die innere Politik in allen Kulturländern, in allen ohne Ausnahme? Die Gegensätze sind überall schroffer, die Parteikampfe erbitterter als jemals vorher. Die gemäßigten Vertheidiger des Bestehenden sterben aus und werden an einem dieser Tage von der

Erdoberfläche verschwunden sein. Vergebens wird man nach einem politischen Quietisten auslugen, der den Versuch wagen würde, Anhänger für die Anschauung zu werben, daß man an die bestehenden Einrichtungen nicht rühren, sie so erhalten solle, wie sie sind. Es gibt keinen Konservativen mehr. Die Bezeichnung müßte aus dem politischen Sprachgebrauche verschwinden, wenn man sie streng nach dem Wortsinn verwenden wollte. Ein Konservativer ist der, welcher bewahren will, was vorhanden ist. Darauf beschränkt sich niemand. Die Defensive hat aufgehört, eine politische Kampfesmethode zu sein. Nur die Offensive wird geübt. Es gibt nur noch Reaktion und Reform, das heißt Revolution nach rückwärts oder nach vorwärts. Jene will die Vergangenheit zurückbringen, diese das Herannahen der Zukunft beschleunigen. Die Gegenwart verabscheut der Reaktionär ganz so wie der Liberale.

Die allgemeine Rastlosigkeit und innere Zerrissenheit hat mannigfaltige und mächtige Rückwirkungen auf das individuelle Leben. In tausend Zügen gibt sich eine erschreckend weit verbreitete Scheu vor der Betrachtung und Erfassung der Weltwirklichkeit kund. Man fälscht eifrig die Werkzeuge der sinnlichen Wahrnehmung und des Bewußtseins, indem man durch aufregende oder narkotische Gifte aller Art das Nervensystem umstimmt, und beweist dadurch eine instinktive Abneigung gegen die Wahrheit der Erscheinungen und Verhältnisse. Das alte Problem des "Dinges an sich« sei hier nicht tiefer erörtert. Es ist sicher, daß wir blos Veränderungen in unserem eigenen Organismus, nicht solche, die außer uns vorgehen, direkt wahrnehmen können. Aber die Veränderungen in uns werden höchst wahrscheinlich durch Objekte außer uns veranlaßt und es ist gewiß, daß unsere Wahrnehmungen uns ein ungleich richtigeres Bild des Objekts geben, wenn sie blos durch die natürliche Mangelhaftigkeit unseres normal funktionirenden Organismus beeinflußt werden, als wenn zu dieser unvermeidlichen Fehlerquelle noch eine absichtliche Störung der Thätigkeit des Nervensystems durch verschiedene Gifte kommt. Nur wenn die

Wahrnehmungen der Vorgänge um uns ein beständiges, sei es bewußtes oder unbewußtes Unbehagen in uns hervorrufen, werden wir das ebenso beständige Bedürfniß empfinden, diese Wahrnehmungen von uns abzuhalten oder sie derart zu modifiziren, daß sie angenehmer werden. Das ist der Grund, weshalb die Statistik überall eine fortwährende Zunahme des Alkohol- und Tabakverbrauchs nachweisen kann, weshalb die Gewohnheit des Opium- und Morphiumgenusses sich unheimlich verbreitet, weshalb die Gebildeten sich mit Gier auf jedes neue Betäubungs- und Reizungsmittel werfen, das die Wissenschaft ihnen zur Verfügung stellt, und weshalb wir heute neben Alkoholikern und Morphiomanen auch schon gewohnheitsmäßige Chloral-, Chloroform- und Äthertrinker kennen. Die Kulturmenschheit wiederholt im Großen das Vorgehen des Individuums, das einen Kummer in der Flasche zu ersäufen sucht. Sie will der Wirklichkeit entfliehen und verlangt die ihr notwendigen Illusionen von den Stoffen, welche ihr dieselben gewähren können. Hand in Hand mit dieser instinktiven Selbsttäuschung und zeitweiligen Flucht aus der Wirklichkeit geht die endgiltige Flucht aus der letztern: der Selbstmord nimmt allenthalben, besonders in den hochzivilisirten Ländern, in demselben Maße zu wie der Verbrauch von Alkohol und narkotischen Stoffen. Eine dumpfe Verbitterung, die manchmal bewußt ist, manchmal blos in Gestalt einer vagen, treibenden Unzufriedenheit empfunden wird, erhält jeden Strebenden in einer grimmigen Aufregung und gibt dem Kampfe ums Dasein in der modernen Gesellschaft wilde und diabolische Formen, die er in früheren Epochen nicht gehabt. Dieser Kampf ist nicht mehr ein Gefecht höflicher Gegner, die einander grüßen, ehe sie blank ziehen, wie Franzosen und Engländer vor der Schlacht von Fontenoy, sondern das wüste Handgemenge blut- und weinberauschter Gurgelabschneider, die thierisch zustoßen und Pardon weder erwarten noch gewähren. Man beklagt das Seltenwerden der Charaktere. Was ist ein Charakter? Eine Individualität, die in sicherer Orientirung einigen einfachen moralischen Grundsätzen folgt, welche sie als gut erkannt und zu Führern über die ganze Lebensbahn erkoren hat. Der Skeptizismus gestattet keine

Charakterentwickelung, weil er den Glauben an leitende Grundsätze ausschließt. Wenn der Polarstern erlischt und der elektrische Pol verschwindet, hört der Kompaß auf, von Nutzen zu sein. Es gibt den festen Punkt nicht mehr, auf den er weisen könnte. Der Skeptizismus, auch eine Modekrankheit, ist aber wieder nur eine andere Form des Gefühls der Unzufriedenheit mit dem Bestehenden. Denn zur Anschauung, daß Alles eitel, daß nichts eine Aufregung, eine Anstrengung, einen Kampf zwischen Pflicht und Laune werth sei, gelangt man nur, wenn man alles Vorhandene als ärgerlich mangelhaft und unzulänglich empfinden und verachten gelernt hat.

Literatur und Kunst, Philosophie, Politik und Wirthschaftsleben, alle Erscheinungen des gesellschaftlichen und individuellen Daseins lassen also einen einzigen gemeinsamen Grundzug erkennen: die bittere Unbefriedigung über die Weltwirklichkeit. Aus diesen verschiedenartigen Kundgebungen des menschlichen Geistes tönt uns ein einziger schmerzlicher Schrei entgegen, den wir, wenn wir ihn volksthümlich artikuliren sollen, mit dem Rufe übersetzen können: "Hinaus, hinaus aus dem Bestehenden!«

III.

Hier drängt sich eine Frage auf: Ist dieses Bild blos das der Gegenwart? Paßt es nicht auch auf alle früheren Epochen?

Ich bin weit entfernt, nach dem Worte des römischen Dichters ein "Lobpreiser der Zeiten, die gewesen«, zu sein. Ich glaube nicht an ein goldenes Zeitalter in der Vergangenheit. Die Menschen haben ohne Zweifel immer gelitten; sie sind immer unzufrieden und unglücklich gewesen. Der Pessimismus hat eine physiologische Begründung und ein gewisses Maß von Leiden ist durch die Beschaffenheit unseres Organismus bedingt. Wir werden uns ja unseres Ich nur dadurch bewußt, daß wir leiden. Unser Ich wird uns nämlich blos durch die Empfindung seiner Begrenzung zum Bewußtsein gebracht und die Empfindung der Begrenzung wieder wird einzig durch einen mehr oder minder unsanften Zusammenstoß mit den Dingen hervorgerufen, die außerhalb unseres Ich vorhanden sind. So wird man in einer dunklen Stube des Vorhandenseins der Wände blos dadurch gewahr, daß man mit Kopf oder Zehen gegen sie anrennt. Der Mensch erkauft also sein Bewußtsein durch Schmerzempfindungen und der Gegensatz zwischen dem Objekt und dem Subjekt wird ihm blos durch beständiges Unbehagen zur Erkenntnis gebracht. Allein wenn es wahr ist, daß die Menschheit immer litt und klagte, daß sie zu allen Zeiten den schmerzlichen Gegensatz zwischen Wunsch und Besitz, zwischen Ideal und Wirklichkeit empfand, so ist es nicht minder wahr, daß die menschliche Unzufriedenheit noch nie so tief und weit verbreitet war, sich noch nie gegen so viele Veranlassungen zugleich richtete, noch nie in so radikalen Formen auftrat wie heute.

So weit wir die Geschichte überblicken, weiß sie von Parteikämpfen und Revolutionen zu berichten. Es mag oft den oberflächlichen Anschein haben, als wäre der selbstsüchtige Ehrgeiz einiger Führer der einzige Anstoß zu solchen Bewegungen, denen nach dieser kurzsichtigen Auffassung die Massen, welche ihnen ihre Wucht geben, innerlich völlig fremd blieben. Ich glaube aber nicht an die Berechtigung der Identifikation dieser Bewegungen mit ihren Führern. Parteien bilden und schaaren sich nur um Schlagwörter, in denen Theile eines Volkes den Ausdruck ihrer dunklen Aspirationen zu finden glauben, und wenn eigennützige Ambition in der Regel die elementaren Volksleidenschaften zu ihrem Nutzen arbeiten läßt wie ein Fabrikant die Wasser-, Dampf- oder Windeskraft, so kann sie ihren Zweck doch nur erreichen, indem sie heuchelt, die Verwirklichung großer allgemeiner Wünsche anzustreben. Parteikämpfe sind für ein Volk, was für den Lastträger die Bewegung ist, mit der er die Bürde von einer Achsel auf die andere hinüberschwingt um sich eine kleine und im Grunde trügerische Erleichterung zu schaffen, und Revolutionen sind Sturmfluthen, durch welche eine Ausgleichung des Niveaus der Volksideale und der wirklichen Zustände versucht wird. Sie sind nie willkürlich, sondern ganz so die Wirkung eines physikalischen Gesetzes wie der Orkan, der die durch Temperaturunterschiede verursachte Dichtigkeits-Verschiedenheit der Luft ausgleicht, oder wie der Katarakt, der die Spiegel zweier Wasserläufe auf dieselbe Richthöhe bringt. So oft zwischen den Volkswünschen und den tatsächlichen Verhältnissen der Niveauabstand zu weit wird, bricht mit Naturnotwendigkeit eine Revolution aus, welche die organisirten Gewalten eine Weile künstlich aufdämmen, auf die Dauer aber nie hintanhalten können. Die Umwälzungen sind es deshalb allein unter allen Zeugnissen der Geschichte, die uns gestatten, aus ihrer Gewalt, ihrem Umfang und ihren Zielen mit Sicherheit auf den Grad und die Objekte der jeweiligen menschlichen Unzufriedenheit zu schließen.

Nun denn: alle Revolutionen, welche die Geschichte bis zur neuesten Zeit verzeichnet, hatten eine verhältnißmäßig geringe Ausdehnung und richteten sich gegen eine beschränkte Anzahl als unleidlich empfundener Verhältnisse. Den Inhalt der inneren Politik des republikanischen antiken Rom bildet der Kampf der Plebejer gegen die Patrizier. Was waren die Aspirationen der niedriggeborenen Masse, die sich in den Namen Catilinas und der Gracchen verkörpern? Sie wollten einen billigen Antheil am gemeinsamen Grundbesitze, sie wollten ein mitentscheidendes Wort über die Angelegenheit des Staates. Im antiken Gemeinwesen hatte der einzelne Bürger ein außerordentlich stark entwickeltes Gefühl für den staatlichen Zusammenhalt und die sich daraus ergebenden Pflichten und Rechte. Auf sich selbst gestellt, empfand sich das Individuum als klägliches Fragment, ein Ganzes und Volles wurde es in den eigenen Augen erst, wenn es an richtiger Stelle als nöthiger Theil ins Staatsgefüge hineingepaßt war. Der römische Plebejer sah sich als ungerecht verachteten und enterbten jüngeren Sohn eines reichen Hauses an und stritt um den Platz am väterlichen Tische und um die Stimme im Familienrats. Allein es fiel ihm nicht ein, sich gegen die bestehende Ordnung des Staates und der Gesellschaft aufzulehnen. Er war auf sie stolz und bot ihr eine frohe Unterwerfung. Er schätzte den Patrizier um seiner vornehmen Geburt willen und neidete ihm weder die erblichen Ehren im Tempel der Götter noch die äußeren Abzeichen des höheren Ranges. Zufrieden nahm er die Stufe auf dem ragenden Treppenbau der gesellschaftlichen und wirthschaftlichen Rangordnung ein, auf die ihn der unabänderliche Zufall der Geburt gestellt hatte, und wenn er mit Ehrfurcht über sich die ritterlichen und senatorialen Familien sah, so erblickte er mit Selbstgefühl unter sich die Menge der ganz und halb Unfreien, der Sklaven und Freigelassenen.

Tiefer war die Unzufriedenheit jener Sklaven, welche sich in der verworrenen Zeit des Übergangs der Republik ins Kaiserreich wiederholt empörten und mit dem Opfer ihres Lebens in furchtbar tragischen Kämpfen gegen die bestehende Gesellschaftsordnung protestirten. In diesen namenlosen Haufen, die den lebendigen Unterbau für die überraschend monumentale Gestalt des Spartacus bilden, ahnen wir zum ersten Male das Fressen und Wühlen des weißglühenden Zweifels, ob Alles, was ist, auch wirklich so sein müsse, wie es ist, jenes Zweifels, der sich nie in die Striemen der lastenschleppenden Ägypter eingebrannt zu haben scheint, welche uns die alten Wandmalereien der Tempel und Gräber in langen, stummen, trostlosen Reihen zeigen, und dessen marternde Berührung die zweihundert Millionen geduldiger Inder noch nicht gespürt haben, welche heute schweigend das Joch der Engländer tragen, wie sie seit Jahrtausenden das ihrer Kasten-Ordnung ertrugen. Aber auch die Parteigänger des Spartacus waren weder Radikale noch Pessimisten in unserem Sinne. Sie stießen auch blos gegen den Stachel, nicht gegen den, der ihn hielt. Ihr Zorn galt nicht der Weltordnung, sondern ihrem Platze in derselben. Sahen sie ein, daß der Verstand es nicht rechtfertigen könne, Menschen mit Willen und Einsicht wie Vieh und leblose Sachen als Eigenthum zu behandeln? Mit Nichten. Die Einrichtung der Sklaverei nahmen sie an und ließen sie gelten, sie wollten nur selbst nicht Sklaven sein. Ihr Ideal war nicht die Zerstörung einer unvernünftigen Gesellschaftsform, sondern ein Rollentausch. Diese Revolutionäre konnten leicht befriedigt werden. Ein Sieg machte aus den Verzweifelten Zufriedene und aus den Rebellen Stützen der Gesellschaft!

Eine tiefere geistige Bedeutung wohnt den großen Bewegungen des Mittelalters inne. Die Bilderstürme, die Kreuzzüge, die Waldenser- und Albigenser-Fanatismen enthüllen uns einen Zustand schwerer Beunruhigung der Seelen. Der geheimnißvolle Zauber des Fabellandes im Sonnenaufgang kann seine lockende Gewalt auf rohe Gemüther nur üben, wenn ein dunkler Drang nach Änderung der gewohnten Verhältnisse sie quält. Die Hunderttausende, die aus Europa nach dem Palästina strömten, welches ihnen wie das unbekannte Verderben erscheinen mußte, hatten zur Führerin nicht so sehr die Kreuzesfahne, wie eine leuchtende Wolkengestalt, die ihnen voranzog und die sie alle mit den Augen der Seele sahen, und diese Führerin war das Ideal. Der Glückliche verließ gewiß nicht sein heimisches Behagen, um nach dem heiligen Grabe zu wallen; dies that nur der Suchende und Sehnende, der Wechsel und Besserung verlangte. Und die Menschen, die für ihren Glauben tödteten und sich schlachten ließen, die um eines winzigen Zweifels willen den Scheiterhaufen bestiegen oder ganze Bevölkerungen ausrotteten, waren zuverlässig auch keine zufriedenen Genießer der Gegenwart. Denn wer eine so fieberhafte Angst um sein Seelenheil, das heißt um die Bedingungen seines Glücks im künftigen Dasein hat, wer sich dieses versprochene Leben jenseits des Grabes mit solchen Opfern, Anstrengungen und Leiden vorbereitet, dem hat das Diesseits, das Leben im Fleische, gewiß keine ausreichenden Befriedigungen gebracht. Die mittelalterliche Menschheit war also zweifellos ebenfalls unzufrieden und aufgeregt; was sie jedoch von gewaltsamer Auflehnung gegen das Bestehende abhielt, das war, daß sie in ihrem Glauben einen Trost und eine Beruhigung hatte, welche sie alle irdischen Übel leicht und beinahe fröhlich ertragen ließen. Wer mit Zuversicht ein neues Glück erwartet, der bescheidet sich mit einstweiligem Ungemach und empfindet es kaum.

Aber die Menschheit entwickelte sich weiter und der Trost des Glaubens begann zu versagen. Es kam der Moment, wo die Religion nicht mehr das sicher wirkende Ventil gegen den aufrührerischen

Unmuth der Unzufriedenen war. Dieser Augenblick war kritisch. Um ein Weniges geschah es, daß die Skepsis und Zerrissenheit, die erst unserer Zeit eigen sind, vierhundert Jahre früher in die Gemüther einzogen. Die Menschen ließen sich indeß ihre lieben Illusionen nicht ohne Widerstand rauben, sondern machten eine große Anstrengung, um sie noch festzuhalten. Diesen Kampf um ein tröstliches Ideal nennt die Geschichte die Reformations-Bewegung. Sie hatte die Wirkung, das Erwachen der Menschen aus einem angenehmen Dusel um Jahrhunderte zu stunden. Dennoch treten damals bereits einzelne Zeichen zu Tage, die für das Entstehen eines Pessimismus sprechen, welchen der Glaube an ein besseres Jenseits nicht mehr zu bändigen vermag. Der deutsche Bauernkrieg war die That verzweifelter Menschen, denen das Paradies keine hinlängliche Entschädigung für irdisches Elend zu sein schien und die sich mit gewaltthätiger Faust schon hienieden eine Abschlagszahlung auf die Summe künftiger Freuden sichern wollten.

Bis zur französischen Revolution müssen wir gehen, um ein Volk in einer Verfassung zu finden, in welcher ihm alles Bestehende genug unleidlich scheint, um es mit jedem Opfer und um jeden Preis wegzuräumen. Zum ersten Mal in der Geschichte der Menschheit beobachten wir da eine breite volksthümliche Bewegung, die nicht gegen ein bestimmtes einzelnes Objekt, sondern gegen die Gesammtheit aller Zustände anstürmt. Da wollen nicht mehr die Armen sich in den Besitz des *ager publicussetzen wie die römischen Plebejer, nicht mehr Enterbte und Bevormundete das Recht der Selbstbestimmung und der Menschenwürde erstreiten wie die Sklaven des Spartacus, nicht mehr einzelne Klassen sich beschränkte Vorrechte sichern wie die Bürger in den Städte-Aufständen des Mittelalters, auch nicht trostbedürftige Träumer sich gegen geistigen Zwang die ihnen am tröstlichsten scheinende Form ihres Traumes wahren wie die Waldenser, die Albigenser, die Hugenotten, die Reformationskrieger. Das Alles ist in der großen Revolution, aber noch mehr, noch Andres. Sie ist zu gleicher Zeit materiell und intellektuell. Sie verneint den Glauben und stellt die herkömmliche Form des individuellen*

Besitzes in Frage. Sie sucht den Staat und die Gesellschaft auf neuer Grundlage und nach neuem Plane aufzubauen. Sie hat den Willen, dem Leibe und der Seele angenehmere Daseinsbedingungen zu schaffen. Sie ist eine Explosion, die nicht blos auf einzelne schwächere Stellen sondern auf die ganze ihr entgegenstehende Oberfläche mit gleichmäßiger Wucht einwirkt und den ganzen Rahmen der kulturmenschlichen Verhältnisse auseinandersprengt.

Gewiß, um sich so wild gegen alle Einrichtungen aufzubäumen und sie so vollständig bis auf den Erdboden wegfegen zu wollen, muß man sie furchtbar intensiv als absurd empfunden und unter ihrem Zwange überaus schwer gelitten haben. Und doch – wir überraschen in der großen Revolution einen Zug, der es uns unmöglich macht, den Seelenzustand, aus dem sie hervorgegangen ist, für einen so qualvollen zu halten wie den der Jetztzeit; und dieser Zug ist ihr unerschöpflicher Optimismus. In der That: die Männer der großen Revolution waren völlig frei von der Krankheit des Pessimismus. Hoffnung und Zuversicht erfüllte sie zum Überströmen. Sie hatten die feste Überzeugung, unfehlbare Mittel zur Sicherung des absoluten Menschenglücks zu besitzen, und mit dieser Überzeugung ist es unmöglich, nicht selbst glücklich zu sein. Es ist in diesen Männern die Frühlings- und Morgenrothstimmung, aus der heraus Uhland sein jubelndes: "Die Welt wird schöner mit jedem Tag – Nun muß sich Alles, Alles wenden!« singt. Diese Jugendlichkeit, ja Kindlichkeit der Hoffnungen und Illusionen, diese Freudigkeit beim Ausblick in die Zukunft ist vielleicht das allermerkwürdigste Phänomen an der großen Revolution.

Von unserer raschen Wanderung durch die Jahrhunderte bringen wir die Lehre mit, daß die heutige Zeitstimmung in der Vergangenheit ihres Gleichen nicht hat. Nur einen Moment gibt es in der Weltgeschichte, der in dieser Hinsicht an die Gegenwart erinnert, und das ist die Epoche des Todeskampfes der antiken Welt. Diese Ähnlichkeit ist wiederholt hervorgehoben worden. Die ererbte Weltanschauung hatte sich überlebt und eine neue, die sie ersetzen konnte, war nicht gefunden. An das, was die Priester predigten und die Schule lehrte, glaubte man nicht mehr; die Voraussetzungen, auf denen die ganze Lebensführung beruhte, waren hinfällig und letztere dadurch anstößig, unlogisch und sinnlos geworden. Der Menschen hatte sich infolge dessen eine Ermüdung, eine Verzweiflung und Hoffnungslosigkeit bemächtigt, die ihnen das Leben unerträglich machte. Sie fanden weder in sich noch außer sich einen Trost, sie verloren bis auf die letzte Spur den Glauben an die Möglichkeit einer Besserung, eines erfreulicheren Morgen, und wie eine unheimliche moralische Epidemie raffte sie der Selbstmord zu Tausenden hin. Nur in jener schreckhaften Zeit, in der das römische Weltreich verfiel und das alte Heidenthum unterging, finden wir dieselbe Bangigkeit der einen und düstere Verzweiflung der anderen, dieselbe suchende Unruhe und bittere Tadelsucht, denselben Skeptizismus bei den Oberflächlichen und Pessimismus bei den Tiefen, welche unsere eigene Kulturepoche charakterisiren. Aber auch zwischen diesen beiden ähnlichen Epochen besteht doch noch ein letzter Unterschied: im kaiserlichen Rom ergriff die bis zum Todesverlangen gesteigerte Verzweiflung blos die geistig Vornehmen, also eine im Verhältniß zur Gesammtheit ganz kleine Schaar von Auserlesenen, während die große Menge in dumpfer Gedankenlosigkeit hinlebte und die ungeheure Tragik des Moments höchstens als äußerliche, materielle Noth der Zeit empfand; in unserer Zeit dagegen erstreckt sich diese Stimmung wie eine allgemeine, eine ganze Erdhälfte beschattende Dämmerung über die riesige Mehrheit aller Kulturmenschen. Wohl ist das nur ein Mengen-, kein Gattungs-Unterschied. Allein was eine schwere Krankheit grauenhaft macht, das ist eben ihre weite Verbreitung.

IV.

Woher nun dieser unleidliche Seelenzustand der Kulturmenschheit? Woher diese in solcher Tiefe und Ausdehnung beispiellose Verstimmtheit und Verbitterung aller Denkenden in einer Zeit, die doch selbst den Ärmsten eine Fülle geistiger und materieller Befriedigungen leicht erreichbar macht, welche sich früher selbst ein König nicht verschaffen konnte?

Woher? Aus derselben Ursache, welche die gebildeten Spätrömer mit jenem Ekel vor der Leere des Daseins erfüllte, von dem sie sich blos durch den Selbstmord befreien zu können glaubten; aus dem Gegensatz zwischen unserer Weltanschauung und allen Formen unseres individuellen, gesellschaftlichen und bürgerlichen Lebens. Jede unserer Handlungen widerspricht unseren Überzeugungen, verhöhnt sie, straft sie Lügen. Ein unüberbrückbarer Abgrund klafft zwischen unserer Erkenntniß, zwischen dem, was wir als Wahrheit empfinden, und den herkömmlichen Einrichtungen, unter denen wir zu leben und zu wirken gezwungen sind.

Unsere Weltanschauung ist die naturwissenschaftliche. Wir fassen den Kosmos als eine Stoffmasse auf, welche als Attribut die Bewegung hat, die, im Grunde eine einzige, uns in der Form verschiedener Kräfte zur Wahrnehmung gelangt. Die Bewegung sehen wir von bestimmten Gesetzen regiert, die wir zum Theil erkannt, definirt, experimentell erprobt haben, denen wir zum andern Theil auf der Spur sind, die wir für unwandelbar halten und von denen wir keine Ausnahme kennen. Die Frage nach dem letzten Grund und nach dem Anfang der Dinge haben wir als eine mit den Mitteln unseres Organismus unlösbare aufgegeben. Zur Bequemlichkeit, als provisorischen Abschluß einer Gedankenreihe, die formal nicht Fragment bleiben kann, nehmen wir, allerdings willkürlich, eine nicht direkt zu erweisende Ewigkeit des Stoffs an. Diese Annahme, die einzige arbiträre in unserem System, reicht uns vollständig zur Erklärung aller übrigen Phänomene aus und widerspricht nicht unserer Einsicht in das Walten der natürlichen Gesetze. Sie macht uns die ebenso willkürliche, ebenso unerweisbare Annahme eines ewigen Willens oder Intellekts oder wie man immer "Gott« umschreiben will, unnöthig, die den Nachtheil hätte, zu einer Reihe anderer Annahmen – wie Vorsehung, Seele, Unsterblichkeit u. s. w. – zu führen, welche unfaßbar und unvernünftig sind und zu allen unangreifbar bewährten Naturgesetzen in Widerspruch stehen. Wenn wir vom Weltganzen zu unserer Gattung, zur Menschheit, herabsteigen, so ergiebt sich aus unserer naturwissenschaftlichen Auffassung mit Nothwendigkeit, daß wir im Menschen ein Lebewesen sehen, welches sich ohne Unterbrechung an die Reihe der Organismen anschließt und in jeder Hinsicht von den allgemeinen Gesetzen der organischen Welt regiert wird. Wir erkennen keine Möglichkeit, dem Menschen Sondervorrechte oder Zustände der Gnade zuzugestehen, welche nicht auch jedem andern Thier- oder Pflanzen-Individuum zukämen. Wir glauben, daß die Entwicklung der menschlichen wie die aller anderen Gattungen durch die Zuchtwahl vielleicht erst ermöglicht, jedenfalls aber gefördert wurde und daß der Kampf ums Dasein im weitesten Sinne die ganze Menschheitgeschichte ebenso wie das Dasein des obskursten Individuums formt und allen Erscheinungen der Politik wie des Gesellschaftslebens zu Grunde liegt.

Das ist unsere Weltanschauung. Aus ihr ergeben sich all unsere Lebensgrundsätze und unsere Rechts- und Moralauffassung. Sie ist ein Elementarbestandtheil unserer Kultur geworden. Sie durchdringt uns mit der Luft, die wir athmen. Es ist unmöglich geworden, sich gegen sie abzuschließen. Der Papst, der sie in der Encyklika verdammte, stand unter ihrem Einflusse. Der Jesuitenzögling, von dem man sie fernzuhalten sucht, indem man ihn in einer künstlichen Atmosphäre von mittelalterlicher Theologie und Scholastik aufzieht, wie man Seethiere in Binnland-Aquarien in weithergeholtem Meerwasser zu erhalten sucht, der Jesuitenzögling selbst ist von ihr erfüllt, er nimmt sie in sich auf, indem er die Maueranschläge in den Straßen sieht, indem er die Lebensgewohnheiten seiner Gesinnungsgenossen beobachtet, indem er fromme Zeitungen liest, indem er bei einem wohlgesinnten Buchhändler ein Brevier kauft, sein ganzes Seelenleben ist unbewußt von ihr gefärbt und durchtränkt, er hat unwillkürlich Gedanken und Empfindungen, wie sie der Mensch des elften Jahrhunderts nie gehabt hatte, und er hat gut das Unmögliche versuchen: er kann sich nicht verhindern, der Sohn der Neuzeit und ihrer spezifischen Zivilisation zu sein.

Und mit dieser Weltanschauung müssen wir in einer Kultur leben, die willig zugibt, daß ein Mensch durch den Zufall der Geburt die weitgehendsten Rechte über Millionen seiner ganz gleich, in vielen Fällen sogar weit besser organisirten Mitmenschen erlange, daß ein Mann, welcher sinnlose Worte spricht und zwecklose Bewegungen macht, als sichtbare Verkörperung übernatürlicher Gewalten verehrt werde, daß ein Mädchen in gewisser Lebensstellung ein schönes, kräftiges, blühendes Individuum nicht, wol aber ein häßliches, schwächliches, verkümmertes heiraten dürfe, weil jenes einem sogenannten niedern, dieses einem ebenbürtigen Range angehört; daß ein gesunder und starker Arbeiter hungere, während ein kränklicher und unfähiger Müßiggänger in einem Überfluß schwelgt, den er gar nicht zu genießen vermag. Wir, die wir glauben, daß die Menschheit aus niedrigeren Lebensformen hervorgegangen ist, und die wir wissen, daß alle Individuen ohne Unterschied nach denselben organischen Gesetzen werden, dauern und vergehen, wir müssen uns vor einem Könige neigen, müssen in ihm ein unter besonderen Lebensgesetzen stehendes Wesen verehren und dürfen nicht lächeln, wenn wir auf den Münzen und in den Regierungsakten lesen, daß er durch eine mystische "Gnade Gottes« sei, was er ist. Wir, die wir überzeugt sind, daß alle Weltvorgänge von unabänderlichen und keine Ausnahme duldenden physikalischen Gesetzen bestimmt werden, müssen sehen, wie der Staat Priester besoldet, deren erklärte Aufgabe es ist, Zeremonien aufzuführen, die angeblich einen die Naturgesetze überwiegenden und unterjochenden Einfluß auf die Weltvorgänge üben sollen, wir müssen gelegentlich feierlichen Messen oder Gottesdiensten anwohnen, in denen für unser

Gemeinwesen besondere geheimnißvolle Begünstigungen von einer der naturwissenschaftlichen Auffassung unfaßbaren übernatürlichen Kraft erbeten werden, und wir weisen den Individuen, die solche widersinnige Gaukeleien verüben, im Staate und in der Gesellschaft einen hohen Rang an. Wir glauben an die große und wohlthätige Wirkung der Zuchtwahl und vertheidigen dennoch gleichzeitig den Konventionalismus der Ehe, die in ihrer gegenwärtigen Form die Zuchtwahl direkt ausschließt. Wir erkennen im Kampfe ums Dasein die Grundlage allen Rechts und aller Moral und geben täglich Gesetze und stützen fortwährend Einrichtungen, welche das freie Spiel der Kräfte absolut verhindern, den Starken und Lebensberechtigten den Gebrauch ihrer triumpfsichernden Fähigkeiten wehren und den naturgemäßen Sieg über die Hinfälligen zu einem todeswürdigen Verbrechen machen. So ist unser ganzes Leben auf hergebrachten Voraussetzungen einer anderen Zeit aufgebaut, die unseren heutigen Anschauungen in keinem Punkte mehr entsprechen. Form und Inhalt unseres bürgerlichen Daseins schließen einander heftig aus. Das Problem unserer offiziellen Kultur scheint zu sein, einen Würfel in einer Kugel von gleichem Rauminhalt unterzubringen. Jedes Wort, das wir sprechen, jede Handlung, die wir üben, ist eine Lüge gegen das, was wir in unserer Seele als Wahrheit erkennen. So parodiren wir uns gleichsam selbst und spielen eine ewige Komödie; die uns trotz aller Gewohnheit ermüdet, die von uns eine beständige Verleugnung unserer Erkenntniß und Überzeugungen verlangt und uns in Momenten der Selbsteinkehr mit Verachtung vor uns und dem Welttreiben erfüllen muß. Wir tragen bei hundert Gelegenheiten mit feierlichen Mienen und gesetztem Anstand ein Kostüm, das uns selbst eine Narrenjacke scheint, wir heucheln äußerliche Verehrung vor Personen und Einrichtungen, die uns innerlich im höchsten Grade absurd dünken und halten feige an Konventionen fest, deren vollständige Unberechtigtheit wir mit allen Fibern unseres Wesens fühlen.

Die Rückwirkung eines solchen ewigen Konflikts zwischen den Daseinsformen und den Überzeugungen auf das innere Leben des

Individuums ist eine tragische. Man erscheint sich selbst wie ein Clown, der Alles lachen macht, aber den seine eigenen Spaße anekeln und tief traurig lassen. Die Unwissenheit ist mit einer Art thierischen Behagens ganz gut vereinbar und man kann glücklich und zufrieden sein, wenn man alle Einrichtungen, von denen man umgeben ist, als nothwendig und vollberechtigt empfindet. Die Inquisitoren, die den Zweifel mit dem Würgstock und Scheiterhaufen verfolgten, wollten in ihrer Weise der Menschheit eine Wohlthat erweisen und ihr die Lebensfreudigkeit retten. Sowie man aber erkennt, daß die überkommenen Institutionen abgestorben und innerlich vermodert, daß sie leere, sinnlose Scheingebilde sind, halb Vogelscheuche, halb Theaterdekoration, muß man die Schrecken und Empörungen, die Entmuthigungen und Galgenhumoranfälle erleiden, die etwa ein Lebendiger hätte, welcher in eine Gruft unter Leichen gesperrt wäre, oder ein Vernünftiger, der unter Wahnsinnigen leben und, um nicht mißhandelt zu werben, auf alle ihre Verrücktheiten eingehen müßte.

Dieser beständige Widerspruch zwischen unseren Anschauungen und allen Formen unserer Kultur, diese Notwendigkeit, umgeben von Einrichtungen zu leben, die wir als Lügen betrachten, sie sind es, die uns zu Pessimisten und Skeptikern machen. Das ist der tiefe Riß, der durch die ganze Kulturwelt geht. In diesem unerträglichen Zwiespalt verlieren wir alle Daseinsfreude und alle Strebenslust. Er ist der Grund des fieberischen Unbehagens, das die Gebildeten aller Nationen verdüstert. Das unheimliche Räthsel der Zeitstimmung hat ihn zur Lösung.

Aufgabe der folgenden Kapitel wird es sein, diesen Zwiespalt zwischen den herrschenden konventionellen Lügen und der sich gegen sie empörenden naturwissenschaftlichen Weltanschauung im Einzelnen nachzuweisen.

Die religiöse Lüge.

I.

Die verbreitetste und mächtigste unter den Einrichtungen, welche uns die Vergangenheit hinterlassen hat, ist die Religion. Unter ihrem Banne steht die ganze Menschheit. Sie umschlingt mit demselben Bande die höchsten und die niedrigsten Racen und ihr verknüpfender Knoten macht den Australneger zum Gesinnungsverwandten und Kulturnachbar des englischen Lords. Die Religion durchdringt alle Formen des staatlichen und gesellschaftlichen Lebens und der Glaube an ihre übersinnlichen Lehrsätze ist die stillschweigende oder ausgesprochene Voraussetzung der Giltigkeit, ja der bloßen Möglichkeit einer ganzen Reihe von Handlungen, welche die kritischen Entwickelungs-Stationen und bestimmenden Wendepunkte des individuellen Daseins bilden. Es gibt noch zahlreiche Kulturländer, wo jedermann einer Religion angehören muß. Um seinen Glauben, seine Überzeugungen kümmert man sich nicht; aber äußerlich muß er zu einer bestimmten Konfession zählen. Man steht nicht mehr ganz auf dem Standpunkte Spaniens im sechzehnten Jahrhundert, Englands während der Gegenreformation unter der blutigen Mary oder der neuenglischen Kolonien zur Zeit der Puritaner-Tyrannei, da man mit furchtbarer Strenge darauf achtete, daß jeder Bürger an den Handlungen des Kults theilnehme; aber der Fortschritt ist im Ganzen ein geringer; denn wenn der Staat nicht mehr fordert, daß man zur Messe und Beichte gehe, und wenn er nicht mehr die Strafe des Feuertodes darauf setzt, daß man Sonntags beim Gottesdienste gefehlt hat, so besteht er doch noch in vielen europäischen und amerikanischen Ländern darauf, daß man im Mitglieder-Verzeichnisse einer religiösen Gemeinde eingetragen sei, und treibt mit Hilfe seiner Gerichte und Gendarmen von allen Bürgern Geldbeiträge zu konfessionellen Zwecken ein.

Die Religion nimmt den Kulturmenschen bei seinem Eintritt ins Leben in Empfang, sie ist seine hartnäckige, aufdringliche Begleiterin durchs ganze Dasein und läßt selbst bei seinem Tode noch nicht von ihm. Der Staatsbürger wird geboren – die Eltern müssen ihn taufen lassen, wenn sie sich nicht, wenigstens in manchen Ländern, einer Strafe und einem gewaltsamen Einschreiten des Staates aussetzen wollen; er will heiraten – er kann es nur in der Kirche und unter Mitwirkung eines Priesters thun. Allerdings besteht mancherorten die Zivilehe, aber erstens ist sie nicht überall eingeführt, zweitens bemühen sich in einigen Ländern, wo sie errungen wurde, mächtige Einflüsse, sie wieder abzuschaffen, drittens haben die gesellschaftlichen Sitten selbst dort, wo die Zivilehe eine unausrottbare Einrichtung ist, mit dem Gesetz nicht gleichen Schritt gehalten und geben vor, dieselbe nicht als Vollehe zu betrachten. Der Weltbürger stirbt, seinem Leichenwagen muß ein Priester folgen, über seinem Sarge müssen Gebete gesprochen werden und er kann nur in sogenannter "geweihter« Erde eine Ruhestätte finden, umgeben von Abzeichen und Inschriften religiöser Natur. Bei zahlreichen Anlässen kann er seine berechtigtsten Interessen blos mit Hilfe eines Eides wahrnehmen, der auf religiösen Anschauungen beruht. Er soll seinem Vaterlande als Soldat das Opfer seines Blutes bringen – er kann es nicht, ohne bei Gott einen Fahneneid zu schwören; er soll vor Gericht sein gutes Recht erstreiten – er kann es nur darthun, indem er einen Eid ablegt. Ohne Eid kann er nicht als Geschworener seinen Mitbürgern Recht sprechen, kann er nicht als Abgeordneter die Interessen des Volkes wahrnehmen, kann er kaum irgend eine öffentliche Stellung bekleiden. Der Versuch, den man in England und Frankreich gemacht, den religiösen Eid durch eine feierliche Versicherung bei Ehre und Gewissen zu ersetzen, hat leidenschaftlichen Widerstand erregt. In der ganzen weiten Kulturwelt ist noch kaum ein Winkelchen oder Endchen zu entdecken, das die Allherrschaft der Religion abgeschüttelt hätte.

Die Formen, unter welchen sich die Zivilisation geschichtlich entwickelt hat, sind die Familie, das Eigenthum, der Staat und die Religion. Nun denn: keine dieser vier Formen umfaßt eine so große Zahl von Individuen wie die letzte. Es gibt viele Menschen, die außerhalb der Familie stehen; so die Findlinge und die Straßenaraber der Großstädte, wenn sie nicht im reiferen Alter durch Ehe oder Konkubinat eine Familie gründen. Die völlig Besitzlosen und die Gewohnheitsverbrecher, die von Raub und Diebstahl leben, erkennen den Grundsatz des Eigenthums nicht an. Mitten in unserer reglementirten Zivilisation mit ihrer

Vielregiererei, ihrem Verwaltungsapparate und ihrer Beamtenarmee gibt es ansehnliche Gruppen, – beispielsweise in fast allen Ländern Europas die Zigeuner – die sich nicht in den Rahmen der Staatsorganisation fügen, deren Geburten, Ehen und Sterbefälle nirgends verzeichnet werden, die nirgends Steuer zahlen, nirgends eine Militärdienstpflicht erfüllen, keine Ortsangehörigkeit, keine politische Nationalität besitzen und, selbst wenn sie es wollten, nur sehr schwer in die normale bürgerliche Gesellschaft eintreten könnten, weil ihnen die verschiedenen mit unleserlichen Unterschriften und respektablen Polizeisiegeln bedeckten stempelpflichtigen Papiere fehlen, ohne deren Besitz der nummerirte und etikettirte Sohn der Zivilisation eine rechtsgiltige Anerkennung weder seines Lebens noch seines Todes erlangen kann. Dagegen ist die Zahl derjenigen, die außerhalb der Religion stehen, überaus klein. In Deutschland wurde ein Freidenkerbund gegründet, der solchen, die den Konfessionalismus überwunden haben, Gelegenheit bietet, sich auch äußerlich als von den ererbten Ketten des Aberglaubens befreit zu verkünden. Er zählt nach mehrjährigem Bestande kaum tausend Mitglieder und selbst von diesen werden viele noch amtlich in den Listen der Angehörigen religiöser Gemeinden geführt. In Österreich gestattet ein Gesetz den Austritt aus den bestehenden Religionen. Nicht fünfhundert Personen haben sich dieses Gesetz zu Nutzen gemacht, um sich als konfessionslos zu erklären, und auch von diesen waren die meisten nicht durch die Ehrlichkeit gedrängt, ihre Handlungen und Lebensführungen auch äußerlich mit ihren Überzeugungen in Einklang zu bringen, sondern die einen wollten eine Ehe mit einer andersgläubigen Person eingehen, was den Austritt beider Parteien aus ihrer Konfession zur Voraussetzung hat, und die anderen waren Juden, welche sich dem Wahn hingaben, sie würden dem ihren Stamm verfolgenden Vorurtheile entgehen können, weil sie offiziell nicht mehr zur jüdischen Glaubensgemeinde zählten. Dieser Beweggrund trat so häufig ins Spiel, daß in Österreich konfessionslos und jüdisch fast synonym werden konnten und der Sekretär der Wiener Universität, wenn er bei den Einschreibungen auf die dort noch übliche Frage nach der Religion des Studenten die Antwort erhielt: "Konfessionslos!« mit gutmüthigem Lächeln zu bemerken pflegte: "Warum sagen Sie denn nicht lieber gleich, daß Sie ein Jude sind!« Frankreich ist dasjenige Kulturland, wo die Geistesfreiheit dem Konfessionalismus in den Gesetzen – nicht auch in den Sitten – bisher das weiteste Gebiet abgerungen hat. Doch bleiben auch in Frankreich weitaus die meisten Freidenker im Schoße der Kirche, der ihre Eltern angehört haben, sie gehen zur Messe und Beichte, verheiraten sich vor dem Altar, lassen ihre Kinder taufen und konfirmiren und rufen den Priester zu ihren Todten. Noch nicht nach Hunderten zählen diejenigen, die ihre Kinder ohne Taufe und Firmung aufwachsen lassen und für sich letztwillig ein sogenanntes Zivilbegräbniß fordern. In dem freien England gestatten Gesetz und öffentliche Meinung, daß man Sekten und Religionen stifte, daß man sich zum Buddhismus oder zur Sonnenanbetung der Parsis bekenne, nicht aber, daß man eingestandener Atheist sei. Bradlaugh hatte die Kühnheit, seinen Atheismus offen zu verkünden. Er wurde dafür gesellschaftlich geächtet, aus dem Parlament gestoßen, in haarsträubend kostspielige Rechtshändel verwickelt.

So mächtig ist der Einfluß der Religion auf jeden Geist, so schwer ist es, sich der Gewohnheit des Konfessionalismus zu entschlagen, daß selbst die Gottesleugner, wenn sie im Gemüthe des Menschen den Glauben durch ein anderes, unserer Weltanschauung angepaßtes Ideal ersetzen wollen, schwach genug sind, für ihre vernünftige Konzeption die an die Albernheiten des Kindesalters der Menschheit erinnernde Bezeichnung Religion beizubehalten. In Berlin und an anderen Orten Norddeutschlands haben Vereinigungen von Freidenkern für ihre Gesellschaft keinen anderen Namen gefunden als den einer "freireligiösen Gemeinde« und David Friedrich Strauß nennt einen Idealismus, dessen Wesenheit das Nichtvorhandensein einer übersinnlichen Religion ist, die "Religion der Zukunft«. Erinnert das nicht ein wenig an den Atheisten der bekannten Anekdote, der ausruft: "Bei Gott, ich bin ein Atheist!«

II.

Hier ist der Platz, einem Mißverständnisse zuvorzukommen. Wenn ich die Religion eine konventionelle Lüge des Kulturmenschen nenne, so verstehe ich unter dem Worte Religion nicht den Glauben an außerirdische, übersinnliche Gewalten. Dieser Glaube ist bei den meisten Menschen ehrlich. Unbewußt lebt er selbst noch bei Männern der höchsten Geistesbildung fort und nur die allerwenigsten Söhne des neunzehnten Jahrhunderts sind mit der naturwissenschaftlichen Weltanschauung, von deren Richtigkeit ihre Vernunft überzeugt ist, so eins geworden, daß dieselbe auch bis in das Nachtleben ihrer Seele vordringen konnte, in deren dem Willen fast unzugänglichen Verstecken die unbestimmten Gefühle, Träumereien und Stimmungen ihren Ursprung nehmen. In diesem geheimnißvollen Dunkel wahren die uralten Vorurtheile und abergläubischen Vorstellungen ihre Herrschaft und sie daraus zu verjagen ist unvergleichlich schwerer, als Eulen und Fledermäuse aus den Winkeln und Thurmhelms zu verscheuchen.

In diesem Sinne, das heißt als ein halb oder ganz unbewußtes Festhalten an transszendentalen Einbildungen, ist also die Religion in der That ein noch äußerst weit verbreitetes psychisches Überlebsel des Kindesalters der Menschheit; ich gehe weiter und sage, daß sie eine durch die Unvollkommenheit unseres Denkorganes bedingte funktionelle Schwäche, daß sie eine der Formen unserer Endlichkeit ist. Ich werde mich bemühen, diese Behauptung zu erklären damit sie nicht dunkel erscheine.

Die Philologie, vergleichende Mythologie und Ethnographie haben bereits zahlreiche Beiträge zur Geschichte des Entstehens und der Entwickelung des religiösen Gedankens herbeischaffen können und die Psychologie hat den erfolgreichen Versuch unternommen, die seelischen Eigenheiten nachzuweisen, infolge welcher der ursprüngliche Mensch zur Vorstellung des Übernatürlichen gelangen mußte und der Kulturmensch diese Vorstellung festhält.

Erst nach mehreren Jahrtausenden der Zivilisation, erst ungezählte Generationen nach so umfassenden Denkern wie Pythagoras, Sokrates und Plato gelangte ein intensiver Mensch dazu, gewisse Vorstellungen als nicht wesenhaft, als bloße Formen oder Kategorien unseres Denkens zu erkennen. Beim ersten Dämmern eines lichteren Seelenlebens mußten diese Vorstellungen natürlich das ganze rudimentäre Denken des Urmenschen mit einer Gewalt beherrschen, von der sich der Sohn der Zivilisation, der an Abstraktionen gewöhnt ist und die ungeheure Geistesanstrengung, die sie kosten, gar nicht mehr empfindet, keinen Begriff machen kann. Dem Wilden sind Zeit und Raum und Kausalität etwas ganz so Wirkliches und Stoffliches wie die Dinge selbst, die ihn umgeben und die er mit seinem gröbsten Sinne, dem Tastsinne, wahrnehmen kann. Er stellt sich die Zeit als ein Ungeheuer vor, welches seine Kinder frißt, der Raum erscheint ihm als eine Mauer, welche den Gesichtskreis umbaut, oder auch als ein Zusammenfließen des als Dach oder Sturz gedachten Himmels mit der Erde, und die Ursächlichkeit empfindet er als so nothwendig, als so untrennbar von der Erscheinung, daß er ihr die Nächstliegende und ihm verständlichste Form gibt: die einer bewußten Handlung, eines Wesens gleich ihm selbst. Fällt ein Baum in seiner Wildniß, so kann ihn nur ein organisches Wesen umgeworfen haben; bebt die Erde, so hat sie offenbar jemand erschüttert, und da die Vorstellung "jemand« für seinen armen Geist noch zu unbestimmt und darum zu schwer erfaßbar ist, so gibt er ihr die bequeme Form eines Menschen. Derselbe Denkprozeß wird durch alle Phänomene angeregt, die sich um ihn ereignen. Widerstandsloser Sklave der Kausalitäts-Vorstellung, sucht er für jede Wahrnehmung die Ursache, und da er als Ursache der von ihm verübten Handlungen seinen eigenen Willen kennt oder zu kennen glaubt, so überträgt er diese individuelle Beobachtung auf die Natur und erkennt in deren Erscheinungen die Wirkung der Willkür eines menschenähnlichen Wesens. Hier aber tritt zum ersten Mal ein Grund der Verwirrung und des Erstaunens an ihn heran. Wenn seine Frau mit Hilfe von Reibhölzern Feuer anzündet, wenn sein Stammesgenosse mit seiner Steinaxt ein Thier tödtet, so nehmen seine Sinne die Ursache des Aufloderns der Gluth und des Umsinkens des Thieres wahr. Wenn aber der Sturm seine Hütte umreißt oder der Hagel ihn verwundet, so sieht er das Wesen nicht; das ihm diese Gewalt anthut. Daß dieses Wesen existirt, daß es ihm ganz nahe ist, daran zweifelt er nicht, denn die Hütte liegt in Trümmern da und die Wunde, die ihm der Hagel geschlagen, blutet und das muß doch jemand gethan und thun gewollt haben. Da er aber den Missethäter nicht findet, so bemächtigt sich seines Geistes die entsetzliche Angst, welche die unbekannte Gefahr, gegen die man sich nicht vertheidigen kann, stets erweckt, und dieses Gefühl ist der Anfang der Religion. In der That: alle Reisebeschreiber, welche Wilde beobachten konnten, sind darin einig, daß das religiöse Gefühl sich in den letzteren ausschließlich als abergläubische Furcht äußert. Und das ist natürlich. Die unangenehmen Empfindungen sind nicht nur weit häufiger, sondern auch weit stärker als die angenehmen und sie regen eine ungleich höhere und lebhaftere äußere und innere Thätigkeit an als diese. Eine angenehme Empfindung wird stumpf und passiv ertragen; der Geist braucht sich sie nicht zu verdeutlichen; Muskeln und Hirn können bei ihr ruhen; eine unangenehme dagegen gelangt zunächst klar zum Bewußtsein und macht dann eine Reihe von Denk- und Willensakten zur Entdeckung und Abwehr ihrer Ursache nothwendig. So kommt es, daß der primitive Mensch ungleich früher auf die ihm feindlichen Kräfte der Natur aufmerksam wird als auf die, welche seine Wohlthäter sind. Daß ihn die Sonne wärmt und die Frucht nährt, darüber macht er sich keine Gedanken, weil er nur denkt, wenn er dazu genötigt wird, und er die Frucht verzehren und sich in der Sonne ausstrecken kann, auch ohne dabei zu denken. Die Gefahren und Widerwärtigkeiten dagegen erwecken seine Seelenthätigkeit und bevölkern seine Vorstellungswelt mit dauernden Bildern. Erst auf einer sehr hohen Stufe geistiger Entwickelung gelangt der Mensch dazu, sich auch die Annehmlichkeiten des Lebens deutlich zu vergegenwärtigen, sie nicht blos instinktiv, sondern mit Bewußtsein zu genießen, hinter ihnen ebenfalls die Willkür eines menschenähnlichen Wesens als Ursache zu suchen und für dieses

Liebe, Dankbarkeit und Bewunderung zu empfinden. Bis zu diesem vergleichsweise späten Stadium der Kultur begnügt er sich damit, vor dem unsichtbaren und unbekannten Willen, welcher stürmt und donnert und blitzt, ihn mit allerlei Übeln quält und ihm Schmerz und Ungemach bereitet, Angst und Grauen zu haben.

Aus diesem Gefühle der Furcht gehen alle ursprünglichen Handlungen des religiösen Kults hervor. Man vermeidet es, Dinge zu thun, die den unsichtbaren mächtigen Feind reizen könnten, und die rege, kindische Phantasie, der sprunghafte Gedankengang des primitiven Menschen lassen ihn in allen möglichen Thätigkeiten eine Ursache der Mißstimmung dieses Feindes besorgen. Ist derselbe aufgebracht, so muß man ihn mit allen Mitteln versöhnen. Man fröhnt seiner Habgier, indem man ihm Geschenke macht, ihm Opfer bringt. Man schmeichelt seiner Eitelkeit, indem man ihn preist und seine Eigenschaften rühmt. Man demüthigt sich vor ihm, sucht ihn durch Bitten zu rühren, gelegentlich auch durch Drohungen einzuschüchtern. Gebet, Opfer, Beschwörung sind also Äußerungen desselben Gefühls, aus welchem Darwin in seinem Buche über den Ausdruck der Gemüthsbewegungen bei Menschen und Thieren die Grußformen also das Wedeln und Kriechen des Hundes, das Schnurren der Katze, das Sichverneigen und Hutabnehmen des Kulturmenschen ableitet: nämlich Akte der Unterwerfung unter einen stärkern Gegner.

Fassen wir diese Ausführungen kurz zusammen. Die Kausalität, die eine Form oder Kategorie des menschlichen Denkens ist, wird vom primitiven Menschen grob materiell und wesenhaft aufgefaßt. Er sucht für alle Erscheinungen, die ihn beunruhigen, naheliegende Ursachen. Seine Unfähigkeit, abstrakt zu denken, gestattet ihm blos konkrete Vorstellungen, die vor seinem Geiste stets im Gewande ihm geläufiger Bilder erscheinen; so gelangt er zum Anthropomorphismus, das heißt, er denkt sich alle Kräfte, Alles, was im Stande ist, ein Phänomen zu verursachen, in der Gestalt eines Menschen mit Bewußtsein, Willen und Organen zur Vollziehung des letztern, da er eben eine Kraft, losgelöst von der organischen Form, in der er ihre Thätigkeit gewöhnlich beobachtet, noch nicht zu erfassen vermag. Die Kausalität führt ihn also zur Annahme einer Ursache aller Phänomene, seine Abstraktions-Unfähigkeit zum Anthropomorphismus, zur Bevölkerung der Natur mit einem persönlichen Gott oder mit persönlichen Göttern, seine Furcht vor diesen, die ihm Feinde zu sein dünken, zu Opferhandlungen und Gebeten, mit einem Wort zu einem äußerlichen Kult.

Das ist die eine Wurzel der Religion beim primitiven Menschen und sie ist auch aus dem Gemüthe des Kulturmenschen nicht herausgerissen. Selbst Geister, die gebildet und im Denken geübt genug sind, um Zeit und Raum nicht mehr als etwas stofflich Vorhandenes zu betrachten, empfinden die Kausalität noch immer als wesenhaft und haben sich nicht zur Höhe der Abstraktion emporarbeiten können, von der aus man auch die Kausalität nicht als eine Bedingung der Erscheinungen, sondern als eine Form unseres Denkens erkennt. Und was den Anthropomorphismus betrifft, so wird er noch heute fortwährend geübt; nicht blos vom Kinde, das sich an den Märchen erbaut, die den Wind und die Bäume reden und die Sterne Ehen schließen lassen, sondern auch vom Erwachsenen in der geheimsten Intimität seines Seelenlebens, das sich kaum je vollständig von den Nachwirkungen der Kindesgewohnheiten befreit. Ist es nicht bezeichnend, daß der Modephilosoph unserer Tage mit einer seltsamen Rückkehr zu urmenschlichen Vorstellungen sein System auf denselben Voraussetzungen aufgebaut hat, aus welchen die frühesten Rudimente einer Weltanschauung bei den Zeitgenossen des Höhlenbärs und bei den heutigen Australnegern erwuchsen: nämlich auf der Annahme eines Willens als Grundbedingung nicht allein irgend einer Thätigkeit, sondern schon des bloßen Bestehens jedes Objekts? Dieses Hineintragen eines uns vertrauten, weil häufig in uns selbst beobachteten Vorganges in die uns umgebenden Dinge, dieses Bestreben, sich deren Vorhandensein durch die Existenz eines Willens in ihnen zu verdeutlichen, weil man auch die Vorstellung eines Menschen nicht von dem eines in ihm waltenden und sein ganzes Thun bedingenden Willens trennen kann, gehört durchaus der ersten Stufe der menschlichen Geistesthätigkeit an. Schopenhauer mag seinem System durch Sublimirungen und Raffinements äußerlicher Natur und durch dessen Einkleidung in die Kunstsprache der Wissenschaft ein genug vornehmes Ansehen gegeben haben, um es Bildungsmenschen mit guter Art vorstellen zu können, in seinem Kern bleibt dasselbe dennoch der erstaunlichste Atavismus, den die Geschichte der Philosophie, die so wesentlich eine Geschichte der Rückfälle des menschlichen Geistes in überwunden geglaubte alte Träumereien und Thorheiten ist, aufzuweisen hat. Wenn selbst ein auf der Höhe unserer Kultur stehender Denker wie Schopenhauer die unorganischen Dinge mit einem Willen gleich dem menschlichen belebt, um sie zu begreifen (obwohl doch im Menschen selbst einige der wichtigsten Vorgänge, z. B. die des Stoffwechsels, ohne den Einfluß des Willens stattfinden), wenn diesem System bei zahlreichen Geistern der Elite eine billigende Aufnahme wird, wie sollte man es nicht verstehen, daß der Mammuthjäger der Quaternärzeit, die an seinem beschränkten Ich gemachten armseligen Erfahrungen verallgemeinernd, die Natur nur begreifen konnte, wenn er hinter ihren Erscheinungen einen Urheber nach seinem Ebenbilde, nur stärker und schrecklicher, mit größerer Steinaxt und kräftigerem Appetit, annahm und dadurch zu den Anfängen einer Religion gelangte?

Die Vorstellung eines Willens als Ursache der Weltphänomene, also der Glaube an einen persönlichen Gott oder an Götter, ist aber blos ein Theil der Religion, die ihre transszendentalen Erklärungsversuche nicht auf die Natur beschränkt, sondern auch an dem Menschen und an seiner Stellung in der Natur übt. Zu den religiösen Vorstellungen gehören auch die einer Seele im Menschen und einer Fortdauer derselben nach seinem Tode. Erst der Glaube an die Unsterblichkeit vervollständigt den Glauben an Gott zu einem umfassenden Systeme, das die Grundlage einer Gesellschaftsordnung und einer Moral abgeben konnte, da es eine sichere Definition von gut und schlecht, eine Unterscheidung von Tugend und Laster gestattete und in einer künftigen Belohnung und

Bestrafung, deren erste Voraussetzung die Unsterblichkeit des Individuums mit seinen wesentlichen Attributen: der Empfindung und Vorstellung ist, die Mittel fand, die Menschen in ihrem Handeln zu bestimmen. Der Glaube an die Seele und deren Unsterblichkeit entspringt indeß nicht mehr aus der Kausalität und dem Anthropomorphismus, sondern aus ganz anderen psychologischen Quellen, denen wir ein wenig nachgraben wollen.

Spezialforscher haben vielfach die Frage erörtert, ob der Glaube an eine Seele und deren Unsterblichkeit dem Glauben an Gott vorangegangen oder nachgefolgt sei und ob nicht alle religiösen Vorstellungen überhaupt sich aus dem Seelenkult durch die Zwischenstufe des Dämonenglaubens hindurch entwickelt haben. Daß vielen alten Völkern und modernen wilden Stämmen der Glaube an die Seele ein wesentlicherer Bestandtheil der wirklich empfundenen innern Religion ist als der Glaube an ein höchstes Wesen, das scheint der Todtenkult der Egypter, die Laren- und Ahnen-Verehrung der Römer, das Trinken des Blutes geschlachteter Feinde bei antiken Celten und Germanen und die Menschenfresserei mancher innerafrikanischer und Südseeinsel-Stämme zu beweisen, welch letztere namentlich ganz gewiß nicht aus einem unwiderstehlichen Fleischbedürfnisse hervorgeht, wie oberflächliche Beobachter angegeben haben, sondern aus der mystischen Hoffnung, daß die Eigenschaften des getödteten Feindes auf denjenigen übergehen werden, der von ihm ißt. Alles in Allem ist die Frage, ob der Seelen- oder Gottglaube der ältere ist, eine untergeordnete. Das Eine steht fest, daß der Mensch sehr früh die zwei Vorstellungen hatte, in ihm sei etwas vom Körper Verschiedenes, welches das Leben bedinge, und dieses Etwas überdaure den Tod, die Zerstörung der äußern Form. Zu der ersten Vorstellung mußte eine ungenaue Beobachtung und eine mangelhafte Einsicht in die Naturgesetze führen. Man fühlte im lebenden Menschen mannigfache geheimnißvolle Bewegungen, das Klopfen des Herzens, das Schlagen der Pulsadern. Im todten Menschen ist Alles still und unbeweglich. Die Rolle, welche das Herz als Sitz der Gefühle im

Sprachgebrauche noch heute spielt, legt als Überlebsel Zeugniß für das Interesse ab, welches diese auffallenden Bewegungen des Herzens früh im Menschen erregten. Dem ungeschulten Denken ist nichts geläufiger, als aufeinanderfolgende Erscheinungen in ursächlichen Zusammenhang zu bringen. Da im Todten sich nichts regt, so muß das, was im Lebenden hüpft und sich wirft, das Lebenbedingende sein. Wenn man lebt, so ist es da; wenn man stirbt, so geht es davon, verläßt es den Körper. Was ist es aber? Auf diese Frage antwortet die Phantasie des primitiven Menschen vielfältig. Darin sind fast alle Völker einig, dem Lebensprinzip, der Seele, eine Thierform zu geben. Dem einen ist die Seele eine Taube, dem anderen ein Schmetterling. Andere, die bereits abstrakterer Vorstellungen fähig sind, denken sich dieselbe als einen Windhauch oder als einen Schatten. Die beunruhigenden und unerklärlichen Erscheinungen des Schlafes und Traumes werden durch solche Annahmen einer Erklärung zugänglich, welche dem primitiven Geiste genügt. Die Seele, dieser materielle und organisirte Bewohner des Körpers, diese Art Schmarotzer des Lebendigen, empfindet manchmal das Bedürfniß, ihren Käfig zu verlassen. Dann fällt der Leib in einen Zustand, welcher dem ähnlich ist, welcher seiner harrt, wenn die Seele für immer von ihm geht; er weiß und fühlt nichts, er bewegt sich nicht: er schläft. Die Seele ergeht sich irgendwo; sie thut und erfährt allerlei; davon bleibt eine dunkle Erinnerung, wenn sie in ihren ordentlichen Aufenthaltsort zurückgekehrt ist: das sind Träume. Jakob Grimm verzeichnet eine Sage, nach Paulus Diakonus, welche erzählt, der fränkische König Guntram sei eines Tages auf der Jagd eingeschlafen und der ihn begleitende Knecht habe aus seinem Munde ein schlangenähnliches Thierchen hervorkriechen und bis zum nahen Bache eilen gesehen, über den es nicht gekonnt. Der Diener habe darauf sein Schwert aus der Scheide gezogen und über den Bach gelegt. Das Thierchen sei hinüber gegangen, nach einigen Stunden wiedergekommen und in des Königs Mund zurückgeschlüpft, worauf dieser erwachte und dem Begleiter erzählte, er habe geträumt, einen großen Fluß gesehen zu haben, über den eine eiserne Brücke gebaut war, über die sei er gegangen

u. s. w. In einer andern Sage, ebenfalls bei Grimm, wird von einer schlafenden Magd erzählt, aus deren Munde ein rothes Mäuslein hervorgegangen sei; man habe die Schläferin umgewandt, worauf die Maus bei der Wiederkunft den Mund nicht finden gekonnt und die Magd nicht mehr erwacht sei. Und wo war dieser geheimnißvolle Bewohner des Menschenleibes, der die großen Räthsel des Lebens und Todes, des Schlafes und Traumes so faßlich erklärt, vor der Geburt seines Beherbergers und wohin geht er nach dessen Ende? Er war vorher in anderen Leibern und bezieht nachher andere Leiber; das ist der Glaube an die Seelenwanderung. Oder er entsteht erst mit dem Leibe und bleibt auch nach dessen Tode in seiner Nähe: das ist die altegyptische Vorstellung, die zur sorgsamen Erhaltung der Leichen führte. Daß er mit dem Leibe zugleich vergehe, nimmt der primitive Mensch nirgends an. Und das ist ganz natürlich! das absolute Nichtsein ist eine Vorstellung, der das menschliche Denken fremd und feindlich gegenübersteht, ja die voll zu realisiren ihm unmöglich ist. Man kann von einer Maschine keine Kraftleistung verlangen, die über das Vermögen ihrer Bestandteile geht. Die Vorstellung des Nichtseins ist eine Kraftleistung, die über das Vermögen des menschlichen Denkapparats hinausgeht. Man spricht von *horror vacuider Natur. Ganz so groß ist der horror vacuides menschlichen Denkens. Das, was im Menschen denkt, das ist sein Ich; dasselbe bildet die Unterlage, die notwendige Voraussetzung des Denkakts; ohne Ich kein Gedanke, keine Vorstellung, selbst keine Empfindung; die Vorstellung des Nichtseins wird ebenfalls vom Ich konzipirt, aber während das Ich sich bemüht, das Nichtsein sich zu vergegenwärtigen, hat es gleichzeitig das volle Bewußtsein seines Seins und diese Gleichzeitigkeit verhindert vollständig die wirkliche, deutliche Vorstellung des Nichtseins. Um sich von diesem einen überzeugenden, klaren Gedanken machen zu können, müßte das Ich einen Augenblick lang aufhören, sich als seiend zu fühlen, das heißt, es müßte unbewußt sein, es dürfte nicht denken. Dann könnte es aber auch das Nichtsein nicht denken. Hier ist der circulus vitiosus* , über den der Mensch infolge der Natur seines Denkapparates nicht hinauskömmt. So lange er denkt, ist sein Ich sich seines Daseins vollbewußt und kann das Nichtsein nicht ernstlich konzipiren; ist der Mensch aber seines Daseins unbewußt, dann denkt er nicht, also auch nicht den Gedanken des Nichtseins. Durch Wunder der Abstraktion ist die indische Philosophie zur Vorstellung des Nirvanah, des absoluten Nichts, der absoluten Stoff- und Bewegungslosigkeit gelangt. Dem Gedanken dieses absoluten Nichts, des Aufhörens der Welt sowol als des Ich, ist der Menschengeist eher zugänglich. Aber gegen einen Untergang des Ich bei einer Fortdauer der Welt lehnt er sich unbeugsam auf. Wie, diese Dinge, die nur da sind, weil wir sie wahrnehmen, ja deren Existenz außer unserer Wahrnehmung wir uns gar nicht vorstellen können, sollen fortdauern, und das, was ihnen erst ihr Dasein gibt, das sie wahrnehmde Ich, soll aufhören? Das ist undenkbar. Das mit dem Ich zugleich das ganze Weltphänomen verschwindet, daß dann das Nirvanah eintritt, das ist eine mögliche, ja in gewissem Sinne egoistisch-tröstliche Vorstellung. Daß aber das Ich aufhört und die Welt unverändert weiter besteht, ist ein Gedanke, der im Rahmen unseres auf dem Ich beruhenden Denkens nicht Platz findet. Wir können uns mit einem Wortschwall und Phrasenguß fast ertränken, wir können uns philosophische Formeln und Definitionen vormachen und uns mit hochmüthigem Selbstbetrug überreden, daß wir uns etwas Deutliches, Anschauliches dabei denken, wenn wir die Definitionen und Formeln emsig wiederholen. In Wirklichkeit haben wir vom Nichtsein nicht mehr eine Vorstellung als von der Unendlichkeit, die wir ja auch wol in Formeln, aber nicht in unser Gehirn bringen konnten. Es ist schon ein ungeheurer Triumph des menschlichen Geistes, daß auserlesene Kraftseelen zu einer Art schattenhafter, nicht recht in Worte zu fassender Ahnung dieser beiden Vorstellungen des Nichtseins und der Unendlichkeit gelangt sind; man könnte das, wenn dieser Vorgang möglich wäre, ein Hinaustreten des Menschen aus sich selbst, ein Sichemporheben über sich selbst nennen. Wie sollte der primitive Mensch solche fast übermenschliche Gedankenarbeit leisten? Sie mußte erst durch viele Jahrtausende harter Geistesdisziplin vorbereitet werden. Bei geringerer Entwickelung des Denkvermögens mußte dem Menschen das Nichtsein unfaßbar, die ewige Dauer des Ichs selbstverständlich, gar nicht anders denkbar sein. Er mußte zu der groben Vorstellung einer leiblichen Auferstehung der Todten und zu der feineren einer Unsterblichkeit der unkörperlichen, aber seltsamerweise dennoch die geistigen Attribute des Individuums: Willen, Empfindung und Vorstellung wahrenden Seele gelangen.

Das ist es, was ich meinte, als ich oben sagte, die Religion sei eine durch die Unvollkommenheit unseres Denkorgans bedingte funktionelle Schwäche und eine der Formen unserer Endlichkeit. Durch die Wirkung der Kausalität und der den Anthropomorphismus bedingenden Unfähigkeit, sich Kräfte anders als in gewohnten, organischen Formen vorzustellen, kam der Mensch zum Gottbegriff; durch die ungenaue Beobachtung der Erscheinungen des Lebens und des Todes, des Schlafes und Traumes zur Annahme einer Seele und durch das Unvermögen des Ich, sich als nichtseiend vorauszusetzen, zum Glauben an die individuelle Unsterblichkeit in irgend einer Form. Die Annahme einer Fortdauer nach dem Tode ist nichts Anderes als eine Erscheinungsform des Selbsterhaltungstriebes, wie der Selbsterhaltungstrieb selbst nichts Anderes ist als die Form, in welcher die Lebenskraft, die ihren Sitz in jeder einzelnen Zelle unseres Organismus hat, uns zum Bewußtsein kommt. Die Kraft zum Leben ist identisch mit dem Willen zum Leben. Wer viele Leute sterben gesehen hat, der weiß, wie leicht sich das Individuum mit dem Gedanken des Todes abfindet, wenn er seine Lebenskraft durch Alter oder Krankheit wirklich erschöpft fühlt, und wie furchtbar schwer es die Nothwendigkeit des Endes akzeptirt, wenn es etwa durch einen Unfall mitten in blühendem und zukunftberechtigtem Leben getroffen wird. Der Selbstmord ist nur ein scheinbarer Widerspruch gegen meine Behauptung; er setzt allerdings einen äußerst kräftigen Willen voraus, der selbst nur die Kundgebung einer ebenso kräftigen Vitalität sein kann; und somit schiene es, als wäre in diesem Falle die Kraft zum Leben das Gegentheil vom Willen zum Leben, in Wirklichkeit ist aber der Selbstmord, so weit er nicht das Ergebniß einer augenblicklichen Verdunkelung des Bewußtseins ist, ein unzweckmäßiger Akt der Vertheidigung des Lebens gegen Gefahren, die es bedrohen; man gibt sich den Tod, wenn man leibliches oder seelisches Ungemach, also Lebenshindernisse fürchtet, und man würde diese extreme Handlung nicht verüben, wenn man nicht unbewußt am Leben hinge, da man sonst keine Ursache hätte, Widerwärtigkeiten zu fürchten, die im schlimmsten Falle blos das Leben zerstören können. Jeder Selbstmord hat etwas von der oft beobachteten Handlung des Soldaten an sich, der sich vor der Schlacht tödtet, weil er von der Angst vor ihren Gefahren überwältigt ist, der also gewiß nicht aus Überdruß am Leben oder Gleichgiltigkeit vor dem Tode, sondern im Gegentheile aus bis zur Unzurechnungsfähigkeit gesteigertem Lebensverlangen zum Selbstmörder wird. Der Satz, daß die Kraft zum Leben mit dem Willen zum Leben identisch ist, duldet also keine Ausnahme und dieser Wille zum Leben macht selbst vor der Erscheinung des Todes nicht Halt. Der Organismus, der in allen seinen Zellen den Drang und Wirbel der Lebensvorgänge fühlt, ist der Vorstellung eines völligen Aufhörens dieser fruchtbaren und wonnigen Bewegung unzugänglich. Das Individuum empfindet das eigene Sein als ein ewiges, das eigene Ende als ein unabsehbares, obwol es seltsamerweise die Vorstellung des Aufhörens eines andern Individuums recht wol konzipiren kann. Nur bei höchster Geisteskultur gelangt man mit Hilfe zahlreicher mühsamer Abstraktionen und Analogien wie ebenso vieler Leitersprossen zu einer Idee, welche das intime Verständniß des Aufhörens unseres individuellen Seins unserem Geiste oder vielmehr unserem Gefühle vermitteln soll, nämlich zur Idee einer so engen Solidarität des Einzelmenschen mit der Gattung, daß man die nachgeborenen Geschlechter als unmittelbare Fortsetzungen und weitere Entwickelungsstufen der vorangegangenen empfinden und in der Dauer der Menschheit Trost und Ersatz für die Vergänglichkeit des Individuums schöpfen kann. In dem heutigen Kulturmenschen wirken die Gründe, welche im Urmenschen transszendentale Vorstellungen erweckt haben, theils noch immer in ihrer ursprünglichen Form nach, theils üben sie ihren Einfluß in der Sphäre des Unbewußten. Der Anthropomorphismus ist noch immer eine

Neigung eines jeden Geistes, der nicht mit größter Strenge die Keimung und Entfaltung seiner Vorstellungen überwacht und da es so überaus bequem ist, Abstraktionen in familiäre Bilder zu kleiden, so ertappt sich wol jeder von uns jeden Augenblick dabei, wie er sich Unsittliches in der grob sinnlichen Form der im Thier- oder Pflanzenleben beobachteten organischen Vorgänge vergegenwärtigt. Und die Unfähigkeit, sich das Aufhören des Ich mehr als äußerlich vorzustellen, ist noch heute so groß wie zu irgend einer Zeit. In der Sphäre des Unbewußten wirkt der urmenschliche Aberglaube kraft des Gesetzes der Vererbung fort. Die Vererbung, sagt der französische Philosoph Th. Ribot, ist für die Gattung dasselbe, was für das Einzelwesen das Gedächtniß ist. Kürzer gesagt: Die Vererbung ist das Gedächtniß der Spezies. In jedem einzelnen Menschen leben also die Vorstellungen der Ahnen in Form häufiger unbewußter, verdunkelter, jedoch stets gegenwärtiger Erinnerungen fort, die nur einer äußern Anregung bedürfen, um mit voller Klarheit aufzublitzen, ja das ganze Seelenleben zu überstrahlen. Die Vererbung ist ein Bann, dem wir uns nicht entziehen können. Wie wir unvermögend sind, unsere Gesichts- und Leibesbildung willkürlich zu bestimmen, so sind wir unfähig, die intimste Physiognomie unseres Gedankens zu ändern. Das erklärt die Züge unkontrolirbaren, dem Willen nicht zu unterwerfenden Aberglaubens, die wir häufig selbst bei sehr hellen Geistern mit schmerzlichem Staunen überraschen, und die Regungen religiöser Sentimentalität, denen namentlich dichterisch angelegte Gemüther unterworfen sind, weil in ihnen die Heredität besonders vorwiegt. Diese Quelle übersinnlicher Vorstellungen, die Vererbung, werden wir nur allmälig, durch die angehäufte Arbeit vieler Generationen, versiegen machen, und erst in Jahrtausenden wird der Mensch von Geburt angelegt sein, die Erscheinungen der Welt und des Lebens naturwissenschaftlich und vernünftig zu betrachten, weil hundert Geschlechtsfolgen ihm so vorgedacht haben werden, wie wir von Geburt angelegt sind, diese Erscheinungen abergläubisch und irrationell anzuschauen, weil nicht hundert, sondern vielleicht hunderttausend

Generationen vor uns die Gewohnheit des fehlerhaften Denkens gehabt haben.

Zu den Gründen, welche, wie sie den Transszendentalismus ursprünglich entstehen ließen, ihn noch fortwährend im menschlichen Geiste unterhalten, treten einige andere, welche vielleicht unfähig gewesen wären, für sich allein die Vorstellungen eines Gottes, einer Seele und der Unsterblichkeit derselben anzuregen, die jedoch mächtig beitragen, diesen Vorstellungen, da sie einmal bestehen, Fortdauer zu sichern. Der eine dieser akzessorischen Gründe des Weiterbestandes religiöser Empfindungen im Menschengemüthe trotz der neuzeitlichen Aufklärung ist die natürliche Feigheit des Menschen, der nicht gern auf mächtige Bundesgenossen verzichtet und nicht leicht den Gedanken verträgt, ganz allein auf sich selbst gestellt zu sein, sich blos auf die eigene Kraft verlassen zu dürfen, auf keinen unsichtbaren Helfer und Schützer rechnen zu können. Selten bringt die Menschheit ein Individuum hervor, das im Gefühl seiner Kraft und getragen von hohem Selbstbewußtsein bereit ist, das Leben als einen Einzelkampf aufzufassen, in welchem es Schwert und Schild stark und geschickt benutzen muß, um als Sieger oder doch heil aus demselben hervorzugehen. Diese Ausnahmsmenschen, welche den stolzesten und vollendetsten Typus unserer Gattung darstellen, werden Parteiführer, Eroberer, Hirten der Völker. Sie verachten die Heerstraßen und brechen sich neue Bahnen. Sie nehmen nicht geduldig das Schicksal hin, das ihnen die Umstände bereiten, sondern suchen sich ein Sondergeschick zu schmieden, und wenn sie über dieser Arbeit zu Grunde gehen sollten. Aber die große Herde der Menschen hat nicht die trotzige Unabhängigkeit. Die Durchschnitts-Individuen wollen den Kampf ums Dasein nicht als Einzelkampf bestehen, sondern als Massengefecht in geschlossener Schlachtreihe. Sie wollen Schwertgenossen an beiden Ellenbogen und im Rücken, womöglich auch vor sich spüren. Sie wollen Kommandorufe hören und ihre Handlungen von höheren Verantwortlichkeiten bestimmt wissen. Diese Menschen klammern sich an den Glauben als an eine

Waffe und einen Trost. Welch eine Beruhigung, sich einbilden zu können, daß man mitten im gefährlichsten Lebensgewühle unter dem besonderen Schirm eines Gottes oder Schutzengels steht! Man hat auf diese Weise die Genugthuung, als simpler Schneider oder Taglöhner das Privilegium des Achilles zu theilen, den im Getümmel der Trojerschlacht der unsichtbare Schild der Pallas Athene schirmte. Und welch ein Kraftgefühl zieht man aus dem Bewußtsein, in jeder Lebenslage mit einer mächtigen Waffe ausgerüstet zu sein – dem Gebet! Man verzweifelt schwer, wenn man überzeugt ist, jedes Ungemach durch ein Wort, eine Anrufung abwenden zu können. Ich nehme einen extremen Fall. Ein Luftschiffer fällt in einer Höhe von tausend Fuß aus dem Nachen seines Ballons. Ist er ein Freidenker, so weiß er, daß er unrettbar verloren ist und daß es die Macht nicht gibt, die seinen Leib verhindern kann, fünf Sekunden später zu einem blutigen Brei zerklatscht auf der Erde zu liegen. Ist er aber ein Gläubiger, so behält er während der ganzen Dauer des Falles, so lange ihn das Bewußtsein nicht verlassen hat, die Hoffnung, daß eine übernatürliche Gewalt, die er durch ein Stoßgebet zum Einschreiten veranlassen kann, ihm zuliebe die Gesetze der Natur einen Augenblick aufheben und ihn sachte und unbeschädigt auf den Boden niedersetzen wird. So lange das Bewußtsein dauert, wird es vom Selbsterhaltungstrieb beherrscht und es hält hartnäckig an seinem Rechte fest, gegen ein noch so unumstößliches Todesurtheil an eine fabelhafte, verschwommene Möglichkeit zu appelliren. Die Menschenseele hat kein theureres Gut als die Illusion. Und welche großartigere und tröstlichere Illusion könnte es geben als die Selbsttäuschung durch den Glauben und das Gebet! Darum werden gewöhnliche Menschen in äußersten Bedrängnissen immer Rückfälle in Vorstellungen kindlichen Aberglaubens erleiden, so lange sie nicht von der naturwissenschaftlichen Weltanschauung genug durchdrungen sein werden, um den Tod eines Individuums, und wäre es selbst ihr eigenes, als eine Begebenheit von winzigster Bedeutung für die Gattung und das Weltganze zu empfinden, und so lange nicht die Solidarität der Menschheit genug allgemein und fest organisirt sein wird, daß in

Bedrängnissen jedes Individuum mit absoluter Zuversicht und schon instinktiv bei seinen Nebenmenschen und nicht bei unfaßbaren überirdischen Gewalten nach Hilfe wird ausschauen dürfen.

Ein zweiter jener Gründe des Fortbestehens religiöser Empfindungen, die ich akzessorische genannt habe, ist das Bedürfniß eines Ideals, das in jedem Menschengemüthe, selbst im rohesten, unausrottbar bestellt. Was ist das Ideal? Der entfernte Typus, nach dem hin die Menschheit sich entwickelt und vervollkommnet; nicht blos der Typus körperlicher Erscheinung, sondern auch der Typus des Gemüthslebens, der Denkungsweise, der Gesellschaftsverfassung. Der Auftrieb zu diesem Ideal, die Sehnsucht danach ist jedem geistig und leiblich normal gebildeten Menschen eingeboren; es handelt sich da um etwas Organisches, das nicht nothwendig bewußt sein muß, ja in das sich selbst beim klarsten und tiefsten Denker viel Unbewußtes mischt. Wer je einen Eisenbahndamm aufwerfen gesehen hat, der weiß, daß dies so geschieht: man pflanzt zuerst hölzerne Gestelle auf, welche das Profil des Dammes verzeichnen, dann häufen die Arbeiter so lange Erde auf, bis die Masse die mit Latten vorgebildete Form und Höhe erreicht hat. Jedes Lebewesen hat in sich ein Bildungs- und Entwickelungsgesetz, das ihm gegenüber dieselbe Bedeutung hat wie die Stecklatten gegenüber dem aufzuwerfenden Damme; es entsteht von vornherein mit einem unsichtbaren, aber durchaus wesenhaften Rahmen, in den es hineinwächst, den es auszufüllen sucht, wie der Damm in sein vorgebildetes Profil hineinwächst und es ausfüllt. Gelangt ein Organismus bis zu der Form, welche das äußerste Ziel seiner Entwicklungsfähigkeit darstellt, so hat er die Vollkommenheit erreicht und sich selbst idealisirt. Gewöhnlich bleibt das Einzelwesen hinter dem Ideal seines Typus zurück, aber das Streben danach ist die geheimnißvolle Triebkraft seiner Selbsterhaltung und Entwickelung, das heißt aller organischen Vorgänge in ihm. Die Gattung hat ihr Entwickelungsziel und Alles, was nöthig ist, um es zu erreichen, ganz so in sich wie das Individuum. Wie das Individuum hat jede Spezies ihr

Wachsthumsgesetz. Sie entsteht, ist beanlagt, eine bestimmte Größe und Kraft zu erreichen und eine bestimmte Dauer zu leben, wächst bis zu einer gewissen Höhe, geht dann wieder zurück und verschwindet zuletzt, indem sie einer andern, höhern Bildung Platz macht, für die sie als Vorstufe, ich möchte sagen als Versuch oder Entwurf gedient hat. Die Paläontologie lehrt uns eine ganze Reihe von Thiergattungen kennen, die während einer bestimmten geologischen Epoche gelebt haben und dann ausgestorben sind. All das findet auch auf die Menschheit seine Anwendung. Sie ist in ihrer Gesammtheit eine zoologische Einheit und wird von einem einzigen Lebensgesetze regiert. Sie ist in einer bestimmten geologischen Zeit entstanden (ob diese Zeit in die Anfänge der Quaternär-Epoche fällt oder ob man sie in die mittleren oder jüngsten Abschnitte der Tertiär-Epoche verlegen soll, ist für das Argument gleichgültig), sie wird nach allen Analogien in einer bestimmten geologischen Zeit aufhören. Die Formen, die ihr vorangegangen sind, können wir erst vermuthen; diejenigen, die ihr folgen werden, entziehen sich selbst unserer Ahnung. Aber so lange die Menschheit auf Erden lebt und so lange sie noch nicht den Gipfelpunkt ihrer Entwickelung erreicht hat, so lange strebt sie unausgesetzt, den unsichtbaren vorbestimmten Rahmen ihrer Bildung auszufüllen, und dieses Streben nach der Verkörperung ihres vollendeten Typus, dieses Wachsthum zur Höhe ihres idealen Maßes wird von allen Menschen, mit einziger Ausnahme der Idioten, empfunden, wenn auch von den meisten nur dumpf und unklar. Bei den Menschen der Elite steigert sich die Empfindung bis zum Bewußtsein. Bei den anderen bleibt sie im Stadium einer unbestimmten, ahnungsvollen Sehnsucht, die man nach Belieben Drang zum Höheren oder Bedürfniß des Ideals nennen mag und die unter diesem oder jenem Namen nichts Anderes ist als ein mächtiges Verlangen, aus der individuellen Vereinzeltheit herauszutreten und die Zusammengehörigkeit mit den Nebenmenschen deutlich zu fühlen. Das Band, das alle Individuen zu einer Gattung verknüpft und die Spezies selbst wieder zu einer zoologischen Einheit, zu einem Individuum höherer Ordnung macht, schlingt sich um jedes Menschenherz und wird deutlich als Solidarität empfunden. Diese Solidarität wird sich aber äußern. Jeder Mensch hat Stunden, in denen es ihm unabweisbares Bedürfnis ist, sich als Theil eines großen Ganzen zu wissen, sich zu überzeugen, daß in seinem individuellen Dasein das große Gattungsdasein mit seiner gewaltigeren Lebenskraft mitwirkt; daß seine Sonderentwickelung die winzige Episode der wuchtigen Massenentwickelung der Menschheit ist; kurz, aus dem Bewußtsein der Identität mit einem überwältigend erhabenen Organismus, der glorreich lebt, gedeiht und wächst und noch kein betrübendes Ende absehen läßt, eine unsagbar tiefe Tröstung für die Enge, Noth und Kürze der eigenen Existenz zu schöpfen. Der Mensch der Elite hat tausend Mittel, dieses Bedürfnis zu befriedigen, ohne daß er seine Studirstube oder doch mindestens seinen Salon verläßt. Die Betrachtung der menschlichen Entwickelung durch die Geschichtsepochen hindurch, die Versenkung in die großen Denker und Dichter aller Zeiten, die Erfassung der durch die Wissenschaft geoffenbarten Weltharmonie, und, wenn diese einsamen Erhebungen nicht genügen, der gesellschaftliche Verkehr mit Geistern von gleich weitem Gesichtskreise sind völlig ausreichend, um ihm den Ausblick und Austritt aus seiner individuellen Vereinzeltheit in die Großartigkeit des menschheitlichen Gesammtdaseins zu jeder Stunde weit offen zu halten. Aber der Mensch aus dem Volke, wie steht es mit ihm? Wo hat er die Gelegenheit, sich als Mensch mit allen anderen Menschen zu empfinden? Wann wird ihm bewiesen, daß er berechtigt und befähigt sei, sich über die Daseinsbedingungen des fressenden, zeugenden und vergehenden Viehs emporzuschwingen? Wann findet er im Kampfe um das tägliche Brod, in der Mühsal eines ausschließlich auf die Befriedigung gröbster Bedürfnisse gerichteten Strebens den Augenblick der Einkehr in sich selbst, des Aufschauens über sich, der Orientirung über seine Stellung in der Menschheit und in der Natur? Bisher hat der gemeine Mann die Gelegenheit zu höherem Dasein blos durch die Religion erlangt. Das Ideal war ihm nur in der Form des Glaubens zugänglich, der Sonntag bedeutete ihm nicht blos leibliche Ruhe, sondern auch Entfaltung aller Blüthen des Geistes. Die Kirche war sein Festsaal, der Priester sein höherer Umgang, Gott und die Heiligen seine vornehmen Beziehungen. Im Tempel sah er sich in einem stolzen, prächtigen Monumentalbau, der ihm doch ebenso angehörte wie die elende Hütte, die seine Alltags-Armuth beherbergt. Im Gottesdienste fand er sich Theilnehmer an einer Handlung, die nicht direkt seine Ernährung und Bekleidung, nicht ein rohes Leibesinteresse zum Gegenstande hat. Mitten unter den anderen Gläubigen fühlte er sich als gleichberechtigtes Mitglied einer großen Gemeine und die Beziehungen, die ihn mit allen Nachbarn verknüpften, verdeutlichten sich auch seinen Sinnen in den Kultusübungen, den Kniebeugungen, Bekreuzungen u. s. w., die er gemeinsam und gleichzeitig mit ihnen vornahm. Die Predigt war das einzig höhere Menschenwort, das an sein Ohr schlug und ihn doch ein wenig, wenn auch noch so wenig, aus der Dumpfheit seines gewöhnlichen rudimentären Denkens wachrief. Das war ein mächtiger Grund seines Festhaltens am Glauben und das wird ein mächtiger, ja unabschwächbarer Grund bleiben, so lange die neue Kultur dem gemeinen Manne keinen Ersatz für die Gemüthsbewegungen und bescheidenen Befriedigungen seines menschlichen Selbstbewußtseins bietet, die er in der Religion immerhin findet.

Dieser Ersatz wird geboten werden, er wird es zum Theil jetzt schon. Das Wort des Dichters und Denkers wird das des Predigers, der Theater- und Konzert- oder Versammlungssaal die Kirchenhallen überflüssig machen. Die Keime der künftigen Gestaltungen sind bereits allenthalben wahrnehmbar. In den Ländern, die politische Freiheit besitzen, sucht die ungebildete mühselige Menge in Volksversammlungen, wo ihr von den gemeinsamen Interessen des Ortes oder des Landes gesprochen wird, die Sonntagserholung und die ideale Erhebung. An Wahltagen fühlt sich dort, wo das allgemeine Stimmrecht besteht, der gemeine Mann mit noch ganz anderem Stolze als Vollmensch, denn in den gemeinsamen Kultushandlungen des Abendmahls u. s. w. In den vielerorten bestehenden Vereinen, welche Vorträge oder Vorlesungen aus poetischen Werken veranstalten, spricht ein menschlicheres und verständlicheres

Wort zu der Masse, als es die Predigt ist, und man kann nur bedauern, daß diese Vereine ihre Wirkung noch nicht auf die tiefsten Schichten des Volkes üben, die solcher Anregung am meisten bedürfen. Und diese Keime werden sich entwickeln. Einer vielleicht nahen Zukunft ist es vorbehalten, eine Zivilisation zu sehen, in der die Menschen ihr Bedürfniß nach Erholung, nach Erhebung, nach gemeinsamen Emotionen und nach menschheitlicher Solidarität nicht mehr transszendental, sondern vernünftig befriedigen. Mit einem Zurückgreifen auf Uraltes, Längstvergangenes, wie es die Kulturgeschichte nicht selten verzeichnet, wird das Theater wieder wie in seinen griechischen Anfängen vor dritthalbtausend Jahren eine Kulturstätte der Menschen sein, allerdings ein Theater, das nicht von der Zote, der Gassenhauer-Melodie, dem beschränkten Gelächter, der lüsternen Halbnacktheit beherrscht sein, sondern wo man in schöner Verkörperung die Leidenschaften mit dem Willen und die Selbstsucht mit der Entsagungsfähigkeit ringen sehen und aus allen Reden wie ein ewiges Grundmotiv den Hinweis auf das Gesammtdasein der Menschheit heraushören wird. Gemeinsame Handlungen der Wohlthätigkeit werden auf die Handlungen des Kultus folgen. Und wie ganz andere Gemüthsanregungen wird der Mensch in diesen Gemeinfesten der Zukunft empfinden! Mit der klaren, verständlichen Schönheit des Dichterworts kann der Mystizismus des Predigers nicht wetteifern. An den menschlichen Leidenschaften eines edlen Dramas erbaut sich ein Geist, für den der Symbolismus einer Messe ohne Verstand und Bedeutung ist. Den Erklärungen eines Gelehrten, der die Erscheinungen der Natur auseinandersetzt, der Rede eines Politikers, der die Tagesfragen der Gemeinde und des Staates behandelt, bringt der Zuhörer ein ungleich lebendigeres und unmittelbareres Interesse entgegen, als dem schwülstigen Gewäsch eines Kanzelredners, der Mythen erzählt oder Dogmen verwässert. Die Adoption von Waisen durch die Gemeinde, die Vertheilung von Kleidern und anderen Geschenken an arme Kinder und Ehrenerweisungen an verdiente Mitbürger in festlichen Räumen, im Beisein der Bevölkerung, unter Begleitung von Gesang und

Musik, unter Beobachtung würdiger, feierlicher Formen, gibt dem Theilnehmer eine ganz andere Empfindung der wechselseitigen Verpflichtungen der Bürger, der Menschen gegen einander und ihre Verknüpftheit durch ein Band der Zusammengehörigkeit, mit einem Worte der Solidarität, als gemeinsames Eintauchen schmutziger Finger in ein Weihwasserbecken oder gemeinsames Beten und Singen. So stelle ich mir die künftige Kultur vor. So wird eines Tages meiner Überzeugung nach auch der niedrigste Mensch sein Einzelleben mit dem Leben einer Gemeinde verknüpft sehen, in solchen Festen der Dichtung, der Kunst, des Gedankens, der Menschlichkeit die Enge seines individuellen Horizonts zum umfassenden Gesichtskreise des Gattungsdaseins ausweiten, so zur Anschauung höherer Entwickelungsziele gelangen und sich mit dem Menschheitsideale durchdringen. Allein bis zur Verwirklichung dieses Zukunftsbildes ist es verständlich, daß die Masse die ideale Erhebung, welche sie nirgends sonst findet, in der Religion oder vielmehr in deren Äußerlichkeiten: in der weiten Kirchenhalle, in den Festgewändern des Priesters, im Orgelklang und Gesang, in den mystischen Handlungen des Kultus sucht.

III.

Die vorausgeschickten Entwickelungen schließen ein Mißverständniß wol aus: das Bedürfniß der Menschen nach höheren geistigen Anregungen und einem Ideale, nach einem allzeit bereiten Troste und sogar nach der Selbsttäuschung eines ebenso mächtigen wie geheimnißvollen Schutzes in allen Nöthen ist kein geheucheltes, kein erlogenes, sondern besteht wirklich und unausrottbar und wir haben gesehen, wie dieses Bedürfniß aus geschichtlichen, physiologischen und psychologischen Gründen es nothwendig am bequemsten finden muß, seine Befriedigung im herkömmlichen Gott-, Seelen- und Unsterblichkeitsglauben zu suchen. Das Festhalten an diesen transszendentalen Grundvorstellungen ist bei den meisten Menschen keine bewußte Lüge, kein absichtlicher, höchstens ein unwillkürlicher Selbstbetrug; es ist eine ehrliche Schwäche; ein aufrichtiges Gebrechen;

eine Gewohnheit, die man nicht ablegen kann; eine poetische Sentimentalität, die man pietätvoll der rücksichtslosen Vernunftanalyse entzieht. Unter der religiösen Lüge verstehe ich etwas Anderes. Ich verstehe darunter die Verehrung, welche auf der Höhe der Kultur stehende Menschen den positiven Religionen, ihren Glaubenssätzen, ihren Einrichtungen, Festen, Zeremonien, Symbolen und Priestern zollen.

Diese Verehrung ist eine Lüge und eine Heuchelei selbst bei jenen, die noch im Transszendentalismus befangen sind, wenn sie sonst den Anschauungen und der Bildung ihrer Zeit nicht völlig fremd gegenüberstehen; sie ist eine Lüge und Heuchelei, deren Ungeheuerlichkeit die Angesichter nur darum nicht mit beständiger Schamröthe bedeckt, weil man die meisten Dinge gedankenlos thut, ohne sich über ihre Bedeutung Rechenschaft abzulegen. Gewohnheitsmäßig geht man in die Kirche, grüßt man den Priester, behandelt man die Bibel mit Ehrfurcht, mechanisch nimmt man eine Miene der Sammlung und Andacht an, wenn man an Kultushandlungen theilnimmt, und man vermeidet es, sich deutlich zu vergegenwärtigen, welchen schändlichen Verrath man mit diesen Akten an all seinen Überzeugungen, an seiner Erkenntniß, an all dem, was man als Wahrheit erfaßt hat und festhält, begeht.

Die geschichtliche Forschung hat uns gelehrt, wie die Bibel entstanden ist; wir wissen, daß man mit diesem Namen eine Sammlung von Schriften bezeichnet, die an Ursprung, Charakter und Inhalt so verschieden sind, wie es nur etwa ein Buch sein könnte, das beispielsweise die Nibelungen, eine Zivilprozeßordnung, Mirabeaus Reden, Heines Gedichte und einen Leitfaden der Zoologie, fortlaufend gedruckt, stückweise durcheinander gewürfelt und in einen Band vereinigt, enthalten würde. Wir unterscheiden in diesem Wust altpalästinischen Aberglauben, dunkle Anklänge an indische und persische Fabeln, mißverstandene Nachahmungen egyptischer Lehren und Bräuche, ebenso trockene wie geschichtlich unzuverlässige

Chroniken, allgemein menschliche, erotische und nationaljüdisch-patriotische Poesien, die sich selten durch Schönheiten ersten Ranges, häufig durch Überschwenglichkeit, Rohheit, schlechten Geschmack und echt morgenländische Sinnlichkeit auszeichnen. Als literarisches Denkmal ist die Bibel weit jünger als die Veden und ein Theil der Kings; an poetischem Werth steht sie hinter Allem zurück, was selbst Dichter zweiten Ranges in den letzten zwei Jahrtausenden geschaffen haben, und nun gar sie mit den höchsten Leistungen Homers, Sophokles', Dantes, Shakespeares oder Goethes vergleichen zu wollen, könnte nur einem fanatisirten Geiste einfallen, der auf den Gebrauch seiner Urteilskraft verzichtet hat; ihre Weltanschauung ist kindisch und ihre Moral, wie sie sich im alten Testament in der nachtragenden Rachsucht Gottes, im neuen in der Parabel des Arbeiters der letzten Stunde, in den Episoden Magdalenens und der Ehebrecherin, im Verhältnis Christi zu seiner Mutter ausdrückt, empörend. Und dennoch heucheln Menschen, die gebildet und urtheilsfähig genug sind, dies alles zu erkennen, unbegrenzte Ehrfurcht vor diesem alten Buche, sie nehmen Anstoß daran, daß man darüber wie über ein anderes Erzeugniß des Menschengeistes in aller Freiheit spricht, sie bilden mächtige, über ungeheuere Summen verfügende Gesellschaften, um dasselbe in Millionen von Abdrücken über die ganze Welt zu verbreiten, und geben vor, selbst erbaut und erhoben zu sein, wenn sie darin lesen.

Die Liturgien aller positiven Religionen beruhen auf Vorstellungen und Gebräuchen, die in der ältesten Barbarei Asiens und Nordafrikas ihren Ursprung haben. Der Sonnenkult der Arier, die Mystik des Buddhismus, der Isis- und Osiris-Dienst der Egypter haben in den religiösen Handlungen und Gebeten, in Festen und Opfern der Juden und Christen ihren Niederschlag abgesetzt. Und die Menschen des neunzehnten Jahrhunderts wahren eine ernste, ja feierliche Miene, während sie Kniebeugungen, Handbewegungen, Zeremonien und Sprüche wiederholen, die vor Jahrtausenden, in der Stein- und Bronzezeit, am Nil oder Ganges von armselig unentwickelten Menschen erfunden wurden, um den Vorstellungen des rohesten Heidenthums von dem Weltursprung und der Weltregierung eine sinnliche Form zu geben!

Je mehr man sich in diese unwürdige Komödie vertieft, je mehr man sich den grotesken Gegensatz zwischen der Zeitbildung und den positiven Religionen verdeutlicht, um so schwerer wird es, mit Gleichmuth über diesen Gegenstand zu sprechen. Der Widersinn ist so unmenschlich toll, so überwältigend, riesenhaft, daß das Einzelargument der detaillirenden Kritik ihm gegenüber so ohnmächtig dasteht wie etwa der beste, tadelloseste Kehrbesen gegenüber den Sandbergen der Sahara und nur das Gelächter eines Rabelais oder der zornige Tintenfaßwurf eines Luther der Aufklärung mit ihm fertig werden könnte.

Wie soll man jeden einzelnen Zug der religiösen Lüge nachweisen? Man muß sich damit begnügen, aufs Gerathewol Beispiele anzuführen. Die Diplomaten wenden Bestechungen und Drohungen an, um die Kardinäle zur Ernennung eines Papstes ihrer Wahl zu bestimmen; und nachdem die mühsamen und hartnäckigen Intriguen zu einem Ergebniß geführt haben, gestehen dieselben Diplomaten, welche die Fäden des Puppenspiels gezogen, dem Papste eine Autorität zu, die die Fiktion zur Voraussetzung hat, daß der heilige Geist ihn zum Nachfolger des heiligen Petrus ausersehen hat. Die Papstwahl wird als ernstes und bedeutendes Ereigniß behandelt von Tausenden, die mit breitem Lächeln die Erzählungen von der Einsetzung eines neuen Dalai-Lamas nach dem Tode seines Vorgängers lesen, obwol doch beide Vorgänge die größte Ähnlichkeit mit einander haben. Die Regierungen unterhalten Vertretungen bei einem Manne, dessen Bedeutung darin besteht, daß er Gott neue Heilige beigeben, den Seelen der Menschen überirdische Belohnungen zusichern und Sünder aus den Qualen posthumer Verbrennung befreien kann, und indem sie mit ihm Staatsverträge schließen, erkennen sie in der feierlichen Form von Gesetzen an, daß der Papst in der That einen besonderen Einfluß bei Gott besitzt und daß man einer Person, die dem Weltgeist so nahe steht und von ihm mit einem Theile seiner Gewalt über die Natur und die Menschheit ausgerüstet ist,

Rücksichten schulde, auf die kein anderer Mensch Anspruch erheben dürfte. Und dieselben Regierungen bedenken sich nicht, Expeditionen nach Innerafrika zu senden und sich über einen schwarzen Zauberer lustig zu machen, der etwa ihren Sendlingen verbieten würde, in sein Gebiet vorzudringen, da er sie im Falle der Nichtbeachtung seines Verbots mit dem Zorn des Fetisch heimsuchen werde, dessen allmächtiger Günstling und Rathgeber er sei. Wer zeigt mir den Unterschied zwischen diesem armen Teufel von Neger und dem römischen Papste, da sie doch beide behaupten, erster Minister Gottes zu sein, dessen Donner und Blitze lenken zu können, ihm Leute zur Auszeichnung empfehlen oder zur Ungnade vorschlagen zu dürfen? Und wo ist die Logik der gebildeten Europäer, wenn sie den einen als lustige Person, den andern als eine verehrungswürdige Gewalt behandeln?

Jede einzelne Religionshandlung wird zur sträflichen Komödie und lästerlichen Satire, wenn sie der Bildungsmensch des neunzehnten Jahrhunderts übt. Er besprengt sich mit Weihwasser und drückt dadurch die Anschauung aus, daß einige Worte, welche ein Priester in Begleitung gewisser Gesten darüber gesprochen, es in seinem Wesen verändert, ihm geheimnißvolle Tugenden mitgetheilt hat, obwol die einfachste chemische Analyse ihn überzeugen kann, daß zwischen diesem und jedem andern Wasser schlechterdings kein anderer als höchstens ein Reinheits-Unterschied besteht! Man spricht Gebete, macht Kniebeugungen, nimmt an Messen und sonstigen Gottesdiensten theil und geht dadurch auf die Voraussetzung ein, daß es einen Gott gebe, der durch Anrufungen, Bewegungen, Weihrauchdüfte und Orgelklänge angenehm berührt werde, jedoch nur dann, wenn die Anrufungen in bestimmten Worten, die Bewegungen nach bestimmten Formen geschehen und wenn das Zeremoniell von Personen in bestimmter bizarrer Kleidung, in Mäntelchen und Roben von einem Schnitt und einer Farbenzusammenstellung, wie sie kein vernünftiger Mensch tragen würde, geübt wird. Die bloße Thatsache, daß eine Liturgie festgestellt und peinlich beobachtet wird, kann nur so in die Sprache des gesunden

Menschenverstandes übersetzt werden: die Priester haben aus sicherer Quelle in Erfahrung gebracht, daß Gott nicht nur die Eitelkeit hat, allerlei Komplimente, Lobsprüche und Schmeicheleien hören, seine Größe, seine Weisheit, seine Güte, all seine sonstigen Eigenschaften unmäßig gerühmt wissen zu wollen, sondern daß er mit dieser Eitelkeit auch noch die Grille verbindet, all diese Lobsprüche und Komplimente nur in einer bestimmten und keiner andern Form anzunehmen. Und die Söhne des Zeitalters der Naturwissenschaft affektiren Achtung vor Liturgien und dulden nicht, daß man diese Narrenspossen mit der allein ihnen gebührenden Verachtung behandle!

Noch unerträglicher und empörender als die religiöse Lüge des Einzelnen ist die religiöse Lüge des Gemeinwesens. Der einzelne Bürger, selbst wenn er äußerlich einer positiven Religion angehört und an ihren Praktiken theilnimmt, macht oft kein Hehl daraus, daß er innerlich dem Aberglauben fremd gegenüberstehe und nicht überzeugt sei, durch das Aussprechen bestimmter Worte den Lauf der Weltgesetze ändern zu können, durch die Besprengung eines Kindes mit Wasser dasselbe dem Teufel zu entreißen und durch den Gesang und die Besprechung eines Mannes in schwarzem Talar einem todten Angehörigen den Eingang ins Paradies zu erleichtern oder wol auch erst zu ermöglichen. Aber als Glied der Gemeinde und des Staates zögert derselbe Bürger nicht, alle Einrichtungen für nothwendig zu erklären, welche die positive Religion erfordert, und er bringt für dieselben alle materiellen und moralischen Opfer, welche die besoldeten Heger des staatlich anerkannten und aufrechterhaltenen Aberglaubens von ihm verlangen. Derselbe Staat, der Universitäten, Schulen, Bibliotheken errichtet, baut auch Kirchen; derselbe Staat, der Professoren anstellt, besoldet auch Priester; dasselbe Gesetzbuch, das die Schulpflichtigkeit der Kinder verfügt, bestraft zugleich Gotteslästerung und Verspottung oder Beleidigung anerkannter Religionen. Man vergegenwärtige sich nur recht, was all das bedeutet: Du sagst die Erde stehe fest und die Sonne drehe sich um sie, obwol man dir mit allen Mitteln der Wissenschaft unanfechtbar das Gegentheil beweist, oder du behauptest, die Erde sei erst fünftausend und etliche Jahre alt, obwol man dir Denksteine aus Ägypten und anderswoher zeigen kann, die allein um einige tausend Jahre älter sind, niemand kann dir das Geringste anhaben, man sperrt dich nicht einmal in ein Irrenhaus, man erklärt dich nicht einmal für unfähig, Ämter und Würden zu bekleiden, trotzdem du doch den auffallenden Beweis geliefert hast, daß du vollständig urtheilsunfähig bist und nicht die Geisteseigenschaften hast, die zur Besorgung der eigenen und namentlich der öffentlichen Angelegenheiten mindestens theoretisch unerläßlich sind. Du behauptest im Gegentheil, daß du an das Dasein eines Gottes nicht glaubst, daß der Gott der positiven Religionen die Ausgeburt kindischer oder gemeiner oder bis zum Blödsinn beschränkter Geister sei, und du setzest dich gerichtlicher Verfolgung aus und wirst für unfähig erklärt, Ämter und Würden zu bekleiden, obwol für das Dasein Gottes noch nie ein ernster wissenschaftlicher oder vernünftiger Beweis beigebracht wurde, obwol namentlich die angeblichen Beweise, welche selbst der gläubigste Theologe für das Dasein Gottes anführen kann, nicht entfernt so klar und zwingend sind wie die Beweise, mit denen der Archäologe und Geologe das Alter der menschlichen Zivilisation und der Erde, der Astronom die Bewegung der Erde um die Sonne darthun, und man unter allen Umständen selbst vom Standpunkt der Theologen aus weit eher zu entschuldigen ist, wenn man an Gott, als wenn man an den greifbaren Ereignissen der wissenschaftlichen Forschung zweifelt. Doch weiter: der Staat ernennt Professoren, besoldet sie aus Steuergeldern, verleiht ihnen Titel und Würden, kurz, überträgt auf sie einen Theil seiner Autorität, und diese Professoren haben den direkten Auftrag, zu lehren und zu beweisen, daß die Weltvorgänge von natürlichen Gesetzen regiert werden, daß die Physiologie keinen Unterschied zwischen den organischen Verrichtungen aller Lebewesen kenne und daß zweimal zwei vier sei; allein neben diesen Professoren der exakten Wissenschaften ernennt er auch Professoren der Theologie, welche den ebenso direkten Auftrag haben, zu lehren, und wol nicht zu beweisen, aber zu behaupten, daß die neugeborenen Menschen mit einer

Erbsünde behaftet seien, daß Gott eines Tages einem Menschen ein Buch in die Feder diktirt habe, daß bei zahlreichen Anlässen die Naturgesetze aufgehoben wurden, daß sich ein Mehlteig durch einige darüber gemurmelte Worte in Fleisch, und zwar in das Fleisch eines bestimmten, nach ihrer eigenen Behauptung vor bald zwei Jahrtausenden verstorbenen Menschen verwandeln könne und daß drei eins seien und eins drei. Wenn ein gesetzliebender Bürger der Reihe nach einen Vortrag eines staatlich ordinirten Professors der Naturwissenschaften und einen Vortrag eines mit derselben Autorität ausgerüsteten Professors der Theologie anhört, so wird er sich in einem schweren Gemüthszwiespalt befinden. Der eine hat ihm gesagt, nach dem Tode löse sich der Organismus in seine elementaren Bestandteile auf, der andere hat ihm erklärt, gewisse Personen seien nach ihrem Tode nicht nur unversehrt geblieben, sondern sogar wieder zum Leben erwacht. Und beide Lehren treten ihm unter der Autorität des Staates entgegen, beide Lehrer bezahlt er mit seinem Steuerpfennig, beide Fakultäten erklärt der Staat für gleich nothwendig, gleich berechtigt. Welchem Professor soll nun der unglückliche Bürger glauben? Dem Theologen? Dann lügt ja der Physiologe und der Staat besoldet einen Lügner und gibt ihm mit vollem Bewußtsein den Auftrag, Lügen unter die Jugend zu bringen! Oder soll er dem Physiologen glauben? Dann ist der Theologe der Lügner und der Staat begeht mit der Bestallung des Theologen dieselbe Schuld des bewußten Betrugs. Wäre es ein Wunder, wenn der loyale Bürger angesichts dieses Dilemmas etwas von seiner Achtung vor der Autorität des Staates verlieren würde?

Das ist noch lange nicht Alles. Das Gemeinwesen verfolgt durch seine Gesetze und Gerichte alte Frauen, welche Dienstmädchen Geld entlocken unter dem Vorwand, ihnen dafür das Herz ihres flatterhaften Liebhabers wieder zuzuwenden; aber dasselbe Gemeinwesen besoldet Männer und zollt ihnen öffentliche und private Achtung, welche denselben Dienstmädchen Geld entlocken unter dem nicht minder betrügerischen Vorwand, durch allerlei Hokuspokus ihre gestorbenen Verwandten aus dem Fegefeuer zu befreien. Die Sitte will, daß man Geistliche und namentlich hohe Würdenträger der Kirche, Bischöfe, Kardinäle, mit Verehrung und Untertänigkeit behandle, und dieser Sitte fügen sich Männer, welche dieselben Geistlichen für Betrüger oder Einfaltspinsel halten, die sich in nichts Wesentlichem von den Medizinmännern der Rothhäute unterscheiden, jenen Medizinmännern, welche auch eine Liturgie befolgen, Zeremonien anstellen, Gebete sprechen, sich vor ihrem Stamme als Besitzer übernatürlicher Einflüsse ausgeben und über die zu lachen dieselbe Sitte gestattet, welche den Pantoffelkuß beim Papste und den Handkuß beim Prälaten vorschreibt.

Amtliche und halbamtliche Zeitungen berichten ab und zu mit humoristischen Randbemerkungen, daß in China die Regierung einen Gott mit der Strafe der Absetzung bedrohe, wenn er gewissen Bedürfnissen des Landes nicht Rechnung trägt, wenn er beispielsweise nicht regnen läßt, den kaiserlichen Truppen keinen Sieg verleiht u. s. w. Dieselben Zeitungen aber drucken an ihrer ersten Stelle eine Regierungs-Verfügung ab, welche – wie in England nach dem Siege von Tel-el-Kebir – anordnet, an einem bestimmten Tage Gott in amtlich festgestellten Worten dafür zu danken, daß er dem betreffenden Volke bei einer gewissen Gelegenheit seinen besonderen Beistand geliehen. Was ist der wesentliche Unterschied, zwischen der Verordnung der chinesischen Regierung, die einem nationalen Gott einen Theil seiner Opfer entzieht, weil er die Verheerungen einer Epidemie zuläßt, und der Verordnung der englischen Regierung, die Gott eine öffentliche Anerkennung ausspricht, weil er die Interessen der englischen Politik in Ägypten brav wahrgenommen, sich als ein Freund der Engländer und Feind der Araber erwiesen hat? Beide Verordnungen gehen von derselben Anschauung aus; nur sind die Chinesen muthiger und folgerichtiger als die Engländer, die sich im Falle einer Niederlage nicht getrauen würden, Gott ihr Mißfallen über seine Lauheit in der Erfüllung seiner Pflichten gegen die ihn verehrende Nation auszudrücken, wie sie ihm bei einem Siege ihr Lob für seinen Eifer aussprechen.

Ich habe es oben gesagt: man kann die religiöse Lüge nicht in allen Einzelheiten nachweisen, man muß sich auf Stichproben beschränken, wenn man sich nicht tausendmal wiederholen soll. Diese Lüge durchdringt und demoralisirt unser ganzes öffentliches und privates Dasein. Der Staat lügt, wenn er Bitttage verordnet, Priester anstellt, Kirchenfürsten in sein Oberhaus beruft, die Gemeinde lügt, wenn sie Kirchen baut, der Richter lügt, wenn er Verurtheilungen wegen Gotteslästerung und Beleidigung von Religionsgenossenschaften ausspricht; der neuzeitlich gebildete Priester lügt, wenn er sich dafür bezahlen läßt, daß er Handlungen vornimmt und Worte spricht, von denen er weiß, daß sie alberner Hokuspokus sind, der aufgeklärte Bürger lügt, wenn er für den Priester Verehrung affektirt, zum Abendmahl geht, sein Kind taufen läßt. Das Hereintragen der alten, zum Theil noch urweltlichen Kultusformen in unsere Zivilisation ist eine monströse Thatsache und die Stellung, welche der Geistliche, dieses europäische Äquivalent des amerikanischen Medizinmannes und afrikanischen Almamy, unter uns einnimmt, ein so insolenter Triumph der Feigheit, Heuchelei und Geistesträgheit über die Wahrheit und Gesinnungsfestigkeit, daß er allein genügen würde, um unsere heutige Kultur als eine durch und durch verlogene, unsere staatlichen und gesellschaftlichen Lebensformen als schlechterdings unhaltbare zu charakterisiren.

Die monarchistisch-aristokratische Lüge

I.

Wenn man die bestehenden Einrichtungen blos vom künstlerisch-ästhetischen Standpunkte besprechen könnte, wenn es möglich wäre, sie mit dem unpersönlichen Interesse des Prinzen Üsbeck der persischen Briefe Montesquieus zu beobachten und zu beurtheilen, der in einer fremden Welt blos Eindrücke sucht und ihren Staub von den Füßen schüttelt, nachdem er sie verlassen hat, man würde wol nicht zögern anzuerkennen, daß die gegenwärtige Weltordnung eine geschickt gefügte, folgerichtige, im Ganzen sehr vollkommene ist. Da halten sich alle Theile, da entwickeln sich alle Glieder nothwendig aus einander; da läuft eine einzige logische Linie verknüpfend vom obersten zum untersten Ende. Als der mittelalterlich gothische Staats- und Gesellschaftsbau noch mit allen Pfeilern und Räumen aufrecht stand, muß er imposant gewesen sein und denen, die er beherbergte, ein sicherer, zugleich stolzer und behaglicher Aufenthaltsort geschienen haben. Heute ist nur noch die Façade übrig geblieben, während das ganze nützliche Bauwesen hinter ihr in Trümmer gefallen oder ganz verschwunden ist und dem Obdachsucher nicht ein einziges Gelaß mit unversehrter Decke und tauglichem Gemäuer zum Schutze gegen Regen und Wind mehr läßt; aber die Façade hat die unanfechtbaren Verhältnisse des alten Palastes bewahrt und erweckt im Geiste des Beschauers noch immer die Vorstellung eines bemerkenswerth klugen Planes. Was einst tüchtige Konstruktion war, ist heute zu einer ganz äußerlichen Dekoration ohne Tiefe geworden; aber diese Theaterdekoration ist ein architektonisches Kunstwerk, an welchem alle Einzelheiten einander streng bedingen. Man darf das Baudenkmal freilich nicht mitten im Schuttfelde stehend von der Innenseite betrachten; allein wenn man sich der Außenseite in perspektivischer Entfernung gegenüberstellt und gleichmüthig Kunstkritik an derselben übt, so wird man nicht umhin können, zu sagen: "Der Werkmeister hat seine Sache gut gemacht.«

Das Königthum hängt untrennbar mit der Religion zusammen. Es hat dieselbe in seiner gegenwärtigen geschichtlich gewordenen Form zur unerläßlichen Voraussetzung. Das Gegentheil ist nicht der Fall. Die Religion kann eine Staatseinrichtung sein, ohne gleichzeitig die Monarchie zu bedingen. Theoretisch bedarf dies keines Beweises. Praktisch wurde derselbe durch die von Jesuiten regierten Indianer- und Mestizen-Republiken Südamerikas, durch die auf religiöser Grundlage aufgebauten Vereinigten Staaten von Nordamerika u. s. w. geliefert. Die Monarchie dagegen ist ohne Gottesglauben undenkbar. Man kann sich vorstellen, daß ein starker und gewaltthätiger Mensch sich der Herrschaft in einem Lande bemächtigt und sie mit Mitteln der Klugheit oder Macht festhält; er unterwirft sich die Nation durch einen Handstreich, er stützt sich auf eine Gesellschaft eigennütziger Anhänger, die er durch materielle Vortheile, Ehren und Würden an sein Interesse kettet, und auf eine Armee, der er die erste Stelle im Staate einräumt, die er zu Siegen führt, mit Geld, Orden und Titeln überschüttet; er setzt sich nach seinem Belieben eine Kaiser- oder Königskrone auf, nennt sich Monarch, Protektor, Diktator oder Präsident. Seine Herrschaft wird geduldet, weil er die Macht hat, sich Gehorsam zu erzwingen. Es ist sogar möglich, daß die große Mehrheit des Volkes sich willig vor seinem Ehrgeiz beugt, nicht nur, weil es in der Menschennatur liegt, vom Zauber des Erfolges bis zur Begeisterung hingerissen zu werden, sondern auch, weil es für Dutzendmenschen ein Vortheil und eine Bequemlichkeit ist, das Bestehende gutzuheißen, und weil der Cäsar, wenn er ein Mann von höherer Begabung ist, ganz gut so regieren kann, daß Handel und Gewerbe blühen, die Rechtspflege rasch und zuverlässig ist und die Masse derjenigen Staatsbürger, die sich blos um ihre materiellen Interessen kümmern, dankbar ihren Mittagstisch reichlich bestellt und ihren Sparbeutel sich runden sieht. Ein solcher Usurpator könnte es wagen, aufgeklärt zu sein. Er allein verlöre nichts dabei, wenn er auf die Bundesgenossenschaft der Religion verzichtete. Aufs Schwert gelehnt, bedürfte er nicht der Stütze des Kreuzes. Er hätte die Kritik der Vernunft nicht zu scheuen, weil er deren Folgerungen seine Macht entgegenhalten könnte. Dem Logiker, der ihm sagen würde: "Da du ein Mensch bist, wie wir Übrigen auch, da wir dich nicht freiwillig zu unserm Hirten bestellt haben, so haben wir gar keinen Grund, dir einen vornehmen Platz einzuräumen und deinen Befehlen zu gehorchen,« diesem Logiker könnte der Tyrann antworten: "Dein Argument ist unanfechtbar, aber meine Armee ist es auch. Du gehorchst mir, nicht weil es vernünftig und einleuchtend ist, sondern weil ich dich dazu zwingen kann.« In dieser Lage bedarf ein Herrscher keiner Berufung auf Gott; die Berufung auf seine Faust genügt. Er kann auf Salböl und Priestersegen verzichten, da er das Pulver für sich hat, und seine Bajonette leuchten der unterwürfigen Menge mindestens ebenso ein wie der religiöse Mystizismus einer pomphaften Krönung. Aber selbst für diesen Usurpator ändern sich die Verhältnisse sofort, wenn er etwa einen Sohn hat und ihm sein Reich vererben will. Dann erbittet er sich den Schutz der Religion. Dann erinnert er sich plötzlich, daß die Kirchen im Mittelalter Asyle waren, und er flüchtet sich an den Fuß des Altars vor den Verfolgungen der Vernunft. Jetzt genügt mit einem Male die Klinge des Schwertes nicht, es muß ihr ein Kreuz als Knauf angeschmiedet werden. Die Ursprünge von Cäsars Macht liegen zu klar am Tage: sie werden durch Weihrauch umnebelt. Man löst die festen Linien der Geschichte kunstvoll in die unbestimmten Umrisse der Legende auf und der Priester bekommt den Auftrag, der vorwitzigen Frage: "Weshalb soll der schwache Sohn, der sich niemals eine Krone selbst hätte schmieden können, die seines starken Vaters erben?« die Antwort entgegenzusetzen: "Weil es Gott so will!« Das ist die Klippe, an der junge Dynastien scheitern. Unter den Blicken eines aus Söhnen des neunzehnten Jahrhunderts bestehenden Publikums will sich das Feuer der Füsillade eines Staatsstreichs nicht in die Flammen des Dornbusches Mosis verwandeln und es geht schwer in die Köpfe unserer Zeitgenossen hinein, daß ein Straßenkampf eine Offenbarung des göttlichen Willens sei. Es ist eine verlegene Arbeit, nachträglich einen Heiligenschein um die prosaischen Maueranschläge zu wirken, welche das Geburtszeugniß einer Diktatur bilden, und wenn der Erbe eines Diktators dessen Thron nicht mit dessen Machtmitteln zu behaupten vermag, so hilft es ihm schwerlich etwas, sein Recht zur Herrschaft vom Himmel abzuleiten. Die katholische Kirche hat streng verboten, jemand früher als vier Menschenalter nach seinem Tode heiligzusprechen. Man muß den Gläubigen Zeit lassen, sein alltägliches Menschenthum zu vergessen; denn es ist selbst beim besten Willen schwer, sich zu überreden, daß der Hans oder Kunz, mit dem man auf derselben Schulbank gesessen, nun Engelsflügel hat und vor dem Throne Gottes als einer der vornehmsten Solisten in den Chören der seligen Kantatensänger mitwirkt. Die Kirche war auch in diesem Punkte schlauer als jene Cäsaren, welche ihre Umwandlung in Halbgötter vor den Augen der Zeitgenossen vernehmen möchten, ohne abzuwarten, bis diese die Erinnerung an ihre krummgetretenen Stiefelabsätze und unbezahlten Rechnungen verloren haben. Es war der große politische Fehler der Bonapartes, daß sie sich nicht damit begnügten, Frankreich tatsächlich zu beherrschen, sondern sich in der Notredame-Kirche das mystische Ursprungszeugniß einer Krönung ausstellen ließen. Dem 18. Brumaire und 2. Dezember machte dergleichen überflüssig. Dem Adler des Kaiserreichs durfte nicht die Taube des heiligen Geistes zugesellt werden.

Allein wenn ein Diktator der Religion nicht bedarf, so ist ein legitimer Monarch durchaus auf dieselbe angewiesen. Sie ist seine natürliche und nothwendige Voraussetzung. In der weitaus größten Mehrzahl der Fälle steht er persönlich eher unter als über der Durchschnittshöhe menschlicher Begabung. Es ist schon eine seltene Begabung, daß ein Fürst das ist, was man im gewöhnlichen Leben einen fähigen Kopf nennt, und ein über das Alltagsmaß hinausragendes Talent oder gar ein Genie auf dem Throne kommt in den geschichtlichen Dynastien in Jahrhunderten einmal vor. Unter den lebenden Herrschern zivilisirter Länder gibt es solche, die sich für Heerführer, andere, die sich für Gelehrte, Rechtskundige, Schriftsteller, Maler, Musiker halten. Sie geben sich zum Theil ernste Mühe, es in dem Fache, für welches sie Anlagen zu haben glauben, möglichst weit zu bringen, und ihre Leistungen sind gewiß die volle Summe ihres Könnens. Und was kommt bei all ihren Anstrengungen heraus? Wenn man sie nicht als Hofschranze, sondern als unabhängiger Kritiker beurtheilt, so muß man zu dem Schlusse gelangen, daß sie es ohne ihre fürstliche Geburt in den gewählten Gebieten aus eigener Kraft nie zu einer ansehnlichen Stellung gebracht hätten. Dieser Fürst, der sich auf den Soldaten hinausspielt, wäre nie ein kommandirender General geworden; jener, der mit der Rechtsgelehrtheit kokettirt, hätte schwerlich viele Prozesse gewonnen, der Astronom nicht den winzigsten Universitäts-Lehrstuhl erlangt, der Dramatiker keine Aufführung seiner Stücke erlebt, der Maler nie ein Bild verkauft. Hießen sie Mayer oder Durand oder Smith, sie würden im allgemeinen Ringen um die ersten Plätze kläglich zurückbleiben. Es ist fraglich, ob auch nur einer von ihnen seinen Lebensunterhalt mit bürgerlicher Arbeit gewinnen, eine Familie gründen und erhalten könnte. Man muß schon Zugeständnisse machen, um nur zuzugeben, daß sie sich mit ihren gegenwärtigen Gaben, doch einer andern Erziehung, als kleine Gewerbetreibende, Gewürzkrämer ohne persönliche Physiognomie, Beamte nach der Schablone oder Routine-Offiziere durchzubringen vermöchten. Einige haben wenigstens gesellschaftliche und menschliche Vorzüge. Sie sind schöne Männer. Sie wissen in der Intimität anziehend zu plaudern. Sie könnten Erbinnen den Kopf verdrehen und reiche Partien machen, was auch eine Art Talent ist. Anderen muß man selbst diese, wenn nicht bedeutenden, so doch gefälligen Eigenschaften absprechen. Sie sind häßlich, schwächlich, kränklich, zu geistesarm, um selbst die platteste Salon-Konversation zehn Minuten lang in flottem Gange zu erhalten, zu verzweifelt alltäglich, um je von einem bessern Weibe um ihrer selbst willen geliebt zu werden.

Nun denn: jeder dieser Fürsten nimmt in seinem Lande seinen Ranggenossen gegenüber ganz dieselbe Stellung ein; Friedrich der Große dieselbe wie Ferdinand VII. von Spanien, Joseph II. dieselbe wie Ferdinand von Neapel, genannt *Rè Bomba* , Leopold I. von Belgien dieselbe wie Ludwig XV. oder Georg IV. von England. Sie sind gleich geheiligt, gleich unantastbar gleich unfehlbar. Ihr Name leuchtet mit gleichem Glanze auf den amtlichen Urkunden, ihre Entschließungen haben die gleiche Kraft und Wirksamkeit. Alles bückt sich gleich tief vor ihnen, gibt ihnen denselben Titel Majestät, nennt sie ohne Unterschied erlaucht, großmächtig und allergnädigst. Angesichts dieses Schauspiels lehnt sich der natürliche Menschenverstand auf. Er fragt: "Du Feigling, du Unfähiger, warum gebietest du großen Heerführern und mächtigen Armeen? du unwissender Strohkopf, der du deine Muttersprache nicht orthographisch zu schreiben weißt, warum bist du oberster Schutzherr der Akademien und Universitäten? du Verbrecher, warum spendest du das Recht aus und entscheidest über Leben und Tod von Angeklagten? du unflätiges Schwein, warum bist du der Belohner von Tugend und Verdienst? du Schwächling, warum lenkst du die Geschicke eines starken Volkes und bestimmst auf viele Menschenalter hinaus die Richtung seiner Entwickelung? Warum? Warum?«

Da es eine vernünftige Antwort auf diese Frage nicht gibt, so bleibt der Monarchie nichts übrig, als zu erwidern: "Warum? Weil es Gott so angeordnet hat.« Mit dieser stereotypen Antwort kommt sie jeder indiskreten Neugierde und jeder unbequemen Kritik zuvor. Sie läßt ihrer eigenen Majestät überall die Majestät Gottes wie einen Herold vorangehen. Sie weist jedesmal, so oft sie ihre Vorrechte ausüben will, zuerst auf diese geheiligte Quelle ihrer Macht hin. "Von Gottes Gnaden« heißt es auf den Münzen; "Von Gottes Gnaden« in Gesetzen, Verträgen, Urkunden. Die Gnade Gottes ist gleichsam die Referenz, welche die Monarchie aufgibt, so oft man sich nach ihrem Kredit erkundigt. Damit aber diese Begründung der Königsmacht ausreichend sei, muß man an Gott glauben, und darum hat das Königthum schlechterdings kein dringlicheres und größeres Interesse, als im Volke mit allen Mitteln der List und Gewalt den Glauben an Gott zu erhalten. Die überzeugten Monarchisten, welche die Aufklärung mit Erbitterung bekämpfen und sie mindestens nicht von Staatswegen fördern wollen, haben tausendmal Recht. Sie sind folgerichtig, wenn sie predigen: "Das Volk muß einen

Glauben haben,« folgerichtig, wenn sie sich der Gründung konfessionsloser Schulen widersetzen, folgerichtig, wenn sie die Trennung der Kirche vom Staate für gleichbedeutend mit der Untergrabung der Hauptpfeiler des Staatsbaues selbst erklären. Ihre Forderung, daß der Staat christlich sei, ist eine nothwendige Folge ihrer Anschauung. Freilich sind sie nicht ehrlich, wenn sie hinzufügen: "Denn ohne Religion hat das Volk keine Moral und der Staat, der aufhört christlich zu sein, wird eine Tummelstätte aller bösen Leidenschaften, Laster und Verbrechen.« Der richtige Nachsatz muß lauten: "Denn die Religion ist die einzige Begründung eines Erbkönigthums, denn die Aufklärung führt unaufhaltsam zur Herrschaft des Stärksten oder Fähigsten, das heißt zur Diktatur oder Republik.« Es ist nur ein Beweis mehr für die Verlogenheit unserer Zeit, daß selbst die unerschrockensten Monarchisten nicht den Muth haben, den wahren Grund zu bekennen, aus welchem sie das Volk in die Hürde der Kirche zurücktreiben wollen. Sie sollten keck heraussagen: "Wir brauchen die Religion als Schild für die Monarchie!« Das wäre tapfer. Daß sie vorgeben, die Religion im Namen der Ordnung, der Moral und des Volkswols aufrecht zu erhalten, ist eine Feigheit.

Unser Jahrhundert hat nichts Widersinnigeres erfunden als die liberale, konstitutionelle Monarchie. Man hat da versucht, zwei politische Formen; zwei Weltanschauungen zu verschmelzen, die einander unbedingt ausschließen. Es ist ein Glück, daß die menschlichen Angelegenheiten nicht von der Logik, sondern von der Trägheit, vom Beharrungsvermögen des Bestehenden regiert werden, oder vielmehr, um in der Wahrheit zu bleiben, daß die Logik nur in längeren Zeiträumen zur Geltung gelangt, denn sonst könnte dieses irrationelle Ding, das man konstitutionelle Monarchie nennt, nicht eine Stunde lang bestehen. Wie, die Monarchie hat das Dasein Gottes zur Voraussetzung und ist von Gott selbst eingesetzt, und sie theilt ihre heilige Macht mit Sterblichen? Der Monarch läßt sich seinen Willen durch die Vertreter des Volks, also durch Menschen einschränken, und dieser Wille ist doch direkt die Verdolmetschung des Willens Gottes? Der Monarch gibt also zu, daß man den Willen Gottes einschränke? Ist denn das vor allen Dingen möglich? Und ist es nicht eine Art Auflehnung gegen Gott, eine Gotteslästerung? Und ein gottgläubiger Monarch bestimmt durch ein Grundgesetz ausdrücklich, daß eine solche Gotteslästerung gestattet sei? So stellt sich die Lage dar, aus dem Gesichtspunkte des Königthums von Gottes Gnaden angesehen. Umgekehrt, vom Standpunkte der Volkssouveränetät betrachtet, ist die konstitutionelle Monarchie ganz ebenso unvernünftig. Der Konstitutionalismus beruht auf der Voraussetzung, daß das Volk das Recht habe, seine Geschicke selbst zu bestimmen. Woher hat es dieses Recht? Von der Natur selbst. Es ist eine Form seiner Lebenskraft. Das Volk hat das Recht, sich zu regieren, weil es die Kraft dazu hat, wie das Individuum das Recht zu leben hat, weil und so lange es die Kraft dazu hat. Wenn aber dieser Ausgangspunkt richtig ist, wie gelangt man dann dazu, einen erblichen König zu dulden, dessen Wille allein so viel Gewicht hat wie der Wille des ganzen Volkes, der das Recht hat, sich dem Volkswillen zu widersetzen, wie das Volk das Recht hat, sich dem Willen des Königs zu widersetzen? Wenn das Volk kraft seiner Souveränetät den König absetzen oder das Königthum selbst abschaffen wollte, würde der König sich fügen? Wenn der König kraft seiner Souveränetät das Parlament unterdrücken wollte, würde das Volk sich dies gefallen lassen? Wenn nicht, wo bleibt dann die Souveränetät des einen oder des andern? Zwei Souveränetäten in einem Staatswesen sind ebenso unmöglich wie zwei Götter in der Natur, nämlich Götter mit den Attributen, welche die Gläubigen ihrem einzigen Gotte zuschreiben. Dem König von Gottes Gnaden muß das Volksrecht eine Leugnung der Allmacht Gottes scheinen, dem aufgeklärten Volke das Königthum von Gottes Gnaden eine Leugnung der doch so leicht nachweisbaren Nationalkraft. Das konstitutionelle Königthum ist nur zu erfassen, wenn man das Denkvermögen zum Opfer bringt. Es verhält sich zum absoluten wie der orthodoxe Protestantismus zum Katholizismus. Der Katholizismus ist konsequent, der Protestantismus willkürlich. Jener gibt seinem Oberhaupte das Recht, zu verkünden, was geglaubt werden muß, und verbietet jede Kritik dieser Anordnungen. Dieser gestattet die Kritik des Glaubens an der Hand der Bibel, untersagt aber die Kritik der Bibel selbst. Bis zur Offenbarung hat die Vernunft das Recht der freien Bewegung. Bei der Offenbarung muß sie still halten. Warum? Es gibt keinen Grund. Weil es eben so ist und nicht anders. Es ist die Vernunft mit beschränkter Zirkulation, die Kritik mit einer Stellschraube, welche das Vordringen nur bis zu einem gewissen Punkte ermöglicht. Ganz so gibt die konstitutionelle Monarchie bestimmte Prämissen zu, erlaubt aber nicht, aus ihnen die Konsequenzen zu ziehen. Sie erkennt den Grundsatz des Selbstbestimmungsrechts der Nation an, leugnet ihn aber gleichzeitig, indem sie ihr eigenes Recht als ein höheres und ursprüngliches verkündet. Sie duldet die Logik in ihrem Gefolge, aber mit ausgebrochenen Zähnen und amputirten Beinen.

Da lobe ich mir das absolutistische Königthum, umgeben von mittelalterlichen Staatseinrichtungen. Es befriedigt die Logik, es schmeichelt dem Sinne, der Ebenmaß und Einklang sucht. Man braucht nur ein einziges Vernunftopfer zu bringen, man muß nur einen Ausgangspunkt ohne Kritik annehmen, nämlich den Ausgangspunkt, daß der Monarch seine Vorrechte der besondern Gnade Gottes verdankt, dann leiten sich alle übrigen Verhältnisse der absolutistischen Monarchie mit wolthuender Folgerichtigkeit von selbst ab. Es ist dann nichts mehr gegen den obersten Rechtsgrundsatz einzuwenden, daß der König nicht fehlen könne, auch wenn er mordet, schändet, stiehlt und falsch schwört; es ist dann selbstverständlich, daß der König mit seinem Volke und Lande und jedem einzelnen Unterthan anfangen dürfe, was ihm beliebt, ohne daß ein Sterblicher das Recht hätte, ihm seine Willkür zu wehren; es ist dann einleuchtend, daß seine Person geheiligt, daß er ein verkörpertes Stück himmlischer Vorsehung sei. Wer ein direkter Bevollmächtigter Gottes ist, der hat ein unzweifelhaftes Recht auf solche übermenschliche Stellung und Macht. So ist der Bau der Monarchie von Gottes Gnaden in ihrer theoretischen Vollkommenheit, unverstümmelt durch Abbrüche, unentstellt durch stylwidrige Einbauten von

Volksrechten; ein schönes Werk der menschlichen Einbildung, an dessen symmetrischen Aufrißlinien das Auge mit Befriedigung weilt. Der Unterthan, zum Gehorchen geboren, arbeitet in Frieden mit der gleichmäßigen Stetigkeit einer Maschine; wenn es ihm wol ergeht, so mästet er sich behaglich; leidet er Hunger, so tröstet er sich damit, daß es so sein müsse und in der Weltordnung so vorgesehen sei; Sorgen braucht er sich keine zu machen, denn der König denkt für ihn und richtet seine Gegenwart und Zukunft ein, wie es am besten ist. Und steigt einmal in ihm ein quälender Zweifel daran auf, daß Alles zum Besten bestellt sei in dieser besten aller Welten, so ist die Kirche da und beruhigt ihn mit der Versicherung, daß auch das scheinbar Unbefriedigende geradeswegs von Gottes Rathschluß herstamme, der doch wissen müsse, was recht, und daß er es nur seiner eigenen Kurzsichtigkeit und Beschränktheit zuzuschreiben habe, wenn er die Vortrefflichkeit alles Bestehenden nicht einzusehen vermöge. Die Monarchie und Religion stehen da als verschworene Spießgesellen zu einander und fechten treulich gegenseitig ihre Sträuße aus. Der König schickt das Volk in die Kirche und der Priester predigt ihm, vor dem Palaste niederzuknieen. Der König psalmodirt: "Es gibt einen Gott, und wer nicht an ihn glaubt, für den besolde ich Kerkermeister und Henker;« der Priester antwortet mit der Gegenstrophe: "Der König ist von Gott selbst eingesetzt, und wer dies nicht glaubt, der hat, von irdischen Strafen nicht zu sprechen, seine Seligkeit verwirkt.« Der König versichert, daß der Priester nicht lügt, und der Priester bestätigt, daß der König sich nichts anmaßt. Nun wird aber durch zweier Zeugen Mund allerwärts die Wahrheit kund und auf den schlichten Geist des Volkes muß eine Aussage um so tiefern Eindruck machen, wenn von den übereinstimmenden Zeugen der eine einen Purpurmantel und eine Krone auf dem Haupte, der andere goldgestickte Kleider und ein edelsteinbesetztes Kreuz auf der Brust trägt. Vor einem Landgerichte würde freilich die gegenseitige Zeugenschaft zweier Interessen-Verbündeter nichts gelten, vor den Völkern aber gilt sie seit so und so viel tausend Jahren.

II.

Ich mache hier nicht der Monarchie den Prozeß, um sie zu Gunsten der Republik fachfällig zu erklären. Ich bin sogar weit entfernt, für die Republik mit der Naivität jenes marktläufigen Liberalismus zu schwärmen, der sich am Klang eines Wortes entzückt, ohne nach dessen Sinne zu fragen. Für viele sogenannte Freisinnige ist die Republik ein erstes Ziel des Strebens, für mich ist es ein letztes. Die Republik, wenn sie ein Fortschritt und eine Wahrheit sein soll, hat eine ganze Reihe von gesellschaftlichen, wirthschaftlichen und politischen Einrichtungen zur nothwendigen Voraussetzung, die von den bestehenden völlig verschieden sind. So lange das alte Europa in seinen gegenwärtigen Kulturformen lebt, ist die Republik ein Widersinn und ein unwürdiges Spiel mit einem Namen. Eine rein politische Umwälzung, die eine der europäischen Monarchien in eine Republik umwandelt, thut ganz dasselbe, wie die Heidenapostel des frühen Mittelalters thaten, als sie den zu bekehrenden Völkern ihre Götter, Feste und Gebräuche ließen und denselben nur christliche Namen gaben. Die ganze Thätigkeit solcher Revolutionen beschränkt sich darauf, alte unverkäuflich gewordene Waaren mit neuen Etiketten zu bekleben und dem leichtgläubigen Volke als ein anderes und besseres Erzeugniß anzuhängen. Die Republik ist das Endglied einer langen Kette von Entwickelungen: sie ist die staatsrechtliche Form, in welcher der Gedanke des unbeschränkten Selbstbestimmungsrechts der Volksgesammtheit zur Anschauung gelangt. Mit dieser Form, wenn sie organisch bedingt und nicht bloß äußerlich aufgeklebt und angepinselt sein soll, sind erbliche Vorrechte und Auszeichnungen, ist der überwiegende Einfluß des Großkapitals, die Macht der Beamtenhierarchie, jede Bevormundung der breiten Massen des Volks unvereinbar. Das Staatswesen jedoch zu lassen wie es ist und nur seine Bezeichnung von Monarchie in Republik zu ändern, ist einfach ein politisches Seitenstück zum bekannten Kniff der Buchhändler, die in zensurbehaftete Länder verbotene Bücher einschmuggeln, indem sie deren erstes Blatt mit dem auf der Polizeiliste stehenden Titel wegschneiden und durch das harmlose Titelblatt einer Jugendgeschichte oder eines Gebetbuchs ersetzen. Was waren die italienischen Republiken von 1848, was war die spanische Republik von 1868, was ist die französische von 1870 anders als Monarchien mit erledigtem Thron, Monarchien, die sich die Kurzweil einer republikanischen Maskerade gönnen? Man denke sich eine Karnevalsgesellschaft von Edelleuten, die eine Bauernhochzeit oder ein Zigeunerlager darstellen. Ihre Tracht und Geräthe, ihr Thun und Reden sind die des niedern Volks, dessen Erscheinung sie nachahmen, aber sie bleiben darum doch die Frau Fürstin und der Herr Graf, und wirkliches Volk, das etwa von den Galerien des Ballsaals zuschauen dürfte, würde den Mummenschanz gewiß nicht als ein thatsächliches Verschwinden der Standesunterschiede auffassen. Dasselbe Volk aber glaubt merkwürdigerweise, daß etwas Wesentliches sich vor seinen Augen ereignet, wenn in einem politischen Schönbartfeste eine Monarchie sich als Republik verkleidet und demokratische Tänze mit feinem Anstande ausführt!

Eine einzige Revolution hat begriffen, daß es nicht genüge, den König aus dem Staatsbau hinauszujagen und dessen Aufschrift zu ändern, um eine Republik aus ihm zu machen. Das war die große Revolution Frankreichs. Sie zerstörte mit dem Königthum zugleich alle Einrichtungen der alten Monarchie. Wie nach dem Tode eines Pestbehafteten begnügte sie sich nicht damit, den Leichnam aus der Wohnstätte der Lebendigen fortzuschaffen, sondern sie verbrannte auch die Kleider und Geräthe des Verstorbenen. Die französische Revolution grub die Monarchie mit allen ihren Wurzeln aus und wandte die Schollen des geschichtlichen Grundes um, welchem sie entwachsen war. Sie hob den Adel auf, vernichtete, so weit es möglich war, die Urkunden, aus denen derselbe seine Vorrechte ableitete, riß dessen Schlösser nieder, verfolgte selbst die Überlebsel, welche die feudalen Standesunterschiede im Sprachgebrauche zurückgelassen haben, indem sie die an

Gewohnheiten der Herrschaft und Unterthänigkeit erinnernde gesellschaftliche Ansprache, das "Herr« der höflichen Rede, unterdrückte. Sie that noch mehr. Sie suchte die ganze Gedankenwelt des Volks zu erneuern. Keine einzige Umrißlinie seines geistigen Gesichtskreises sollte unverändert bleiben. Sie wollte sogar verhindern, daß die alten Vorstellungen, welche man durch das Hauptthor des Staatsgesetzes ausgetrieben hatte, durch das Hinterpförtchen der bequemen und denkfaulen Gewohnheit wieder einziehen. Sie schuf also eine neue Religion, erfand einen neuen Kalender, in welchem alles: Jahresbeginn, Zeitrechnung, Monats- und Tagesnamen von der alten Eintheilung abwich, ordnete neue Feste an, schrieb neue Trachten vor – kurz, sie baute eine neue Welt auf, in der nicht einmal eine Erinnerung an die vorausgegangene geschichtliche Entwickelung Platz fand – und doch, was half das alles? Kleider und Sprache konnten geändert werden, aber das Gehirn der Menschen vermochte die französische Revolution nicht umzukneten. Das in Ägypten geborene Geschlecht war unfähig, Kanaan zu besiedeln. Die jahrhundertelange Gewöhnung hatte größere Gewalt über die Franzosen, als selbst das Gesetz, das die Guillotine zur Klausel hatte. Die Dubarry, als sie das Blutgerüst betrat, sagte zum Bürger Sanson: "Verzeihung, *HerrHenker,« unmittelbar nach dem Ende der Schreckensherrschaft gestand man den millionengechwollenen Räubern und Dieben, die sich durch gaunerische Lieferungen an den Staat oder den Schacher mit den Gütern der Ausgewanderten schamlos bereichert hatten, den Vorrang zu, den in der alten Gesellschaft der Geburtsadel eingenommen, so daß Napoleon später diesen Emporkömmlingen nur noch Titel zu schenken brauchte, um sie zu einer regelrechten Aristokratie nach dem Muster der zerstörten zu gestalten und kaum hatte das Erdbeben der Revolution ausgeschwankt, als auch schon der mittelalterliche Gesellschaftsbau wieder aufrecht stand, zum Theil mit anderen Steinen und Balken, jedoch genau nach dem alten Grund und Aufriß.*

Es ist eben unnütz, ein Stück der alten Weltordnung zu zerstören und den Rest übrig zu lassen. Es war ein zweckloses Verbrechen, dem einfältigen Ludwig XVI. den Kopf abzuschneiden, wenn das französische Volk dennoch fortfahren sollte, auf dem Boden seiner alten Weltanschauung zu stehen, an ein höchstes Wesen und eine übersinnliche Vorsehung zu glauben, die Bibel zu verehren, Todtenkult zu treiben u. s. w. Eine ausschließlich politische Umwälzung, welche nur die Regierungsform ändert, die gesellschaftlichen, wirthschaftlichen und philosophischen Voraussetzungen jedoch, aus welchen die Monarchie logisch hervorgeht, unberührt läßt, hat weder Folgerichtigkeit noch innere Berechtigung. Sie ist eine rohe, rein äußerliche Störung, nicht anders als es etwa die Verfügungen eines wahnsinnigen Tyrannen wie Iwan der Schreckliche wären, wenn man sich eine solche Erscheinung auf dem Throne in unserer Zeit denken könnte. Die Logik der Thatsachen lehnt sich gegen sie auf und gestattet ihr nur eine kurze Dauer. Im Volksorganismus wiederholt sich die bekannte Erscheinung, welche man bei Verstümmelten so oft beobachtet. Wie ein Individuum, dem ein Bein abgesetzt worden ist, in der fehlenden Gliedmaße Schmerz empfindet, so hatte eine Gesellschaft in ihrer heutigen Beschaffenheit, wenn man ihr das Königthum amputirt und durch eine hölzerne republikanische Krücke ersetzt hat, nach wie vor monarchisches Zucken und Jucken. Ja in diesem Punkte gleicht die Gesellschaft nicht einmal einem Menschen, sondern jenen niedrigen Organismen, denen abgeschnittene Theile nachwachsen; es lebt in ihr ein Drang, das fehlende Organ, ohne daß sie sich nicht vollständig fühlt, das nach dem ihr innewohnenden Bildungsgesetze zu ihrer planmäßigen Gänze unerläßlich ist, neu hervorzubringen.

Ich nehme also keineswegs an dem entweder heuchlerischen oder einfältigen Lippendienste jener seltsamen Freisinnigen theil, die vor dem bloßen Worte "Republik« die Kniee beugen und Hosiannah singen. Diese Religion, deren Gott ein leerer Name ist, sie ist nicht die meine. Damit die Republik die nothwendige äußere Form der inneren organischen Staatseinrichtungen sei, muß das Volk, daß sich in diese Form hineinkristallisiren will, auf dem Boden der naturwissenschaftlichen

Weltanschauung stehen und allen mittelalterlichen Schutt, den Transzendentalismus, die erblichen Standesunterschiede, den Kapitalismus aus sich ausgeschieden haben. Eine Republik mit staatlich anerkannten Religionen, den transzendentalen Eidesformeln, mit Gesetzen, welche Gotteslästerung bestrafen, mit erblichem Adel und Geburtsvorrechten, mit vorwiegendem Einfluß des ererbten Besitzes ist kein Fortschritt für die Menschheit und hat nichts Wesentliches vor der Monarchie voraus, ja sie steht hinter dieser zurück, insofern sie nicht einmal die Logik und Ästhetik befriedigt, wie es der geschichtlich gewordene, einheitliche, in sich geschlossene Bau der absoluten Monarchie wohl zu thun vermag.

Aus diesen Darlegungen geht hervor, daß ich die historische und logische Berechtigung der Monarchie verstehe und zugebe. Jawol, ein Volk, das glaubt, die Welt sei von einem persönlichen Gotte regiert und die Bibel sei der authentische Ausdruck seiner Meinungen und die Priester seien die von ihm selbst eingesetzten Deuter des Wortes, hat Recht am Königthum zu hängen, denn der über den Gesetzen stehende König, der unverantwortlich nach eigenem Rathschluß und mit einer keinen Widerstand duldenden Gewalt die Geschicke des Staates lenkt, ist ein getreues Abbild Gottes, seiner Stellung im Weltall, seiner Aufgabe und der Art seines Handelns, die Bibel erklärt ihn als von Gott eingesetzt und die Priester bestätigen, daß es mit seiner übermenschlichen Macht und dem unbedingten Gehorsam, den ihm die Unterthanen schulden, seine Richtigkeit habe. Und ein Volk, welches nichts Unnatürliches darin sieht, daß man als Besitzer von Millionen und Adelstiteln geboren wird und auf diese Weise die sichere Anwartschaft auf Ehren, Macht und Genüsse ganz so wie die Haut oder Kopfhaare als Bestandtheile des Individuums mit auf die Welt bringt, ist folgerichtig, wenn es monarchisch ist, denn daß ein einzelnes Menschenkind mit dem Rechte, über ein ganzes Land zu herrschen, im Magen oder im Kopfe oder wo immer der anatomische Sitz dieses wunderbaren Rechtes sein mag, zur Welt kommt, ist ebenso vernünftig und nicht schwerer zu begreifen, als daß einige hundert Menschenkinder mit einem ihnen gleichsam angewachsenen organischen Rechte auf Reichthum und Vorrang vor Millionen geboren werden. Als abstrakte Konzeption kann die Monarchie aus der theologischen Weltanschauung heraus leicht und mit Siegesgewißheit vertheidigt werden und wer diese Weltanschauung theilt, für den ist jene durchaus keine Lüge. Allein eine Lüge ist die Monarchie zunächst all denen, welche die Welt naturwissenschaftlich auffassen, und zur Lüge wird sie, wenn auch nicht grundsätzlich, so doch in ihrer thatsächlichen Erscheinung und ihrem praktischen Getriebe selbst den Gläubigen, die von ihrem göttlichen Ursprung überzeugt sind. Denn das ist ja die Tragik unserer zeitgenössischen Kultur, daß die alten Institutionen nicht mehr den Muth und das Selbstvertrauen haben, sich in ihrer allein logischen geschichtlichen Form schroff und unabänderlich vor die Menschen hinzustellen und ihnen den Jesuitenspruch zu wiederholen: "Sein wie wir sind oder nicht sein!« Sie streben einen unmöglichen Ausgleich zwischen ihren Voraussetzungen und den Überzeugungen der Neuzeit an, sie machen den letzteren Zugeständnisse, sie lassen sich von geistigen Elementen durchdringen, die ihrem Wesen fremd sind und es zersetzen; die Neuerungen, zu denen sie sich bequemen, sind eine direkte Leugnung der alten Bestandtheile und so gleichen sie einem Buche, das auf derselben Seite eine alte Fabel als Text und deren Kritik, Widerlegung und Verspottung als Randglosse und Fußnote vereinigen würde. In dieser Form werden die sich selbst negirenden und parodierenden Einrichtungen den Aufgeklärten zum Gespött und selbst den Zurückgebliebenen eine Quelle des Ärgernisses und peinlichen Zweifels.

Das Königthum hat sich geschichtlich aus verschiedenen Wurzeln entwickelt. Es ist sehr wahrscheinlich, daß die Menschen schon bei ihrem frühesten Erscheinen auf der Erde gesellige Wesen waren und truppweise lebten wie noch heute die Affen und zahlreiche andere Herdenthiere. Jede Bande hatte wol ein Oberhaupt, das sie führte und vertheidigte und ohne Zweifel das stärkste Männchen war. In der

Morgendämmerung der Gesittung, deren Abglanz auf den ältesten Schriften der Bibel, den Veden und den heiligen Büchern der Chinesen ruht, ist die Familie die Grundlage der Gesellschaft und der Stammvater der natürliche Herrscher, Richter und Berather seiner Angehörigen. Die Menschen vermehren sich, die Familien wachsen ansehnlich und erweitern sich zu Stämmen. Aus dem Familienvater wird der Stammeshäuptling, dessen Autorität wol noch zum Theil auf der Fiktion beruht, daß sämmtliche Stammesmitglieder aus seinem Blute hervorgegangen sind – eine Fiktion, welche bis in die neuere Zeit die Grundlage der schottischen Clanverfassung geblieben ist – zum andern Theil aber auf den greifbareren und sicheren Stützen, auf welchen die Gewalt des Leitthieres einer Herde steht: nämlich auf seiner vorwiegenden Macht, die durch größere Leibesstärke, Klugheit oder Reichthum an Herden, Weiden, Geräthen und Knechten bedingt sein kann. In dieser Phase ist der Abstand zwischen dem Herrscher und Beherrschten noch gering und die Quellen der Macht des ersten liegen allgemein verständlich zu Tage. Der Sohn gehorcht dem Vater aus Liebe und Ehrfurcht, der Schwache dem Starken aus Furcht, der Arme dem Reichen in der Hoffnung auf Vortheile. Ein Erbrecht auf Herrschaft wird kaum anerkannt. Der thatsächliche Besitz der Machtmittel reicht auch zur theoretischen und moralischen Rechtfertigung der Machtansprüche aus. Noch komplizirt kein übernatürliches Element diese einfachen Verhältnisse, in welchen der Häuptling befiehlt, weil er kann, und der Stamm gehorcht, weil er will oder weil er muß. Allein in dem Maße, in welchem die Kultur fortschreitet, erwacht im Häuptling das Bedürfniß, seinem natürlichen Ansehen das Grauen des Überirdischen anzufügen. Seine überwiegende Klugheit, sein Reichthum, seine Leibesstärke scheinen ihm nicht mehr ausreichend, um ihm den Besitz der Macht zu sichern und ihn gegen den Neid und Ehrgeiz von Nebenbuhlern zu schützen, und er macht die Götter zu seinen geheimnißvollen und darum doppelt furchtbaren Bundesgenossen. Er wirft sich zum Oberpriester der Stammesreligion auf, stellt unsichtbare Schreckgeister in seinen Dienst und entwickelt den Aberglauben zur stärksten Wurzel seiner Gewalt.

Das ist die Lage der Dinge bei allen Völkern in dem Augenblicke, in welchem sie in das Tageslicht der Geschichte treten. Das Königsgeschlecht rühmt sich, in gerader Linie von den Göttern abzustammen. Die Pharaonen, die Inkas sind die Söhne der Sonne. Die germanischen Heerkönige gehen aus den Lenden Thors hervor. Die Maharadschas Indiens sind einem Avater Wischnus entsprossen. Das Volk sieht im Herrscher ein geheiligtes Wesen und schreibt ihm übernatürliche Eigenschaften zu. Im Orient darf man ihm nicht ins Antlitz blicken, wenn man nicht auf der Stelle mit Blindheit geschlagen werden will. Die Könige von England und von Frankreich besitzen die Gabe, durch die Auflegung ihrer Hand Fallsucht, Veitstanz und eiternde Schwären zu heilen. Wer sich an der Person des Königs vergreift, der ruft den ewigen Zorn der Götter auf sich, seine Familie, sein Volk herab. Neben seinen menschlichen Söldlingen hat der König alle Götter und Heiligen des Himmels zu Wächtern seines Throns, "sechstausend zur Rechten, sechstausend zur Linken«, wie Heine singt. Nun ist der Abstand zwischen dem Könige und dem Volke bereits ein ungeheurer. Er ist nicht mehr einfach der erste unter seines Gleichen, der Vater seines Stammes, sondern ein Wesen von anderer Beschaffenheit wie die Unterthanen, das außerhalb der Natur steht und auf das sich die Geltung der allgemeinen Lebensgesetze nicht erstreckt. Zwischen dem Könige und dem Volke schlingt sich keinerlei menschliche Beziehung mehr; er ist unnahbar; er wandelt wol unter den Sterblichen, aber wie ein verkleideter Gott, und hat mit den Menschen, die um ihn wimmeln, nichts gemein. Der Himmel kann nach seinem unerforschlichen Rathschlusse zugeben, daß er den Thron verliere; der Himmel kann einem Niedriggeborenen erlauben, die Krone aufs eigene Haupt zu setzen. Allein auch vom Throne gestürzt sinkt der legitime König nicht in die gemeine Menschheit zurück und selbst mit der Krone geschmückt hat der Usurpator nicht die Weihe der Göttlichkeit. Jener bleibt die erdentrückte Majestät, dieser der Plebejer vom Fleisch und Blut des Volks, der früher oder später wieder in die namenlose Masse aufgehen muß wie ein Eiskristall im chemisch gleichartigen Wasser, während jener stets sein Sonderdasein bewahrt wie ein Diamant in allen Flüssigkeiten.

Seltsame Paradoxie der menschlichen Kultur-Entwickelung! Das Königthum, das sich aus der Nacht der urweltlichen Barbarei bis in unsere Zeit herüber zu retten vermochte, hat von seinen verschiedenen Rechtstiteln die, welche vor der Vernunft bestehen können, als überflüssig aufgegeben und gerade nur diejenigen bewahrt, die vor dem ersten Sonnenstrahl der vernünftigen Kritik sich spurlos verflüchtigen. Die heutige Monarchie leitet ihre Berechtigung nicht mehr von ihrer thatsächlichen Macht ab, sondern von ihrem göttlichen Ursprunge. Sie befiehlt nicht mehr im Namen ihrer Armee, sondern mit Berufung auf die Gnade Gottes. Ein Heer, das bereit ist, das Gebot des Königs auszuführen, ist auch in unseren Tagen ein unwiderstehliches Argument. Dieses Argument verschmäht die Monarchie. Die Behauptung, daß Gott dem König das Anstellungspatent ausgestellt habe, scheint heute selbst einer Kaffeeschwester ein Märchen zum Lachen. Dieses Märchen erzählt die Monarchie mit einem Ernste, dem Gendarmen Nachdruck verleihen.

Im Alterthum, im Mittelalter, zu einer Zeit, da es keine Geschichtswissenschaft gab und die Kritik den Überlieferungen und Quellen unbekannt war, hatte bei der herrschenden Geistesdämmerung der Heiligenschein der Göttlichkeit um das Haupt des Königs eine begreifliche Leuchtkraft, wenigstens in den Augen des Volkes. Das Nationalgedächtniß reichte kaum über ein Menschenalter hinaus. Das Dunkel der Vergangenheit war undurchdringlich und verschlang rasch die Ursprünge aller Dinge. Wer erinnerte sich an die Anfänge der Dynastie? Es fiel niemand schwer, den Sängern zu glauben, welche die Herrscher von einer um so höheren Gottheit abstammen ließen, je freigebiger sie diese genealogische Dichtung belohnten. Allein in unseren Tagen der quellenmäßigen Geschichtsforschung haben Balladen und Fabeln keine Geltung. Wir kennen recht genau die frühesten und späteren Geschicke der europäischen Herrscherhäuser, welche heute die klassischen Vertreter des Legitismus von Gottes Gnaden sind. Bei den

Bourbonen, dem ältesten und geheiligtsten Königsgeschlecht Europas, haben wir die Wahl, in ihrem ersten Ahn mit der zweifelhaften Geschichte einen rebellischen Großgrundbesitzer Hugo Capet oder mit der nicht unglaublichen Volkstradition den Pariser Metzgerknecht Robert Le Fort zu sehen. Die Habsburger, von denen übrigens schwerlich ein Blutstropfen in den Adern der Familie fließt, die gegenwärtig Österreich beherrscht, sind die Nachkommen eines armen fränkischen Edelmannes, der so etwas wie besoldeter Klopffechter oder Polizeimeister im Dienste verschiedener Herren, bald eines Bischofs, bald einer Stadt war. Von den Romanows sprechen wir besser nicht. Unleserliche Texte kann der Geschichtsforscher manchmal entziffern. Aber zur Lösung des Problems, wer der Vater eines Sohnes der Kaiserin Katharina II. gewesen sei, dürfte die Methode selbst des scharfsinnigsten Historikers schwerlich ausreichen. Die Hohenzollern haben wenigstens einen reinlichen Geburtsschein, der sich sehen lassen kann. Sie stammen von armen, aber ehrlichen Eltern ab. Die Burggrafen von Nürnberg waren zweifellos ganz tüchtige kleine Beamte des heiligen römischen Reichs und bei ihrer Beförderung zu Großmeistern des deutschen Ritterordens, zu Markgrafen von Brandenburg, zu Kurfürsten, Königen und Kaisern ist es durchaus mit rechten Dingen zugegangen. Man kennt das Datum jeder einzelnen Vorrückung und weiß, daß dieselben Menschenwerk waren und daß zu ihrer Erklärung keine Dazwischenkunft des Übernatürlichen erforderlich ist. Die englische Dynastie gibt ein überraschendes Beispiel der abenteuerlichen Wanderungen, welche das Blut, der Träger der Legitimität, durch ein Dutzend und mehr verschiedener Familien unternehmen kann, ohne etwas von seinem Vorrecht der Herrschaft zu verlieren. Die grillenhafte Zickzacklinie, welche die legitime Abstammung vom Herzog der Normandie bis zum Herzog von Sachsen-Koburg-Gotha beschreibt und die zu verfolgen so mühsam ist, scheint höchstens zu beweisen, daß ein gutes Princip, ganz so wie ein guter Mensch, in seinem dunklen Drange sich des rechten Weges stets bewußt ist.

Wo bleibt nun in der Geschichte all dieser Familien der Platz für die Intervention Gottes, von dessen Gnade sie ihre Herrscherrechte ableiten? In welchem Augenblicke sind sie dieser Gnade theilhaft geworden? Etwa als Wilhelm der Eroberer bei Hastings Harald den Sachsenkönig besiegte? Oder als Hugo Capet sich gegen seinen rechtmäßigen Herrn aus karolingischem Stamme auflehnte, wie Pipin es einst gegen seinen merovingischen Herrn gethan hatte? Oder als Rudolf der Habsburger seinen Wettbewerber Ottokar von Böhmen schlug? Und wenn die drei Gründer von legitimen Dynastien in ihren Unternehmen den Kürzeren gezogen hätten? Wenn Wilhelm über den Ärmelkanal zurückgeworfen und Hugo als Rebell aufgehängt und Rudolf auf dem Marchfeld todtgeschlagen worden wäre? Wie hätte es dann mit der Gnade Gottes ausgesehen? Wären dann die waghalsigen Persönlichkeiten nicht Ahnen geheiligter Herrscherhäuser, sondern gemeine Räuber, Abenteurer und Aufrührer gewesen? Oder ist es der Erfolg, der entscheidet? Erkennt man die Gnade Gottes eben daran, daß es einer Persönlichkeit gelingt, sich der Herrschaft zu bemächtigen, und wird dieselbe in dem Augenblicke legitim, in welchem sie sich in den Besitz der höchsten Gewalt zu setzen versteht? Das läßt sich hören. Die Volksweisheit glaubt: wem Gott ein Amt gibt, dem gibt er auch Verstand. Es ist nicht unlogisch, daß derselbe Gott nach demselben Vorgange dem, welchem er einen Thron gegeben hat, auch Legitimität gibt. Aber in diesem Falle ist ja auch jeder Revolutionär legitim, wenn sein Anschlag gelingt? Cromwell ist dann ein so legitimes Staats-Oberhaupt wie Karl I., dem er den Kopf abschlagen ließ, Barras, Bonaparte so legitim wie Ludwig XVI., dem derselbe Unfall widerfuhr, Ludwig Philipp so legitim wie Karl X. und Napoleon III. so legitim wie Ludwig Philipp? Die Monarchisten haben dann überhaupt nicht das Recht, sich der Autorität eines Staatsoberhaupts zu widersetzen oder selbst nur damit zu schmollen, sobald dasselbe thatsächlich den Platz eines solchen einnimmt; sie müssen dann von ihrem Standpunkte aus erkennen, daß Rienzi, Masaniello, Mazzini, Kossuth, Hecker von Gottes Gnaden Staatsoberhäupter gewesen wären, wenn eben ihre Wagnisse den Erfolg für sich gehabt hätten; ja noch mehr, der

Holzspalter Lincoln, der Schneider Johnson, der Advokat Grevy müssen ihnen ganz so geheiligte Persönlichkeiten sein wie ein Wilhelm von der Normandie, ein Hugo Capet, ein Rudolf von Habsburg, denn den Erfolg und den thatsächlichen Machtbesitz haben sie ganz so für sich wie die letzteren! Der Standpunkt der Monarchisten ist dann genau derjenige der Frösche in der Fabel, die mit gleicher Unterwürfigkeit jedem Könige zu gehorsamen haben, den Zeus über sie setzt, ob er nun ein Holzpflock oder ein Kranich ist! Wenn der Erfolg der Beweis von Gottes Gnade sein soll, dann ist er auch die einzige Quelle der Legitimität und die Monarchisten müßten vernünftigerweise jedem Staatsoberhaupt: dem fremden Eroberer, dem Präsidenten der Republik, dem Verüber des Staatsstreichs, mit einem Worte jedem, der den Erfolg für sich hat, die Legitimität zuerkennen.

Oder hat diese Quelle der Legitimität nur in früheren Zeiten geströmt und ist jetzt versiegt? Waren Gewalt, Empörung, Lehenseidbruch und Wahlintrigue nur in vergangenen Tagen die Form, in der Gottes Gnade auf ein Menschenhaupt herniederstieg, und haben sich die Beziehungen zwischen dem Himmel und den Herrscherpalästen in der Folge geändert? Dann wäre es von der größten Wichtigkeit, zu wissen, in welchem Augenblicke diese Änderung eingetreten ist. Die Monarchisten schulden uns in diesem Falle die genaue Angabe des Jahres, des Monats und Tages eines so bedeutungsschweren Ereignisses. Denn in ganz naher Vergangenheit haben sich in Schweden und Norwegen, in Belgien, in Serbien, Rumänien, Griechenland und der Bulgarei Dynastien häuslich eingerichtet; diese Dynastien berufen sich gleichfalls auf die Gnade Gottes; ihre Völker gestehen ihnen Herrscherrechte zu; die jahrhundertealten Dynastien behandeln sie als ihres Gleichen; da ist es denn nicht gleichgiltig, einen Aufschluß darüber zu erhalten, ob diese neuen Könige auch durch die Gnade Gottes solche geworden sind oder ob sie mit dieser Gnade nur flunkern, ob sie, Snobs auf dem Throne, sich einer hohen Beziehung rühmen, die sie nicht besitzen. Sind Bernadottes, Koburger, Obrenoviche u. s. w. Könige von Gottes Gnaden, dann ist der

Beweis erbracht, daß die Gnade Gottes auch heute noch wie zur Zeit der mittelalterlichen Usurpationen sich beeilt, zur Macht das Recht hinzuzufügen, und in diesem Falle müssen die Monarchisten zugeben, daß ein beliebiger Sozialdemokrat, wenn es ihm gelänge, sich durch eine Umwälzung an die Spitze des deutschen Reichs zu stellen, Staatsoberhaupt von Gottes Gnaden und zur Herrschaft ebenso berechtigt, persönlich ebenso geheiligt, im Besitze einer ebenso legitimen Autorität wäre wie gegenwärtig der deutsche Kaiser. Oder das Argument ist richtig, daß seit dem Mittelalter die Gnade Gottes, die Monarchenmacht, erschöpft ist wie ein Acker, auf dem Raubbau getrieben wurde, dann sind jene Könige aus jungen Herrscherhäusern nichts Anderes als Schwindler, die durch falsche Vorspiegelungen Vortheile zu erlangen suchen, ein Vorgehen, worüber in einem Artikel des Strafgesetzbuchs nähere Auskunft ertheilt wird, dann ist es eine unfaßbare Anmaßung von ihnen, daß sie von ihren Völkern Untertänigkeit verlangen, und die Monarchen aus alten Dynastien begehen eine schwerzubegreifende Unvorsichtigkeit, wenn sie die Giltigkeit des Rechtstitels derselben zugeben und sie als gleichberechtigte Genossen anerkennen.

Ich höre einen letzten Einwand der Monarchisten gegen meine Argumentation. Dieser Einwand ist nicht etwa der, auf welchen ein logischer Geist verfallen würde, daß nämlich die neuen Dynastien ihre Herrscherrechte vom Willen des Volkes herleiten, welches ihnen diese Rechte freiwillig zugestanden hat. Der Wille des Volkes darf beileibe nicht als Quelle dynastischer Rechte anerkannt werden; denn wenn dieser Wille einen König machen kann, so kann er auch einen König stürzen und die Republik ausrufen, und das wird doch ein Monarchist nicht zugeben! Nein, der Einwand ist ein anderer: die Männer, welche in unserer Zeit neue Dynastien begründet haben, sind Sprossen alter Herrscherhäuser, in welchen das Regieren seit Jahrhunderten endemisch ist; sie sind mit einer latenten erblichen Legitimität geboren, die nur einer günstigen Gelegenheit harrte, um in einer sichtbaren Krone zum

Ausbruch zu gelangen. Das kann nun zwar weder von den Bernadottes noch von den Obrenovich mit Recht behauptet werden, da es aber auf die belgischen Koburger, die rumänischen Hohenzollern, die griechischen Glücksburger und die bulgarischen Hessen Anwendung findet, so will ich das Argument nicht gleich als Lüge behandeln, um so weniger, als es mir außerordentlich gefällt. Es ist also wolverstanden: die Legitimität ist eine natürliche Erbeigenschaft bestimmter Familien; ein Prinz wird mit dem Rechte zum Herrscher geboren; nicht etwa mit dem Rechte, über ein gewisses Volk und kein anderes zu herrschen, sondern mit dem Rechte des Herrschers im Allgemeinen, mit einem vagen Herrscherrechte ohne bestimmtes Objekt, daß sich indeß später hinzufinden kann. Ein Koburger, ein Hohenzoller bringt von Geburt aus die Gnade Gottes mit; wenn ihn die Belgier, die Rumänen zum König wählen, so geben dieselben seiner bevorstehenden Legitimität blos eine praktische Geltung. Gottes Gnade wird etwa so ertheilt wie das Diplom einer Fakultät. Mit seinem Diplom in der Tasche hat der junge Doktor wol das Recht, sich eine ärztliche Praxis zu schaffen, aber die Praxis selbst wird ihm von der Fakultät nicht zugesichert. So gibt dem Prinzen aus legitimem Herrscherhause sein Gottesgnadenthum das theoretische Recht, irgendwo zu regieren, doch garantirt es ihm kein Land, wo er dieses Recht thatsächlich ausüben kann.

Das ist doch ein Argument, das sich sehen lassen kann. Es erklärt Manches, was sonst unerklärlich wäre. An der Hand desselben kann man verstehen, wie ein legitimer König von Gottes Gnaden einen andern legitimen König von Gottes Gnaden seines Thrones und Landes beraubt. So ist die Annexion Hannovers, Kurhessens, Nassaus durch Preußen, Neapels, Toskanas, Modenas, Parmas durch Sardinien nicht mehr eine Verleugnung der Grundlage, auf welcher doch auch der Thron der Hohenzollern und der Savoyer steht. Der Eroberer nimmt dem Verjagten nicht etwa seine Legitimität, ich hätte fast gesagt sein Herrscherdiplom, er nimmt ihm nur sein Land. Er bleibt nach wie vor König von Gottes Gnaden und es ist ihm unbenommen, sich ein anderes Reich zu suchen, über welches er, wenn er eins findet, mit ungeschwächter Legitimität und in der That ganz besonders sichtbarer Gnade Gottes herrschen wird. Die Loslösung des abstrakten Herrscherrechts legitimer Dynastien von der Geltung für ein bestimmtes Land und Volk ist ein unentbehrlicher Bestandtheil der monarchistischen Theorie. Ohne sie wären die erobernden und annektirenden Könige die ärgsten Revolutionäre, würden sie den Unsinn des Gottesgnadenthums am klarsten nachweisen und den Völkern am faßlichsten zeigen, welchen Werth die Rechte eines legitimen Monarchen haben und wie man es anfangen müsse, um einen solchen aus dem Lande zu jagen. Mit Hilfe dieses Gedankens der Unabhängigkeit theoretischer Legitimität von tatsächlicher Herrschaft kann man endlich auch ohne Auflehnung des Verstandes begreifen, daß das Haus Hannover ein Jahrhundert lang von Gottes Gnaden England legitim beherrschen konnte, während die Erben des Hauses Stuart in St. Germain und Rom von Gottes Gnaden legitim verkamen, und daß nach Viktor Emanuel König Humbert von Gottes Gnaden in Italien regiert, während König Franz II. von Neapel, seit bald einem Vierteljahrhundert von Gottes Gnaden sich in Paris zerstreut.

Doch wozu noch länger im Absurden waten? Es ist nicht der Mühe werth, an einem einzigen Rechtstitel der Monarchie, an ihrem göttlichen Ursprunge, eine ernste Kritik zu üben. Diese ist so leicht, daß man, erstaunt von der Geringfügigkeit der Anstrengung, sich manchmal fragt, ob man nicht mit herkulischen Geberden offene Thüren einrenne? Die weitverbreitete Kenntniß der geschichtlichen Anfänge aller Dynastien, von denen einige sozusagen vor einer Stunde unter den Augen Prosaischer Zeitungsberichterstatter entstanden sind, das immer häufiger werdende Schauspiel legitimer Souveräne, welche aus dem ihnen angeblich vom Himmel selbst verliehenen Amte von Völkerhirten hinausgejagt werden, die geringe Achtung, welche gesalbte Könige vor den übernatürlichen Rechten ihrer Standesgenossen bethätigen, machen es dem Gottgläubigen fast noch schwerer als dem Atheisten, zuzugeben, daß die Gnade Gottes den Königen die Krone aufs Haupt gesetzt habe.

Die Gnade Gottes kann doch nicht intermittirend sein! Ein Staatsvertrag kann sie doch nicht verleihen, eine verlorene Schlacht sie doch dem Begnadeten nicht rauben! Das sind Konzeptionen von einer Frivolität, gegen die sich alle Überzeugungen eines Gläubigen empören müssen. Der Aufgeklärte kann das Gottesgnadenthum allenfalls als einen jener herkömmlichen Scherze betrachten, die ein Haruspex dem andern mit einem Blinzeln des Einverständnisses, doch unter Wahrung eines würdigen Ernstes rezitirt; dem Gläubigen muß es eine Blasphemie scheinen. Wo jener das Recht hat, zu lächeln, da darf dieser nur zürnen.

Lassen wir indeß die Ursprünge und Rechtstitel der Dynastien ruhen. Thun wir, als glaubten wir Alles, was uns die Monarchie erzählt. Nehmen wir einen Augenblick lang die Miene eines Haruspex während seiner Amtshandlung an. Es ist also Alles wahr und bewiesen: der König wird mit dem Rechte geboren, mir zu befehlen; ich, der Unterthan, komme zur Welt mit der Pflicht, zu gehorchen, das hat Gott so eingerichtet, und wenn ich mich dagegen auflehne, so greife ich in Gottes eigene Weltordnung freventlich ein. Gehen wir nun von diesem Ausgangspunkt weiter, so sind wir beim nächsten Schritte mitten im Reiche der Lüge. In Europa haben nur noch Rußland und die Türkei den Absolutismus, der, ich habe dies oben erörtert, die allein logische Form der Monarchie ist. Alle übrigen Länder haben, soweit sie nicht Republiken sind, die monarchische Regierungsform durch Verfassungen mehr oder weniger mit sich selbst in unauflöslichen Widerspruch gebracht. Der Konstitutionalismus verurtheilt alle, die in seiner Komödie eine Rolle spielen, zu ewiger Lüge und Heuchelei.

Dort, wo der Parlamentarismus eine Wahrheit und das Königthum nur eine geduldete Zierde ist, in England, Belgien, Italien, lügen die Gesetze, wenn sie die Form von Willenskundgebungen des Königs annehmen, denn sie sind Ausflüsse des Parlamentwillens und kommen zu Stande, der König mag wollen oder nicht; die Minister lügen, wenn sie sich der üblichen Redeweise bedienen! "Im Auftrage Sr. Majestät thun wir dieses,« "auf Befehl Sr. Majestät unterlassen wir jenes,« "wir werden die

Ehre haben, Sr. Majestät dies und das zu empfehlen«: denn sie wissen und alle Welt weiß mit ihnen, daß der König nicht aufträgt und nicht befiehlt und daß sie ihm nichts zu empfehlen haben, sondern daß sie beschließen, daß sie vor den König mit fertigen Thatsachen hintreten, die unabhängig von seinem Willen geschaffen werden, und daß der König in Wirklichkeit den Ansichten und Entschließungen des Parlaments und der Minister unweigerlich zu gehorchen hat; der König endlich lügt, wenn er zur Volksvertretung in der ersten Person spricht, denn seine Thronrede ist nicht der Ausdruck seiner eigenen Gedanken, sondern ein aus fremder Initiative hervorgegangenes Schriftstück, das ihm fertig in die Hand gegeben wird und welches er so vorliest, wie ein Phonograph die in seinen Trichter hineingesprochenen Worte wiederholt; er lügt, wenn er auf die Fiktion eingeht, daß der Ministerpräsident der Mann seiner Wahl und seines Vertrauens ist, denn es steht ihm durchaus nicht frei, diesen nach seinem Belieben zu wählen, er muß sich vielmehr zu der Persönlichkeit bequemen, welche ihm die Mehrheit der Volksvertretung bezeichnet, er mag sie noch so sehr verabscheuen und ihr eine andere noch so sehr vorziehen; er lügt endlich bei jeder einzelnen Ernennung, Verleihung und Verordnung, bei jeder Regierungshandlung, an der er theilnimmt, wenn er sie für seine eigenen Entschließungen ausgibt, denn sie sind ihm von den Ministern vorgeschrieben und er muß sie oft trotz seiner heftigen Abneigung gegen sie unterzeichnen.

Umgekehrt in den Ländern wo die Verfassung das Wesen des Königthums von Gottes Gnaden unberührt gelassen hat und der Parlamentarismus ein bloßer Aufputz des alten Absolutismus ist wie in Deutschland und Österreich, lügt die monarchische Regierungsform nicht dem Könige, sondern dem Volke. Die Monarchie fordert, als sichtbare Bevollmächtigte und Vertreterin des göttlichen Willens anerkannt zu werden und nimmt ganz folgerichtig die Unfehlbarkeit für sich in Anspruch, die eine Eigenschaft Gottes selbst ist; dennoch gestattet sie theoretisch dem Volke einen Einfluß auf ihre

Entschließungen, sie gibt also zu, daß das Volk die Maßregeln einer von Gott eingesetzten und inspirirten Gewalt beurtheile, billige, verwerfe oder ändere, sie unterstellt gleichsam Gott einer menschlichen Kritik und begeht damit eine Gotteslästerung, die sie bei Unterthanen mit dem schwersten Kerker bestrafen würde. Doch verhält sich dies, wie gesagt, nur in der Theorie so. Praktisch geschieht der Wille des Königs und alle konstitutionellen Vorgänge sind bloße Opportunitätslügen des Absolutismus. Man lügt dem Volke, wenn man es auffordert, seine Vertreter zu wählen, man lügt dem Parlamente, wenn man ihm Regierungsvorlagen unterbreitet und es über dieselben abstimmen läßt, denn die Volkswahl ist unvermögend, auf die Vertreter die Willenskraft zu übertragen, welche die verfassungsmäßige Fiktion dem Volke zuschreibt, und die Abstimmungen des Parlaments vermögen an den Regierungsentschlüssen nichts zu ändern.

In den wirklich konstitutionell regierten Ländern ist die Stellung des Monarchen eine unwürdige, aber die ihn umgebende Fiktion seiner Gewalt wird von allen Seiten so sorgsam gewahrt, man vermeidet es so geschickt, die Thatsache seiner absoluten Bedeutungslosigkeit im Staate brutal vorlaut werden zu lassen, die mit seinem Amte verbundenen äußeren Ehren und persönlichen Vortheile und Annehmlichkeiten sind noch immer so große, daß man es verstehen kann, wie Männer mit Selbstachtung und auch nur einiger Empfindlichkeit sich herbeilassen, die Rolle einer solchen willenlosen Puppe zu spielen, deren Zunge und Glieder von der Willkür der jeweilig ihre Fäden handhabenden Minister in Bewegung gesetzt werden. In den Ländern mit Scheinkonstitutionalismus dagegen ist der Narrenpart den Volksvertretern zugetheilt und es ist schon viel schwerer zu begreifen, daß Männer, die diesen Namen verdienen, sich jenen gefallen lassen, da die kleinen Eitelkeitsbefriedigungen, die er etwa gewähren mag, doch kaum für die inneren Demüthigungen entschädigen können, welche er seinem Träger zu jeder Stunde zufügt. In seinem prächtigen Palaste, in seiner zierlichen Uniform, beim Empfang seiner erklecklichen Zivilliste, wenn er rings um sich gekrümmte Rücken sieht und die ausgesuchtesten Höflichkeitsfloskeln, "Majestät« und "gnädigst« und "geruhen«, schneeflockendicht um seine Ohren wirbeln, kann der konstitutionelle König vergessen, daß er sich in einer Fastnachtsrolle bewegt, die in dem Augenblicke ein Ende mit Schrecken nähme, in welchem er seine Rolle ernstlich durchführen wollte. Was aber bestimmt den Parlamentarier im scheinkonstitutionellen Lande, sich durch Reden ohne Wirkung, Gesten ohne Zweck und Voten ohne Folge lächerlich zu machen? Doch kaum die Verachtung der Minister und der Hohn und die Verleumdung der im Regierungssolde stehende Presse. Also vielleicht die Hoffnung, den Schein des Parlamentarismus in Wirklichkeit zu verwandeln? Die Hoffnung kann und darf der Volksvertreter nicht hegen, der auf die Fiktion des göttlichen Ursprungs der Königsrechte eingeht.

Für den Verächter der konventionellen Lügen gibt es kein ergötzlicheres Schauspiel, als das Dilemma, in welches jener unerbittliche Logiker, der Fürst Bismarck, die sogenannten Liberalen des deutschen Reichstags einklemmt, indem er ihnen durch seine bevollmächtigten Parlamentsredner und auf Vorstehen und Apportiren dressirten Journalisten immer wieder sagen läßt: entweder sie seien Republikaner und heucheln, wenn sie einander in Loyalitäts-Versicherungen überbieten, oder ihre Königstreue sei ehrlich und dann haben sie sie durch Gehorsam vor dem Königswillen zu beweisen. Dieses "entweder – oder« ist ein Hammer und Amboß, zwischen welchen der monarchische Liberalismus zu einem Brei zerhauen wird, von dem kein Hund fressen möchte. Es ist unsagbar lustig anzusehn, wie sich die schwachmüthigen Oppositionsparteien unter dem eisernen Griff jener schonungslosen Logik winden! Wie sie sich losmachen, wie sie auskneifen möchten! Sie seien der Dynastie bis in den Tod ergeben, der König habe keine zuverlässigeren Diener als sie, die Republik sei für sie der Greuel der Verwüstung, aber die Verfassung bestehe doch sozusagen auch, und der König selbst habe ja die Gnade gehabt, sie zu beschwören, und mit seiner allerhöchsten Erlaubniß werde man sich unmaßgeblich unterthänigst unterfangen, von den darin den Volksvertretern huldreichst zugestandenen Rechten und Freiheiten in Demuth ersterbend Gebrauch zu machen u. s. w. Es hilft ihnen aber Alles nichts. Die Faust, die sie gepackt hat, drückt sie an die Wand, daß ihnen der Athem vergeht, und man verdonnert sie mit dieser klaren Rede: Gebt ihr zu, daß der König von Gott eingesetzt ist, euch zu beherrschen? Ja? Wie wagt ihr es dann, ihm zu widerstehen, wie wagt ihr es, euch auf eine Verfassung zu berufen, die sein Geschenk ist und die er kraft seiner göttlichen Autorität zurücknehmen kann, wie er sie euch kraft seiner göttlichen Autorität gegeben hat? Oder gebt ihr nicht zu, daß der König seine Rechte von Gott selbst hat? Dann seid Ihr Republikaner. Ein drittes giebt es nicht.«

Nein, ein drittes gibt es nicht. Republikaner oder Absolutisten. Alles andere ist Lüge und Heuchelei, und eine Regierung, welches jenes Dilemma aufgestellt, verdient den begeisterten Dank aller Aufgeklärten. Freilich begeht sie damit eine außerordentliche Kühnheit, denn sie riskirt, daß ein Politiker, dessen Zunge nicht eingerostet ist, den Spieß umdreht und ihr antwortet: "Wenn Logik Trumpf ist, so seid ihr die ersten Heuchler und Lügner. Denn ist der Wille des Königs der Wille Gottes, wie könnt ihr dann die Gottes- und Königslästerung begehen, eine Verfassung bestehen zu lassen, welche die Möglichkeit der Einschränkung des Königswillens durch den Volkswillen zur ersten Voraussetzung hat? Eure vornehmste Pflicht wäre dann Abschaffung der Verfassung. Entweder ist es euch mit der Verfassung Ernst, dann gebt ihr also zu, daß die Stimme des Volks im Staate so viel gilt wie die des Königs von Gottes Gnaden und dann seid ihr ja Republikaner. Oder die Verfassung ist euch ein leeres Wort, ihr beruft einen Reichstag nur zum Schein ein, ihr seid von vornherein entschlossen, zu thun, was euch beliebt und das Parlament einen guten Mann sein zu lassen, und dann ist jede eurer konstitutionellen Handlungen: die Ausschreibung von Wahlen, die Einberufung des Reichstags, die Einbringung von

Regierungsvorlagen u. s. w., eine bewußte Lüge. Also Lügner oder Republikaner. Ein drittes gibt es nicht!«

Das ist eben die große Lüge des modernen Konstitutionalismus, daß derselbe von einer Leugnung der göttlichen Autorität des Königs ausgeht und diese Autorität, der er die Grundlage entzogen hat, die nun kläglich in der Luft hängt, dennoch fortbestehen läßt. Das Mittelalter kannte die Ständeverfassung, welche die Königsgewalt auch einschränkte; das Mittelalter kannte Empörungen des Adels gegen den König und erbittertes Ringen der bevorrechteten Stände mit der Krone um die Gewalt. Aber die Einschränkung der Königsgewalt, die Auflehnungen des Adels gegen dieselbe geschahen nicht im Namen eines ihre ursprüngliche Berechtigung ausschließenden Grundsatzes, geschahen nicht im Namen der Volkssouveränetät. Die hohen Barone, die den König in seiner Burg bedrängten, erkannten willig an, daß der König von Gott eingesetzt sei, allein sie behaupteten, daß die Gnade Gottes nicht ihm allein, sondern auch ihnen gelächelt habe. Das war nicht eine Leugnung, sondern eine sinnreiche Erweiterung der Lehre von der überirdischen Autorität der Herrschenden. Wie der Monarch König von Gottes Gnaden war, so erklärten sie, Barone von Gottes Gnaden zusein. Es ist die Geschichte jenes Irrsinnigen, der die fixe Idee hatte, Gott zu sein. Als eines Tages ein anderer Kranker, der dieselbe Wahnvorstellung hatte, in die Anstalt gebracht wurde, wo er eingesperrt war, da war er der erste, über die Einbildung dieses Menschen zu lachen. "Wie kann denn der Mensch Gott sein!« rief er ein über das anderemal. "Warum denn nicht!« fragte der Wärter, der schon glaubte, sein erster Patient sei geheilt. "Weil es nicht zwei Götter gibt. Und da ich Gott bin, so kann er es nicht sein.« Wie dieser Narr, so war der mittelalterliche Adel von seiner eigenen Göttlichkeit überzeugt und er bekämpfte das absolute Königthum nicht im Namen der Vernunft, sondern im Namen seiner Wahnvorstellung. Das macht, daß man im Mittelalter in aller Ehrlichkeit zugleich an der Monarchie und an den Ständevorrechten festhalten konnte, während Volkssouveränetät und gottentstammte Königssouveränetät einander unbedingt ausschließen.

Doch neben der staatsrechtlichen hat die monarchische Lüge auch eine rein menschliche Seite, gegen die sich Vernunft und Ehrlichkeit nicht minder auflehnen als gegen jene. Wie erniedrigen, wie entwürdigen sich alle, die mit dem Könige in persönliche Berührung kommen, vor der Fiktion der Erhabenheit, der Übermenschlichkeit des Königthums, die sie im Herzen verlachen! Das Schauspiel des Königsdaseins war zu jeder Zeit und an jedem Orte denen, die eine Rolle darin zu spielen hatten, eine Komödie. Aber jeder Einzelne spielte mit Ernst und Überzeugung, er fiel, wenn er auf der Szene stand, nie aus der Rolle, er bemühte sich, in den Zuschauern, von denen er durch die unüberschreitbare Feuerlinie der Fußlampen geschieden war, eine poetische Illusion zu schaffen und zu erhalten, und nur die wenigen Vertrauten, denen der Eintritt durch das Künstlerpförtchen gestattet war, durften sehen, daß die prächtigen Paläste der Dekorationen auf verschlissene Leinwand gepinselt seien, daß der goldene und purpurne Pomp der Staatsgewänder aus Flicken und Zindel bestehe und der Held zwischen zwei heroischen Bewegungen das Verlangen nach einem Seidel Bier in die Coulissen hinausflüsterte. Die heutigen Komödianten des Königthums dagegen fallen fortwährend aus der Rolle und machen sich sichtbar über diese, über sich selbst und über das verehrungswürdige Publikum lustig. Sie gleichen den biederen Liebhaber-Künstlern im Sommernachtstraum, denen Zettel die weise Empfehlung gibt: "Ihr müßt den Namen des Löwendarstellers nennen und sein halbes Gesicht muß durch des Löwen Hals sichtbar sein; er selbst kann hindurchsprechen und sich dabei mit rechtem Affekt etwa so ausdrücken: Gnädige Frauen, oder schöne Frauen, ich wollt' euch ersuchen, oder ich wollt' euch bitten, oder ich wollt' euch anflehen, nicht furchtsam zu sein, nicht zu zittern; mein Leben bürge für das euere. Glaubt ihr, ich käme als Löwe hierher, so wär's schade um mein junges Blut. Nein, ich bin kein solches Wesen, ich bin ein Menschenkind wie andere Menschenkinder, und darauf laßt ihn seinen Namen nennen und ganz offenherzig sagen, daß er Schnock, der Schreiner, sei.«

Der Königspalast, in der guten klassischen Zeit der Monarchie ein Allerheiligstes, in das der gemeine Sterbliche nur mit Schauern der Ehrfurcht trat, steht heute dem Reporter offen. Alle seine Skandale, alle seine Verbrechen, alle seine Lächerlichkeiten werden auf dem Bazar herumerzählt. Der letzte Unterthan kennt die geheimen Laster dieses Königs, die häßlichen Krankheiten jenes Prinzen, den Namen der Maitressen dieses Monarchen und die Liebschaften jener Fürstin, man weiß, daß der Kaiser oder der König an der Börse spielt, daß er ein Idiot ist, man kennt seine Unwissenheit, man kolportirt seine unorthographischen Briefe, man zitirt seine albernen Aussprüche – und dennoch wirft man sich gleichzeitig angesichts allen Volkes vor ihm in den Staub, spricht von ihm öffentlich nur in den überschwenglichsten Phrasen der Unterthänigkeit und macht sich einen Ruhmestitel daraus, daß man ihm eifriger den Schmutz von den erlauchten Füßen leckt als ein anderer. Welch ein Schauspiel für den Unbefangenen und Aufgeklärten! Welch eine Quelle beständigen Ekels vor der erblichen Herdenvieh-Natur der zivilisirten Menschen! Der edle Künstler, der eben ein unvergängliches Kunstwerk geschaffen hat, wünscht sich für seine Anstrengung keinen höheren Lohn als den Besuch des Königs; aus der erhabenen Aufregung des Erfindens und Vollendens sinkt er ohne Vermittelung in die niedrige kindische Eitelkeit, seine Arbeit vom König besichtigt zu wissen. Er ist vielleicht ein Beethoven, ein Rembrandt, ein Michelangelo; er wird gekannt und bewundert werden, wenn vom König längst nichts anderes übrig sein wird als eine Zeile im Lexikon der hunderttausend Königsnamen, das den überflüssigen Anhang der Weltgeschichte bildet; er hat das volle Bewußtsein des eigenen Werthes; er weiß, daß der König von seiner Musik oder seinem Bilde, oder seiner Statue nichts versteht, daß dessen Ohr verbunden, sein Auge blöde, seine Seele aller Schönheit verschlossen ist, daß seine Urtheile grotesk sind, daß er im Allgemeinen auf der Höhe der ästhetischen Bildung eines slovakischen Mausefallenhändlers steht – und sein Herz klopft doch höher, wenn der König den zerstreuten bleiernen Blick auf seinem Kunstwerk ruhen läßt oder duselnd seine Musik anhört. Der Gelehrte, der mit angestrengter Geistesarbeit der Menschheit neue Wahrheiten erobert und ihren Gesichtskreis erweitert, hat den Ehrgeiz, in eine Narrenjacke von offiziellem Schnitte gekleidet vor den König zu treten und ihm einige Worte von seinen weltbewegenden Erfindungen und Entdeckungen zu sagen, die vielleicht die Einheit der Kräfte, oder die Spektral-Analyse oder das Telephon sind; er weiß, daß der König unfähig ist, ihm zu folgen, daß derselbe sich für den ihm absolut unverständlichen Gegenstand auch nicht interessiren kann, ja daß er ihn und die gesammte Wissenschaft mit dem ganzen Dünkel eines Barbaren verachtet und einen gut gewachsenen Flügelmann des Garderegiments allen Gelehrten der Welt vorzieht; er weiß auch, daß ihm nur einige Minuten gegönnt sind, in denen er mit fliegender Eile, stammelnd und sich überstürzend sagen kann, was er zu sagen hat, während der König an tausend andere Dinge denkt und auf seinem Gesichte deutlich lesen läßt, wie langweilig ihm die Erfüllung der Pflicht ist, die ihm seine Stellung auferlegt – und der Gelehrte kriecht doch unter dem Joche all dieser demüthigenden Bedingungen durch und nimmt zufrieden seinen Platz ein zwischen einem Kammerherrn, der seine Ankunft in der Residenzstadt meldet, und einem Leutnantchen, das sich für einen ihm verliehenen Orden bedankt. Wie viele Dichter und Schriftsteller betteln um die Erlaubniß, dem Könige ihre Werke darzubringen, blos damit dieselben ungelesen in die hintersten Ränge einer Bibliothek gestellt werden, in welcher genealogische Almanache, Schematismen und Rang- und Quartierlisten den Ehrenplatz einnehmen.

Die Geburtsaristokratie ist natürlich dem Könige gegenüber – so weit dies nämlich möglich ist – noch niedriger, noch hündischer gesinnt als die Geistesaristokratie. Sie, die den König unmittelbar und beständig umgiebt, die unter der Krone die Schlafmütze und unter dem Purpurmantel die Flanelljacke sieht, von der alle Karikirungen, alle

Verhöhnungen und Verleumdungen des Königs ausgehen, die sich über seine Schwächen lustig macht und seine Verbrechen unter die Leute bringt, die Geburtsaristokratie hat dennoch keinen höheren Ehrgeiz, als die Gunst des Königs, auch wenn derselbe Ludwig XV. oder Philipp IV. hieße, zu erkriechen und zu erschmeicheln; sie begeht alle Niedrigkeiten, um einen Blick des Königs zu erhaschen; sie verkauft ihm ihre Frauen und Töchter; sie erfindet das schmachvolle Wort, daß "das Blut des Königs nicht beflecke «; ein Aristokrat, der zu stolz ist, um seinen eigenen Diener direkt anzuschauen oder anzusprechen, bewirbt sich emsig darum, selbst der Diener des Königs zu sein und bei feierlichen Anlässen ihm die Hände zu waschen, die Speisen aufzutragen, das Glas zu füllen, Botengänge zu thun, mit einem Worte ihm – wenn auch meinethalben nur symbolisch – Kellners-, Hausknechts- und Eckenstehersdienste zu leisten. Eine bekannte Anekdote, die darum nicht wahr zu sein braucht, erzählt, daß Peter der Große bei einem Besuche in Kopenhagen, um dem König von Dänemark zu beweisen, wie ergeben ihm seine Unterthanen seien, einem Kosaken befohlen habe, sich von einem hohen Thurm hinabzustürzen; der Unglückliche habe sich darauf bekreuzt und sei ohne Zögern ins Leere gesprungen. Es ist nicht zu bezweifeln, daß der größte Theil der Hofschranzen noch heute eine ähnliche Prüfung ähnlich bestehen würde. Warum? Aus Heroismus? Dieselben Helden würden sich häufig keiner Erkältung aussetzen, um einen Ertrinkenden zu retten. In der Hoffnung auf einen Lohn im Jenseits? Diese Hoffnung mag dem Kosaken Peters das Opfer des Lebens leichter gemacht haben, aber die zeitgenössischen Aristokraten sind in vielen Fällen die Söhne Voltaires und halten von etwaigen Paradieses-Freuden ungleich weniger als von den in ihrem Handbereiche liegenden Befriedigungen, welche dieses irdische Jammerthal bietet. Ich kann mir die wunderbare Erscheinung der bis zur Selbstzerstörung gehenden Verehrung eines vielleicht durch keinerlei Geistes-, Gemüths- und Leibesvorzüge ausgezeichneten, möglicherweise sogar widerwärtigen und hassenswerthen Individuums nicht erklären. Der vortreffliche Münchhausen berichtet von einem merkwürdigen Jagderlebnisse; er jagte eines Tages mit einer trächtigen Hündin eine trächtige Häsin; einen Moment lang verlor er Verfolgte und Verfolgerin aus den Augen; als er ihrer wieder ansichtig wurde, erblickte er zu seinem Erstaunen sieben winzige Hündchen, welche ebenso vielen winzigen Häslein nachsetzten; die beiden Mutterthiere hatten im Laufen geworfen und die neugeborenen Jungen unter einander sofort die Jagd aufgenommen. Etwas Ähnliches scheint zwischen Königen und Unterthanen vorzugehen. Der Unterthan ist von Geburt an dem Könige zum Sterben ergeben, wie bei Münchhausen der Hund von Geburt an den Hasen jagt. Das meine ich ganz ernst, obwol ich es etwas frivol ausdrücke. Nur das Phänomen des Atavismus gibt den Schlüssel zum Verständniß einer die Manneswürde, das Selbstgefühl, ja manchmal sogar den Selbsterhaltungstrieb überwiegenden Königstreue. Es ist offenbar ein Rückfall in urmenschliche Vorstellungen, ein dunkles Nachwirken von Gewohnheiten, die sich durch Tausende von Generationen ohne Unterbrechung vererbt haben, wenn Menschen für ein Individuum, das sie nicht kennen, das sie vielleicht nie gesehen haben und das jedenfalls ihre Gefühle nicht individuell erwidert, eine Zärtlichkeit empfinden oder heucheln, wie sie sie nicht für ihre eigenen Angehörigen, vielleicht nicht einmal für sich selbst fühlen. Gewiß, es ist tief in der Menschennatur begründet, sich vor jedem in den Staub zu werfen, den die Menge als hervorragend anerkennt. Ich sage: den die Menge als hervorragend anerkennt, nicht: der hervorragend ist. Der Mensch ist eben ein Herdenthier und hat alle Instinkte eines solchen. Zu diesen gehört in erster Linie die Unterordnung unter den Führer. Führer ist aber nur der, den die Herde als solchen annimmt und duldet. Nur eine winzige Gruppe auserlesener Geister beurtheilt eine Persönlichkeit nach ihren Eigenschaften; die große Mehrzahl zieht blos deren Wirkung auf die anderen in Betracht. Die Elite prüft das Individuum an sich, losgelöst von seinen Beziehungen zu den übrigen Menschen; der Mensch der Masse fragt nur nach der Stellung, die jenem von der Allgemeinheit zugestanden wird, und hat den unwiderstehlichen Drang, die Anschauungen dieser Allgemeinheit zu seinen eigenen zu machen. So erklärt es sich, daß jeder berühmte oder selbst nur bekannte, oft sogar einfach berüchtigte Mensch Anhänglichkeiten und Ergebenheiten findet, die dem einsamen, die Welt und Volksthümlichkeit verachtenden Werthe versagt sind. Man braucht kein König zu sein, um Schranzen um sich zu haben. Dazu genügt die bloße Notorietät. Komödianten, Taschenspieler, Zirkusclowns haben ihre Höflinge. Es gibt Leute, die sich an bekannte Verbrecher herandrängen und sich mit diesem Umgange brüsten. Vor Viktor Hugo wurden täglich Selbsterniedrigungen begangen wie kaum vor dem Zaren aller Reußen oder einem indischen Großkönig. Man fiel vor allen greisenhaften Kundgebungen eines bis zur Unbewußtheit geschwächten Verstandes in Ekstase. Man drängte sich an ihn zum Handkusse. Man verehrte und bewunderte seine alte Maitresse und rechnete es sich zur Ehre an, ihrem Leichenbegängnisse zu folgen. Man übertrug die Anbetung des alten Dichters auf seine Enkel, von denen man bisher nichts weiß, als daß sie ungewöhnlich affektirte und verzogene, schon in so jungen Jahren mit Größenwahn behaftete Kinder sind. Was ist es, was die Menschen zu dieser gemeinen und albernen Aufdringlichkeit bestimmt? Was verschafft Brummel und Cartouche ganz so einen Hof wie einem großen Künstler oder Gelehrten? Die Antwort liegt nahe und wird oft gegeben: die Eitelkeit; allein es ist eine oberflächliche Antwort. Weshalb setzt man denn aber eine Eitelkeit darein, zum Troß berühmter Persönlichkeiten zu gehören? Weshalb gewährt es eine Befriedigung, in der Meute, die einen bekannten Menschen umspielt, mitzuwedeln? Weil man damit den urmenschlichen Herdenthier-Instinkt der Unterwürfigkeit unter das Leitthier befriedigt. Der Snobismus ist anthropologisch begründet und das hat Thackeray vergessen, als er mit bitterm Hasse gegen denselben zu Felde zog. Die Loyalität, in dem Sinne, wie die Monarchisten dieses Wort verstehen, ist aber der höchste und vollendetste Ausdruck des Snobismus.

Man sieht, daß ich mich bemühe, für den Byzantinismus mildernde Umstände zu finden. Ich möchte mich gern überreden, an die Aufrichtigkeit der Gefühle zu glauben, welche zahlreiche Leute für

Könige und Prinzen zur Schau stellen. Ich bin bereit, zuzugeben, daß der russische Bauer nicht heuchelt, wenn er seinem Selbstherrscher dem Rocksaum küßt, und daß der deutsche Soldat nicht lügt, wenn er es für sein höchstes Glück erklärt, das Leben für den Kaiser hinzugeben. Allein Anthropologie und Atavismus und Heredität, alle die schönen Worte, die ich zum Verständniß der Loyalität des unwissenden und gemeinen Volks anrufe, lassen mich im Stiche, wenn ich vor dem Byzantinismus der Vornehmen und Gebildeten stehe. Dieser Byzantinismus ist und bleibt bewußte Lüge. Er hat keine Wurzel im Gemüthe. Er ist eine Komödie, in der jeder Einzelne für ein Spielhonorar mitwirkt; der eine für Ämter und Würden, der andere für Titel und Ehrenzeichen, der dritte aus einem politischen Grunde, weil ihm das Königthum augenblicklich noch fürs Volkswol oder für seine eigenen Standesinteressen nöthig scheint, alle miteinander aber für einen unmittelbaren oder mittelbaren Vortheil. Und das ist es, was die monarchische Lüge zu einer viel Widerwärtigern macht als die religiöse. Der Aufgeklärte, der in der Kirche die Kniee beugt und Gebete murmelt, thut dies aus Geistesträgheit oder aus Gleichgiltigkeit oder aus feiger Anbequemung an die Gepflogenheit; selbst wenn er ein Streber ist, der durch geheuchelte Frömmigkeit die Gunst der Priester und ihrer mächtigen Verbündeten zu erschleichen sucht, so demüthigt er sich doch nur vor einem Symbol und küßt mindestens nicht direkt die Hand, von der er das Trinkgeld erwartet. Allein der speichelleckende Hofschranze, der illuminirende und sein Haus mit den dicksten Blumengewinden behängende Bürger, der Dichter von Hymnen auf Königshochzeiten und Prinzengeburten demonstrirt blos um den baaren Lohn, den er sogleich dahin haben will, und unterscheidet sich in nichts von der Prostituirten, welche Worte der Liebe spricht und deren Handlungen übt und alle die Zeit nur an ein Geldstück denkt.

Viele Leute, welche einen König für einen Menschen wie alle anderen auch, nur häufig für einen unbedeutenderen, weniger begabten als die übrigen, halten, die über die vorgeschützte göttliche Mission der

Dynastien lächeln und zugeben, daß sie ihre inneren Überzeugungen verleugnen, wenn sie in Ausdrücken der Unterwürfigkeit, Verehrung und Liebe vom Monarchen und seinen Angehörigen sprechen, suchen vor anderen und oft genug sogar vor sich selbst ihren Mangel an Aufrichtigkeit und Überzeugungstreue damit zu entschuldigen, daß die monarchische Lüge im Grunde eine harmlose sei. Das Königthum, sagen sie, ist, mindestens in ehrlich konstitutionellen Ländern, eine bloße Dekoration. Der Monarch hat da weniger Gewalt als der Präsident der Vereinigten Staaten von Nordamerika. England, Belgien, Italien, das sind in Wirklichkeit Republiken mit Königen an der Spitze und die herkömmlichen, meist gedankenlos geübten Formen der Unterthänigkeit, mit welchen man die Krone umgiebt, hindern in keiner Weise die freie Bethätigung des Volkswillens, und des Volkswillens allein. Das ist ein schwerer Irrthum, der für die Völkergeschicke noch oft verhängnißvoll werden wird. Die Macht der Könige ist noch immer eine ungeheuere; ihr Einfluß selbst in Ländern wie Belgien und Rumänien, England oder Norwegen ein allmächtiger, wenn er auch nicht durch die Verfassung, sondern neben und unter ihr hinweg geübt wird. Wir haben dafür die zuverlässigsten Zeugnisse. Der recht ehrenwerthe Gladstone, der in der Sache kompetent ist, hat sich über den Einfluß der Könige in einer früheren Nummer des " *Nineteenth Century* « bedeutungsvoll ausgelassen. Gewisse Veröffentlichungen unserer Zeit, insbesondere der "Lebensbeschreibung des Prinzgemahls« von Martin, mit dem Briefwechsel zwischen dem Prinzen Albert und dem Prinzen Wilhelm von Preußen, dem spätern König und Kaiser, und dem Bericht über die Beziehungen zwischen Napoleon III. und dem englischen Hofe die Denkwürdigkeiten des Barons Stockmar, manche zuverlässigere Theile der Memoiren des Hofraths Schneider, Medings u. s. w. verbreiten über diesen Punkt ein ausreichendes Licht. Wir sehen, wie zwischen den Kabineten der Könige über die Häupter der Völker, Parlamente und Ministerien hinweg die Fäden intimer Beziehungen gesponnen werden, wie die Monarchen einander direkt berathen und berichten; wie sie jedes politische Ereigniß zunächst vom Gesichtspunkte ihrer dynastischen

Interessen beurtheilen; wie sie sich der Bewegung gegenüber, welche die Völker zur Erkenntniß ihrer Stärke und Rechte führt, solidarisch fühlen; wie sie sich in den größten Entschließungen, welche in Millionen Einzelgeschicke umwälzend oder zerstörend eingreifen, von kleinen Launen, von persönlichen Freundschaften und Abneigungen bestimmen lassen. Die Volksredner sprechen in Meetings große Phrasen aus; die Abgeordneten deklamiren im Parlamente; die Minister geben mit wichtiger Miene Offenbarungen; alle zusammen sind überzeugt, daß sie allein den maßgebenden Einfluß auf die Schicksale ihres Landes haben; mittlerweile aber lächelt der König verächtlich und schreibt vertrauliche Briefchen an seine königlichen Freunde jenseit der Grenze und verabredet mit ihnen allerlei: Bündnisse und Ausschließungen, Krieg und Frieden, Eroberungen und Abtretungen, Beschränkungen und freiheitliche Zugeständnisse, und wenn der Plan festgestellt ist, wird er ausgeführt, die Parlamente mögen schwatzen, was sie wollen. Werkzeuge, welche ihren Willen sogar in korrekt konstitutioneller Form vollziehen, finden sich eher hundert als eins, im Nothfalle ist es auch nicht schwer, Strömungen der öffentlichen Meinung zu erzeugen, und so begibt es sich am Ende, daß die Könige, die angeblich nur noch eine dekorative Rolle im Staate spielen, deren durch die Verfassung eingeschränkte bloße Existenz keine politische Bedeutung mehr haben soll, das entscheidende Wort im Leben der Völker sprechen, heute ganz so, wie im Mittelalter, ja heute mehr als damals, weil zu jener Zeit die Verbindung zwischen den Königen eine losere war, das Gefühl der Solidarität zwischen ihnen nicht bestand und ihre natürliche Umgebung, die Aristokratie und die Prälatur, ihnen weit weniger zu Willen war als heute. Die Feigheit der Menschen, welche wider ihre Weltanschauung, Vernunft und Überzeugung auf die monarchische Lüge eingehen, rächt sich an ihnen, oder vielmehr am menschlichen Fortschritt; die schlauen Pseudoliberalen, welche die Könige zu betrügen glauben, indem sie ihnen äußerliche Vorrechte und Ehren zugestehen, denen nach ihrer Meinung keine wirkliche Macht entsprechen soll, werden in Wirklichkeit von den Königen betrogen, die dem ihnen gelassenen

Schein der Gewalt sehr geschickt das Wesen derselben hinzuzufügen wissen, und die leere Form ist nicht, wie sich die Loyalitätslügner weißzumachen suchen, die Monarchie, sondern das Selbstbestimmungsrecht der Völker.

III.

Das Verhältniß zwischen der Monarchie und der Aristokratie ist ein ähnliches wie das zwischen der Religion und der Monarchie. So wie jene wol ohne diese, nicht aber diese ohne jene bestehen kann, so ist wol eine Aristokratie ohne Monarchie, nicht aber eine Monarchie ohne Aristokratie dauernd möglich. Es gibt Königreiche, welche keinen Erbadel besitzen, – Griechenland, Rumänien, Serbien – andere – Norwegen, Brasilien – die denselben abgeschafft haben. Doch das sind Kunstbildungen ohne Zukunft. Entweder werden diese monarchischen Staaten alsbald das Königthum zum Adel werfen und sich in Republiken verwandeln, oder sie werden schon in der nächsten, spätestens in der zweiten Generation einen Erbadel emporkommen sehen, der vielleicht keinen gesetzlichen Bestand und keine Titel, aber um so wesenhaftere Vorrechte haben wird. Die erbliche Monarchie hat den natürlichen Drang, sich mit erblichen Angelegenheiten zu umgeben. Man weiß, daß zahlreiche Gattungen der Kerbthiere für ihre Nachkommenschaft in der Weise sorgen, daß die Weibchen ihre Eier in die Nähe oder in die Mitte der für sie bestimmten, zum Theil aus lebendigen Thieren bestehenden Nahrung legen; damit die Raupen gleich beim Ausschlüpfen ihren Tisch gedeckt finden. So will jeder König, daß sein Thronerbe schon in der Wiege eine Treue und Ergebenheit vorfinde, die er sich noch nicht selbst wird erworben haben können, und diese Gefühle erwartet er von der Dankbarkeit einer Anzahl Familien, die er selbst oder seine Vorfahren mit Gütern und Ehren beschenkt haben. Die vorsorgende Zuversicht der Könige wird oft genug getäuscht; das lebende Geschlecht der Aristokraten vergißt in Augenblicken der Gefahr über dem Nächstliegenden eigenen Interesse die von den todten Ahnen zugleich mit den beneidenswerthen Vorrechten hinterlassene Dankesschuld und überläßt den Prinzen, der in der erkauften und reich bezahlten Treue des Adels seine Sicherheit finden sollte, recht wol seinem widrigen Schicksal. Es wäre müßig, alle derartigen Beispiele aus der Geschichte zusammenzulesen; es genügt, an das Verhalten des englischen Adels gegen den König Wilhelm von Oranien und Georg I., an das des französischen legitimistischen Adels gegen Napoleon I. und III. und Ludwig Philipp und umgekehrt des napoleonischen Adels gegen das wiederhergestellte Bourbonenkönigthum zu erinnern. Allein die Könige klammern sich nichtsdestoweniger an diese hinfällige Bürgschaft der Zukunft und schöpfen aus dem Bestande einer Aristokratie ein trügerisches Gefühl der Geschütztheit, wie der Soldat im Felde sich häufig durch eine Deckung beruhigt fühlt, von der er gleichwol weiß, daß sie der Feindeskugel keinen größeren Widerstand entgegensetzt als die Luft allein.

Seltsames Schauspiel, zugleich Verwunderung und Ärger, Unglauben und Heiterkeit erregend, diese mittelalterliche Komödie mitten in unserer neuzeitlichen Kultur! Eine Menschenklasse spielt in der kaukasischen Menschheit altägyptische oder indische Kaste; sie legt sich Titel bei, die einst Ämter bedeuteten, heute aber gar keinen Sinn mehr haben; sie malt, meißelt und ritzt auf ihre Wagen, Häuser, Siegelringe unvernünftige und häßliche Bilder, Kampffschilde darstellend, die seit einigen Jahrhunderten außer Gebrauch sind und deren hartnäckige Beibehaltung auf uns so wirkt wie etwa das Gehaben eines Menschen, der sich das Gesicht tätowiren würde wie die vorgeschichtlichen Celten oder einen Feuerstein als Taschenmesser mit sich herumtrüge oder mit einem Fischgrätenpfeil auf die Hasenjagd zöge Wie lacht man nicht, wenn sich jemand Herzog nennt, was einen Feldherrn, den Anführer einer Armee bedeutet, und in Wirklichkeit ein kleiner Stutzer ist, der nie etwas anderes als einen Kotillon angeführt hat? oder wenn ein anderer seine edle Geburt rühmt und sich für ein auserlesenes Individuum in der Nation hält, während er einen Buckel und Skropheln hat und geistig hinter einem Straßenkehrer steht? Unsere Zivilisation schließt kaum ein absurderes Überlebsel in sich als einen Adelsstand, der sich gesetzlich nur noch durch Titulaturen und Wappen kennzeichnet.

Will ich etwa damit gesagt haben, daß die Gleichheit eine vernünftigere Verfassung der Gesellschaft wäre? Ich bin davon weit entfernt. Die Gleichheit ist ein Hirngespinnst von Stubengelehrten und Träumern, die niemals die Natur und die Menschheit mit eigenen Augen beobachtet haben. Die französische Revolution glaubte die Gedanken der Enzyklopädisten zusammenzufassen, als sie ihre Forderungen in die drei Worte verdichtete: "Freiheit, Gleichheit, Brüderlichkeit.« Freiheit? Ganz recht. Wenn dieses Wort überhaupt eine Bedeutung hat, so kann es nur die sein, daß die Hindernisse weggeräumt werden, durch welche die der Willkür und Einfalt kurzsichtiger Menschen ihr Dasein verdankenden Gesetze das fruchtbare Spiel der natürlichen Kräfte des Individuums und der gesellschaftlichen Gruppen erschweren oder völlig unterdrücken. Brüderlichkeit? Oh, das ist ein herrliches Wort, das ideale Ziel der menschlichen Entwickelung, eine Vorahnung des Zustandes unserer Gattung zur Zeit ihrer noch sehr entfernten erhabensten Vollkommenheit. Aber Gleichheit? Das ist ein Fabelding, wofür in einer vernünftigen Erörterung kein Platz ist. Die Vorläufer der großen Revolution haben übrigens, man muß ihnen diese Gerechtigkeit widerfahren lassen, niemals von der gesellschaftlichen Gleichheit gesprochen, sondern nur von der Gleichheit vor dem Gesetze. Das zu betonen haben die Redner und Publizisten der großen Revolution unterlassen; ihnen war es um wirkungsvollen Lapidarismus zu thun und sie opferten der Kürze die Deutlichkeit. So erschien die "Gleichheit« ohne erläuterndes Beiwort in der Dreieinigkeit des Revolutions-Programms und wurde von dem Haufen, der Schlagworte gedankenlos wiederholt, mißverständlich in dem Sinne aufgefaßt, in welchem die "égalité« seither auf der Speisekarte der Bierkeller-Demokratie figurirt. Ist doch selbst die Gleichheit vor dem Gesetze nur theoretisch möglich, praktisch aber undurchführbar! Gewiß, wenn eine Maschine die Gesetze anwenden würde, so wäre man sicher, daß dies stets in gleicher Weise nach den mechanischen Grundsätzen ihrer Konstruktion geschähe; allein sowie lebendige Menschen dieses Geschäft besorgen, ist die Ungleichheit schlechterdings unvermeidlich; der gewissenhafteste, gegen menschliche Eindrücke am undurchdringlichsten gewappnete Richter wird unbewußt von der körperlichen Erscheinung, der Stimme, dem Geiste, der Bildung und Stellung der Parteien beeinflußt und die Spitze des Gesetzes wird in seiner Hand von Gunst und Abgunst abgelenkt wie die Magnetnadel von elektrischen Strömen. Es besteht da eine Fehlerquelle für das gleichmäßige Wirken des Gesetzes, die auf ein Minimum eingedämmt, doch nie ganz verstopft werden kann.

Ist aber schon die Gleichheit vor dem Gesetze schwer, so ist die gesellschaftliche Gleichheit gar nicht denkbar. Sie steht im Widerspruch zu allen Lebens- und Entwickelungsgesetzen der organischen Welt. Wir, die auf dem Boden der naturwissenschaftlichen Weltanschauung stehen, erkennen gerade in der Ungleichheit der Lebewesen den Anstoß zu aller Entwicklung und Vervollkommnung. Was ist denn der Kampf ums Dasein, diese Quelle der schönen Mannigfaltigkeit und des Formenreichtums der Natur, anderes als eine stete Bethätigung der Ungleichheit? Ein besser ausgerüstetes Wesen läßt die Artgenossen seine Überlegenheit fühlen, verkürzt ihnen ihren Antheil an dem Mahle, das ihnen die Natur bereitet, und verkümmert ihnen die Möglichkeit der vollen Geltendmachung ihrer Individualität, um für die Manifestation seiner eigenen mehr Raum zu gewinnen. Die Unterdrückten widerstehen, der Unterdrücker vergewaltigt sie. In diesem Ringen steigern sich die Kräfte der Schwächeren und entfalten sich die des Stärksten zu ihrem höchsten Vermögen. Jedes Erscheinen eines bevorzugten Individuums ist auf diese Weise eine Förderung für die ganze Gattung und hebt diese um eine Stufe empor. Die unvollkommensten Individuen werden im Kampfe um den ersten Platz vernichtet und verschwinden. Der Durchschnittstypus wird fortwährend besser und edler. Die heutige Generation steht in ihrer Masse so hoch wie die Ausnahmswesen der gestrigen und die morgige hat den Drang, den Führern von heute gleich zu werden. Es ist ein Wettlauf ohne Ende, doch immer nach vorwärts. Die Menge sucht den Bevorzugten gleich zu werden, die Bevorzugten suchen die sie auszeichnende Ungleichheit zwischen sich und der Menge zu erhalten und sogar zu vergrößern. Fortwährende Anspannung der Fähigkeiten, unermüdliche Anstrengung bei den einen wie bei den anderen und als Ergebniß der beständige Aufstieg zum Ideal. Die Besten nennen das Bestreben der Geringeren, mit ihnen in eine Linie zu gelangen, Neid; die Geringeren das Bemühen der Besseren, ihren Vorsprung zu behaupten, Hochmuth. Das sind aber nur Erscheinungsformen der natürlichen Trägheit des Stoffs, welcher jede Anstrengung, auch wenn sie nothwendig und heilsam ist, als augenblickliche Unannehmlichkeit empfindet, und die scheinbare Unzufriedenheit mit dem Zwang der Mühe kann niemals als Beweis gegen deren Nützlichkeit gelten.

Die Ungleichheit ist also Naturgesetz und aus diesem schöpft die Aristokratie ihre Berechtigung. Auch daß dieselbe einen erblichen Stand bildet, hat nichts, was die Vernunft beleidigen könnte. Wenn es eine Beobachtung gibt, deren Richtigkeit nicht angezweifelt werden kann, so ist es die, daß Eigenschaften des Individuums auf dessen Nachkommen übergehen. War der Vater schön, stark, muthig, gesund, so ist es sehr wahrscheinlich, daß seine Söhne sich derselben Vorzüge erfreuen werden, und hat jener sich durch die letzteren einen ausgezeichneten Platz in der Gesellschaft errungen, so ist kein Grund vorhanden, daß die Erben seines Blutes diesen Platz nicht auch behaupten. Es wäre wol besser für sie und die Gesammtheit, wenn sie gezwungen wären, den vornehmsten Rang aus eigener Kraft von Neuem zu erobern; das würde sie gegen Erschlaffung und Rückgang sichern; wahrscheinlich würden jedoch auch beim freien Wettbewerb die Söhne der Besten unter den Siegern weitaus die Mehrheit bilden.

Eine erbliche Aristokratie ist jedoch nicht blos natürlich, sie hat auch ihren Nutzen für das Gemeinwesen. In einer Demokratie, deren Ideal das mißverstandene "Egalité« der großen Revolution ist, werden in der Regel nur alte oder doch ganz reife Männer zu Stellungen gelangen, in welchen sie auf die Entwickelung der Gesammtheit Einfluß üben können. Blos in den allerseltensten Ausnahmen wird da ein Mann in jungen Jahren bereits Gelegenheit gefunden haben, die Mitstrebenden zu besiegen und Abgeordneter, Parteiführer, Minister, Staatsoberhaupt zu werben.

Beispiele wie die der Feldherren der ersten französischen Republik, Bonapartes, Washingtons, Gambettas beweisen nichts gegen diese These. Die angeführten Persönlichkeiten wurden durch plötzliche Umwälzungen an die Spitze ihrer Nation gestellt. Da entschied nicht allgemeine Fähigkeit, sondern einerseits der Zufall, daß sie im Augenblicke, als Plätze zu nehmen waren, sich in der Nähe dieser Plätze befanden, und andererseits die Enthaltung zahlreicher vollberechtigter Mitbewerber, die es verschmähen, sich in Momenten der Verwirrung durch einen Handstreich der Gewalt zu bemächtigen. Revolutionen können allerdings ganz junge Männer in die ersten Stellen befördern. Aber Revolutionen sind Ausnahmefälle und Übergänge, die sich nicht ewig wiederholen. Sie sind nicht die normale Verfassung der Demokratie. Ist diese einmal zur Ruhe gelangt und lebt sie regelmäßig unter ihren natürlichen Bedingungen, so bietet sie für die meteorischen Laufbahnen eines Washington, Bonaparte oder Gambetta keinen Raum. Es ist aber von größter Wichtigkeit für den menschlichen Fortschritt, daß ab und zu junge Leute das maßgebende Wort im Staate sprechen. Die Alten sind neuen Ideen nicht zugänglich und haben nicht die Kraft und Geschicklichkeit, nach neuen Grundsätzen zu handeln. Das physiologische Gesetz, nach welchem Nervenreize gewohnte Bahnen am leichtesten durchlaufen und nur sehr schwer neue Wege einschlagen, ist in seinen Wirkungen verhängnißvoll. Es macht aus dem älteren Menschen einen Automaten, dessen sämmtliche organische Funktionen von der Gewohnheit beherrscht werden und dessen Denken und Fühlen fast nur noch Reflexthätigkeit ist. Man setze nun diesen gealterten Organismus neuen Anregungen aus! Man zwinge seine Anschauungen, aus den gewohnten, bequem ausgefahrenen Geleisen auszubiegen und über frischaufgebrochenen Grund hinzuholpern! Wo der junge Geist blos nöthig hat, einen neuen Gedanken zu erfassen, da muß der alte Geist erstens dasselbe thun, das heißt den neuen Gedanken nachdenken, zweitens jedoch überdies gegen seine Neigung ankämpfen, den betreffenden Gedanken in der hundertmal geübten alten Weise zu formen. Er hat also eine doppelte Anstrengung zu liefern und seine

Kraft, weit entfernt, eine größere zu sein als die des jungen, ist im Gegentheil eine ansehnlich geringere. Das ist die physiologische Erklärung der sogenannten Verknöcherung der Alten. Dieselben finden es zu mühselig, sich ihrer Gewohnheit zu entringen; ihr Zentralnervensystem ist oft auch schlechterdings unfähig, Impulse von genügender Stärke hervorzubringen, um die Widerstände neuer Nervenbahnen zu überwinden. Darum ist ein von alten Leuten geführtes Gemeinwesen zur Routine verurtheilt und hat die Neigung, ein Museum von Überlieferungen zu werden. Wo dagegen die Jugend regiert, Gesetze giebt und verwaltet, da finden alle Neuerungen raschen Eingang und das Herkömmliche, dem nicht die Gewohnheit als Leibgarde zur Seite steht, hat fortwährend den Beweis seiner Vortrefflichkeit zu liefern, auf daß man es verschone. Die Unerfahrenheit und Schnellfertigkeit der Jugend, welche den vervollständigenden Nachtheil dieses Vortheils bilden, können keinen großen Schaden anrichten, da im komplizirten Mechanismus des Staates der Weg von der geistigen Initiative zur thatsächlichen Durchführung ein langer ist und die vielen Räder, die in Bewegung gesetzt werden müssen, den stärksten Impuls genügend aufbrauchen, um für den letzten Nutzeffekt immer nur eine sehr kleine Kraft übrig zu lassen. Das Vorhandensein einer erblichen Aristokratie nun macht es auch in normalen Zeiten einer größeren Anzahl bevorzugter Personen möglich, in der Blüthe ihres Lebens zu hohen und verantwortungsreichen Stellen zu gelangen. Denn der Aristokrat hat vor der dunklen Masse der Namenlosen die Notorietät voraus, die er schon bei der Geburt als Wiegengeschenk vorfindet, während der unbekannte Sohn des Volkes in der Regel die besten Jahre seines Lebens daran wenden muß, um sie mit betrübsamer Kraftverschwendung und Charaktereinbuße zu erringen. Im natürlichen Laufe der Dinge ist der Platz, auf dem er für das Gemeinwol arbeiten kann, dem Plebejer das Ende, dem Aristokraten der Anfang seiner Laufbahn und dem letztern bleibt alle die Energie für den Dienst der Gesammtheit, die der erstere in der Mühsal des Emporkommens verbraucht. Noch einen zweiten Nutzen hat der Bestand einer erblichen Aristokratie für das Gemeinwesen. Der

Besitz eines berühmten und angesehenen Namens bietet außergewöhnliche Bürgschaften dafür, daß sein Träger eine sichere Auffassung der Pflicht und ein höheres Ideal des Menschenthums haben wird als ein Individuum von niederer Herkunft. Natürlich kann diese allgemeine Regel nicht auf alle Einzelfälle angewandt werden. Ein Fürst oder Herzog von ältestem Adel kann ein Lump sein und der Sohn eines Tagelöhners oder der Findling, der in der Gosse der Großstadt aufgelesen wurde, das glänzendste Beispiel von Charaktervornehmheit und selbstverleugnendem Heroismus geben. Das erstere ist aber doch wol die Ausnahme und von letzterem weiß ich nichts, so lange es nur nicht bewiesen ist. Da ist eine Stelle, von deren Inhaber Muth, Ehrlichkeit und Pflichttreue gefordert wird. Ich bin mit meinen Mitbürgern berufen, sie durch Wahl zu besetzen. Mehrere Bewerber stehen vor mir, ich kenne aber keinen von ihnen persönlich: der eine stammt aus altem, vornehmem Hause, der andere trägt einen Namen, den ich zum ersten Male höre. Nun denn: wenn ich in dieser Lage den Eingebungen der oberflächlichen Demokratie folge, so werde ich für den Plebejer stimmen, von dem ich nichts weiß, nur um für den chimärischen Gleichheitsgrundsatz zu demonstriren; wenn mir aber das Interesse des Gemeinwesens am Herzen liegt, wenn ich gewissenhaft bemüht bin, wenigstens die Wahrscheinlichkeit zu vergrößern, daß der öffentliche Dienst reinen und starken Händen anvertraut sei, so werde ich meine Stimme für den Aristokraten abgeben. Ich kenne freilich auch diesen nicht, aber von den beiden Unbekannten ist er derjenige, dem die stärkere Voraussetzung der moralischen Zuverlässigkeit zur Seite steht. Warum? Nicht blos aus dem gemeinhin angegebenen Grunde, weil er eine bessere Erziehung erhalten hat und weil ihm früh die Anschauungen der sogenannten Ritterlichkeit eingepfropft wurden. Das ist ein Argument, das nur zu häufig im Stiche läßt. Aristokratische Geburt ist durchaus keine Gewähr guter moralischer Erziehung und jeder kennt Beispiele von Prinzen, die, in der erbärmlichsten Umgebung aufgewachsen, Lügner, Feiglinge, Wüstlinge, ja gemeine Diebe – oder feine Diebe, wenn es etwa feiner ist, Brillantenschmuck als

Baumwolltaschentücher zu stehlen – geworden sind. Nein, nicht in der Erziehung liegt die Bürgschaft eines höheren moralischen Niveaus des Aristokraten, sondern in seinem Familienstolze, nennen wir es meinethalben sogar Ahnendünkel. In ihm ist das Gefühl der Solidarität mit seinem ganzen Geschlechte äußerst lebendig. Die Individualität tritt bei ihm weit mehr hinter die höhere Einheit des Hauses zurück als beim Plebejer. Dieser ist er selbst und sonst nichts, also eine Einheit; jener ist der Vertreter einer Gesammtheit. Er weiß, daß seine Handlungen auf alle Träger seines Namens zurückwirken, wie die von anderen Trägern seines Namens erworbenen Ehren ihm zugute kommen. Ein Aristokrat ist also eine Kollektiv-Individualität, bestehend aus den Vorfahren, Mitlebenden und Nachkommen seines Geschlechts, und die Sicherheiten, die er gewährt, verhalten sich theoretisch und bis zum Beweise des Gegentheils zu den Sicherheiten, die der Namenlose bietet, so, wie die Sicherheiten eines Verbandes zu denen eines Einzelnen. Selbst wenn man persönlich feig und gemein angelegt wäre, würde man sich als Träger eines historischen Namens bei sich ergebender Gelegenheit zu einer heroischen Anstrengung gestachelt fühlen, weil man sich sagen würde: "Auch wenn ich persönlich zu Grunde gehe, so war meine That doch nicht vergebens geübt – sie wird meinem Geschlechte, den Menschen aus meinem Blute, angerechnet; ich vermehre damit den Glanz meines Namens, ich vergrößere also den positiven Besitz meiner Erben.« Der Durchschnitts-Müller oder -Schulze hat nicht diesen Sporn zum Heroismus. Seine Selbstaufopferung kommt keinen bestimmten Personen zugute und das Wohl der Gesammtheit ist ein Gedanke, der in Augenblicken der Gefahr für die Fassungskraft eines gewöhnlichen Hirns vielleicht doch etwas sehr unbestimmt ist. Gewiß, dem kategorischen Imperativ gehorcht auch die Masse. Die Geschichte legt Zeugniß dafür ab. Auf den Schlachtfeldern thun die Müller und Schulze ihre Schuldigkeit trotz den Dalberg und Montmorency. Allein beim heutigen Entwickelungszustande der Menschheit scheint mir die abstrakte Allgemeinheit des kategorischen Imperativs ein minder fester aprioristischer Baugrund für mein Vertrauen als das greifbare Interesse einer Familie. Gerade für die Fälle, wo es gilt, das Leben für den Staat einzusetzen, kommt dies sehr in Betracht. Das mächtige Verlangen nach individueller Dauer, über das ich mich im vorigen Kapitel des Weiteren verbreitet habe, erleichtert dem Aristokraten die Selbstaufopferung weit mehr als dem Plebejer. Jener ist der Unsterblichkeit sicherer; dieser hat in der Regel das Bewußtsein, daß kein Hahn nach ihm, seinem Namen, seiner Heldenthat kräht. Der dunkle Heros hat im besten Fall eine Sekunde der Selbstbefriedigung und wird dann ins Massengrab geworfen; der vornehme begeistert sich an der Gewißheit, ein besonderes Grabmal und eine weithin sichtbare Ehrensäule im Camposanto der Geschichte zu erhalten. Ich habe die feste Hoffnung, daß sich das Bewußtsein der menschlichen Solidarität allmälig steigern wird. Auserlesene Menschen haben es zu allen Zeiten außerordentlich klar gehabt und sind ohne Zögern Blutzeugen für das künftige Wol des Menschengeschlechts geworden. Aber im Allgemeinen stecken wir heute noch im Individualismus und Egoismus. Nur ganz langsam erweitert sich die enge Empfindung für das unmittelbare Eigeninteresse zum Verständniß der Einheit des Gemeinde-, des Volks-, des Gattungsinteresses und die Menschheit muß noch ein gar großes Stück voranschreiten, ehe der gemeine Mann eine Großthat, die Selbstaufopferung erfordert, ganz so aus dem Grunde üben wird, weil er den der Gesammtheit dadurch erwachsenden Nutzen als einen persönlichen Vortheil empfindet, wie der Aristokrat, weil er das Gefühl hat, sein persönliches Interesse wahrzunehmen, indem er seinem Geschlechte die Erinnerung eines heroischen Aktes hinterläßt. Es ist aber für den Staat wichtig, eine Klasse zu besitzen, von der man bestimmt weiß, daß sie Gründe hat, die Pflichterfüllung über das Leben zu stellen. Man braucht dann in Momenten der Gefahr die Freiwilligen der ersten Linie nicht erst zu suchen. Man hat dann zu allen Zeiten die Winkelriede unter der Hand, die sich mit offenen Augen, zielbewußt und bei voller Erkenntniß des sicheren Unterganges, für das Gemeinwesen opfern.

Gewiß stehen diesen Vortheilen einer erblichen Aristokratie auch Nachtheile gegenüber; das ist ja in den menschlichen Dingen unvermeidlich. Vor Allem übt eine Aristokratie nur auf den Charakter, aber nicht auf den Geist eines Volkes einen vortheilhaften Einfluß. Förderung des Geisteslebens, Erweiterung der Anschauungen, Erhöhung des intellektuellen Niveaus darf man von ihr nicht erwarten. Die bevorrechtete Klasse kann körperlich tüchtiger sein als die Menge, weil sie sich besser nährt, unter günstigeren Gesundheitsverhältnissen lebt und die durch diese vortheilhaften Daseinsbedingungen erworbenen leiblichen Vorzüge zu Racemerkmalen steigert, welche sich in den Nachkommen fixiren. Geistig wird sie aber niemals hervorragen, weil eben geistige Vorzüge sich nicht vererben und in Bezug auf Talent buchstäblich jeder sein eigener Ahnherr, der erste Begründer seines Hauses sein muß. Das ist eine merkwürdige Thatsache, die man noch nicht genug hervorgehoben hat. Das Genie, ja selbst das ungewöhnlich bedeutende Talent entgeht vollständig der Genealogie. Es hat keine Abstammung. Es ist und bleibt streng individuell; es kommt plötzlich und verschwindet plötzlich in einer Familie und ich weiß schlechterdings kein einziges Beispiel, daß es sich, wie körperliche Vorzüge, auf Nachkommen in einer Steigerung oder selbst nur in gleichmäßiger Stärke vererbt hätte. Ja noch mehr: die großen Talente sind in der Regel überhaupt ohne Nachkommenschaft, und wenn sie Kinder haben, so sind diese schwächlich, verkümmert und weniger lebensfähig als der Durchschnitt der Menschen. Man spürt da das Walten eines geheimnißvollen Gesetzes, welches verhüten zu wollen scheint, daß innerhalb eines einzelnen Stammes allzugroße Verschiedenheiten in der Richthöhe der Geistesgaben entstehen. Man bedenke nur, was die Folge davon wäre, wenn das Genie sich wie hoher Wuchs, Muskelkraft und Lebensschönheit vererbte! Es lebte dann in einem Volke eine kleine Klasse von Shakespeares, Goethes, Schillers, Heines, Humboldts – zwischen dieser Klasse und der großen Menge bestände ein ungeheurer Abstand; jene müßte der letztern immer fremder werden; sie könnte die allgemeinen Daseinsbedingungen nicht erdulden und würde versuchen, entweder Sondergesetze für sich zu schaffen, also einen der Masse unbegreiflichen Staat im Staate zu bilden, oder die allgemeine Gesetzgebung für ihre eigenen Bedürfnisse einzurichten, was natürlich der Menge ebenso verderblich wäre, wie wenn man sie dazu verurtheilte, beständig reinen Sauerstoff zu athmen. Eine höhere Intelligenz besiegt stets die niedrigere und wenn die letztere mit noch so überlegener Körperkraft gepaart wäre. Wo geistig entwickeltere Racen auf solche stoßen, die es minder sind, da gehen diese unrettbar zu Grunde. Vielleicht würde eine wenn auch wenig zahlreiche Aristokratie von Genies auf ihr eigenes Volk so wirken wie die Weißen auf die Rothhäute oder Australneger. Allein zur Bildung einer solchen Aristokratie kommt es eben nie. Das Genie gibt, indem es sich thätigt, so viel organische Kraft aus, daß ihm für die Zeugung keine übrig bleibt. Seltsame Theilung der Arbeit im Menschengeschlechte! Die gemeinen Menschen haben das Geschäft der materiellen Erhaltung ihrer Spezies zu besorgen, die großen Geister sich nur mit der ruckweisen Förderung der intellektuellen Entwicklung zu befassen. Man schafft nicht zugleich Gedanken und Kinder. Das Genie ist eine Zentifolie prächtig, aber unfruchtbar, der vollkommenste, ja zu übermäßiger Entfaltung gelangte Typus der Gattung, doch zur direkten Fortpflanzung untauglich. Man hat gut, Goethe und Schiller, Walter Scott und Macaulay in den Adelsstand zu erheben, ihre Nachfahren, selbst wenn sie welche haben, werden in der Erbaristokratie doch niemals die höchste Geisteselite des betreffenden Volks vertreten. Auch wenn ausnahmsweise ein geborener Aristokrat, wie etwa Byron, die Erscheinung des Genies darbietet, macht dies noch immer den Stand nicht zu einem solchen der Talente. Die besten Intelligenzen einer Nation werden sich also nicht in deren Erbaristokratie finden und als Kaste wird diese nur durch Leibes- und Charakter-Eigenschaften über den Rest der Nation hervorragen. Sie wird infolge dessen das Interesse und das Bestreben haben, die Eigenschaften, die sie besitzt, höher zu stellen als die, welche ihr abgehen; sie wird vom Menschen und Bürger ein Ideal entwerfen, das nicht durch Geistesgaben glänzen wird, und wo ihr Einfluß ein vorwiegender ist, da wird die

Intelligenz nicht darauf rechnen dürfen, den Rang eingeräumt zu erhalten, den einzunehmen sie sich berechtigt fühlt. Ein zweiter Nachtheil der Erbaristokratie ist der, daß ihr Bestand unvermeidlich zu Ungerechtigkeiten gegen einzelne Bürger führt. Sie nimmt manchen ihren natürlichen Antheil an Luft und Sonne. Sie hat einen Vorsprung gegen Plebejer, die diesen im Wettlauf zu den Lebenszielen den Sieg erschweren, wenn nicht unmöglich machen. Alle Gesetze, welche die Gleichberechtigung der Bürger ohne Rücksicht auf die Geburt verfügen, helfen da nichts: bei gleicher Begabung wird in jeder Bewerbung von zwei Rivalen der aristokratische triumphiren und oft genug wird der Sieger sogar nicht der gleich-, sondern der minderbegabte sein. Doch das ist eben nicht zu ändern. Die absolute Gerechtigkeit ist eine theoretische Konzeption, die sich nicht verwirklicht. Die Gerechtigkeit, die wir erlangen können, ist die Diagonale eines Kräfteparallelogrammes, dessen Seiten die Macht und das Rechtsideal sind. Das Gefüge der Gesellschaft erlegt jedem Individuum gewisse Verkümmerungen auf und der vortheilhaftere Standort des Aristokraten auf der Walstatt des Kampfes ums Dasein ist eine davon. Wir müssen sie mit den übrigen tragen. Wir können es ja immerhin versuchen, uns in den ersten Rang durchzudrängen! Haben wir genug starke Schultern und Ellenbogen, so wird es uns gelingen. Haben wir dieses natürliche Rüstzeug nicht, nun, dann steht uns die Klage über die Vorrechte der Aristokraten nur etwa in dem Maße zu wie der Antilope die Klage über die Unbescheidenheit des Löwen, der sie frißt.

Wenn man also auf dem naturwissenschaftlichen Standpunkte steht und zugiebt, daß die allgemeinen Lebensgesetze der organischen Welt auch den Aufbau und das Wirken der menschlichen Gesellschaft bestimmen, so kann man nicht zögern, den Bestand einer erblichen Aristokratie natürlich und in einigen Hinsichten sogar nützlich zu finden. Was immer die philosophische Spekulation, die nicht mit den Thatsachen rechnet, gegen das Dasein einer bevorrechteten Kaste einwenden mag, eine solche wird sich dennoch unfehlbar herausbilden, sowie mehr als zwei Menschen in einen dauernden Interessen-Verband treten. Das Beispiel aller Gemeinwesen, die sich ursprünglich auf die Grundlage der absoluten Gleichheit gestellt haben, ist da, um dies zu beweisen. Die große nordamerikanische Republik ist theoretisch eine vollkommene Demokratie. Praktisch bildeten in den Südstaaten die Sklavenbesitzer eine Erbaristokratie mit allen Institutionen und Attributen einer solchen, in den Staaten des Ostens suchen sich die Abkömmlinge der ersten puritanischen Einwanderer und holländischen Ansiedler von der nachdrängenden Masse der Spätergekommenen abzuschließen und mindestens gesellschaftliche Privilegien zu üben und die durch die verwerflichsten Mittel der List, und Gewalt reich gewordenen Börsenpiraten gründen förmliche Dynastien, deren Mitglieder nicht blos im geselligen Leben die Vorbilder für die Nachahmung der Menge sind, sondern auch mit sehr reeller Gewalt in die Geschicke der Gemeinde und des Staates eingreifen. Bei den Franzosen soll der Instinkt der Gleichheit ganz besonders mächtig sein. Er hinderte sie aber nicht, auf den Trümmern ihres alten Adels einen neuen zu errichten, der zwar keine Titel und Wappen hat, aber alle wesentlichen Attribute einer Aristokratie besitzt und dessen Ahnen – Ironie der Geschichte! – gerade die unerbittlichsten Gleichheitsfanatiker der großen Revolution sind. Wolgemerkt: ich spreche jetzt nicht von den Königsmördern des Konvents, aus denen Napoleon nach dem Muster des geschichtlichen Adels seine imperialistische Aristokratie formte, sondern von den Familien, in denen seit der großen Revolution politischer Einfluß und Reichthum erblich sind, blos weil ihr Ahn damals eine mehr oder minder hervorragende Rolle gespielt hat. Man vergleiche einmal die Verzeichnisse der Personen, die in den letzten vier Menschenaltern Frankreich als Minister, Senatoren, Abgeordnete und hohe Verwaltungsbeamte regiert haben: man wird erstaunt sein, seit 1789 viele Namen in jener Generation wiederzufinden. So haben die Carnot, die Cambon, die Andrieux, die Brisson, die Bessou, die Perier, die Arago u. s. w. Politiker-Dynastien von großer Gewalt gegründet und wer die heutigen Träger dieser Namen kennt, der weiß, daß die Epigonen ihre ersten Stellen im Staate nicht der eigenen Kraft verdanken, sondern dem Namen, den sie tragen. Auch das ottomanische Reich hat eine streng demokratische Verfassung und kennt außer der Dynastie der Osmanen und den Nachkommen des Propheten, denen aber nicht das geringste Ansehen geschenkt wird, keinen Erbadel. Jeden Tag sieht man Lastträger oder Barbiere Paschas werden und die Laune des Padischah, welche allein Rang und Ehren vertheilt, fragt niemals nach der Abkunft eines Günstlings. Dennoch wird das Land in der Hauptsache von den Söhnen der Emporkömmlinge, von den Effendis, regiert und wenn der Pascha seinen Sprößlingen auch nicht gerade seinen Titel hinterlassen kann, so vererbt er ihnen doch in den meisten Fällen einen Theil seines Einflusses. Der Nepotismus ist die letzte Wurzel eines bevorrechteten Standes, die noch triebkräftig bleibt, wenn die demokratische Haue alle übrigen ausgerodet hat. Es ist so menschlich, den eigenen Sohn und den Sohn des Freundes vor Fremden und Unbekannten, und hätten sie noch so große Verdienste, zu fördern! Darum wird der Schwiegersohn des Professors vor dem minder vorsichtig verheirateten Mitbewerber stets schwerwiegende wissenschaftliche Titel voraushaben, dem Sohne des Ministers die diplomatische Karriere leicht werden, jeder Nachwuchs, der im Salon der hochgestellten Väter einst zusammen auf dem Teppich gespielt hat, eine geschlossene, sich gegenseitig unterstützende Phalanx bilden, die der Außenstehende schwer durchbricht, und derjenige, welcher am nächsten zur Schüssel ist, den Löffel zuerst in sie tauchen.

IV.

Ich habe anerkannt, daß die Aristokratie eine natürliche und darum unvermeidliche und voraussichtlich ewige Einrichtung der Menschheit ist, und mich gegen die ihr zugestandenen erblichen Ehren und Vorrechte nicht aufgelehnt; aber nur unter einer Bedingung: daß die Aristokratie wirklich aus dem besten und tüchtigsten Menschenmaterial des Volkes bestehe. Wenn eine Adelskaste berechtigt sein soll, so muß sie eine anthropologische Begründung ihrer Ansprüche nachweisen können. Sie muß ursprünglich aus einer auserlesenen Gruppe hervorgegangen sein und durch Zuchtwahl ihre Vorzüge erhalten und vergrößern. Geschichtlich sind in der That alle Aristokratien so entstanden. In den Völkern von gleichmäßiger Zusammensetzung sind früh die stärksten und schönsten, die tapfersten und klügsten Männer zu Macht und Ansehen unter ihren Stammesgenossen gelangt und ihre Nachkommen haben ihren Familienstolz aus diesen natürlichen Gaben der Ahnen gezogen. Sie haben das Gefühl gehabt, daß sie ihre Erhöhung nicht der grillenhaften Menschengnade, sondern der ewigen Mutter Natur verdanken, und sie haben dies, urmenschlicher Vorstellungsweise entsprechend, so ausgedrückt, daß sie sich rühmten, von den Göttern ihres Volks, anders gesagt, von dessen Idealtypen, abzustammen. Solchen Götteradel hatten die Germanen, solchen haben noch heute die Hindus und gewisse primitive Stämme wie die nordamerikanischen Rothhäute. Wo dagegen eine Nation aus einer Mischung verschiedener ethnischer Elemente entstanden ist, wo ein kräftiger Stamm sich einen schwächern unterworfen hat, da bilden die Nachkommen der Eroberer, also der tüchtigeren, mindestens körperlich höher stehenden Race die Aristokratie. Dies ist der Ursprung des Adels in allen europäischen Ländern, welche zur Zeit der Völkerwanderung oder später den Einfall fremder, meist germanischer Stämme zu erdulden hatten. Der französische Uradel ist fränkisch, burgundisch und sächsisch-normannisch, der spanische westgothisch, der italienische vandalisch, gothisch und longobardisch, theilweise auch schwäbisch, französisch und spanisch, der russische warägisch, das heißt skandinavisch, der englische normannisch, der ungarische magyarisch, der chinesische mandschurisch. Auf eine Aristokratie, die aus den vollkommensten Individuen des Stammes oder aus einer höheren Erobererrace hervorgegangen ist, findet Alles Anwendung, was ich von der Berechtigung der gesellschaftlichen Ungleichheit gesagt habe. Eine solche Aristokratie wird mit Recht die ersten Stellen im Gemeinwesen einnehmen, denn sie wird die Macht haben, dieselben an sich zu reißen und zu behaupten. Von Haus aus besser organisirt und höher gesinnt als die Masse der Plebejer, wird sie ihre Stärke und ihren Muth fortwährend üben und entwickeln müssen, da sie sonst dem Andrang der niedrigen Stände nicht wird widerstehen können. Dadurch bleibt ihr der Vorsprung vor dem Reste des Volkes beständig erhalten. Das Walten der natürlichen Gesetze läßt ihr nur die Alternative, ihre Vorzüge unverkümmert zu bewahren oder zu verschwinden. Sie muß heroisch sein, denn wenn sie in einem Augenblicke der Gefahr ihr Leben über ihre Privilegien stellt, so entwinden andere, die keine Furcht vor dem Tode haben, ihr diese. Sie muß die Pflicht von Vorkämpfern und Bannerträgern auf allen Wegen erfüllen, denn wenn sie sich nicht entschlossen an den ersten Platz stellt, wird sie überfluthet und in die hinteren Reihen gedrängt. Sie darf endlich keine geschlossene Kaste bilden, weil sie sonst der Verkümmerung anheimfällt und an dem Tage, an welchem ihre Neider merken, daß sie nicht mehr die bessere Race sei, von ihrem Sockel gestoßen wird. Sie darf sich dem freien Spiel des Naturgesetzes, aus dem sie ihre Berechtigung zieht, nicht widersetzen. So oft im Volke eine Individualität auftaucht, welche Proben einer besondern Überlegenheit liefert und den Haufen zur Anerkennung ihrer höhern Organisation zwingt, muß die Aristokratie sich beeilen, derselben ihre Reihen zu öffnen und sich sie einzuverleiben. Zu den unvermeidlichen Degenerirungen muß eine beständige Blutverbesserung das Gegengewicht bilden und das Emporkommen der Besten, das zur Entstehung einer Aristokratie geführt hat, darf nie verhindert werden.

Das ist die Theorie einer Aristokratie, deren Berechtigung man anerkennen, deren Überlegenheit man tragen müßte. Wie steht es nun aber mit der Praxis? Ist der Adel, der in fast allen Ländern Europas den Vordergrund der Szene erfüllt, die Aristokratie, welche ich definirt habe? Es giebt keinen seiner Sinne Mächtigen, der diese Frage bejahen könnte. Der sogenannte Adel, das heißt die Klasse, die sich durch erbliche Titel vor dem Reste der Nation auszuzeichnen versucht, erfüllt keine einzige der Bedingungen einer natürlichen Aristokratie. Der Uradel, also bei den Völkern, über die sich kein fremder Herrenstamm gesetzt hat, der Stammes- oder Götteradel, bei den anderen, die einst unterjocht wurden sind, der Erobereradel, ist überall ausgestorben oder verdorben. Ausgestorben oder verdorben durch eigene Schuld, weil er sich gegen sein natürliches Lebensgesetz aufgelehnt hat, ausschließlich geworden ist und es nicht verstanden hat, sich zu verjüngen. In vielen Familien hat sich dadurch die Fruchtbarkeit erschöpft und sie haben eines Tages keinen Erben mehr hervorbringen können; in anderen sind die Nachkommen hoher Ahnen allmälig dumm, feig und schwach geworden, sie haben weder ihr Gut noch ihren Rang gegen die Gier von kräftigeren Nachstellern verteidigen können und sind in Armuth und Dunkelheit versunken, so daß ihr Blut gegenwärtig vielleicht in den Adern von Tagelöhnern oder Bauern fließt. Ihren Platz, durch Tod oder Verfall erledigt, nehmen allerlei Leute ein, die ihre Größe nicht einer höheren Organisation, nicht der Natur, sondern der Gnade von Monarchen oder anderen großen Herren verdanken. Aller heutige Adel – ich glaube nicht, daß es authentische Ausnahmen von dieser Regel gibt – ist Briefadel, in weitaus der größten Anzahl von Fällen sogar sehr junger. Ein individueller Willensakt, nicht ein anthropologisches Gesetz schuf die Rechtstitel der vornehmen Geschlechter. Wie erwirbt man aber seit dem Mittelalter, über das kein Stammbaum in Europa hinausreicht, die Gunst der Fürsten, die in der Adelung ihren Ausdruck findet? Etwa durch idealmenschliche Eigenschaften, durch Vorzüge, die es wünschenswerth machen, ihre Besitzer als Zuchtmaterial zur Veredelung des Stammes zu benutzen? Die Geschichte der Adelsfamilien aller Länder ist da, um auf diese Frage die Antwort zu ertheilen. Es gibt fast kein Beispiel, daß eine hohe und edle Natur, die einen idealen Typus der Menschheit darstellt, in den Adelsstand erhoben worden wäre. Wenn selten einmal wirkliches Verdienst einen Adelsbrief auf seinem Lebenswege gefunden hat, so muß es zu seinen vortrefflichen unbedingt auch niedrige und verächtliche Eigenschaften gehabt haben und die letzteren allein erklären es dann, daß es fürstliche Anerkennung gefunden hat. Die Ursachen der Erhöhung zahlreicher Familien sind so schmutzig, daß man sie in anständiger Gesellschaft gar nicht erwähnen kann; diese Familien verdanken ihre Ehren der Schande ihrer weiblichen Vorfahren und ihr stolzes Wappen erhält in monumentaler Weise die Erinnerung daran, daß sie gefällige Väter und Gatten und vorurtheilslose Dämlein zu ihren Mitgliedern zählten. In anderen Fällen war der Adelsbrief der Lohn einer Schurkerei oder eines Verbrechens, womit der Ahnherr des Hauses sich seinem Fürsten dienstfertig erwiesen hat. Ich gebe übrigens zu, daß die Unzucht und der Meuchelmord, obwol häufig genug der Ausgangspunkt glänzender Erdengeschicke, immerhin nur die Minderheit des Adels zu ihren Privilegien verholfen haben. Die Mehrheit hat ihren Vorrang auf weniger großartige Weise erworben. Wir finden als Grund der Erhebung in den Adelsstand gewöhnlich Reichthum oder langjährige Dienste in Regierungsämtern und in der Armee. Wie gelangt man zu so großem Reichthum, daß man mit demselben die Augen des Fürsten auf sich zieht? Durch Unskrupulosität oder Glücksfälle, weit öfter durch die erstere als durch die letzteren; zur Zeit der Reformation beraubte man die Kirche; etwas später rüstete man Kreuzer aus, das heißt war Seeräuber; dann vielleicht Sklavenhändler oder Sklavenbesitzer und -Ausbeuter; in neuerer Zeit ist man Armeelieferant und bestiehlt den Staat, oder Spekulant und reißt Hunderttausenden durch verwegene Börsenhandstreiche den mühseligen Sparpfennig aus der ängstlich geschlossenen Faust, oder im reinlichsten Falle Großindustrieller und erpreßt seine Millionen einigen hundert oder tausend kümmerlich entlohnten Fabrikarbeitern. Und wie sehen die Leute aus, die sich durch Kriegs- oder Friedensdienste ihrem Fürsten bemerkbar machen? Es sind immer, ich sage immer ohne jede Einschränkung, klebrige Molluskenseelen, schleichende, kriechende Streber, die ihr Leben damit zubringen, jede Regung männlicher Selbstständigkeit in sich zu unterdrücken, die letzte Spur von Stolz und Selbstbewußtsein aus sich auszumerzen, sich vor allen Höherstehenden zu bücken, ihnen durch Annahme ihrer Eigenheiten angenehm zu werden, überschwengliche Loyalität zu heucheln und zuletzt, als würdige Krönung einer Laufbahn, die auf dem Bauche zurückgelegt worden ist, um die Adelung zu betteln. Männer, die aus dem guten, starren Menschenstoffe gemacht sind, die ein widerstandskräftiges Rückgrat haben, die nicht ruhig und glücklich sein können, wenn sie nicht sie selbst sind, solche Männer werden sich nie herbeilassen, ihre Eigenart zu verleugnen, stets der Meinung ihrer Vorgesetzten zu sein, zu schmeicheln, zu intriguiren und zu bitten und sich mit diesen Mitteln, den einzigen, die zum Ziele führen, die Fürstengunst zu erwerben. An diese Männer denkt man, wenn man Posten der Gefahr zu besetzen, nicht wenn man Gnaden zu vertheilen hat. Diese Männer drängen sich vor, wenn es gilt, dem Gemeinwesen aufopferungsfähig zu dienen, aber sie wenden nicht die Ellenbogen an, um bei Einzügen und in Festsälen den Blick des Monarchen auf sich zu ziehen. So ist der Briefadel in der That eine Einrichtung, welche der Menschenzucht dient, wie die Wettrennen der Pferdezucht, aber die zur Zucht einer neuen Race bestimmten Sieger und Renner sind die Besitzer von Eigenschaften, die ein gemeiner Vater wol seinem Sohne wünschen kann, damit er, was man so nennt, in der Welt seinen Weg mache, mit denen aber kein Dichter seinen Helden auszustatten wagen wird, weil die Poesie das Menschenideal reiner erhält als Gesetz und Sitte, weil das ästhetische Gewissen sich dort noch empört, wo das moralische Gewissen nichts mehr zu sagen hat, und weil man den auf gesellschaftsübliche Art erfolgreichen Menschen wol die Hand drückt, aber nicht duldet, daß eine Dichtung sie verherrliche und der Menschheit als Muster vorhalte. Die Individuen, welche durch Ordens- und Adelspatente in jedem Menschenalter aus der Masse der Nation ausgelesen werden, sind wol in Hinsicht auf ihre Geistesgaben nicht die am schlechtesten betheilten; dumm werden sie in der Regel nicht sein. im Gegentheil, es ist wahrscheinlich, daß sie schlau und geschickt sein werden; auch an Ausdauer, Zähigkeit und Willenskraft werden sie der Durchschnittsmenge meist überlegen sein. Was ihnen aber sicher fehlen wird, das ist der Charakter und das ist die Selbstständigkeit, also gerade die Eigenschaften, die eine natürliche, das heißt Blut-Aristokratie haben könnte und die eine gesellschaftliche Ungleichheit zu ihren Gunsten und zum Nachtheil der Plebejer ganz von selbst, auch ohne die Dazwischenkunft geschriebener Gesetze, schaffen würde. Ich habe nun das Porträt des Individuums gezeichnet, das seiner Familie den Adel erwirbt. Seine Nachkommen werden meist moralisch höher stehen als ihr Ahn. Um einen Rang zu erhalten, braucht man nicht so erbärmlich zu sein, wie um ihn zu erwerben. Man muß nicht mehr ein rücksichtsloser Egoist, ein Schranze oder Intrigant sein. Der Charakter verbessert sich durch die allmälige Einwirkung der Standesanschauungen, welche noch auf der ursprünglichen Theorie beruhen, daß die Aristokratie die Gesellschaft der Besten und Edelsten des Volkes sei. Denn wenn der Briefadel mit dem Blutadel auch nichts gemein hat, so hält er doch an den theoretischen Fiktionen fest, aus welchen der letztere hervorgeht. Allein welche anthropologischen Geschicke sind dem modernen Adel bereitet? Er wird entweder, den mittelalterlichen Vorurtheilen huldigend, sich nur innerhalb des eigenen Kreises verheiraten, also ›Mesallianzen‹ scheuen, oder Mißehen in gewissen Fällen eingehen. Die erstere Lebensregel führt sehr rasch zur völligen Verkümmerung der Adelsfamilien. Denn diese, die nicht wie der Blutadel von ursprünglich besser organisierten Individuen abstammen, sind von vornherein mit keinem Überschuß an organischer Kraft ausgerüstet und die Inzucht muß nothwendig die baldige Erschöpfung des Lebenskapitals zur Folge haben, das, obwohl an sich nicht größer als bei den Individuen des gemeinen Volks, dennoch die größeren Ausgaben leisten soll, welche das mit höherer Stellung verbundene intensivere Leben erfordert, ohne sich durch Zuschüsse aus dem unerschöpflichen Sammelbecken der allgemeinen Volkskraft erneuern zu können. Wenn aber ein Aristokrat außerhalb seines Kreises heiratet und seiner Familie neues Blut zuführt, welcher Art ist dieses Blut, welches sind die Gründe, die ihn bei seiner Zuchtwahl bestimmen? Der Fall, daß ein vornehmer Mann ein Mädchen aus dem Volke aus Liebe um körperlicher und sittlicher Vorzüge willen zu seiner Gattin macht, ist überaus selten, für die Blutverbesserung der Familie wären aber nur solche Ehen vorteilhaft, denn um eine gute Stamm-Mutter zu werden, braucht ein Weib neben der normalen Leibesbildung die als harmonische Schönheit empfunden wird, auch Gesundheit und Gleichgewicht der Seele, Eigenschaften, die in der Form einer ruhigen, ja etwas spießbürgerlichen Sittlichkeit zur Erscheinung gelangen. Gewöhnlich wird die Mesallianz eines Vermögensvortheils oder einer leidenschaftlichen Laune willen vollzogen. Analysieren wir die Bedingungen, unter welchen Mesallianzen der einen und der andern Art vorzukommen pflegen. Ein vornehmer Mann heiratet eine reiche Bürgerliche, um, wie man das wohl ausdrückt, sein Wappen neu zu vergolden. Er ist dann entweder ein Wüstling, der sich in Ausschweifungen zu Grunde gerichtet hat und in die Ehe wie in eine Versorgungsanstalt eintritt, oder er ist ein verkümmerter Mensch ohne Lebenskraft, denn wer sich mit organischer Energie geladen fühlt, der ist stolz und unternehmend, der hat den Drang, ein Weib seiner Wahlverwandtschaft zu freien, und die Zuversicht, auch ohne die Mitgift einer ungeliebten Frau in der Welt eine gute Figur zu machen; er ist aber auch ein Mensch von gemeinem Charakter und niedrigen Anschauungen, denn er muß bereit sein, zu heucheln und zu lügen, da reiche Erbinnen in der Regel wenigstens während ihres Brautstandes fordern, daß man das rohe Streben nach ihrem Vermögen hinter dem Anschein der Neigung verberge. Sie, die reiche Erbin, repräsentiert ebenfalls einen sehr tiefstehenden Typus der Menschheit; sie stammt zunächst von einem geistig beschränkten und würdelosen Vater ab, denn ein anderer würde das Glück seines Kindes nicht äußerm Schein opfern und auch nicht in Familienbeziehungen zu einer Gesellschaft treten wollen in der man ihn und die Seinigen doch stets als Eindringling mit Hohn und Verachtung behandeln wird. Das Mädchen selbst ist entweder mit seinem Lose zufrieden, es willigt ein, die Gattin eines Mannes zu werden, dem sie gleichgiltig ist, dann ist es ein Geschöpf ohne Herz und Seele, eine alberne eitle Zierpuppe, oder es hat das Verlangen, zu lieben und geliebt zu werden, fügt sich aber dennoch dem Schicksale, das seine Familie ihm bereitet, dann ist es eine Natur ohne Willenskraft und ein verwaschener Charakter. Ähnlich stehen die Dinge in den Mißehen, die nicht wegen der Mitgift eingegangen werden. Von den Fällen, in denen echte, sittliche Liebe zu einem Bunde zwischen Vornehm und Gering führt, spreche ich nicht. Wir können dieselben um so mehr vernachlässigen, als sie vielleicht in einem Jahrhundert einmal vorkommen und auf die Racenverbesserung der Aristokratie um ihrer Seltenheit willen keinen berechenbaren Einfluß üben können. Die Regel ist, daß ein Aristokrat in Mesallianzen aus Liebe eine Bühnenkünstlerin, Zirkusreiterin oder auch nur einfach eine geschickte zweideutige Schöne der Kurorte und internationalen weltstädtischen Salons heiratet. Von dem so gebildeten Paare ist dann der weibliche Theil ein anormales Wesen, das sich als ein außerhalb der Durchschnittsform stehender Typus schon dadurch zu erkennen gegeben hat, daß es eine exzeptionelle, oft sogar exzentrische oder verwerfliche Laufbahn wählte, ungewöhnliche Schicksale anstrebt und sich gegen die Pflichten auflehnt, welche die heutige Gesellschaft ihren weiblichen Mitgliedern auferlegt, der männliche Theil aber ist das, was die Psychiatrie einen ›Degenerirten‹ nennt, das heißt ein Individuum, in welchem Wille und Vernunft verkümmert sind, der moralische Sinn rudimentär ist und die geschlechtliche Leidenschaft, oft in seltsamer Entartung, allein das Seelenleben beherrscht; solche Individuen können dem Wunsche nach dem Besitze eines Weibes. welches sie zu erregen weiß, nicht widerstehen; um ihn zu erfüllen, begehen sie Thorheiten, auch Unwürdigkeiten, und, wenn es nicht anders geht, selbst Verbrechen. Man untersuche nur genau – in den Romanen, die mit der Ehe zwischen einem Prinzen und einer Schauspielerin enden, wird man fast immer finden, daß der Mann ein "Degenerirter« in wissenschaftlichem Sinne, eine schwache, sinnliche und impulsive Natur ist. Die Mesallianz, wie man sie erfahrungsgemäß einzugehen pflegt, ist also, weit entfernt, der Aristokratie anthropologische Vortheile zu bringen, im Gegentheil ein Vorkommniß, das förmlich scharfsinnig ausgesonnen scheint, um das allerschlechteste Menschenmaterial des Adels und Bürgerstandes zu einer Ehe zu vereinigen, aus welcher nur moralische Siechlinge hervorgehen können.

Das ist die Entstehung des Briefadels und das sind seine nothwendigen weiteren Geschicke. Der Ahn ist ein Selbstling, Ränkeschmied oder Schranze, am besten alle drei zugleich, der Abkömmling wie durch

Schicksalsschluß zur Verkümmerung verurtheilt, sei es, daß er sein Blut durch die ungünstige Inzucht innerhalb eines engen Kreises gleich fehlerhaft qualifizirter Familien erschöpft, sei es, daß er Mißehen mit unentwickelten oder mit desäquilibrirten Ausnahmstypen der Weiblichkeit eingeht. Diese soziologischen und anthropologischen Thatsachen liegen klar vor Aller Augen und sind allen Gebildeten bekannt. Und dennoch – hier steigt wieder groß und überwältigend das Bild menschlicher Feigheit, Dummheit und Heuchelei vor uns auf – und dennoch erfreut sich der Adel eines gesellschaftlichen Ansehens, vor dem sich weitaus die meisten Menschen willig und sogar mit einer gewissen inneren Genugthuung beugen. Der Snobismus, der sich besonders angenehm gekitzelt fühlt, wenn er sich an Aristokraten reiben kann, ist in allen Ländern zu Hause, in allen, auch den demokratischsten. Der Franzose, der sich rühmt, die Gleichheit erfunden zu haben, ist stolz auf die Bekanntschaft eines Herzogs oder Marquis und interessirt sich für das Leben und Treiben seines nationalen Adels trotz einem englischen "Flunkey«. Der Amerikaner, der angeblich blos den allmächtigen Dollar verehrt und sich über die Standesunterschiede im alten Welttheil lustig zu machen affektirt, ist im innersten Herzen entzückt, wenn er seinen Salon mit einem Edelmann schmücken kann. Wer es wissen will, der weiß, wie man heutzutage einen Adelstitel – wenn auch vielleicht nur in gewissen Ländern – erlangt. Man kennt den genauen Preis einer Fürsten-, Grafen- oder Freiherrn-Krone. Man weiß, daß dieses Schmuckstück das Äquivalent einer bestimmten Summe ist, und man zollt doch jenem eine Achtung, die man dieser versagt. Hier sei ein kleiner Zug angeführt, der die Verlogenheit der Zivilisationsmenschen besser demonstrirt, als es bändelange Argumentation vermöchte. Ein französischer Abgeordneter hat der Kammer einen Gesetzentwurf vorgelegt welcher es jedermann freistellt, gegen Bezahlung einer festgestellten Summe an den Staatsschatz sich einen Adelstitel beizulegen und sich desselben in allen Aktenstückes u. s. w. zu bedienen; um 60,000 Fr. könnte man sich Herzog, um 50,000 Marquis u. s. w., um 15,000 einfach "Herr von« nennen. Wenn dieser

Entwurf zum Gesetze würde, so dürfte es kaum jemand geben, der dieses offene, ehrliche Geschäft machen, und sich vor aller Welt einen Adelstitel wie einen Frack oder eine Uhrkette kaufen wollte. Man versuche dagegen mit einem Blatte eine Anzeige zu veröffentlichen, daß man im Stande sei, die Adelung wohlhabender Personen diskret zu vermitteln, und man wird mit jeder Post hundert Anfragen erhalten; man verspreche nun Adelstitel der Republik San Marino oder des Fürstentums Reuß-Schleiz-Greiz zu demselben oder einem höhern Preise wie die vom französischen Abgeordneten vorgeschlagenen – man wird für die Waare Nehmer finden. Und doch handelt es sich dort um eine korrekte!, hier um eine schleichende und zweideutige Operation; dort um einen Titel, der in einem Staate von 37 Millionen Einwohnern giltig ist, hier um einen, der blos in einigen Dörfern gesetzliche Geltung hat. Ja, aber in jenem Falle wird offen ausgesprochen, daß der Adelstitel für jedermann auf der Straße feil ist, in diesem dagegen die Fiktion gewahrt, daß der Adel der Lohn des Verdienstes und der Geadelte ein Wesen höherer Ordnung sei, und so erschachert man sich einen Adelsbrief lieber durch die Dazwischenkunft eines verdächtigen Maklers, als daß man ihn reinlich in einem Stempel- oder Steueramt kaufen würde, weil man eben die Lüge der Adelseinrichtung mindestens äußerlich aufrecht erhalten will.

Die Vorrechte, die man der Aristokratie eingeräumt, sind übrigens nicht blos gesellschaftlicher Natur und bestehen nicht in Titulaturen und Komplimenten allein. Der Adel hat in den monarchischen Ländern unbeschadet der gesetzlich gewährleisteten Gleichheit der Rechte und Pflichten aller Bürger einen sehr reellen und sehr großen Einfluß, der ihm namentlich den Besitz sämmtlicher Sinekuren des Gemeinwesens sichert. Ich verstehe hier das Wort Sinekure im weitesten Sinne. Bei der heutigen Organisation des Besitzes und Erwerbs muß man Stellen, die bei ehrenhaftem Range sicheres Einkommen gegen geringe Anstrengung gewähren, als Geschenke des Staates betrachten. Alle diese Stellen, für die es keiner besonderen Fähigkeiten bedarf, die jeder

Durchschnittsmensch bekleiden kann, wenn man sie ihm nur anvertrauen will, für die mit einem Worte das Sprichwort erfunden worden ist, daß Gott dem auch Verstand gibt, dem er ein Amt gegeben, also die Offiziers-, die höheren Beamtenstellen, die Pfründen, die besoldeten Hofwürden u. s. w., sind tatsächlich dem Adel vorbehalten. Das Gemeinwesen macht sie einer kleinen Gruppe von Individuen, die hierauf nicht den geringsten vernünftigen Anspruch haben, zum Geschenk; es deckt diesen Privilegirten den Tisch und setzt ihnen ein reichliches und leckeres Mahl vor, blos weil sie sich, wie Beaumarchais sagt, die Mühe gegeben haben, geboren zu werden.

Die Lüge des Briefadels der sich schmarotzend in die geschichtlichen Formen und Vorrechte des Blutadels hineingestohlen hat, welcher eine anthropologische Grundlage hatte, weil er aus den Nachkommen der tüchtigsten Individuen des Stammes oder einer höheren Race von Eroberern bestand, diese Lüge, obwol von der Geschichte, der Vernunft, dem Augenschein stündlich entlarvt, wird geduldet und sogar gehätschelt. Sie ist ein Eckpfeiler des monarchischen Staatswesens. Man thut, als glaubte man daran, daß ein beschränkter, frivoler Laffe, der sich Herr Graf oder Herr Baron nennt, aus vorzüglicherem Stoffe bestehe als der Rest des Volkes; man thut, als ginge man auf die Annahme ein, es sei dem Fürsten möglich, durch Bekrittelung eines Papierwisches oder Pergamentfetzens aus einem gemeinen Menschen ein feines und edles Wesen zu machen. Übrigens warum sollte dies auch dem Fürsten nicht möglich sein? Ihm steht ja die Gnade Gottes zur Verfügung und von dieser kann man sich eines solchen Verwandelungs-Wunders wol versehen, das schließlich nicht unbegreiflicher ist als die übrigen Wunder der Bibel und Liturgie.

Die Politische Lüge

I.

Nehmen wir einen inmitten der neuzeitlichen Kultur stehenden Menschen aus der Masse des Volkes, ohne Familienverbindungen oder sonstige Beziehungen, die ihm die Gunst der Mächtigen und durch sie allerlei Vorrechte verschaffen, und sehen wir, welcher Art sein Verhältniß zum Gemeinwesen ist. Ich schicke voraus, daß ich hier den Bürger eines schematischen Staates Europas im Auge habe. Einzelne Züge des, Bildes, das ich malen will, mögen auf dieses oder jenes bestimmte Land nicht passen. Das Maß der dem Individuum zugestandenen Freiheit ist an verschiedenen Orten verschieden; ebenso die Form, in welcher deren Beschränkung geübt wird. Allein in den großen Umrissen gibt die Schilderung die Lage, welche die Zivilisation dem Staatsbürger in Europa bereitet hat, doch wol getreu wieder.

Mein als Beispiel verwendeter typischer Kulturmensch ist in dem Alter, in welchem seine Eltern die Nothwendigkeit erkennen, seinen Geist bilden zu lassen. Er wird in die Volksschule geschickt. Ehe man ihn zuläßt, fragt man zunächst nach seinem Geburtszeugniß. Man sollte denken, daß man, um der Segnungen des öffentlichen Unterrichts mit Nutzen theilhaftig werden zu können, blos überhaupt zu sein und ein gewisses Maß körperlicher und geistiger Entwickelung erreicht zu haben brauche. Irrthum. Man muß auch ein Geburtszeugniß besitzen. Dieses respektable Aktenstück ist der unerläßliche Schlüssel zum Geheimniß des Lesens und Schreibens. Hat man es nicht, so muß man durch ein weitläufiges Amtsverfahren, dessen Umständlichkeit eingehend darzustellen mich zu weit führen würde, den nummerirten, gestempelten und von bestimmten Personen unterzeichneten Beweis herstellen, daß man geboren sei. Der Junge ist glücklich in der Schule untergebracht und verläßt sie einige Jahre später, um sein Erwerbsleben zu beginnen. Er fühlt in sich den Beruf, seinen Mitbürgern in Rechtshändeln mit Rath und Vermittelung beizustehen. Das ist ihm aber verboten, wenn er dazu nicht die Erlaubniß des Staates in der Form verschiedentlicher Diplome besitzt. Dagegen ist es ihm unbenommen, sich durch Anfertigung von Schuhen nützlich zu machen, obwol ein schlechtgemachter Schuh sicherer Leiden verursacht als ein einfältiger Rath in einem Rechtsstreite. Er ist nun zwanzig Jahre alt und möchte zu seiner Ausbildung eine Reise unternehmen. Das darf er nicht. Er muß seine Militär-Dienstpflicht erfüllen, sich auf einige Jahre seiner Individualität begeben, was noch ganz anders schmerzlich ist, als nach dem Beispiele Schlemihls seinen Schatten zu verlieren, und zu einem willenlosen Automaten werden. Ganz gut. Man schuldet dieses Opfer dem Staate, dessen Sicherheit ja eines Tages durch Feinde bedroht sein könnte. Während seiner Dienstzeit findet mein Hans – ich will ihn der Bequemlichkeit wegen Hans nennen – Zeit und Gelegenheit, sich in irgend eine Grete zu verlieben. Er ist eine korrekte Natur und verschmäht es, mit seinem Schatze nach der in Garnisonen herkömmlichen bequemen Methode in der Küche glücklich zu sein. Er will heiraten. Freilich wol. Er will, aber er darf schon wieder nicht. So lange er Soldat ist, muß er ledig bleiben. Es würde zwar Niemandes Rechte beeinträchtigen, die Wehrfähigkeit des Staates nicht schmälern, überhaupt Niemand nah oder fern angehen, wenn er ein verheirateter Soldat wäre, es hilft Alles nichts, er muß warten, bis er den bunten Rock ausziehen darf. Das ist endlich geschehen. Jetzt wird er doch wol seine Grete heimführen können? Allerdings, wenn er und sie alle nöthigen Papiere besitzen, deren eine stattliche Menge gefordert wird. Fehlt auch nur eins dieser Papiere, so ist es nichts mit der Hochzeiterei. Auch diese Klippe hat Hans mit Geschicklichkeit und Glück umsegelt, und er möchte nun eine Weinwirthschaft eröffnen. Das kann er nicht, wenn es ihm die Polizei nicht erlaubt, und die Polizei erlaubt es ihm nur, wenn es ihr beliebt. Dieselbe Erfahrung würde er mit einer ganzen Anzahl anderer Gewerbe machen, deren Betrieb weder in die Rechte Anderer eingreift, noch lärmend, unsittlich oder für Dritte gesundheitsschädlich ist. Hans wünscht sein Haus umzubauen. Nicht rühren, ehe die Polizeierlaubniß zur Hand ist! Das begreift sich. Die Straße gehört aller Welt, sein Haus steht an der Straße – da muß er sich allgemeinen Vorschriften unterwerfen. Er hat auch einen weitläufigen Garten und inmitten desselben, fern von allen öffentlichen Wegen, an einer Stelle, die nie ein fremdes Auge zu sehen und ein fremder Fuß zu betreten braucht, will er sich ein Gebäude errichten. Auch das ist ihm ohne den Polizeischein, diesen wahren Hans Dampf in allen Straßen, nicht erlaubt. Hans hat einen Laden, und kein Bedürfniß eines Ruhetages in der Woche. Er möchte Sonntags verkaufen wie alle Tage. Das darf er nicht, wenn er nicht von der Polizei am Kragen gefaßt und ins Kühle gesetzt sein will. Der Laden ist eine Speiseanstalt. Hans leidet an Schlaflosigkeit und es macht ihm nichts, die ganze Nacht seinen Laden offen zu halten. Die Polizei schreibt ihm eine Sperrstunde vor und schreckt ihn mit Drohungen für den Fall, daß er nicht gehorchen sollte. Seine Grete beschenkt ihn mit einem Kinde. Neue Plagen. Er muß es beim Standesbeamten einschreiben lassen, sonst wird es dem Kleinen eines Tages schlimm ergehen. Er muß es sogar impfen lassen, obwol er gesehen hat, daß Nichtgeimpfte bei Gelegenheit einer Pockenepidemie nicht gelitten, Geimpfte aber die Krankheit bekommen haben und gestorben sind.

Über hundert schmerzliche Erfahrungen, die Hans im Laufe der Jahre macht, eile ich hinweg. Er wollte einen Omnibus durch die Straßen seiner Vaterstadt verkehren lassen, er durfte es nicht ohne Polizeierlaubniß. Ihm gefiel eine hübsche Partie des öffentlichen, aus dem Stadtsäckel unterhaltenen Gartens, er durfte sie nicht, betreten. Er wollte eines Tages eine längere Fußreise durch seine Provinz unternehmen; nach einer Wanderung von wenigen Stunden stieß ein Gendarm auf ihn, richtete an ihn allerlei diskrete Fragen über seinen Namen und Stand, seine Herkunft, sein Ziel und als er dem ihm gänzlich unbekannten Menschen, der sich seinerseits nicht einmal durch Nennung seines Namens und mit dem üblichen Gruße vorgestellt hatte, die Auskunft verweigert, bereitete ihm derselbe allerlei schwere Unannehmlichkeiten, die ihm den Ausflug verleideten. Ein Nachbar nahm ihm eines Tages ein Stück seines Gartens mit offener Gewalt weg und zäunte es mit seiner eigenen Besitzung ein; der Fall war äußerst einfach, der Beweis des Unrechts leicht und bündig; Hans erhob Klage; die Sache zog sich monatelang hin; er gewann den Prozeß, allein sein Gegner erwies sich zuletzt als zahlungsunfähig und so bekam er zwar seine Gartenecke wieder, hatte aber an Zeit und Geld ungefähr zwanzigmal so viel verloren, als sie werth war, vom Arger nicht zu sprechen, den er nicht berechnete, weil er ihn von Kindesbeinen gewöhnt war. Er hatte im Museum ein schönes Bild aus der Renaissancezeit gesehen und die Kleidung der dargestellten Personen gefiel ihm so wol, daß er sich ganz ähnliche machen ließ und in ihr eines Sonntags auf der Straße erschien; die Polizei zwang ihn sofort unter Androhung des Einsperrens von dem, was sie eine Maskerade nannte, abzulassen. Er fand einige gleichgesinnt Freunde und beschloß, mit ihnen einen Verein zu bilden und in häufigen Zusammenkünften seinen Ärger über die bestehenden Gesetze auszusprechen. Die Polizei forderte flugs von ihm eine Namensliste der Vereinsmitglieder und verbot sogar nach einiger Zeit den Verein wegen seines politischen Charakters. Zäh wie Hans nun einmal war, gründete er einen zweiten Verein, der blos wirthschaftliche Zwecke verfolgte; es war ein Spar- und Konsum-Verein. Die Polizei löste denselben auf, weil Hans es verabsäumt hatte, zuerst ihre Erlaubniß einzuholen. Unter mancherlei Wechselfällen wurde Hans grau und alt. War er in zufriedener Stimmung, so tröstete er sich damit, daß es die Russen in ihrem Lande doch noch schlimmer haben als er in dem seinigen; war er im Gegentheil gallig aufgelegt, so reizte er sich mit dem Gedanken, um wie viel die Engländer und Amerikaner unbehinderter seien als er; das glaubte er nämlich, weil er es so in Zeitungen gelesen hatte; er selbst besaß keinerlei Erfahrung darüber. Eines Tages starb ihm seine Grete. Er wollte sie auch im Tode nicht von sich lassen und begrub sie, kurz entschlossen, unter ihrem Lieblingsbaume in seinem Garten. Da hatte er wieder einmal etwas Schönes angerichtet! Ein wahres Polizeiungewitter entlud sich über seinem Haupte. Es war ihm ja nicht erlaubt worden, den Leichnam auf seinem Grunde zu beerdigen! Hans wurde in schwere Strafe verfällt und

Grete ohne Umstände ausgescharrt und durch die Behörde auf den Kirchhof geschafft.

Hans stand nun allein in der Welt, er wurde trüb und muthlos, sein Geschäft ging zurück und bald war er vollständig verarmt. In seiner Verzweiflung kam er soweit, daß er sich eines Abends an eine Straßenecke stellte und bettelte. Alsbald war ein Polizeibeamter neben ihm und verhaftete ihn. Man führte ihn aufs Amt, wo er mit dem Polizeikommissar eine lehrreiche Unterhaltung hatte. "Sie wissen, daß das Betteln verboten ist,« herrschte ihn dieser an. "Ich weiß es, aber ich begreife es nicht,« erwiderte Hans sanft, "da ich doch niemand im Wege war, niemand belästigte, nur schweigend meine Hand ausgestreckt hielt.« "Das ist faules Geschwätz und ich kann damit meine Zeit nicht verlieren. Sie gehen auf acht Tage ins Gefängniß.««Und was soll ich anfangen, wenn ich wieder freigelassen werde?« "Das geht mich nichts an. Das ist Ihre Sache.« "Ich bin alt und kann nicht mehr arbeiten. Ich habe nichts. Ich bin kränklich ...« "Wenn Sie kränklich sind, so gehen Sie ins Spital;« rief der Beamte ungeduldig, fügte jedoch gleich hinzu: "Nein ins Spital können Sie nicht gehen, wenn Sie blos kränklich sind. Dazu müssen Sie eine ernste Krankheit haben.« "Ich verstehe,« sagte Hans, "eine solche, an der man bald stirbt, wenn man nicht rasch genesen kann.« "Ganz richtig,« bestätigte der Beamte und wandte sich einer andern Angelegenheit zu. Hans saß seine Strafzeit ab und war dann so glücklich, in ein Armenhaus angenommen zu werden. Da hatte er nun Obdach und Nahrung, aber diese war schlecht und jene dadurch unleidlich gemacht, daß man ihn wie einen Missethäter und Gefangenen behandelte. Er mußte eine Art Uniform tragen, die ihm auf der Straße Blicke der Verachtung zuzog. Einmal begegnete er einem Mann, den er in besseren Tagen gekannt hatte. Er grüßte ihn, jener erwiderte aber den Gruß nicht. Hans ging gerade auf ihn zu und fragte ihn: "Weshalb diese Geringschätzung?« "Weil Sie es nicht verstanden haben, das Beispiel der achtbaren Leute nachzuahmen, die reich geworden sind,« erwiderte der

Mann und ging mit dem Ausdrucke des Ekels im Gesichte rasch seiner Wege.

Hans wurde trübsinnig. Allerlei schwarze Gedanken bemächtigten sich seines Geistes. Auf einem Spaziergange, den er eines sonnigen Morgens unternahm, überdachte er sein ganzes Leben und sprach anfangs leise, dann immer lauter und heftiger vor sich hin: "Da bin ich nun siebzig Jahre alt geworden und wie ist es mir alleweile ergangen? Ich bin nie ich selbst gewesen. Ich habe nie wollen gedurft. Sowie ich einen gefaßten Beschluß ausführen wollte, drängte sich die Obrigkeit hindernd heran. In meine persönlichsten Angelegenheiten haben immer fremde Leute ihre amtliche Nase gesteckt. Ich hatte auf alle Welt Rücksichten zu nehmen, die niemand einzeln forderte, und auf mich nahm niemand Rücksicht. Unter dem Vorwande, die Rechte der Übrigen zu schützen, raubte man mir die meinigen und, wenn ich's recht überlegte, eigentlich auch allen Übrigen die ihrigen. Ich durfte mein Lebelang höchstens mit meinem Hunde umspringen, wie es mir behagte und selbst mit dem nicht, denn wenn ich das Vieh prügelte, rückte mir der Thierschutzverein mit der Polizei auf die Bude. Daß ich mich als Soldat drangsaliren lassen mußte, das versteh' ich noch, obwol der Feind, wenn er mangels einer Vertheidigungs-Armee ins Land einfallen könnte, mir Einzelnem schwerlich größere Noth bereiten würde als meine eigene geliebte Obrigkeit; auch daß ich schwere Steuern zu zahlen hatte, begreif ich, denn die Polizei, die mich immer so väterlich im Auge behalten hat, muß doch besoldet werden, wenn es auch nicht gerade nöthig gewesen wäre, mich für einen Gewerbebetrieb, der mich nicht nährte, zu schätzen und meine Zahlungsunfähigkeit durch Pfändung zu bestrafen. Allein weshalb die übrige Bedrückung und Vedrängung? Welche Vortheile hat mir die Polizei für alle Opfer an Selbstständigkeit geboten, die sie von mir forderte? Sie hat mein Eigenthum geschützt – gewiß und das war leicht, denn ich habe keins und als man mir das bischen, das ich hatte, ein Stück meines Gartens, wegnahm, da hatte ich noch mich dafür zu ärgern und dafür zu zahlen. Wenn es keine Polizei gäbe, so würde jeder nach Willkür handeln – nun, was weiter? Dann hätte ich den Nachbar todtgeschlagen oder der Nachbar mich und damit hätte der Spaß ein Ende gehabt. Die Polizei sorgt dafür, daß man gute, gepflasterte Straßen hat – Donnerwetter, ich weiß nicht, ob ich nicht lieber in Schaftstiefeln durch den Koth gehe, als daß ich mir die ewigen Schurigeleien gefallen lasse. Und so hole denn der Teufel die ganze Geschichte –«

Und als er bei diesem Punkte seines Selbstgesprächs angelangt war, stürzte sich Hans in den Strom, an dessen Ufer er eine ganze Weile hinging. Die Polizei war aber auch jetzt zur Stelle, fischte ihn heraus und brachte ihn vor den Polizeirichter, der ihn wegen Selbstmordversuches zu längerer Haft verurtheilte. Ich weiß nicht soll ich sagen: zum Glück oder zum Unglück, hatte sich Hans bei seinem Sprung ins Wasser erkältet, er bekam Lungenentzündung und starb im Gefängniß. Sein Tod gab zu einem letzten Polizei-Protokoll Anlaß.

II.

Mein armer Hans hat wie ein erbitterter und wie ein ungebildeter Mensch gedacht. Er hat immer nur von der Polizei gesprochen, weil er vom Staate nur diese sah und sie ihm das Gemeinwesen und dessen Gesetze verkörperte, und er hat unleugbar die Mißstände der Zivilisation übertrieben und deren Segnungen unterschätzt. Aber im Grunde genommen hat er Recht: die Beschränkungen, welche der Staat dem Individuum auferlegt, stehen ganz außer Verhältniß zu den Lebenserleichterungen, die er ihm im Austausch dafür bietet. Der Bürger begibt sich seiner menschlichen Unabhängigkeit offenbar nur zu einem bestimmten Zweck und in der Erwartung gewisser Vortheile. Er setzt voraus, daß der Staat, in dessen Hand er einen großen Theil seines Selbstbestimmungsrechts legt, ihm dafür die Sicherheit des Lebens und Eigenthums verbürgt und die vereinigte Kraft Aller auf bestimmte Punkte lenkt, um Unternehmungen mit derselben auszuführen, die dem Einzelnen vortheilhaft sind und die er allein nicht hätte planen und verwirklichen können. Nun denn; man muß zugeben, daß der Staat diese theoretischen Voraussetzungen nur äußerst unvollkommen erfüllt, kaum besser als die primitiven barbarischen Gemeinwesen, die ihren Mitgliedern ein unvergleichlich größeres Maß individueller Freiheit lassen als der Kulturstaat. Dieser soll uns Leben und Eigenthum sichern. Er thut es nicht, denn er kann Kriege nicht verhindern, welche den gewaltsamen Tod einer entsetzlich großen Zahl von Bürgern herbeiführen. Die Kriege sind zwischen zivilisirten Völkern nicht viel seltener und nicht weniger blutig als zwischen wilden Stämmen und mit allen Gesetzen und Freiheitsbeschränkungen erkauft sich der Sohn der Zivilisation keine größere Sicherheit vor der Mordwaffe eines Feindes als der von den Segnungen der Polizei-Bevormundung noch nicht heimgesuchte Sohn der Barbarei. Um einen Unterschied zwischen beiden Verhältnissen zu finden, müßte man rein nur der Ansicht sein, daß der Tod, wenn man ihn in Uniform und von einem gleichfalls uniformirten und auf Kommando handelnden Mörder erleidet, weniger der Tod sei, als wenn etwa ein rothbemalter Krieger ihn mit einer Steinaxt und ohne Rücksicht auf militärische Reglements verursacht. Einzelne Geister träumen von der Abschaffung des Krieges und seinem Ersatz durch Schiedssprüche. Was sein wird, wird sein. Ich spreche auch nicht von einer Zukunft, die noch vorläufig ohne Verfallsfrist ist, sondern von der Gegenwart. Heute aber enthebt alle Verkümmerung seiner Freiheiten in der Friedenszeit das Individuum nicht der Notwendigkeit, sich in kritischen Augenblicken ganz so selbst seiner Haut zu wehren wie der Wilde, der durch die Urwälder schweift. Aber auch völlig abgesehen vom Kriege sichert der Reglementarismus und Protokollismus das Leben des Einzelnen nicht mehr, als es die Ungebundenheit der Barbarei thut. Innerhalb wilder Stämme ist Todtschlag zwischen Stammesangehörigen nicht häufiger als innerhalb gebildeter Gemeinwesen. Gewaltthaten werden fast immer in der Leidenschaft verübt und diese entzieht sich vollständig der Einwirkung unserer beschränkenden Gesetze. Die Leidenschaft ist ein Rückfall in den Urzustand des Menschen. Sie ist dieselbe beim wolerzogenen Salonmenschen wie beim Australneger. Man tödtet und verwundet in der Leidenschaft ohne jede Rücksicht auf Gesetz und Obrigkeit. Für den Gemordeten, dem etwa ein Mitbewerber um ein

Weib einen Messerstich in die Brust versetzt hat, ist es ohne Werth, daß die Polizei seinen Mörder verhaften und vielleicht auch bestrafen wird – sicher ist das letztere nicht einmal, denn wie oft lassen gerührte Schwurgerichte die Verüber von Gewaltthaten der Leidenschaft ungestraft! Und schließlich hat diesen schwachen und namentlich praktisch völlig bedeutungslosen Trost, daß der Mord an dessen Urheber geahndet wird, der Wilde auch, ja noch viel sicherer als der Zivilisirte, denn der Blutrache oder Stammesacht der Barbarei entzieht sich der Verbrecher ungleich schwerer als der Nachstellung der Polizei trotz Steckbrief im Polizei-Anzeiger. Neben dem Verbrechen aus Leidenschaft kommt das kaltblütig und mit Vorbedacht begangene Verbrechen in Betracht. Dieses ist nun in der Zivilisation entschieden häufiger als in der Barbarei. Es ist hauptsächlich das Werk einer bestimmten Menschenklasse, die überhaupt nur der Zivilisation ihre Entstehung verdankt. Es ist wissenschaftlich festgestellt, daß die Gewohnheitsverbrecher degradirte Organisationen, Abkömmlinge von Säufern oder Wollüstlingen und selbst mit Epilepsie oder andern Entartungs-Krankheiten des Zentralnervensystems behaftet sind. Das Elend, welches namentlich die Großstädte den Armen auferlegen, bringt diese körperlich und geistig so weit herunter, daß bei ihnen der pathologische Zustand der Kriminalität zum Ausbruche kommt. Alle Gesetze vermögen die Verbrechen nicht zu verhüten, welche die Folge der durch die Zivilisation geschaffenen Verhältnisse sind, und die Raubmörder und Einbrecher sind mitten in unserer protokollirten Gesellschaft drohendere Erscheinungen, als sie die Smalah des Beduinen ohne Standesamt, Steuerbehörde und Grundbuch hervorbringt.

Mit der Sicherheit des Eigenthums verhält es sich nicht viel anders als mit der des Lebens. Trotz allen Gesetzen und Reglements wird gestohlen und geraubt, theils geradezu aus der Tasche in die Hand, theils indirekt durch kleine und große Beschwindelung einzelner und der Massen. Welchen Schutz hat man gegen den Gründer, der dem sparenden Volk Millionen wegnimmt, oder gegen den Baissespekulanten der Börse, der durch einen Gewaltstreich zahlreiche Vermögen zerstört oder doch vermindert? Und hat der Kulturmensch, der sein in Papier angelegtes Geld verliert, weniger sein Vermögen verloren als der Barbar, dem man seine Herde wegtreibt? Man kommt mir vielleicht mit einer naheliegenden Antwort: gegen den Gründer und Jobber kann man sich schützen; es zwingt einen ja niemand, dem erstem sein Geld hinzutragen und die vom letztern künstlich entwerteten Papiere zu besitzen. Darauf erwidere ich: Ei freilich, man kann sich schützen. Der Einsichtsvolle, der Verständige kann es. Die Menge kann es nicht. Und wenn es auf Selbstschutz ankommt, wozu dann das Gesetz? Wozu dann die Opfer an Freiheit und Steuergeld? Auch der Barbar, sofern er nur tüchtige Hunde, gute Waffen und ein ausreichendes Gesinde hat, sofern er nur stark und wachsam genug ist, hütet sein Vermögen mit ausreichendem Erfolge auch ohne Polizei. Und wer in der zivilisirten Gesellschaft nicht Klugheit, die auch eine Kraft ist, und Wachsamkeit besitzt, der verliert seinen Sparpfennig aus der Truhe und den Geldbeutel aus der Tasche trotz den zahllosen Federn, die in Amtsstuben den ganzen Tag gestempeltes Papier vollschmieren. Dabei ist noch Eins zu betrachten. Der Zivilisationsmensch, nicht nur, daß er sich in erster Linie doch auch selbst zu schützen hat wie der Barbar, muß überdies für den Schutz, den ihm der Staat angeblich gewährt und der nur in der Theorie ausreichend ist, fortwährend Vermögensopfer bringen, welche oft ansehnlicher sind als der Betrag, für den man allenfalls eines Schutzes bedürftig sein könnte. Der Reiche gibt natürlich an das Gemeinwesen weit weniger ab, als ihm übrig bleibt; allein die Millionäre sind überall eine Ausnahme. Die Regel ist, daß die große Mehrheit in jedem, auch dem reichsten Lande dürftig oder doch nur im Besitze des Nothwendigen ist. An Steuern aber zahlt jeder, auch der Arme, so viel, daß er am Ende seines Lebens wohlhabend wäre, wenn er die Früchte seiner Arbeit, die er dem Gemeinwesen abliefern mußte, hätte für sich behalten dürfen. Daß dem Barbaren sein Eigenthum genommen wird, ist nur möglich; daß es dem Kulturmenschen vom Staate in Form von direkten und indirekten Steuern genommen wird, ist sicher. Und wenn dem letztern nach

Entrichtung aller Abgaben noch etwas übrig bleibt, so kann es ihm dennoch gestohlen oder abgeschwindelt werden, wenn er es nicht ganz so behütet wie der erstere, der dafür mindestens nicht zu zehnten hat. Die Lage des Kulturmenschen ist also die des Handwerksburschen in der Anekdote, der den Schiffer fragt, was er zu bezahlen habe, wenn man ihn von Straßburg nach Basel mitfahren lasse, und der die Antwort erhält: Vier Gulden im Schiffe, aber nur zwei Gulden, wenn er auf dem Taupfad ziehen helfe. Die Lage des Kulturmenschen ist sogar schlechter, denn ihm ist nicht einmal die Alternative gelassen; er muß, er mag wollen oder nicht, auf dem Taupfad ziehen und dafür noch die zwei Gulden bezahlen.

Bleibt der letzte Staatszweck: die Vereinigung der Kräfte Aller zur Erreichung von Nutzwirkungen, die dem Einzelnen zugute kommen und von ihm allein nicht erzielt werden könnten. Diese Aufgabe erfüllt der Staat, das ist nicht zu verkennen. Allein auch sie erfüllt er schlecht und unvollkommen. Der Kulturstaat ist in seiner gegenwärtigen Organisation eine Maschine, welche mit ungeheurer Kraftverschwendung arbeitet. Für die nützliche Produktion bleibt nur ein verschwindend kleiner Theil der Kraft übrig, welche mit den denkbar höchsten Kosten erzeugt wird; der Rest wird zur Überwindung der inneren Widerstände verbraucht, geht in Rauch und Geräusch der Dampfpfeife auf. Die Form, in der heute alle europäischen Staaten regiert werden, gestattet die Vergeudung der vom Bürger geforderten Leistungen an thörichte, leichtfertige und verbrecherische Unternehmungen. Die Laune einzelner Menschen, das selbstische Interesse verschwindend kleiner Minderheiten bestimmt nur zu häufig allein das Ziel; auf welches die Anstrengungen der Gesammtheit gerichtet werden. So arbeitet und blutet der einzelne Bürger, damit Kriege geführt werden, die sein Leben oder seinen Wolstand zerstören, damit man Festungen, Paläste, Eisenbahnen, Häfen oder Kanäle baue, aus denen weder er noch neun Zehntel der Nation jemals den geringsten Nutzen ziehen werden, damit neue Ämter entstehen, welche die Staatsmaschine noch schwerfälliger, die Reibung ihrer Räder noch härter machen, in welchen er noch einen Theil seiner Zeit verlieren, noch ein Stück seiner Freiheit lassen wird, damit man Beamte hoch besolde, die keinen andern Zweck haben, als auf seine Kosten eine ornamentale Existenz zu führen und ihm das Dasein zu erschweren; er arbeitet und blutet mit einem Worte, um selbst sein Joch lastender und seine Ketten fester zu machen und um die Möglichkeit zu schaffen, von ihm noch mehr Arbeit und noch mehr Blut zu erhalten. Nur in sehr kleinen Staaten oder in solchen mit weitgehender Dezentralisation und Selbstverwaltung wird die Leistung des Bürgers nicht so unverantwortlich verpraßt; derartige Gemeinwesen nähern sich in ihrer Natur und ihren Existenzbedingungen den Kooperativ-Genossenschaften, in denen jedes einzelne Mitglied die Verwendung seiner Beträge leicht übersehen, unnöthige Ausgaben verhüten, aussichtslose Unternehmungen von vornherein bekämpfen oder rechtzeitig aufgeben kann; man fühlt da jeden Nutzen und jeden Verlust unmittelbar, sieht sich durch jenen für gebrachte Opfer entschädigt und wird von diesem vor dem Weiterschreiten auf falschen Wegen behütet. Es ist in solchen Gemeinwesen freilich schwer, für idealere oder ferner liegende Aufgaben, deren Lösung nicht sofort jedem Einzelnen abschätzbaren Vortheil oder Annehmlichkeiten verspricht, die Mittel aufzubringen, aber noch schwerer ist es da, individuelle Grillen mit Hilfe der Gesammtheit zu befriedigen oder von dieser das Geld zum Ankaufe des Stockes zu erhalten, mit dem sie geprügelt werden soll.

Ich fasse das Vorhergehende zusammen. Durch die moderne Vielregiererei, durch das endlose Schreiben, Protokolliren, Amten, Verbieten und Erlauben wird Leben und Eigenthum des Individuums nicht mehr geschützt als ohne diesen ganzen verwickelten Apparat. Für alle Opfer an Blut, Geld und Freiheit, die der Bürger dem Staate bringt, empfängt er von diesem kaum andere Lebenserleichterungen als die Gerechtigkeit, die überall unverhältnißmäßig theuer und langwierig, und den Unterricht, welcher nicht entfernt Allen in gleichem Maße zugänglich ist. Um dieselben Vortheile zu haben, bedürfte es kaum einer einzigen der zahllosen Beschränkungen, denen seine Selbstständigkeit unterworfen wird. Der Vorwand, daß die Freiheit des Einzelnen nur aus Rücksicht auf die Rechte der Anderen geschmälert wird, ist ein schlechter Scherz; diese angebliche Rücksicht verhindert nicht die Vergewaltigung Einzelner und beraubt Alle des größten Theils ihrer natürlichen Bewegungsfreiheit; das Gesetz übt also von vornherein und mit Sicherheit auf jedermann den Zwang, den ohne es nur einzelne gewaltthätige Naturen in Ausnahmsfällen vielleicht auf Einige üben würden. Es ist wahr, daß in unserer heutigen Zivilisation die durchschnittliche Lebensdauer des Individuums länger, seine Gesundheit besser geschützt, die Richtlinie der allgemeinen Sittlichkeit höher, das Zusammenleben friedlicher, die Gewaltthat, sofern sie nicht von Gewohnheits- und Erbverbrechern begangen wird, seltener ist, als im Zustande der Barbarei; allein das ist in keiner Weise das Verdienst der Ämter und Reglements, sondern die natürliche Folge höherer Bildung und besserer Einsicht der Menschen. Der Bürger ist in den Fesseln, die ihm die Staatseinrichtungen auferlegen, ganz so auf Selbstschutz angewiesen wie der freie Wilde, findet sich aber dazu ungeschickter als dieser, weil er es verlernt hat, für sich selbst zu sorgen, weil er nicht mehr den richtigen Sinn für die Wahrnehmung seiner nahen und fernen Interessen besitzt, weil er von Kindheit an gewöhnt ist, Druck und Zwang zu dulden, gegen den sich dieser im ersten Augenblicke, wenn es sein müßte mit Darbringung seines Lebens, empören würde, weil ihm der Staat die Vorstellung anerzogen hat, daß Ämter und Behörden für ihn in allen Lagen zu sorgen haben, weil das Gesetz die gegenstrebende Elastizität seines Charakters gebrochen, durch seine beständige Pressung jede Widerstandskraft zermalmt und ihn dahin gebracht hat, Vergewaltigung gar nicht mehr als Unrecht zu empfinden. Es ist nicht wahr, daß es all unserer Polizeivorschriften bedarf, um unser Leben und Eigenthum zu schützen; in den Goldsucherlagern des amerikanischen Westens und Australiens nahmen die Individuen ihren Schutz in die eigene Hand, indem sie die sogenannte "Vigilance Committees« bildeten, und ohne jeden Amtsapparat herrschte alsbald die musterhafteste

Ordnung; es ist nicht wahr, daß wir uns allen gesetzlichen Quengeleien unterwerfen müssen, damit unter uns Gerechtigkeit herrsche; in denselben primitiven Gemeinwesen, die ich eben angeführt habe, entstand ohne Amtsstuben, Instanzen und Protokoll, ganz von selbst aus dem allgemeinen Billigkeitsgefühl heraus, welches die Kultur nun schon in den Menschen entwickelt hat, ein öffentliches und privates Recht, welches dem ersten Besitzergreifer seinen " *claim* « und alle Früchte seiner Arbeit sicherte. So gestalteten sich die Verhältnisse bei einem Zusammenlauf der rohesten, leidenschaftlichsten und rücksichtslosesten Individuen aller Nationen. Und die große Mehrheit der Sanften, Friedfertigen und Ruheliebenden sollte des unlösbaren Gängelbandes bedürfen? Wenn man heute neun Zehntel der bestehenden Gesetze und Reglements, der Ämter und Behörden, der Urkunden und Protokolle abschaffte, so würde die Sicherheit der Person und des Vermögens dieselbe sein wie gegenwärtig, jeder Einzelne würde fortfahren, alle seine Rechte ungeschmälert zu genießen, von den wirklichen Vortheilen der Zivilisation ginge niemand auch nur das Geringste verloren und dabei würde das Individuum eine Freiheit der Bewegung erlangen, sein Ich mit einer wonnigen Intensität empfinden und ausleben, von der es sich in seinem heutigen Erbzustand der allseitigen Gebundenheit gar keine Vorstellung machen kann. Vielleicht würde ihm solche Freiheit im ersten Augenblicke sogar Unruhe und Angst einstoßen wie einem in der Gefangenschaft erzogenen Vogel, dem man das Bauer öffnet; es müßte erst lernen, vor der Ausbreitung seiner Flügel bis zu ihrer äußersten Klafterung keine Furcht zu haben und seine Raumscheu zu überwinden. Aber andererseits ist es sicher, daß ein an Selbstbestimmung und Selbstleitung gewöhnter Barbar sich nicht ohne scharfes und beständiges Leiden in ein Leben finden könnte, in welchem das Individuum fortwährend eine Hand auf seiner Schulter, ein Auge auf seinem Gesichte, einen Befehl in seinem Ohre empfindet, stets von fremden Impulsen getrieben ist, stets fremdem Willen gehorcht; ja die Verordnungen und das Stempelpapier würden ihn vielleicht in kurzer Zeit tödten.

Ist der Zustand, den ich als wünschenswerth hinstellte, die Anarchie? Nur ein oberflächlicher oder zerstreuter Leser kann das aus dem Vorangegangenen verstanden haben. Die Anarchie, die Abwesenheit einer Regierung, ist ein Hirngespinnst verworrener und beobachtungsunfähiger Geister. Sowie zwei Menschen in ein Verhältniß dauernden Zusammenlebens zu einander treten, bildet sich eine Regierung zwischen ihnen heraus, daß heißt es entstehen Formen des Verkehrs, Regeln des Verhaltens, feste Rücksichten und Unterordnungen. Der natürliche Zustand der Menschheit ist eben nicht der eines amorphen Agglomerats, sondern der eines Kristalls, also einer bestimmten gesetzmäßigen Anordnung der Moleküle, und in jeder Mischmasse eines gesellschaftlichen Chaos formt sich sofort von selbst eine staatliche Organisation, wie in der Mutterlauge solcher Stoffe, die von Natur aus kristallinisch sind, unverzüglich Kristalle aufschießen. Keine Anarchie also fordert die vernünftige Kritik, denn eine solche ist schlechterdings undenkbar, aber eine Aut- und Oligarchie, eine Selbst- und Wenigregierung, eine weitgehende Vereinfachung der Regierungsmaschine, die Unterdrückung aller unnöthigen Räder, die Befreiung des Individuums von zwecklosem Zwang, die Beschränkung der Ansprüche des Gemeinwesens an die Bürger auf das, was zur Erfüllung seiner Aufgaben offenbar unentbehrlich ist.

Auch in diesem idealen Zustande würde der Einzelne für das Gemeinwesen arbeiten, mit anderen Worten Steuer zahlen müssen, allein den öffentlichen Abgaben würde nicht mehr der Charakter einer Erpressung innewohnen, der sie heute hassenswerth macht. Jedermann kauft ohne Widerstreben Brot, zahlt das Eintrittsgeld im Theater, entrichtet seine Beiträge in Vereinen und Klubs und bedauert höchstens, daß er die erforderlichen Beiträge nicht leicht aufbringen kann. Warum? Weil er für seine Leistung augenblicklich die Gegenleistung erhält, weil in ihm die Empfindung nicht aufkommen kann, daß man ihn beraube. Wo eine Regierung so einfach ist, daß jeder Bürger ihre Zwecke erkennen, ihre Arbeit überblicken, die Richtung ihrer Thätigkeit mitbestimmen kann, da sieht er die Steuer als eine Auslage an, für die er den vollen Gegenwerth empfängt; er weiß gleichsam, was er sich für jeden Steuerpfennig kauft, und die handgreifliche Billigkeit eines solchen Handels macht das Entstehen einer Mißstimmung über denselben unmöglich. Im heutigen Staate dagegen muß die Steuer nothwendig odios sein; nicht nur, weil sie infolge der durch seine schlechte Konstruktion bedingten Kostspieligkeit des Regierungsapparats überall weit höher ist, als nothwendig wäre, nicht nur wegen der durch die geschichtliche Organisation der Gesellschaft und durch blitzdumme Gesetze bedingten Ungerechtigkeit ihrer Umlage, sondern hauptsächlich darum, weil sie durch den Fiskalismus und nicht durch den vernünftigen Staatszweck bestimmt wird. Der Fiskalismus ist die zum System erhobene Ausbeutung des Volks um ihrer selbst willen, um möglichst große Summen aufzutreiben, ohne Rücksicht auf den rationellen Staatszweck und auf ihre wirthschaftlichen Folgen für den Einzelnen. Der Fiskalismus fragt nicht: "Welche Opfer sind zur Erfüllung der wirklichen und berechtigten Aufgaben des Staates nöthig?« sondern:«Wie muß man es anstellen, um aus dem Volke die denkbar größte Steuerleistungen herauszuschlagen?« Er fragt nicht: "Wie kann man am besten die Interessen des Einzelnen schonen, ohne darum die der Gesammtheit leiden zu lassen?« sondern: "Auf welche Weise gelangen wir, die Steuereintreiber, am leichtesten, mit dem geringsten Aufwand an Geistesarbeit, Aufmerksamkeit und unbequemer Rücksicht, zum Gelde des Volkes? Die moderne Auffassung sieht im Staate eine Einrichtung zur Förderung des individuellen Wols; die feudale dagegen im Individuum einen Zwangsarbeiter zur Förderung des Ansehens und der Gewalt des Staates, und der Fiskalismus beruht auf dieser mittelalterlichen Auffassung. Ihm ist der Staat das Vorbestehende und natürlich herrschende, der Bürger das Spätergekommene und natürlich beherrschte; die Steuer ist ihm nicht eine Ausgabe, die man sich selbst auferlegt, die man gleichsam sich selbst leistet und für die man sich Vortheile erkauft, sondern ein Tribut, den man einem Dritten zollt und für den dieser Dritte, der unheimliche Moloch Staat, nichts anderes schuldet als eine Quittung. Wir fühlen uns als Mitglieder einer freien Vereinigung zur Erreichung gemeinsamer Zwecke, der Fiskalismus sieht in uns rechtlose Gefangene des Staates. Wir nennen uns Bürger, der Fiskalismus nennt uns Unterthanen. Der ganze Gegensatz zwischen den beiden Weltanschauungen ist in diesen Worten ausgedrückt.

Die geschichtliche Entwickelung des Steuerwesens hat nothwendig zum Fiskalismus führen müssen. Im primitiven Gemeinwesen bestanden keine Abgaben. Der Stammesfürst bestritt seinen größeren Aufwand aus seinem größern persönlichen Vermögen, im Kriege sorgte jeder wehrhafte Mann für die eigene Nothdurft und nur dem Priester wird allenfalls gezehntet. Der Staat hatte keine Bedürfnisse, brauchte also von seinen Angehörigen auch nichts zu fordern. Dies änderte sich jedoch sofort überall, wo sich entweder aus der Fiktion eines göttlichen Ursprungs der Person und Gewalt des Königs orientalischer Despotismus herausbildete oder wo ein fremder Erobererstamm über ein unterjochtes Volk herrschte. In beiden Fällen war die Masse des Volkes eine Sklavenherde, das persönliche Eigenthum des Königs oder der Eindringlinge und sie hatte Abgaben zu leisten nicht für den Staatszweck, sondern für die Schatzkammer ihrer Herren, deren natürliches, sie zu keinerlei Gegenleistung verpflichtendes Einkommen die Steuern des Volkes ebenso bildeten wie der Ertrag ihres Landesbesitzes oder ihrer Viehherden. Freie Völker sahen denn auch Steuern als eine Schmach und als Beweis der Knechtschaft an und es hat vieler Jahrhunderte harten Herrscherdrucks bedurft, ehe man beispielsweise die germanischen Stämme dahin bringen konnte, die Abgaben zu liefern, die sie gewöhnt waren, den unterjochten Nationen mit der Spitze des Schwertes abzuzwingen. Die Fiktion, welche in der Bürgern Hörige sieht, die in erster Linie für ihren Eigenthümer, den König, zu arbeiten haben, ist seit dem ausgehenden Mittelalter die Grundlage des Staatsrechts und des Verhältnisses zwischen dem Unterthan dem ganz allein den Staat verkörpernden Herrscher geworden und diese Fiktion ragt in Gestalt des Fiskalismus noch in unseren angeblich auf der Volkssouveränetät beruhenden modernen Staat mit seinen Konstitutionen und Parlamenten herein.

Auf ganz derselben Fiktion beruht auch die Organisation des Beamtenthums und die Stellung der Staatsbeamten zum Bürger. Die moderne Staatsauffassung würde erfordern, im Beamten einen Beauftragten des Volks zu sehen, der, wie sein Gehalt, so auch seine Vollmachten, sein Ansehen, seine Stellung zum Volke hat. Der Beamte müßte sich nach dieser Auffassung stets als Diener des Gemeindewesens und diesem verantwortlich fühlen, er müßte sich stets gegenwärtig halten, daß er eingesetzt sei, die Interessen der Einzelnen wahrzunehmen, welche diese nicht mit der gleichen Sicherheit und Bequemlichkeit selbst besorgen können, er dürfte nie vergessen, daß das Gemeinwesen theoretisch seiner ebenso wenig bedarf, wie etwa ein Haushalt eines Dieners, daß jedes Individuum, wie sich selbst die Stiefel wichsen und Wasser holen, so den auf es entfallenden Theil der Verwaltungsgeschäfte theoretisch selbst erledigen könnte und daß nur die Erkenntniß des Vortheils der Arbeitstheilung zur Anstellung der Beamten führt. In Wirklichkeit aber fühlt sich der Beamte nicht als Diener, sondern als Herrn des Volks. Er glaubt seine Autorität nicht dem Volke, sondern dem Herrscher, heiße dieser nun König oder Präsident der Republik, zu verdanken. Er sieht in sich den Träger eines Theils der transszendentalen Herrschergewalt. Er fordert also für sich von den Bürgern die Achtung und Unterwürfigkeit, welche sie dem Prinzip der Herrschaft schulden. Geschichtlich hat sich das Beamtenthum aus der Vogtschaft entwickelt. Der Schreiber, der in einer Amtsstube den zu ihm befohlenen Bürger anschnauzt, ist der historische Erbe des Befehlshabers oder Aufsehers, den ein Despot der finsteren Jahrhunderte über sein Volk von Sklaven setzte, um es mit der Peitsche und dem Spieße seiner Leibwache von Reisigen beim Gehorsam zu erhalten. Da der Beamte ein Partikel des Gottesgnadenthums ist, so nimmt er für sich die Unfehlbarkeit des letzteren in Anspruch. Er steht unter dem Staatsoberhaupt, jedoch über den Regierten. Da diese die Herde sind und das Staatsoberhaupt der Hirt, so ist er der Schäferhund. Er darf bellen und beißen und das Schaf muß es dulden. Und was das Allermerkwürdigste ist: das Schaf duldet es auch! Der gewöhnliche Bürger, ich meine den vom Schlage meines Hans, geht durchaus auf die Voraussetzungen des Beamten ein. Er gesteht ihm das Recht des Befehlens zu und nimmt die Pflicht des Gehorchens auf sich. Er kommt zur Behörde, nicht wie an einen Ort wo er ihm Gebührendes zu fordern, sondern wie an einen solchen, wo er Gnaden zu erflehen hat. Es wäre übrigens auch thöricht von ihm, wenn er sich gegen dieses paradoxale Verhältniß auflehnen wollte, denn im Streite mit dem Beamten würde voraussichtlich dieser Sieger bleiben und selbst im günstigsten Falle würden seine Interessen während der Dauer des Streits Verzögerungen und schwere Einbußen aller Art erleiden. Der Fiskalismus hat zum ergänzenden Seitenstück den Mandarinismus und beide sind logische Ableitungen der Konzeption eines Herrschers von Gottes Gnaden und einer Unterthanschaft von Gottes Fluch. Die Gesetzgebung steht heute wie vor Jahrhunderten vollkommen unter dem Einfluß des Fiskalismus und des Mandarinismus. Von hundert Gesetzen, die, sei es unter Mitwirkung des Volks, sei es ohne dieselbe, gegeben werden, haben sicherlich neunundneunzig den Zweck, nicht den Bürgern die Freiheit der Bewegung und die Annehmlichkeit des Daseins zu vergrößern, sondern den Vögten und Bütteln die Ausübung ihrer angemaßten Herrenrechte zu erleichtern. Man unterwirft uns hundert Unbequemlichkeiten, damit dem Beamten das Negieren und Schätzen bequemer gemacht sei. Man zeichnet uns wie das liebe Vieh mit Nummern und Buchstaben, damit man uns müheloser zusammenhalten und zehnten könne. Man straft uns Alle von vornherein mit mißtrauischen Beschränkungen, weil einer von uns einmal ausnahmsweise über die Schnur zu hauen fähig sein möchte. Soll ich dies mit Beispielen belegen? Alle Kaufleute sind gezwungen, ihre Geschäftsbücher in einer bestimmten, vom Gesetze genau vorgeschriebenen Weise zu führen. Warum? Weil einer von ihnen einmal betrügerisch bankbrüchig werden könnte und der

Untersuchungsrichter nur dann den Stand der Dinge ohne Anstrengung überblicken kann, wenn alle Angelegenheiten an der dafür vorgeschriebenen Stelle fein ordentlich eingetragen sind. Gäbe es keine Bücher, so hätte der Untersuchungsrichter seine liebe Noth, in dem Wuste der geschäftlichen Aufzeichnungen klar zu sehen. Um ihm diese Noth zu ersparen, der er im Falle eines Bankerotts ausgesetzt wäre, nimmt das Gesetz hundert Kaufleuten, die nie daran denken, ihre Gläubiger zu verkürzen, die Freiheit der Bewegung. Jeder von uns hat sein Kommen und Gehen, namentlich in großen Städten, der Polizei gehorsamst anzumelden. Warum? Weil einer von uns einmal irgend eine Missethat begehen könnte, in welchem Falle ihn die Polizei suchen müßte; er wird dann leichter zu finden sein, wenn überhaupt jedermann ihr seinen Aufenthaltsort anzuzeigen gezwungen ist. Um sich vorkommendenfalls die Mühe des Suchens zu ersparen, für die sie doch gerade bezahlt wird, zwingt die Polizei uns, fortwährend die Mühe der Anmeldungen auf uns zu nehmen. Ich könnte diese Beispiele verhundertfachen, wenn ich nicht ihre Einförmigkeit fürchtete. Dabei verfehlen alle die Beschränkungen, welche der Staat seinen Bürgern auferlegt, völlig ihren Zweck. Die Gesetze drücken blos die, welche nicht daran denken, sich über sie hinwegzusetzen; dagegen haben sie noch niemals die gehindert, welche entschlossen sind, sich keinen Zwang gefallen zu lassen. Der Bigame begeht sein Verbrechen trotz den Förmlichkeiten, welche dem anständigen Menschen die Eheschließung umständlich, kostspielig und schwierig machen. Der Räuber führt Messer und Revolver bei sich trotz den Vorschriften, die den friedlichen Bürgern das unbefugte Waffentragen verbieten. Und so ist es in allen Dingen. Es ist immer, wenn auch weniger tragisch, das System des Herodes, der alle Knaben zu tödten befiehlt, weil einer von ihnen zum Thronprätendenten heranwachsen könnte, und der Metzelei natürlich gerade den einen entrinnen läßt, der ihm wirklich gefährlich werden wird.

Die philosophische Auffassung des Staates hat sich geändert, das Verhältniß des Bürgers zu demselben ist theoretisch das eines gleichberechtigten Theilhabers zu einer Genossenschaft geworden, alle seit 1789 entstandenen Verfassungen gehen von der Annahme der Volkssouveränetät aus, praktisch ist aber die Staatsmaschine dieselbe geblieben, sie arbeitet heute ganz so wie zur finstersten Epoche des Mittelalters, und wenn ihr Druck auf das Individuum geringer geworden ist, so ist dies nur als Abnützungs-Erscheinung aufzufassen. Die stillschweigende Voraussetzung aller Gesetze und Verordnungen ist nach wie vor die, daß der Bürger das persönliche Eigenthum des Staatsoberhauptes oder doch mindestens jenes unpersönlichen Phantoms, Staat genannt, ist, das alle Vorrechte der alten Despoten geerbt hat und dessen sichtbare Verkörperung die Behörden sind. Der Beamte ist nicht der Angestellte des Volks, sondern der Bevollmächtigte der über dem letztern stehenden Staatsgewalt, sein Feind, sein Aufseher und Gefangenwärter. Die Gesetze sollen dem Beamten die Möglichkeit bieten, die Interessen seines reellen oder ideellen Herrn, des Monarchen oder des Staats, gegen das Volk zu vertheidigen, dem von vornherein die beständige Neigung zugemuthet wird, sich seines Herrn zu entledigen. Nur aus dieser Voraussetzung erklärt es sich, daß das Mandarinat in unseren Tagen noch immer so großes Ansehen und eine so hervorragende Stellung im Gemeinwesen hat. Der Beamte kann der gemeinen Anschauung nicht durch reiche Bezüge, durch Glanz und Üppigkeit seiner Lebensweise imponiren; den edlen Geistern zwingt er nicht durch höhere Bildung, nicht durch größere Begabung Achtung ab; die Utilitarier können seine Arbeit unmöglich für nützlicher halten als die der direkt produzirenden Klassen, der Ackerbauer, Handwerker, Künstler, Forscher. Wenn aber Beamter zu sein weder große Einkünfte noch besondere Geistesbildung und Fähigkeiten bedeutet, weshalb knüpft sich dann an den Besitz eines Staatsamtes ein Ansehen, das man keinem andern Stande als solchem zugesteht? Weshalb? Weil der Beamte ein Theil der Herrschergewalt ist, die das Volk unbewußt, aus ererbter Gewohnheit, als etwas Geheimnißvolles, Übernatürliches, Ehrfurcht und

Grauen Erregendes ansieht. Die Gnade Gottes, in welcher sich der König sonnt, bestrahlt auch den Beamten; von dem Salböl, mit dem der Monarch bei der Krönung geheiligt wird, fällt ein Tropfen auch auf die Stirne des Beamten. Diese Vorstellung wirkt sogar in jenen Ländern nach, die gar keinen König, keine Krönung und keine Gnade Gottes mehr haben. Sie ist eine Reflexaktion der Volksseele geworden.

III.

Wo bleibt nun aber der Parlamentarismus? Gibt er nicht dem Individuum die Freiheit der Bewegung wieder, welche ihm der Fiskalismus und der Mandarinismus und die in deren Interesse arbeitende Gesetzgebung genommen haben? Macht er nicht aus dem feudalen Unterthan den modernen Staatsbürger? Legt er nicht in die Hand jedes Einzelnen das Recht, sich selbst zu regieren und seine Geschicke im Staate selbst zu bestimmen? Ist der Wähler nicht am Tage, da er seinen Abgeordneten ernennt, ein wirklicher Souverän, der, wenn auch indirekt, die alten Königsrechte übt, Minister zu stürzen und zu erheben, Beamte abzusetzen und zu bestellen, Gesetze zu geben, Steuern auszuschreiben, der auswärtigen Politik die Richtung vorzuzeichnen? Ist nicht mit einem Worte der Stimmzettel die allmächtige Waffe, mit der unser armer Hans den Druck des schon von Shakespeare angeklagten Beamten-Übermuths von sich abwenden und alle ihn beengenden Einrichtungen bekämpfen und besiegen kann?

Gewiß. Der Parlamentarismus hat alle diese Wirkungen. Aber leider nur in der Theorie. Praktisch ist er ganz so eine ungeheuere Lüge wie alle übrigen Formen unseres heutigen Staats- und Gesellschaftslebens. Allerdings muß ich hier bemerken, daß die Lügen, welche uns von allen Seiten angrinsen, von zwei verschiedenen Arten sind. Die einen tragen die Maske der Vergangenheit, die anderen die der Zukunft. Die einen sind Formen, die nicht mehr, die anderen solche, die noch nicht einen Inhalt haben. Die Religion, das Königthum sind Lügen, weil wir ihre Äußerlichkeiten bestehen lassen, obwol wir von der Absurdität ihrer Voraussetzungen durchdrungen sind. Der Parlamentarismus dagegen, trotzdem er eine logische Folge unserer Weltanschauung, ist eine Lüge, weil er bisher blos als Äußerlichkeit besteht, die innere Organisation des Staates aber völlig unverändert gelassen hat. In jenem Falle ist neuer Wein in alte Schläuche gefüllt, in diesem alter Unrath in neue Gefäße übergeleert.

Der Parlamentarismus soll der Mechanismus sein, mittels dessen der Grundsatz der Volkssouveränetät zur Wirksamkeit gelangt. Nach der Theorie müßte eigentlich das ganze Volk in Vollversammlungen seine Gesetze machen und seine Beamten ernennen, seinen Willen also direkt ausdrücken und sogleich in Handlungen umwandeln, ohne ihn dem Kraftverlust und den Umgestaltungen auszusetzen, welche eine nothwendige Folge wiederholter Übertragungen sind. Da aber die geschichtliche Entwickelung die Richtung hat, die Individuen in immer größere Gemeinwesen zu gruppiren, ganze Sprachgemeinschaften, ja bald vielleicht ganze Racen zu einzigen Nationen zu verschmelzen und die Grenzen der Staaten ins Ungemessene hinauszurücken, so ist die direkte Ausübung der Selbstregierung durch die Versammlung des ganzen Volkes in weitaus den meisten Ländern schon jetzt eine materielle Unmöglichkeit geworden und wo sie es noch nicht ist, da wird sie es wol in naher Zukunft werden. Das Volk muß also seine Souveränetat auf eine kleine Anzahl Auserwählter übertragen und es diesen anheimstellen, seine Selbstbestimmungsrechte auszuüben. Die Auserwählten können auch noch nicht selbst direkt regieren, sondern übertragen ihre eigenen Vollmachten ein zweites Mal auf eine noch viel kleinere Zahl von Vertrauensmännern, die Minister, welche endlich thatsächlich die Gesetze vorbereiten und anwenden, die Steuern ausschreiben und einheben, die Beamten ernennen und über Krieg und Frieden entscheiden. Damit bei diesen Veranstaltungen das Volk noch immer souverän bleibe, damit trotz der zweimaligen Übertragung noch immer sein Wille und kein anderer seine Geschicke bestimme, müßten verschiedene Voraussetzungen erfüllt werden. Die Vertrauensmänner des Volkes müßten sich ihrer Persönlichkeit entkleiden. Auf den Bänken des Parlaments müßten nicht Menschen sitzen, sondern Mandate, die sprechen und stimmen. Der Wille des Volks dürfte, indem er durch die Vertreter desselben hindurchgeht, in ihnen keinerlei Färbung oder Brechung, keinerlei individuelle Beeinflussung erleiden. Die Minister müßten ihrerseits ebenso unpersönliche, ebenso mechanische Aufnahms- und Durchleitungsgefäße der Meinungen und des Willens der Parlamentsmehrheit sein. Jede Nichtbeachtung des Auftrags, den die Minister von den Abgeordneten und diese vom Volk empfangen, müßte unverzüglich für jene den Sturz, für diese den Verlust des Mandats zur Folge haben. Vor Allem aber müßte dieser Auftrag klar und bestimmt ertheilt werden. Die Wähler hätten sich immer über die Gesetzgebungs- und Verwaltungsarbeiten zu einigen, die ihnen im Staatsinteresse nothwendig erscheinen, und die Durchführung dieser Arbeiten unter strengem Festhalten an den von ihnen zu diesem Zwecke aufgestellten Grundsätzen von ihren Vertretern zu fordern. Sie dürften zu ihren Vertretern nur solche Männer wählen, deren Charakter und geistige Begabung ihnen bekannt sind, von denen sie wissen, daß sie die Fähigkeit haben, das von den Wählern aufgestellte Programm zu erfassen und durchzuführen, daß sie von der ihnen gezogenen Linie nicht abweichen werden und daß sie genug selbstlos sind, dem Gemeinwol ihre Zeit, ihre Arbeit und namentlich ihr eigenes Interesse, so oft es jenem zuwiderläuft, zu opfern. Das wäre der ideale Parlamentarismus; auf diese Weise würde die Gesetzgebung wirklich vom Volke, die Verwaltung vom Parlament ausgehen; der Schwerpunkt des Staatsbaues läge in den Wählerversammlungen und jeder Bürger hätte sichtbar und fühlbar seinen Antheil an der Besorgung der öffentlichen Geschäfte.

Wenden wir uns nun aber von der Theorie zur Praxis. Welche Enttäuschung müssen wir da erleben! Der Parlamentarismus, wie er selbst in seinen klassischsten Ländern, in England und Belgien, tatsächlich fungirt, erfüllt nicht eine einzige der aufgezählten Voraussetzungen. Die Wahl bringt in keiner Weise den Willen der

Bürger zum Ausdruck. Die Abgeordneten handeln in allen Fällen nach ihrer individuellen Willkür und fühlen sich nur durch die Besorgniß vor Rivalen, nicht aber durch die Rücksicht auf die Anschauung ihrer Wähler gebunden. Die Minister beherrschen nicht blos das Land, sondern auch das Parlament; statt daß man ihnen die Richtung vorschreibt, zeichnen sie dieselbe dem Parlament und der Nation vor. Sie gelangen zur Regierung und verlassen dieselbe, nicht, weil es die Nation so will, sondern weil ein mächtiger individueller Wille sie dazu zwingt. Sie springen mit allen Kräften und Hilfsquellen der Nation nach ihrem Gutdünken um, theilen Gnaden und Geschenke aus, lassen zahlreiche Schmarotzer auf Kosten der Gesammtheit wolleben und haben nie ein Wort des Tadels zu besorgen, wenn sie nur die Mehrheit des Parlaments mit einigen Abfällen von der reichgedeckten Tafel bedenken, welche ihnen der Staat anrichtet. Praktisch sind die Minister ebenso unverantwortlich, wie die Abgeordneten; für hundert Mißbräuche, Ungerechtigkeiten und Willkürakte, die sie täglich begehen, bleiben sie völlig straflos und wenn sich einmal in hundert Jahren der Fall ereignet, daß ein Minister, sei es, weil er wirklich ganz ausnahmsweise schurkisch gehandelt oder weil er leidenschaftlichen Haß gegen sich erweckt hat, zur Verantwortung gezogen wird, so läuft es immer mit einer geräuschvollen und pomphaften Gerichtsverhandlung und einer lächerlich unwesenhaften Strafe ab. Das Parlament ist eine Anstalt zur Befriedigung der Eitelkeit und des Ehrgeizes und zur Förderung der persönlichen Interessen der Abgeordneten. Die Völker sind seit Jahrtausenden gewöhnt, von einem souveränen Willen gelenkt zu werden und eine bevorrechtigte Aristokratie über sich zu haben, der sie Ehren erweisen und alle Reichthümer des Staates zum persönlichen Gebrauch überlassen; große Geister, in welchen sich die Zukunft spiegelte, haben ihnen im Parlamentarismus eine Regierungsform gegeben, welche ihnen gestattet, an die Stelle des Herrscherwillens ihren eigenen zu setzen und der Aristokratie die Verfügung über das Staatsvermögen abzunehmen; und was haben die Völker gethan? Sie haben sich beeilt, den Parlamentarismus ihren alten Gewohnheiten anzupassen, so daß nach wie vor ein individueller Wille sie beherrscht und eine bevorrechtete Klasse sie ausbeutet; nur heißt dieser individuelle Wille nicht mehr König, sondern Parteiführer, und diese bevorrechtigte Klasse nicht mehr notwendig Geburtsaristokratie, sondern herrschende Kammermehrheit. Das alte Verhältniß des Durchschnittsbürgers zum Gemeinwesen ist durch den Parlamentarismus unbeeinflußt geblieben; mein Hans, auf den ich immer wieder zurückkomme, hat überall Steuern zu zahlen, die nicht er sich auferlegt und deren Verwendung nicht er bestimmt, Gesetzen zu gehorchen, die nicht er sich gibt und deren Nutzen er nicht einsieht, vor Beamten den Hut zu ziehen, die ein fremder Wille ihm ins Genick setzt, Hans mag nun in England Johnny heißen oder Iwan in Rußland.

Einen Vortheil gewährt der Parlamentarismus; er ermöglicht Ehrgeizigen, auf die Schultern ihrer Mitbürger zu steigen. Ich werde gleich nachweisen, daß dies wirklich ein Vortheil ist. Jedes Volk, besonders aber ein noch in aufsteigender Entwickelung begriffenes und von unerschöpfter Lebenskraft durchfluthetes, bringt in jedem Menschenalter Individuen hervor, in denen ein besonders mächtig gestaltetes Ich ungestüm zu freier Entfaltung drängt. Das sind Herrschernaturen, die kein Joch über sich und keinen Zwang um sich dulden. Sie wollen den Kopf und die Ellenbogen frei haben. Sie können sich nur der Disziplin ihres eigenen Willens und ihrer eigenen Einsicht unterwerfen, nie der eines fremden. Sie gehorchen, weil sie wollen oder sollen, *nieweil sie müssen. Diese Individualitäten können nie eine Schranke fühlen, ohne sie umzustoßen oder sich an ihr matt zu rennen. Das Leben scheint ihnen nicht des Lebens werth, wenn es ihnen nicht die Befriedigung bringt, welche das ungehinderte Sichausleben aller Fähigkeiten und Neigungen gewährt. Ein Bewußtsein, das ein großes Stück des eigenen Horizonts durch ein seinem Einfluß wie seiner Betrachtung entzogenes fremdes Bewußtsein verdunkelt sieht, dünkt sie nur ein halbes Bewußtsein, ein Ich, das nicht immer und überall es selbst sein darf, nur ein schmerzlich verschrumpftes halbes Ich, ein Dasein, das von äußeren Anstößen bewegt und gelenkt ist, dünkt sie unleidlich. Solche Individuen brauchen Raum. In der Einsamkeit finden sie ihn ohne Kampf und Schwierigkeit. Wenn sie Anachoreten der cyrenaischen Wüste, wenn sie Säulenheilige oder Fakire, kanadische Fallensteller oder Pioniere der Hinterwäldler werden, so können sie ihr Leben ohne Konflikte verbringen. Allein wenn sie in der Gesellschaft bleiben sollen, so gibt es für sie nur einen Platz: den des Führers. Die Lage meines Hans nehmen sie keinen Augenblick lang an. Sie sind kein weiches Plasma, sondern diamantharte Kristalle. Sie können sich nicht in die Lücke hineinschmiegen, welche der Staatshalt für sie offengelassen hat und die ohne Rücksicht auf ihre Formen und Maße ausgespart ist. Sie müssen eine Zelle für sich haben, die ihren Kanten und Flächen angepaßt ist. Sie empören sich gegen das Gesetz, das sie fertig vorfinden und zu dem man nicht ihre Zustimmung verlangt hat, und sie halten die Faust unter die Nase des Beamten, der ihnen befehlen wollte, statt sich von ihnen Aufträge zu holen. Im absolutistischen Staatswesen ist für solche Naturen kein Platz. Diese Staatsform ist in der Regel stärker als ihre Ausdehnungskraft und sie unterliegen in der Anstrengung, dieselbe zu sprengen. Aber ehe sie unterliegen, erschüttern sie den Staat, daß der König auf seinem Throne zittert und der Bauer in seiner Hütte zu Boden fällt. Sie werden Königsmörder oder Aufrührer, mindestens aber Straßenräuber oder Flibustier. Im Mittelalter streifen sie als Robin Hood durch die Wälder oder sind als Condottieri an der Spitze einer Söldnerschaar der Schrecken der Fürsten und Völker; später erobern und verwüsten sie als Cortes, als Pizarro, die neue Welt, raufen als Landsknecht-Hauptleute bei Pavia, machen als Miethlinge aller Kriegführenden im dreißigjährigen Kriege Fortune oder lassen sich, minder glücklich, als Schinderhannes und Cartouche rädern. Heute heißen sie in Rußland Nihilisten, wie sie gestern im osmanischen Reiche Mehemet Ali hießen. Der Parlamentarismus nun gestattet diesen Menschen mit dem gewaltigen Ich, ihre Individualität zu wahren, ohne die Staatsform zu zerstören oder doch zu bedrohen. Abgeordneter zu werden kostet viel geringere Anstrengung, als zu Wallensteins Stellung zu gelangen, und selbst Ministerpräsident wird man in einem parlamentarischen Staate leichter, als man einen alten Thron stürzt. Als*

Abgeordneter aber kann man schon bei den meisten Gelegenheiten aufrecht stehen, wo Hans sich ducken muß, und als Ministerpräsident hat man wol zu kämpfen, aber nicht mehr einem fremden Willen zu gehorchen. So ist der Parlamentarismus das Sicherheitsventil, das die spannkräftigen Individuen der Nation verhindert, verheerende Explosionen hervorzubringen.

Man studire die Psychologie der Berufspolitiker in allen parlamentarisch regierten Ländern: man wird finden, daß das, was sie ins öffentliche Leben hinaustreibt, das Bedürfniß ist, ihr Ich intensiv zu fühlen und allseitig zu bethätigen. Man nennt das Ehrgeiz oder Herrschsucht. Ich habe nichts gegen diese Bezeichnungen, wenn man sie nur definirt. Was ist Ehrgeiz? Ist es wirklich der Geiz, die Gier nach Ehre, das heißt nach äußerlichen Befriedigungen der Eitelkeit? Dieser Beweggrund mag einen im Kaffeehandel reich gewordenen Gewürzkrämer bestimmen, sich um eine Stelle in der Handelskammer oder im Stadtrath zu bemühen. In der Laufbahn eines Disraeli, Kossuth, Lassalle, Gambetta spielt er keine Rolle. Diesen Männern ist es nicht darum zu thun, auf der Straße von wichtigthuenden oder aufdringlichen Dummköpfen gegrüßt zu werden, eine bunte Uniform zu tragen, beständig Reporter, Biographen und Porträtzeichner für illustrirte Wochenblätter hinter sich her zu haben und von Zöglingen höherer Töchterschulen Bettelbriefe um Autographen zu empfangen. Um solcher Genugthuungen willen würden sie sich nicht den grausamen Beschwerden des öffentlichen Lebens aussetzen, in welchem man mitten in unserer friedlichen Zivilisation alle Bedingungen des urmenschlichen Daseins wiederholt findet: wo es keine Ruhe und keine Rast gibt, wo man beständig kämpfen, lauschen, lugen, lauern, Spuren suchen und die eigenen verwischen, mit den Waffen in der Hand und mit halbgeschlossenen Augen schlafen muß, wo jeder Begegnende ein Feind ist, wo man die Hand gegen Alle und die Hand Aller gegen sich hat, wo man unaufhörlich verunglimpft, gehetzt, verleumdet, verwundet wird und überhaupt so lebt, wie die Rothhaut auf dem Kriegspfade im

Urwalde. Der sogenannte Ehrgeiz, welcher Berufspolitiker bestimmt, ein so mühseliges und gefahrvolles Dasein zu wählen, ist nichts anderes als das Bedürfniß, die eigene Persönlichkeit ganz und voll zu fühlen, ein unsagbar wonnesames Hochgefühl, das der verkümmerte Philister nicht kennt und das man nur erlangt, wenn man entweder nie ein Hinderniß des Willens angetroffen oder es wohl begegnet, aber bekämpft und besiegt hat. Mit der Herrschsucht verhält es sich ähnlich. Dem richtigen, geborenen Parteiführer ist es weit weniger darum zu thun, über andere zu herrschen, als darum, niemand über sich herrschen zu lassen. Wenn er den Willen anderer unter seinen eigenen beugt, so ist es, um sich die Stärke und den Umfang des eigenen Willens wonnig zum Bewußtsein zu bringen. Für denjenigen, der inmitten der heutigen Staats- und Gesellschaftsordnung steht und nicht etwa freiwillig als Einsiedler in der Wildniß lebt, gibt es keine andere Wahl als die, zu beherrschen oder beherrscht zu werden. Da starke Naturen das letztere nicht dulden können, so müssen sie sich zum erster entschließen; nicht weil es ihnen eine besondere Freude macht, sondern weil es heute noch die einzige Form ist, in der das Individuum sich frei und unabhängig fühlen kann. Wenn die Herrschsucht wirklich das wäre, was der wurzelhafte Sinn des Wortes zu besagen scheint, so würde sie immer unter sich blicken und nicht über sich; sie würde die Häupter zählen, die tiefer stehen, nicht die, welche über sie hinausragen. Sie thut aber in der Regel das Gegentheil. Cäsar will lieber der erste sein in einem Dorfe als der zweite in Rom. In diesem Falle würde er einer Million befehlen und ihm nur einer, in jenem blos einigen hundert Menschen. Würde die Herrschsucht in Rom nicht tausendmal größere Befriedigung finden als im Dorfe? Ja, wenn Cäsar blos herrschen wollte. Er will aber nur sein Ich fühlen und dieses stößt sich an eine Schranke, wenn Cäsar in Rom der zweite ist, es entfaltet sich aber frei in dem Dorfe, wo kein stärkerer Wille den seinen drückt. In diesem einen Worte Cäsars liegt die ganze Theorie des Ehrgeizes, der Politiker ins öffentliche Leben stößt. Die kleinen Leute, die nur als Choristen und Statisten im Parlamentarismus mitwirken, mögen andere Beweggründe haben; ihnen ist es darum zu thun, Ämter für sich und die

Ihrigen zu erhalten, das Staatsfaß versteckt anzubohren und einen Strohhalm ins Loch zu praktiziren, damit sie sich ohne Kosten volltrinken können; diese "politicans« und "carpet-baggers«, wie man sie in Nordamerika nennt, diese Stellenjäger, Ordensbettler und Budgetschmarotzer sind blos die bezahlten Handlanger der Führer; sie sind Füllsel, keine wesentlichen konstruktiven Bautheile des Parlamentarismus. Für die Führer aber sind die materiellen Vortheile ihrer Stellung das Nebensächliche. Die Hauptsache ist ihnen die ungehinderte Entfaltung eines Ichs, das schmerzliche Krämpfe bekommt, wenn es zusammengekrümmt bleiben muß.

Kein Wort ist in dieser Betrachtung so häufig vorgekommen, wie das Wort "Ich«. Ich und immer nur Ich. Das macht: Der Parlamentarismus ist der Triumph, die Apotheose des Egoismus. Theoretisch soll er die organisirte Solidarität sein, praktisch ist er die zum Systeme erhobene Selbstsucht. Nach der Fiktion gibt der Abgeordnete seine Individualität auf und verwandelt sich in ein selbstloses Kollektivwesen, durch welches die Wähler denken und sprechen, wollen und handeln; in Wirklichkeit entäußern sich die Wähler durch den Wahlakt aller ihrer Rechte zu Gunsten des Abgeordneten und dieser erlangt die ganze Gewalt, welche jene verlieren. In seinem Programm, in den Reden, mit welchen er um die Stimmen der Wähler wirbt, geht der Abgeordnete natürlich auf jene Fiktion ein; da ist immer nur vom öffentlichen Interesse die Rede, da ist er der Arbeiter und Sachwalter des allgemeinen Wols, da will er über dem Gemeinwesen sich selbst vergessen. Das sind aber Formeln, die selbst der gutmüthigste Tropf schwerlich mehr buchstäblich nimmt. Was ist dem Abgeordneten das allgemeine Interesse und das öffentliche Wol? Noch weniger als Hekuba dem Komödianten. Er will emporkommen und der Wähler soll die Leitersprosse sein. Für das Gemeinwesen arbeiten? Warum nicht gar! Das Gemeinwesen soll für ihn arbeiten. Man hat die Wähler Stimmvieh genannt. Das ist ein bildlicher Ausdruck von seltener Nichtigkeit. Der Parlamentarismus schafft Verhältnisse, welche denen der Patriarchenzeit ganz analog sind. Die Abgeordneten nehmen die

Stelle der Patriarchen ein; ihre Macht beruht wie die der letzteren auf ihrem Reichthum, der im Besitze großer Heerden besteht. Nur setzen sich diese Heerden heute nicht mehr aus wirklichem, sondern aus jenem figürlichen Horn- und Kleinvieh zusammen, das am Wahltage seine Stimme in die Urne wirft. Rabagas sollte eine Karikatur und Satire sein. Mir scheint er vielmehr eine schematische Zeichnung. Warum sich darüber wundern und lachen, daß Rabagas, der große Revolutionär, wenn er mit Hilfe des Volks zur Macht gelangte, gegen das Volk ganz dieselben Regierungs- und Bedrückungsmittel anwendet, die er in seinen Brandreden seinen Vorgängern im Ministerium als Verbrechen angerechnet hat? Ich finde diese Wandlung natürlich und folgerichtig. Der Politiker hat kein anderes Ziel und keinen andern Beweggrund für sein Handeln als die Befriedigung seines Egoismus. Um diese zu erreichen, muß er die Unterstützung der Masse erlangen. Diese Unterstützung erhält man nur durch allerlei herkömmliche Versprechungen und Schlagworte, die man so mechanisch herunterleiert wie ein Kirchenbettler das Vaterunser. Der Politiker unterwirft sich unbedenklich diesem nicht zu umgehenden Gebrauch. Er hat nun die Unterstützung der Wähler und gelangt zur Macht. Damit ist sein Egoismus befriedigt und die Masse verschwindet vollkommen aus seinem Gesichtskreise, um erst wieder aufzutauchen, wenn sie ihn etwa damit bedroht, die Macht aus seiner Hand zu reißen. Dann wird er das Nöthige thun, um dieselbe festzuhalten, wie er das Nöthige that, um sie zu erlangen; er wird also, je nach den Erfordernissen der Lage, entweder wieder den Rosenkranz der Versprechungen und Schlagworte abhaspeln oder die Murrenden mit der Faust bedrohen. Diese Kette logischer Prämissen und Konsequenzen nennt man eben mit einem Worte Parlamentarismus.

IV.

Man muß nur das politische Getriebe in der Nähe und den Blick auf seine Einzelheiten geheftet betrachten, um zu erkennen, wie schamlos die Praxis des Parlamentarismus seiner Theorie lügt.

Wie wird man Abgeordneter? Daß die Wähler einen weisen und guten Mitbürger aufsuchen und ihn bitten, sie im Parlamente zu vertreten, das kommt kaum in Jahrzehnten einmal vor und auch dann nur unter dem Einflusse bestimmter Umstände, welche von diesem Vorgange die anscheinende Idealität vollkommen abstreifen. Eine Partei muß ein Interesse daran haben, das Mandat in den Händen dieses auserlesenen Mannes zu sehen, vielleicht, weil es ihr nützlich ist, sich mit seinem Namen zu schmücken, vielleicht auch, weil der betreffende Wahlkreis sonst einem gefährlichen Gegner anheimfällt. In diesem Falle wird allerdings, um mich einer modernen Redeweise zu bedienen, für einen Namen Reklame gemacht, ohne daß dessen Träger sich um dieselbe bemüht, die Wähler scheinen ihr Vertrauen aus eigenem Antriebe einem Verdienste entgegenzubringen, das um keine Anerkennung bettelt, und das Mandat fällt wirklich, wie die Theorie es fordert, dem Besten unter den Bürgern zu. Gewöhnlich aber vollziehen sich die Dinge ganz anders. Ein Ehrgeiziger tritt vor seine Mitbürger hin und sucht sie zu überzeugen, daß er mehr als alle anderen ihr Vertrauen verdiene. Aus welchem Grunde thut er diesen Schritt? Weil er den Drang hat, dem Gemeinwesen nützlich zu sein? Wer daran glauben könnte! Die Menschen, in denen das Gefühl der Solidarität mit dem Volke, mit der ganzen Menschheit so rege ist, daß es sie drängt, Selbstbefriedigung in der Arbeit und Aufopferung für die Gesammtheit zu suchen, sind zunächst in unserer Zeit noch überaus selten; außerdem liegt es in der Natur der Sache, daß solche Naturen idealistisch angelegt, mit zarten Sinnen ausgerüstet und gegen rauhe und gemeine Berührungen empfindlich sind. Und solche Idealmenschen sollten sich den geistigen und leiblichen Widerwärtigkeiten eines Wahlfeldzugs freiwillig aussetzen wollen? Niemals! Sie können für die Menschen leiden und sterben, aber keiner stumpfsinnigen Wählerhorde banale Komplimente machen. Sie können ohne Aussicht auf Lohn und Anerkennung das thun, was sie für ihre Pflicht halten, aber nicht einer Volksversammlung in schwunghaften Phrasen ihr Selbstlob singen. Sie ziehen sich in der Regel mit jener Scheu, welche der Unverstand oft Hochmuth nennt, die aber nur die Angst vor der Besudelung ihres heiligen Ideals ist, in ihre Arbeitsstube oder in einen engen Kreis gleichgesinnter Geister zurück und vermeiden das rohe Gewühl des Marktes. Die Reformatoren und Märtyrer suchen manchmal die Menge auf, aber nur um sie zu belehren, um ihre Fehler zu tadeln, um sie aus ihren Gewohnheiten herauszureißen, nicht aber um ihr zu schmeicheln, sie in ihren Irrthümern zu bestärken und ihr mit honigsüßen Lippen das zu sagen, was sie gern hört. Darum werden sie öfter gesteinigt als mit Blumen beworfen. Wycliff und Knox, Huß und Luther, Arnold von Brescia und Savonarola haben sicherlich auf große Menschenmassen tiefe Wirkung geübt und neben gewaltigem Haß auch leidenschaftliche Liebe erregt. Doch glaube ich nicht, daß sie, oder daß ein Rousseau, ein Goethe, ein Kant, ein Carlyle mit eigenen Mitteln, ohne die Unterstützung eines Wahlkomités je ein Abgeordnetenmandat in einem ländlichen oder selbst in einem großstädtischen Wahlkreise erlangt hätten. Diese Menschen erniedrigen sich nicht dazu, den Wählern um ihrer Stimme willen den Hof zu machen, namentlich aber einen Gegner zu bekämpfen, der auf den allbegangenen ausgetretenen Pfaden sein Ziel zu erreichen sucht. Die Art, wie man sich um ein Volksmandat bewerben muß, schreckt von vornherein die vornehmen Naturen zurück und bildet nur für die Egoisten kein Hinderniß, die entschlossen sind, zu Ansehen und Einfluß zu gelangen und Alles zu thun, was dazu erforderlich ist.

Da haben wir nun einen Mann, der die politische Laufbahn einschlagen will. Die Triebfeder seines Handelns ist Selbstsucht; da er jedoch einer gewissen Volksthümlichkeit bedarf, um zur angestrebten Stellung zu gelangen, Volksthümlichkeit aber gewöhnlich nur dem zutheil wird, der das Wol der Gesammtheit fördert oder zu fördern scheint, so wird er sich mit den öffentlichen Interessen beschäftigen oder doch vorgeben, es zu thun. Er muß, um Erfolg zu haben, mit verschiedenen Eigenschaften ausgerüstet sein, die einen Menschen nicht sympathisch machen. Er darf nicht bescheiden sein, denn sonst würde er sich nicht vordrängen können, und das muß er doch, wenn er bemerkt werden will. Er muß heucheln und lügen können, denn er ist gezwungen, Menschen, die ihn anwidern oder ihm mindestens gleichgiltig sind, freundliche Mienen zu zeigen, da er sich sonst zahllose Feinde schaffen würde, und Versprechungen zu machen, von denen er vorausweiß, daß er sie nicht halten kann. Er muß es über sich bringen, die gemeineren Neigungen und Leidenschaften der Menge, ihre Vorurtheile, ihre herkömmlichen Vorstellungen anzurufen, weil diese eben die verbreiteteren sind und er die Mehrheit gewinnen muß. Diese Züge geben zusammen eine Physiognomie, die einen edleren Menschen abstößt. In einem Roman könnte eine solche Figur niemals die Neigung eines Lesers erwecken. Im Leben aber gibt derselbe Leser dieser Figur seine Stimme bei allen Wahlen.

Der Wahlfeldzug hat ganz so wie der wirkliche Krieg seine Fachwissenschaft, seine Strategik und Taktik. Der Kandidat findet sich nie unmittelbar dem Wähler gegenüber. Zwischen beiden steht ein Komité, das seine Vollmacht immer der eigenen Frechheit verdankt. Jemand empfindet das Bedürfniß, sich geltend zu machen. Er beruft also ganz einfach auf eigene Faust seine Mitbürger zu einer Versammlung ein. Fühlt er, daß er noch kein genügendes Ansehen besitzt, um dies mit Aussicht auf Erfolg allein thun zu können, so gesellt er sich einige Freunde zu oder er begibt sich zu einigen reichen und eitlen Dummköpfen, denen er sagt, sie hätten das Recht und die Pflicht, sich an die Spitze ihrer Mitbürger zu stellen, die öffentliche Meinung zu leiten u. s. w. Die Idioten fühlen sich durch diese Einladung sehr geschmeichelt und beeilen sich, unter einen Maueranschlag oder eine Zeitungs-Anzeige eine Unterschrift zu setzen, die in den Augen all jener Tröpfe einen Glanz hat, welche einen Mann nach seinen Geldsäcken, Titeln oder Ehrenstellen beurtheilen. So ist nun eine Wählerversammlung einberufen und ein Komité gegründet, welches sich ihrer Leitung bemächtigt. Jedes derartige Komité besteht aus zwei Elementen, aus energischen und rücksichtslosen Strebern, die einen persönlichen Vortheil moralischer oder materieller Natur verfolgen, und aus wichtigthuenden, ernst und geschäftig dreinschauenden, aber blödsinnigen Gäuchen, welche jene als dekorativen Ballast in ihre Barke einschiffen. Man kann in das Komité gelangen, auch wenn man weder einer seiner Gründer war, noch von diesen zur Mitwirkung eingeladen worden ist. Man braucht nur in der Versammlung laut und häufig zu sprechen und die Aufmerksamkeit der Menge durch Vordringlichkeit auf sich zu lenken. Ein Mensch, der eine kräftige Stimme besitzt und geläufig schwatzen kann, ganz gleichgiltig was, wird in einer Menge unfehlbar alsbald eine gewisse Autorität erlangen, die ihn für diejenigen, welche sich zu Führern dieser Menge aufgeworfen haben, als Bundesgenossen erwünscht, als Gegner hinderlich machen. Sie werden sich deshalb beeilen, ihn gleichfalls in ihr Komité aufzunehmen.

Die Komitébildung kann sich um den Mann vollziehen, der selbst Abgeordneter werden will, oder sie kann unbeeinflußt von diesem vor sich gehen. In jenem Fall lenkt der Kandidat selbst die ganze Bewegung; er organisirt sich seinen Generalstab, er beruft die Wähler ein, er bestellt die Redner, welche zu ihnen sprechen sollen, und kämpft selbst um seinen Sieg. Im zweiten Falle dagegen ist das Komité eine Landsknechtschaar, die von irgend einem unternehmenden Hauptmann geworben ist und an einen Kandidaten vermiethet wird, um seine Schlachten zu schlagen. Viele Politiker haben, ehe sie selbst Abgeordnete wurden, auf diese Weise für Andere gearbeitet; sie machten und stürzten Volksvertreter; sie vergaben oder vielmehr verkauften Mandate, sei es einfach um baares Geld für sich und ihre Reisigen, sei es um Ämter und Vortheile anderer Art, in den allerseltensten Fällen wol auch nur um der Eitelkeit willen, als die einflußreichsten Männer eines Wahlkreises anerkannt zu sein. In den Wählerversammlungen herrscht notwendig die Phrase. Die Menge hört nur auf den, der laut spricht, verführerische Zusagen macht und sich in leicht verständlichen Alltäglichkeiten bewegt. Am Wahltage stimmen einige Wähler, die einflußreichsten, die man sich die Mühe nimmt, individuell zu gewinnen, nach den Eingebungen ihrer Eitelkeit oder ihres Interesses; die weitaus überwiegende Mehrzahl aber gibt ihre Stimme für einen der Kandidaten ab, für die eben die Komités gearbeitet haben. Man wirft den Namen in die Urne, den man einem wochenlang in die Ohren gebrüllt hat. Man kennt den Menschen nicht, weiß nichts von seinem Charakter, seinen Fähigkeiten, seinen Neigungen; man wählt ihn aber, weil einem sein Name geläufig ist. Wenn man dem Manne einen alten Theekessel auf vier Stunden leihen sollte, so würde man sich jedenfalls weit eingehender nach ihm erkundigen; die höchsten Interessen des Gemeinwesens, also auch die eigenen, vertraut man ihm jedoch an, ohne mehr von ihm zu wissen, als daß ein Komité von Leuten ihn empfiehlt, die dem einzelnen Wähler oft ebenso unbekannt sind wie der Kandidat selbst. Und es hilft nichts, sich gegen diese Vergewaltigung – denn eine solche ist es – aufzulehnen. Ein einzelner Bürger, der seine verfassungsmäßigen Rechte ernst nimmt und sich den Mann genau besehen will, dem er die wichtigsten Vollmachten in die Hand geben soll, hat gut, sich der Tyrannei eines Komités zu widersetzen, das ihm einen Vertreter von ungenügend bekanntem Charakter aufnöthigt, seine Gewissenhaftigkeit wird unfehlbar im Schlendrian der Menge ertränkt. Was kann er thun? Er kann am Wahltag daheim bleiben oder für den Kandidaten seiner eigenen Neigung stimmen. Weder jenes noch dieses Vorgehen wird ihm das Geringste nützen. Abgeordneter wird doch immer der werden, für den die große Masse der Gedankenlosen oder Gleichgiltigen oder Verschüchterten stimmt, und diese Masse proklamirt stets den Namen, für den am gewaltthätigsten, lautesten und ausdauerndsten gearbeitet worden ist. Es ist wahr: theoretisch steht es jedem Bürger frei, seinen eigenen Kandidaten zu empfehlen, für denselben zu agitiren und ihm unter seinen Mitbürgern eine Partei zu schaffen. Praktisch aber gewinnt derjenige, der blos mit Hinweisen auf die vortrefflichen Eigenschaften eines Kandidaten kommt, weit schwerer Bundesgenossen als der, welcher Vortheile aller Art verspricht, und darum muß der Bürger, der bei der Ausübung seiner politischen Rechte gewissenhaft das Wol des Gemeinwesens ins Auge faßt, stets den Kürzeren ziehen gegen eine

Gruppe berufsmäßiger Politiker, die das öffentliche Leben in regelrechten Ausbeutungs-Betrieb nehmen.

Das ist die Physiologie der Wahlen für alle Vertretungs-Körperschaften. Der Gewählte soll der Mann des Vertrauens der Mehrheit sein, er ist aber nur der Vertrauensmann einer oft winzigen Minderheit, die jedoch organisirt ist, während die Mehrheit der Wähler einen Wust zusammenhaltsloser Moleküle bildet, und die darum der letzteren ihren Willen aufnöthigen kann. Das Mandat soll dem zufallen, welcher der tüchtigste und weiseste unter den Bürgern ist; es fällt aber dem zu, der sich am kecksten vorwärts drängt. Für einen Kandidaten sind hohe Bildung, Erfahrung, Gewissenhaftigkeit, geistige Überlegenheit unwesentliche Eigenschaften. Sie schaden ihm nicht, aber sie helfen ihm nicht im Geringsten im politischen Kampfe. Was er in erster Linie braucht, das sind Selbstbewußtsein, Keckheit, Redegewandtheit und Vulgarität. Im besten Falle mag also der Kandidat ein ehrlicher und kluger Mann sein, eine vornehme, zartfühlende und bescheidene Natur wird er nicht sein können. Das erklärt es, weshalb in Vertretungskörperschaften Talente nicht selten sind, Charaktere aber äußerst spärlich.

Der Berufspolitiker hat durch lügnerische Versprechungen, durch Schweifwedelei vor der Menge, durch unverschämtes Selbstlob, durch deklamatorischen Vortrag von Gemeinplätzen und durch die Unterstützung von Spießgesellen, die mit ähnlichen Mitteln kämpfen, das Mandat erlangt. Unter welchen Bedingungen wird er es ausüben? Er ist entweder eine mächtige Individualität oder ein Dutzendmensch. In jenem Falle wird er eine Partei bilden, in diesem sich einer bestehenden anschließen.

Die Eigenschaft, die den Parteiführer macht, ist der Wille. Das ist eine Gabe, die nichts mit dem Verstande, der Phantasie, der Voraussicht, der Großherzigkeit gemein hat. Ein mächtiger Wille kann recht gut mit Beschränktheit des Geistes, Niedrigkeit der Gesinnung, Unehrlichkeit, Selbstsucht und Bosheit einhergehen; er ist eine organische Stärke und kann einem moralischen Monstrum eigen sein, wie sich der unbedeutendste oder verworfenste Mensch eines hohen Wuchses und großer Muskelkraft erfreuen kann. Welches immer seine sonstigen Eigenschaften sein mögen, der Mensch, der die gewaltigste Willensstärke hat, wird naturnothwendig in einer Versammlung von Menschen der erste, der leitende und befehlende sein. Er wird den schwächern Willen, der sich ihm widersetzt, zermalmen; sein Kampf gegen die anderen wird immer der des eisernen Topfes gegen den irdenen sein. Eine hohe Intelligenz kann auch einen starken Willen ihrer Herrschaft unterordnen. Aber wie? Nicht durch Unterwerfung im offenen Ringen, sondern dadurch, daß sie sich scheinbar unter seinen Befehl stellt und ihm in Wirklichkeit ihre Anschauungen so geschickt einflüstert, daß er sie für seine eigenen Eingebungen hält. Die wichtigste Bundesgenossin des Willens im Parlamente ist die Beredsamkeit. Auch diese ist eine natürliche Fähigkeit, die von hoher Geistes- und Charakter-Entwickelung durchaus verschieden ist. Man kann der größte Denker, Dichter, Feldherr oder Gesetzgeber sein und keine wirkungsvolle Rede halten können und umgekehrt kann man die besondere Gabe der Rede besitzen und dabei eine durchaus gewöhnliche Intelligenz sein. Die Geschichte der Parlamente nennt wenige oratorische Größen, die zugleich den geistigen Gesichtskreis der Menschheit erweitert hätten. Die berühmtesten Improvisationen, welche in weltgeschichtlichen Debatten folgenschwere Entscheidungen herbeigeführt und ihrem Urheber Ruhm und Macht gegeben haben, machen gelesen einen so kläglichen Eindruck, daß man sich fragt: "Was muß es doch sein, wodurch diese Rede eine so unbegreifliche Wirkung geübt hat?« Nicht das vernünftige Wort ist es, das in größeren Versammlungen Gehör findet, sondern das schwunghaft vorgetragene. Das einleuchtendste und faßlichste Argument, wenn es ohne lange Vorbereitung und zahlreiche Wiederholungen vor eine größere Zahl von Hörern tritt, hat äußerst wenig Aussicht, sie fortzureißen. Dagegen geschieht es sehr häufig, daß sie den Inspirationen einer thörichten Deklamation blind gehorchen und in jäher, fast unzurechnungsfähiger Übereilung Beschlüsse fassen, die sie sich später bei kühler Überlegung selbst nicht erklären können.

Wenn der Parteiführer mit einem starken Willen auch das Talent der Beredsamkeit vereinigt, so spielt er auf der offenen Szene aller Welt sichtbar die erste Rolle. Ist ihm dagegen die Gabe der Rede versagt, so hält er sich als Regisseur hinter den Coulissen auf und leitet, dem Publikum weniger sichtbar, doch den Darstellern die höchste Autorität, den ganzen Gang der parlamentarischen Komödie. Er hat dann Redner, die für ihn sprechen, wie er in vielen Fällen hohe, aber schüchterne und unentschlossene Intelligenzen hat, die für ihn denken.

Das Werkzeug, mit dessen Hilfe der Führer seine Macht übt, ist natürlich die Partei. Was ist eine parlamentarische Partei? Theoretisch sollte sie ein Bund von Menschen sein, die ihre Kräfte vereinigen, um gemeinsame Anschauungen in Gesetzen und in der Richtung des Staatslebens zum Ausdruck zu bringen. Praktisch gibt es keine einzige große, namentlich keine einzige herrschende oder durch ihre Zahl regierungsfähige Partei, die durch das Band eines Programms zusammengehalten wäre. Es kommt vor, daß kleine Gruppen, zehn, höchstens zwanzig Personen, durch die Gleichartigkeit ihrer Ansichten über die Dinge des öffentlichen Lebens zusammengeführt werden; große Parteien aber bilden sich immer nur unter dem Einflusse privaten Ehrgeizes, privater Selbstsucht und der Anziehungskraft einer überlegenen zentralen Persönlichkeit. Die Menschen zerfallen von Natur aus in zwei Klassen, von denen die eine so organisirt ist, daß sie keine Herrschaft über sich dulden kann, also, wie ich oben auseinandergesetzt habe, in der heutigen Weltordnung selbst herrschen muß, während die andere zum Gehorchen geboren ist, weil sie die Notwendigkeit, fortwährend Beschlüsse zu fassen und Willensakte zu üben, sowie die Verantwortlichkeit gegen sich selbst für alle Folgen der Beschlüsse, unerläßliche Ergänzungen der Freiheit und Selbstbestimmung, nicht ertragen kann. Die erste Klasse ist natürlich in verschwindender Minderheit gegenüber der andern. Sowie nun ein Mensch des bequemen

Gehorchens einem der starken Menschen des Wollens und Gebietens gegenübertritt, beugt er sich ganz von selbst vor ihm und legt vergnügt, ja mit merklicher Erleichterung seines Herzens, die Leitung seines Handelns und die Verantwortlichkeit für dasselbe in seine Hände. Solche Gehorchende sind oft im Stande, die Aufgaben, welche ein fremder Wille ihnen auferlegt, mit großer Kraft, mit Klugheit und Ausdauer, ja mit Selbstaufopferung durchzuführen. Aber der Impuls muß ihnen durchaus vom fremden Willen kommen. Sie haben alle Gaben; es fehlt ihnen nur die der Initiative, ein Wort, welches nichts anderes ist als eine Umschreibung des Begriffs "Wille«. Diese Menschen nun treten sofort in die Dienste eines Führers, wenn sie ihm begegnen. Sie erkennen, daß er eine Macht sei, und sie stellen seinem Willen gern ihre Einzelkräfte zur Verfügung, weil sie spüren, daß er sie zum Siege und zur Beute führen werde. Alle wesentlichen Funktionen des Parlamentarismus werden ganz allein von den Parteihäuptern geübt. Sie beschließen, sie kämpfen, sie triumphiren. Die öffentlichen Sitzungen sind Schaustellungen ohne Bedeutung. Man hält Reden, um die Fiktion des Parlamentarismus nicht untergehen zu lassen. Nur äußerst selten aber hat eine Rede einen wichtigen Parlamentsbeschluß herbeigeführt. Reden dienen dazu, dem Redner Ansehen, Macht und Stellung zu geben; aber sie sind in der Regel ohne den geringsten Einfluß auf die Handlungen, das heißt Abstimmungen der Abgeordneten. Wie diese votiren werden, das wird außerhalb des Sitzungssaals geregelt; maßgebend sind da der Wille des Führers, die Interessen und Eitelkeiten der einzelnen Abgeordneten, seltener und nur in großen, einfachen, scharf umschriebenen Fragen der Druck der öffentlichen Meinung; was etwa im Laufe der Debatte gesagt werden mag, ist für den Ausgang derselben ganz gleichgiltig und so könnte man eigentlich die Verhandlungen völlig unterdrücken und nur die innerhalb der Parteien hauptsächlich nach dem Willen des Führers gefaßten Beschlüsse der entscheidenden Probe einer Abstimmung unterwerfen.

Das, was einen zur Regierung gelangten Parteiführer stürzt, das sind nicht die Fehler, die er in der Ausübung der Regierungsgewalt begehen mag, diese dienen immer nur zum Vorwande der Angriffe auf ihn: sondern es ist entweder ein mächtigerer gegnerischer Wille oder die Fahnenflucht von Söldlingen, deren Ansprüche auf Beute der Sieger nicht befriedigen gewollt oder gekonnt hat, oder ein Zusammenwirken dieser beiden Gründe. Das ist so wahr, daß ein Ministerwechsel, auch wenn durch ihn die Gewalt aus den Händen einer Partei in die einer ihr schroff und scheinbar wurzelhaft entgegengesetzten übergeht, an den tieferen Vorgängen des Staatslebens nicht das Geringste ändert. Im Verhältniß des Individuums zum Staate bleibt Alles beim Alten, der einzelne Bürger braucht, wenn er keine Zeitung liest, gar nicht zu merken, daß ein anderes Kabinet und eine andere Partei an die Spitze der Geschäfte gelangt sind und die Worte liberal oder konservativ sind bloße Masken für die eigentlichen Beweggründe aller parlamentarischen Kämpfe, Aufzüge und Wandlungen: Herrschsucht und Egoismus.

Das ist die dicke und vielfache Schichtung der politischen Lüge unserer Zeit. In vielen Ländern ist der Parlamentarismus überhaupt nur die spanische Wand, hinter welcher der Absolutismus des Königtums von Gottes Gnaden sein Ergötzen hat. Dort, wo derselbe eine Wirklichkeit ist, wo thatsächlich das Parlament herrscht und regiert, bedeutet er auch nichts anderes als die Diktatur einzelner Persönlichkeiten, die sich abwechselnd der Gewalt bemächtigen. Theoretisch soll der Parlamentarismus der Mehrheit maßgebenden Einfluß sichern, praktisch ruht dieser Einfluß in der Hand eines halben Dutzends Parteiführer, ihrer Berather und Schildknappen. Theoretisch sollen die Überzeugungen sich durch die Argumente bilden, welche die Parlamentsdebatten zu Tage fördern, praktisch bleiben sie von den Debatten unbeeinflußt und werden vom Willen der Führer und von Rücksichten auf Privatinteressen bestimmt. Theoretisch sollen die Abgeordneten blos das Wol der Gesammtheit vor Augen haben, praktisch sorgen sie auf Kosten des Gemeinwesens in erster Linie für ihr eigenes Wol und das ihrer näheren Freunde. Theoretisch sollen die Abgeordneten die besten und weisesten unter den Bürgern sein, praktisch sind sie die ehrgeizigsten, vordringlichsten, derbsten. Theoretisch bedeutet die Abgabe des Stimmzettels für einen Kandidaten, daß der Wähler diesen kennt und ihm vertraut; praktisch stimmt der Wähler für einen Menschen, von dem er meist nichts weiß, als daß eine Gruppe von Lärmmachern ihm dessen Namen wochenlang ins Ohr gebrüllt und vor den Augen herumgeschwungen hat. Die Kräfte, die theoretisch die parlamentarische Maschine bewegen sollen, sind Erfahrung, Voraussicht, Selbstlosigkeit; praktisch sind es Willensstärke, Egoismus und Beredsamkeit. Hohe Intelligenz und edle Gesinnung erliegen gewandter Phrasendrescherei und unerschütterlicher Keckheit und nicht die Weisheit leitet die Parlamente, sondern ein hartnäckiger individueller Entschluß und ein dröhnendes Wort. Von dem Selbstbestimmungsrechte der Völker, deren Sanktion der Parlamentarismus ist, gelangt auf den einzelnen Bürger nicht ein Titelchen, mein armer Hans hat zu zehnten und zu gehorchen und sich die Ellenbogen an tausend sinnlosen Einschränkungen blau zu stoßen wie je zuvor und der Parlamentarismus mit seinem ganzen Geräusch und Geberdenspiel kommt ihm nur zum Bewußtsein, wenn er am Wahltag seine Beine mit dem Gange zur Urne ermüdet und in seiner Zeitung das Überwuchern meist langweiliger Parlamentsberichte über den anderweitigen unterhaltlicheren Lesestoff konstatirt.

Die wirthschaftliche Lüge.

I.

Diejenigen Übelstände der Zivilisation, die von der größten Anzahl Menschen und zugleich am tiefsten und dauerndsten empfunden werden, sind die wirthschaftlichen. Es gibt genug Individuen, die sich nie mit übersinnlichen Fragen beschäftigen, denen Gott ebenso gleichgiltig ist wie die Materie, die Enzyklika ebenso uninteressant wie die Deszendenz-Theorie und bei denen der Glaube oder das Wissen gleich oberflächlich bleibt. Auch die Politik läßt Viele kühl und größer vielleicht als man gewöhnlich annimmt ist die Menge der Leute, die sich nicht darum scheeren, ob sie im Namen eines persönlichen Herrschers oder einer unpersönlichen Republik regiert werden, so lange der Staat ihnen unverändert blos in der Form des Polizeibeamten, des Steuerboten und des Drill-Unteroffiziers sichtbar wird. Dagegen gibt es den Kulturmenschen nicht, der nicht täglich vor die Frage des Erwerbs und Verbrauchs gestellt wäre. Die Erscheinungen des Wirthschaftslebens drängen sich auch der stumpfsten Beobachtung und der verschlossensten Intelligenz auf. Wer überhaupt bei Bewußtsein ist, der empfindet Bedürfnisse, murrt über die Schwierigkeit oder empört sich gegen die Unmöglichkeit ihrer Befriedigung, sieht mit Bitterkeit das Mißverhältniß zwischen seiner Arbeitsanstrengnng und den Genüssen, die er sich um deren Preis verschaffen kann und vergleicht seinen eigenen Antheil an den Gaben der Natur und künstlichen Gütern mit dem der anderen. Hungrig wird man alle paar Stunden, müde ist man am Abend eines jeden Arbeitstages, jedesmal, so oft man einen durch Glanz und gefällige Form ins Auge fallenden Gegenstand sieht, hat man infolge des natürlichen Instinkts der Geltendmachung der eigenen Individualität durch auszeichnende, schmückende oder sonst den Blick anziehende Anhängsel die Begier, sich denselben anzueignen und so wird man durch Leibeszustände fortwährend darauf geführt, sein Verhältniß zur allgemeinen wirthschaftlichen Bewegung, zur Hervorbringung und Benutzung der Güter, zu überdenken. Es gibt denn auch nichts, was die

Massen so leidenschaftlich erregen könnte wie dieser Gegenstand. Im Mittelalter setzte man Millionen in Bewegung, indem man ihnen von Religion sprach. Am Ausgang des vorigen Jahrhunderts und noch bis in die Mitte des unsrigen entflammten sich die Völker für ihre idealen Bedürfnisse der Aufklärung und politischen Freiheit. Das Ende des neunzehnten Jahrhunderts erfüllt der Ruf nach Brod für die große Mehrheit. Dieser Ruf ist der einzige Inhalt der Politik, die manchmal versucht, durch allerlei packende Zwischenspiele, namentlich durch Hetzerei gegen einander oder gegen einzelne Gesellschaftsklassen, durch Kriege, Kolonisation, Ausstellungen, dynastische Komödien, parlamentarische Schwätzereien und sogenannte Reformen die Völker von dem sie ganz ausfüllenden Gedanken abzulenken, jedoch immer wieder durch den Druck der öffentlichen Meinung genöthigt ist, zu der einzigen großen Weltsorge, zur Erwerbsfrage, zurückzukehren. Kreuzzüge sind heute nicht mehr für die Befreiung eines heiligen Grabes, nur noch für Eroberung des goldenen Vließes, Wolstand genannt, denkbar und man macht Revolutionen nicht mehr um papierener Verfassungen und demokratischer Schlagworte willen, sondern um weniger hart zu roboten und reichlicher zu essen.

Zu keiner Zeit sind die Gegensätze zwischen Reich und Arm so schroff und gewaltsam gewesen wie gegenwärtig. Diejenigen Nationalökonomen, welche ihre wissenschaftlichen Werke mit dem Axiom beginnen, daß der Pauperismus so alt sei wie die Menschen selbst, spielen leichtfertig oder betrügerisch mit Worten. Es gibt eine absolute und eine relative Armuth. Absolute Armuth ist der Zustand, in welchem ein Mensch seine wirklichen Bedürfnisse, d. h. diejenigen, die durch seine organischen Lebensakte entstehen, gar nicht oder nur unvollständig befriedigen kann, wo er also keine genügende Nahrung findet oder dieselbe nur mit solcher Anstrengung erlangt, daß ihm die Ruhe und der Schlaf zu karg zugemessen sind, deren sein Organismus bedarf, wenn er nicht verkümmern und vorzeitig zu Grunde gehen soll. Relative Armuth bedeutet dagegen das Unvermögen, solche Bedürfnisse zu befriedigen, die man sich künstlich angewöhnt hat, die keine nothwendigen Bedingungen der Lebens- und Gesundheitserhaltung sind und die dem Individuum großentheils nur durch Vergleichung seiner eigenen Lebenshaltung mit der der Anderen zu Empfindung und Bewußtsein gelangen. Der Arbeiter fühlt sich arm, wenn er nicht rauchen und Branntwein trinken, die Krämerin, wenn sie sich nicht in Seide kleiden und mit überflüssigem Hausrath umgeben, der Mann der liberalen Professionen, wenn er sich nicht durch Anhäufung eines Kapitals der quälenden Sorge um die Zukunft seiner Kinder oder um seine eigenen alten Tage entledigen kann. Diese Armuth ist offenbar nicht allein relativ, insofern z. B. die Krämerin dem Arbeiter reich scheint und der Professor eine Lebensweise luxuriös fände, die dem in Gewohnheiten der raffinirten Üppigkeit aufgewachsenen Aristokraten dürftig schiene, sie ist auch subjektiv, insofern sie blos in der Einbildung des betreffenden Individuums besteht und keineswegs eine objektiv feststellbare Nichterfüllung nothwendiger Daseinsbedingungen und dadurch eine Verkümmerung des Organismus nach sich zieht. Es ist mit einem Worte keine physiologische Armuth und schon der alte Diogenes hat gezeigt, daß diese allein die Grenze der subjektiven Glücksempfindung bezeichnet, daß man sich dagegen sehr wol befinden kann, so lange man die Nothdurft des Leibes reichlich und leicht befriedigt.

Vom Standpunkte eines Kulturmenschen des neunzehnten Jahrhunderts angesehen, der ein Sklave aller Gewohnheiten und Bedürfnisse des zivilisirten Lebens ist, scheint die große Mehrheit der Menschen allerdings immer relativ arm gewesen zu sein, so weit man in die Vergangenheit blickt, und um so ärmer, je weiter man sich von der Gegenwart entfernt. Die Kleider der Menschen waren gröber und wurden seltener erneuert, ihre Wohnung war schlechter, ihre Nahrung einfacher, ihr Geräth spärlicher, sie hatten weniger Baargeld und geringeren Überfluß an Tand. Diese relative Armuth ist aber wenig rührend. Nur eine hirnlose Zierpuppe wird es tragisch finden, daß etwa eine Eskimofrau sich gegen die Kälte durch einen sackähnlichen Anzug aus Seehundsfell statt durch verwickelte und ebenso theure wie geschmacklose Konstruktionen aus Seide schützen muß, und ich bezweifle, daß der sentimentale Wunsch des guten Königs Heinrich IV., jeder Bauer möge allsonntäglich sein Huhn im Kochtopf haben, wirkliche Bauern jemals gerührt und begeistert hat, so lange sie sich mit Rindfleisch sattessen gekonnt. Allein die absolute, die physiologische Armuth tritt nur im Gefolge einer hohen und ungesunden Zivilisation als dauernde Erscheinung auf. Sie ist im Naturzustände des Menschen und selbst noch bei einem niedrigem Grade der Gesittung sogar undenkbar. Es ist der erste und vornehmste Lebensakt eines jeden organischen Wesens, von der Monade bis zum Elephanten, von der Bakterie bis zur Eiche, sich ausreichende Nahrung zu suchen. Findet sie es nicht, so geht es eben zu Grunde. Freiwillig aber bequemt es sich dem anhaltenden Mangel derselben nicht an. Das ist ein biologisches Gesetz, was den Menschen ebenso beherrscht wie alle übrigen Lebewesen. Der primitive Mensch findet sich mit der Noth nicht unterwürfig ab, sondern bekämpft und besiegt sie oder wird sehr rasch von ihr besiegt. Ist er Jäger und zieht sich das Wild von seinen Jagdgründen zurück, so sucht er neue Jagdgründe auf. Sitzt er als Ackerbauer auf unergiebiger Scholle, so genügt die erste Kunde von fruchtbareren Gefilden, daß er sich aufmache, um diese zu besiedeln. Stellen sich andere Menschen zwischen ihn und seine Nahrung, so greift er zur Waffe und schlägt todt oder wird todtgeschlagen. Der Überfluß ist dann der Preis der Stärke und des Muthes. So braust der Strom der Völkerwanderung aus undankbaren Erdgegenden in die Länder, welche von der Sonne gesegnet sind, der Heroismus eines Geiserich und Attila, eines Dschengis-Chan und Wilhelm von der Normandie hat seinen Ursprung im Magen und auf den blutigsten und glorreichsten Schlachtfeldern, von welchen die Poeten singen und die Geschichte spricht, wird durch die eisernen Würfel die Frage des Mittagstisches entschieden. Mit einem Worte: der primitive Mensch duldet die wirkliche Armuth, d. h. den Hunger, nicht. Er greift gegen das schleichende Elend unverzüglich zu den Waffen und erobert sich den Überfluß oder stirbt unter dem Beile des Feindes, ehe ihn die Entbehrung langsam aufgerieben hat. Auch mit einer Zivilisation, die noch nicht über den Standpunkt der Physiokratie hinauslangte, ist absolute Armuth unvereinbar. So lange ein Volk nur Ackerbau, Viehzucht und Hausindustrie kennt, mag es an Edelmetall und Luxusgegenständen arm sein, aber es fehlt keinem seiner Mitglieder an Lebensmitteln. Erst wenn der Mensch den Zusammenhang mit der nährenden Mutter Erde verliert, erst wenn er sich von der treuen Furche des Ackers losreißt und von der Natur nicht mehr erreicht werden kann, die ihm Brod und Früchte, die Milch und das Kalb der Kuh, Wildpret und Fische darbietet, erst wenn er sich hinter Stadtmauern hockt, seinen Antheil am Boden, Wald und Flusse aufgibt und nicht mehr mit eigenen Händen aus den Vorrathskammern des Thier- und Pflanzenreichs seinen Bedarf an Speise und Trank schöpfen kann, sondern auf den Austausch der Erzeugnisse seines Gewerbefleißes gegen die von Anderen monopolisirten Naturprodukte angewiesen ist, erst dann beginnt mit der Möglichkeit für eine kleine Minderheit, große Reichthümer aufzuhäufen, für eine zahlreiche Klasse die Möglichkeit absoluter Armuth, physiologischen Elendes. Eine Nation, die aus freien Bauern besteht, ist niemals arm. Das kann sie erst werden, wenn der Bauer in Leibeigenschaft gezwungen wird und ein Herr ihm den Ertrag seines Ackers wegnimmt, oder ihn durch anderweitige Verwendung und Vergeudung seiner Arbeitskraft an der Bestellung seiner Hufe hindert und wenn die Städte sich vervielfältigen und einen großen Theil der Nation an sich ziehen. Die hohe Zivilisation endlich verurtheilt eine täglich ansehnlicher werdende Menge der Volksgenossen zur absoluten Armuth, indem sie die Vergrößerung der Städte auf Kosten der Landbevölkerung, die Entwickelung der Großindustrie auf Kosten der Thier- und Pflanzen-Produktion begünstigt und ein zahlreiches Proletariat schafft, das keinen Zoll breit eigenen Bodens besitzt; aus den natürlichen Daseinsbedingungen des Menschen herausgeschleudert ist und an dem Tage verhungern muß, an welchem es seine Werfte, Fabrik oder Werkstatt gesperrt findet.

Auf diesen Standpunkt sind die Länder Westeuropas gelangt, die gerade für die reichsten und zivilisirtesten gelten. Ihre Bevölkerung zerfällt in eine kleine Minorität, welche in einem anstößigen und geräuschvollen Luxus lebt und zum Theil von einem wahren Vergeudungswahnsiun ergriffen scheint, und einer großen Masse, die entweder nur mit härtester Mühe ihr Leben fristet oder trotz aller Anstrengung zu keinem menschenwürdigen Dasein gelangen kann. Jene Minderheit wird täglich reicher, der Abstand zwischen ihrer Lebenshaltung und derjenigen des Volksdurchschnitts täglich weiter, ihr Ansehen und Einfluß im Gemeinwesen täglich gewaltiger. Wenn man von der nie dagewesenen tollen Verschwendung zeitgenössischer Millionäre und Milliardäre spricht, so nehmen gewisse Kultur-Historiker überlegene Mienen an und zitiren mit mitleidigem Lächeln über solche Unwissenheit irgend einen lateinischen Schmöker, der beweisen soll, daß es heute noch lange nicht so arg getrieben wird wie im Rom der Kaiserzeit und selbst wie im Mittelalter, und daß das Mißverhältniß zwischen den Überreichen und Bettelarmen innerhalb derselben Nation früher weit größer war als gegenwärtig. Das ist aber nur aftergelehrter Schwindel. Vermögen wie die eines Vanderbilt, Baron Hirsch, Rothschild, Krupp u. s. w., Vermögen von 400 Millionen Mark und darüber hat es im Mittelalter nicht gegeben. Im Alterthum mag einmal der Günstling eines Despoten oder ein Satrap oder Prokonsul, nachdem er eine Provinz oder einen Welttheil gründlich ausgeraubt hatte, einen ebenso ungeheuren Besitz aufgehäuft haben, aber dieser Reichthum hatte keine Dauer. Er war wie die Schätze, von denen die Märchen erzählen. Man besaß ihn heute und hatte ihn morgen verloren. Sein Besitzer träumte einen kurzen Traum, aus dem ihn der Stahl eines Mörders, die Verfolgung seines Herrschers, eine brutale Beschlagnahme seines Vermögens weckte. Daß so ungeheurer Reichthum von Vater auf Sohn auch nur durch drei Generationen sich vererbt, daß sein Besitzer sich seiner in ruhigem und unangefochtenem Genusse erfreut habe, dafür findet sich in der ganzen Geschichte der römischen Kaiserzeit und der orientalischen Reiche kein einziges Beispiel. Und jedenfalls sind die Millionäre und Milliardäre früher unvergleichlich seltener gewesen als heute, wo man die Zahl der Privatleute, die mehr als fünf Millionen Mark besitzen, in England allein auf etwa achthundert bis tausend schätzt und die Zahl derjenigen, deren Vermögen über eine Million beträgt, in ganz Europa – die übrigen Welttheile gar nicht mit gerechnet – hunderttausend mindestens erreicht, wahrscheinlich sogar bedeutend übersteigt. Andererseits gab es zu keiner Zeit eine solche Menge völlig besitzloser Individuen, Armer im Sinne meiner oben gegebenen Definition, Menschen, die des Morgens nicht wissen, was sie am Tage essen und wo sie des Abends schlafen werden. Der Sklave im Alterthum, der Leibeigene im Mittelalter war freilich völlig besitzlos, da er selbst Eigenthum, Sache war, aber für seine einfachsten Bedürfnisse war gesorgt, er hatte von seinem Herrn Nahrung und Obdach. Im Mittelalter waren nur die unehrlichen Leute, Landstreicher, Gaukler, Zigeuner, fahrendes Volk aller Art, völlig enterbt. Sie nannten nichts auf Erden ihr Eigen, für sie war nirgends ein Tisch gedeckt, die herrschende Rechtsanschauung verweigerte ihnen selbst die theoretische Berechtigung, die Gaben der Natur als auch für sie vorhanden zu betrachten. Sie halfen sich aber durch Bettel, Diebstahl und Raub aus dem Elend heraus, in das die damalige Gesellschaft sie grundsätzlich einkerkerte, und wenn auch Galgen und Rad häufiger ihre Todesursache waren als Altersschwäche, so gelangten sie doch meistens satt und fröhlich bis an den Fuß des Hochgerichts. Das heutige Proletariat der Großstädte hat keine Ahnen in der Geschichte. Es ist ein Kind unserer Zeit. Der moderne Proletarier ist elender als der Sklave des Alterthums, denn er wird von keinem Herrn ernährt und wenn er vor jenem die Freiheit voraus hat, so müssen wir zugeben, daß dieselbe vornehmlich die Freiheit, Hungers zu sterben, ist. Er hat es nicht einmal so gut wie der unehrliche Mann des Mittelalters, denn er besitzt nicht die frische Unabhängigkeit dieses ausgestoßenen Landfahrers, er lehnt sich nur selten gegen die Gesellschaft auf und hat nicht das Auskunftsmittel, sich durch Diebstahl oder Raub das anzueignen, was ihm die bestehende Besitzordnung versagt. Der Reiche ist also reicher, der Arme ärmer, als er je in geschichtlicher Zeit gewesen. Dasselbe gilt vom Übermuth der

Reichen. Man schwatzt uns fortwährend die Ohren voll mit den Gastmählern des Lucullus, von deren Abfällen sich noch heute anekdotenkramende Historiker und Archäologen nähren. Es soll aber noch bewiesen werden, daß das alte Rom je ein Fest gesehen hat, welches 400,000 Mark gekostet hat, wie der Ball eines New-Yorker Krösus, von dem die Zeitungen kürzlich berichtet haben! Ein Privatmann, der seinen Gästen Nachtigallenzungen-Pasteten vorsetzte oder einer griechischen Hetäre einige hunderttausend Sesterzen schenkte, erregte in Rom solches Aufsehen, daß alle Satiriker und Chronisten der Mit- und Nachwelt seinen Namen wiederholen. Heute spricht Niemand von den Tausenden und Tausenden, die 200,000 Mark für ein Service aus altem Sèvres oder 600,000 Mark für ein Rennpferd bezahlen oder einer käuflichen Dirne die Verschwendung einer Million in einem Jahre gestatten. Der orgienhafte Luxus des Alterthums und Mittelalters war eine äußerst seltene Einzelerscheinung, die gerade um ihrer Seltenheit willen auffiel. Jener Luxus hatte überdies die Scham, sich innerhalb eines engen Gesellschaftskreises zu verbergen. Die enterbte Masse bekam nichts von ihm zu sehen. Heute schließt sich der Übermuth der Reichen nicht in die Fest- und Speisesäle der Privathäuser ein, sondern wuchert mit Vorliebe auf die Straße hinaus. Die Stätten, wo sich ihre anstößige Üppigkeit entfaltet, sind die Promenaden der Großstädte, die Theater und Konzertsäle, die Wettrennplätze, die Kurorte. Ihre Gespanne fahren überall, wo sie barfüßige Hungerleider mit Koth bespritzen, ihre Brillanten scheinen ihr volles Feuer nur dort zu entwickeln, wo sie Proletarieraugen blenden können. Ihre Verschwendung nimmt gerne die Journalistik zur Zuschauerin und sucht sich durch die Zeitung der Kenntniß von Kreisen aufzudrängen, die keine Gelegenheit haben, mit eigenen Sinnen das ewige Gelage, die lebelange Fastnacht der Reichen zu beobachten. Dadurch wird dem modernen Proletarier ein Element der Vergleichung geboten, das dem antiken Dürftigen fehlte. Die Vergeudungen der Millionäre, deren Zeuge er ist, werden zum genauen Maßstab seines eigenen Elendes, das ihm dadurch mit mathematischer Klarheit in seiner ganzen Breite und Tiefe zum Bewußtsein gelangt. Nun ist aber die Armuth nur dann ein Übel, wenn sie subjektiv als solches empfunden wird; darum verschärfen die Millionäre durch die unklug herausfordernde Unverhohlenheit ihrer Prasserei das Leiden der Proletarier; das vor Aller Blicken offen gegebene Schauspiel ihres Lebens von Müßiggang und Genuß erweckt nothwendig die Unzufriedenheit und den Neid der letzteren und dieses moralische Gift frißt stärker an ihrem Gemüthe als die materiellen Entbehrungen.

Diese materiellen Entbehrungen dürfen aber darum auch nicht unterschätzt werden. Die große Masse der Besitzlosen in den Kulturländern fristet ihr nacktes Dasein unter Bedingungen, wie sie keinem einzigen freien Thiere der Wildniß bereitet sind. Die Wohnung des Proletariers der Großstädte ist ungleich schmutziger und ungesunder als die Lagerstätte der großen Raubthiere, ein Dachs- oder Fuchsbau. Gegen die Kälte ist er unvollkommener geschützt als diese. Seine Nahrung ist gerade nur ausreichend, um ihn nicht gleich verhungern zu lassen, obwohl auch tatsächlicher Hungertod in den Weltstädten ein tägliches Vorkommniß ist. Die Nationalökonomen haben zur Tröstung des unruhigen Gewissens der Besitzenden eine Phrase erfunden, die sie pomphaft das "eiserne Lohngesetz« nennen. Nach diesem Gesetze soll der Tagelohn mindestens so viel betragen, als an dem betreffenden Orte zur Erhaltung des Lebens eben nothwendig ist. Das hieße mit anderen Worten, daß der Arbeiter sicher sein kann, wenn schon keinen Überfluß, so doch wenigstens Befriedigung seiner Nothdurft zu erwerben. Das wäre ja sehr schön, wenn es sich so verhielte. Dann könnte sich ja der Reiche früh und Abend vorsagen, daß Alles aufs Beste bestellt sei in dieser besten aller Welten und Niemand das Recht habe durch Stöhnen oder Fluchen seine Verdauung und Nachtruhe zu stören. Das Unglück ist nur, daß das berühmte eiserne Lohngesetz ein jesuitisches Spiel mit Worten ist. Es findet zunächst auf diejenigen keine Anwendung, die sich überhaupt keine Arbeit verschaffen können. Und während der Zeit, wo er wirklich arbeitet, kann der Proletarier nirgends in Westeuropa so viel erwerben, daß er für die Zeit der Arbeitslosigkeit etwas erübrigt. Er ist also während eines Theils des Jahres auf Bettel oder langsame organische Verkümmerung durch Entbehrung angewiesen. Das eiserne Lohngesetz hat aber auch für das Ausmaß des Tagelohns der wirklich Beschäftigten keine Geltung. Was ist das Minimum dessen, was das Individuum zur Fristung seines Daseins braucht? Offenbar so viel, daß das Individuum damit seinen Organismus in gutem Stand erhalten, sich voll entwickeln und die natürlichen Grenzen seines Lebens erreichen kann. Sowie es sich mehr anstrengt, als seinem Organismus zuträglich ist, oder nicht so viel Nahrung, Wärme und Schlaf hat, wie sein Organismus erfordert, wenn er auf der vollen Höhe seines Typus bleiben soll, verfällt das Individuum dem physiologischen Elend. Überarbeitung ist als Ursache organischer Verkümmerung gleichwerthig mit Unternährung, diese aber ist gleichbedeutend mit langsamem Verhungern. Wenn das "eiserne Lohngesetz« wirklich wäre, was es zu sein vorgibt, so müßte der Tagelöhner durch seine Arbeit mindestens seinen Organismus zu der Beschaffenheit bringen und in derselben erhalten können, die zu erlangen ihm infolge seiner natürlichen Anlage möglich ist. Das kann aber der Tagelöhner erfahrungsgemäß nirgends in Europa. Der optimistische Nationalökonom weist triumphirend auf sein eisernes Lohngesetz hin, wenn er sieht, daß der Tagelöhner nicht gleich am Ende eines jeden Arbeitstages verhungernd niederfällt, sondern sich den Magen mit Kartoffeln füllt, seine Pfeife raucht, seinen Schnaps trinkt und sich selbst einredet, daß er nun satt und behaglich sei. Da kommt aber die Statistik und zeigt, daß die durchschnittliche Lebensdauer des Tagelöhners um ein Drittel, in manchen Fällen sogar um die Hälfte kürzer sei als die der wohlhabenden Individuen derselben Nation, die unter den gleichen klimatischen Bedingungen und auf dem gleichen Boden leben. Wer raubt den Proletariern die Lebensjahre, auf die sie als Söhne einer gegebenen Race und als Bewohner eines gegebenen Erdstrichs natürlichen Anspruch hätten? Wer anders als der Hunger, das Elend, die Entbehrung, die langsam ihre Gesundheit untergraben und ihren Organismus schwächen! Der Tagelohn reicht also höchstens aus, um den Proletarier vor dem schleunigen Verhungern und Erfrieren, nicht aber, um ihn vor dem vorzeitigen Zugrundegehen durch ungenügende Ernährung, Bekleidung und Ruhe zu bewahren, und die Krankheits- und Sterblichkeitsausweise der Arbeiterbevölkerung brandmarken das "eiserne Lohngesetz« als eine schamlose Lüge.

Das Bild der wirthschaftlichen Organisation der Gesellschaft wäre nicht vollständig, wenn ich neben dem übermüthigen Millionär und dem zu Krankheit und frühem Tode verurtheilten Proletarier nicht noch eine andere Klasse von Besitzlosen zeigen würde, die in der bestehenden Wirtschaftsordnung nur unwesentlich minder stiefmütterlich bedacht sind als der Industriesklave der Großstädte. Es sind dies die Gebildeten, die, von Hause aus vermögenslos, durch geistige Arbeit ihren Lebensunterhalt zu gewinnen haben. Das Angebot überwiegt auf diesem Arbeitsgebiete allenthalben in schreckenerregendem Maße den Bedarf. Die sogenannten liberalen Carrièren sind überall so überfüllt, daß diejenigen, welche sie verfolgen, einander erdrücken und der Kampf ums Dasein in denselben die grausamsten und häßlichsten Formen annimmt. Diese Unglücklichen, die eine öffentliche oder private Anstellung, ein Lehramt, den Erfolg als Künstler, Schriftsteller, Advokaten, Arzte, Ingenieure u. s. w. erstreben, sind wegen ihrer höhern geistigen Entwicklung einer größeren Intensität der Empfindung ihres Elends fähig; ihr intimerer Verkehr mit Wohlhabender stellt das Bild des Reichthums fortwährend gegensätzlich neben das ihrer Armuth und erhält in ihnen das Bewußtsein der letzteren weit mehr wach; vom gesellschaftlichen Vorurtheil ist ihnen eine Lebenshaltung auferlegt, die, ohne hygienisch werthvoller zu sein, ihnen dennoch ungleich größere Opfer aufbürdet als dem Proletarier die seinige, und der Wohlstand ist in ihrer Laufbahn der Preis von Demüthigungen, Charakter-Erdrückungen und Entäußerungen des eigenen Ichs, die gut angelegten Naturen noch schmerzlicher sind als materielle Entbehrungen. Weil diese Individuen subjektiv stärker leiden, ertragen sie auch den Zwang der wirthschaftlichen Ordnung ungeduldiger als die Proletarier. Der Besitzende nennt diejenigen unter ihnen, die ohne Erfolg gerungen haben, Deklassierte und heuchelt, sie zu verachten. Die Deklassirten sind aber die todesmuthigen Vorstreiter des Heeres, das die trotzige Veste des Gesellschaftsbaues belagert und sie früher oder später dem Boden gleichmachen wird.

II.

Analysiren wir die einzelnen Elemente des im Vorstehenden gezeichneten Bildes nun etwas eingehender. Wir haben da den ohne Arbeit im Überfluß schwelgenden Reichen, den zur organischen Verkümmerung verurtheilten Proletarier und den durch eine mörderische Konkurrenz erdrückten geistigen Arbeiter gesehen. Leuchten wir zunächst der reichen Minderheit ins Gesicht.

Welches sind die Quellen des Reichthums dieser Minderheit? Dieselbe hat ihr Vermögen entweder geerbt und beschränkt sich darauf, es zu erhalten, oder sie hat es vermehrt oder selbst geschaffen. Von der Vererbung wird später ausführlicher die Rede sein. Hier sei nur bemerkt, daß der Mensch das einzige Lebewesen ist, welches die natürliche Fürsorge für die Nachkommen, eine der Kundgebungen des Gattungs-Erhaltungstriebes und die nothwendige Ergänzung des Fortpflanzungsaktes, so übertreibt, daß es nicht nur die nächste Generation bis zur erreichten Vollentwickelung, sondern noch die fernsten Geschlechtsfolgen während ihrer ganzen Lebensdauer der Notwendigkeit, für sich selbst zu sorgen, entheben will. Die Vermehrung der ererbten großen Vermögen geschieht in den meisten Fällen ohne das geringste Dazuthun des Besitzers und ist namentlich nicht die Folge seiner Arbeit. Die großen und alten Vermögen bestehen hauptsächlich in unbeweglichem Besitze, in Landgütern und Stadthäusern. Der Boden und Häuserwerth nun steigt überall von Jahr zu Jahr und das Einkommen aus diesen Vermögensquellen wächst in dem Maße, in welchem die Zivilisation zunimmt. Die Hervorbringungen des Gewerbefleißes werden billiger, die Lebensmittel beständig theurer und das Obdach wird in den unaufhörlich anwachsenden Städten immer beschränkter und kostspieliger. Einzelne Nationalökonomen leugnen das Theurerwerden der Nahrungsmittel. Sie können aber für ihre Ansicht nur sophistische Beweise anführen. Gewiß, in den Zeiten des schwierigeren Verkehrs waren Hungersnöthe häufiger und Mißwachs konnte an einzelnen Orten Getreidepreise von einer Höhe veranlassen, die heute undenkbar wäre. Die Plötzlichkeit und Weite der Preisschwankungen in der Vergangenheit hat aufgehört, aber die durchschnittliche Höhe der Getreide- und Fleischpreise steigt fortwährend und dieser Anstieg wird durch die unvorsichtige Ausbeutung ungeheurer Strecken jungfräulichen Bodens in Amerika und Australien nicht aufgehalten, nur etwas verlangsamt. An dem wol nahe bevorstehenden Tage, da der Raubbau auch die neuen Kontinente erschöpft haben und der Pflug keine herrenlosen Länder mehr zu erobern finden wird, muß der Werth der Lebensmittel maßlos wachsen, während bei den fortwährenden Vervollkommnungen der Maschinen und der immer großartigeren Ausnutzung der außermenschlichen Naturkräfte ein Aufhören des Sinkens der Preise aller Industrieerzeugnisse nicht abzusehen ist. Diese doppelte Strömung im Wirthschaftsleben, die Neigung der Lebensmittelpreise, zu steigen, die der Industrieproduktenpreise, zu sinken, macht den Industriearbeiter immer ärmer, den Grundbesitzer immer reicher. Jener muß immer mehr arbeiten, eine immer größere Menge Waaren hervorbringen, um sich die zu seiner Erhaltung nöthigen Naturerzeugnisse zu verschaffen, dieser kann die Hervorbringungen seines Bodens von Jahr zu Jahr gegen eine größere Menge von Industriegegenständen vertauschen. Dem Proletarier wird die Sättigung immer schwerer, dem Grundbesitzer die Vergeudung der Arbeitsprodukte des ersteren immer leichter und die Zahl der Poletarier, die für den Luxus des Grundbesitzers arbeiten, die also seine Sklaven sind, hört nicht auf, größer zu werden. Nicht sein Verdienst macht also den Erben des Landes und der Stadthäuser immer reicher, sondern die fehlerhafte Organisation des wirthschaftlichen Zustandes der Gesellschaft, die den Boden, das natürliche Arbeitswerkzeug der Menschheit, in die Hände Einzelner legt und den seines Antheils an der Erde beraubten Proletarier in den Großstädten anhäuft.

Neue Vermögen werden durch Handel, Spekulation oder Großindustrie geschaffen. Die Fülle, in welchen ein Einzelner durch die Mitwirkung des Zufalls große Reichthümer erlangt, indem er zum Beispiel Goldminen, Diamantengruben oder Petroleumquellen entdeckt und sie Dank den herrschenden Eigenthumsbegriffen für sich behalten und zu seinem eigenen Vortheil ausbeuten kann, dürfen wir vernachlässigen, weil sie allzu seltene Ausnahmen sind. Immerhin haben diese Ausnahmen übrigens einen theoretischen Werth als Beweise gegen die Richtigkeit einer andern sogenannten wissenschaftlichen These der Volkswirthschaftslehre, der These, daß Kapital in allen Fällen aufgesparte Arbeit sei. Welche Arbeit repräsentirt etwa ein Diamant von der Größe des Koh-i-Noor, den ein Abenteurer in Südafrika auf dem Boden findet und um mehrere Millionen verkauft? Ein Professor der Nationalökonomie ist um die Antwort nicht verlegen: der Edelstein ist allerdings ein Lohn der Arbeit; nämlich der Arbeit, daß der Finder sich gebückt und ihn aufgelesen hat. Die kodifizirte Wissenschaft nimmt eine solche Erklärung mit wolgefälligem Kopfnicken auf und proklamirt die Theorie als gerettet. Der gesunde Menschenverstand aber treibt mit Fußtritten diese Pseudo-Wissenschaft von sich, die von Dummköpfen für Dummköpfe erfunden ist und den Zweck hat, die Ungerechtigkeiten des Wirthschaftslebens mit windigen Floskeln zu beschönigen und zu entschuldigen.

Der legitime Handel, das heißt derjenige, der den Verkehr zwischen dem Erzeuger und Verbraucher der Boden- und Gewerbe-Hervorbringungen vermittelt und sich seine Dazwischenkunft durch eine Steuer bezahlen läßt, die er dem letzten Käufer in Gestalt eines mehr oder minder ansehnlichen Preiszuschlags auferlegt, führt in unseren Tagen nur ausnahmsweise zur Ansammlung großer Reichthümer. Es gibt zu viele Leute, die nicht mehr wollen, als nur ihr Leben fristen oder sich einen mäßigen Überfluß verschaffen, und die Wettbewerbung um den Auftrag des Konsumenten ist eine zu große, um dem Kaufmann einen besonders hohen Gewinn zu gestatten. Die allgemeine Tendenz des großen und kleinen Handelsverkehrs ist die, alle überflüssigen Vermittler zu unterdrücken, den Verbraucher möglichst direkt mit dem Erzeuger in Verbindung zu setzen und den Zuschlag des in vielen Fällen doch nicht völlig entbehrlichen Vermittlers zu den die Herstellungskosten im weitesten Sinne darstellenden Preisen der Güter auf einen Betrag herabzudrücken, der dem Vermittler gerade nur noch die Deckung seiner Kosten und die Erhaltung seines Lebens gestattet. Größer und dann allerdings räuberisch groß kann der Gewinn des Kaufmanns werden, wenn es ihm gelingt, die freie Konkurrenz zu lähmen oder doch abzuschwächen. Wer Waaren unter schwierigen Verhältnissen oder Gefahren, in Innerafrika oder bei wilden Völkerschaften Asiens, erwirbt, der wird sie mit sehr großem Gewinn verkaufen können, weil die Zahl derjenigen, welche bereit sind, ihr Leben oder ihre Gesundheit für die Möglichkeit der Erwerbung von Reichthümern einzusetzen, denn doch eine geringe ist und man ihm eine Weile das Feld ziemlich ausschließlich überlassen wird. Lange dauert die konkurrenzlose Ausbeutung einer solchen Handelsbeziehung freilich nicht, da deren Gefahren in dem Maße abnehmen, in welchem sie älter und bekannter wird und die Erschließung von Ländern, welche bisher unzugänglich waren, sie unter die Herrschaft des Gesetzes der allgemeinen Wettbewerbung stellt. In zwanzig, in dreißig Jahren wird voraussichtlich diese Quelle großer Reichthümer vollkommen versiegt sein. Man wird nach Innerafrika, Zentralasien und China ebenso leicht und gefahrlos gelangen wie nach irgend einem europäischen oder amerikanischen Lande, die Händler werden dort mit dem Einkaufspreise so weit hinauf- und mit dem Verkaufspreise so weit heruntergehen, als es ihnen ohne Verlust möglich sein wird, und beim Handel mit Elephantenzähnen am Congo oder mit Baumwolle in China wird man auch nur seinen Lebensunterhalt finden wie beim wenig abenteuerlichen Schnupftabaksverkauf in Leitmeritz. Unverhältnismäßig große Gewinne können ferner gemacht werden, wenn es einem einzelnen Kaufmann oder einer geschlossenen Verbindung von Kaufleuten gelingt, einen nothwendigen Gebrauchsartikel zu monopolisiren, so daß der Käufer ihn nur aus ihren

Händen erhalten kann und keine andere Wahl hat, als auf den Artikel zu verzichten oder für denselben den Preis zu bezahlen, den die verschworenen Raubgenossen für ihn fordern. Dieses Verfahren liegt aber nicht mehr im Gebiete des legitimen Handels, sondern bildet eine Gewaltthätigkeit, welche gewisse Gesetzgebungen (z. B. die französische) als Verbrechen ansehen und bestrafen, und führt uns zur zweiten Quelle großer Vermögen, zur Spekulation.

Die Spekulation ist eine der unleidlichsten Krankheitserscheinungen im wirthschaftlichen Organismus. Die tiefsinnigen Weisen, die finden, daß Alles, was ist, vortrefflich ist, haben auch die Spekulation zu vertheidigen gesucht, sie berechtigt und nothwendig genannt, ja sich geradezu für sie begeistert. Ich werde diesen unvorsichtigen Panegyrikern gleich zeigen, für welchen Grundsatz sie da eingetreten find. Der Spekulant spielt im Wirtschaftsleben die Rolle eines Schmarotzers. Er produzirt nichts, er leistet nicht einmal wie der Kaufmann die fraglichen Dienste eines Vermittlers und beschrankt sich darauf, den wirklich Arbeitenden den größten Theil ihres Erwerbes mit List oder Gewalt abzunehmen. Der Spekulant ist ein Wegelagerer, der den Produzenten ihre Erzeugnisse gegen geringe Entlohnung förmlich raubt und die Konsumenten zwingt, sie ihm weit theurer abzukaufen. Die Waffe, mit der er Produzenten und Konsumenten wie ein Buschklepper überfällt, ist doppelläufig und heißt "Hausse und Baisse«. Er bedient sich seines Mordgewehrs auf folgende Weise: Wenn sein Beutezug die Plünderung des Produzenten zum Ziele hat, so verkauft er eines Tages Waaren, die er nicht besitzt, um einen billigern als den Marktpreis und verspricht, sie dem Käufer später, nach vierzehn Tagen, nach einem Monate, nach drei Monaten, abzuliefern. Der Käufer deckt seinen Bedarf natürlich lieber beim Spekulanten als beim Produzenten, weil der erstere geringere Preise fordert. Der Produzent steht nun mit seiner Waare da und hat nur zwei Wege vor sich: entweder er ist reich genug, um ohne Drangsal auf die Verwerthung seiner Erzeugnisse warten zu können, dann wird sich der Spekulant dieselben am Tage, da er sie abzuliefern versprochen hat, allerdings nicht so billig verschaffen können, wie er gehofft hat, er wird vielmehr gezwungen sein, die vom Produzenten geforderten Preise zu bewilligen, und aus dem Räuber wird ein Beraubter werden; oder der Produzent ist auf den sofortigen Verkauf seiner Waare angewiesen – und das ist der weitaus häufigere Fall –, dann muß er sich bequemen, mit seinen Preisen so weit herunterzugehen, bis er endlich Käufer findet; er muß jedenfalls den Spekulanten unterbieten und sein Käufer wird nothwendig der Spekulant selbst sein, denn der Verbraucher hat seinen Bedarf bereits beim Spekulanten gedeckt; dieser wird also die billig verkaufte Waare am Lieferungstage noch billiger erhalten. Der Produzent geht dabei vielleicht zu Grunde, der Spekulant aber hat sich aus dessen Flanke sein Pfund Fleisch herausgeschnitten. Ist die Razzia im Gegentheil gegen den Konsumenten gerichtet, so kauft der Spekulant alle Waare, deren er habhaft werden kann, zu dem vom Produzenten geforderten Preise; er kann das ohne Anstrengung thun, denn das Geschäft kostet ihn keinen Heller; er bezahlt seinen Einkauf nicht baar, sondern mit einem Versprechen; er braucht den Preis erst nach Wochen und Monaten zu berichtigen; ohne einen eigenen Besitz, ohne einen Pfennig ausgelegt zu haben, ist also der Spekulant Eigenthümer der Waare geworden und wenn der Konsument sich dieselbe verschaffen will, so muß er sie beim Spekulanten und zu dem von diesem geforderten Preise erstehen. Der Spekulant nimmt mit der einen Hand das Geld, das ihm der Konsument reicht, läßt davon einen möglichst ansehnlichen Theil in seine eigene Tasche fallen und gibt den Rest mit der andern Hand dem Produzenten hin. Auf diese Weise wird der Spekulant ohne Arbeit, ohne Nutzen für die Gesammtheit reich und mächtig; das Kapital erweist ihm die höchste Gunst, indem es ihm unbegrenzten Kredit einräumt; wenn ein armer Teufel von Arbeiter sich selbstständig machen will, so hat er alle Mühe, die kleine Summe geliehen zu erhalten, deren er zur Anschaffung seines Werkzeugs und Rohstoffs und zur Fristung seines Lebens bis zum Verkaufe seiner ersten Hervorbringungen bedarf; wenn dagegen ein Müßiggänger mit eiserner Stirne, der beschlossen hat, von der Arbeit der Anderen zu leben, spekulative Käufe oder Verkäufe ausführen will, so stellen sich ihm Produzenten und Konsumenten zur Verfügung, ohne sich einen Augenblick lang bitten zu lassen; man sagt sich, daß man ja keinerlei Gefahr laufe, daß der bewilligte Kredit blos theoretisch existire; der Produzent gibt nicht die Waare aus der Hand, sondern nur die Zusicherung, sie an einem bestimmten Tage zu einem bestimmten Preise abzuliefern, natürlich unter der Bedingung, daß der Preis auch baar bezahlt werde; der Konsument seinerseits erlegt nicht den Kaufpreis, sondern ertheilt nur das Versprechen, ihn an dem Tage zu bezahlen, an welchem ihm die Waare übergeben wird. Dieser theoretische Kredit genügt aber, um dem Spekulanten aus Nichts die skandalösesten Reichthümer zu erschaffen.

Jeder Arbeiter, jeder ohne Ausnahme ist dem Spekulanten tributär. Alle unsere Bedürfnisse sind vorausgesehen, alle Gebrauchsgegenstände werden von der Spekulation auf Kredit vorgekauft und uns gegen baar nach Möglichkeit verteuert zurückverkauft. Wir können keinen Bissen Brod essen, unser Haupt unter keinem Obdach ausruhen, keinen Sparpfennig in einem Werthpapier anlegen, ohne dem Getreide-, dem Grund- und Haus-, dem Börse-Spekulanten seine Brandschatzung zu zahlen. Die Steuer, welche wir dem Staate leisten, ist drückend genug, doch nicht entfernt so drückend wie die, welche uns die Spekulation unerbittlich auferlegt. Man hat es gewagt, die Börse als eine notwendige und nützliche Einrichtung zu vertheidigen. Erstickt der Anwalt nicht an der Ungeheuerlichkeit seiner Behauptungen? Was, die Börse soll nützlich und nothwendig sein? Hat sie sich denn jemals innerhalb der Schranken ihrer theoretischen Aufgabe gehalten? Ist sie jemals blos der Markt gewesen, wo der *bona fideKäufer dem bona fideVerkäufer begegnet, wo ehrliche Nachfrage und ehrliches Angebot einander ausgleichen? Das Bild, das die Börse mit einem Giftbaum vergleicht, ist schwach und namentlich unvollständig, denn es versinnlicht nur eine Seite des Börsentreibens, dessen Wirkung auf die moralischen Begriffe des Volkes. Die Börse ist eine Räuberhöhle, in welcher die modernen Erben der mittelalterlichen*

Raubritter hausen und den Vorübergehenden die Gurgel abschneiden. Wie die Raubritter bilden die Börsenspekulanten eine Art Aristokratie, welche sich von der Masse des Volks reich ernähren läßt; wie die Raubritter nehmen sie für sich das Recht in Anspruch, den Kaufmann und Handwerker zu zehnten; glücklicher als die Raubritter, riskiren sie jedoch nicht, hoch oder kurz gehenkt zu werden, wenn sie einmal ein Stärkerer bei der Beutelschneiderei ertappt. Man tröstet sich manchmal damit, daß die Spekulation in Augenblicken der Krise mit einem Schlage Alles verliert, was sie in Jahren ungehinderten Raubes zusammengerafft hat. Das ist aber ein schöner Wahn, mit dem sich die Pastorenmoral zu beruhigen sucht, welche gern am Ende des Verbrechens die Strafe als Schlußpunkt sieht. Selbst wenn eine Krise den Spekulanten zwingt, seinen Raub von sich zu geben, so kann sie doch nichts daran ändern, daß er bis dahin, vielleicht viele Jahre lang, auf Kosten der arbeitenden Glieder des Gemeinwesens ein empörend üppiges Dasein geführt hat. Der Spekulant verliert dann vielleicht sein Vermögen, aber den Champagner, den er in Strömen hat fließen lassen, die Trüffeln, die er verschlungen, die Goldhaufen, die er am grünen Tische verspielt, die Stunden, die er bei seiner Maitresse verbracht hat, die nimmt ihm keine Macht der Welt. Übrigens ist aber eine Krise nur einzelnen Spekulanten, nicht aber der Spekulation im Allgemeinen verhängnißvoll. Im Gegentheil, die Krisen sind die großen Erntefeste der Spekulation, die Gelegenheiten zur Massen-Abschlachtung der ganzen erwerbenden und sparenden Menge eines Volks oder Welttheils. Da thut das Großkapital seinen Rachen auf und verschlingt nicht blos den Wolstand des anlagesuchenden Publikums, sondern auch den unsittlichen Erwerb des kleineren Raubzeugs der Börse, das es sonst gutmüthig um sich spielen läßt wie der Löwe die Maus. Große Baissen werden vom Großkapital herbeigeführt und ausgenützt. Es kauft dann Alles auf, was Werth und Zukunft hat, und verkauft es bald darauf, sowie das Ungewitter vorübergezogen und der Himmel wieder heiter geworden ist, mit ungeheurem Nutzen an dieselben Leute zurück, welche das Papier früher zu Spottpreisen abgegeben haben, um es bei einer neuen Krise wieder sehr billig zu erstehen und dieses grausame Spiel zu erneuen, so oft einige Jahre friedlichen Erwerbes die periodisch geleerten Spartruhen der Produzirenden wieder gefüllt haben. Finanzkrisen sind einfach die regelmäßigen Kolbenstöße, mit welchen das Großkapital den gesammten Erwerbsüberschuß eines Volks in seine eigenen Sammelbecken pumpt.

Die Vertheidiger der Spekulation sagen: Der Spekulant hat im Wirthschaftsdrama eine berechtigte Rolle, sein Gewinn ist der Lohn größeren Scharfblicks, weiserer Voraussicht, rascherer Beurtheilung einer Lage und kühneren Wagens. Das Argument gefällt mir; halten wir es fest. Weil also der Spekulant über Mittel, sich zu unterrichten, verfügt, die dem großen Publikum unzugänglich sind, weil er vor Verlusten weniger Angst hat als der redliche Sparer und allerlei Möglichkeiten schlauer abschätzt als dieser, so hat er das Recht, dem Arbeitenden seinen Erwerb wegzunehmen und im Müßiggang Reichthümer aufzuhäufen. Dieses Recht beruht demnach darauf, daß er bessere Waffen hat – seine Information, größeren Muth – das Geld anderer aufs Spiel zu setzen, und überlegene Kraft – des Urtheils und Verstandes. Nun will ich einmal annehmen, daß Proletarier noch bessere Waffen haben – Repetirgewehre oder Dynamitbomben, noch größeren Muth – den, ihr Leben in die Schanze zu schlagen, und noch überlegenere Kraft – der Muskeln und Knochen. In diesem Falle müssen die Vertheidiger der Spekulation den Proletariern also das Recht zugestehen, ihrerseits den Spekulanten ihr Geld wegzunehmen, oder die Theorie, mit welcher man die Berechtigung der Spekulation nachzuweisen sucht, ist eine Lüge.

Die dritte Quelle großer Reichthümer ist die Großindustrie. In dieser beutet ein Besitzer, oder Nutznießer von Kapital die Tagelöhner aus, die ihm ihre Arbeitskraft vermiethen. Der Unterschied zwischen dem wirklichen Werthe dieser Arbeitskraft, wie er im Preise ihrer Erzeugnisse ausgedrückt ist, und dem Lohne, der für dieselbe gezahlt wird, bildet den Gewinn des Unternehmers, der in den meisten Fällen ein unverhältnißmäßiger, wucherischer ist. Dieser Gewinn wird oft als der Lohn der geistigen Arbeit des Unternehmers angesprochen. Allein darauf ist zu erwidern, daß die geistige Arbeit, welche die technische und kaufmännische Leitung einer großen Fabrik erfordert, keinen Vergleich mit der aushält, welche in wissenschaftlicher Forschung oder literarischer Produktion verbraucht wird, und höchstens mit der eines höhern Staatsbeamten oder Gutsverwalters in eine Linie gestellt werden kann, also mit der von Personen, deren Leistungen die bestehende wirtschaftliche Ordnung nicht entfernt so hoch bewerthet wie das Jahreseinkommen eines großen Fabrikanten. Als bloße Kapitalsverzinsung kann der Unternehmergewinn ebenfalls nicht angesehen werden; denn kein Fabrikant bemißt den Preis seiner Erzeugnisse nur gerade so hoch, daß ihm nach Abzug der Herstellungskosten, zu denen ich auch die Entlohnung seiner eigenen geistigen Arbeit rechnen will, die vier- bis sechsprozentige Rente bleibt, welche das Kapital heute bei risikofreier Anlage auch dem Müßiggänger abwirft; diesen Preis bestimmt vielmehr die Rücksicht einerseits auf die Wettbewerbung der übrigen Fabrikanten, andererseits auf das größere oder geringere Angebot der Arbeitskraft. Der Fabrikant trachtet zunächst, dem Arbeiter möglichst wenig zu zahlen, und dann, dem Käufer möglichst viel abzunehmen. Wenn ihm der Andrang von Arbeitern gestattet, solche um einen Spottpreis zu miethen, und die Abwesenheit von Konkurrenz oder sonstige Umstände ihm ermöglichen, das Fabrikat sehr theuer zu verkaufen, so bedenkt er sich auch keinen Augenblick lang, einen Gewinn zu nehmen, der nicht vier bis sechs, sondern hundert oder noch mehr Prozent des Kapitals ausmachen kann. Die Vertheidiger der kapitalistischen Ausbeutung des Arbeiters sagen, die Vertheilung des Unternehmergewinns an die Arbeiter würde wol den Fabrikanten arm, aber die Arbeiter nicht reich machen und ihren Tagelohn nur unwesentlich, oft blos um einige Pfennige täglich, erhöhen. Ein edles, ein sittliches Argument fürwahr! Nicht auf die Höhe des Betrages, um den der Arbeiter geschätzt wird, kommt es an, sondern auf die Thatsache, daß er zu Gunsten eines Kapitalisten überhaupt geschätzt wird. Es ist möglich, daß der Tagelöhner täglich nur um einige Pfennige mehr verdienen würde, wenn er die ganze Frucht seiner Arbeit für sich behalten könnte. Aber mit welchem Rechte verhält man ihn, auch nur den allerkleinsten Theil seines Erwerbs an einen Unternehmer zu verschenken, der ohnehin bereits die Zinsen seines Kapitals und den überreichen Lohn seiner problematischen Geistesarbeit dahin hat? Man denke sich nur einmal, daß ein Gesetz bestimmte, jeder Bewohner des deutschen Reichs habe jährlich einen Pfennig an irgend einen Schmidt oder Meyer, nicht als Dank für Verdienste um das Gemeinwesen, nicht als Lohn für irgend eine Leistung, sondern als einfaches Geschenk, zu zahlen! Der so Begünstigte erhielte dadurch eine Jahresrente von fast einer halben Million Mark; jeder einzelne Steuernde aber würde seinen Beitrag gar nicht empfinden. Ein Pfennig! das ist so wenig, daß man darüber kein Wort zu verlieren braucht. Und doch würde, ein solches Gesetz von der ganzen Nation mit einem Schrei der Entrüstung beantwortet werden und jeder Bürger sich gegen dessen rohe Willkür und Ungerechtigkeit empören. Allein das wirtschaftliche Gesetz, welches einem Theil der Nation, dem ärmsten, den Proletariern, eine Steuer, nicht von einem Pfennig, sondern im bescheidensten Falle von 30 bis 40, oft von 2 bis 300 Mark jährlich zu Gunsten dieses selben Schmidt oder Meyer auferlegt, finden die, welche ihm nicht unmittelbar unterworfen sind, ganz natürlich. Die Ungerechtigkeit ist in beiden Fällen genau dieselbe. Man fühlt aber die, welche am Proletarier begangen wird, wenig oder gar nicht, weil sie seit Jahrhunderten besteht, weil man sich an sie gewöhnt hat, vielleicht auch, weil sie nicht in der paradoxalen Form auftritt, die eine Wahrheit annehmen muß, um in verschlossene Geister einzudringen.

Wir haben also gesehen, daß großer Reichthum in allen Fällen nur durch die Aneignung der Frucht fremder, nie durch eigene Arbeit erworben wird. Mit eigener Arbeit kann man meist nur sein Leben fristen, manchmal etwas für die Zeit des Alters oder der Krankheit erübrigen, selten mäßigen Wolstand erlangen. Einzelne Ärzte, Advokaten, Schriftsteller, Maler und darstellende Künstler vermögen allerdings ihre direkten, persönlichen Leistungen so hoch zu verwerthen, daß sie Jahreseinkünfte bis zu einer Million Mark beziehen und am Ende ihres Lebens ohne Hilfe der Spekulation, ohne illegitimen Gewinn ein Vermögen von zwanzig Millionen aufgehäuft haben können. Aber solche Persönlichkeiten leben gleichzeitig in der ganzen zivilisirten Welt wahrscheinlich nie mehr als zweihundert, vielleicht nicht einmal hundert. Und auch ihr Reichthum hat, wenn man genauer zusieht, eigentlich bereits einen parasitären Charakter, welcher einzig und allein dem des Schriftstellers nicht anhaftet. Wenn ein solcher eine Million verdient, weil er im Stande war, ein Buch zu schreiben, das in einer oder zwei Millionen Exemplaren abgesetzt wurde, so stellt diese Million einen Lohn der Geistesarbeit dar, den die ganze Menschheit freiwillig und gern bezahlt hat. Wenn aber ein Maler ein Bild um eine halbe Million verkauft, ein Chirurg für eine Operation 50,000 Mark erhält, einem Advokaten für eine Vertheidigung dieselbe Summe bezahlt wird oder eine Sängerin für eine Vorstellung 20,000 Mark bekommt, so drücken diese Beträge nicht einen von der Masse legitim befundenen und unbedenklich bewilligten Lohn individueller Leistungen aus, sondern sind der arithmetische Beweis der Thatsache, daß es in der Kulturwelt eine Minderheit von Millionären gibt, denen, weil sie ihren Reichthum nicht mit eigener Arbeit erworben haben, jeder Maßstab für den Werth einer Leistung fehlt, die jede Laune ohne Rücksicht auf die Kosten befriedigen und seltene Produktionen, wie ein gewisses Bild, den Gesang einer bestimmten Künstlerin, die Thätigkeit dieses einen Arztes oder Advokaten und keines andern, einander um jeden Preis streitig machen. Sieht man jedoch von den Wenigen ab, die in den freien Berufsarten ganz ausnahmsweise erfolgreich sind, so bleibt keine einzige Ausnahme von der Regel bestehen, daß die großen Vermögen von der Ausbeutung der Nebenmenschen herrühren und schlechterdings keinen anderen Ursprung haben. Wenn der ererbte Landbesitz des Grundeigenthümers große Werthzunahme erfährt, so ist es, weil die Zahl der vom Grund und Boden losgerissenen Arbeiter wächst, die Industrie an Ausdehnung gewinnt, die Großstädte überwuchern, die hauptsächlich auf das Gewerbe gerichtete Arbeit der zivilisirten Gesellschaft den Preis der Nahrungsmittel in demselben Maße steigert, in welchem sie den der

Industrieprodukte herabdrückt, mit einem Worte, weil andere Individuen arbeiten, nicht, weil der Grundbesitzer selbst thätig ist. Wenn der Spekulant Millionen anhäuft, so erwirbt er sie durch Mißbrauch einer überlegenen Kraft, heiße diese nun Klugheit oder Informationen oder Verbindungen, mit welcher er den Arbeitenden und Sparenden ihr Vermögen abpreßt, wie der Brigant dem Reisenden seinen Geldbeutel mit dem Tromblon. Wenn der Industrie-Unternehmer zum Krösus wird, so geschieht dies durch die methodische Ausbeutung der Arbeiter, die wie ebenso viele Hausthiere für ihre Leistungen Futter und Stall – beides möglichst nothdürftig – erhalten, während der ganze Werth ihrer Hervorbringungen ihrem Herrn in die Tasche fließt. In diesem Sinne ist der übertriebene und darum unwahre Ausspruch Proudhons, daß Eigenthum Diebstahl sei, richtig zu stellen. Dieses Wort kann man nur dann richtig nennen, wenn man sich auf den sophistischen Standpunkt stellt, daß Alles Seiende für sich selbst vorhanden ist und aus der Thatsache seines Daseins sein Recht, sich selbst anzugehören, schöpft. Bei einer solchen Anschauung stiehlt man allerdings den Grashalm, den man rupft, die Luft, die man athmet, den Fisch, den man angelt; aber dann stiehlt auch die Schwalbe, wenn sie eine Fliege schluckt, und der Engerling, wenn er sich in eine Baumwurzel einfrißt, dann ist überhaupt die Natur von den Erzdieben bevölkert, dann stiehlt überhaupt Alles, was lebt, das heißt von außen Stoffe, die ihm nicht gehören, in sich aufnimmt und sie organisch verarbeitet, und ein Platinblock, der nicht einmal aus der Luft etwas Sauerstoff anwendet, um sich zu oxydiren, wäre das einzige Beispiel von Ehrlichkeit auf unserer Erdkugel. Nein, Eigenthum, das vom Erwerb, das heißt vom Austausch eines bestimmten Maßes Arbeit gegen ein entsprechendes Maß von Gütern, herrührt, ist nicht Diebstahl. Wol aber ist Großkapital, das heißt die Anhäufung von Gütern in einer Hand, die ein Individuum auch bei höchster Bewerthung seiner Arbeit in einem Menschenleben nie mit eigener Produktion erwerben kann, immer ein an anderen Arbeitenden begangener Raub.

Die Minderheit von Räubern, für welche das ganze Gemeinwesen arbeitet, hat sich mächtig organisirt. Sie hat vor Allem die Gesetzgebung, die seit Jahrhunderten in ihrer Hand ist, ganz und gar ihrem Interesse dienstbar gemacht. Bei jedem Gesetze der zivilisirten Staaten möchte man mit Molière ausrufen: "Vous êtes orfèvre, Monsieur Josse!« "Sie sind ein reicher Mann, Herr Gesetzgeber, oder hoffen es zu werden und erklären Alles für ein Verbrechen, was Sie hindern könnte Ihren Reichthum zu genießen und zu mißbrauchen.« Alles, was ein Mensch anders als mit offenbarer Faustgewalt an sich raffen kann, ist sein und bleibt sein. Und selbst wenn die Genealogie eines Vermögens zu buchstäblichem Raub oder Diebstahl (Eroberung, Einsteckung von Kirchengütern, politischer Vermögenskonfiskation) führt, so wird auch das Verbrechen zu einem unantastbaren Besitztitel, sofern man nur das Eigenthum durch so und so viel Jahre festzuhalten vermocht hat. Das Staatsgesetz, das den Gendarmen in Bewegung setzt, genügt dem Millionär nicht. Er macht auch den Aberglauben zu seinem Bundesgenossen und verlangt von der Religion ein Schloß für seine Geldspinde, indem er in den Katechismus einen Satz einschmuggelt, der das Eigenthum für heilig, den Neid nach dem Besitze des Nachbars für eine mit Höllenfeuer strafbare Sünde erklärt. Er fälscht sogar die Moral, auf daß sie seine selbstsüchtigen Zwecke fördere, indem er der für ihn arbeitenden und von ihm ausgebeuteten Mehrheit ohne das geringste Lächeln weismachte Arbeit sei eine Tugend und der Mensch blos zu dem Zwecke da, möglichst viel zu arbeiten. Wie kommt es, daß die besten und ehrlichsten Geister diesen Unsinn jahrtausendelang geglaubt haben? Arbeit soll eine Tugend sein? Kraft welches natürlichen Gesetzes? Kein Organismus in der weiten Lebewelt arbeitet, um zu arbeiten, sondern stets nur zum Zweck der Selbst- und Gattungserhaltung und gerade nur so viel, wie dieser Doppelzweck erfordert. Man macht wol geltend, daß Organe nur durch Arbeit gesund bleiben und sich entwickeln, jedoch verkümmern, wenn sie feiern. Die Vertheidiger der großkapitalistischen Moral, die dieses Argument aus der Physiologie holen, verschweigen aber, daß Organe durch übermäßige Arbeit noch viel rascher zerstört werden als durch gar keine. Ruhe, behaglicher Müßiggang ist dem Menschen wie allen anderen Thieren unendlich natürlicher, angenehmer und wünschenswerther als Arbeit und Anstrengung. Diese ist nur eine peinliche Nothwendigkeit, durch die Erhaltung des Lebens bedingt. Der Erfinder des Märchens vom biblischen Paradiese hat dies in seiner Naivetät ganz klar empfunden, indem er seine ersten Menschen im Zustande der ursprünglichen Seligkeit ohne alle Bemühung dahinleben läßt, und die Arbeit, die den Schweiß von der Stirne rinnen macht, als härteste Strafe für das Verbrechen des Sündenfalls hinstellt. Die natürliche, zoologische Moral würde die Ruhe als höchstes Verdienst erklären und dem Menschen nur so viel Arbeit als wünschenswerth und rühmlich erscheinen lassen, wie zur Fristung seines Daseins unerläßlich ist. Dabei würden aber die Ausbeuter ihre Rechnung nicht finden, deren Interesse erfordert, daß die Masse mehr arbeite, als für sie nöthig ist, und mehr hervorbringe, als ihr eigener Verbrauch erheischt, weil sie sich eben des Überschusses der Produktion bemächtigen wollen, und darum haben sie die natürliche Moral unterdrückt und eine andere erfunden, durch ihre Philosophen begründen, ihre Prediger preisen, ihre Dichter besingen lassen, nach welcher Müßiggang aller Laster Anfang und Arbeit eine Tugend, die vornehmste aller Tugenden sein soll.

Freilich widersprechen die Ausbeuter sich selbst auf das unvorsichtigste. Sie vermeiden es zunächst sorgfältig, sich ihrem eigenen Moralkodex zu unterwerfen und beweisen damit, wie wenig ernst sie ihn nehmen. Der Müßiggang ist nur bei den Armen ein Laster. Bei ihnen ist er ein Attribut höheren Menschenthums und das Erkennungszeichen ihres vornehmeren Ranges. Und die Arbeit, die ihre zweiseitige Moral für eine Tugend erklärt, ist gleichzeitig in ihrer Anschauung eine Schande und bedingt eine gesellschaftliche Inferiorität. Der Millionär klopft dem Arbeiter auf die Achsel, schließt ihn aber aus seinem Verkehr aus. Die Gesellschaft, welche sich die Kapitalisten-Moral und -Denkungsweise angeeignet hat, rühmt den Fleiß mit ausgesuchten Lobsprüchen, weist aber dem Fleißigen den untersten Rang an. Sie küßt die behandschuhte

Hand und spuckt auf die schwielige. Den Millionär sieht sie wie einen Halbgott, den Tagelöhner wie einen Paria an. Warum? Aus zwei Gründen. Erstens wegen des Nachwirkens mittelalterlicher Vorstellungen, zweitens weil Handarbeit in unserer Kultur mit Unbildung gleichbedeutend ist.

Im Mittelalter war Müßiggang das Vorrecht des Adels, das heißt der höhern Race von Eroberern, Arbeit die Zwangsleistung des Volks, das heißt der niedrigen Race von Besiegten und Unterjochten. Dadurch, daß man arbeitete, bekannte man sich als Sohn der Leute, die auf dem Schlachtfelde den Beweis geringerer Mannhaftigkeit und Tüchtigkeit geliefert hatten, und der freie Herr, der seinen Lebensunterhalt von einem Lehngute oder seinem Schwerte verlangen durfte, sah auf den mit produktiver Arbeit Beschäftigten mit der Geringschätzung hinab, die der Weiße für den Buschmann oder Papua empfindet und die im Selbstgefühl anthropologischer Überlegenheit begründet ist. Heute haben Müßiggang und Arbeit aufgehört, Racenmerkmale zu sein. Die Millionäre sind nicht mehr die Nachkommen des Erobererstammes, die Proletarier nicht mehr die Söhne des unterjochten Volkes. Allein wie in so vielen anderen Fällen hat auch in diesem das geschichtliche Vorurtheil die Verhältnisse überdauert, aus denen es entsprang, und der Reiche, der sich vom Armen erhalten und ihn für sich arbeiten läßt, sieht in diesem noch in unseren Tagen wie vor Jahrhunderten der Edelmann in seinem Hörigen nur eine Art Hausthier und durchaus keinen ihm ebenbürtigen Vollmenschen.

Handarbeit ist ferner in unserer Kultur mit Unbildung gleichbedeutend. In der That: die ganze Organisation der Gesellschaft macht dem Besitzlosen höhere Bildung unzugänglich. Der Sohn des Armen kann kaum eine Volksschule, geschweige denn das Gymnasium und die Universität besuchen, weil er auf Erwerb angewiesen ist, sowie er für seine Kräfte überhaupt einen Miether finden kann. Man bewundere einmal an diesem Beispiele die Zweckmäßigkeit der bestehenden Einrichtungen; die kostspieligen Unterrichtsanstalten werden vom Staate, das heißt von den Steuerzahlern, also von den Arbeitern, den Proletariern so gut wie von den Millionären, erhalten, kommen aber nur denen zugute, die mindestens so viel besitzen, daß sie bis zu ihrem 18. oder 23. Lebensjahr ohne Erwerbsthätigkeit leben können. Der Proletarier, der seinem eigenen Sohne keine höhere Bildung angedeihen lassen kann, weil er zu arm dazu ist, muß dennoch den Sohn des Reichen auf seine Kosten studiren lassen, indem er mit die Steuern zahlt, aus denen Mittel- und Hochschulen erhalten werden. Die Engländer, die Amerikaner sind noch bis zu einem gewissen Punkte logisch. Ihre höheren Unterrichtsanstalten, wenn sie schon nicht der Gesammtheit zugänglich sind, werden wenigstens auch nicht zu einer Last für die Gesammtheit, sondern sind Privatunternehmungen oder leben von Stiftungen. In den Kontinentalstaaten aber wird, getreu dem in ihnen herrschenden System der Ausbeutung des Volks zum Nutzen einer kleinen Minderheit, das höhere Unterrichtswesen vom Budget, das heißt von den Steuerleistungen aller genährt, obwol seine Wolthaten blos einer geringen Anzahl Privilegirter, noch lange nicht einem Prozent der Bevölkerung, zugewendet werden. Und wer sind die Bevorzugten, für die der Staat aus den Steuerbeiträgen der Gesammtheit Gymnasien, Realschulen, Fakultäten mit einem Aufwände von vielen Millionen erhält? Sind es die Fähigsten einer Generation? Sorgt der Staat dafür, daß in die Hörsäle seiner Lehranstalten nur Solche Einlaß finden, bei denen der Unterricht der theuer bezahlten Professoren fruchtbringend angelegt ist? Sichert er sich eine Bürgschaft, daß sich nicht Strohköpfe der Plätze auf den Schulbänken bemächtigen, die blos für Intelligenzen da sein sollten? Nein. Der Staat, der seinen hohem Unterricht nicht für Alle, sondern nur für sehr Wenige hat, trifft seine Auswahl nicht mit Rücksicht auf die geistige Berechtigung der Schüler zu reicherer Ausbildung, sondern mit Rücksicht auf ihre Vermögenslage. Der talentloseste Klotz kann sich auf Gymnasien und Fakultäten breit machen und die ihm gereichte geistige Nahrung ohne Nutzen für das Gemeinwesen absorbiren, wenn er nur wolhabend genug ist, um die Kosten des Studiums zu bestreiten, der begabteste Jüngling dagegen bleibt vom höhern Unterricht ausgeschlossen, wenn es ihm an den nöthigen Mitteln fehlt, zum großen Schaden der Gesammtheit, die dadurch vielleicht einen Goethe, Kant oder Gauß verliert.

So verketten sich die gesellschaftlichen und ökonomischen Mißstände zu einem *circulus vitiosus* , aus dem es keinen Ausweg gibt: der Arbeiter ist verachtet, weil er ungebildet ist, er kann sich aber nicht bilden, weil Bildung Geld kostet, das er nicht hat. Die Reichen haben sich nicht nur alle materiellen, sondern auch alle geistigen Genüsse mit Ausschluß der Armen vorbehalten; die erhabensten Güter der Zivilisation: Geisteskultur, Poesie, Kunst, sind tatsächlich nur für sie vorhanden und Bildung ist mit eines der vornehmsten und drückendsten ihrer Privilegien. Wenn sich ein Sohn der unteren Klassen durch Entbehrungen oder Erniedrigungen, durch Bettel oder übermenschliche Anstrengung dennoch die höhere Schulbildung angeeignet, Universitätsdiplome errungen hat, so kehrt er nicht etwa zur Arbeit seiner Väter zurück, so hat er nicht das Bestreben, das Vorurtheil, welches den Männern der Handarbeit den untersten Rang in der Gesellschaft anweist, zu brechen, indem er das Beispiel eines Handarbeiters zeigt, der auf derselben Stufe geistiger Kultur steht wie der tintenklecksende Beamte oder stubenhockende Professor, sondern er beeilt sich, dieses Vorurtheil zu bestärken, indem er auch die Handarbeit verachtet, eine Stelle in den Reihen der Privilegien beansprucht und sich wie die übrigen Mitglieder der höheren Klassen vom arbeitenden Volke ernähren lassen will. Es gibt Handwerke, in denen man bei einiger Geschicklichkeit ohne Mühe 3000 Mark jährlich verdienen kann; andererseits gewähren neun Zehntel aller Anstellungen im Staats- und Gemeinde-, Eisenbahn- und Handelsdienste bei ungleich größerer individueller Abhängigkeit nicht über 2400 Mark Jahresgehalt. Der Studirte zieht dennoch unbedenklich die 2400 Mark mit Bureausklaverei den 3000 Mark mit Freiheit vor, denn als Beamter gehört er zu den gesellschaftlich Privilegirten, zur geschlossenen Bruderschaft der Bildungs-Philister, als Arbeiter aber steht er außerhalb der gesellschaftlich in Betracht kommenden Kasten und wird als ein Barbar betrachtet, der nicht in derselben Geistesatmosphäre athmet wie der Gebildete. Das würde an dem Tage anders werden, an dem ein Studirter sich an die Hobelbank stellen wollte, an dem man einem Mann im Schurzfell mit dem Horaz in der Hand begegnen würde und an dem der Schmied oder Schuster gewordene Abiturient nach gethaner Arbeit in einem ästhetischen Theekränzchen ganz so mitschwatzen könnte wie der Referendarius, oder Kanzlei-Akzessist. Denn die ehrliche Arbeit an sich hat die gleiche Würde, ob sie die Erzeugung von Überröcken oder die Herstellung von Eisenbahnen bezweckt, und, gleiche Geistesbildung vorausgesetzt, hat am Feierabend der Ingenieur nicht den geringsten Anspruch auf Vorrecht vor dem Schneider. Der Studirte thut aber nichts zur Herbeiführung solcher vernünftigen Verhältnisse; er läßt die Blouse die Uniform des Kafferthums bleiben und ehe er sich in dieser sattessen würde, darbt er lieber im schäbigen Überrocke. Daraus ergibt sich eine der drohendsten Formen der sozialen Frage: die Überfülltheit aller freien Berufsarten. Der Studirte hält sich für zu gut – und muß sich bei den herrschenden Anschauungen für zu gut halten –, um in die tiefste Schicht der Gesellschaft, in den Stand der Handarbeiter, niederzutauchen, und verlangt von der Gesellschaft, daß sie ihn wie einen Herrn ernähre. Die Gesellschaft hat aber nur einen begrenzten Bedarf für die Gattung Arbeit, welche der Studirte heute leistet und so ist in den alten Kulturländern wol die Hälfte aller Studirten dazu verurtheilt, ihr Lebelang zu hoffen und zu gieren und nichts zu erlangen, um den beschränkten Bissen zu kämpfen und dabei zu verhungern, vor der Tafel der schmausenden oberen Zehntausend zu stehen und sich den Schmachtriemen eng zu schnallen. Menschenfreunde jenes Schlags, die Krieg und Pest für einen Segen erklären, weil sie Raum schaffen und den Überlebenden bessere Daseinsbedingungen gewähren, haben denn auch die Bildung für ein Übel angesehen und die Vermehrung der Mittel- und Hochschulen als ein Attentat gegen das Volksglück bezeichnet, weil dadurch nur noch mehr Deklassirte, Unzufriedene, künftige Barrikadenkämpfer und Petroleure großgezogen werden. Sie haben beim heutigen Stand der Dinge nicht Unrecht. So lange sich der Studirte durch Handarbeit erniedrigt fühlt, weil der Arbeiter verachtet ist, so lange er in seinem Diplom eine Anweisung auf Versorgung durch die Gesellschaft sieht und sich durch seine Bildung zum Schmarotzerdasein der Reichen berechtigt glaubt, wird ihn die letztere in fünf Fällen unter zehn weit unglücklicher machen, als er es ohne sie im Handwerker- oder selbst Tagelöhner-Dasein je hätte sein können. Dem ist nur dadurch abzuhelfen, daß man der Bildung ihre natürliche Rolle wiedergibt. Sie muß Selbstzweck werden. Man muß zur Anschauung gelangen, daß die Bildung an sich ein ausreichender Lohn der Anstrengung, um sie zu erlangen, ist, daß man kein Recht hat, für diese Anstrengung noch einen anderen Lohn zu erwarten, und daß die Bildung der Pflicht produktiver Arbeit nicht enthebt. Der Gebildete hat ein reicheres und volleres Bewußtsein seines Ichs, er erfaßt tiefer die Erscheinungen der Welt und des Lebens, ihm sind künstlerische Schönheiten und geistige Genüsse zugänglich und sein Dasein ist ein ungleich weiteres und intensiveres als das des Unwissenden. Es ist undankbar, von der Bildung außer dieser unschätzbaren Bereicherung des innern Lebens auch noch das Brod zu verlangen, das zu liefern Pflicht der Hände ist. Wenn aber seinerseits der Gebildete die unmittelbare Güterproduktion nicht verschmähen sollte, so müßte andererseits die Gesellschaft die Bildung allen Bildungsfähigen dem Maße ihrer Fähigkeit entsprechend zugänglich machen. Der Schulzwang ist dazu nur ein schwacher Anfang. Wie will man arme Eltern verhalten, ihre Kinder bis zum zehnten oder zwölften Jahre zur Schule zu schicken, wenn sie nicht im Stande sind, die Kinder zu ernähren und zu bekleiden, und dieselben arbeiten lassen müssen, damit sie zu ihrer Erhaltung beitragen? Und ist es berechtigt, ist es logisch, daß der Staat sagt: "Du mußt Schreiben und Lesen lernen, darüber hinaus aber darfst du nicht gehen!« Warum hört der Schulzwang bei der Elementarschule auf? Warum erstreckt er sich nicht auf den höheren Unterricht? Entweder ist Unwissenheit ein nicht blos dem Individuum, sondern auch der Gesammtheit gefährliches Gebrechen, oder sie ist kein solches. Ist sie keines, dann wozu die Kinder auch nur zum

Elementarunterricht zwingen? Ist sie eines, warum es nicht durch ausgedehntere Bildung möglichst vollständig heilen? Ist die Kenntniß der Naturgesetze nicht ebenso werthvoll wie die des Einmaleins? Braucht der künftige Wähler, der die Geschicke seines Vaterlandes mitbestimmen wird, keine Bewandertheit in der Geschichte, Politik und Nationalökonomie? Kann er aus der ihm beigebrachten Kunst des Lesens den vollen Nutzen ziehen, wenn man ihn nicht bis zum Verständniß der poetischen und prosaischen Meisterwerke seiner Literatur führt? Das setzt mindestens Mittelschulbildung voraus. Warum dann den Schulzwang nicht auch auf die Mittelschule ausdehnen? Das Hinderniß ist ein materielles. Der arme Mann, der schon so große Noth hat, sein Kind auch nur bis zum Verlassen der Volksschule zu erhalten, könnte unmöglich die Last der Versorgung desselben bis zu einem vorgerückteren Alter, etwa bis zum achtzehnten oder zwanzigsten Lebensjahre, tragen. Er ist gezwungen, die Arbeitskraft des Kindes so früh wie möglich zu verwerthen. Damit die Mittelschulbildung ebenso allgemein werde wie die Volksschulbildung, müßte entweder die Arbeit der Schuljugend so organisirt werden wie in gewissen Bildungsanstalten der Vereinigten Staaten, wo die Zöglinge neben dem Studium Ackerbau und Handwerke mit genügendem Erfolge betreiben, um sich vom Ertrag ihrer Arbeit, allerdings unterstützt durch menschenfreundliche Stiftungen, ernähren zu können, oder, was weit logischer und besser wäre, das Gemeinwesen müßte nicht blos für den Unterricht, sondern auch für die volle materielle Erhaltung der studirenden Jugend sorgen. "Das wäre der helle Kommunismus!« rufen wol die entsetzten Anhänger jenes organisirten Egoismus, den man die bestehende Wirthschaftsordnung nennt. Ich könnte ihnen den Gefallen thun, das grausame Wort zu vermeiden, zu sagen: Nein, das wäre nicht der Kommunismus, sondern die Solidarität. Ich verschmähe es aber, mit dem Gedanken Versteckens zu spielen. Nun denn: ja, das wäre ein Endchen Kommunismus! Aber stecken wir denn nicht ohnehin in vollem Kommunismus? Ist es nicht Kommunismus, daß der Staat für die ganze Kindergeneration vom sechsten bis zum zwölften Lebensjahre unentgeltlichen Schulunterricht besorgt? Ist die so gereichte Geistesnahrung nicht auch eine Nahrung? Kostet sie nicht auch Geld? Ist es nicht die Gesammtheit, die dieses Geld aufbringt? Und die Armee? Beruht sie nicht auf reinem Kommunismus? Erhält nicht die Gesammtheit eine ganze Generation von Jünglingen zwischen dem 20. und 23. Lebensjahre und zwar vollständig, nicht bloß mit geistiger, sondern auch mit leiblicher Nahrung, mit Wohnung und Kleidung? Weshalb sollte es schwerer oder unvernünftiger sein, eine Million Kinder während der vollen Schulzeit bis zur Universität, als eine halbe Million Jünglinge während der Militärdienstzeit auf Gemeinkosten zu erhalten? Die Kosten? Sie wären nicht größer als die der Armee-Erhaltung. Und die Heranbildung einer Armee ist für die Sicherheit und das Gedeihen einer Nation nicht wichtiger als die höhere Schulung der heranwachsenden Generation. Und übrigens: Weshalb sollte man nicht beide Zwecke verbinden? Weshalb nicht die ganze männliche Jugend bis zum siebenzehnten oder achtzehnten Jahre wie jetzt das Heer auf Staatskosten kleiden und ernähren und ihr neben dem Volks- und Mittelschulunterrichte gleichzeitig die militärische Ausbildung geben? Die nationale Arbeit würde die ökonomisch werthvolleren Arme 20- bis 23jähriger Arbeiter gegen die minder kostspieligen Arme von Knaben einlösen und der Gewinn, welcher der Gesammtheit daraus erwüchse, würde genügen, den Betrag zu decken, um den eine Schülerarmee mehr kosten würde als die gegenwärtige Armee zu dreijähriger Unproduktivität verurteilter vollentwickelter Arbeitskräfte.

Damit ein solches System vollständig sei, setzt es noch eine Einrichtung voraus. Nicht jede Intelligenz ist geeignet, höhere und höchste Bildung in sich aufzunehmen. Wenn der Staat die ganze Schuljugend erhält und dadurch die Bildung auch dem Sohne des Ärmsten zugänglich macht, so muß er dafür sorgen, daß seine Wolthat nur solchen zukomme, die ihrer würdig sind und denen sie zum Nutzen wird. Am Ende eines jeden Schuljahres müßte eine mit jeder Stufe strengere Wettprüfung vorgenommen werden und nur die als Sieger aus ihr hervorgehen, hätten das Recht, in die höheren Lehranstalten vorzurücken. So würde der Unbegabte die Schule mit dem leichten, aber für seine Tragkraft gerade ausreichenden Gepäcke der Elementarkenntnisse, der mäßig Begabte sie mit einigem oder dem ganzen Mittelschulwissen verlassen und nur der Hochbegabte zu den obersten Lehranstalten, zu den Fakultäten und wissenschaftlichen, technischen oder Kunst-Fachschulen zugelassen werden. So ist es zu erreichen, daß höhere Bildung Gemeingut des ganzen Volkes wird und nicht länger das Vorrecht der Reichen bleibt; die Blouse des Handarbeiters ist dann nicht mehr mit Rohheit gleichbedeutend und der Studirte vergibt sich nichts, wenn er seinen Lebensunterhalt von der unmittelbaren Gütererzeugung verlangt; die Überfüllung der freien Berufsarten mit anmaßenden und unberechtigten Mittelmäßigkeiten ist verhütet; das wirkliche Talent, das gezwungen war, in einem Dutzend Wettprüfungen immer schwerere Proben seiner vollen Begabung zu liefern, findet nach der letzten Prüfung in seinem Diplom eine absolute Garantie ehrenvollen Erwerbs, die Deklassirten verschwinden, das Elend im Überrock hört auf und eine der gefährlichsten Wunden am Gesellschaftskörper ist geheilt.

Neben der Minderheit reicher Müßiggänger, die von der Arbeit der Fleißigen leben, und der Gruppe der Unnöthigen, die aus dem Besitze irgend eines Diploms das Recht ableiten zu dürfen glauben, gleich den Millionären zu schmarotzen, haben wir in unserem Bilde der wirtschaftlichen Zustände den besitzlosen, von der natürlich nährenden Scholle losgerissenen Industriearbeiter gesehen. Welch eine tragische Gestalt mitten in unserer gerühmten Zivilisation, dieser Proletarier, welch eine furchtbare Kritik unserer Kultur! Man zitirt oft die Zeilen, in denen La Bruyère den leibeigenen französischen Bauer seiner Zeit schildert: "eine Art finstern scheuen Thieres, ausgemergelt, in Höhlen wohnend, auf allen Vieren Gras fressend, mit Lumpen bedeckt, bei der Annäherung eines Menschen erschrocken fliehend, und doch mit einem menschlichen Gesichte versehen, und doch ein Mensch«. Die

Schilderung gilt vom Tagelöhner unserer Tage. Elend genährt, hauptsächlich auf Kartoffeln und Fleischabfälle in Wurstform angewiesen, mit Fusel vergiftet von dem er den Selbstbetrug eines lügnerischen Kraft- und Sattheits-Gefühls verlangt, schlecht gekleidet, in eine besondere Tracht gehüllt, die ihn schon von Weitem als den Armen, den Enterbten bezeichnet, aus Mangel an Zeit und Geld zur körperlichen Unreinlichkeit verurtheilt, steckt er in den finstersten, schmutzigsten Winkeln der Großstädte. Er hat nicht nur keinen Antheil an den besseren Nahrungsmitteln, welche die Erde hervorbringt, auch Licht und Luft, die doch in unbeschränkter Menge für alle Lebewesen da zu sein scheinen, sind ihm aufs kargste zugemessen oder ganz vorenthalten. Seine ungenügende Nahrung und sein übermäßiger Kraftverbrauch erschöpfen ihn so, daß seine Kinder rhachitisch werden und er selbst einem frühen Tode anheimfällt, dem oft genug langes Siechthum vorangeht. Seine ungesunde Wohnung macht ihn und seine Nachkommenschaft unrettbar zur Beute der Skrophulose und Tuberkulose. Er ist eine Art verlorenen Postens, den jede Seuche zu allererst niedermetzelt. Er ist schlechter daran als der Sklave des Alterthums, denn ganz so gedrückt, ganz so abhängig vom Herrn und Vogt, wie dieser, kann er für den Verlust seiner Freiheit nicht einmal auf die beständige Hausthier-Versorgung mit Stall und Futter rechnen und hat überdies vor seinem antiken Leidensgenossen das fressende neuzeitliche Bewußtsein seiner Menschenwürde und seiner natürlichen Rechte voraus. Er ist aber auch übler daran als der Wilde, der in den Urwäldern Amerikas oder Grasebenen Australiens umherschweift, denn gleich diesem ganz allein auf seine eigene Kraft angewiesen, gleich diesem Tag für Tag aus der Hand in den Mund lebend und vom Hunger heimgesucht, wenn er einige Stunden lang nichts erbeutet hat, ist er überdies des hohen Genusses beraubt, den die volle Auslebung aller Leibes- und Geisteskräfte im Kampfe mit natürlichen Hindernissen, Thieren und Menschen gewährt, und muß er von seinem ohnehin weitaus unzulänglichen Arbeitsertrag auch noch einen ansehnlichen Theil an das Gemeinwesen abgeben, das ihm als Gegenleistung Ketten und Hiebe bietet. Die Zivilisation, die ihm Befreiung und Wolbefinden versprochen, hat ihm allein nicht Wort gehalten. Er ist von ihren höchsten Gütern ausgeschlossen. Die moderne Hygiene, die das Heim des Wohlhabenden so behaglich gestaltet, ist in seine Schlupfwinkel nicht eingedrungen; in der vierten Wagenklasse der Eisenbahnen reist er unbequemer als einst zu Fuße oder in einem Plachenwagen, den eine Schindmähre zog; die Errungenschaften der Forschungen gelangen nicht bis zu seinem Verständniß; die Hervorbringungen der schönsten Künste, die dichterischen Meisterwerke seiner Sprache bereiten ihm keinen Genuß, weil er nicht erzogen ist, sie zu begreifen; selbst die Maschine, die ihm zum Segen werden sollte, hat seine Sklaverei eher erschwert als erleichtert. Es ist gewiß ein großer Schritt zur Beglückung der Menschheit, daß man die Naturkräfte zur Verrichtung aller brutalen Arbeit einspannen kann; denn das Wesentliche und Hohe am Menschen ist nicht seine Muskulatur, sondern sein Gehirn; als Kraftquelle steht er hinter dem Rind und Maulesel, und wenn man von ihm blos mechanische Arbeit verlangt, so erniedrigt man ihn zum Range des Saumthiers. Allein die Maschine ist bisher nicht der Heiland, der Erlöser und Befreier des Arbeiters geworden, sondern hat ihn im Gegentheil zu ihrem eigenen Diener gemacht, weil seine Enterbung von Grund und Boden und die sich daraus ergebende Unmöglichkeit, der Natur seinen Bedarf an ihren Erzeugnissen unmittelbar abzuringen, ihn nach wie vor auf die bloße Verwerthung seiner Muskelkraft in der Industrie anweist und zum schwächern, unvollkommenern, demüthigen Konkurrenten der Maschine hinabdrückt. Die Solidarität des Menschengeschlechts empfindet er nur insofern, als sie ihm viele Pflichten auferlegt, während sie ihm kaum irgend ein Recht einräumt. Wenn er seine Arbeitskraft nicht verwerthen kann oder durch Krankheit oder Altersschwäche an nützlicher Thätigkeit verhindert ist, so übernimmt es die Gesellschaft wol, für ihn zu sorgen; sie schenkt ihm Almosen, wenn er bettelt, sie legt ihn auf ein Spittelbett, wenn er fiebert, sie steckt ihn – manchmal – in ein Armenhaus, wenn er vor Bejahrtheit nicht weiter kann; aber mit wie unwirschen, mürrischen Mienen erfüllt sie diese Pflichten! Sie reicht ihrem unwillkommenen Kostgänger mehr Demüthigungen als Bissen und während sie auf der einen Seite mit Ächzen und Krächzen seinen Hunger stillt und seine Blöße bedeckt, erklärt sie es auf der andern Seite für die größte Schande, diese Wolthaten aus ihrer Hand anzunehmen, und hat für den Unglücklichen, der ihre Milde in Anspruch nimmt, die tiefste Verachtung. Für seine Tage der Arbeitslosigkeit, der Krankheit und des Alters selbst zu sorgen ist dem Proletarier unmöglich. Wie sollte er, der nicht das Nöthigste verdient, noch erübrigen? Für seinen Arbeitstag einen Preis zu fordern, der ihm mehr gewähren würde als die Befriedigung seiner allerdringendsten Bedürfnisse, daran kann er nicht denken, denn die Zahl der Enterbten ist zu groß und die Enterbung der Massen macht noch immer Fortschritte und es werden sich nothwendig Wettbewerber finden, die sich für ihre Arbeit mit einem Lohn begnügen, der sie eben nur davor bewahrt, gleich Hungers zu sterben. An diesem Verhältniß kann der Proletarier aus eigener Kraft schlechterdings nichts ändern. Es hilft ihm nichts, noch so fleißig zu sein; mit der größten Anspannung seiner Kräfte wird er nie über die strikte Befriedigung seiner unmittelbarsten Bedürfnisse hinausgelangen, ganz abgesehen davon, daß selbst das niedrigste Ausmaß des Tagelohns bereits die äußerste Ausnützung der Leistungsfähigkeit des Arbeiters zur Voraussetzung hat. Im Gegentheil: je mehr der Proletarier arbeitet, um so mehr verschlimmert er seine Lage. Das scheint Paradox und, ist doch durchaus wahr. Produzirt der Proletarier mehr, so wird sein Erzeugniß billiger und seine Entlohnung bleibt dieselbe, wenn sie nicht geringer wird; so verdirbt er sich durch angestrengte Thätigkeit selbst seinen Markt und entwerthet nur seine Arbeitskraft. Diese Erscheinung würde nicht eintreten, wenn die Produktion der Großindustrie durch die Nachfrage bestimmt würde. Dann könnte eine Überproduktion nie vorkommen, der Preis der Güter würde nicht durch ihre Menge gedrückt und der Arbeiter erhielte für mehr Arbeit auch höhern Lohn. Der Kapitalismus fälscht aber dieses natürliche Spiel der wirthschaftlichen Kräfte. Ein Unternehmer legt eine Fabrik an und läßt Waaren herstellen, nicht weil er die Überzeugung erlangt hat, daß für die letzteren unbefriedigter Bedarf vorhanden ist, sondern weil er Kapital besitzt, für dasselbe Verzinsung sucht und einen Nachbar kennt, der mit seiner Fabrik Reichthümer erworben hat. So tritt individuelle Laune oder Unverstand an die Stelle der Wirthschaftsgesetze und der Markt wird mit einem Überschuß von Gütern überschwemmt, weil ein Einzelner in der Jagd nach Millionen eine falsche Fährte verfolgt. Der Irrthum rächt sich freilich; der Unternehmer drückt die Preise, bis sie nicht mehr lohnend sind, und geht zu Grunde; alle übrigen Fabrikanten desselben Artikels werden mit ihm zu Boden gerissen; über einen ganzen Produktionszweig bricht eine Landes- oder Weltkrise herein. Das eigentliche Opfer ist aber doch der Proletarier, der, bis der Unternehmer sein Kapital erschöpft hat und nicht mehr weiter kann, gegen immer geringern Lohn immer mehr hat arbeiten müssen und am Schluß des ungleichen Kampfes zwischen Nachfrage und Angebot, der mit der Besiegung des letztern endet, auf kürzere oder längere Zeit sogar völlig brodlos wird. Das ist die Rolle des Proletariers und Unternehmers in der Großindustrie: der erstere ermöglicht dem letztern die Anhäufung mächtiger Kapitalien; die Kapitalien suchen Verwerthung und glauben sie in der Anlage neuer Fabriken zu finden; dadurch entsteht Überproduktion und scharfe Konkurrenz mit ihrem Gefolge von Preiserniedrigung und Lohnherabsetzung und zuletzt tritt die Krise ein, die den Arbeitern ihren Erwerb raubt. So macht der Industriesklave seinen Herrn reich, dafür wird ihm sein Brod zuerst geschmälert und zuletzt entzogen. Gibt es eine schönere Illustration der Gerechtigkeit des bestehenden Wirthschaftszustandes?

III.

Die erste Frage, die sich bei der Betrachtung dieses Bildes aufdrängt, ist die: Muß die ökonomische Lage sein, wie sie ist? Stehen wir vor einem unabänderlichen Naturgesetze oder vor den Folgen menschlicher Thorheit und Beschränktheit? Warum schwelgt eine Minderheit im Genüsse aller Güter, an deren Erzeugung sie nicht theilnimmt? Warum ist eine nach Millionen zahlende Menschenklasse zum Hungern und Darben verurtheilt? Hier stoßen wir auf den wichtigsten Punkt des Problems, das gelöst werden soll. Es handelt sich darum, zu wissen, ob die Dürftigen hungern, weil die Erde für sie keine Nahrung in genügender Menge hervorbringt, oder ob sie hungern, weil die Nahrung, obwol vorhanden, nicht an sie gelangt. Nun denn, die letztere Alternative können wir unbedingt ausschließen. Wenn Nahrungsmittel in reichlicher Menge und guter Beschaffenheit für Alle vorhanden wären, so müßte der Theil, der auf den Armen entfällt, den er sich aber nicht verschaffen kann, unverbraucht übrigbleiben. Die Erfahrung lehrt, daß nichts derartiges geschieht. Ein jedes Jahr verbraucht seine ganze Ernte an Körnerfrüchten und sonstigen Nährpflanzen aller Art; wenn die neue Ernte eingeheimst wird, ist die vorjährige fast immer bereits völlig erschöpft, ohne daß darum die ganze Menschheit im abgelaufenen Jahre täglich satt geworden wäre; man hat noch nie gehört, daß Getreide dem Wurmfraß überlassen wurde, weil keine Verwendung dafür zu finden war, und Fleisch ist noch nie aus Mangel an Käufern verfault. Gewiß, die Reichen vergeuden mehr Güter, als sie brauchen und als auf sie entfallen würden, wenn nur die Ansprüche ihres Organismus maßgebend wären; aber unter diesen Gütern nehmen die wesentlichsten, die Nahrungsmittel, die kleinste Stelle ein; der Millionär verpraßt Menschenarbeit für seine Launen, seinen Übermuth oder seine Eitelkeit, er wirft Kleider weg, die noch nicht entfernt ausgedient haben; er läßt Häuser von unnöthiger Ausdehnung bauen und füllt sie mit überflüssigem Geräth; er entzieht Menschen der nützlichen Produktion und erhält sie im lasterhaften Müssiggang von Lakaien und

Gesellschafterinnen oder in der Scheinthätigteit von Kutschern, Leibjägern u. s. w.; Nahrungsmittel jedoch verbraucht er, die liederlichste Wirtschaft vorausgesetzt, höchstens viermal so viel, als zur Befriedigung seiner organischen Bedürfnisse nöthig wäre. Setzen wir voraus, daß es in der zivilisirten Welt eine Million solcher Verschwender gibt; mit ihren Familienmitgliedern würden sie fünf Millionen Individuen ausmachen; diese fünf Millionen würden Nahrungsmittel für zwanzig Millionen, also außer ihrem eigenen natürlichen Antheil den von fünfzehn Millionen anderer Menschen verbrauchen. Damit würde erst erklärt sein, daß 15 Millionen gar nichts, oder 30 Millionen blos halb so viel, als sie unbedingt brauchen, für sich auftreiben können. Man kann aber die Zahl der Nothleidenden und Entbehrenden in Europa allein mit Sicherheit auf das Doppelte, auf 60 Millionen veranschlagen. Es bleibt also nichts übrig als die andere Annahme: daß nämlich die Erde keine genügende Nahrung für Alle hervorbringt und daß darum ein Theil der Menschheit ohne Gnade zum physiologischen Elend verurtheilt ist.

Ist das eine Folge natürlicher Verhältnisse? Erzeugt die Erde nicht mehr Nahrungsmittel, weil sie dazu unvermögend ist? Nein. Sie gibt keine Nahrung, weil man sie nicht von ihr verlangt. Als die kapitalistische Moral vor das Problem des Mißverhältnisses zwischen den hungrigen Mündern und den zu ihrer Sättigung vorhandenen Nährstoffen gestellt wurde, da zerbrach sie sich nicht lange den Kopf über die Lösung, sondern fand alsbald einen biedern Malthus, der unbefangen sagte:«Die Erde vermag die Menge der Menschen nicht mehr zu ernähren? Nun denn, so muß man einfach diese Menge vermindern.« Und er predigte die geschlechtliche Enthaltsamkeit, aber nur für die Armen. Um ein weniges hätte er vorgeschlagen, daß man jedes Individuum, das nicht mit Renten geboren ist, kastrire und die Menschheit nach dem idealen Muster der Ameisen- oder Bienengesellschaft reformire, in der einige wenige Individuen das Privilegium der Fortpflanzung besitzen, während die große Masse geschlechtslos ist und nur für die vollentwickelten Individuen zu arbeiten das Recht hat. In einer solchen Gesellschaftsordnung würde zum Glücke der Millionäre in der That gar nichts fehlen. Den Satz umzukehren, zu sagen: "Die Menge der Nahrungsmittel reicht für die Menschen nicht mehr aus? Nun denn, so muß man sie eben vermehren!« das ist dem frommen Malthus und seinen Nachbetern nicht eingefallen; und doch sollte man denken, daß dieses Heilmittel der wirthschaftlichen Nöthe nahe genug liegt. Oder sollte es wirklich einen Menschen im Besitze seines gesunden Verstandes geben, der zu behaupten wagen würde, daß es unmöglich sei, die Nahrungsmittel-Production der Erde zu vermehren? Einem solchen Kauz hätte man bald genug mit einigen Zahlen heimgeleuchtet. Europa ernährt auf 9,710,340 Quadratkilometern 316 Millionen Bewohner; das heißt, es ernährt sie höchst unvollkommen, denn es bezieht aus Indien, dem Kapland, Algerien, Nordamerika und dem australischen Festlande Getreide und Fleisch in großen Mengen, ohne selbst von seinen Nahrungsmitteln etwas anderes als höchstens Wein abzugeben, und läßt trotz diesen Lebensmittel-Anleihen bei allen übrigen Welttheilen einen großen Theil seiner Bevölkerung darben. Europa erweist sich also im Ganzen betrachtet scheinbar unfähig, auf einem Quadratkilometer 32 Menschen ausreichend zu ernähren. Nun erhält aber Belgien auf 29,455 Kilometer 5,536,000 Einwohner; in diesem Lande ist also ein Quadratkilometer völlig ausreichend, 200 Menschen zu ernähren, mehr als sechsmal die Durchschnittszahl; die wir für ganz Europa gefunden haben. Würde der Boden ganz Europas so bearbeitet wie der Belgiens, so könnte es statt seiner 316 Millionen darbender Menschen 1950 Millionen ernähren, weit mehr als die ganze Menschheit heute beträgt oder wenn es bloß seine 316 Millionen enthielte, so müßten für jeden einzelnen von diesen sechsmal so viel Lebensmittel vorhanden sein, als er bei reichlichstem Ausmaß verbrauchen kann. Ein Einwand ist hier vorauszusehen: Belgien genügt eben seinem Bedarf nicht und muß Lebensmittel einführen. Gut. Nehmen wir an, daß Belgien ein volles Viertel seines Lebensmittelbedarfs im Auslande kauft. Es ernährt dann noch immer 150 Menschen auf einem Quadratkilometer, was für ganz Europa 1458 Millionen ergäbe, noch immer mehr als die ganze Menschheit zählt. Nehmen wir ein anderes Beispiel. China (ohne die Nebenländer) mißt 4,024,890 Quadratkilometer, auf denen 405 Millionen Menschen wohnen. Der Quadratkilometer nährt also über 100 Menschen, und zwar vollständig, denn China, weit entfernt Lebensmittel einzuführen, verkauft noch große Mengen Reis, Konserven, Thee u. s. w. Auch ist in China nach dem übereinstimmenden Zeugnisse aller Reisenden Hunger und Elend nur in Jahren des Mißwachses bekannt, was sich aus den unentwickelten Verkehrsverhältnissen erklärt und nicht einem Nahrungsdefizit des ganzen Reiches zugeschrieben werden darf. Also wenn Europa auch nur so bewirthschaftet wäre wie China, so könnte es noch immer gegen 1000 Millionen Menschen ernähren statt seiner 316, die sich da so schlecht befinden, daß ihrer jährlich viele Hunderttausende nach den übrigen Welttheilen auswandern.

Warum stellt man nun an den Boden keine größeren Anforderungen, da doch die Erfahrung lehrt, daß er ihnen durchaus entsprechen kann? Warum bemüht man sich nicht, so viel Nahrung hervorzubringen, daß alle Menschen im Überflusse schwimmen könnten? Aus einem einzigen Grunde; weil der Kapitalismus zu einer einseitigen und unnatürlichen Entwicklung unserer Kultur geführt hat. Alle Zivilisation drängt zur Industrie und zum Handel und lenkt von der Nahrungsmittel-Erzeugung ab. Der Physiokratismus, welcher lehrt, daß der einzige wahre Reichthum eines Landes seine Bodenprodukte seien, wird seit einem Jahrhundert von der offiziellen nationalökonomischen Wissenschaft, die sich zum Hofnarren der egoistischen und kapitalistischen Wirtschaftsordnung erniedrigt hat, als ein naiver Irrthum verlacht. Wie der einzelne Sohn des Feldes seine Scholle, die Freiheit der ländlichen Natur, den Überfluß an Licht und Luft verläßt, um sich mit einer Art selbstmörderischen Triebes in die tödtlichen Gefängnisse der Fabrik, der großstädtischen Arbeitsviertel zu stürzen, so reißt sich auch die Kulturmenschheit in ihrer Gesammtheit immer mehr vom nährenden Acker los und drängt sich in das Pferch der Großindustrie, wo sie erstickt und verhungert. Das ganze Genie der Menschheit, all ihre

Erfindungskraft, ihr ganzes Sinnen und Forschen, ihre Ausdauer im Nachspüren und Versuchen ist der Industrie zugewendet. Die Ergebnisse sehen wir; es sind immer wunderbarere Maschinen, immer vollkommenere Arbeitsmethoden, immer größere Gütererzeugung. Mit der Nahrungsmittel-Produktion aber beschäftigt sich von hundert Erfindungsgenies vielleicht nicht eins. Würde dieser Produktion nur halb so viel Forschung und Findigkeit gewidmet wie der gewerblichen, physiologisches Elend wäre auf Erden einfach undenkbar. Gerade dieser wichtigste Zweig menschlicher Thätigkeit ist aber in einer Weise vernachlässigt, daß man darüber die Hände zusammenschlagen möchte. Wir sind hochzivilisirte Wesen auf gewerblichem Gebiete und mitternachtfinstere Barbaren im Ackerbau. Wir bilden uns mit Recht etwas darauf ein, daß wir in der Fabrikation mit staunenerregendem Scharfsinn die scheinbar völlig unverwerthbaren Abfälle auch noch ausnutzen und verbrauchen können; dabei überlassen wir wenigstens die Hälfte aller Abfälle der menschlichen Ernährung, den Inhalt der städtischen Abzugskanäle, unbenutzt in die Flüsse ablaufen, die wir dadurch noch obendrein vergiften, und in die See, die uns in Gestalt von Fischen und Schalthieren nicht ein Tausendstel dessen wiedergibt, was sie von uns empfängt. Diese Vergeudung von Millionen Tonnen der werthvollsten Rückstände ist zugleich himmelschreiend und doch auch komisch, wenn man sie mit der Ängstlichkeit vergleicht, mit der man jedes Tröpfchen Schwefelsäure in der Chemikalien-Fabrikation zu Rathe zieht, und mit der mitleidverdienenden Hast, mit der ein Erfinder ein Patent nimmt, wenn es ihm gelungen ist, ein Verfahren zu ersinnen, das die Verwerthung irgend eines Fabrikskehrichts gestattet. Wir rühmen uns, die Naturkräfte unterjocht zu haben, und lassen ruhig Millionen Quadratkilometer Wüsten bestehen, obwol wir theoretisch wissen, daß es schlechterdings kein Gebiet gibt, das nothwendig Wüste sein muß, und daß jeder Boden, und wenn er aus eisernen Schuhnägeln oder kleingeschlagenen Pflastersteinen bestände, durch Wärme und Wasser, die herbeizuschaffen nur am Pole – vielleicht! – über menschliche Kräfte geht, fruchtbar gemacht wird. Wir zeigen mit Stolz auf Kohlen- und

Kupferbergwerke, die mehrere tausend Fuß tief unter die Erde und unter die See gewühlt sind, und schämen uns nicht angesichts nackter Bergwände, denen der Mensch, derselbe Mensch, der sich in jene Gruben eingebohrt hat, angeblich nichts abgewinnen kann. Wir beherrschen den Blitz des Himmels und wissen dem Weltmeer, das drei Viertel unseres ganzen Erdballs einnimmt, von seinen unerschöpflichen Nahrungsschätzen kaum ein Atom abzugewinnen. Wie darf es in einer Zeit, die solche mechanische Wunder wie unsere Werkzeugsmaschinen und Präzisionsinstrumente spielend hervorbringt, noch mitten in Europa Sümpfe, fischarme Flüsse, Triften, Brachäcker geben? Wie kann eine Generation nach Gauß in der Rechenkunst noch so schwach sein, daß man sich nicht an den Fingern abzählt, um wie viel theurer es ist, den Bedarf der Menschen an Eiweißstoffen mit Vieh zu decken, das zu seiner Erhaltung unsere fruchtbare Erde in Anspruch nimmt, als mit Fischen, die uns das sonst zu nichts anderem zu gebrauchende Meer fertig bietet, oder mit Geflügel, das keine weiten Wiesen braucht und von unseren Abfällen reichlich leben kann?

Doch ich will mich nicht weiter in Einzelheiten verlieren. Die Thatsache scheint mir genügend erwiesen, daß die Bodenbearbeitung das Stiefkind der Kultur ist. Sie macht kaum einen Schritt nach vorwärts, wenn die Industrie deren hundert macht. Alles, was man seit Jahrhunderten zur reichlicheren Ernährung der Menschheit gefunden hat, ist die Einführung der Kartoffel in Europa, die dem Proletarier ermöglicht, sich einzubilden, daß er satt sei, wenn sein Körper in Wirklichkeit aus Mangel an Nährstoffen langsam verhungert, und die dem Kapitalisten gestattet, den Tagelohn seines Industriesklaven auf das geringste Maß herabzudrücken. Obstgärten, Gemüseäcker, Pilzkeller zeigen, welche Nahrungsfülle das geringste Bodenstückchen zu liefern vermag: die Erfahrung lehrt, daß Menschenarbeit überhaupt nicht lohnender verwerthet werden kann, als wenn sie der Erde gewidmet wird; wenn man das Feld mit Schaufel und Grabscheit statt mit dem summarischen Pflug bearbeitete, so würde wahrscheinlich ein sacktuchgroßer Fleck Erde zur Erhaltung eines Menschen ausreichen; wir leiden aber an Nahrungsmangel, die Lebensmittel werden immer theurer und der Industriearbeiter muß immer länger tagwerken, um sich zu sättigen. Die Natur zeigt dem Menschen, daß er nicht ohne den Acker leben kann, daß er des Feldes bedarf wie der Fisch des Wassers; der Mensch sieht, daß er zu Grunde geht, wenn er sich von der Scholle losreißt, daß nur der Bauer sich ununterbrochen fortpflanzt, gesund und stark bleibt, während die Stadt ihren Bewohnern das Mark ausdörrt, sie siech und unfruchtbar macht, sie unrettbar nach zwei oder drei Generationen ausrottet, so daß alle Städte in hundert Jahren Kirchhöfe ohne ein einziges lebendes Menschenwesen wären, wenn die Todten nicht durch Einwanderung von den Feldern her ersetzt würden; er besteht aber darauf, den Acker zu verlassen und in die Stadt zu wandern, sich vom Leben loszureißen und den Tod zu umarmen.

Da kommt nun wieder der Professor der Nationalökonomie und belehrt uns mit unerschütterlicher Miene, daß das Maß der Entwickelung des Großgewerbes eines Landes zugleich das Maß seiner Zivilisation sei und daß eine reichentfaltete Industrie einer Nation zum Segen gereiche, indem sie die Güter billig und dadurch auch den Ärmsten zugänglich mache. Das ist eine der verbreitetsten und am häufigsten wiederholten kapitalistischen Lügen. Die Pest über die Billigkeit der Industrieerzeugnisse! Sie erweist niemand eine Wohlthat, oder nur dem Unternehmer und Zwischenhändler. Wie die Billigkeit erzielt wird, das haben wir gesehen: durch kapitalistische Konkurrenz, deren Kosten der Arbeiter trägt; durch gewissenlose, verbrecherische Ausnutzung der menschlichen Arbeitskraft. Der Tagelöhner muß zehn, zwölf, vielleicht vierzehn Stunden täglich an seine Maschine gekettet sein, damit das Baumwollzeug so billig werde, wie es ist. Er gelangt eigentlich gar nicht mehr dazu, sich leben zu fühlen. Er verbringt sein Dasein innerhalb kahler Fabriksmauern mit einer Reihenfolge ewig identischer automatischer Bewegungen. Er ist das einzige Lebewesen im Weltall, das während eines so großen Theils seiner Lebenszeit widernatürliche Arbeit verrichten muß, um seinen Organismus zu erhalten. Gewiß, um den Preis solcher Menschenarbeit wird die Waare billig. Aber zunächst wird sie auch schlechter. Unsere ganze Industrieentwickelung führt zum Ersatz besseren Rohstoffs durch geringeren und zur möglichsten Verminderung seiner Menge im fertigen Artikel. Warum? Weil der Rohstoff, namentlich so weit er organischer Natur ist, also aus dem Thier- und Pflanzenreiche herstammt, nur um den vollen Gegenwerth an menschlicher Arbeit zu erhalten, also kostspielig ist. Die Erde läßt sich nicht betrügen; sie gibt Baumwolle und Flachs, Holz und Leim nur dann, wenn sie das Äquivalent an Arbeit und Dünger unverkürzt empfangen hat; nicht einmal die Kuh, das Schaf kann man hintergehen; sie bringen Wolle und Felle, Hörner und Klauen blos im Verhältniß zu ihrer Nahrung hervor. Nur der Mensch ist dümmer als die Erde und einfältiger als Schaf und Kuh und gibt seine Muskel- und Nervenkraft um weniger als den vollen Werth hin. Der Unternehmer hat also alles Interesse daran, mit dem theuren Rohstoff zu sparen und mit der billigen Menschenarbeit freigebig zu sein. Er fälscht und vermindert daher jenen oder gibt den Waaren durch mühsame oder verwickelte Arbeitsmethoden, das heißt durch reichlichen Verbrauch von Menschenarbeit, ein gutes Ansehen. Im fertigen Stücke Baumwollzeug, das der englische Fabrikant auf den Markt bringt, steckt möglichst wenig Baumwollfaser und möglichst viel Menschenkraft. Dieses Zeug ist billig, weil der Fabrikant seine menschlichen Sklaven nicht so zu entlohnen braucht wie die Erde, die ihm die Baumwollfaser liefert. Es ist aber gar nicht nöthig, daß die Waaren so billig seien. Ihre Billigkeit reizt zu verschwenderischem Verbrauch. Auch der Arme erneuert in der heutigen Kultur Kleider und Hausrath öfter, als unbedingt erforderlich ist, und legt Gebrauchsgegenstände ab, die noch dienen könnten, die in Wirklichkeit noch dienen, wie es der große Handel mit alten Kleidern u. s. w. aus Europa nach überseeischen Ländern beweist. Bei aller Billigkeit der Dinge hat der Europäer, wenn das Jahr herum ist, für sie doch so viel ausgegeben, als wenn sie viel theurer wären, da er sie in diesem Falle einfach länger benutzt hätte. Da haben wir also das praktische Ergebniß dieser berühmten Billigkeit, des Stolzes unseres Wirthschaftslebens. Für den Konsumenten bedeutet sie keine Erleichterung und keine Ersparung, weil sich mit ihr gleichlaufend die tyrannische Gewohnheit der Gütervergeudung entwickelt. Für den Produzenten aber ist sie ein Fluch, denn sie vermindert immer mehr den Preis seiner Arbeit und zwingt ihn zu immer größerer Anstrengung. Da nun jedes nicht zur müßiggängerischen Minderheit gehörige Individuum zugleich Produzent für den einen und Konsument für die übrigen Artikel ist, so kommt bei der ganzen gerühmten Entwickelung der Großindustrie nichts heraus als eine immer heißere, immer wildere Hetzjagd, in welcher jeder Einzelne zugleich Wild und Jäger ist, sich die Seele aus dem Leibe rennt und am Ende mit heraushängender Zunge und ohne Athem zusammenbricht. Längere, härtere Arbeit des Gütererzeugers, wahnwitzige, sündhafte Güterverschwendung – das ist das unmittelbare Ergebniß der auf Massenproduktion und Billigkeit gerichteten Industrie-Entwickelung. Nehmen wir einmal an, alle Industrie-Erzeugnisse würden bei unverändertem Lebensmittelpreise genau viermal so theuer werden, als sie heute sind, was denkbar wäre, wenn die Entwickelung der Landwirthschaft die der Industrie ein- und überholen würde. Wo wäre das Übel? Ich sehe keines, wol aber ungeheuere Vortheile. Jeder Einzelne würde seine Kleider nur einmal statt viermal im Jahre und seinen Hausrath nur alle zwanzig statt alle fünf Jahre erneuern. Der Industriearbeiter bekäme für seine Arbeit viermal höhern Lohn; das heißt, wenn er heute zwölf Stunden arbeiten muß, um seine Lebensbedürfnisse befriedigen zu können, so würde er dann dasselbe Resultat mit dreistündiger Arbeit erreichen. Ziffermäßig würde Alles beim Alten bleiben; die Ausgaben des einzelnen Konsumenten hätten keine Änderung zu erleiden. Aber ein ungeheures Resultat wäre erreicht: der Arbeiter wäre vom Galeerensklaven zum freien Manne geworden. Ihm wäre jener höchste Luxus, von dem er heute völlig ausgeschlossen ist, zugänglich gemacht: die Muße. Das bedeutet, daß er an den höheren Freuden des Kulturdaseins teilnehmen, daß er Museen und Theater besuchen, lesend plaudern, träumen könnte, daß er aufhören würde, eine dumme Maschine zu sein, und neben den anderen Menschen seinen Menschenrang einnehmen dürfte. Man muß den Arbeitern zurufen: Ihr seid vom Wirbelschlunde eines furchtbaren *circulus vitiosuserfaßt. Macht euch los oder ihr geht zu Grunde. Je mehr ihr heute arbeitet, um so billiger werden eure Produkte, um so toller wird der Konsum, um so mehr müßt ihr morgen arbeiten, um euer nacktes Leben herauszuschlagen. Feiert! Geht müßig! Vermindert eure Arbeit auf die Hälfte, auf ein Viertel. Euer Erwerb wird derselbe sein, wenn jeder nur verbraucht, so viel er muß, und nur arbeitet, so viel er soll.*

Die Professoren der Nationalökonomie sind anderer Meinung. Ihnen graut vor dem Müßiggange der Menschen und sie sehen alles Heil in der äußersten Ausnutzung der Arbeitskraft. Ihre Lehre läßt sich in zwei Geboten zusammenfassen: Verbraucht möglichst viel, gleichviel ob der Verbrauch durch ein wirkliches Bedürfniß gerechtfertigt ist oder nicht, erzeugt möglichst viel, gleichgiltig, ob das Erzeugniß nöthig ist oder nicht. Diese weisen Männer machen keinen Unterschied zwischen dem Feuerwerk, das bestimmt ist, zum albernen Augenaufreißen müßiger Dummköpfe in einer Minute verpufft zu werden, und der Werkzeugmaschine, welche jahrelang nützliche Betten und Schränke erzeugt. Jenes Feuerwerk kostet 50.000 Mark; es repräsentirt außer dem Rohstoff die einjährige Arbeit von fünfzig Arbeitern, die fortwährend in Lebensgefahr waren. Diese Werkzeugmaschine kostet 10,000 Mark. Der Nationalökonom stellt gleichmüthig seine Berechnung an und dozirt: das Feuerwerk sei genau fünfmal so viel werth wie die Maschine; die Arbeiter seien in beiden Fällen gleich zweckmäßig verwendet worden; die Hervorbringung des Feuerwerks habe das Land in demselben Maße bereichert wie die Hervorbringung von fünf Arbeitsmaschinen; und wenn es möglich wäre, eine Million Arbeiter mit der Erzeugung von Feuerwerkskörpern zu beschäftigen, jährlich um eine Milliarde dieser Güter hervorzubringen und abzusetzen, so könnte man dem Lande zur Blüthe dieser interessanten Industrie und den Arbeitern zu ihrem Fleiße und ihrer Leistungsfähigkeit Glück wünschen.

Formell ist dieser Gedankengang tadellos. Essentiell ist er ein scholastischer Sophismus schlimmster Art. Gewiß, wenn man für eine Rakete irgendwo so viel Geld bekommen kann wie für ein Huhn, so ist eine Rakete genau so viel werth wie ein Huhn und wer eine Rakete anfertigt, hat den Nationalreichthum um denselben Betrag vermehrt, wie wer ein Huhn großzieht. Und doch ist es eine Lüge. Nein, es ist der Menschheit nicht gleichgiltig, ob Raketen oder Hühner erzeugt werden. Nein, der Alpenführer hat für sie nicht dieselbe Bedeutung wie der Heizer der Mähmaschine, obwohl sie den erstern vielleicht höher entlohnt als den letztern. Ich weiß wol, daß man mit diesen Unterscheidungen dahin gelangt, allen Luxus-Industrien den Prozeß zu machen. Ich schwanke denn auch nicht, es auszusprechen, daß kein Mensch das Recht hat, Befriedigung seiner Launen zu fordern, so lange noch wirkliche Bedürfnisse anderer unbefriedigt sind, einen Arbeiter zu der als Exempel gewählten Feuerwerks-Erzeugung anzustellen, so lange andere hungern, weil dieser Arbeiter dem Ackerbau entzogen ist, oder einen Fabriks-Tagelöhner zu vierzehnstündiger Sklavenarbeit zu verurtheilen, damit der Sammt billig genug hergestellt werde, daß er sich in diesen Stoff kleiden könne, der seinem Schönheitsgefühl angenehmer ist als glattes Zeug. Das große wirthschaftliche Interesse der Menschheit ist nicht, Güter zu erzeugen, für die ein Preis erzielt werden kann, sondern mit ihrer Arbeit zunächst ihre wirklichen organischen Bedürfnisse zu befriedigen. Wirklicher Bedürfnisse gibt es nur zwei: die Ernährung und die Fortpflanzung. Jene bezweckt die Erhaltung des Individuums, diese die Erhaltung der Gattung. Scheinbar könnte man sogar diese beiden Bedürfnisse auf ein einziges zurückführen und die Erfüllung des Fortpflanzungs-Bedürfnisses aus der Reihe des unbedingt Notwendigen streichen. Aber nur scheinbar. Der Gattungserhaltungsdrang ist um so viel stärker als der individuelle Selbsterhaltungsdrang, um wie viel die Lebenskraft und Lebensfülle der Gattung mächtiger ist als die des Individuums. Man hat es noch nie erlebt, daß eine genügend große Menschenzahl, etwa ein ganzer Volksstamm, während einer genügend langen Zeit an der Befriedigung des Gattungserhaltungs-Bedürfnisses vollständig verhindert gewesen wäre. Würde sich ein solcher Fall ereignen, käme es zu einer allgemeinen nationalen Geschlechtsnoth, man würde Leidenschaften und Handlungen sehen, gegen welche die gräßlichsten Szenen von Hungersnoth zu Kinderstuben-Scherzen herabsinken würden. Die beiden großen organischen Bedürfnisse muß also der Mensch befriedigen, alles übrige hat untergeordnete Bedeutung. Ein Individuum, das satt ist, nicht friert, ein Obdach gegen Wind und Regen über sich und einen Genossen des entgegengesetzten Geschlechts um sich hat, kann nicht nur zufrieden, sondern absolut glücklich und wunschlos sein. Ein Individuum, das hungert, kann schlechterdings nicht glücklich und zufrieden sein und wenn es im vatikanischen Museum bei einem Orchesterkonzerte in Goldbrokatkleidern lustwandelte. Das ist so klar, daß es platt ist. Es ist der Prosaauszug aus der Fabel vom Huhn, welches eine Perle findet und sich beklagt, daß sie kein Hirsekörnlein ist. Und doch geht dieser Truism über den Gedankenkreis der offiziellen Nationalökonomie und es ist noch keinem Professor dieser hehren Wissenschaft eingefallen, seine Lehrsätze an der schlichten Weisheit des Lafontaineschen Fabelbuchs zu erproben. Auf die wirthschaftliche Entwickelung der Kulturmenschheit angewendet, bedeutet die Fabel vom Huhne und der Perle einfach: "Weniger Manchester Baumwollzeug und Sheffielder Messer und mehr Brod und Fleisch!«

Was die Theorie bisher zu thun unterlassen hat, das wird sich die Praxis bald genug angelegen sein lassen: nämlich die Verkehrtheit der heute für unanfechtbar angesehenen Lehrsätze der kapitalistischen Nationalökonomie nachzuweisen. Schon heute wird überall unvernünftig viel gearbeitet und weit über den Bedarf produzirt. Fast jedes Kulturland sucht Waaren auszuführen und muß Lebensmittel einführen. Die Märkte für die ersteren beginnen zu fehlen. Man kann ja ohne Übertreibung sagen, daß die Großindustrie der Hauptvölker Europas fast nur noch für Innerafrika zu arbeiten sucht. Das kann nur schlimmer, nicht besser werden. Die Länder, die noch nicht industriell entwickelt sind, werden es allmälig werden. Man wird die Arbeitsmethoden noch mehr verbessern, die Maschinen noch vermehren, noch vervollkommnen. Und dann? Dann wird jedes Land seinen eigenen Bedarf befriedigen und einen Überschuß hervorbringen, den es dem Nachbar wird anhängen wollen, der aber dafür keine Verwendung haben wird. Der letzte nackte Neger vom oberen Congo wird schon seine fünfzig Yards Baumwolle und seine Flinte haben, der letzte Papua bereits in Stiefeln und Papierhemden gehen. Der Europäer wird dahin gebracht sein, jede Woche einen neuen Anzug zu kaufen und sich beim Zeitungslesen sein Blatt von einer Maschine umwenden zu lassen. Das wird das goldene Zeitalter der Nationalökonomen sein, die für Produktion ohne Grenzen, Konsum ohne Maß und Industrieentwickelung ohne Ziel schwärmen. Und in diesem goldenen Zeitalter, wo ganze Länder mit Fabrikschlöten wie jetzt mit Bäumen bestanden sein werden, werden die Völker sich mit chemischen Surrogaten statt mit Brod und Fleisch nähren, achtzehn Stunden am Tage arbeiten und sterben, ohne zu wissen, daß sie gelebt haben. Vielleicht wird man aber nicht bis zum Anbruch dieses goldenen Zeitalters warten müssen, um in weiten Kreisen die Erkenntniß aufgehen zu sehen, daß der übertriebene, einseitige Industrialismus ein Massenselbstmord der Menschheit und Alles, was die Nationalökonomie zu seinen Gunsten anführt, Lug und Betrug ist. Zu der Einsicht ist man schon gekommen, daß ein Land, welches Getreide ausführt, welches seinen Boden erschöpft und demselben die ihm entzogenen Stoffe nicht in irgend einer Form wiedergibt, verarmt und wenn es jährlich ungezählte Tonnen Goldes einnähme. Man wird schließlich auch zur Einsicht kommen, daß auch die Ausfuhr von Arbeitskraft, von Muskel und Nerv, in Gestalt von Industriewaaren, ein Volk auf die Dauer arm macht und wenn es noch so viel Geld für die letzteren bekommt. Der europäische Fabrikarbeiter ist schon heute der Sklave des Schwarzen von Mittelafrika; er stillt seinen Hunger mit Kartoffeln und Schnaps, verbringt ein Leben ohne lichten Augenblick im Maschinenraum und stirbt an Tuberkulose, damit ein Wilder noch behaglicher leben könne, als er es ohnehin schon thut. Die fieberhafte Arbeit, die nicht auf die Gewinnung von Nahrungsmitteln, sondern auf die industrielle Überproduktion gerichtet ist, schafft zuletzt eine Nation geldreicher Hungerleider. Die Welt mag dann das Schauspiel eines Landes erleben, wo in jeder Hütte ein Piano neuester Konstruktion steht, die in immer funkelnagelneue Stoffe gekleidete Bevölkerung aber den Rhachitismus in den Knochen, kein Blut in den Adern und Schwindsucht in der Lunge hat.

IV.

Das Gefühl der Unleidlichkeit der bestehenden Wirthschafts-Zustände ist ein allgemeines. Der enterbte Proletarier, dessen Denken durch den täglichen Hunger immer wieder in diesen Stoffkreis zurückgeführt wird, erkennt, daß er mit der Arbeit seiner Hände Reichthümer schafft, und fordert seinen Antheil an denselben. Er begeht aber dabei das Unrecht, seine Forderung mit allerlei Theorien zu begründen, die vor der Kritik nicht bestehen. Es gibt nur ein einziges wahres und natürliches Argument, worauf er sich berufen könnte und das unwiderleglich wäre: das Argument, daß er die Kraft besitzt, sich der Güter, die er hervorbringt, zu bemächtigen, daß die Minderheit der Reichen unvermögend ist, diese Aneignung zu verhindern, und daß er darum das Recht hat, zu behalten, was er schafft, und zu nehmen, was er braucht. Auf diesem einzigen Argument beruht der ganze heutige Gesellschaftsbau. Dasselbe hat aus schwächeren Individuen und Völkern Sklaven der stärkeren, aus klugen und rücksichtslosen Menschen Millionäre, aus dem Kapital den unumschränkten Herrn der Welt gemacht. Die Minorität der Müßiggänger und Ausbeuter stützt sich täglich auf dieses Argument, um die Ansprüche der Arbeitenden und Ausgebeuteten zurückzuweisen. Nur der Proletarier, dessen Geist trotz allem Radikalismus in den kapitalistischen Rechts- und Moralanschauungen befangen ist, zögert, sich dieses unwiderleglichen, aus der natürlichen Neuordnung gezogenen Arguments zu bedienen, und zieht es vor, den Beweis für die Berechtigung seiner Ansprüche rechts und links in allerlei Hirngespinsten zu suchen, unter denen der Kommunismus das weitest verbreitete und meist geglaubte ist. Er begibt sich damit thörichter Weise auf ein Gebiet, auf dem er unterliegen muß. Dem Kapitalismus ist es spielend leicht gemacht, das Unsinnige dieser Theorie nachzuweisen. In der That, der Kommunismus, wie ihn alle sozialistischen Schulen verstehen und predigen, ist die thörichte Ausgeburt einer Phantasie, die sich ohne Rücksicht auf die Weltwirklichkeit und Menschennatur blauen Träumereien hingibt. Eigentliche Gütergemeinschaft hat nie in der Welt bestanden. Die in geschichtlichen Zeiten vorhanden gewesene, in Überlebseln da und dort noch heute zur Beobachtung gelangende Verfassung des Eigenthums, welche man bei oberflächlicher Betrachtung für Kommunismus halten könnte, hat durchaus die Vorstellung individuellen, aus der Masse des Vorhandenen ausgeschiedenen, streng begrenzten Besitzes zur Voraussetzung. Wenn innerhalb einer kleineren Anzahl von Individuen aus Gründen gemeinsamer Abstammung oder anderen Ursachen eine so vollkommene Zusammengehörigkeit und Solidarität besteht, daß eine Familie, oder eine Gemeinde, oder gar ein ganzer Stamm sich gleichsam nur als ein einziges zusammengesetztes Wesen höherer Ordnung empfindet, dann ist es denkbar, daß dieses Kollektiv-Individuum einen untheilbaren Kollektiv-Besitz hat, den der Einzelne nicht zum eigenen Vortheil und zum Nachtheil der Übrigen an sich reißen darf. Daß solcher Kollektiv-Besitz, wie er im russischen Mir, in den kroatisch-slavonischen Hausgemeinschaften u. s. w. noch mitten in unseren europäischen Eigentumsverhältnissen überlebt, mit Kommunismus, das heißt grundsätzlicher Weltgütergemeinschaft, nicht das geringste gemein hat, ist leicht zu erproben. Es versuche nur ein Dritter, ein nicht in den Kreis der solidarisch Besitzenden Aufgenommener, sich eines Stückes des Gemein-Eigenthums zu bemächtigen! Der Eindringling wird sofort den Stamm, die Gemeinde, den Mir u. s. w. gegen sich in Waffen sehen. Die Gemein-Eigenthümer haben so sehr das Gefühl persönlichen Besitzes, daß sie den Eingriff in ihre Kollektiv-Rechte mit nicht geringerer Lebhaftigkeit empfinden, als es der individuelle Voll-Eigenthümer nur immer vermag, wenn ihm an den Beutel gegangen wird. Und selbst dieser Kollektiv-Besitz, der kein prinzipieller Kommunismus, sondern nur eine primitivere Form des persönlichen Eigenthums ist, kann nur so lange bestehen, als alle Betheiligten ihre Zusammengehörigkeit tief und unmittelbar empfinden und als ihre Beschäftigung eine durchaus gleichartige ist, so daß die Leistungen der Einzelnen leicht mit einander verglichen werden können und über den Werth dieser Leistungen und über die Höhe der Entlohnung, auf welche dieselben Anspruch gewähren, kein Zweifel aufkommen kann. Sowie aber Theilung der Arbeit eintritt und die Produktion eine mannigfache wird, sowie infolge dessen sich die Nothwendigkeit ergibt, ein Werthverhältniß zwischen sehr verschiedenartigen, obwohl gleich brauchbaren Leistungen zu bestimmen und festzustellen, in welchem Maße jede der höchst ungleichen Arbeiten auf Lohn Anspruch hat, hört die Möglichkeit des Fortbestandes eines kollektiven Besitzes auf und das Eigenthum individualisirt sich im Handumdrehen.

Nicht im Kommunismus ist also die Lösung der wirthschaftlichen Probleme zu suchen; denn er ist nur bei den sehr niedrig stehenden Kollektiv-Organismen ein natürlicher Zustand, kann jedoch auf eine so hoch entwickelte Form animalischen Lebens, wie es die menschliche Gesellschaft ist, keine Anwendung finden. Nicht nur für den Menschen, sondern auch für weitaus die meisten Thiere ist individueller Besitz der natürliche Zustand. Die Quelle des Dranges nach solchem Besitze ist die Nothwendigkeit der Befriedigung individueller Bedürfnisse. Jedes Thier nährt sich, viele bedürfen eines künstlich bereiteten Obdachs oder natürlichen Unterschlupfs. Seine Nahrung nun und sein Nest oder Lager, die es sich selbst verschafft oder bereitet hat, empfindet das Thier als sein Eigenthum. Es fühlt, daß diese Dinge sein und keines Andern sind, und es gestattet nicht ohne Versuch der Abwehr, daß sie ihm von einem andern Individuum genommen werden. Eine Lebensweise, die Voraussicht und Sorge für die Zukunft nöthig macht, führt zur Erweiterung des Eigenthumsgefühls und zur Entwickelung des Dranges nach Erwerb eigenen Besitzes. Ein Raubthier, das blos von frischem Fleische lebt, grenzt aus der Gesammtmenge des Vorhandenen blos so viel als sein Eigenthum ab, wie für eine einzige Mahlzeit nöthig ist. Ein Pflanzenfresser dagegen, der in einer Region lebt, wo es einen Winter gibt, während dessen nichts wächst, nimmt aus der gemeinsamen Vorrathskammer der Natur weit mehr an sich, als zur Befriedigung unmittelbarer Bedürfnisse nöthig ist, er rafft in der Regel sogar weit mehr zusammen, als er in der Folge verbrauchen kann, er verringert dadurch ohne organische Notwendigkeit die Nahrungsmenge der Übrigen, er wird zum Kapitalisten und rücksichtslosen Egoisten. So häufen Eichhörnchen, Hamster, Feldmaus u. s. w. ansehnliche Mengen von Früchten und Pflanzensamen aller Art für den Winter auf, die sie im Frühling, wenn sie ihren Bedarf wieder in Feld und Wald decken können, meist nicht verbraucht haben. Sie legen also nicht blos individuelles Eigenthum an, sie erwerben nicht blos Vermögen, sie sind sogar reich in dem Sinne, daß sie mehr besitzen, als für ihre Bedürfnisse erforderlich ist. Der Mensch gehört in die Kategorie der Thiere, die auf Voraussicht angewiesen sind. Der Erwerb individuellen Eigenthums, dessen Vermehrung über das augenblickliche Bedürfniß hinaus, dessen Vertheidigung gegen etwaige Versuche Anderer, sich desselben zu bemächtigen, sind ihm also natürliche Lebensakte, Instinkte, die aus dem Grundtrieb der Selbsterhaltung abgeleitet sind, die nicht ausgerottet werden können und unter dem härtesten Zwang einer entgegenstehenden Gesetzgebung immer wieder mit Elementargewalt durchbrechen würden.

Allein wenn individuelles Eigenthum natürlich und darum schlechterdings nicht zu unterdrücken ist, so gibt es dafür eine mißbräuchliche Erweiterung des Rechtes auf persönlichen Besitz, gegen die sich die Vernunft allerdings auflehnt und die mit natürlichen Gründen nicht zu vertheidigen ist, und das ist die Vererbung. Wol drängt der Trieb der Gattungserhaltung alle Lebewesen, für ihre Nachkommenschaft zu sorgen und ihr möglichst günstige Daseinsbedingungen zu schaffen. Allein diese Fürsorge erstreckt sich nie weiter als bis zum Augenblicke, wo die junge Brut genügend entwickelt ist, um ganz so für sich selbst sorgen zu können, wie es die Alten gethan haben. Im Pflanzensamen ist nur so viel Stärkemehl, im Ei nur so viel Eiweiß angehäuft, als der Keim zur Ernährung in seinem frühesten Lebensstadium völliger Hilflosigkeit nöthig hat. Das Säugethier gibt dem Jungen seine Milch nur so lange, als dieses nicht selbst weiden oder jagen kann, und der nesthockende Vogel hört auf, seinen Kleinen die Atzung zuzutragen, wenn sie ihren ersten vollständigen Ausflug unternommen haben. Nur der Mensch will seine Nachkommenschaft auf ungezählte Generationen hinaus mit Stärkemehl und Eiweiß, mit Muttermilch und Atzung versehen; nur der Mensch will seine Kinder und deren Abkömmlinge bis in die fernste Zukunft in dem embryonalen Zustande erhalten, in welchem die Brut sich von den Zeugern ernähren läßt und nicht selbst für die Erhaltung ihres Daseins kämpft und sich müht. Der Ahn hat Vermögen erworben, er will es seiner Familie hinterlassen, um sie womöglich für immer der Arbeit eigenen Erwerbs zu entheben. Das ist eine Auflehnung gegen alle Naturgesetze. Es ist eine schwere Störung der Weltordnung, welche das ganze organische Leben beherrscht und die bestimmt, daß jedes Lebewesen sich selbst seinen Platz am großen Tische der Natur erzwingen oder untergehen muß. Von dieser Störung rühren alle Übelstände des wirthschaftlichen Lebens her und während sie über ungeheure Massen von Individuen den Fluch der Noth und Verkümmerung verhängt, rächt sie sich doch auch gleichzeitig an ihren Urhebern. Es hilft nichts, daß die Reichen mit unbewußt verbrecherischem Egoismus ihre angehäuften Güter dem Gemeinwesen entziehen, um ihren Kindern und Kindeskindern für immer ein Wolleben im Müßiggange zu sichern; ihre Absicht erreichen sie doch nie. Die Erfahrung lehrt, daß es ohne Erwerbsthätigkeit keinen Reichthum auf viele Generationen hinaus gibt. Ererbtes Vermögen bleibt nie bei einer Familie und selbst Rothschilds Millionen können seine Nachkommen in der sechsten oder achten Geschlechtsfolge nicht vor Elend schützen, wenn diese nicht jene Eigenschaften besitzen, die es ihnen auch ohne Erbmillionen ermöglichen würden, sich einen guten Platz unter der Sonne zu erobern. Es waltet da ein unerbittliches Gesetz, welches die durch die unnatürliche Thatsache der Güter-Vererbung gesetzte Störung im Wirthschaftsleben der Gesellschaft auszugleichen strebt. Ein Individuum, das sich niemals in der Nothwendigkeit befunden hat, seinen primitivsten organischen Instinkt, den der Erwerbung seiner Lebensmittel, zu üben, verliert auch sehr bald die Fähigkeit, seinen Besitz zu erhalten und gegen die Gier der demselben nachstellenden Besitzlosen zu vertheidigen. Nur wenn alle Nachkommen einer Familie absolut mittelmäßige Naturen sind, sich von allen öffentlichen und privaten Kämpfen fernhalten, in vollständiger Dunkelheit und sozusagen von aller Welt vergessen ein gleichmäßiges Pflanzendasein leben, können sie hoffen, den ererbten Besitz ungeschmälert zu erhalten. Sowie aber diese Familie ein einziges Individuum hervorbringt, das einigermaßen mit Phantasie begabt ist, in irgend einer Richtung über die kahlste schematische Norm hinausragt, Leidenschaften oder Ehrgeiz hat, glänzen oder nur sich leben fühlen will, ist die Verminderung oder der Verlust des Erbvermögens unvermeidlich, weil der reger lebende Sprößling der reichen Familie durchaus unfähig ist, auch nur einen Pfennig von dem, was er zur Befriedigung irgend einer Laune gegeben hat, wieder zu ersetzen. Es ist mit dem Vermögen wie mit einem Organismus. Dieser muß lebensthätig sein, wenn er bestehen soll; sowie die Lebensvorgänge in seinen Zellen aufhören, fällt er der Fäulniß anheim und wird von den mikro- und makroskopischen Wesen, die, auf Beute lauernd, die ganze Natur erfüllen, verschlungen. Ganz so kann man sagen, daß ein Vermögen, in welchem nicht ein reger wirtschaftlicher Lebensprozeß den Kreislauf und Stoffwechsel unterhält, gleichsam stirbt, und von den gierigen Fäulnißorganismen: Schmarotzern, Betrügern, Schwindlern, Speculanten aufgefressen wird. Man kann die Leiche eines Vermögens wie die eines Lebewesens künstlich vor dem Zerfall und der Zerstörung bewahren; letztere durch antiseptische Mittel, erstere durch Ausnahmsgesetze, welche die Konservirungsflüssigkeit der Erbvermögen darstellen, nämlich durch ihre Errichtung zu Fideikommissen. Das Fideikommiß ist eine Erfindung, welche einen kuriosen Beweis dafür liefert, daß die reichen Egoisten stets eine dunkle Ahnung von der Unnatürlichkeit des Erbrechtes hatten. Der Erblasser fühlt, daß er einen Frevel an der Menschheit begeht und daß die Natur sich an seinen Nachkommen für die Verachtung ihrer Gesetze rächen wird, und er sucht einen letzten Damm gegen ihren Ansturm aufzuwerfen; er sieht voraus, daß seine Kinder nicht genug starke Arme haben werden, um ihr Erbvermögen selbst festzuhalten, und er bemüht sich, dasselbe durch unlösbare Taue an ihren Leib festzubinden. Aber selbst das Fideikommiß, diese Karbolsäure todter Vermögen, verliert auf die Dauer seine anhaltende Kraft und schützt den Reichthum nicht vor der Zersetzung und die Familie nicht vor dem wirthschaftlichen Untergange.

Die Vererbung muß also abgeschafft werden; das ist das einzig natürliche und darum auch einzig mögliche Heilmittel aller wirthschaftlichen Gebreste des Gesellschaftskörpers. Auf den ersten Anblick erscheint eine solche Maßregel äußerst radikal, kaum weniger als etwa die einfache Konfiskation alles individuellen Besitzes; wenn man aber genauer zusieht, so ist sie nur die logische Weiterentwickelung vorhandener Erscheinungen, die niemand beunruhigen. Gerade in den Ländern, wo man an der feudalen Organisation der Gesellschaft am zähesten festhält, besteht das Recht der Primogenitur; das heißt die Enterbung, die ich als allgemeine Maßregel für alle Nachkommen ohne Ausnahme fordere, wird systematisch an allen Kindern bis auf das erstgeborne geübt; der konservativste Peer von England verwirklicht also einen Gedanken, der manchen Lesern vielleicht eben noch äußerst revolutionär geschienen hat. Wenn man nun nichts Unrechtes und namentlich nichts Unmögliches darin sieht, daß die nachgeborenen Kinder eines englischen Edelmannes vom proportionellen Genuß des väterlichen Vermögens ausgeschlossen sind, weshalb sollte es unrecht oder unmöglich sein, alle Kinder aller Besitzenden ebenso zu behandeln? Es ist wahr, der Peer, der seine jüngeren Kinder enterbt, gibt ihnen doch ein anderes Gut, die Erziehung, die sie befähigt, eine Figur in der Welt zu machen. Aber wenn alles Erworbene nach dem Tode des Erwerbers an die Gesammtheit heimfällt, so kann der Staat der ganzen Jugend des Volkes die ihren Fähigkeiten entsprechende Erziehung und Bildung geben und der enterbte Sohn des Reichen hat dann mindestens dieselben Vortheile, deren sich heute der enterbte jüngere Sohn des Peers erfreut. Der Peer thut aber für seine Kinder, denen er kein Vermögen hinterläßt, noch etwas anderes: er benutzt seine Familien- und Standesverbindungen dazu, um sie mit Stellen in der Staats-, Gemeinde- oder Privatverwaltung zu versorgen, die mehr oder weniger den Charakter von Pfründen haben. Was ist das anderes als die Organisation der Solidarität, die dem Einzelnen fast noch größere Sicherheiten des Daseins gewährt als ein unabhängiges Vermögen? Allerdings ist diese Solidarität eine enge, selbstsüchtige; es ist die einer Kaste und sie hat die Ausbeutung der Mehrheit zu Gunsten einiger Schmarotzer zum Zwecke. Man denke sich nun die Bande einer solchen Solidarität um ein ganzes Gemeinwesen geschlungen und nicht auf Parasitismus, sondern auf nützliche Produktion gerichtet; man denke sich einen Staat, der seiner ganzen Jugend die Erziehung und – wenn die Eltern dazu unvermögend sind – den Unterhalt bis zum erwerbsfähigen Alter gewährt und ihr, wenn sie in dieses Alter tritt, die Werkzeuge selbstständiger Arbeit bietet; ist in einem solchen solidarischen Gemeinwesen nicht jedes Individuum besser versorgt, als heute der jüngere Sohn eines englischen Peers und ist dann die Einziehung des väterlichen Vermögens durch den Staat noch eine Ungerechtigkeit gegen die Kinder?

Die praktische Durchführung dieses Gedankens würde in der ersten Zeit gewiß mancherlei Schwierigkeiten begegnen, das leugne ich keinen Augenblick lang. Die Eltern würden versuchen, durch Schenkung unter Lebenden das Heimfallsgesetz auszuspielen, und es würde dem Staate nicht leicht werden, diesen Betrug zu verhüten, der dann doch einen Theil des väterlichen Vermögens auf die Kinder übergehen lassen würde. Aber das ist eine Fehlerquelle, die für das System von sehr geringer Bedeutung ist. Unter der Herrschaft des letztern würde sich die menschliche Anschauungsweise rasch genug gründlich ändern; die

Eltern würden erkennen, daß in dem reorganisirten Gemeinwesen Vermögenslosigkeit für ein Kind nicht Noth und Elend bedeutet, und der Drang, die Nachkommen als Rentner in die Welt eintreten zu lassen, würde bedeutend schwächer werden. Die Kontrole des Besitzes und der Übertragung von Werthpapieren, in denen doch wol der größte Theil des beweglichen Vermögens angelegt sein wird, ist nicht unmöglich, nicht einmal schwierig, Hausrath und einzelne Werthgegenstände, Kunstwerke u. s. w., könnte man als Andenken an die Eltern ohnehin von der Konfiskation durch den Staat ausnehmen und für den unbeweglichen Besitz wäre die Möglichkeit einer Umgehung des Heimfallsgesetzes ausgeschlossen. Das ist aber der wichtigste, ja der einzig wesentliche Punkt des Systems. Das ganze Land mit allen Gebäuden, Fabriken, Verkehrsanlagen u. s. w., die darauf stehen, muß unveräußerliches Eigenthum der Gesammtheit werden und nach einem Menschenalter immer wieder in seiner Gänze an sie zurückfallen. Wer sich darum bewirbt, soll vom Staate Grundbesitz oder Fabriken auf Lebenszeit erhalten und dafür einen jährlichen Pacht bezahlen, der einer angemessenen Verzinsung des leicht feststellbaren Kapitalwerths der Besitzung entspricht. Das ist wieder nicht etwa eine unerhörte revolutionäre Neuerung, sondern einfach die weitere Ausgestaltung von Verhältnissen, wie sie an vielen Orten, namentlich in England und Italien, schon bestehen. In diesen Ländern gibt es Großgrundbesitzer, die ihren Boden nicht selbst bearbeiten, sondern durch Pächter bewirthschaften lassen. Nichts verhindert die Gesellschaft, alle Bodenbearbeiter und Fabrikanten in das Verhältniß der englischen Farmer zu bringen und nur noch einen Großgrundbesitzer zuzulassen: den Staat. Bei dieser Organisation ist es dem Einzelnen möglich, persönliche Reichthümer zu erwerben, wenn diese auch schwerlich zu so ungeheurer Höhe anwachsen können wie die Vermögen der Ausbeuter und Schmarotzer in der heutigen Wirtschaftsordnung. Der Begabte, der Fleißige findet in üppigerem Leben den Lohn seiner größeren Tüchtigkeit, der Mittelmäßige oder Trägere muß sich mit knapperem Auskommen begnügen, der Arbeitsscheue allein findet sich zur

Entbehrung, ja zum Untergange verurtheilt. Der Ansammlung sehr großen Grundbesitzes in der Hand eines einzigen Pächters ist dadurch vorgebaut, daß der Unternehmer nur sehr schwer Arbeiter finden wird; denn, da derjenige, welcher arbeiten will, eigenes Land vom Staat erhalten kann, so hat er keine Ursache, sich an einen anderen zu verdingen und sich von einer Mittelsperson, einem Unternehmer abhängig zu machen. Die Entwickelung des Systems führt nothwendig dahin, daß bald der Einzelne nur so viel Land verlangen wird, als er selbst – allenfalls mit Hilfe seiner Familie – bearbeiten kann. Auch die unnatürliche Entwickelung der Industrie auf Kosten der Nahrungsproduktion wird dadurch verhütet. Denn da der Einzelne ebenso leicht unabhängiger Farmer wie Fabrikarbeiter werden kann, so wendet er sich der Industrie nur dann zu, wenn sie ihm ein angenehmeres und reichlicheres Dasein gewährt als der Ackerbau, und der Andrang einander unterbietender, sich mit dem geringsten Maße von Lebensgütern und Genüssen begnügender Arbeitsucher zu den Fabrikräumen ist undenkbar. Wahre Schwierigkeiten können sich erst ergeben, wenn der Staat übervölkert und der Boden knapp wird. Dann wird es zur Unmöglichkeit, allen Bewerbungen um Ackerland oder Gewerbe-Anlagen zu entsprechen, und ein Theil der heranwachsenden Jugend muß sich zur Auswanderung entschließen. Sehr intensive Bodenkultur kann jedoch, wie ich oben gezeigt habe, diese Nothwendigkeit in eine sehr ferne Zukunft hinausverlegen. Dieses System ist ohne Zweifel auch eine Art Kommunismus. Wer sich jedoch durch dieses Wort ins Bockshorn jagen läßt, der sei daran erinnert, daß wir ohnehin in vollem Kommunismus leben, nur nicht in einem aktiven, sondern in einem passiven. Wir haben keine Gemeinschaft der Güter, aber eine Gemeinschaft der Schulden. Kein Reaktionär erschrickt darüber, daß jeder Staatsbürger durch die bloße Thatsache der Zugehörigkeit zum Staate Schuldner einer Summe ist, die sich in Frankreich zum Beispiel auf nahezu 600 Franken für den Kopf beläuft. Warum sollte es ihn erschrecken, wenn durch eine gründliche Umwälzung der Staatsbürger vom Schuldner zum Besitzer eines entsprechenden Vermögensantheils würde, wenn der Staat nicht blos allgemeine Schulden, sondern auch allgemeines Vermögen hätte und seinen Angehörigen nicht immer nur Steuern abnehmen, sondern auch Güter mittheilen würde, wie er es ja einer kleinen Anzahl von Individuen auch heute schon thut? Denn der Staat besitzt ohnehin bereits Eigenthum aller Art, Paläste, Wälder, Farmen, Schiffe, und die Thatsache, daß das Vorhandensein nicht individuellen, allen Bürgern zugleich untheilbar gehörenden Besitzes praktischer Kommunismus ist, kommt den meisten Leuten nur darum nicht klar zum Bewußtsein, weil die noch immer bestehenden mittelalterlichen Staatseinrichtungen die Vorstellung begünstigen, daß das allgemeine Vermögen ein individuelles Vermögen sei, das Eigenthum des Fürsten oder sonstigen Staatsoberhauptes. Die Staatsschuld, das Staatseigenthum, die Steuern sind nicht die einzigen Formen, unter welchen der Kommunismus unter uns besteht. Gewisse Arten des Kredits sind ebenfalls nichts anderes als der blanke Kommunismus. Wenn ein Einzelner einem andern Einzelnen aus seiner Tasche Geld leiht oder eine Anweisung auf sein persönliches Vermögen zur Verfügung stellt, die von Dritten wie Baargeld angesehen wird, so ist das ein Austausch individuellen Besitzes; allein wenn eine Bank, die unbedeckte Noten ausgibt – und bei vielen Banken erreicht der Betrag der unbedeckten Noten ein Drittel und mehr der ganzen Notenmenge – einem Individuum auf seine Unterschrift hin ein Darlehn in Noten gewährt, für die dasselbe sich alle Güter verschaffen kann, so ist dies Geschäft ein Akt des vollen Kommunismus. Die Bank gibt nicht von ihr erworbene aufgesparte Arbeit, das heißt Geld, sondern eine Anweisung auf künftig zu leistende Arbeit, und daß diese Anweisung vom Gemeinwesen respektirt wird, daß das Gemeinwesen gegen unbedeckte Noten Güter ausliefert, das ist eine dem Grundsatze der menschlichen Solidarität dargebrachte Huldigung, das ist eine Anerkennung der Thatsache, daß das Individuum Anspruch auf einen Antheil an den vorhandenen Gütern besitzt, auch wenn es für diesen Antheil noch nicht einen persönlich hervorgebrachten Gegenwerth zum Austausch bieten kann.

Der Heimfall aller Güter an den Staat nach dem Tode ihrer Erwerber schafft ein nahezu unerschöpfliches gemeinsames Vermögen, ohne den individuellen Besitz aufzuheben. Jedes Individuum hat dann ein Eigen- und ein Gesammtvermögen, wie es einen Tauf- und Familiennamen hat. Das Staatsvermögen, mit dem es geboren wird, ist gleichsam sein Familien-, das eigene Vermögen, das es sich während seines Lebens erwirbt und dessen alleiniger, ungestörter Nutznießer es ist, sein Taufname und beide zusammen umschreiben seine wirthschaftliche wie die Namen seine bürgerliche Persönlichkeit. Indem das Individuum für sich arbeitet, arbeitet es zugleich für die Gesammtheit, welcher eines Tages der ganze Überschuß seines Erwerbes über seinen Verbrauch zugute kommen wird. Das Gesammtvermögen bildet das ungeheure Sammelbecken, welches aus dem Überfluß der einen dem Mangel der anderen abhilft und nach jedem Menschenalter die immer wieder entstehenden Ungleichheiten in der Güterverteilung ausgleicht, welche die Vererbung im Gegentheil fixirt und mit jeder Generation schroffer macht.

Zu einer solchen Neuordnung der wirthschaftlichen Organisation der Gesellschaft muß es kommen, weil die Vernunft und die naturwissenschaftliche Weltanschauung sie gleichzeitig fordern. Ein einziges Grundprinzip muß die Gesellschaft beherrschen und dieses Grundprinzip kann nur entweder der Individualismus, das heißt der Egoismus, oder die Solidarität, das heißt der Altruismus sein. Gegenwärtig herrscht weder der Individualismus noch die Solidarität in voller Logik, sondern ein Gemisch von beiden, das unvernünftig und unlogisch ist. Der Besitz ist individualistisch organisirt und der Egoismus geht in der Vererbung bis zu seinen äußersten Grenzen, indem er nicht blos mit List und Gewalt an sich rafft, was er kann, sondern den Raub auch für ewige Zeiten festzuhalten, aus seinem Mitgenusse die Gemeinschaft der Menschen für immer auszuschließen sucht. Allein den Nichtbesitzenden gesteht der Besitzende nicht das Recht zu, sich auf das Prinzip zu berufen, dem der letztere seinen Reichthum verdankt. Das

Vermögen wird im Namen des Individualismus erworben und festgehalten, vertheidigt aber wird es im Namen der Solidarität. Der Reiche genießt den unverhältnißmäßig großen Antheil an den Gütern, den er an sich zu bringen verstanden hat, mit verhärtetem Egoismus; wenn aber der Arme ebenfalls egoistisch und individualistisch sein und die Hand nach dem Besitze des andern ausstrecken will, so wird er eingesperrt oder gehenkt. In Form von Wucher und Spekulation ist die rücksichtslose Verfolgung des selbstischen Interesses gestattet, in Form von Raub und Diebstahl ist sie verboten. Derselbe Grundsatz ist in der einen Anwendung ein Verdienst, in der andern ein Verbrechen. Dagegen empört sich der gesunde Menschenverstand. Ich gebe zu, daß man den Egoismus predige, aber dann habe man den Muth, ihn in allen Fällen gutzuheißen. Ist es recht, daß der Reiche in Müßiggang schwelge, weil er es verstanden hat, das Land an sich zu reißen oder die Menschenarbeit auszubeuten, so muß es auch billig sein, daß der Arme ihn todtschlage und sein Vermögen als gute Prise behandle, wenn er zu einem solchen Unternehmen den Muth oder die Stärke hat. Das ist logisch. Freilich geht bei dieser Logik die Gesellschaft zu Grunde und die Zivilisation zum Teufel und die Menschen werden zu Raubthieren, die einzeln in den Wäldern schweifen und einander zerreißen. Wer also einen solchen Zustand nicht für das ideale Ziel der gesellschaftlichen Entwickelung hält, dem bleibt nichts übrig, als sich für den andern Grundsatz, die Solidarität zu entschließen. Da heißt es nicht mehr: Jeder für sich, sondern: Einer für Alle und Alle für Einen. Da erkennt es die Gesellschaft als ihre Pflicht, die noch nicht erwerbsfähige Jugend zu erhalten und zu bilden, das nicht mehr erwerbsfähige Alter zu versorgen, dem Gebrechen zu Hilfe zu kommen und die Entbehrung nur noch als Strafe willkürlichen Müßigganges zu dulden. Diese Pflicht zu erfüllen ist aber schlechterdings nur unter einer Bedingung möglich: wenn die Vererbung der Güter unterdrückt wird.

Große Katastrophen stehen auf wirtschaftlichem Gebiete bevor und es wird nicht mehr lange möglich sein, sie aufzuhalten. So lange die Menge gläubig war, konnte man sie für irdisches Elend mit unbestimmten Versprechungen himmlischer Glückseligkeit trösten. Heute, wo die Aufklärung immer allgemeiner wird, verringert sich die Zahl der Geduldigen immer mehr, die in einer Hostie den Ersatz für ein Mittagsmahl finden und die Anweisung eines Priesters auf einen Platz im Paradiese dem unmittelbaren Besitze eines guten irdischen Ackers gleichachten. Die Besitzlosen zählen sich und die Reichen und sie finden, daß ihrer mehr und daß sie stärker sind. Sie prüfen die Quellen des Reichthums und sie finden, daß Spekulation, Ausbeutung und Erbschaft nicht mehr vernünftige Berechtigung haben als Raub und Diebstahl, welche das Gesetzbuch schwer ahndet. Bei der fortschreitenden Enterbung der Massen durch ihre Losreißung vom Grund und Boden und bei der wachsenden Anhäufung der Vermögen in wenigen Händen werden die wirtschaftlichen Ungerechtigkeiten immer unleidlicher und an dem Tage, an welchem sich bei der Menge zum Hunger die Erkenntniß der ferneren Ursachen desselben gesellt, gibt es das Hinderniß nicht, welches sie nicht beseitigen und niederwerfen wird, um zum Rechte der Sättigung zu gelangen. Hunger ist eine der wenigen Elementargewalten, gegen welche auf die Dauer weder Drohung noch Überredung hilft. Das ist denn auch die Kraft, die voraussichtlich den auf Aberglauben und Selbstsucht ruhenden Gesellschaftsbau, dem die Philosophie allein nicht beikommen kann, dem Boden gleichmachen wird.

Die Ehelüge.

I.

Der Mensch hat zwei mächtige Grundtriebe, die sein ganzes Leben beherrschen und den ersten Anstoß zu allen seinen Handlungen geben: den Trieb der Selbsterhaltung und den Trieb der Gattungserhaltung. Jener kommt am einfachsten als Hunger, dieser als Liebe zur Erscheinung. Die Kräfte, welche bei den Verrichtungen der Ernährung und Fortpflanzung wirken, sind uns noch dunkel, ihr Walten aber sehen wir klar. Wir wissen nicht, weshalb ein Individuum seinen Entwickelungskreis gerade in einer gegebenen und nicht in einer andern Zahl von Jahren durchläuft; weshalb das große und starke Roß nur 35, der kleinere und schwächere Mensch dagegen über 70 Jahre alt werden kann; weshalb der kleine Rabe bis zu 200, die weit größere Gans nur bis zu 20 Jahren lebt. Was wir aber wissen, das ist, daß jedes Lebewesen schon im Augenblicke seiner Geburt auf eine bestimmte Lebensdauer gestellt, wie ein Uhrwerk für eine bestimmte Ablaufszeit aufgezogen ist, die durch Einwirkung zufälliger äußerer Gewalten verkürzt, in keinem Falle aber verlängert werden kann. Ebenso vermuthen wir, daß auch die Gattungen für eine bestimmte Dauer angelegt sind, daß sie wie die Individuen in einem genau feststellbaren Augenblicke entstehen, gleichsam geboren werden, sich entwickeln, ihre Reife erreichen und sterben. Der Lebenszyklus einer Gattung ist zeitlich zu ausgedehnt, als daß die Menschen seinen Anfangs- und Endpunkt auch nur in einem einzigen Falle durch direkte Beobachtung hätten feststellen können; allein die Paläontologie gewährt zahlreiche sichere Anhaltspunkte, mit deren Hilfe man ohne Wagniß dahin gelangen kann, den Parallelismus der Lebens- und Entwickelungsgesetze des Individuums und der Gattung als Thatsache zu verkünden. So lange das Einzelwesen die ihm bei seiner Erzeugung mitgetheilte Lebenskraft nicht aufgebraucht hat, strebt es mit aller Anstrengung, deren es fähig ist, sich zu erhalten und gegen seine Feinde zu schützen; wenn seine Lebenskraft erschöpft ist, so empfindet es kein Nahrungsbedürfniß und keinen Vertheidigungsdrang mehr und stirbt. Ebenso kommt in der Gattung die Lebenskraft als Fortpflanzungstrieb zum Ausdruck. So lange die Lebenskraft der Gattung mächtig ist, strebt jedes vollausgestaltete Individuum derselben mit Anspannung all seiner Kräfte nach Paarung. Beginnt die Lebenskraft der Gattung zu ebben, so werden deren Individuen im Punkte der Fortpflanzung gleichgiltiger und hören zuletzt ganz auf, dieselbe als Nothwendigkeit zu empfinden. Wir besitzen im Verhältniß des Egoismus zum Altruismus innerhalb einer gegebenen Gattung und selbst innerhalb einzelner Menschenracen oder Völker ein sicheres Maß der Lebenskraft, welche diese Gattung, Race oder Nation noch besitzt. Eine je größere Anzahl Individuen derselben ihr Eigeninteresse höher stellt als alle Pflichten der Solidarität und alle Ideale der Gattungs-Entwickelung, um so näher ist das Ende ihrer Lebensfähigkeit gerückt. Je mehr Individuen einer Nation im Gegentheil den Instinkt des Heroismus, der Selbstlosigkeit, der eigenen Opferung für die Gesammtheit haben, um so gewaltiger ist ihre Lebenskraft. Die Verkümmerung nicht nur der Familie, sondern auch des Volkes beginnt mit dem Überwiegen der Selbstsucht. Das Vorherrschen des Egoismus ist das untrügliche Anzeichen der Erschöpfung der Gattungsvitalität, welcher sehr rasch die Erschöpfung der individuellen Lebenskraft folgen muß, wenn letztere nicht durch günstige Kreuzungen oder Umgestaltungen eine Fristerstreckung erfährt. Ist eine Race oder Nation auf diesen Punkt ihrer absteigenden Lebensbahn gelangt, so verlieren ihre Individuen die Fähigkeit, gesund und natürlich zu lieben. Der Familiensinn geht unter. Die Männer wollen nicht heiraten, weil es ihnen unbequem scheint, sich die Lasten der Verantwortlichkeit für ein anderes Menschenleben aufzubürden und für ein zweites Wesen außer sich selbst zu sorgen. Die Frauen scheuen die Schmerzen und Unbequemlichkeiten der Mutterschaft und streben auch in der Ehe mit den unsittlichsten Mitteln nach Kinderlosigkeit. Der Fortpflanzungsinstinkt, der nicht mehr die Fortpflanzung zum Ziele hat, verliert sich bei den einen und entartet bei den andern zu den seltsamsten und irrationellsten Verirrungen. Der Paarungsakt. diese erhabenste Funktion des Organismus, welche dieser nicht vor ferner vollen Reise verrichten kann und mit welcher die gewaltigsten Sensationen verbunden sind, deren das Nervensystem überhaupt fähig ist, wird zu einer ruchlosen Lüstelei entwürdigt und nicht mehr im Interesse der Gattungserhaltung vollzogen, sondern nur noch im ausschließlichen Interesse einer für die Gesammtheit zweck- und werthlosen individuellen Vergnügung. Wo die Liebe überhaupt noch, als Überlebsel oder Atavismus, auftritt, da ist sie nicht die Zusammenfügung zweier unvollständiger, halber Individualitäten zu einem ganzen und vollkommenen Individuum höherer Art, nicht die Entfaltung eines sterilen Einzellebens zu einem fruchtbaren Doppelleben, das sich in Nachkommenschaft unbegrenzt fortsetzen kann, nicht die unbewußte Hinüberleitung des Egoismus in den Altruismus, nicht das Einmünden der isolirten Individual-Existenz in den frischen, brausenden Strom des Gattungsdaseins, sondern eine wunderliche, sich selbst unverständliche und darum unmöglich zu befriedigende Bangniß, halb Träumerei, halb Hysterie, theils Selbstbetrug, Reminiszenz, Anempfindung' von Gelesenem und Gehörtem und krankhafte, sentimentale Phantasterei, theils ganz direkt Überschnapptheit, impulsiver oder melancholischer Wahnsinn. Unnatürliche Laster nehmen überhand. allein während im Geheimen die Schamlosigkeit Orgien feiert, wird öffentlich im Gegentheil eine überaus empfindliche Zimperlichkeit zur Schau getragen und im Sinne des Sprichworts, daß man im Hause des Gehenkten nicht vom Stricke sprechen dürfe, vermeidet ein solches Volk, das hinsichtlich seines Geschlechtslebens ein böses Gewissen hat und sich seiner Begehungs- und Unterlassungssünden wohlbewußt ist, mit der Angst eines ertappten Verbrechers, diesen Punkt in Rede und Schrift auch nur von ferne zu streifen. Das ist das Bild der Geschlechtsbeziehungen einer niedergehenden Race, die entweder durch die natürliche Abnutzung, welche eine Folge des Alters ist, oder durch ungünstige Daseinsbedingungen oder durch das Walten schädlicher und thörichter Gesetze bis zur Erschöpfung ihrer Lebenskraft gelangt ist.

Wenn man mir nun zugibt, daß die Form der Beziehungen beider Geschlechter zu einander innerhalb eines Volkes ein Gradmesser der Lebenskraft des letzteren ist, und diesen Maßstab an die Kulturvölker des Westens legt, so gelangt man zu äußerst alarmirenden Wahrnehmungen. Die Verlogenheit der ökonomischen, sozialen und politischen Einrichtungen hat bei diesen Völkern auch das Geschlechtsleben vergiftet, alle natürlichen Instinkte, welche die Erhaltung und Vervollkommnung der Gattung sichern sollen, sind gefälscht und auf Abwege geleitet und der herrschenden Selbstsucht und Heuchelei werden die künftigen Generationen gerade des geistig entwickeltsten Theils der Menschheit ohne Zögern geopfert.

Zu allen Zeiten hat die Menschheit zuerst instinktiv gefühlt, dann vernünftig begriffen, daß es für sie nichts Wichtigeres als gebe ihre eigene Fortdauer, und alle Empfindungen und Handlungen, welche zu diesem vornehmsten Interesse der Gattung in irgend einer Beziehung stehen, haben von jeher den breitesten Platz in ihrer Gedankenwelt eingenommen. Die Liebe bildet ungefähr den ausschließlichen Inhalt der schönen Literatur aller Zeiten und Völker und jedenfalls den einzigen, der die Masse der Leser oder Hörer dauernd zu fesseln vermochte; das Endergebniß der Liebe, die Verbindung des Jünglings und Mädchens zu einem fruchtbaren Paare, ist anfangs von der Sitte und dem Gewohnheitsrechte der Völker, später von den geschriebenen Gesetzen mit so viel Zeremonien und Festgebräuchen, Vorbereitungen und Umständlichkeiten umgeben worden wie keine andere Handlung des menschlichen Lebens, selbst nicht die Wehrhaftmachung der Jünglinge, die doch bei barbarischen Stämmen, welche im Stande unausgesetzter Angriffe und Nothwehr leben, ein Akt von größter Wichtigkeit ist. Durch diese Förmlichkeiten, welche die Hochzeit umständlich machen, hat sich das Gemeinwesen stets eine Kontrolle über die Geschlechtsbeziehungen seiner Angehörigen gesichert und die Feierlichkeit, mit der es die Vereinigung eines Liebespaares behandelte, sollte in diesem das Bewußtsein erwecken, daß seine Umarmungen keine bloße Privatangelegenheit seien wie eine Mahlzeit, ein Jagdzug oder ein Abendvergnügen mit Gesang und Tanz, sondern ein Ereigniß von hoher öffentlicher Wichtigkeit und Bedeutung, welches dem ganzen Gemeinwesen nahegeht und auf dessen Zukunft mitbestimmend einwirkt. Um eine Herabwürdigung der Liebe zu einer bloßen Unterhaltung nach Möglichkeit zu verhüten, um ihren hehren Zweck, die Gattungserhaltung, thunlichst zu betonen, hat die Gesellschaft seit den ersten Anfängen der Gesittung grundsätzlich nur solche Beziehungen zwischen Mann und Weib als ehrenhaft anerkannt und durch ihre Achtung ausgezeichnet, deren Ernst die Probe eines öffentlichen Zeremoniells bestanden hat, diejenigen dagegen, welche sich dieser Weihe entzogen, mißbilligt und mit ihrem Abscheu oder sogar mit materiellen Ahndungen bestraft.

Auch in unserer hohen Kultur wie in deren barbarischen Anfängen muß der Geschlechtsdrang, wenn er nicht zu einem verächtlichen und verfolgten Laster herabsinken soll, die Gesellschaft zur Zeugin seiner Befriedigung anrufen und sich unter ihre Überwachung stellen; auch heute noch ist die Ehe die einzige Form der Beziehungen zwischen Mann und Weib, welche das Gemeinwesen gutheißt. Was hat nun die Lüge unserer Zivilisation aus der Ehe gemacht? Sie ist zu einer materiellen Übereinkunft herabgesunken, in welcher für die Liebe so wenig Platz bleibt, wie im Genossenschaftsvertrag zweier Kapitalisten, die zusammen ein Geschäft unternehmen. Der Vorwand der Ehe ist noch immer die Gattungserhaltung, ihre theoretische Voraussetzung noch immer die gegenseitige Anziehung zweier Individuen entgegengesetzten Geschlechts, tatsächlich aber wird die Ehe nicht im Hinblick auf die künftige Generation, sondern blos mit Rücksicht auf das persönliche Interesse der die Verbindung eingehenden Individuen geschlossen. Der modernen Ehe, besonders in den sogenannten besseren Klassen, fehlt jede sittliche Weihe und mit ihr die anthropologische Berechtigung. Die Ehe sollte die Sanktion des Altruismus sein, sie ist die des Egoismus. Die Eheschließenden wollen in dem neuen Verhältnisse nicht in und für einander leben, sondern bessere Bedingungen für die Fortsetzung eines behaglichen und verantwortungsfreien Sonderdaseins finden. Man heirathet, um die Vermögenslage günstiger zu gestalten, um sich ein angenehmeres Heim zu sichern, um einen gesellschaftlichen Rang einnehmen und behaupten zu können, um eine Eitelkeit zu befriedigen, um in den Genuß der Vorrechte und Freiheiten zu treten, welche die Gesellschaft den ledigen Frauenzimmern vorenthält und den verheirateten zugesteht. Man denkt bei der Eheschließung an Alles; an den Salon und die Küche, die Promenade und das Seebad, den Ball- und Speisesaal, nur an eins denkt man nicht, an das allein Wesentliche: an das Schlafzimmer, dieses Heiligthum, aus welchem wie ein Morgenroth die Zukunft der Familie, des Volkes, der Menschheit hervorbrechen soll. Muß nicht Verfall und Untergang das Los von Völkern sein, in deren Ehen die Selbstsucht der Gatten triumphirt, während das Kind in denselben ein unerwünschter, im günstigsten Falle gleichgiltiger Zufall, eine nicht leicht zu vermeidende, aber durchaus nebensächliche Folgeerscheinung ist?

Man wendet vielleicht ein, daß bei Naturvölkern, die in ursprünglichen Verhältnissen leben, die große Mehrzahl der Ehen nicht anders geschlossen wird wie in unserer hohen Kultur. Auch bei jenen spielt die Neigung in der Gründung eines Hausstandes keine Rolle. In dem einen Stamme heiratet der Mann ein Mädchen, das er erst nach der Hochzeit zum ersten Male sieht. In dem andern raubt der heiratslustige Jüngling das erstbeste Weib eines Nachbarstammes, dessen er habhaft werden kann. Wo man die Gattin wählt, da geschieht es nach Erwägungen, die mit Liebe nichts gemein haben. Man macht ein Mädchen zu seiner Hausfrau, weil im Stamme bekannt ist, daß sie tüchtig arbeiten kann, das Vieh sorgsam wartet, geschickt spinnt und webt. Also auch hier ist die Erhaltung des Stammes dem blinden Zufall oder dem Egoismus anvertraut und doch sind solche Völker voll Jugendkraft und ihre Entwickelung, weit entfernt, unter diesem Stande der Dinge zu leiden, ist eine rasch und freudig aufsteigende. Auf diesen

Einwand ist zu erwidern, daß die nicht auf Liebe, sondern auf Selbstsucht und Herkommen gegründete Ehe aus anthropologischen Ursachen bei Naturvölkern nicht dieselben schlimmen Folgen hat wie bei Kulturnationen. Innerhalb primitiver Völker sind die Individuen leiblich und geistig wenig differenzirt. Bei allen Männern wie bei allen Weibern herrscht die Stammesart vor, während eine Eigenart gar nicht vorhanden oder nur im Keim angedeutet ist. Alle Individuen sind wie in einer einzigen Form gegossen und einander zum Verwechseln ähnlich; alle haben als Zuchtmaterial ungefähr den gleichen Werth. Da braucht denn der Paarung keine Zuchtwahl voranzugehen; ihr Ergebniß wird ungefähr dasselbe sein, die Eltern mögen sich wie immer zusammengefunden haben. Große Gleichartigkeit der Individuen schließt nicht nur die Nothwendigkeit, sondern sogar die Möglichkeit der Liebe aus. Der Fortpflanzungsdrang erweckt da im Individuum blos einen allgemeinen Wunsch nach dem Besitz eines Individuums des andern Geschlechts, er individualisirt jedoch nicht, mit einem Worte, er steigert sich nicht zu einer höhern Form, welche eben die konkrete Liebe zu einem bestimmten und keinem andern Wesen ist. Das ganze eine Geschlecht hat eine allgemeine Neigung zum ganzen andern Geschlechte und dem Manne wie dem Weibe ist es völlig gleichgiltig, welches Weib oder welcher Mann sein Genosse wird. Kommt einmal in einem Naturvolke ein Individuum vor, das aus der Uniformität des Stammes kräftig heraustritt und sich vor den übrigen Mitgliedern desselben durch körperliche oder geistige Eigenschaften auszeichnet, so wird der Unterschied sofort mit einer Intensität empfunden, von der wir, die an große individuelle Verschiedenheiten der uns umgebenden Menschen gewöhnt sind, uns kaum eine Vorstellung machen können; das große zoologische Gesetz der Zuchtwahl beginnt mit der Gewalt einer Naturkraft zu walten und der Wunsch nach dem Besitze dieses ausgezeichneten Individuums erreicht die Stärke einer furchtbaren, sturmartigen Leidenschaft, welche die extremsten Handlungen veranlaßt. Bei den zivilisirten Völkern aber, deren Individuen hoch differenzirt sind, liegen die Dinge ganz anders. In ihren ungebildeten, also weniger entwickelten unteren Klassen tritt der Fortpflanzungsdrang wol auch noch mehr als allgemeiner Hang zum andern Geschlecht denn als aussondernde individualisirende Neigung auf und im Widerspruche zu den von schlecht oder gar nicht beobachtenden Dichtern verbreiteten sentimentalen Märchen ist da heftige Liebe zu einem bestimmten Wesen äußerst selten. In den höheren Klassen aber, wo die Individuen reich entwickelt, äußerst mannigfaltig und verschieden sind und scharf ausgeprägte Eigenarten darstellen, wird der Geschlechtstrieb ausschließlich und wählerisch und muß es auch werden, wenn die Nachkommenschaft lebensfähig und tüchtig sein soll. Da muß die Ehe, das heißt das einzige von der Gesellschaft für zulässig erklärte Verhältniß, aus welchem Nachkommen hervorgehen dürfen, ein Ergebniß von Liebe sein. Denn die Liebe ist der große Regulator des Gattungslebens. die treibende Kraft, welche zur Vervollkommnung der Art drängt und ihren physischen Verfall zu hindern sucht. Liebe ist die instinktive Erkenntniß eines Wesens, daß es mit einem bestimmten Wesen des andern Geschlechts ein Paar bilden müsse, damit seine guten Eigenschaften gesteigert, seine schlechten ausgeglichen werden und in seinen Nachkommen sein Typus wenigstens unverkümmert erhalten bleibe, womöglich aber eine Idealisirung erfahre. Der Fortpflanzungstrieb an sich ist blind und bedarf des sichern Führers, der Liebe, um sein natürliches Ziel zu erreichen, welches zugleich die Erhaltung und die Verbesserung der Art ist. Fehlt dieser Führer, wird die Paarung nicht durch gegenseitige Anziehung, sondern durch den Zufall oder durch anderweitige Interessen, welche mit ihrem physiologischen Zwecke nichts zu schaffen haben, bestimmt, so ist bei großer Verschiedenheit der Eltern das Kreuzungsprodukt wol immer ein gleichgiltiges oder schlechtes. Die Kinder erben die Fehler der Eltern, die in ihnen verstärkt erscheinen, die Vorzüge derselben sind abgeschwächt oder heben einander völlig auf und es entsteht eine unharmonische, in sich zerrissene, zurückgehende Race, die zu raschem Erlöschen verurtheilt ist. Daß seine Verbindung mit einem bestimmten Individuum im Interesse der Stammes-Erhaltung und -Vervollkommnung erwünscht, die mit einem andern dagegen beklagenswerth wäre, das sagt dem Individuum nur eine einzige Stimme: die der Liebe. Goethe hat das Wesen der Liebe mit einem einzigen Worte so wunderbar erfaßt und so erschöpfend definirt, daß dicke Bände der Definition nichts hinzufügen könnten, und dieses Wort heißt: "Wahlverwandtschaft «. Es ist eine der chemischen Wissenschaft entlehnte Bezeichnung und verknüpft aufs tiefsinnigste einen durch die hysterische Schwärmerei begriffsschwacher und einsichtsloser Poeten mystisch verdunkelten Vorgang im Menschen mit den großen elementaren Vorgängen in der Natur. Die Chemie nennt Wahlverwandtschaft den Drang zweier Körper, sich mit einander zu einem neuen Produkt zu verbinden, welches in fast all seinen Eigenschaften, in Farbe, Aggregationszustand, Dichtigkeit, Wirkung auf andere Stoffe u. s. w., von den Körpern, die ihn gebildet haben, völlig verschieden ist. Zwei Körper, die zu einander nicht im Verhältniß der Wahlverwandtschaft stehen, können durch die ganze Ewigkeit in der innigsten Berührung mit einander sein, ihre Beziehung wird immer ein todtes Nebeneinander bleiben, sie wird zu keiner neuen Bildung, keiner Kraftwirkung, keinem lebendigen Vorgang führen. Sind diese Körper jedoch wahlverwandt, so braucht man sie nur einander nahe zu bringen, um augenblicklich rege, schöne, fruchtbare Bewegungserscheinungen hervorzurufen. Der menschliche Organismus ist der Schauplatz ganz gleicher Vorgänge. Zwei Individuen üben auf einander Wechselwirkung oder nicht. Sind sie wahlverwandt, so lieben sie einander, fliegen einander unter stürmischen Erscheinungen zu und werden zur Quelle neuer Bildungen. Sind sie es nicht, so stehen sie kalt und wirkungslos vor einander und ihr Beisammensein wird nie zu einer Episode des allgemeinen Lebensprozesses. Wir stehen da vor Ureigenschaften, welche dem Stoffe inhärent sind und die wir nicht zu erklären versuchen. Weshalb verbindet sich der Sauerstoff mit dem Kalium? Weshalb nicht der Stickstoff mit dem Platin? Wer wüßte das zu sagen? Und weshalb liebt ein Mann dieses eine Weib und nicht ein anderes? Weshalb will ein Weib diesen Mann und verschmäht alle andern? Offenbar, weil diese Anziehung und Gleichgiltigkeit im innersten Chemismus des betreffenden Wesens begründet sind und aus denselben Quellen fließen wie die organischen Vorgänge des Lebens selbst. Die Ehe nun ist ein Gefäß, in welches zwei verschiedene Körper zwei chemische Individualitäten, miteinander eingeschlossen werden. Sind sie wahlverwandt, so ist das Gefäß vom Leben erfüllt; sind sie es nicht, so enthält das Gefäß den Tod. Wer fragt aber bei modernen Eheschließungen nach Wahlverwandtschaft?

Es gibt nur zwei Arten von Beziehungen zwischen Mann und Weib: solche, die auf natürlicher gegenseitiger Anziehung beruhen und in diesem Falle immer die Reproduktion bewußt oder unbewußt zum Zwecke haben, und solche, bei welchen dieser letztere Zweck nicht in erster Linie angestrebt wird und in welchen man nur die Befriedigung der Selbstsucht in irgend einer ihrer mannigfaltigen Formen sucht. Die ersteren Beziehungen sind die berechtigten und sittlichen, die letzteren bilden die große Kategorie der Prostitution, sie mögen sich äußerlich wie immer präsentiren. Das verworfene Geschöpf, das nachts in den Straßen der Großstadt seinen Leib gegen ein Silberstück einem gleichgültigen Vorübergehenden anbietet, dessen Züge es in der Dunkelheit nicht einmal unterscheiden kann, prostituirt sich; der Schandkerl, der einer alten Närrin den Hof macht und sich seine Huldigungen baar bezahlen läßt, prostituirt sich; für diese Handlungen gibt es nur eine Auffassung. Ich frage aber: wo ist der Unterschied zwischen dem Manne, der von seiner Geliebten ausgehalten wird, und dem, der einer Erbin oder der Tochter eines einflußreichen Mannes, für die er nicht die geringste Liebe empfindet, den Hof macht, um mit ihrer Hand zugleich Reichthum oder Stellung zu erlangen? Und wo ist der Unterschied zwischen der Dirne, die sich an einen Unbekannten gegen eine kleine Vergütung verkauft, und der züchtigen Braut, die sich vor dem Altar mit einem ungeliebten Individuum vereinigt, welches ihr im Austausche für ihre Umarmung einen gesellschaftlichen Rang oder Toiletten, Schmuck und Dienerschaft oder auch nur das kahle tägliche Brod bietet? Die Beweggründe sind in beiden Fällen die gleichen, die Handlungsweise ist dieselbe, ihre

Bezeichnung muß nach Wahrheit und Gerechtigkeit dieselbe sein. Die von aller Welt für äußerst ehrbar gehaltene, sich selbst als ungemein sittenstreng betrachtende Mama, welche ihrer Tochter einen wolhabenden Freier vorstellt und deren natürliche Gleichgiltigkeit durch klugen Zuspruch und gute Lehren, etwa von dem Schlage: daß es thöricht sei, eine anständige Versorgung von der Hand zu weisen, daß es im höchsten Grade unvorsichtig wäre, auf eine zweite Gelegenheit zu warten, die sich möglicherweise nie wieder darbieten dürfte, daß ein junges Mädchen an praktische Zwecke denken und sich den albernen Kram romanhafter Liebesgeschichten aus dem Kopfe schlagen müsse, – zu überwinden bemüht ist, diese musterhafte Mama ist eine Kupplerin, nicht mehr und nicht minder als die vom Strafgesetze verfolgte grinsende Vettel, die auf einer Bank der öffentlichen Promenade arbeitslosen Näherinnen verworfene Anträge ins Ohr zischelt. Der in allen Salons mit Auszeichnung aufgenommene elegante Streber, der in den verschlungenen Figuren des Cotillons der reichen Partie nachpürscht, zu der Erbin mit schwimmenden Augen und schmelzenden Biegungen der Stimme spricht, seine Gläubiger auf den Tag nach der Hochzeit vertröstet und seine Maitresse aus der erhaltenen Mitgift abfindet, ist ein Lotterbube ganz so wie der Zuhälter, den selbst der Schutzmann nur widerwillig mit unbehandschuhten Fingern anrührt. Eine Dirne, die sich verschachert, um eine alte Mutter oder ein kleines Kind zu ernähren, steht sittlich höher als die erröthende Jungfrau, welche zu einem Geldsack ins Ehebett steigt, um ihre leichtfertige Gier nach Bällen und Badereisen zu befriedigen, und von zwei Männern ist derjenige der weniger betrogene, der vernünftigere, der logischere, welcher der Genossin einer Minute ihre Gunst von Fall zu Fall baar bezahlt und ihr dann den Rücken wendet, als der, welcher sich mit gesetzlichem Ehevertrag eine lebenslängliche Beischläferin kauft, die es ganz so wie jene auf Entlohnung abgesehen hat. Jedes Bündniß zwischen Mann und Weib, welches der eine oder andere Theil nur eingeht, um materielle Versorgung oder sonstige egoistische Vortheile zu erlangen, ist Prostitution, es mag nun unter Mitwirkung eines Standesbeamten und

Priesters oder blos durch freundliche Vermittelung einer Logenschließerin zu Stande gekommen sein.

Das ist aber der Charakter fast aller Ehen: die seltenen Ausnahmsfälle, in welchen ein Mann und ein Weib sich in legitimen Formen vereinigen, ohne andern Grund und Wunsch, als um einander in Liebe anzugehören, werden von den vernünftigen Leuten förmlich verhöhnt und man warnt die Jugend vor ihrer Nachahmung. Arme oder mittelmäßig ausgestattete Mädchen werden von den vorsorglichen Eltern geradezu darauf abgerichtet, die gefahrvollen natürlichen Regungen ihres Herzens zu erwürgen und die Liebenswürdigkeit ihres Lächelns nach der Ziffer des Einkommens eines ledigen Mannes zu bemessen; wenn die eingepaukte Koketterie der Tochter nicht ausreicht, um einen zuverlässigen Ernährer zu ergattern, so eilen Mutter und Tanten zu Hilfe und unterstützen das Bemühen des unschuldigen Kindes mit weisen Manövern. Bei den reichen Mädchen verhält sich die Sache anders. Diese sind nicht Jäger, sondern Wild. Eine gewisse Klasse von Männern ist auf die Mitgifthatz berufsmäßig gedrillt und geht bei dieser Arbeit nach festen Regeln zu Werke. Das trägt Beinkleider und Westen von tadellosem Schnitte, Kravatten von sorgfältig gewählter Farbe und Form und ein einschichtiges Glas in ein Auge geklemmt; das hat gekräuselte Haare und duftet klafterweit nach allerlei Parfüms; das tanzt vortrefflich, ist in Gesellschaftsspielen sattelfest, rhapsodirt von Sportdingen und ist im Theaterklatsch bewandert; in einem späteren Stadium verschwendet das Blumensträuße und Bonbons und läßt es auch an Liebesbriefen in Prosa und Versen nicht fehlen. Mit diesen Mitteln wird der Goldfasan unschwer erbeutet und das einfältige Geschöpf, das in einem lyrischen Drama mitzuspielen geglaubt hat, findet zu spät, daß es nur als Faktor in einem Rechenexempel figurirt hat. Wo endlich beide Theile ungefähr die gleiche Lebens- und Vermögensstellung einnehmen, da wird von vornherein blos gewählt, gemessen und gewogen. Da gibt man sich nicht die Mühe, die wahren Beweggründe der Verheiratung und die eigentliche Auffassung der Ehe zu verleugnen. Man vereinigt zwei

Vermögen, zwei Einflüsse, zwei Stellungen. Er will eine Hausfrau haben, die ihm die Suppe kocht und die Hemdknöpfe annäht oder die eine Seidenrobe mit Eleganz tragen und einem Galadiner mit Anstand Vorsitzen kann, sie will einen Mann, der für sie arbeitet oder der ihr ermöglicht, zu den Hofbällen zu gehen und die vornehme Gesellschaft bei sich zu empfangen. Bei ungleichem Rang und Vermögen ist diese Aufrichtigkeit ausgeschlossen. Da muß auf der einen oder andern Seite gelogen werden. Dem Geldsack heuchelt das arme Mädchen Neigung, dem Goldfisch der Streber Liebe. Natur und Wahrheit feiern wenigstens den einen melancholischen Triumph, daß der verworfene Egoismus, welcher die Ehe von ihrem natürlichen Ziele abgelenkt hat, deren eigentliche sittliche und physiologische Bedeutung grundsätzlich anerkennt, indem er es für nothwendig hält, bei der Werbung die Maske der Liebe vorzunehmen.

Was ist das Los der Männer und Frauen, die auf solche Weise einen Ehebund geschlossen haben? Die Degenerirten, sittlich verschrumpften Nachkommen und Vorfahren, die sich ebenfalls blos nach dem Gebote des materiellen Interesses verheiratet haben, die ohne Liebe gezeugt und empfangen, ohne Zärtlichkeit erzogen wurden, sind der Fähigkeit der Liebe endgiltig verlustig gegangen und können allerdings alt werden, ohne die innere Verarmung ihres Lebens auch nur einen Augenblick lang zu empfinden. Der Mann pflegt seinen Gaumen und Magen, erwirbt große Kennerschaft in Weinen und Zigarren, erlangt durch Freigebigkeit einen geschätzten Namen in Ballerinenkreisen, wird in Klubs mit Achtung genannt, stirbt an staatlichen und gesellschaftlichen Ehren reich und würde, wenn er aufrichtig wäre, auf seinen Grabstein die Inschrift setzen: "Die einzige Liebe meines Lebens war – ich selbst«. Das Weib erfindet wahnsinnige Moden, sucht ihresgleichen an toller Verschwendung zu überbieten, träumt Tag und Nacht von Roben, Schmuck, Möbeln und Wagen; intriguirt, lügt, verleumdet andere Frauen, bemüht sich mit teuflischem Neide, fremdes Herzensglück zu zerstören, und läßt, wenn ihre Aktionsmittel ihren Neigungen entsprechen, auf ihrem ganzen Lebensgange eine breite Spur von Verheerung und Grauen hinter sich zurück wie Heuschreckenfraß oder Pestwanderung. Beide, er und sie, vegetiren in lichtlosen, mephitischen Sphären des Geistes. Ihrem Leben fehlt, jedes Ideal. Ihre Natur, aller Organe des Aufschwungs beraubt, ohne Flug- und Sprungkraft, kriecht platt im Schlamme. Sie sind "anaërobische«, das heißt luftscheue Zerstörungsorganismen, welche Krankheit um sich verbreiten, die Gesellschaft zersetzen und in der von ihnen hervorgerufenen Fäulniß selbst untergehen. Die Degenerirten finden sich hauptsächlich in den höheren Klassen. Sie sind zugleich Folge und Ursache der selbstischen Organisation derselben. Da heiratet man nicht nach Neigung, sondern nach Rang und Vermögen. Vermögen und Rang bleiben auf diese Weise erhalten, aber ihre Besitzer gehen zu Grunde. Das ist eine Wirkung der Selbstrichtungs- und Hemmungsvorrichtungen, mit denen jeder lebende Organismus, also auch die Menschenart, ausgerüstet ist. Die Unterdrückung der Liebe, die Großziehung des Egoismus, welche die herrschenden Tendenzen der obern Schichten sind, würden, wenn verallgemeinert, zum raschen Untergang der Art führen. Der Selbsterhaltungstrieb der Art äußert sich also darin, daß die auf Lieblosigkeit und Selbstsucht gegründeten Familien unerbittlich ausgerottet werden. Das allseitig festgestellte rasche Verkommen aristokratischer Häuser hat schwerlich einen andern Grund als diesen. Neben den Degenerirten sind aber noch die innerlich unzersetzten Organismen, die lebenstüchtigen und liebesfähigen Menschen, welche aus Unverstand, Gedankenlosigkeit oder feiger Angst vor den Gefahren des Kampfes ums Dasein mitten in einer roh egoistisch organisirten Gesellschaft eine Vernunftehe geschlossen haben, so genannt, weil sie die unvernünftigste unter allen denkbaren Arten der Ehe ist. An diesen rächt sich die gegen das Grundgesetz der Zuchtwahl begangene Sünde früher oder später und je später um so schwerer. Der Drang nach Liebe ist aus ihrem Herzen nicht zu entwurzeln und sucht mit fortwährender unendlich schmerzhafter Spannung einen Ausweg aus den starren Wänden des legalen und gesellschaftlichen Konventionalismus. Es kann geschehen, daß ein solches Individuum nie im Leben mit einem wahlverwandten zusammentrifft, dann bleibt die Ehe äußerlich ungestört und das Verhältniß der durch Bande der Berechnung verknüpften Gatten ein formell korrektes; aber ihr Dasein ist ein unbefriedigtes und unfertiges; sie haben ewig das quälende Gefühl einer bangen Unruhe und Erwartung, sie hoffen immer auf etwas Kommendes, das sie aus ihrer Dumpfheit eines inhaltslosen Lebens befreien soll; ihr ganzes Wesen empfindet sich selbst tief innerlich als fragmentarisch und sehnt sich nach einem Abschluß, den es in noch so glänzenden Befriedigungen des Ehrgeizes oder sonstiger Sehnsucht niemals findet, weil ihn eben nur die Liebe gewähren kann. Auch diese Individuen, wie die Degenerirten, entbehren ihr ganzes Leben hindurch der Weihe und des Ideals; aber subjektiv unglücklicher als die letzteren, haben sie das stets gegenwärtige Bewußtsein des Hohen, das ihnen fehlt. Sie sind keine Blinden, sondern Sehende, denen das Sonnenlicht entzogen ist. Das ist, wenn der Zufall des Lebens sie nie mit einem wahlverwandten Wesen in Berührung bringt. Stoßen sie jedoch auf ein solches, so ist die Katastrophe unvermeidlich. Der Konflikt zwischen der Ehepflicht und dem elementaren Streben nach Vereinigung mit dem wahlverwandten Individuum entbrennt gewaltig, der Inhalt, die Liebe, empört sich gegen die Form, die Ehe, und eine Zerstörung muß erfolgen. Entweder wird der Inhalt zermalmt oder die Form zerschleudert. Auch eine dritte Lösung ist denkbar und weil sie die erbärmlichste ist, so ist sie auch die häufigste: die Flächen der Form, welche nach oben gekehrt und Aller Augen sichtbar sind, bleiben unversehrt; an den abgewandten Seiten jedoch entsteht ein schmaler, geheimer Riß, der dem Inhalt gestattet, sich zu dehnen und auszutreten. Unbildlich gesprochen heißt das, daß der liebende Theil entweder die Ehe gewaltsam löst oder seine Liebe mit Aufopferung des Lebensglücks bekämpft und unterdrückt oder den Ehegenossen betrügt und zum geheimen Ehebrecher wird. Gemeine Naturen gerathen gleich auf dieses letztere Auskunftsmittel; edle haben die Tragödie der Empörung gegen die Vorurtheile der Welt und des tödtlichen Ringens zwischen Leidenschaft und Pflicht mit allen ihren Bitternissen durchzukämpfen und durchzulesen. Wäre die Gesellschaft von den Gattungsgesetzen regiert und solidarisch organisirt, so stände sie in diesem Kampfe auf der Seite der Liebe und würde den Rinnenden zurufen: "Ihr liebt, so vereinigt euch;« allein die offizielle Gesellschaft ist zur Feindin der Gattung geworden und vom Egoismus beherrscht; darum nimmt sie für die Ehe Partei und befiehlt den Kämpfenden: "Verzichtet!« Da sie sich aber trotz ihrer Unnatur noch die Erkenntniß gewahrt hat, daß dies unmöglich sei, daß man auf Liebe nicht leichter als auf das Leben verzichten könne und ein so grausames Gebot nicht häufiger befolgt werden dürfte als eines, das den Selbstmord heischte, so fügt sie leiser und augenzwinkernd hinzu: "oder gebt wenigstens kein Ärgerniß.« So gelangt die Liebe schließlich doch zu ihrem Rechte, aber nur bei denen, welche auf die Heuchelei der Gesellschaft eingehen wollen, und statt erhebend und veredelnd zu wirken, wird sie unter solchen Verhältnissen zu einer Ursache der Erniedrigung der Charaktere, indem sie Lüge, Wortbruch und Verstellung veranlaßt. Es findet unter ihrer Wirkung in der Ehe eine eigenthümliche Sonderung der Individualitäten statt; gerade die besten und tüchtigsten, diejenigen also, die für die Gattin als Zuchtmaterial den größten Werth hätten, verschmähen es, auf gemeine und unsittliche Kompromisse einzugehen, und da sie weder ein feierliches Gelöbniß hinterrücks brechen wollen, noch immer die Entschlossenheit oder selbst materielle Möglichkeit haben, ihr legitimes Verhältniß offen zu lösen, so gehen sie an ihrer verspäteten Liebe zu Grunde und dieselbe kommt der Gattung in keiner Weise zugute; die Alltagsnaturen dagegen, an denen der Gattung nichts zu liegen braucht und deren Fortpflanzung für sie von geringer Bedeutung ist, gehen dem Martyrium aus dem Wege und genügen ihrem Herzen auf Kosten ihres bürgerlichen Gewissens.

Die konventionelle Ehe (also neun unter zehn, die innerhalb der Kulturvölker Europas überhaupt geschlossen werden) ist daher ein tief unsittliches, für die Zukunft der Gesellschaft verhängnißvolles Verhältniß. Sie bringt diejenigen, welche sie eingehen, früher oder später in einen Konflikt zwischen beschworenen Pflichten und der unausrottbaren Liebe und läßt ihnen nur die Wahl zwischen Gemeinheit und Untergang. Statt eine Quelle der Verjüngung für die Art zu sein, ist sie ein Mittel langsamen Selbstmordes derselben.

II.

Daß die Ehe, ursprünglich als einzig statthafte Form der Liebe zwischen Mann und Weib gedacht, ihren Inhalt vollständig verloren hat und zur größten aller Lügen der Gesellschaft geworden ist, daß man sich gewöhnlich heiratet, ohne nach Neigung zu fragen, daß Jüngling und Mädchen durch das Beispiel des Alltagslebens und fast noch mehr durch die Unterhaltungsliteratur aller Sprachen förmlich dazu erzogen werden, sich die Liebe von der Ehe durchaus gesondert vorzustellen, ja sogar jene und diese in der Regel als gegensätzlich zu empfinden, und daß sie bei der Vereinigung ihrer Hände im geheimsten Hintergrund ihrer Seele den klar bewußten oder unbestimmt geahnten Vorbehalt machen, die Beziehung ihrer Herzen durch diese Förmlichkeit nicht beeinflussen zu lassen, daran trägt hauptsächlich die wirthschaftliche Organisation der Kulturvölker die Schuld. Diese Organisation hat den Egoismus zur Grundlage; sie kennt nur das Einzelwesen und nicht die Gattung; ihre Vorsorge beschränkt sich auf das unmittelbare Interesse des Individuums und vernachlässigt vollständig das der Art; sie bedingt eine Raubwirthschaft, welche die Zukunft der Gegenwart opfert und hat unter ihren zahlreichen Wächtern und Stützen, Bütteln und Rathgebern keinen einzigen Anwalt der ungeborenen Generationen. Was liegt einer so organisirten Gesellschaft daran, daß die Fortpflanzung unter den ungünstigsten Bedingungen geschieht? Das lebende Geschlecht hat nur an sich selbst zu denken. Wenn es sein Dasein in möglichstem Behagen vollenden kann, so hat es vollauf seine Pflicht gegen sich selbst erfüllt und einer andern Pflicht ist es sich nicht bewußt. Das nachfolgende Geschlecht soll wieder allein für sich sorgen und wenn es durch die Schuld der Väter geistig und leiblich verarmt ist, um so schlimmer für es. Die Kinder der Ehe ohne Liebe sind Jammergeschöpfe? Was liegt daran, wenn nur die Eltern in dieser Ehe ihren Vortheil gefunden haben! Die

Kinder der Liebe ohne Ehe gehen meist an der gesellschaftlichen Acht ihrer Mütter zu Grunde und werden zu Märtyrern der herrschenden Vorurtheile? Was schadet das, wenn nur ihre Erzeuger aus dem verbotenen Verhältnisse angenehme Augenblicke gezogen haben! Die Menschheit verschwindet aus dem Gesichtskreis des Menschen, das Solidaritätsgefühl, welches zu den ursprünglichen Instinkten des letzteren wie aller höheren Thiere gehört, verkümmert, das Leiden des Nächsten stört nicht mehr das Vergnügen seines Nachbars und selbst der Gedanke, daß die Menschheit mit der lebenden Generation aufhören soll, würde die Gesellschaft nicht bestimmen, eine Lebensführung zu ändern, bei der sich der Einzelne momentan Wohlbefinden kann. So ist auch der Geschlechtstrieb zum Gegenstande egoistischer Ausbeutung geworden und da er der mächtigste unter allen Trieben des Organismus ist, so kann man mit Sicherheit auf ihn spekuliren. Deshalb suchen Mann und Weib aus dem heiligen Akte, bei welchem es sich um die Erhaltung und Entwickelung der Menschheit handelt, nach Möglichkeit eine Quelle persönlicher Renten zu machen. Wie kann man es aber dem Kulturmenschen verdenken, daß er die Ehe als Versorgungsanstalt betrachtet und sich bei der Werbung von der Frage bestimmen läßt: "Wer bietet mehr?« Er sieht, daß die Welt die Größe des Vermögens zum Maßstabe des Werthes eines Individuums nimmt; er sieht den Reichen tafeln und Lazarus heute wie zu den biblischen Zeiten vor der Schwelle im Staube liegen; er kennt den Drang und die Gewalt des Kampfes ums Dasein und die Schwierigkeiten des Sieges in demselben; er weiß, daß er nur auf sich selbst und die eigene Kraft zu rechnen und, wenn er unterliegt, vom Gemeinwesen keine annehmbare Hilfe zu erwarten hat. Was Wunder, daß er jeden Lebensakt, also auch die Ehe, zunächst und häufig ganz allein vom Gesichtspunkte seines eigenen taktischen Vortheils im Kampfe ums Dasein betrachtet? Weshalb sollte er denn der Liebe einen Einfluß auf die Wahl seines Gemahls gestatten? Weil sich die Menschheit dabei besser befände? Was kümmert ihn die Menschheit? Was thut denn die Menschheit für ihn? Nährt sie ihn, wenn er hungert? Gibt sie ihm Beschäftigung, wenn er arbeitslos ist? Füttert sie seine

Kinder, wenn sie nach Brod schreien? Und wenn er stirbt, wird sie seine Witwe, seine Waisen versorgen? Nein. Und da sie alle diese Pflichten gegen ihn nicht erfüllt, so will auch er nur auf sich bedacht sein, die Liebe als einen angenehmen Zeitvertreib betrachten und bei der Ehe darauf sehen, daß sie seinen Antheil an den Gütern der Erde vermehre.

In weiterer Folge führt diese Anschauung zur raschen Entartung der Kulturmenschheit; ihr unmittelbares Opfer aber ist das Weib. Der Mann leidet bei einem solchen Stande der Dinge nicht allzusehr. Fühlt er sich nicht kräftig genug oder hat er nicht den Muth, die Verantwortlichkeit der Gründung einer Familie inmitten einer Gesellschaft auf sich zu laden, die eine Feindin und Ausbeuterin ist, statt, wie es natürlich wäre, ein Rückhalt zu sein, so bleibt er eben ledig, ohne darum auf die volle Befriedigung aller seiner Instinkte zu verzichten. Junggesellenthum ist weit entfernt, mit Enthaltung gleichbedeutend zu sein. Der Hagestolz hat von der Gesellschaft die stillschweigende Erlaubniß, sich die Annehmlichkeiten des Verkehrs mit dem Weibe zu verschaffen, wie und wo er kann, sie nennt seine selbstsüchtigen Vergnügungen Erfolge und umgibt sie mit einer Art poetischer Glorie und das liebenswürdige Laster Don Juans erweckt in ihr ein Gefühl, das aus Neid, Sympathie und geheimer Bewunderung gemischt ist. Hat der Mann ohne Liebe um materieller Vortheile willen geheiratet, so gestattet ihm die Sitte die Anregungen, die er bei seinem Weibe nicht findet, rechts und links zu suchen, oder wenn sie es ihm nicht geradezu gestattet, so behandelt sie es doch nicht als ein Verbrechen, welches ihn aus der Gemeinschaft der achtbaren Leute ausschließt. Ganz anders ist die Lage des Weibes. Das Weib der Kulturvölker ist auf die Ehe als auf seine einzige Laufbahn und sein einziges Lebensgeschick angewiesen. Es darf nur in der Ehe die Befriedigung all seiner engeren und weiteren physiologischen Bedürfnisse erwarten. Es muß heiraten, um zur Ausübung seiner natürlichen Rechte eines voll ausgebildeten, geschlechtsreifen Individuums zugelassen zu werden, um die Weihe der Mutterschaft empfangen zu dürfen, aber auch einfach, um vor materiellem Elend geschützt zu sein. Diese letzte Rücksicht fällt wol bei der Minderheit wolhabender Mädchen weg; allein obwohl diese meist die Empfindung der tiefen Unsittlichkeit einer Ehe ohne Liebe haben und der Wunsch, einen Mann ihrer Neigung zu wählen, (bei manchen bis zu einer Art Manie gesteigert ist, welche sie in allen Bewerbern Mitgiftjäger sehen läßt, so entgehen doch auch sie meist dem verhängnißvollen Walten der Verderbniß nicht, die bei der Eheschließung den rohen Egoismus an die Stelle der Liebe gesetzt hat. Es gibt zu viel Männer, die feig genug sind, das Los eines Ehepfründners anzustreben. Sie werden sich alle Mühe geben, das wolhabende Mädchen zu erbeuten, nicht weil sie es lieben, sondern weil sie dessen Vermögen wollen. Es kostet sie keine Überwindung, auf alle Schrullen desselben einzugehen; wenn das Mädchen Liebe verlangt, so werden sie solche um so überschwenglicher heucheln, je weniger sie davon empfinden, und es sind alle Wahrscheinlichkeiten dafür vorhanden, daß die Erbin jung und unerfahren, dem unwürdigsten unter den Werbern, der in der Regel der geschickteste und ausdauerndste Komödiant sein wird, die Hand reicht, um zu spät zu erkennen, daß auch sie trotz ihrer materiellen Unabhängigkeit nicht einen Wahlverwandten, sondern einen geldgierigen Mann geheiratet hat und auf Liebe entweder verzichten oder sie unter Gefahren und von der Verachtung aller Sittenrichter bedroht außerhalb der Ehe suchen muß. Die reichen Mädchen bilden aber die kleine Minderheit und die übrigen sind durch die heutige Organisation der Gesellschaft gezwungen, auf den Gatten als auf den einzig möglichen Retter vor Schande und Elend, ja vor dem baren Hungertode zu hoffen. Welches Los haben wir den unverheirateten Mädchen bereitet? Ihre volksthümliche Bezeichnung alte Jungfer, schlicht einen Stachel des Hohnes in sich. Die Solidarität der Familie hält meist nicht bis in das reifere Alter der Kinder vor. Sind die Eltern todt, so gehen die Geschwister auseinander, jedes sucht allein seinen Lebensweg zu wandeln, das Zusammensein wird von allen als Last empfunden und das Mädchen, das zartfühlend genug ist, um weder einem Bruder noch einer Schwester, namentlich wenn diese verheiratet sind, im Wege sein zu wollen, findet sich allein in der Welt, ungleich vereinsamter als der Beduine der Wüste. Soll sie ein eigenes Hauswesen gründen? Es wird ein ungastliches und verlassenes sein; denn ein männlicher Freund darf sich nicht an ihre Feuerseite setzen, wenn die üble Nachrede der Nachbarn sie nicht verfolgen soll, weibliche Freundschaften sind selten und sogar bis zu einem gewissen Punkte unnatürlich und am wenigsten wird sie dieselben unter den Schicksalsgenossinnen suchen wollen, die nur noch mehr Melancholie und Verbitterung in ein Heim tragen werden, das davon ohnehin genug und zu viel hat. Ein großer Geist ist rasch mit dem Rathe zur Hand: sie soll sich um den Klatsch der Fraubasen nicht kümmern und die Sympathien um sich sammeln, die ihr begegnen. Mit welchem Rechte verlangt aber der starke und unabhängige Charakter, der so weise spricht, daß ein armes schwaches Mädchen sein Lebelang auf die Genugthuung verzichte, welche selbst der Stärkste noch aus dem Bewußtsein schöpft, von der Billigung und Schätzung seiner Ranggenossen getragen zu sein? Der Leumund ist ein durchaus wesenhaftes Gut und die Meinung der Gleichgestellten spielt im innern und äußern Leben des Individuums die größte Rolle. Und auf dieses Gut soll nun das sitzengebliebene Mädchen kein Anrecht haben? Es wird also voraussichtlich sein Leben unter Fremden verbringen, abhängiger als in der Ehe, der Verleumdung mehr ausgesetzt als die verheiratete Frau, in qualvollem Zwange fortwährend ängstlich auf den Ruf bedacht, den die Gesellschaft rein fordert, ohne für denselben den natürlichen Preis, einen Gatten, zu bieten. Der Hagestolz läuft in Kaffeehäuser und Kneipen, tritt in Klubs ein, die schlecht und recht die Familie ersetzen, geht allein spazieren, reist allein und hat hundert Mittel, sich über die Kälte und Öde seiner Behausung ohne Weibes- und Kindesliebe hinwegzutäuschen. Alle diese Tröstungen sind der alten Jungfer versagt und sie bleibt zu lebenslänglicher Einzelhaft in ihrer Schwermuth über ein verfehltes Dasein verurtheilt. Besitzt sie einige Mittel, so wird sie sie schwerlich vermehren, wahrscheinlich vermindern oder einbüßen, denn sie ist zur Verwaltung, das heißt wesentlich zur Vertheidigung eines Vermögens gegen dessen zahlreiche Nachsteller, durch Erziehung und Sitte ungleich schlechter ausgerüstet als der Mann. Ist sie aber völlig vermögenslos, dann verdunkelt sich das Bild vollends zu trostloser Schwärze. Dem Weibe sind nur wenige und unausgiebige selbstständige Erwerbe offen. Das ungebildete Mädchen aus dem Volke dient und fristet dann wol sein nacktes Leben, erfährt aber nie, was Unabhängigkeit und Selbstbestimmung heißt, und muß sich die Erniedrigung zum Charakterkrüppel gefallen lassen. Bei freier Handarbeit stirbt es unbedingt Hungers und als Tagelöhnerin verdient es bei annähernd gleichen natürlichen Bedürfnissen im Durchschnitt nur halb so viel wie der Mann. Das Mädchen aus den besseren Klassen wendet sich dem Unterrichte zu, der auch in neun Zehnteln der Fälle die Form der Gouvernanten-Sklaverei annimmt; in einzelnen Ländern stehen ihm einige untergeordnete öffentliche Anstellungen in beschränkter Zahl offen, in welchen ein gebildetes und charaktervolles Mädchen niemals zu der die Armuth allein erträglich machenden Empfindung gelangt, einen inneren Beruf zu erfüllen und seine Gaben und Neigungen zweckmäßig auszuleben; und die so ankommen, sind noch die Glücklichen. Die übrigen bleiben arm, elend, sich und anderen eine Last, erdrückt vom Bewußtsein ihrer völligen Nutz- und Zwecklosigkeit, unvermögend, ihrer Jugend eine Freude, jedem Tag das nöthige Brod und dem Alter die Versorgung zu verschaffen. Und dabei muß das Mädchen, das in so grausamer Verlassenheit vegetirt, fortwährend übermenschlich charakterfest sein. Wir fordern, daß diese Schwermüthige, diese mit sich Zerfallene, diese Frierende, Hungernde, vor den Tagen des Alters Zitternde eine Heroine sei! Die Prostitution ist da, die auf sie lauert und sie lockt. Sie kann in ihrem einsamen und freudlosen Leben keinen Schritt thun, ohne von der Versuchung in tausend Formen bedrängt zu sein. Der Mann, der sich scheut, die Last ihrer dauernden Versorgung auf sich zu nehmen, bedenkt sich nicht, ihre Liebe als Geschenk zu fordern, das zu keiner Gegenleistung verpflichtet. Sein ruchloser Egoismus stellt ihr rastlos nach und wird ihr um so gefährlicher, als er ihre mächtigsten Triebe zu geheimen Bundesgenossen hat. Sie soll nicht nur Elend und Einsamkeit willig tragen, nicht nur den sinnlich entflammten Mann, einen starken, entschlossenen und unermüdlichen Gegner, bekämpfen, sie soll auch ihre eigenen Neigungen und die Empörungen ihrer gesunden natürlichen Instinkte gegen die gesellschaftlichen Lügen und Heucheleien besiegen. Aus solcher Bedrängniß ungeschädigt hervorzugehen erfordert ein Heldenthum, dessen unter tausend Männern kaum einer fähig wäre. Und der Lohn dieser Anstrengungen? Es gibt keinen. Die alte Jungfer, die unter allen Schwierigkeiten wie eine Heilige gelebt hat, findet nicht einmal in der tiefinneren Empfindung eine Entschädigung, daß sie mit ihren bitter mühseligen Entbehrungen einem großen Naturgesetz gehorcht, einen kategorischen Imperativ erfüllt habe; vielmehr ruft ihr, je älter sie wird, um so lauter, eine innere Stimme die Frage zu: "Weshalb habe ich gekämpft? Wem hat mein Sieg genützt? Verdient die Gesellschaft, daß man ihre rücksichtslos selbstsüchtigen Satzungen mit Aufopferung des Lebensglücks achte? Wäre mir nicht tausendmal besser gewesen, ich hatte mich widerstandslos besiegen lassen?

Wenn dem Durchschnittsmädchen vor einem solchen Lose schaudert, wenn es ohne viel nach Neigung und Wahlverwandtschaft zu fragen den ersten Mann heiratet, der mit Freierabsichten in seinen Gesichtskreis tritt, hat es da nicht Recht? Es sind hundert Wahrscheinlichkeiten für eine, daß das Eheschicksal, es mag sich wie immer gestalten, freundlicher sein wird als das einer alten Jungfer in der heutigen Gesellschaft. Natürlich bleibt aber die Lüge, welche das Mädchen begeht, indem es ohne Liebe heiratet, nicht ungerächt. Es wird dem Manne weder eine treue Gattin noch eine pflichtbewußte Hausfrau sein. In ihrem unerfüllten Drange nach Liebe horcht die Frau unausgesetzt auf die Stimme ihres Herzens, hält jede leiseste und unklarste Regung desselben für die ersehnte Offenbarung der Leidenschaft, wirft sich dem ersten Manne an den Hals, der ihren müßigen Geist eine Sekunde lang zu beschäftigen vermag, erkennt alsbald, daß sie sich geirrt habe und schaut von Neuem nach dem Rechten aus, oft genug auf diesem gefährlichen Abhange bis zur Schande des sittlichen Unterganges rollend. Es ist noch ein günstiger Fall, wenn sie blos gefallsüchtig ist, ohne bis zum platonischen oder materiellen Ehebruche zu gelangen, wenn ihr Gefühl der Unabgeschlossenheit ihres Schicksals und der Nothwendigkeit, den ihr bestimmten, ihr Wesen natürlich ergänzenden wahlverwandten Mann erst noch zu entdecken, sich blos als halb unbewußte Koketterie offenbart, die sie antreibt, sich zu putzen, auf Bälle und zu Abendunterhaltungen zu laufen und gierig alle Gelegenheiten aufzusuchen, wo sie fremden Männern begegnen, ihre eigene Anziehungskraft erproben, die der Männer empfinden kann. Sie ist ganz von sich selbst erfüllt, pflegt nur ihre eigenen Interessen und fordert, daß das Leben ihr blos persönliche Annehmlichkeiten biete. Ihr Egoismus macht es ihr unmöglich, neben sich auch noch ihren Gatten zu sehen und zu berücksichtigen und sich in sein Wesen hineinzuleben. Das Hauswesen ist ihr gleichgültig, so weit es nicht für sie allein da ist. Sie verschwendet ohne Mitleid für die Anstrengungen des Mannes. Sie hat ihn ja nur geheiratet, damit sie sorglos und wohlhabend leben könne, und es ist doch so grausam menschlich, ihn dafür zu bestrafen, daß er ungeschickt genug war, sie zur Frau zu nehmen, ohne sich vorher ihrer Liebe zu versichern! Auf diese Weise ist ein fehlerhafter Zirkel hergestellt, der nichts als Trübsal einschließt. Die egoistische Organisation der Gesellschaft macht dem Individuum den Kampf ums Dasein unnöthig und widernatürlich schwer, infolge dessen sucht weder der Mann noch das Weib in der Ehe die Liebe, sondern die materielle Versorgung; der Mann stellt der Mitgift nach; das vermögenslose Mädchen, besorgend, daß es sitzen bleibt, fahndet nach dem erstbesten Manne, der es erhalten kann, und verwandelt sich nach der Hochzeit in ein kostspieliges Luxusthier, das für den Besitzer völlig werthlos und nur eine Ursache großer Auslagen ist; zahlreiche Männer, die ein Weib hätten erhalten und glücklich machen können, werden durch das Beispiel solcher Ehen erschreckt und verzichten darauf, sich zu verheiraten; dadurch findet sich die entsprechende Anzahl Mädchen zum Altjungfernthum verurtheilt, ihre Aussichten, einen Mann zu finden, verringern sich im Allgemeinen, damit steigt ihre Hast, unter die Haube zu kommen, die Frage nach Liebe wird noch entschiedener unterdrückt und die unter solchen Verhältnissen geschlossene Ehe für die möglichen Ehekandidaten noch abschreckender. Mann und Weib werden zu Feinden, die einander zu überlisten und auszubeuten suchen, niemand ist glücklich, niemand befriedigt und die Hände reiben sich blos der katholische Beichtvater und der Besitzer des großen Modegeschäfts, denn Beiden führt diese Lage der Dinge die größte Zahl ihrer Kunden zu.

III.

Wenn nun aber die wirthschaftliche Organisation auch die Hauptursache ist, welche aus der Eheeinrichtung eine Lüge macht, so ist sie doch nicht die einzige. Eine große Schuld an dem Gegensatze zwischen Form und Inhalt, zwischen Ehe und Liebe, und an den häufigen tragischen Konflikten zwischen natürlichen Gefühlen und konventionellem Zwange trägt auch die herrschende Geschlechtsmoral, welche eine Folge des Christenthums ist. Diese Moral betrachtet den Paarungsakt als ein abscheuliches Verbrechen, sie verhüllt sich vor demselben das Antlitz wie vor einem Greuel, was allerdings nicht ausschließt, daß sie verstohlen danach lüstern hinschielt, und sie umgibt Alles, was mit dem Geschlechtsleben zusammenhängt oder nur daran erinnert, mit dem Banne eines scheuen Schweigens. Das ist monströs, das ist unerhört. Diese Moral könnte sich nicht eine Stunde lang halten, wenn nicht alle Menschen, alle ohne Ausnahme, sich unter zwei oder vier, oder auch noch mehr Augen über sie so unbekümmert hinwegsetzen würden, als wenn sie gar nicht bestände. Sie hat nicht die schwächste natürliche Begründung und darum auch nicht den Schatten einer Berechtigung. Weshalb soll eine organische Funktion, welche die weitaus wichtigste ist, weil sie die Erhaltung der Art bezweckt, weniger sittlich sein als andere, welche blos die Erhaltung des Individuums, zum Zwecke haben? Weshalb sollen etwa Essen und Schlafen legitime Thätigkeiten sein, die man öffentlich üben, von denen man sprechen, zu denen man sich bekennen darf, und die Paarung eine Sünde und Schmach, die man nicht genug verbergen und ableugnen kann? Ist nicht die Geschlechtsreife die Krönung der Entwickelung des Individuums und dessen Reproduktion sein höchster Triumph und seine glorreichste Manifestation? Alle Lebewesen, Pflanzen wie Thiere, empfinden die Begattung als erhabenste Bethätigung ihrer Lebenskraft und rufen mit hohem Stolze die ganze Natur zur Zeugin derselben, die Blumen mit ihrer Farbenpracht und ihrem Duft, die Vögel mit ihrem schmetternden Gesange, die Leuchtkäfer mit ihrem strahlenden Glanze, die Säugethiere mit dem Lärm ihrer Werbung und dem Getöse ihrer Kämpfe; nur der Mensch soll sich seines mächtigsten Gefühls schämen und dessen Befriedigung wie eine Missethat verheimlichen.

Das war allerdings nicht zu allen Zeiten die Meinung der Menschen; Tartüffe war nicht immer der Sittenlehrer derselben. Ich denke dabei nicht etwa an den Menschen im Naturzustande, sondern an den Menschen, der in der Verfassung hoher Kultur lebt. Reiche, geistig und sittlich vertiefte Zivilisationen, deren Idealität derjenigen unserer modernen Zivilisation weit überlegen war, so die indische und griechische, nahmen den Geschlechtsbeziehungen gegenüber einen natürlichen und unbefangenen Standpunkt ein, würdigten den Gesammtorganismus des Menschen, ohne in einem Organ etwas Schändlicheres zu sehen als in einem beliebigen andern, hatten vor der Nacktheit keine Scheu, konnten sich darum mit keuschen Augen und ohne verworfene Hintergedanken betrachten und sahen in der Vereinigung geschlechtsverschiedener Individuen blos den heiligen Endzweck der Vermehrung, der jene Handlung zu einer nothwendigen, edlen und besonders weihevollen macht und in einem gesunden und reifen Geiste unwürdige Nebenvorstellungen und Gedankenverknüpfungen gar nicht aufkommen lassen kann. Die indische wie die griechische Kultur hatten die ursprünglichen Instinkte des Menschen noch nicht so gründlich gefälscht und verdunkelt wie unsere eigenen und waren deshalb noch durchdrungen von der natürlichen Bewunderung und Dankbarkeit für den Vorgang, welcher die Quelle alles Lebens im Weltall ist, nämlich für den der Vermehrung. Man verehrte die Organe, welche bei diesem Lebensakte unmittelbar thätig sind, stellte deren Bild als Symbol der Fruchtbarkeit in Tempeln, Fluren und Wohnungen auf, ersann eigene Gottheiten der Fortpflanzung und widmete ihnen einen Kultus, der erst in den späten Zeiten des Sittenverfalls zu roher und namentlich zweckloser Sinnlichkeit ausartete. Umgeben von Sinnbildern, die ihre Wißbegierde anregen mußten, konnte die Jugend nicht in jener unnatürlichen Unwissenheit erhalten werden, die ein Hauptziel unserer Erziehung ist; da der Verstand von dem Augenblicke an, da dergleichen für ihn ein Interesse zu haben beginnt, die Erscheinungen des Geschlechtslebens klar begreifen durfte, so konnte die Phantasie nicht krankhaft arbeiten und auf Abwege gerathen; das, was offen vor Aller Augen dalag, hatte nicht den Reiz des Verheimlichten und Verbotenen und diese unbefangen aufgeklärte Jugend war sittenreiner und unberührter von vorzeitigen Begierden als die unsrige, die man trotz ängstlicher Bemühungen doch auch nicht in der als heilsam erachteten Unwissenheit erhalten kann, die aber ihre Wissenschaft aus den unlautersten Quellen, verstohlen und darum unter geistvergiftenden und nervenzerrüttenden Aufregungen schöpft.

Eine so gründliche Änderung der Moralitätsbegriffe ist die Folge des Einflusses, welchen die christlichen Anschauungen auf den Geist der Kulturmenschheit gewonnen haben. Die Grundlehren des Christenthums, wie sie in den ältesten Urkunden dieser Religion vorgetragen werden, stehen zu einander in erstaunlichem Widerspruche und gehen von zwei gegensätzlichen Voraussetzungen aus, die einander unbedingt hätten ausschließen müssen, wenn das Christenthum von einem logischen Denker und mit klarem Bewußtsein gestiftet worden wäre. Auf der einen Seite predigen sie: Liebe deinen Nächsten wie dich selbst, liebe selbst deinen Feind; auf der anderen Seite erklären sie, daß das Ende der Welt bevorstehe. Fleischeslust die schwerste Sünde, Enthaltung die gottgefälligste aller Tugenden und absolute Keuschheit der wünschenswerthe Zustand des Menschen sei. Indem das Christentum die Nächstenliebe lehrt, erhob es den natürlichen Instinkt der menschlichen Solidarität zu einem religiösen Gebote und förderte den Bestand und das Gedeihen der Gattung; allein indem es gleichzeitig die Geschlechtsliebe verdammte, zerstörte es sein eigenes Werk, verurtheilte es die Menschheit zum Untergang und stellte sich der Natur mit einer Feindseligkeit gegenüber, die man mit seiner eigenen Ausdrucksweise nur teuflisch nennen kann. Das Dogma der Nächstenliebe mußte die Menschheit erobern, denn es appellirte an ihren mächtigsten Instinkt, an ihren Gattungserhaltungstrieb. Das Dogma der Keuschheit dagegen hätte jede Ausbreitung der neuen Religion verhindern müssen, wenn es nicht in einer Zeit aufgerichtet worden wäre, in welcher die Gesellschaft vollständig verfault war, der ruchlose Egoismus allein herrschte und das Geschlechtsleben, von seinem Zwecke der Artvermehrung abgelenkt, zu einer bloßen Quelle selbstsüchtigen Vergnügens erniedrigt, von allen Lastern besudelt, dem empörten Gewissen der Guten ein Greuel scheinen mußte. Als diese Voraussetzung wegfiel und das Christenthum sich nicht mehr als den Gegensatz des sittlich verkommenen Römerthums empfand, hielt es auch nicht mehr für nothwendig, gegen die Übertreibung des Lasters durch eine Übertreibung der Reinheit zu protestiren, und das finstere, menschenfeindliche Dogma der Keuschheit wurde in den Hintergrund gedrängt. Die Kirche erlegte es nicht mehr allen Gläubigen, sondern nur noch einigen Auserlesenen, den Priestern und Nonnen, auf und machte der Natur sogar das Zugeständniß, daß sie die Ehe zum Sakrament erhob. Das Keuschheitsgelübde der Mönche und Nonnen verhinderte freilich nicht die größten Ausschweifungen gerade in den Klöstern, im Mittelalter, als das Christenthum seine höchste Gewalt auf die Menschen ausübte, war die Zuchtlosigkeit fast wieder so arg wie zur Zeit des Niederganges von Rom und seit dem Bestande der Religion wurde die Lehre der Enthaltung eigentlich nur von solchen Individuen buchstäblich befolgt, die an religiösem Wahnsinn litten, einer Krankheit, die fast immer mit Störungen und Verirrungen des Geschlechtslebens einhergeht, wie diese letzteren eine Degenerationserscheinung ist und mit ihnen auf denselben pathologischen Veränderungen des Gehirns beruht. Grundsätzlich aber gab das Christenthum auch dieses Dogma nie auf, die Kirche sprach Gatten heilig, weil sie während einer langen Ehe einander nie berührt hatten, die Geschlechtsbeziehungen blieben theoretisch eine Sünde in ihren Augen, wenn sie dieselbe auch praktisch duldete, und im Laufe der Jahrhunderte brachte ihre stetige erziehliche Einwirkung die Kulturmenschheit dahin, wo sie heute ist, nämlich zu der Anschauung, daß Geschlechtsliebe eine Schande, Enthaltung moralisch und die Befriedigung des Grundinstinkts jedes Lebewesens eine die schwersten Strafen verdienende Sünde sei. Man hat in der Christenheit nicht weniger Begierden als im Heidenthum; man heischt und gewährt nicht weniger die Gunst des Weibes; aber man hat nicht die lautere, jede Herzensregung veredelnde Empfindung, daß man in löblichem Thun begriffen sei, sondern wird von der Vorstellung verfolgt, man wandle auf verbotenen Pfaden, man beabsichtige ein Verbrechen zu begehen, das verheimlicht werden muß, man fühlt sich durch den Zwang der Verstellung und Heuchelei erniedrigt und durch die Nothwendigkeit, das natürliche Ziel der Neigung, den Besitz der geliebten Person, uneingestanden zu lassen, zur beständigen Lüge gegen sich, das geliebte Wesen und die Menschen verurtheilt. Die christliche Liebe gibt nicht zu, daß die Liebe legitim sei; darum ist auch in den Einrichtungen, welche von jener durchdrungen sind, für die Liebe kein Platz. Die Ehe ist nun eine solche Einrichtung, ihr Charakter ist von der christlichen Moral beeinflußt. Nach der theologischen Anschauung hat sie denn auch mit der Liebe des Mannes zum Weibe nichts gemein. Wenn man heiratet, so geschieht es, um ein Sakrament zu erfüllen, nicht, um einander in Liebe anzugehören. Noch gottgefälliger wäre man freilich, wenn man überhaupt nicht heiratete. Der Priester, der ein Brautpaar vor dem Altar vereinigt, fragt das Weib, ob es bereit sei, dem Manne als Gattin zu folgen und ihm als seinem Herrn zu gehorchen. Ob sie ihn liebt, das fragt der Priester nicht, denn die Berechtigung eines solchen Gefühls erkennt er nicht an und für ihn hat das Bündniß, das er mit seinen Zeremonien besiegelt, seine Begründung in dem vor dem Altar abgelegten feierlichen Gelöbniß, keineswegs aber in einem menschlichen, organischen Drange, der zwei Wesen zu einander führt und an einander festknüpft.

Das ganze offizielle Verhältniß der Gesellschaft zum Geschlechtsleben ist durch diese christlich-dogmatische Anschauung von der Sündhaftigkeit der fleischlichen, das heißt der einzig natürlichen und gesunden, Liebe bestimmt. Die Ehe ist heilig; man darf ihr Gebot der Treue nicht verletzen, auch wenn sie dem Herzen der Gatten nicht die geringste Befriedigung gewährt. Das Weib hat ohne Liebe geheiratet, es lernt später einen Mann kennen, der seine Leidenschaft erweckt – die Gesellschaft gibt die Möglichkeit eines solchen Vorganges nicht zu. Was, das Weib liebt? Das gibt es nicht, das kann es nicht geben! Ein solches Ding wie Liebe wird nicht anerkannt! Die Frau ist verheiratet; das ist Alles, worauf sie Anspruch hat. Sie hat ihren Mann, an den sie ihre beschworene Pflicht bindet, außerhalb dieser Pflicht enthält die Welt nichts für sie. Verletzt sie die Pflicht, so ist sie eine Sünderin und fällt dem Arm der Polizei, der Verachtung aller Wohlgesinnten anheim. Die Gesellschaft gibt dem Gatten das Recht, seine treulose Frau zu tödten, und sie beauftragt ihren Richter, sie zum abschreckenden Beispiel in den Kerker werfen zu lassen, wenn der Gatte zu nachsichtig gewesen ist. Ein Mädchen hat sich in einen Mann verliebt, es hat gethan, was die Natur ihr gebot, ohne auf das Gethue und Gekritzel eines Priesters oder Standesbeamten zu warten? Wehe der Verworfenen! Sie ist aus der Gemeinschaft der Anständigen ausgestoßen. Selbst dem unschuldigen Kinde, das eine Frucht ihrer Verirrung ist, haftet ein Schandfleck an, von dem es sich sein Lebelang nicht wird reinigen können. Auch der Diebstahl ist von der Gesellschaft verboten; aber ihr Richter hat doch manchmal Erbarmen mit dem Diebe, der aus Hunger ein Brod gestohlen hat, und läßt ihn ungestraft laufen. Das macht, die Gesellschaft gibt zu, daß der Hunger gelegentlich stärker sein könne als die Achtung vor ihrem Gesetze. Der Gattin aber, die trotz der Ehe, dem Mädchen, das ohne die Ehe geliebt hat, verzeiht sie nicht. Für die Übertretung des Gesetzes, mit dem sie die Beziehungen der Geschlechter geregelt hat, läßt sie keine Entschuldigung gelten. Sie will nicht sehen, daß auch die Liebe wie der Hunger stark genug sei, die Bande des geschriebenen Gesetzes zu zerreißen. Muß man nicht glauben, daß dieses Gesetz, diese Sitte von verschlackten und verkalkten Greisen oder von Eunuchen erfunden worden sind? Ist es möglich, daß eine solche Anschauung seit Jahrhunderten eine Gesellschaft beherrscht, in der die Eunuchen und Greise doch in der Minderzahl sind, die doch auch zwanzigjährige Mädchen und vierundzwanzigjährige Jünglinge enthält? Beherrscht – ja darin liegt es: diese Anschauung beherrscht die Gesellschaft eben nicht. Diese hat sich mit dem unmenschlichen Gesetze und der herzlosen Sitte abgefunden, indem sie ihnen ins Gesicht Achtung lügt und hinter dem Rücken Rübchen schabt. Ihre Nichtanerkennung der Liebe ist Heuchelei. Vor dem Richter, der die Ehebrecherin verurtheilt, vor der gestrengen Dame, die das verführte Mädchen von sich jagt, zieht sie den Hut; dem Dichter aber, der von Liebe singt, ohne der Ehe mit einer Silbe zu gedenken, klatscht sie Beifall, daß ihr die Handteller wund werden. Jeder Einzelne gibt öffentlich salbungsvoll zu, daß es eine Sünde sei, den Herzensregungen zu gehorchen, im Geheimen aber gehorcht er ihnen mit Begeisterung und hält sich darum nicht einmal für einen schlechteren Menschen. Die Theorie der christlichen Moral besteht nur darum, weil sich in der Praxis niemand an sie kehrt. Das Band einer ungeheuren Konspiration schlingt sich um die ganze Kulturmenschheit und macht deren sämmtliche Mitglieder zu Genossen eines Geheimbundes, dessen Angehörige auf der Straße das Haupt vor der theologischen Satzung neigen, in der Stube aber der Natur opfern und unerbittlich über jeden herfallen, der ihre eleusynischen Mysterien ausplaudert, sich gegen die allgemeine Verlogenheit auflehnt und keck genug ist, sich auch auf dem öffentlichen Platze zu den Göttern zu bekennen, die er wie alle Übrigen in seinem Larengemache verehrt.

Um die Eheeinrichtung unbefangen zu beurtheilen, muß man sich, so schwer dies auch ist, von den Vorurtheilen, in denen wir großgezogen sind, befreien und von der mit unserem ganzen Denken innig verwachsenen Gewohnheit der christlichen Moralanschauungen völlig losmachen. Im Gegensatze zum Theologen muß man den Menschen als ein natürliches Geschöpf und im Zusammenhange mit der übrigen Natur betrachten; wenn man eine menschliche Einrichtung auf ihre Berechtigung prüfen will, so muß man fragen, ob sie der Beschaffenheit, den Grundtrieben, den höchsten Gattungsinteressen des Menschen entspricht. Legt man nun diesen Maßstab an die Einrichtung der Ehe, so ist es sehr zweifelhaft, ob sie vor der Kritik besteht, und es scheint äußerst schwer, zu beweisen, daß sie ein natürlicher Zustand des Menschen sei. Wir haben gesehen, daß die wirthschaftliche Organisation der Gesellschaft zur Eheschließung aus Interesse führt und daß die christliche Moral verbietet, die Liebe als berechtigt anzuerkennen. Nun drängt sich aber noch eine letzte und peinliche Frage auf: Ist die Ehe nur darum eine Lüge, weil es sich den meisten Gatten nicht um den Besitz des Individuums, sondern um die materielle Versorgung handelt, und ist sie nur darum ein Zwang, weil die christliche Moral nicht zugeben will, daß neben dem vom Priester geknüpften Bande noch ein solches Ding wie Liebe existirt? Ist nicht vielmehr die Ehe, wie sie heute in der Kulturmenschheit besteht, überhaupt eine unnatürliche Form des Verhältnisses der beiden Geschlechter zu einander und müßte sie in ihrer gegenwärtigen Ausbildung, nämlich als dauernder Bund für das ganze Leben, nicht auch dann eine Lüge sein, wenn man immer nur aus Liebe heiratete und der Leidenschaft ihre volle natürliche Berechtigung zugestehen würde?

Wir sind gerade im Punkte der Beziehungen beider Geschlechter zu einander so weit vom Naturzustande entfernt, daß es äußerst schwer ist, heute noch mit Bestimmtheit zu erkennen, was in dieser Richtung physiologisch und nothwendig und was gefälscht, verdorben und angekünstelt und durch vielhundertjährige Vererbung scheinbar zuletzt doch auch natürlich geworden ist. Vorsichtig kritische Beobachtung der intimsten Regungen des Menschenherzens, zusammengehalten mit den Wahrnehmungen, welche das höhere Thierleben gestattet, scheint aber doch zu einem für die Anhänger der bestehenden Ordnung sehr entmuthigenden Ergebniß zu führen. Die Ehe, wie sie sich unter den Kulturvölkern geschichtlich entwickelt hat, beruht grundsätzlich auf der allgemeinen Anerkennung der Monogamie. Es scheint aber, daß Monogamie kein natürlicher Zustand des Menschen ist, und so scheint zwischen dem individuellen Triebe und der gesellschaftlichen Einrichtung ein prinzipieller Widerspruch zu bestehen, der immer wieder Konflikte zwischen dem Gefühl und der Sitte veranlassen, in gewissen Fällen die Form immer wieder in Gegensatz zum Inhalt bringen, die Ehe immer wieder zur Lüge machen muß und schwerlich durch irgend eine Reform so vollständig zu lösen sein dürfte, daß das äußerliche monogamische Eheverhältniß zweier Gatten unter allen Umständen auch ihre innere Zusammengehörigkeit und ihre geschlechtliche Neigung zu einander bedeuten würde.

Die Einrichtung der Ehe überhaupt beruht, wie ich oben nachzuweisen gesucht habe, auf der Ahnung oder Erkenntniß, daß das Interesse der Gattungserhaltung und -Vervollkommnung eine gewisse Überwachung des Geschlechtstriebs durch die Gesammtheit erfordert. Daß aber diese Einrichtung gerade die Form eines theoretisch für das ganze Leben geschlossenen Bundes zwischen einem einzigen Manne und einem einzigen Weibe angenommen hat, das ist kein Ausfluß des Gattungsinteresses, das ist nicht eine Lebensbedingung der Art, folglich auch nicht durch ihren Selbsterhaltungsdrang herbeigeführt, sondern eine Folge der wirthschaftlichen Organisation der Gesellschaft und darum wahrscheinlich ebenso vorübergehend wie diese Organisation. Die Erkenntniß, daß die Ehe die Form der Monogamie haben müsse, eine Erkenntniß, die vielleicht nur halb bewußt, aber doch klar genug war, um in Gesetzen und Sitten Ausdruck zu finden, ging anscheinend aus diesem Gedankengange hervor: "In einer Gesellschaft, die keine wirthschaftliche Solidarität kennt, in der Jeder nur für sich arbeitet und sorgt und den Nächsten unbekümmert zu Grunde gehen läßt, müssen die Kinder verhungern, wenn die Eltern sie nicht großziehen. Die Mutter kann die Last der Erhaltung ihrer Kinder nicht allein tragen, denn in derselben egoistischen Gesellschaft wird die Frau, weil sie die schwächere ist, von dem seine Stärke mißbrauchenden Manne aus allen einträglicheren und leichteren, das heißt ihr allein zugänglichen Erwerben so vollständig hinausgedrängt, daß sie mit ihrer eigenen Arbeit kaum sich selbst, geschweige denn auch noch Kinder ernähren kann. Man muß also den Vater zwingen, dem Weibe diese Last tragen zu helfen. Dieser Zwang ist aber nur auf eine Weise wirksam auszuüben:

indem man eine Fessel schmiedet, welche den Mann unlösbar an das Weib knüpft, das er zur Mutter zu machen wünscht. Diese Fessel ist die Ehe für's Leben. Und damit man leichter feststellen könne, welcher Vater für welches Kind aufzukommen hat, damit man nicht Gefahr laufe, die Erhaltungspflicht einem Unrichtigen aufzubürden, soll jeder Mann nur von einem einzigen Weibe, jedes Weib nur von einem einzigen Manne Kinder haben können. Das ist die Einzelehe. Und nun sind die Verhältnisse schön einfach und übersichtlich. Du wünschest ein Weib zu besitzen? Gut; verpflichte dich zuvor, für sie selbst und die dem Verhältnis etwa entspringenden Kinder dein Lebelang zu arbeiten. Du wirst später des Weibes überdrüssig? Um so schlimmer für dich. Du hast sie nun und mußt sie behalten. Du findest, daß du dich in ihrer Wahl geirrt, daß du dich selbst betrogen hast, als du glaubtest, daß du sie liebtest? du hättest dich besser prüfen, reiflicher überlegen sollen. Die Ausrede kann jetzt nicht mehr zugelassen werden. Du bist nun für eine andere entflammt? Das kümmert uns nicht. Du mußt die Last deines Weibes und deiner Kinder weiter tragen und wir, die Gesellschaft, dulden nicht, daß du dich ihrer auf unsere Schultern entledigst.«

Der Selbsterhaltungstrieb der Gattung hört eben nie auf, thätig zu sein, so lange die letztere noch Lebenskraft besitzt. Die einzige Weise nun, auf welche die Gattung bei einer auf Egoismus und Individualismus beruhenden wirthschaftlichen Organisation das Leben ihrer Frauen und Kinder, also ihre eigene Fortdauer sichern kann, ist in der That die lebenslängliche Einzelehe. Unsere Wirthschaftseinrichtungen mußten unsere Eheeinrichtungen nach sich ziehen. Praktisch ist, wie vorher auseinandergesetzt wurde, die Ehe zu einem Mittel der Befriedigung des Egoismus der Eltern geworden, da man sie nicht aus Liebe, nicht nach den Gesetzen der Zuchtwahl, nicht im Interesse der Nachkommenschaft schließt; theoretisch aber ist sie eine vom Interesse – allerdings vom schlecht verstandenen Interesse – der Gattungserhaltung diktirte Institution und nicht für die Eltern, sondern für das Kind geschaffen. Das erwachsene Geschlecht wird theoretisch dem unentwickelten oder ungeborenen geopfert, das Magenbedürfniß der Kleinen vor dem Herzensbedürfniß der Großen berücksichtigt; unerbittlich in den Ländern, die noch voll unter dem Einfluß der christlich-theologischen Weltanschauung stehen, etwas schonender in denen, in welchen die Aufklärung natürlichere und menschlichere Vorstellungen verbreitet hat. Der Katholizismus, der, wie wir gesehen haben, die Liebe als unberechtigt und als Sünde betrachtet, gestattet überhaupt keine Lösung der Ehe und gibt nicht zu, daß zwei Menschen sich in einander geirrt haben können, oder wenn sie sich geirrt haben, daß ihr Lebensglück eine Scheidung erfordern könne. Die vom Katholizismus emanzipirten Völker machen der Liebe das Zugeständniß, daß sie existirt, daß sie Rechte hat, daß sie außerhalb des Ehebundes auftreten kann; aber sie machen es widerwillig und halb; sie erlauben die Scheidung nur unter Schwierigkeiten, sie verfolgen die Geschiedenen mit gehässigen Vorurtheilen und sie treiben die Herzlosigkeit so weit, daß sie verbieten, die Person zu heiraten, der zu Liebe man sich geschieden und die man noch vor der Scheidung von einem früheren Gemahl geliebt hat, ein Verbot, dessen Dummheit und Grausamkeit geradezu schaudererregend sind.

Vom Standpunkte der egoistischen Wirtschaftsorganisation ist das tadellos folgerichtig; von dem der Physiologie und Psychologie dagegen sieht man die schwersten Bedenken auftauchen. Die Ehe wird für das Leben geschlossen. Nehmen wir den günstigsten Fall an: die beiden Gatten lieben einander wirklich. Wird diese Liebe so lange dauern wie das Leben? Kann sie so lange dauern? Sind die beiden Gatten berechtigt, einander Treue bis in den Tod zu versprechen? Begehen sie nicht einc Tollkühnheit oder Leichtfertigkeit, wenn sie sich für die Unwandelbarkeit ihrer augenblicklichen Gefühle verbürgen? Die Poeten, denen zweifellos das Verdienst zuzuschreiben ist, diese Frage fast hoffnungslos verwirrt und verdunkelt zu haben, zögern allerdings keinen Augenblick lang mit der Antwort. Ihnen steht es fest, daß die wahre Liebe ewig dauert. "Und sag, wie endet Liebe? Die war's nicht, der's geschah«, meint Friedrich Halm. Die war's nicht, der's geschah.« Hm, das ist nachträglich leicht gesagt. Jeder, der das Leben mit offenen Augen betrachtet, kann dem schnellfertigen Lyriker hundert Beispiele von Verhältnissen anführen, die sich sehr leidenschaftlich anließen und dennoch sehr rasch und sehr gründlich erkalteten. Wenn der Dichter dann mit seiner Phrase entwischen wollte, daß das nicht die wahre Liebe gewesen sei, so müßte er sich die Gegenfrage gefallen lassen, woran er denn eigentlich die wahre Liebe erkennen, wie er sie von der, "die es nicht gewesen ist,« unterscheiden will, da doch die letztere im Augenblicke ihres Entstehens und während ihrer allerdings kurzen Blüthe der andern zum Verwechseln ähnlich ist, in den Betroffenen dieselben Empfindungen erregt, sie zu denselben Handlungen veranlaßt, mit demselben Gefolge von Lärm und Aufregung, von Schwärmerei und Verzweiflung, von Zärtlichkeit und Eifersucht einhergeht wie jene? Gewiß, es gibt Fälle, in denen die Liebe nur mit dem Leben aufhört. Sehr nüchterne Untersucher würden vielleicht auch in diesen Fällen finden, daß ihre Dauer den günstigen Umständen, der Macht der Gewohnheit, der zufälligen Abwesenheit von Störungen und Versuchungen, mit einem Worte Einflüssen, die von den beiden Individuen unabhängig sind, mindestens in demselben Maße zugeschrieben werden kann wie der Qualität des Gefühls. Man wird indeß das Vorhandensein dieser Fälle nicht leugnen. Für sie ist die lebenslange Einzelehe ein wahrer, natürlicher und berechtigter Zustand. Da decken sich Form und Inhalt vollkommen und der sichtbare äußere Bund hört nie auf, der Ausdruck innern Zusammenhanges zu sein. Allein wenn solche Fälle zweifellos existiren, so sind sie doch selbst nach dem Zugeständniß der Lyriker selten. Wie sollen sich nun die zahllosen Individuen zur Ehe stellen, die in einem gegebenen Augenblicke ernstlich zu lieben glauben, obwol sich nach Monaten oder Jahren, vielleicht auch plötzlich bei der Begegnung mit einem andern Wesen herausstellt, daß es ein Irrthum gewesen sei? Sollten sie sich beeilen, sich mit einander fürs Leben zu verbinden? Bald hörten sie auf, einander zu lieben, und dann ist der Bund für sie ganz so eine unerträgliche Last, als wenn er von vornherein ohne Neigung geschlossen worden wäre. Oder sollen sie sich nicht heiraten, ehe sie die sichere Überzeugung gewonnen haben, daß ihre Liebe bis an den Tod dauern werde? Das wäre etwas schwierig; denn da die wahre Natur der Empfindung erst nachträglich bekannt werden kann, so müßten die Liebenden bis zur Sterbestunde warten, ehe sie mit gutem Gewissen das Wort sprechen könnten: "Unsere Liebe war in der That die richtige, sie hat so lange gedauert wie das Leben, wir können uns nun getrost miteinander – begraben lassen, ohne besorgen zu müssen, daß wir eins des andern überdrüssig werden.« Wollte man so strenge Prüfung und so zweifellose Überzeugung als Vorbedingung der Ehe fordern, die Menschheit müßte darauf verzichten, Brautpaare zu sehen. Es ist gut, daß Romeo und Julie jung gestorben sind. Wäre die Tragödie nicht mit dem fünften Akte zu Ende, ich bin nicht sicher, ob wir nicht sehr bald von Zerwürfnissen zwischen den beiden reizenden jungen Leuten hören würden. Ich habe schreckliche Angst, daß er nach wenigen Monaten eine Maitresse genommen und sie sich mit einem veronesischen Edelmann über ihre Verlassenheit getröstet hätte. Es wäre zu entsetzlich: ein Scheidungsprozeß als Epilog der Balkonszene. Ich gehe aber weiter und behaupte: wie ich Romeo und Julie kenne, wäre das sogar ganz sicher geschehen, denn sie sind beide sehr jung, sehr leidenschaftlich, sehr unvernünftig und sehr beweglich gewesen und eine Liebe, die auf einem Balle entsteht und durch den ersten Eindruck einer schönen leiblichen Erscheinung veranlaßt ist, pflegt erfahrungsgemäß nicht viele Nächte, in deren Morgendämmerung man "die Nachtigall und nicht die Lerche« zu hören glaubt, zu überdauern. Haben aber darum Romeo und Julie einander nicht geliebt? Ich möchte den sehen, der das zu behaupten wagte! Und hätten sie einander nicht heiraten sollen? Das wäre eine Todsünde gewesen, vom Standpunkte der Menschenzucht ebenso sehr wie von dem der Dichtung. Wenn ihre Ehe dennoch einen schlechten Verlauf genommen hätte, so wäre das kein Beweis gegen ihre Liebe, sondern ein solcher gegen die anthropologische Berechtigung der Ehe gewesen.

Die Wahrheit ist, daß unter zehntausend Menschenpaaren sich kaum eins findet, welches einander während des ganzen Lebens und ausschließlich liebt und die andauernde Einzelehe für seine Bedürfnisse erfände, wenn sie nicht schon bestände. Sicher aber finden sich in derselben Anzahl neuntausend neunhundert, die in einem Abschnitt ihres Lebens den heftigen Wunsch empfunden haben, sich mit einem bestimmten Individuum zu verbinden, glücklich waren, wenn sie diesen Wunsch erfüllen konnten, bitter litten, wenn derselbe unbefriedigt bleiben mußte, und sich gleichwol nach kürzerer oder längerer Zeit zu ganz verschiedenen, oft entgegengesetzten Empfindungen für den Gegenstand ihrer leidenschaftlichen Neigung weiter entwickelten. Haben diese Paare das Recht zur Ehe? Zweifellos. Ihre Verbindung muß im Interesse der Gattung sogar gefordert werden. Wird aber die lebenslange Einzelehe dauernd mit ihrem Glücke verträglich sein? Kein ehrlicher Beobachter des wirklichen Lebens wird diese Frage bejahen.

Der Mensch ist thatsächlich kein monogamisches Thier und alle Einrichtungen, die auf der Annahme der Monogamie beruhen, sind mehr oder minder unnatürlich, dem Menschen mehr oder minder lästig. Herkömmliche, infolge der Vererbung sehr tief wurzelnde Anschauungen beweisen nichts gegen diese biologische Thatsache. Man horche nur einmal sehr scharf auf die geheimsten und leisesten Stimmen im Herzen von Liebenden! Füllt das geliebte Wesen wirklich das liebende so vollständig aus, daß es keinen Platz für einen Wunsch oder mindestens für eine Wahrnehmung übrig läßt, die ein anderes Wesen zum Gegenstande hat? Ich leugne es. Wer aufrichtig ist, der wird zugeben, daß Mann und Weib selbst im höchsten Paroxysmus einer jungen Liebe noch eine dunkle Ecke in der Seele bewahren, die von den Strahlen der konkreten Leidenschaft nicht durchleuchtet ist, und wo sich die Keime abweichender Sympathien und Begierden zusammendrängen. Man hält diese Keime aus anerzogener Ehrlichkeit vielleicht in engem Gewahrsam, man gestattet ihnen nicht, sich gleich zu entwickeln, aber man ist sich ihres Vorhandenseins fortwährend bewußt und man fühlt, daß sie bald zu Macht und Größe erwachsen würden, wenn man sich ihrer Entfaltung nicht widersetzte. So anstößig das klingen mag, ich muß es doch sagen: man kann sogar gleichzeitig mehrere Individuen mit annähernd gleicher Zärtlichkeit lieben und man braucht nicht zu lügen, wenn man jedes seiner Leidenschaft versichert. Ob man auch in ein bestimmtes Wesen noch so verliebt ist, man hört doch nicht auf, für den Einfluß des ganzen Geschlechts empfänglich zu sein. Das keuscheste liebende Weib bleibt ein Theil der allgemeinen Weiblichkeit, wie der ehrlichste liebende Mann ein Theil der allgemeinen Männlichkeit der Menschheit bleibt; er wie sie fühlt immer die natürliche Anziehung des entgegengesetzten Geschlechts und unter nur einigermaßen günstigen Umständen kann diese allgemeine Anziehung ganz gut der Ausgangspunkt einer neuen Sonderneigung zu einem bestimmten Individuum werden, wie ja auch die erste Liebe in der Regel wol nichts anderes war als die Zusammenfassung und Übertragung der bevorstehenden allgemeinen Neigung zum andern Geschlecht auf eine bestimmte Verkörperung desselben, gewöhnlich die erste, die man näher zu kennen Gelegenheit hatte. Dabei habe ich, das sei ausdrücklich wiederholt, keusche Frauen und ehrliche, selbstbeherrschungsfähige Männer vor Augen. Von den Weibern, die mit der Anlage zur Dirne, von den Männern, die als oberflächliche Lüstlinge geboren sind und deren Zahl eine weit größere ist, als die kodifizirte Moral sich gerne eingesteht, spreche ich gar nicht. *Die unbedingte Treue liegt nicht in der Menschennatur.Sie ist keine physiologische Begleiterscheinung der Liebe. Daß man sie fordert, ist ein Ausfluß des Egoismus. Das Individuum will im geliebten Wesen ganz allein herrschen, es völlig ausfüllen, in demselben blos sein eigenes Spiegelbild antreffen, weil diese Wirkung auf einen andern Menschen seine höchste Bethätigung und mächtigste Auslebung ist und das Selbstgefühl oder die Eitelkeit sich keine vollkommenere Befriedigung denken kann als die Beobachtung einer solchen Wirkung. Wie man sich besonders tief und ganz als volles Individuum empfindet, wenn man einen Gegner im freien Kampfe von Kraft gegen Kraft, von Menschen gegen Menschen überwunden hat, so fühlt man seine eigene Individualität ungemein intensiv und zugleich wonnig, wenn man sich als Vollbesitzer eines andern Individuums erkennt. Treue fordern, heißt also nichts anderes als die Grenzen der eigenen Wirkung auf ein Fremdes abgehen und sie erfreulich weit finden wollen und Eifersucht ist die furchtbar schmerzhafte Erkenntniß der Beschränktheit dieser Grenzen. Man kann darum eifersüchtig sein, ohne im Geringsten selbst zu lieben, wie man einen Genossen im Kampfspiel besiegen wollen kann, ohne ihn zu hassen;es handelt sich in beiden Fällen um die Eitelkeit, sich als tüchtiges Individuum zu fühlen; es ist eine Frage der Überlegenheit, der Kraft psychischer Gymnastik; und ebenso fordert man Treue, ohne sich darum nothwendig zur Gegenseitigkeit verpflichtet zu fühlen. Der beste Beweis, daß die Treue nicht durch den natürlichen Zweck der Liebe, nicht durch das Interesse der Fortpflanzung gefordert wird, sondern eine der Menschheit künstlich anerzogene Bedingung, ein Ausfluß der Eigenliebe, Eitelkeit und Selbstsucht ist, liegt eben in diesem Mangel an Gegenseitigkeit. Handelte es sich um eine organische Nothwendigkeit, so würde man die Treue des Mannes als eine ebenso unverletzliche Pflicht empfinden wie die des Weibes; da es sich aber um eine Forderung des Egoismus handelt, so mußte im Laufe der Sitten-Entwickelung der Egoismus des Stärkeren den Schwächeren besiegen und da der Mann der Stärkere ist, so hat er in der That Gesetz, Sitte, Anschauungsweise und Empfindung zu seinem eigenen Vortheile und zum Nachtheile des Weibes gebildet. Er heischt vom Weibe unbedingte Treue, räumt ihm aber nicht dasselbe Recht gegen ihn ein. Wenn sie sich vergißt, so hat sie eine Todsünde begangen, die mit der allgemeinen Verachtung noch am gelindesten bestraft ist; wenn er dasselbe thut, so hat er sich einen liebenswürdigen kleinen Fehltritt zu Schulden kommen lassen, für den das Gesetz keine Strafe hat, über den die Gesellschaft gutmüthig und diskret lächelt und den die Frau unter Thränen und Umarmung verzeiht, wenn sie ihn überhaupt ernst genommen hat. Und diese Ungerechtigkeit des zweifachen Maßes wird doch noch größer durch den Umstand, daß es von vornherein nicht dasselbe ist, ob das Weib oder ob der Mann eine Untreue begeht; denn wenn das Weib sündigt, so ist sie dabei wol immer passiv; sie wird von einem Mann, also einer Gewalt, die von ihrem Willen unabhängig ist, in Versuchung geführt; sie unterliegt einer Kraft, die stärker ist als ihr Widerstand; wenn aber der Mann sündigt, so ist er aktiv; er thut es, weil er es thun will; Joseph kommt außer der Bibel nicht oft vor und Frau Potiphar gehört zu den Seltenheiten; der Mann ergreift die Initiative zur Sünde, er sucht sie freiwillig auf und begeht sie mit konzentrirter Absicht und Vorbedacht, mit Kraftaufwand und trotz ihm entgegengesetzter Abwehr. Am weitesten ist der rohe Egoismus des Mannes in dieser Richtung in Indien gegangen. Er faßt da seinen Besitz des Weibes als einen so absoluten auf, er treibt da die Forderung der Treue so grausam weit, daß er die Witwe, ja sogar die Braut zwingt, dem gestorbenen Gatten oder nur Bräutigam auf den Scheiterhaufen zu folgen, während der Mann, wenn er seine Frau verliert, sich nicht ein Haar zu krümmen braucht und unter allgemeiner Billigung vom Leichenbegängniß geradenwegs in ein neues Brautgemach einkehren kann. In Europa hat die Selbstsucht des Mannes nicht ganz so zerstörende Formen angenommen. Nur einige sentimentale und hysterische Poeten haben sich bis zur Forderung einer das geliebte Wesen überlebenden Treue verstiegen und die mondsüchtigen Gestalten von Liebenden gezeichnet, die sich selbst zu ewiger Trauer und Enthaltung verurtheilten, weil sie das geliebte Wesen nicht heiraten konnten oder weil es starb. Wenigstens waren diese Schwärmer so gerecht, die Gleichheit der Verpflichtung bei beiden Geschlechtern zu dekretiren, und ihre Toggenburgs sind ebenso oft Männer wie Frauen. Leser von gesunder Empfindung glauben indeß nicht an diese Gestalten und halten sie, sofern sie überhaupt der Wirklichkeit nachgebildet sein sollten, für krankhaft entartete Naturen, die aus der Noth eines pathologischen Seelen- oder Leibeszustandes eine poetische Tugend machen. Die europäische Sitte gibt nicht nur praktisch, sondern auch theoretisch zu, daß Liebe aufhören, daß man wiederholt lieben könne und daß die Treue die Liebe nicht zu überdauern brauche, denn sie läßt zweite Ehen verwitweter Gatten als vollmoralische, vor jeder gesellschaftlichen Kritik bestehende Verhältnisse gelten. Wäre jemals und irgendwo das Weib stärker gewesen als der Mann, so hätte ohne Zweifel unsere ganze Anschauung von der Treue eine andere Gestalt. Dann wäre die Leichtfertigkeit des Weibes eine reizende Schwäche, der etwas von der*

Natur eines Scherzes anhaften würde, während die Untreue des Mannes eine tragische Bedeutung hätte. Man würde vom Manne dieselbe Keuschheit außerhalb des Eheverhältnisses und insbesondere vor der Ehe fordern wie heute vom Weibe. Don Juan würde Donna Juana heißen und wir würden im Theater über den armen unschuldigen Othello Thränen vergießen, den die wild eifersüchtige Desdemona erwürgen würde.

Ich verkenne nicht, wie ungeheuer schwierig es ist, die Frage der Treue und der natürlichen Dauer der Liebe aus unserer heutigen Moral und Sitte heraus peremptorisch zu lösen. Wenn man die höheren Thiere betrachtet, so erkennt man unschwer, daß bei ihnen die Leidenschaft des Männchens für das Weibchen nur während der Werbung und allenfalls noch während der Zeit, die man die Flitterwochen oder den Honigmond nennen könnte, dauert und daß die gegenseitige Treue, die nur bei einzelnen Arten überhaupt besteht, die Geburt des Jungen nicht überlebt. Unser menschlicher Stolz mag sich noch so ungeberdig dagegen sträuben, wir müssen doch nach diesen Analogien aus dem Thierreich, das eben von denselben Lebensgesetzen regiert ist wie die Menschenart, welche sich biologisch in nichts von ihm unterscheidet, die menschlichen Gepflogenheiten untersuchen, wenn wir wissen wollen, ob sie natürlich und nothwendig oder künstlich und willkürlich sind. Diese Vergleichungsmethode würde also zur Annahme führen, daß die Liebe sich in der Erreichung ihres Ziels und der Erfüllung ihrer Aufgabe erschöpft wie der Hunger in der Stillung des Speisebedürfnisses und daß auch für das Weib mit der Geburt des Kindes ein Akt seines Liebelebens vollkommen abgeschlossen sei und ein neuer Akt mit anderer Rollenbesetzung beginnen könne. Wenn dies, wie es den Anschein hat, der wahre und natürliche Zustand der menschlichen Empfindung ist, so hat die dauernde Einzelehe in der That keine organische Berechtigung, sie muß dann in den meisten Fällen nach den Flitterwochen oder doch nach der Geburt eines Kindes zur leeren Form und Lüge werden und zu Konflikten zwischen Neigung und Pflicht führen, auch wenn sie ursprünglich immer aus Liebe geschlossen wurde. Allerdings drängen sich sofort eine Menge Gegengründe gegen eine Beweisführung auf, deren logische Schlußfolgerung nur die Abschaffung der Ehe und die Rückkehr zur freien Paarung der Thiere sein könnte. Der nächstliegende Gegengrund ist dieser: Es mag ja sein, daß der Mensch seinem natürlichen Instinkte nach polygamisch ist, daß er den Hang hat, gleichzeitig oder nacheinander zu mehr als einem Individuum des entgegengesetzten Geschlechts in Beziehung zu treten; aber er hat auch andere Instinkte und es ist ja gerade die Aufgabe der Gesittung, den Willen des Menschen so zu erziehen, daß er seine Instinkte bekämpfen und unterdrücken kann, wenn er sie als schlecht erkennt. Dieses Argument ist leider kein überzeugendes; denn zunächst müßte erst noch bewiesen werden, daß der polygamische Instinkt für den Bestand und die Entwickelung der Menschheit schädlich wäre, weil man nur in diesem Falle berechtigt wäre, ihn schlecht zu nennen; ferner aber gibt es doch zu denken, daß die Gesittung, der die Bezähmung anderer Instinkte gelungen ist, tatsächlich nie dahin gelangte, den polygamischen Instinkt zu unterdrücken, trotzdem die Kirche ihn mit Höllenstrafen bedrohte, das Gesetz ihn verdammte, die offizielle Moral ihn für unsittlich erklärte; der Mann lebt in den Kulturländern trotz der gesetzlichen Monogamie in polygamischem Zustande; es dürfte da kaum unter hunderttausend Männern einen geben, der auf seinem Sterbebette beschwören könnte, im ganzen Leben nicht mehr als ein einziges Weib gekannt zu haben; und wenn von den Frauen der monogamische Grundsatz strenger befolgt wird, so ist es nicht immer, weil es ihnen an der Neigung gefehlt hat, sich über denselben hinwegzusetzen, sondern weil die Schutzwächter der offiziellen Moral das Weib schärfer überwachen und seine Auflehnungen härter bestrafen als die des Mannes; ein Instinkt aber, der den Gesetzen und der Sitte so hartnäckig und erfolgreich widersteht, muß doch wol tiefer begründet sein als die anderen Instinkte, deren die Zivilisation Herr werden konnte. Mehr Gewicht hat ein anderes Argument. Die menschliche Liebe, obwol in der Hauptsache auch nichts anderes als der Drang nach dem Besitze eines bestimmten Individuums zum Zwecke der Fortpflanzung, ist doch noch mehr; sie ist auch eine Freude an der geistigen Art des geliebten Wesens; sie ist auch Freundschaft. Dieses Element der Liebe überdauert deren physiologisches Element. Gewiß ist das, was man für das geliebte Wesen nach dem Besitze empfindet, nicht dasselbe wie vorher. Aber es ist noch immer ein Hohes und Mächtiges und es kann den Wunsch, ja die Nothwendigkeit eines lebenslangen Beisammenseins begründen, das dann seine Berechtigung nicht mehr vom natürlichen Zwecke der Ehe, der Vermehrung, sondern von dem Bedürfnisse eines geistig höher entwickelten Wesens nach dem Umgange mit einem Wesen von ähnlicher Gesinnung ableiten würde. Auch im treuesten Gemüthe, und wenn die Leidenschaft ursprünglich noch so mächtig war, erfährt die Liebe nach den Flitterwochen oder nach dem ersten Kinde diese Umgestaltung, in welcher sie die Fessel der Ehe noch immer nicht als lästig empfindet, freilich ohne ferner ein völlig sicherer Schutz gegen das Aufflammen einer neuen Leidenschaft zu sein. Es treten aber noch andere Umstände hinzu, die dem Willen den Kampf gegen die polygamischen Instinkte erleichtern. Wenn das Zusammenleben, zweier Menschen, die einander einen Augenblick lang geliebt und dadurch bewiesen haben, daß sie annähernd harmonisch zu einander gestimmt sind, eine Weile gedauert hat, so wird es zu einer Gewohnheit, welche die Treue mächtig unterstützt. Man empfindet vielleicht nach einiger Zeit gar nichts mehr für einander, nicht die geringste Liebe, ja nicht einmal Freundschaft aber die Gemeinschaft hält doch und hält sogar recht fest. Wie beim Vorgang der Versteinerung alle ursprünglichen Bestandtheile, einer Baumwurzel etwa, allmälig verschwinden und durch ganz fremde erdige Stoffe ersetzt werden, die sich jedoch sorgsam in die Stelle der verdrängten organischen Moleküle einstehlen und die allgemeine Form unverändert lassen, bis vom inneren Gefüge gar nichts mehr vorhanden ist, ohne daß die äußere Gestalt der Wurzel im Geringsten gelitten hätte, so ersetzt bei dieser Umgestaltung der Gefühle die Gewohnheit unmerklich Partikelchen für Partikelchen der sich verflüchtigenden Liebe und wenn diese vollends verschwunden ist, bleibt doch die Form des Lebensbundes der beiden Menschen erhalten; und ob diese Form auch starr und kalt und todt ist, so ist sie doch dauerhaft und widerstandskräftig. Ist die Ehe mit Kindern gesegnet, so überträgt sich die Zärtlichkeit der Eltern auf diese und aus ihrem Gemüthe erwächst eine neue Liebe, welche sich gleichmäßig um beide Eltern schlingt und sie fest zusammenhält wie eine Kletterpflanze, die mit ihren Ranken zwei Bäume umwuchert und unlösbar verknüpft und sie noch mit frischem Laub und Blüthen bedeckt, wenn sie bereits abgestorben und verdorrt sind. Überdies wird man in dem Maße, in welchem die Ehe dauert, älter, der Liebesdrang wird aus natürlichen Ursachen schwächer und wenn auch die Keime neuer Neigungen nicht absterben, nicht verschwinden, so wird es dem Willen und der Einsicht doch mit jedem Jahre leichter, ihre Entwickelung zu verhindern. Endlich bleibt nach einem Morgenroth der Liebe für den ganzen Lebenstag eine süße und tiefe Erinnerung zurück, die zur Dankbarkeit für das Wesen, das man geliebt hat, stimmt und ebenfalls zum Festhalten an demselben drängt. Aus allen diesen Gründen mag es thunlich sein, die Menschen in der Regel monogamisch und für die ganze Lebensdauer zu paaren, auch wenn ihre leibliche und geistige Anlage sie ursprünglich auf eine Mehrzahl gleichzeitig oder aufeinander folgender Verhältnisse angewiesen haben sollte. Immerhin wird es jedoch zahlreiche Fälle geben, in welchen gegen eine neue Leidenschaft nichts vorhält, nicht die Freundschaft, welche die Liebe begleitet, nicht die Dankbarkeit, welche sie übrig läßt, nicht die Gewohnheit, nicht das reifere Alter, nicht das Band des gemeinsamen Elternantheils an Kinderexistenzen; in diesen Fällen muß die Rücksicht der Treue schwinden und die Ehe hört auf, berechtigt zu sein. Die Gesellschaft gibt die Möglichkeit solcher Fälle ja zu und hat in den fortgeschrittenen Ländern die Scheidung eingeführt. Damit ist aber die Natur noch nicht zu ihrem Rechte gelangt. Das heuchlerische Vorurtheil, welches sich an die strenge monogamische Theorie festklammert, verfolgt die geschiedenen Gatten und heftet ihnen einen kleinen Schandfleck an, der sie zu einer Kategorie nicht mehr vollkommen ehrbarer Personen herabsetzt. Dadurch werden schwächere und furchtsamere Naturen veranlaßt, die Lüge der Wahrheit vorzuziehen, lieber das Gemahl zu betrügen, als sich ehrlich mit demselben auseinanderzusetzen, und das gesellschaftliche Los Geschiedener durch feiges Sichverkriechen in eine besudelte und zum Verbrechen gewordene Ehe zu vermeiden. Die Gesellschaft muß sich daran gewöhnen, in Geschiedenen muthige und wahrhafte Menschen zu achten, die sich zu keinem Ausgleiche mit ihrem Gewissen herbeilassen und entschlossen die Form zerbrechen, sowie sie inhaltslos geworden ist und ihre natürlichen Gefühle sich gegen sie auflehnen. Erst die Verallgemeinerung dieser Anschauungsweise würde dem Menschenherzen seine Rechte, der Ehe die Wahrheit und Heiligkeit wiedergeben, der Liederlichkeit und Flattersucht den Vorwand der Liebe entreißen und den Ehebruch zu einem abscheulichen Verbrechen machen, das nur noch die gemeinsten und verworfensten Naturen begehen würden.

Die letzten Untersuchungen galten der Frage, ob ein Bund mit einem einzigen Wesen und auf Lebensdauer überhaupt der Menschennatur entspricht und nicht früher oder später nothwendig zur Lüge werden muß, auch wenn er ursprünglich immer nur aus Liebe geschlossen wird. Wie weit sind wir aber noch von einem Zustande entfernt, welcher der Gesellschaft die Nothwendigkeit einer solchen Untersuchung nahe legen würde! Ehe man an die Lösung des äußersten anthropologischen Problems schreiten kann, ob der Mensch nur einmal liebt und seine Paarungsinstinkte nur in einem einzigen Wesen des entgegengesetzten Geschlechts ausleben darf, müßte zunächst erreicht werden, daß jede Ehe Liebe zur Voraussetzung habe und der offizielle Bund mindestens im Augenblicke, wo er geknüpft wird, auf gegenseitiger Anziehung der Verbundenen beruhe. Dem widersetzt sich aber die gegenwärtige wirthschaftliche Organisation der Gesellschaft. So lange der Mann nicht sicher ist, immer Arbeit und durch diese ein angenehmes Auskommen zu finden, wird er stets in der Ehe seinen materiellen Vortheil suchen, oder wenn er einen solchen nicht erlangen kann, sie scheuen und ihr die schmutzigen Befriedigungen, welche ihm die Prostitution anbietet, oder flüchtigere Verhältnisse vorziehen, die ihm keine oder nur geringfügige

Verantwortlichkeit auferlegen. Und so lange das Weib auf die Ehe als auf seine einzige Laufbahn und Versorgung angewiesen ist, wird es sich immer in die Ehe stürzen, ohne nach Liebe zu fragen, und nachträglich entweder furchtbar unglücklich sein oder sittlich zu Grunde gehen. An dem schrecklichen Lose, welches die Zustände besonders dem Weibe bereiten, werden die Quacksalber nichts ändern, welche die sogenannte Frauenemanzipation als Heilmittel der schwersten Gesellschaftskrankheit anpreisen. Ich lasse mich auf eine tiefere Kritik des Emanzipations-Gedankens gar nicht ein; nur in einigen Worten will ich bemerken, daß bei voller Gleichstellung beider Geschlechter der Kampf ums Dasein noch scheußlichere Formen annehmen würde als gegenwärtig. Ist das Weib erst die ernste Rivalin des Mannes auf vielen Gebieten der Erwerbsthätigkeit, so wird es, da es das schwächere Wesen ist, rücksichtslos zermalmt. Die Galanterie ist eine Erfindung des Wolstands und Müßiggangs. Die Noth und der Hunger rotten dieses Gefühl aus, auf welches die Frauen doch rechnen, wenn sie sich eine Welt ausmalen, in der das Weib mit dem Manne um den Bissen Brod ringt. Die schwersten und gerade die nothwendigsten Arbeiten wird der Mann allein verrichten müssen; er wird sie höher stellen als die, welche das Weib leistet, und wie heute die Frauenarbeit mit einem geringeren Preise entlohnen als seine eigene. Warum? Weil er die Kraft hat, seine Anschauung zum Gesetz zu erheben und seinen Willen durchzusetzen; aus keinem andern Grunde. Das Weib hat eine hohe und vornehme Stellung in der Kultur, weil es sich bescheidet, weil es zufrieden ist, die Ergänzung des Mannes zu sein und seine materielle Überlegenheit anzuerkennen. Versucht es indeß, diese in Frage zu stellen, so wird es alsbald gezwungen, deren Wirklichkeit zu empfinden. Das voll emanzipirte Weib, das sich vom Manne unabhängig, in vielen Fällen wegen aufeinander stoßender Interessen als dessen Feindin fühlt, muß alsbald in die Ecke gedrückt sein. Das ist dann der Kampf, der rohe Kampf, und wer in demselben siegt, das ist nicht zweifelhaft. Die Emanzipation bringt nothwendig Mann und Weib in das Verhältniß einer höheren und niederen Race – denn der Mann ist für den Kampf ums Dasein besser ausgerüstet als das Weib – und das Ergebniß ist, daß die letztere von der ersteren in eine schlimmere Abhängigkeit und Sklaverei gebracht wird, als die ist, aus welcher die Emanzipation das Weib befreien soll. Das Ziel der Emanzipationsprediger ist, dem Weibe zu ermöglichen, auch ohne den Mann zu leben und auf die Ehe zu verzichten. Diese Methode, einen Übelstand zu heilen, hat denselben Werth wie die eines Menschenfreundes. der etwa in einer Hungersnoth mit Vorschlägen hervortreten würde, wie man den Menschen am zweckmäßigsten das Essen abgewöhnen könnte. Es handelt sich darum, den Hungernden zu essen zu geben, nicht sie zu lehren, auf Nahrung zu verzichten. Und nicht der Ehe zu entrathen sollt ihr dem Weibe ermöglichen, ihr seltsamen Anwälte der Opfer unserer Zivilisation, sondern ihr sollt ihm seinen natürlichen Antheil am Liebeleben der Menschheit sichern. Wie ich es im vorigen Kapitel für eine Pflicht der Gesellschaft erklärt habe, für ihre Kinder zu sorgen, ihnen die volle Bildung und, so oft es nöthig ist, den Unterhalt bis zur eigenen Erwerbsfähigkeit zu gewähren, so halte ich es für eine Pflicht der Gesellschaft, ihre Frauen, ihr kostbarstes Zuchtmaterial, vor physischer Entbehrung zu schützen. Das Gemeinwesen schuldet dem Weibe Schutz und Erhaltung. Die Rolle des Mannes im Gattungsleben ist die des Broderwerbers, des Erhalters und Vertheidigers der lebenden Generation; die Rolle des Weibes ist die einer Erhalterin der Art, einer Vertheidigerin der künftigen Generationen, einer Veredlerin der Gattung durch die Zuchtwahl, indem sie unter den Männern den Kampf anregt, dessen Preis sie ist und in dem die tüchtigsten Streiter die kostbarste Beute davontragen. Als Kind muß das Mädchen die Vortheile der allgemeinen Jugenderziehung empfangen, später muß es, wenn es ihrer bedarf, Anspruch auf volle Versorgung, sei es im Elternhaus, sei es in eigenen Anstalten, haben. Die Gesellschaft muß dahin gelangen, es als eine Schmach zu empfinden, daß innerhalb eines zivilisirten Gemeinwesens ein Weib, sei es jung oder alt, schön oder häßlich, Noth leiden kann. In einer nach diesen Grundsätzen umgestalteten Gesellschaft, in der das Weib keine Sorge um das tägliche Brot hat und weiß; daß es vor Entbehrung gesichert ist, es mag heiraten oder ledig bleiben, in der die Kinder von der Gesammtheit erhalten und gebildet werden, in der der Mann nicht hoffen darf, sich um Geld so viel Frauen kaufen zu können, als er braucht, weil die Noth nicht länger seine Kupplerin sein wird, in einer solchen Gesellschaft wird das Weib bald genug nur noch aus Neigung heiraten, das Schauspiel von alten Jungfern, die keinen Mann gefunden haben, ein ebenso seltenes sein wie das von alten Junggesellen, die in einem freien Leben der Liederlichkeit alle Annehmlichkeiten ohne die sittlichen Lasten und Einschränkungen der Ehe genießen, und die Prostitution sich nur noch aus der sehr kleinen Minderzahl degenerirter Geschöpfe anwerben, deren ungeregelte Triebe keine Zucht vertragen, die nur in Verworfenheit und Schande athmen können und für die Arterhaltung ohnehin völlig werthlos sind. Wenn materielle Erwägungen nicht mehr bei der Eheschließung mitsprechen müssen, wenn das Weib frei wählen kann und sich nicht verschachern muß, wenn der Mann gezwungen ist, um die Gunst des Weibes mit seiner Persönlichkeit und nicht mit seiner Stellung und Habe zu werben, so kann die Eheeinrichtung von einer Lüge zur Wahrheit werden, bei jeder Umarmung waltet dann der hehre Geist der Natur, jedes Kind wird mit der Liebe seiner Eltern wie mit einem Heiligenschein geboren und empfängt als kostbarstes Wiegengeschenk die Kraft und Lebenstüchtigkeit, die jedes Paar, das sich in Wahlverwandtschaft zusammengefunden hat, seinen Sprößlingen vererbt.

Allerlei kleinere Lügen.

I

Nur durch die Annahme, daß der Mensch seiner Anlage nach ein Herdenthier und das Zusammenleben mit seinen Artgenossen eine Grundbedingung seines Daseins sei, werden uns einige seiner ursprünglichsten und wesentlichsten Seeleneigenheiten verständlich, die durchaus unerklärlich blieben, wenn wir ihn als von Natur einsam und selbständig auffassen müßten und wenn das Bild, das mangelhaft unterrichtete, aber mit lebhafter Einbildung begabte Anthropologen uns vom Urmenschen entwerfen und das ihn uns als wilden, gattungsfeindlichen, allein durch die Wälder schweifenden, mit Keil und Steinmesser bewaffneten Jäger zeigt, in irgend einem Augenblicke seiner Entwickelung wahr gewesen wäre. Einzig auf seiner Herdenthier-Natur beruht sein Solidaritätstrieb, den die selbstische Ausbildung der Kultur schwächen und verdunkeln, aber nicht unterdrücken konnte; dieser Trieb wäre zwecklos und darum unberechtigt bei einem Wesen, das durch seine Beschaffenheit und Bedürfnisse auf ein schroff individuelles, allseitig von der Gattung losgelöstes, blos sich selbst, seine eigenen Neigungen und Interessen berücksichtigendes Sonderdasein hingewiesen wäre. Der Solidaritätstrieb bewirkt, daß der Mensch bei allen seinen Entschlüssen und Handlungen unausgesetzt die Vorstellung der Gattung, der Herde, gegenwärtig hat, sich fragt: "was werden die Übrigen dazu sagen?« und der Aufnahme, die seine Worte, Thaten und Unterlassungen bei ihnen voraussichtlich finden werden, den größten Einfluß auf sein Denken und Thun einräumt. Die öffentliche Meinung wirkt auf jeden Einzelnen mit einer ungeheuren Gewalt, der er sich schlechterdings nicht entziehen kann. Wenn er sich selbst anscheinend gegen sie empört, so gleicht diese Auflehnung gewissen loyalen Oppositionen, die vom schlecht unterrichteten an den besser zu unterrichtenden König appelliren; sie hat ausgesprochen oder uneingestanden den Zweck, nicht sich von der öffentlichen Meinung unabhängig zu machen, sondern sie so umzugestalten, daß sie mit dem Rebellen übereinstimmt. Auch wer, was man so nennt, seine eigenen Wege geht, der thut dies in der geheimen Hoffnung, auf diesem einsamen Pfade, wenn auch noch so spät, wenn auch in noch so weiter Entfernung, schließlich doch wieder zu einer Menge zu gelangen. Timon sucht sich selbst zu überreden, daß ihm die Menschen völlig gleichgiltig geworden seien; am Grunde seines ganzen Thuns und Seins liegt aber dennoch die Sehnsucht nach einer Menschheit, die seinen Wünschen und Neigungen entspräche und in der auch er Einer von den Vielen, ein Theil der Menge sein könnte. Der Wunsch, der öffentlichen Meinung zu gefallen, ist in der Regel sogar mächtiger als der Selbsterhaltungstrieb; denn zahllose Menschen opfern ihr Leben, nicht in der Vertheidigung eigener Interessen, nicht in der Bekämpfung einer persönlichen Gefahr, sondern um etwas zu thun, was die Übrigen preisen; mit anderen Worten: die öffentliche Meinung ist es, die Heroen macht. Die gewöhnlichen, die Durchschnitts-Menschen, diejenigen, die dazu geboren sind, im Rudel mitzutraben, wo es am dicksten ist, und die Richtung des Zugs, die Wahl der Weidegründe, die Feststellung der Stunde des Aufbruchs und die Ruhe und die Führung in Angriff und Abwehr Anderen zu überlassen, haben ihr ganzes Leben hindurch für ihre Handlungsweise überhaupt keine anderen Beweggründe als die Rücksicht auf die Übrigen; sie wagen nie, eigenen Eingebungen zu folgen oder persönlichen Geschmack zu haben; im Größten wie im Kleinsten gehorchen sie der öffentlichen Meinung; von der Farbe ihrer Kravatte bis zur Wahl ihrer Frau wird Alles mit Hinblick auf die Genossen bestimmt, von denen sie ihr ängstliches Auge keinen Nu abwenden. Die mächtigen Individualitäten, die natürlichen Leitthiere der Herde, wagen es eher, sie selbst zu sein und unbekümmert um fremden Beifall oder Tadel eigenen Eingebungen zu gehorchen. Aber die tiefere Analyse läßt erkennen, daß auch sie nur von der Hoffnung aufrecht erhalten werden, die Zustimmung, wenn nicht Aller, doch Einiger, der Besten, wenn nicht gleich, doch irgend einmal zu erlangen. Es gehört ein außerordentlicher Muth dazu, sich laut zu einer persönlichen Überzeugung zu bekennen, wenn man weiß, daß man sich mit derselben fast zu seiner ganzen menschlichen Umgebung in feindlichen Gegensatz bringt; die Sache des niedern Volks zu vertheidigen, wenn man wie Catilina als Aristokrat geboren ist; Rom den Krieg zu erklären, wenn man wie Luther ein geliebtes Mütterchen hat, das ihn zu ewigem Höllenfeuer verdammt glaubt; aber diese Helden hatten den Trost, sich in Übereinstimmung mit Minderheiten zu fühlen, die sie zu Mehrheiten machen zu können hofften. Andere einsame Heroen sahen unter ihren Zeitgenossen selbst die sympathischen Minderheiten nicht; allein sie konnten sich doch an der treuen Zustimmung eines einzigen Wesens, eines Weibes, Freundes, Kindes zur Ausdauer im Kampfe gegen die herrschenden Meinungen stärken; wenn ihnen selbst dieser Trost fehlte, so wurden sie von der Überzeugung gestärkt, daß die Menschheit doch einst gerechter und einsichtsvoller sein und ihre Andenken feiern werde, wenn sie schon die Lebenden gesteinigt hat. Allein ich halte es für völlig undenkbar, daß ein Mensch im Vollbesitze seiner Geistesfähigkeiten, um einer persönlichen Eingebung oder Überzeugung zu gehorchen, sich andauernd in heftigen Gegensatz zur öffentlichen Meinung bringe, wenn er absolut sicher ist, daß seine Handlungsweise in aller Ewigkeit, so lange es überhaupt Menschen auf Erden gibt, von Allen verdammt werden wird, eine Änderung der Beurtheilung seiner Handlungsweise vollkommen undenkbar ist, nie auch nur die kleinste Minderheit mit ihm übereinstimmen, alle Menschen ihn ewig als Verräther, Feigling oder Schurken verachten und verabscheuen würden – den Helden, den Blutzeugen, der diese endgiltige Ausstoßung ohne Appell aus der Menschheit, diese grauenhafte Vereinsamung in Gegenwart und Zukunft, diesen Haß in Aller Augen, dieses Ballen aller Fäuste, diese unabänderliche Abkehr aller Seelen für eine von ihm für richtig gehaltene Anschauung erduldet, gibt es nicht unter Menschen, die nicht geistesgestört sind. Die öffentliche Meinung ist nichts. anderes ist als die öffentliche Meinung innerhalb des Individuums. Der in Allen lebende gemeinsame Stammeserhaltungstrieb macht, daß die öffentliche Meinung, soweit sie ihrem natürlichen Gefühle überlassen und nicht durch künstliche Vorurtheile verdunkelt ist, in der Regel nur solche Handlungen, die das Wol der Gattung mittelbar oder unmittelbar fördern, gutheißen und nur solche verdammen wird, aus denen sich ein naher oder ferner Schaden für die Gattung ergibt. Umgekehrt ist das Gewissen der Anwalt der Gattungsinteressen in jeder einzelnen Menschenseele, der Vertreter, den die öffentliche Meinung innerhalb jedes Individuums besitzt und durch welchen das Individuum immer mit der Menschheit zusammenhängt und wenn es ganz allein auf einer wüsten Insel mitten im Ozean lebte. Der kategorische Imperativ ist nichts anderes als die Stimme dieses inneren Vertreters der öffentlichen Meinung. Wer das, was er als Recht anerkannt bat, auch dann thut, wenn es gegen seinen individuellen Vortheil geht, ja wer in der Erfüllung einer Pflicht unbemerkt und ohne Hoffnung, jemals gewürdigt zu werden, einen obskuren Heldentod stirbt, der handelt so, weil er einen immer gegenwärtigen Zeugen seines Heroismus in sich fühlt, weil er eine Stimme hört, die ihm laut im Namen der Menschheit Dank und Anerkennung spendet, weil er die sichere Empfindung hat, daß die öffentliche Meinung voll mit ihm ist und nur durch den Zufall verhindert wird, ihm ihre Zustimmung auch objektiv auszudrücken. Kategorischer Imperativ, Gewissen, öffentliche Meinung sind also wesentlich dasselbe: Formen, in welchen die Solidarität der Gattung dem Individuum zum Bewußtsein gelangt.

In früheren Zeiten war die öffentliche Meinung etwas Ungreifbares; sie hatte keinen Körper, keine deutlichen Umrisse; sie entstand, man wußte nicht wie; sie setzte sich aus tausend kleinen Zügen zusammen: aus dem flüchtigen Worte des Prinzen und vornehmen Herrn, aus dem bedeutungsvollen Kopfschütteln des Gevatters Schneider in der Innungs-Kneipe, aus dem Geschwätze der Frau Base beim Nachmittagsbesuche, auf dem Markte, in der Spinnstube; eine bestimmte Gestalt nahm sie nur in der, wol nicht durch das geschriebene Gesetz, aber durch die Sitte eingesetzten Ehren-Gerichtsbarkeit an, welche jeder Stand, namentlich aber jede geschlossene Körperschaft über die eigenen Mitglieder übte und deren eine Höherberufung ausschließendes Urtheil den Betroffenen sicherer moralisch vernichtete als das Erkenntniß einer bestellten

Gerichtsbehörde. Heute ist die öffentliche Meinung dagegen eine fest organisirte Gewalt und im Besitze eines Organs, das von aller Welt als ihr bevollmächtigter Vertreter anerkannt wird und dieses Organ ist die Presse. Die Bedeutung der Presse in der modernen Kultur ist eine ungeheuere; ihr Vorhandensein, der Platz, den sie im Leben des Einzelnen wie der Gesammtheit einnimmt, gibt unserer Zeit weit mehr ihren Charakter als alle die wunderbaren technischen Erfindungen, welche die materiellen und geistigen Bedingungen unseres Daseins gründlich umgestaltet haben. Die hohe Entwickelung des Zeitungswesens fällt mit diesen Erfindungen zusammen und ist eine ihrer Wirkungen; es ist darum schwer, sich unsere heutigen Zeitungen von diesen Erfindungen gesondert zu denken; man mache, aber den Versuch: man stelle sich unser Jahrhundert einmal im Besitze der Eisenbahn, des Telegraphen, der Photographie und der Kruppschen Kanonen, aber ohne andere Zeitschriften als die wöchentlichen Anzeige- und Rezensions-Blättchen des vorigen Jahrhunderts und dann stelle man es sich mit der alten Postkutsche, der zehntägigen Entfernung zwischen Berlin und Paris, der Talgkerze mit der Lichtscheere, dem Steinfeuerzeug und der Radschloßflinte, aber im Besitze der heutigen politischen Tageblätter vor; man wird dann finden, daß unsere Zeit in jenem Falle den früheren Zeiten weit mehr gleichen würde als in diesem, daß der eine Zug, den das Vorhandensein unserer Presse in die Physiognomie der zeitgenössischen Kultur bringt, diese Kultur kräftiger von allen früheren Kulturen unterscheidet als alle übrigen Züge, die das moderne Leben charakterisiren. Die Bedeutung der Presse ist von keiner Seite bestritten. Ein französischer Staatsmann hat sie die "vierte Gewalt im Staate« genannt, nämlich eine Gewalt, die mit den drei anderen, der Krone, der Pairs- und der Abgeordnetenkammer, Gesetze gibt und regiert, ein Ausspruch, welcher von Leuten, die nicht französisch können, als "sechste Großmacht« übersetzt wurde. Es ist sicher, daß heute auf die Dauer in keinem europäischen Staate ohne die Mitwirkung und trotz dem Widerstände der Presse regiert werden kann oder Gesetze aufrecht zu erhalten sind. Ein anderer Franzose, Girardin, hat in einem Anfall paradoxaler Laune die Macht der Presse geleugnet. Kurzsichtige Betrachtung wird ihm Recht geben, weitsichtige über ihn die Achsel zucken. Gewiß, ein bestimmtes Blatt wird in einem bestimmten Falle seinen Willen oft nicht durchsetzen können; selbst der ersten Zeitung der Welt gelingt häufig nicht einmal die Entfernung eines groben Bureaudieners aus einem öffentlichen Amt, geschweige denn die Verhinderung des Zustandekommens eines Gesetzes, die Erhaltung oder der Sturz eines Ministeriums, die Durchsetzung einer bestimmten Politik. Wenn aber alle verbreiteten Blätter des Landes mit Ausdauer einem gewissen Ziele zustreben, wenn sie nicht zu konkrete, sondern etwas allgemein ausgedrückte Gedanken unermüdlich durch Monate, durch Jahre wiederholen, ihre Leser immer wieder auf ihren Gesichtspunkt führen, so gibt es schlechterdings nichts, was sie nicht schließlich durchsetzen können, so gibt es die Regierung, das Gesetz, die Sitte, ja die Weltanschauung nicht, die ihnen widersteht.

Worauf beruht nun die kulturelle Bedeutung, worauf der Einfluß der Presse? Man hat es versucht, die Vermittlung des Geschäftsverkehrs als die wichtigste Rolle derselben hinzustellen. Mit einem Geiste, der die Kulturbedeutung der Zeitung in ihren Anzeigespalten studirt, brauchen wir uns nicht in Erörterungen einzulassen. Auch daß sie Neuigkeiten mittheilt, gibt ihr nicht ihre Macht. Als bloße Chronik der Tagesereignisse hätte die Zeitung keine andere Stellung als der Bartscheerer an der Ecke, der auf diesem Gebiete, wenigstens was die örtlichen Vorfälle betrifft, ihr Nebenbuhler ist. Ein Blatt, das blos aus Nachrichten in trockener, objektiver Fassung bestände, würde schwerlich je eine Regierung beunruhigen, aber auch das Publikum nie bewegen. Man spricht die Presse endlich als die Lehrerin der Massen, die volksthümliche Verbreiterin der Ergebnisse fachwissenschaftlicher Forschung an. Auch damit ist ihre Wirkung nicht entfernt erschöpft, denn erstens ist es mit der Popularisirung der Wissenschaft durch die Tagespresse wirklich nicht weit her und zweitens lehrt die Beobachtung, daß das beste populär-wissenschaftliche Blatt auf den Geist seiner Leser einen ungleich geringeren Eindruck macht, als das schlechteste politische Käseblättchen. Nein; nicht das Inserat, auch nicht die Neuigkeit und selbst nicht der volksthümlich belehrende Aufsatz gibt der Presse ihre Macht im Staate und ihren bestimmenden Einfluß auf die Kultur, sondern ihre Tendenz, der politische oder philosophische Gedanke, der ihr zu Grunde liegt und der nicht blos im Leitartikel sondern auch in der Auswahl und Gruppirung der Neuigkeiten, in der Fassung der fernstliegenden Nachricht, in der Beleuchtung aller verzeichneten Thatsachen mehr oder minder deutlich zum Ausdrucke gelangt. Wäre die Presse eine bloße Erzählerin von Geschehnissen, so stände sie auf der ziemlich niedrigen Rangstufe eines Verkehrsmittels und ihr Platz in der Zivilisation wäre ein sehr geringer. Sie ist aber eine kritische Überwacherin der Tagesvorfälle, sie nimmt es auf sich die Handlungen, ja auch die Worte und selbst die unausgesprochenen Absichten der Menschen zu beurtheilen, diese zu brandmarken oder zu preisen, sie zu ermuthigen oder zu bedrohen, sie der Gesammtheit zur Liebe und Nachahmung zu empfehlen oder als Gegenstand des Abscheus und der Verachtung zu bezeichnen; sie verkörpert in sich die öffentliche Meinung, sie legt sich deren Rechte bei, sie übt deren Strafgewalt bis zu ihrer furchtbarsten Form, der Ächtung und moralischen Vernichtung; sie macht sich zur Handhaberin des objektiven kategorischen Imperativs, sie bestellt sich zum öffentlichen Gewissen der Gesammtheit.

Da drängt sich denn die Frage auf: wer ist es, der die höchsten Attribute der öffentlichen Meinung besitzt? wer rüstet ihn mit denselben aus? woher nimmt er die Berechtigung, im Namen des ganzen Gemeinwesens zu regieren, zu urtheilen, bestehende Einrichtungen umzustürzen, neue Ideale der Moral und der Gesetzgebung aufzustellen? Von wem erhält der Journalist sein Mandat? Diese Frage haben sich die Regierenden beim ersten Auftreten einer im Namen der öffentlichen Meinung wirkenden Presse vorgelegt und weil sie sich dieselbe niemals zu ihrer Befriedigung beantworten konnten, haben sie die Presse immer verfolgt, sie auszurotten oder wenigstens unter ihrer Zuchtruthe zu halten, sie zu knebeln und zu fesseln gesucht. Der Instinkt der Menge war diesen Bestrebungen der Regierungen stets entgegengesetzt und die Preßfreiheit überall eine der ersten und stürmischsten Forderungen der Völker. Dieser wie fast jeder volksthümliche Instinkt war an sich richtig und im Interesse der Gesammtheit begründet; in seiner Anwendung aber erwies er sich als äußerst schlechter Logiker. Wenn die Völker Preßfreiheit forderten, so glaubten sie damit diese Vorstellung auszudrücken: "Die öffentliche Meinung, das heißt der vereinigte Gedanke und das vereinigte Gefühl, Rechtsbewußtsein und Gewissen Aller, ist in allen Fragen die höchste Autorität und die letzte Urtheilsinstanz des Gemeinwesens; es ist monströs, dieser höchsten Autorität die Freiheit des Wortes nehmen oder einschränken, diese letzte Instanz an der Verkündigung ihres Urtheils verhindern zu wollen; das bedeutet die Vergewaltigung Aller, es ist die Anmaßung eines Einzelnen oder einer Minderheit, den eigenen Willen gewaltsam an die Stelle des Willens Aller zu setzen und das kann ein Gemeinwesen, dessen Mitglieder freie Männer sind und ihre Geschicke selbst bestimmen wollen, nicht dulden.« Indem die Völker so dachten, begingen sie den schweren logischen Fehler, ihre Folgerungen aus einem Vordersatze zu ziehen, den sie als bewiesen annahmen, während es sich gerade darum handelt, seine Richtigkeit zu beweisen. Die Annahme, von der die volksthümliche Forderung der Preßfreiheit ausgeht, ist die, daß öffentliche Meinung und Presse dasselbe seien. Das ist es aber eben, was die Regierungen immer aufs entschiedenste bestritten, zweifellos mit unendlich größerer Berechtigung, als die Völker es behaupteten.

Vor der öffentlichen Meinung beugen sich Regierungen immer ganz so wie Individuen, wenn sich dieselbe legitim und unzweideutig offenbart. Gelangt nun aber in der Presse die öffentliche Meinung legitim und unzweideutig zum Ausdruck? Wer diese Frage beantworten will, der vergegenwärtige sich, was eine Zeitung ist, wie sie entsteht, wie sie gemacht wird. Der erstbeste Mensch von der Straße, ein Lastträger, ein verbummeltes Genie, ein Spekulant kam, wenn er Geld hat oder eine

Erbschaft macht, oder Kommanditäre findet, eine Zeitung größten Styls gründen, zahlreiche Journalisten von Beruf zu einem Redaktions-Stab um sich schaaren und sozusagen von einem Tage auf den andern zu einer Macht werden, die auf Minister und Parlament, auf Kunst und Literatur, auf Börse und Waarenhandel einen gewaltigen Druck ausübt. Eine Gegenbemerkung liegt hier nahe: wenn die neue Zeitung eine Macht werden soll, so kann sie dies nur auf eine Weise: indem sie große Verbreitung findet; das setzt voraus, daß sie von Talenten geschrieben wird und daß sie Gedanken ausspricht, die dem Publikum sympathisch sind; einerseits ist es nun nicht wahrscheinlich, daß Talente sich die Oberleitung und den beherrschenden Einfluß eines verächtlichen Individuums gefallen lassen werden; wir haben damit eine Bürgschaft für die Moral des Zeitungsgründers; andererseits ist nicht anzunehmen, daß das Publikum eine Zeitung massenhaft abonniren wird, wenn es nicht mit den Redakteuren einverstanden ist; wir haben damit eine Bürgschaft dafür, daß die Zeitung wirklich die öffentliche Meinung zum Ausdruck bringt; indem der Leser eine Zeitung abonnirt, wählt er gleichsam deren Redaktion zu seinen Wortführern; die Abonnentenliste ist das Mandat der Redaktion; jede Pränumerationserneuerung bedeutet zugleich eine Erneuerung der Vollmacht des Redakteurs, im Namen seiner sämmtlichen Leser zu sprechen. Das klingt sehr einleuchtend, ist aber vom ersten bis zum letzten Worte falsch. Die Erfahrung lehrt, daß man sich um Geld die Mitwirkung von charakterlosen Talenten immer und überall erkaufen kann. Man kennt zu Dutzenden Beispiele ehemaliger Annoncensammler und Zeitungsausträger, Wucherer und Bankbrüchiger, abgestrafter Verbrecher und Glücksspieler, Volksverhetzer und roher Ignoranten, die große Blätter gründeten, glänzende Federn für ihren Dienst anwerben konnten und ihr Unternehmen im Geiste ihrer eigenen Gemeinheit, Unsittlichkeit und Gesinnungslosigkeit leiteten. Auch das Argument der Abonnentenzahl verträgt keine Kritik. Ein gewissenloser Unternehmer braucht nur auf die erbärmlichen und verächtlichen Instinkte, welche in der Menge neben den edlen und guten Trieben vorhanden sind, zu spekuliren, um sicher zu sein, daß er Leser und Käufer findet. Wer erinnert sich nicht der Blätter, welche die unflätigste Zote pflegen, oder dem verleumderischen Klatsch über Privat-Personen und -Verhältnisse gewidmet sind, oder durch skandalöse Ausschreitungen in der Schreibweise zu wirken suchen, oder durch schlüpfrige Bilder die Geilheit der Leser reizen, oder einfach eine Lotterie darstellen und den Käufern Geldgewinnste oder andere Prämien versprechen? Alle diese Blätter können mit solchen mehr oder minder schändlichen Mitteln zu großer Verbreitung und damit zum entsprechenden Einfluß gelangen. Es ist sogar wahrscheinlich, daß ihre Verbreitung eine größere und damit ihr Einfluß ein stärkerer sein wird als der von anständigen Blättern, die nur erzählen, was sie wissen, die nur lehren, wenn sie selbst unterrichtet sind, die feste moralische Grundsätze haben und nie zu den gemeinen Instinkten ihrer Leser sprechen, sondern deren ideale Anlagen zu entwickeln bemüht sind. Ist dieser Einfluß nun berechtigt? Hat der Redakteur des Zoten- oder Privatskandalblattes wirklich ein giltiges Mandat, vor hunderttausend Lesern die Regierung anzugreifen, die Handlungen eines Bürgers zu beurtheilen, Stimmung zu machen und der öffentlichen Denkweise allmälig oder mehr oder weniger unmerklich ein Rinnsal von bestimmter Richtung zu graben? Wir stehen da vor einem der seltsamsten Widersprüche der neuzeitlichen Kultur. Die moderne Anschauungsweise lehnt sich gegen jede Autorität im Staate auf, die nicht vom Volke eingesetzt ist. Man läßt nicht einmal in der Monarchie das reine Gottesgnadenthum gelten, sondern schränkt die durch die Geburt erlangte Macht des Königs wenigstens theoretisch durch den Willen der Wähler ein. Der Minister muß vom Staatsoberhaupt ernannt, vom Parlamente genehmigt sein. Der Abgeordnete hat sich um die Stimmen seiner Mitbürger zu bewerben. Blos der Journalist, dessen Macht praktisch der der Gesetzgebung und der Regierung gleichkommt, der die Befugnisse des Abgeordneten und Ministers übt, braucht von Niemand ernannt und von Niemand gewählt zu werden. Er ist die einzige Autorität im Staate, die keiner Bestätigung von irgend einer Seite bedarf. Er macht sich selbst zu dem, was er ist, und kann seine Gewalt üben, wie es ihm beliebt, ohne für ihre Mißbräuche oder schwersten Irrthümer im Geringsten verantwortlich zu sein. Man sage nicht, daß dieses Bild übertrieben ist. Leichtfertige oder gewissenlose Journalisten haben schon Revolutionen und Kriege vorbereitet und direkt herbeigeführt, über ihr eigenes Volk oder fremde Nationen Unheil und Verwüstung gebracht. Wären sie Könige gewesen, man hätte sie weggejagt; wären sie Minister gewesen, man hätte ihnen einen Prozeß um den Kopf gemacht; als Journalisten blieben sie vollkommen unbehelligt und waren die Einzigen, die ohne Schaden aus dem allgemeinen Ruin hervorgingen, den sie allein verursacht hatten. Ist es nicht erstaunlich, daß man eine solche Willkürherrschaft, einen solchen Despotismus ohne den leisesten Versuch einer Auflehnung duldet, während man alle anderen Tyranneien leidenschaftlich bekriegt? Die Anomalie wird nicht geringer, wenn wir vom politischen Einflusse der Presse absehen und uns an den gesellschaftlichen halten. Der Richter, dem wir die Befugniß einräumen, über unsere Ehre, unser Vermögen, unsere Freiheit zu schalten, bedarf nach ernsten Studien und mehrjähriger Übung einer regelrechten Ernennung; er ist an strenge Gesetze gebunden; seine Verirrungen oder Ausschreitungen werden unverzüglich geahndet, in den meisten Fällen wol auch gutgemacht. Der Journalist nun vermag ebenfalls die Ehre und das Vermögen eines Bürgers zu schädigen, ja zu vernichten; er kann selbst dessen persönliche Freiheit beeinträchtigen, indem er ihm den Aufenthalt an einem bestimmten Orte unmöglich macht; er aber übt diese richterliche Strafgewalt, ohne den Beweis vorhergegangener Studien zu liefern, ohne von irgend jemand bestellt zu sein, ohne Bürgschaft der Unparteilichkeit und gewissenhafter Untersuchung zu bieten. Es ist wahr, man behauptet, die Presse heile die Wunden, die sie schlage, und der Bürger ist grundsätzlich gegen den Journalisten durch das Preßgesetz gewaffnet. Jene Behauptung und diese Thatsachen stehen auf schwachen Füßen. Ein Zeitungsangriff gegen einen Privatmann kann diesem einen schlechterdings unheilbaren Schaden zufügen. Alle Berichtigungen und Widerrufe sind unvermögend, ihm volle Genugthuung zu gewähren;

denn mancher Leser wird wol den Angriff, aber nicht die in einer andern Nummer des Blattes erschienene Abwehr zu sehen bekommen, mancher aus Oberflächlichkeit die letztere nicht gelesen haben und in jedem Falle bleibt der Angegriffene bei einem kleineren oder größeren Theile des Publikums, vor dem man seine Ehre oder sein Ansehen geschädigt hat, hoffnungslos und dauernd angeschwärzt. Mit dem Prozeß des Privaten gegen eine Zeitung verhält es sich ähnlich. Ein Blatt hat tausend Mittel, einem Einzelnen das Leben unerträglich zu machen, ohne ihm eine Handhabe zu einer Prozeßklage zu bieten, und selbst wenn der Journalist so ungeschickt war, sich einer Verurtheilung auszusetzen, so steht die Sühne in der Regel in keinem Verhältnisse zur Schuld.

Die Sachlage erklärt es, daß nicht nur alle Reaktionäre, sondern selbst viele Freisinnige offene oder geheime Feinde der Presse sind und um so erbittertere, als die Macht der Presse sie zwingt, ihre Gefühle denn doch zu verbergen und Freundschaft und Schätzung zu heucheln. Die meisten Leute sehen ein, daß in der Presse nicht nothwendig die öffentliche Meinung, vor der allein sie sich beugen wollen, zum Ausdruck kommt, sondern ebenso oft und vielleicht noch öfter die Unwissenheit, der Leichtsinn, die Bosheit, die Beschränkung oder die Unsittlichkeit eines Einzelnen, allein sie gehen aus Feigheit dennoch auf die Lüge ein, die Presse als das bevollmächtigte Organ der öffentlichen Meinung anzuerkennen, ja sie mit der letztern völlig zu identifiziren. Wie ist diese Lüge zur Wahrheit zu machen? Wie ist es zu verhindern, daß nicht autorisirte Usurpatoren eine Gewalt an sich reißen, welche nur die wirkliche öffentliche Meinung durch ausdrücklich ermächtigte Wortführer zu üben berechtigt ist? Das ist eine der wichtigsten politischen und kulturellen Fragen der Gegenwart, welche die Regierungen seit Jahrzehnten vergebens zu lösen suchen. Es ist allerdings ein bequemes Mittel, die Freiheit der Presse einzuschränken, aber dieses Mittel ist thöricht, es führt nicht zum Zwecke, es ist unsittlich und es setzt einfach die Willkür eines Beamten an die Stelle der Willkür eines Journalisten. Es ist unmöglich, die Freiheit des

Denkens durch Gesetze zu beeinträchtigen und es begünstigt nur die allgemeine Heuchelei und Verlogenheit, wenn man den Menschen verhindert, all das, was er denkt, auch offen auszusprechen. Wozu aber die Gesammtheit berechtigt ist, das ist, dem Einzelnen zu verbieten, das, was er denkt, im Namen der Gesammtheit statt in seinem eigenen Namen vorzutragen und seinen individuellen Gedanken damit ein Gewicht und eine Tragweite zu geben, die ihnen in keiner Weise zukommen. Der Tag wird hoffentlich anbrechen, an dem alle Leser gebildet und urtheilsfähig genug sein werden, um diese Unterscheidung zwischen einer Einzelstimme und dem dröhnenden Worte der öffentlichen Meinung, das heißt der Gesammtheit, selbst zu machen. Dann werden blos die Blätter gelesen werden, in welchen wirklich die öffentliche Meinung zum Ausdruck gelangt, und diejenigen unbeachtet bleiben, in welchen nur eine individuelle Eitelkeit sich am eigenen Geschwätz ergötzt; dann werden blos die Journalisten, denen das Volk um ihre Geistes- und Charaktereigenschaften willen das Recht zugestehen wird, zu predigen und zu lehren und zu urtheilen, Einfluß besitzen, die anderen aber wegen ihrer Anmaßung einer öffentlichen Rolle einfach ausgelacht werden. Dann wird es aber auch überflüssig sein, das Recht der ärztlichen Praxis auf approbirte Personen einzuschränken, denn die Menschen werden selbst so vernünftig sein, sich blos bei Männern der Wissenschaft Rathes zu erholen und Quacksalber zu vermeiden. Dann werden überhaupt die meisten Gesetze unnöthig sein, da sie ja in der Regel keinen anderen Zweck haben, als der ungenügenden Einsicht des einzelnen Bürgers mit der weiseren Einsicht des Gesetzgebers zu Hilfe zu kommen. Bis aber die allgemeine Bildung und Urteilsfähigkeit sich zu dieser idealen Höhe entwickelt haben wird, ist ein mäßig bevormundendes Einschreiten der Gesetzgebung denkbar und begründet. Für Bücher, Broschüren oder selbst Maueranschläge oder einzelne Flugblätter, in denen ein Individuum unter seinem eigenen Namen oder unter der Bürgschaft und Verantwortlichkeit eines Verlegers oder Druckers vor das Publikum hintritt und für individuelle Ansichten um Zustimmung wirbt, soll es keine Einschränkung geben, jeder soll auf diesem Wege zu seinen Mitbürgern sprechen und ihnen Alles sagen dürfen, was ihm durch den Kopf geht. Vergreift er sich dabei an der Privatehre eines Bürgers, indem er ihn durch unwahre Behauptungen verleumdet, so soll er dafür zur öffentlichen mündlichen Abbitte und zu einer Berichtigung gezwungen werden, welcher eine anhaltende und weitgehende Publizität gesichert werden müßte, etwa durch monatelange Einschaltung in allen Blättern einer Stadt oder selbst Provinz, durch ebensolange Veröffentlichung in Maueranschlägen und durch häufiges Ausrufen an öffentlichen Plätzen; kann er die Kosten dieser Publizität nicht tragen, so werde er zu langer Zwangsarbeit verurtheilt, durch welche er diese Kosten aufbringen soll. Anders steht die Sache bei periodischen Schriften, welche sich an einen durch Abonnements gesicherten vorausbestehenden Kreis von Lesern wenden und eine fertige, ihrer Zuhörerschaft gewisse Tribüne für Alles bilden, was in ihnen vorgetragen wird. Eine solche Tribüne ist eine öffentliche Einrichtung, sie soll auch der öffentlichen Kontrole unterstehen wie alle anderen öffentlichen Einrichtungen, welche für das leibliche, geistige und sittliche Wol der Bürger von Bedeutung sind. Um eine öffentliche Schule, eine Apotheke, ein Hospital, ein Theater zu errichten, bedarf man einer Erlaubniß, deren Erlangung von der Erfüllung bestimmter Bedingungen abhängig ist, welche im Interesse der Gesammtheit gestellt werden. Eine Zeitung müßte mindestens solchen Anstalten gleichgestellt werden. Um eine Zeitung gründen und leiten zu dürfen, müßte man eine Erlaubniß haben; aber nicht die Genehmigung einer Behörde, sondern ein Mandat des Volks. Es wäre gesetzlich festzustellen, daß ein Kandidat, der sich um ein Redakteurs-Mandat bewirbt, ein bestimmtes, seine Reife verbürgendes Alter erreicht haben, völlig unbescholten sein und ein gewisses Maß von Bildung nachweisen müsse. Nur wer im Besitz dieser Eigenschaften wäre, dürfte sich seinen Mitbürgern vorstellen und von ihnen die Wahl zum Redakteur verlangen. Diese Wahl hätte mit Stimmenmehrheit der Wahlberechtigten zu erfolgen. Einmal im Besitze seines Mandats, dürfte der Journalist schreiben, was ihm beliebt; dasselbe ginge ihm aber verloren, wenn er wegen Privatverleumdung verurtheilt würde, und er hätte es etwa alle zehn Jahre durch eine wiederholte Volkswahl erneuern zu lassen. So würde ein Unbekannter oder der Vertreter von Meinungen, welche der Mehrheit der Bürger zuwider sind, schwerlich zu einem Redakteurs-Mandate gelangen, aber diesem unglücklichen Kandidaten wäre es ja unbenommen, als unabhängiger Schriftsteller für seine Ansichten zu wirken. Dem Besitzer eines Mandats würde es wahrscheinlich leichter werden, eine Zeitung zu finden als heute einem diplomirten Arzte, Advokaten, Lehrer oder Ingenieur, zu der Praxis, dem Amt, einem Bahnbau u. s. w. zu gelangen. Ein Mandat hätte für den Verwaltungsbezirk zu gelten, von dessen Hauptorte es ertheilt wurde, also für den Staat, wenn die hauptstädtische Bevölkerung für die Provinz, wenn die Wählerschaft ihres Vororts es votirt hätte u. s. w. Auf weitere Einzelheiten einzugehen, etwa einen förmlichen Gesetzentwurf über den Gegenstand auszuarbeiten, dazu habe ich hier keine Veranlassung. Ich wollte nur in großen Zügen ein System zeichnen, nach deren Verwirklichung der Journalist tatsächlich das Recht hätte, im Namen der Gesammtheit zu sprechen, seine Autorität der des Richters, des Lehrers, des Volksvertreters mit gutem Grunde gleichgeachtet würde und das Volk ihm in aller Form das Mandat übertrüge, sein Wortführer zu sein. Dann wäre die Presse wirklich, was sie jetzt fälschlich zu sein vorgiebt: das legitime Organ der öffentlichen Meinung, und sie würde in der Kultur und im Staatsleben mit Recht den großen Platz einnehmen, den sie heute usurpirt.

II.

Der Unterwürfigkeit fast aller Menschen gegen die öffentliche Meinung verdankt eins der seltsamsten Überlebsel einer längst überwundenen Gesittungsstufe sein Fortbestehen inmitten unserer Kultur, deren alle Begriffe den gewaltsamsten Gegensatz dazu bilden. Dieses Überlebsel ist der Zweikampf. Das Duell beweist, daß der Selbsterhaltungstrieb des Menschen schwächer ist als sein Herdeninstinkt; denn wenn jener stärker wäre als dieser, so würde sich niemals ein Mensch in offenbare und leicht zu vermeidende Todesgefahr begeben, blos damit seine Standesgenossen, von denen jeder einzelne ihm vielleicht vollkommen gleichgültig ist, in ihrer Gesammtheit fortfahren, von ihm eine gute Meinung zu bewahren und sein Anrecht auf einen Platz unter ihnen anzuerkennen. Das Duell ist eine vollständige Leugnung aller Grundsätze, auf welchen unsere heutige Zivilisation aufgebaut ist. Es ist ein roher Einbruch urmenschlicher Barbarei in unsere hochentwickelten Staats- und Gesellschaftseinrichtungen.

Ursprünglich war der Zweikampf gewiß natürlich und berechtigt. Er gehört zu den ersten anthropo- oder vielmehr zoologischen Erscheinungen und ist nichts anderes als die einfachste Form des Kampfes ums Dasein, in dem wir die Quelle aller Entwickelung sehen. Wenn ein Urmensch in einem andern ein Hinderniß für die Befriedigung eines Bedürfnisses oder einer Laune sah, so bekämpfte er ihn ohne Zweifel ungesäumt. Er suchte seinen Nebenbuhler bei einem Weibe, den Plünderer seiner Fruchtbäume, den Eindringling in seine Schlafhöhle oder den Besitzer einer behaglicheren zu verjagen oder zu tödten. Der Kampf wurde um ein ernstes Interesse geführt und alle Waffen waren in demselben gut. Der Stärkere erwürgte den Schwächeren, der Klügere überlistete den Dümmeren, der Wachsame überfiel den Sorglosen im Nachtschlafe. Man setzte sich und das eigene Dasein ganz ein, aber man bezweckte auch die Vernichtung des Feindes. Diesem Zustand, in welchem man unter allen Verhältnissen und allen Menschen gegenüber der Überlegenere sein mußte, wenn man nicht getödtet werden sollte, machte die Ausbildung des Rechtsstaates ein Ende. Gewiß liegt auch dem Rechte die Gewalt zu Grunde und jenes hat seine letzte Wurzeln in der Anerkennung der Thatsache, daß der Schwächere dem Stärkeren weichen und dessen Willen und Gesetz anerkennen müsse. Allein der Fortschritt in der Entwickelung des natürlichen Rechts der Stärkeren zum Rechte der gesitteten Gesellschaft liegt eben darin, daß man das ursprünglich individuelle und konkrete Recht der Kraft zu einem objektiven und allgemeinen Grundsatze erhebt, dessen Bethätigung nicht mehr von der Kraft eines gegebenen Individuums abhängt. Der Barbar sagte: "Dieses Eigenthum gehört mir, weil ich stark genug war, es an mich zu reißen und niemand darf es mir nun nehmen, denn ich würde den tödten, der es versuchen wollte.« Dieser Ausspruch war richtig, wenn der Barbar die Macht hatte, ihn zu verwirklichen; er war falsch, wenn er einem Stärkeren gegenüber angewendet werden sollte. Die Gesittung kam nun und verallgemeinerte ihn. Sie sagte: "Das Eigenthum gehört nun einmal dir, und niemand darf es dir nehmen.« Jetzt war der Ausspruch in allen Fällen wahr. Seine Richtigkeit hing nicht mehr von der Stärke desjenigen ab, der ihn anwenden wollte. Wenn das Individuum zu schwach war, sein Eigenthum gegen einen kräftigeren Angreifer zu schützen, so rief es die Gesellschaft zu Hilfe und diese war doch stärker als der stärkste Einzelne. Das objektive Recht unterdrückt also das subjektive, das in der Macht wurzelt, und das Individuum hat es nicht nur nicht mehr nöthig, mit seiner persönlichen Kraft für sein Recht einzutreten, es darf dies nicht einmal, wenn es sich nicht gegen das Grundgesetz der Gesellschaft vergehen will, welches dieser allein die Vertheidigung der von ihr aufgestellten Rechtsgrundsätze gestattet und jede Selbsthilfe der Individuen ausschließt.

Von dieser Rechtsentwickelung ist der Zweikampf völlig unberührt geblieben. Das Gesetz schützt das Eigenthum, es schützt nicht das Leben. Die Sitte und das geschriebene Recht gestattet nicht, daß ein Mensch dem andern eine Uhr aus der Tasche nehme, wol aber gestattet die Sitte und das geschriebene Recht verhindert nicht wirksam, daß derselbe Mensch den andern, wenn er ein besserer Fechter oder Schütze ist, ersteche oder todtschieße, also ihm das Leben nehme, das doch wol werthvoller ist als die Uhr. So lange die Menschen an persönliche Götter und eine von ihnen beherrschte Weltordnung glaubten, hatte der Zweikampf noch einen gewissen Sinn. Er bedeutete da theoretisch nicht das Faustrecht; die Gegner und ihre Zeugen gingen auf den Kampfplatz nicht mit der Annahme, daß der Stärkere den Schwächeren umbringen, sondern mit der Überzeugung, daß Gott dem Rechte den Sieg geben und der Ungerechte nicht gegen einen vielleicht schwächeren menschlichen Gegner, sondern gegen die unter allen Umständen überlegene übernatürliche Gewalt des unsichtbaren Weltherrschers und Weltrichters zu kämpfen haben werde. Bei einer solchen Weltanschauung war der Zweikampf eine Rechtseinrichtung und nicht ein Triumph der Gewalt. Diesen rechtlichen Charakter verliert er aber in einer Gesellschaft, die an keinen persönlichen Gott und an keine übernatürlichen Eingriffe in die Verhältnisse von Einzelwesen glaubt. Der aufgeklärte Duellant weiß, daß er keinen unsichtbaren Beschützer bei sich hat, wenn er sein gutes Recht vertheidigt, und er fürchtet nicht gegen Gott selbst zu fechten, wenn er das Schwert für eine ungerechte Sache zieht. Da ist denn der Zweikampf eine cynische Verfälschung aller Rechtsgrundsätze und eine Verkündigung des Urweltsgesetzes, welches das Leben des Schwächeren ohne Vorbehalt in die Hand des Stärkeren legt.

Wie in allen ihren übrigen Thorheiten und Vorurtheilen ist aber die Gesellschaft auch in ihrem Verhalten dem Zweikampfe gegenüber völlig inkonsequent. Wenn sie schon gestattet, ja geradezu fordert, daß ihre Mitglieder auf den Standpunkt des menschenfressenden Wilden zurückzukehren und frei einem jeden ans Leben gehen, dessen Nase ihnen nicht gefällt, so müßte sie logischer Weise auch zugeben, daß dies unter den Bedingungen des wilden Urdaseins geschehe. Wenn man schon im allerwesentlichsten Punkte aus der Zivilisation heraustritt, so ist es lächerlich und unsinnig, sich noch mit irgendwelchen Rücksichten der Zivilisation zu beschweren und in der Freiheit der Bewegung hindern zu lassen. Es steht mir frei, Kulturmensch oder Rothhaut zu sein; wenn ich mich aber für das letztere entscheide, so muß ich doch ganz Rothhaut sein dürfen. Ich will dann das Recht haben, im Kampfe mit einem Gegner alle Vortheile zu benutzen, die ich mir verschaffen kann. Ich will ihn überfallen und ihm das Messer in den Rücken pflanzen, wenn ich besorge, ihn nicht anders bestehen zu können; ich will nachts sein Haus anzünden und ihm in der Verwirrung die Gurgel abschneiden. Auf dasselbe mache ich mich gefaßt und bin auf meiner Hut. Mag der Gegner sich auch vorsehen, soviel er kann. Auf welchen Grundsatz will sich die Gesellschaft berufen, um mir diese Art des Kampfes zu verbieten, um mich zu verhindern, den Hinterhalt und den rothen Hahn zu meinen Bundesgenossen zu machen? Doch nicht auf die bestehende Rechtsordnung? Wenn diese gelten soll, so muß ich zunächst die Möglichkeit ausschließen, daß zwei Menschen einander um eines in der Regel leichtfertigen und geringen Anlasses willen mit Mord und Todtschlag bedrohen.

Aber nein. Die Gesellschaft erkennt die Logik nicht an. Sie befiehlt Selbsthilfe und verbietet zugleich, daß sie wirkungsvoll sei. Der Duellant soll sein Leben wie die Rothhaut auf der Hand tragen, aber er soll nicht wie die Rothhaut allen natürlichen Eingebungen des Selbsterhaltungstriebes gehorchen. Er soll nur halb wildes Thier werden und halb raffinirter Kulturmensch bleiben. So will es die Gesellschaft in ihrer Weisheit und Gerechtigkeit. Ein muthwilliger Tagedieb ist dir auf den Fuß getreten, du möchtest ihn am liebsten verachten oder seine Flegelhaftigkeit höchstens mit einer Maulschelle bestrafen? Das steht dir nicht frei. Du mußt ihn fordern, mußt dein Leben aufs Spiel setzen. Aber du hast dein Leben über Bücher gebückt zugebracht und nie ein anderes Mordwerkzeug gehandhabt als eine Nagelscheere, während der Beleidiger ein Müßigganger ist, der seit seiner Kindheit alle seine Zeit auf Fechtstuben und Schießständen verbracht hat? Du bist wirklich zu bedauern, denn da hast du kein Glück; aber du mußt losgehen. Du hast heilige Pflichten in der Welt, du bist der Ernährer deiner Familie, deine Eltern, deine Frau und Kinder müssen zu Grunde gehen, wenn du stirbst, während dein Beleidiger allein dasteht oder reich ist und mindestens nur sein eigenes Leben, nicht aber das seiner Theuern mit auf den Kampfplatz nimmt? Das kümmert niemand. Schlage dich, tödte oder stirb, denn thust du es nicht, so bist du ein Feigling und entehrt. Wenn du fällst und dein Weib bettelt und deine Kinder zu Dirnen oder

Verbrechern werden oder alle zusammen Hungers sterben, so hast du von Niemand Mitleid oder Hilfe zu erwarten. Wenn du aber aus dieser Rücksicht dein Leben nicht aufs Spiel setzen willst, so spucken wir dir Alle ins Gesicht. So spricht die Gesellschaft und wer in ihr leben will, der muß sich vor diesen scheußlichen Anschauungen beugen.

Die Schuld am Fortbestehen der Einrichtung des Zweikampfs trägt zweifellos in hohem Maße der Militarismus. Es ist kein Zufall, daß gerade in den stehenden Armeen das Duell ein ausdrückliches Gesetz ist und der Offizier mit Schmach und Schande aus dem Heere gejagt wird, wenn er sich nicht so leicht schlägt, wie er eine Zigarre anzündet. Der Krieg ist auch eine Anrufung der Stärke als letzten Quelle des Rechts und somit eine zeitweilige Aufhebung der Zivilisation und Rückkehr zum Urzustande. Was Wunder, daß Menschen, deren Lebensberuf der Krieg ist, geneigt sind, dessen Grundsätze auch in ihr Privatleben hineinzutragen und in ihrem Säbel und Revolver das einzige Gesetzbuch des gesellschaftlichen Verkehrs zu sehen, wie Kanone und Gewehr das einzige Gesetzbuch der Völkerbeziehungen sind? Da finden wir aber auch ein Mittel, dieses rohe Vorurtheil zu bekämpfen. Die beste Methode, ihnen Unsinn einleuchtend nachzuweisen und damit zu widerlegen, ist, ihn bis zu seinen äußersten Konsequenzen zu verfolgen. Es müßten sich entschlossene Männer finden, die, wenn man sie herausfordert, die Forderung annehmen, den Gegner auf beliebige Weise unterdrücken, sich dann verhaften und vor Gericht stellen lassen und zu den Richtern so sprechen: "Ich bin ein Kulturmensch und kein Rennthierjäger der Steinzeit. Meine Anschauungen sind die der Zivilisation. Ich achte das Gesetz und halte den Richter für die einzige Autorität, der es zukommt, dasselbe anzuwenden und seine Verletzung zu strafen. Da ist nun aber ein Mensch gekommen und hat mich in die Nothlage versetzt, mir selbst ein Gesetz zu machen, mein eigener Richter zu sein und meinen Schutz in den Waffen zu suchen. Mit einem Worte, er hat die normalen Bedingungen des zivilisirten Daseins für mich aufgehoben und mir den Krieg erklärt. Ich konnte nicht anders darauf eingehen. Ich habe aber den

Krieg genau nach den Vorschriften geführt, die für die Kriege zwischen Kulturvölkern gelten. Die Aufgabe der Diplomatie eines Volks, das einen Krieg führt, ist, für Alliirte zu sorgen. Ich habe mir also Bundesgenossen gesucht. Ich beglückwünsche mich zu meinem diplomatischen Erfolge. Es gelang mir, mit zwei Circus-Preisringern, drei Fechtmeistern und fünf Schützenkönigen eine Allianz zu schließen. Die Aufgabe der Heeresleitung ist, dem Feinde überall mit Übermacht entgegenzutreten. Diese Aufgabe habe ich gewissenhaft erfüllt. Der Sieg ist demjenigen sicher, der rasch mobilisirt und geschickter operirt. Meine Mobilisation war eine raschere als die des Gegners. Ich habe ihn mit meinen Verbündeten überfallen, als er sich dessen am wenigsten versah. Er beklagte sich, daß ich ihn vom Ort und von der Zeit der Begegnung nicht im Voraus verständigt habe. Dieser Anspruch macht mich lachen. Ich habe in keinem modernen Lehrbuche der Kriegswissenschaft gefunden, daß es üblich sei, zu Entscheidungsschlachten Stelldichein zu geben. Wie immer war Gott mit den stärkeren Bataillonen. Wir haben unseren Feind übel zugerichtet. Wir hätten ihn tödten können, thaten es aber nicht. Wir wollten bis ans Ende zivilisirte Kriegführende bleiben. Dem Besiegten wurde eine entsprechende Schätzung auferlegt. Er hatte meine Kriegskosten, das heißt den Lohn meiner Verbündeten, und diesen etliche Flaschen Wein zu bezahlen. Bis zur Erfüllung dieser Friedensbedingungen hielten wir ihn besetzt, das heißt unter unseren Fäusten. Als er die Kriegsentschädigung entrichtet hatte, ließen wir ihn laufen. Das ist Alles. Da man mir einen Privatkrieg aufgenötigt hat, so habe ich ihn nach allen anerkannten Regeln diplomatisch, strategisch, taktisch und finanziell geführt.«

Der so spräche, würde wahrscheinlich verurtheilt werden, etwa wegen Erpressung oder körperlicher Verletzung. Aber das schadet nichts. Jeder Fortschritt wird mit Opfern erkauft. Für die Denkfreiheit haben sich unzählige edle Männer foltern und verbrennen lassen. Einige Freiheitsstrafen dürfen nicht in Betracht kommen, wenn sie der einzige Preis sind, um den der Triumph der Gesittung über die Rohheit und der

Vernunft über den Unsinn zu erlangen ist. Wenn sich nur hundert ernste und entschlossene Männer in einem Land opfern und das Duell auf diese Weise *ad absurdumführen wollten, so wäre ein bestialischer Brauch der wildesten Barbarei bald ausgerottet, den unsere Zeit des Rechts und der Gesittung so zärtlich hegt.*

III.

Neben den großen – wie viele kleine Lügen durchsetzen und durchwuchern unser ganzes Leben und tragen gleich einer Schimmelvegetation in alle Theile derselben Verderbniß und Fäule! Aber es ist ja nicht anders möglich. Wenn man in Lügen geboren wird und aufwächst, beständig von Lügen umgeben ist, lügen muß, so oft man öffentlich den Mund aufthut oder zu den staatlichen und gesellschaftlichen Einrichtungen handelnd in Beziehung tritt, wenn man die Gewohnheit hat, immer anders zu sprechen und zu thun, als man fühlt und denkt, den beständigen Widerspruch zwischen den inneren Überzeugungen und den äußeren Lebensformen als etwas Selbstverständliches zu dulden, die Heuchelei als Weltklugheit und Bürgerpflicht und die Ehrlichkeit als Extravaganz zu empfinden, wie soll man da ein gerader Charakter bleiben, in den menschlichen Verhältnissen aufrichtig und im Privatleben wahr sein? Man lügt denn auch auf der Promenade und im Salon, wie man in der Kirche, in der Wählerversammlung, auf dem Standesamte und auf der Börse lügt.

Aller gesellschaftlicher Verkehr hat den Charakter der Verlogenheit. Jener hat seine Wurzeln in der Herdenthiernatur und dem Solidaritätstriebe des Menschen. Er ist ursprünglich aus dem Drange desselben hervorgegangen, sich von Artgenossen umgeben zu sehen und die Vereinsamung als einen ihm unnatürlichen Zustand zu vermeiden. Die Formen des Verkehrs lassen noch diesen Ursprung erkennen. Sie deuten Freude am Beisammensein und sympathische Theilnahme der Menschen für einander an. Erblickt man einen Bekannten, so grüßt man ihn, das heißt man drückt ihm Wünsche für sein Wohlergehen aus; erhält man einen Besuch, so zeigt man sich darüber erfreut, überredet den Besucher, zu bleiben, dringt in ihn, bald wieder zu kommen; man gibt Feste, um den Nebenmenschen eine Gelegenheit zu mannigfaltigem Vergnügen zu bieten; man veranstaltet Gastmähler zu ihrer Sättigung; man macht ihnen Geschenke; wenn ihnen etwas Trauriges oder Heiteres widerfährt, so eilt man zu ihnen, um sie zu trösten oder sich mit ihnen zu freuen; hat man sie eine Weile nicht gesehen, so sucht man sie auf, um sich von ihrem Wolergehen zu überzeugen und zu fragen, ob sie keiner Dienste bedürfen. Das ist der theoretische Sinn unserer Umgangsformen. Thatsächlich aber ist ungefähr jede Berührung eines Menschen mit seinem Nachbar eine Heuchelei und Unwahrheit. Wir wünschen einem Vorübergehenden einen guten Tag und würden am liebsten hören, er habe beim nächsten Schritt beide Beine gebrochen. Wir fordern einen Besucher auf, bald wiederzukommen, und haben bei seinem Anblick dieselbe Empfindung, wie wenn wir unversehens eine Blindschleiche berühren. Wir veranstalten Feste und laden zu ihnen Leute, die wir verachten, die wir hassen, denen wir hinter dem Rücken alles Böse nachsagen, oder, die uns im besten Falle so gleichgültig sind, daß wir nicht einen Handschuh ausziehen möchten, wenn wir ihnen mit dieser geringen Anstrengung ein Vergnügen bereiten könnten. Wir gehen zu Festen Anderer, verbringen Nachtstunden, die wir tausendmal lieber dem Schlafe widmen möchten, mit albernem Geschwätz, lächeln verbindlich, während uns der Gähnkrampf fast überwältigt, drechseln Komplimente, von denen wir kein Wort glauben, danken der Hausfrau für ihre liebenswürdige Einladung, für die wir sie im Herzen zu allen Teufeln wünschen, versichern den Hausherrn unserer beständigen Ergebenheit und lassen uns am nächsten Morgen von unserem Diener verleugnen, wenn er etwa kommt, uns um eine ernste Gefälligkeit zu bitten. Leute, die wir verabscheuen, besuchen wir, blos weil wir ihnen den Besuch schulden; wir machen um Weihnachten oder bei anderen Gelegenheiten Geschenke und ärgern uns schwarz darüber, zu solchen Auslagen gezwungen zu sein; wir verkehren in anscheinender Intimität mit Leuten, von denen wir alles Böse denken und sagen und von denen wir wissen, daß sie uns gegenüber ganz so handeln. Durch diese innere

Unwahrhaftigkeit wird uns das gesellschaftliche Zusammenleben, das theoretisch die Ergänzung des fragmentarischen Einzellebens und die Vermehrung des individuellen Wolbefindens bezweckt; zu einer Quelle beständigen Unbehagens, und so oft wir mit den Nebenmenschen in Berührung kommen, bringen wir davon Langeweile, Ärger, Neid, Verachtung, Beschämung, Hohn, kurz die widerwärtigsten und peinlichsten Empfindungen heim.

Und doch verurtheilt man sich freiwillig zu diesen Unannehmlichkeiten, und die meisten Menschen aus den sogenannten besseren Ständen gehen ganz in dem Gesellschaftsleben auf, von dem sie wol wissen, daß es ihnen weder Freuden, noch Anregungen, noch Erhebungen gewähren kann. Was veranlaßt sie zu dieser unaufhörlichen anstrengenden Komödie, in der sie lächeln müssen, wo sie die Zähne fletschen möchten, und mit Leuten schön thun, die ihnen den Tag verleiden, an dem sie ihnen vor die Augen kommen? Die Selbstsucht, welche wir als Grundgedanken aller heutigen Einrichtungen kennen gelernt haben. Der Eine, der noch die Welt zu erobern hat, läuft zu Festen und Empfängen, zu Nachmittagsthees und Abend- *at homes* , um Bekanntschaften zu machen, die er zu Gönnerschaften zu züchten trachtet, um eine gute Partie aufzujagen, um seinen Ruhm zu pflegen, um sich durch die Schwächen und Fehler der Anderen sicher und bequemer fördern zu lassen, als es durch die Bethätigung eigener Vorzüge möglich wäre. Der Andere, der bereits eine Stellung errungen hat, verurtheilt sich zu den Mühen und Geldopfern der Repräsentation, um gegen Ranggenossen zu intriguiren oder sie einfach zu ärgern, um den Leuten einen hohen Begriff von seinem Reichthum, seinem Ansehen und Einflusse beizubringen, um Hofmacher um sich zu versammeln, kurz um seine Eitelkeit mannigfach zu befriedigen. Im dicksten Menschengewühle sehen diese Geschäftsleute nur eine einzige Person: ihre eigene; im lebhaftesten Gespräche, während sie auf zehn Stimmen zu horchen, den Gedankengang von zehn Anderen in sich aufzunehmen, ganz von sich abzusehen und im Worte Anderer zu leben scheinen, denken sie nur an eins und hören sie nur eins: ihr Ich. So fälscht der Egoismus auch die harmlosesten Beziehungen der Menschen zu einander und alle Umgangsformen, die vom Solidaritätstriebe geschaffen worden sind, werden zu Lügen, weil rücksichtsloser, selbstsüchtiger Individualismus sie als einziger Inhalt erfüllt.

Schlussharmonie

Wir haben nun gesehen, wie Alles, was uns umgibt, Lüge und Heuchelei ist; wie wir eine tiefe unsittliche Komödie spielen, wenn wir in die Kirche und den Königspalast, den Parlamentssaal und die Amtsstube des Standesbeamten treten; wie sich unsere Vernunft und Erkenntniß, unser Gefühl für Wahrheit und Gerechtigkeit gegen alle staatlichen und wirtschaftlichen Einrichtungen, gegen alle bestehenden Formen des Gesellschafts- und Geschlechtslebens empören: wir sind lange in trostloser Dunkelheit zwischen unheimlichen Ruinen und lächerlichen Theaterdekorationen gewandert; es ist Zeit, daß uns endlich wenigstens der entfernte Anblick von Licht und einem wohnlichen rastverheißenden Obdach stärke und ermuthige.

Der Widerspruch zwischen der neuen Weltanschauung und den alten Institutionen wüthet in der Seele eines jeden Kulturmenschen und jeder wünscht sehnlichst, dem innern Tumult zu entfliehen. Man glaubt nun vielfach, daß es zwei Methoden gebe, den verlorenen Frieden des Geistes wiederzufinden und daß man die Wahl habe, sich der einen oder der andern zu bedienen. Entschlossene Umkehr hieße die eine, entschlossener Fortschritt die andere. Entweder man gebe den Formen, die ihren Inhalt verloren haben, diesen Inhalt wieder, oder man reiße sie vollständig nieder und räume sie aus dem Wege. Man lehre also das Volk von Neuem glauben; man locke oder jage es in die Kirche zurück; man stärke die Gewalt des Königs; man erhöhe das Ansehen des Priesters; man streiche das Andenken der Revolution aus der Erinnerung der Völker; man verbrenne die Bücher des freien Gedankens und bei dieser Gelegenheit auch ein wenig die freien Denker; man zertrümmere die Lehrstühle und baue Kanzeln; man bete, faste, singe Psalmen und gehorche der Obrigkeit; man vergnüge sich an Kirchenfesten; man zerstreue sich mit dem Leben der Heiligen; man erbaue sich an Wundergeschichten; der Reiche gebe dem Armen genügend Almosen und wenn das den Armen nicht vollkommen sättigt, so gedulde er sich bis zum Himmelreich, wo er täglich Braten und Wein haben wird; so ist wieder Glück auf Erden, wer etwas ist oder hat, der genießt in Ruhe das Seinige, wer nichts hat, und nichts ist, dem bleibt die Hoffnung auf ein besseres Jenseits, und dem Unzufriedenen steht es frei, nach einer wüsten Insel auszuwandern, sofern er nämlich noch eine solche in irgend einem Meer finden kann. Oder man fege den ganzen Plunder mittelalterlicher Einrichtung weg; man behandle die Pfarrer und Pastoren und Rabbiner auch äußerlich wie Medizinmänner, wenn man sie innerlich dafür ansieht; man komplimentire die Könige zu ihren Palästen hinaus, wenn man sie für Gliederpuppen oder Usurpatoren hält; man schaffe alle Gesetze ab, die vor der naturwissenschaftlichen Kritik nicht bestehen können und lasse in allen Beziehungen der Menschen zu einander die Vernunft und Logik allein herrschen. Das sind die beiden Methoden und die Anhänger der ersten bekämpfen die der anderen und ihr verzweifeltes Ringen bildet den einzigen Inhalt des politischen und geistigen Lebens der Zeit.

Nun denn: der Ausgangspunkt dieses Streites zweier Parteien, deren jede der Menschheit den inneren Frieden wiedergeben zu können behauptet, ist ein Irrthum. Es gibt keine zwei Methoden, es gibt nur eine. Die Umkehr ist unmöglich, der Stillstand ist es auch. Man kann nur vorwärts gehen und je rascher man geht, um so früher gelangt man ans Ziel, wo man ausruhen kann. Es mag ja sein, daß die Anwälte der Vergangenheit ebenfalls das Glück der Menschen bezwecken, es wäre ja denkbar, daß alle Welt sich subjektiv woler befände, wenn man sie auf den geistigen Standpunkt des Mittelalters oder Alterthums zurückversetzen könnte; aber was hilft den Reaktionären dieses Zugeständniß, da ihr System doch schlechterdings keiner Verwirklichung fähig ist? Es liegt nicht im Bereiche der Menschenkraft, den Menschengeist zu bestimmen, daß er errungene Wahrheiten wieder aufgebe. Das ist eine Frage der natürlichen Entwickelung und des organischen Wachsthums. Das Kind ist in seiner Unbewußtheit und Unverantwortlichkeit ja auch glücklicher als der Erwachsene; es ist schöner, anmuthiger, lebensfreudiger; man mag sich als Mann, als Greis nach den Wonnen der Kindheit zurücksehnen, aber sind sie einmal vorüber, so sind sie es auf ewig und keine Willensanstrengung bringt sie wieder. Todtschlagen kann man einen Erwachsenen; ihn wieder zum schönen, anmuthigen, glücklichen Kinde machen nicht. Ebensowenig ist es möglich, den Menschen von heute zum Menschen von vor tausend oder zweitausend Jahren zu machen. Alle Erkenntniß, alle Aufklärung ist der Menschheit im Laufe einer natürlichen Entwickelung und als Ergebniß der ihr innewohnenden lebendigen Kräfte gekommen. Dem Wirken dieser Elementarkräfte entgegentreten wollen ist ein so aussichtsloses Beginnen, wie die Erde verhindern wollen, daß sie kreise. Die Dinge liegen nicht so, daß die wissenschaftlichen Wahrheiten zufällig gefunden werden, doch auch hätten nicht gefunden werden können; sie sind eine Begleiterscheinung der Reife; sie werden gefunden, wenn die Kultur der Menschheit ein bestimmtes Alter erlangt hat. Man kann ihre Entdeckung und Verallgemeinerung vielleicht verzögern, man kann diese vielleicht beschleunigen, obwol das letztere weit unwahrscheinlicher ist als das erstere; aber man kann sie nun und nimmer vollständig verhindern. Das ist so klar, daß man gar nicht begreift, wie man in die Lage kommen kann, es beweisen oder selbst nur ausdrücklich versichern zu müssen. Was würde man mit einem Menschen anfangen, der auf offenem Markte erklärte, er wolle machen, daß die Menschen mit jedem neuen Lebensjahre, das sie erfüllen, um ein Jahr jünger werden? Man würde ihn muthmaßlich in ein Narrenhaus sperren. Und doch kann man ungestraft eine ganz ähnliche Behauptung zum Inhalte eines Regierungsprogramms machen und viele Hörer bleiben ernst, wenn ein Staatsmann empfiehlt, zu den alten theologisch-feudalen Anschauungen zurückzukehren und dadurch die Zeitkrankheiten zu heilen. Heißt das denn nicht auch, der Menschheit vorschlagen, daß sie sich aus dem reifen Alter zur glücklichen Kindheit zurückentwickele und mit jedem Jahr um ein Jahr jünger werde?

Nein, nein; das ist nicht ernst und es handelt sich doch da um hohe Fragen, die nur ernst behandelt werden dürfen. Angenommen, die Menschheit war glücklicher, als sie in tiefster Unwissenheit, innerhalb eines engen, von groben Irrthümern und albernem Aberglauben erfüllten geistigen Gesichtskreises ein dumpfes Pflanzerleben führte; dieses Glück der Kindheit ist dahin und es zurückzuwünschen ein müßiges und thörichtes Beginnen. In der Vergangenheit liegt also nicht das erreichbare Heil der Menschheit. Die Gegenwart ist unleidlich. Sie muß daher ihre ganze Hoffnung auf die Zukunft stellen. Was die Gegenwart unleidlich macht, das ist, wie wir gesehen haben, der innere Zwiespalt, der jeden Menschengeist der Kulturwelt unsäglich schmerzhaft zerreißt; das ist der Gegensatz zwischen unserem Denken und Handeln, zwischen unserem Empfinden und Verkünden, es ist die unaufhörliche Verhöhnung allen Inhalts durch alle Form, die unablässige Ableugnung aller Form durch allen Inhalt. Die Notwendigkeit, zwei Existenzen zu führen, eine äußerliche und eine innerliche, die einander verspotten, parodiren und in ewigem Hader mit einander liegen, führt zu einer Ausgabe moralischer Kraft, die über Menschenvermögen geht und ein Wehegefühl der Erschöpfung zurückläßt. Das Fehlen der Wahrheit in unserem Leben macht uns bettelarm. Weil wir der Stimme, die infolge der Konstruktion unseres Denkapparats bei Allem, was wir thun, "warum« fragt, keine vernünftige Antwort geben können, macht sie uns ungeduldig und elend, und das um so mehr, als es uns unmöglich ist, ihr Schweigen aufzuerlegen. Das laute Zanken unserer Überzeugung mit unserer werkthätigen Heuchelei verfolgt uns beständig und raubt uns die Ruhe und den Frieden. Das ist unsere Lage. Sie schließt die Möglichkeit der Glücksempfindung vollständig aus. Denn diese hat innere Einheitlichkeit, das heißt Abwesenheit von Kampf und lauter Streitrede, Frieden und Stille in der Seele zur ersten Voraussetzung. Es liegt ein tiefer menschlicher Sinn darin, daß die Inder sich das Glück in Gestalt der Nirwana denken. Nirwana ist die absolute Ruhe. Es ist die wonnige Entspannung des Geistes, die eintritt, wenn derselbe keinen Wunsch und keine Sehnsucht mehr hat, wenn er außerhalb seiner selbst keinen fremden Punkt mehr wahrnimmt, der ihn anzieht oder abstößt und ihn zur schmerzlichen Arbeit einer Flucht- oder Annäherungsbewegung anregt. Es ist ein Zustand der Seligkeit, den sich der in ewigen Gedankenwirbeln umgetriebene Kulturmensch gar nicht mehr vorstellen kann. Er ist nur in zwei Verhältnissen erreichbar: im Verhältnisse der absoluten Unwissenheit, wenn es dem Geiste noch an Organen fehlt, die außerhalb desselben bestehenden Anziehungs- und Abstoßungspunkte wahrzunehmen oder in dem des absoluten Wissens, wenn der Geist so weit und hoch entwickelt ist, daß er Alles, was ist, in sich schließt, so daß außerhalb seiner gar nichts mehr existirt, was ihn zu einer Bewegung anregen, in ihm einen Wunsch, eine Sehnsucht, eine Sorge erwecken könnte. Der letztere Zustand ist dem Menschen ein wol unerreichbares Ideal; er wird schwerlich jemals dahin gelangen, alle Wahrheit zu besitzen, die verwickelten Erscheinungen auf ihre einfachen Gesetze zurückzuführen und der absolut Wissende zu sein, vor dessen Anschauung die Mannigfaltigkeit der Weltphänomene sich als nothwendig, vernünftig und einheitlich darstellt. Doch auch über den andern Zustand ist er längst hinausgewachsen; er ist nicht mehr unwissend; er sieht schon die Erscheinungen, die außerhalb seiner sich ereignen; er sucht schon die Wahrheit, sehnt sich nach der Erkenntniß und ist in fieberhafter, athemloser Bewegung nach einem Ziele, das ihn anzieht und wo er Ruhe zu finden hofft. Das Schlechteste, was der Mensch in dieser Lage thun kann, ist, seinem Bewegungsdrange zu widerstehen und seine Kraft im Kampfe gegen die mächtige Anziehung seines natürlichen Entwickelungsziels statt im Fluge zu diesem Ziele hin zu verbrauchen. Dieser Kampf ist nicht nur unvernünftig, weil aussichtslos, sondern auch ungleich ermüdender und schmerzhafter als das Nachgeben. Darum ist der heute so weit verbreitete Opportunismus, der die gründlichen Lösungen scheut, die zur Wahrheit aufstrebende Menschheit in der Lüge festhalten will und im Ansturm der neuen

Weltanschauung gegen die alten Formen die letzteren vertheidigt, ohne den ersteren Unrecht zu geben, zugleich der grausamste Feind des Menschengeschlechts und die vollkommenste Unsittlichkeit.

Das, was der Menschheit zunächst noththut, das ist, daß sie sich die Möglichkeit schaffe, nach ihrer Erkenntniß zu leben. Die alten Formen müssen verschwinden; sie müssen neuen Platz machen, welche die Vernunft befriedigen; das Individuum muß von seiner innern Zerrissenheit geheilt, es muß wieder wahr und ehrlich werden. Wol erreicht der Mensch auch damit noch nicht das volle Glück der Nirwana, der Ruhe ohne Anstrengung, der Zufriedenheit ohne Wunsch: denn dieses absolute Glück ist durch das organische Leben ausgeschlossen. Organisches Leben ist gleichbedeutend mit Entwickelung. Diese aber ist der Drang nach Erreichung eines Ziels, bei dem der Organismus noch nicht angelangt ist. Entwickelung ist also Streben nach noch nicht Erreichtem, folglich Unbefriedigtheit von bereits Erreichtem, Unbefriedigtheit aber ist mit absoluter Glücksempfindung unvereinbar. Das einzelne Individuum muß diese Unbefriedigtheit um so stärker empfinden, als es ein Bruchstück eines großen Ganzen, der Gattung, ist und mit seiner Entwicklung weniger für sich als für das Ganze arbeitet. Die Folgen seiner Vervollkommnungsarbeit kommen nicht ihm, sondern den Erben zu Gute; jede Geschlechtsfolge strebt für die nächste, jeder fragmentarische Einzelorganismus für die Gesammtheit, das Individuum kann darum nie zum Gefühle des Abschlusses, der Vollendung, der Verwirklichung seines eigenen Ideals, des Belohntseins für seine Mühe gelangen. Dieses Gefühl, wenn es überhaupt denkbar ist, kann nur von der Gattung, die ein Ganzes ist, aber nie vom Individuum, dem unabgeschlossenen Theile, empfunden werden und wird nur vielleicht einst, in einem idealen Entwickelungsstadium der Menschheit, als eine allgemeine, die Gattung charakterisirende Weltstimmung vorhanden sein, die sich in jedem individuellen Bewußtsein als heiterer Grundton und helle Grundfarbe des ganzen Seelenlebens wiederspiegeln wird. Allein, wenn das absolute Glück nicht im Bereiche des Menschenlebens liegt, wenn der organische Vorgang der Entwickelung dasselbe ausschließt, so kann das Individuum doch wenigstens seinem Entwickelungsdrange folgen und fühlen, daß es sich in der Richtung zu seinem Ziele, dem Ideale, bewegt. Das Gefühl, sich dem Entwickelungsziele zu nähern, ist schon ein Vorgeschmack des Gefühls, dieses Ziel erreicht zu haben und im Stande, das nicht zu erlangende absolute Glück zu ersetzen. So ist ein Mensch, der mit äußerster Ungeduld danach verlangt, an einem bestimmten Orte anzukommen, schon ruhig und zufrieden, wenn er sieht, daß er in einem Eisenbahnzuge sitzt, der ihn mit gleichmäßiger Geschwindigkeit seinem Reiseziele näher bringt.

So viel aber ist zu erreichen. Man braucht nur dem Fortschrittsdrange der Kulturvölker kein künstliches Hinderniß in den Weg zu legen und ihre Entwickelung nicht durch die Erhaltung und Verteidigung der sie einengenden und erstickenden geschichtlichen Institutionen, denen sie entwachsen sind, mühseliger und schmerzhafter zu machen. Vor der Zerstörung zu bewahren sind diese doch nicht; früher oder später werden sie doch gesprengt werden und so wäre es eine Wolthat, das zum Untergang Bestimmte gleich wegzuräumen und die unbehagliche Periode der Niederreißung, während welcher man von formlosen Trümmern umgeben ist, durch Koth und Staub watet, über Blöcke stolpert und von fallendem Gebälk bedroht wird, nach Möglichkeit abzukürzen. Wir stehen ohnehin mitten in dieser Demolitionsepoche und erleiden all ihr Ungemach. Vielleicht wird noch eine, vielleicht werden noch mehrere Generationen zum trostlosen Aufenthalt auf einer wüsten Baustätte und zu geistiger Obdachslosigkeit verurtheilt sein. Was aber dann folgt, das wird sicherlich Bequemlichkeit und Behagen sein. Wir sind geopfert; uns werden sich die prächtigen Säle des neuen Palastes, an dessen Ausführung wir arbeiten, nicht aufthun; allein die kommenden Geschlechter werden sich in ihnen ergehen, stolz, ruhig und heiter, wie ihre Vorfahren auf Erden es nie gewesen sind.

Denn was der Menschheit bevorsteht, daß ist Erhebung und nicht Erniedrigung, ihre Entwickelung macht sie besser und edler, nicht schlechter und gemeiner, wie ihre Verleumder behaupten, durch die reine, durchsichtige Atmosphäre der naturwissenschaftlichen Weltanschauung sieht sie ihr Entwickelungsideal klarer und strahlender als durch die dicken Wolken und Nebel des transszendentalen Aberglaubens. Das muß man denen antworten, die ehrlich der Meinung sind, daß ohne Religion keine Moral und kein Idealismus, ohne den despotischen Staat, das selbstische Eigenthum und die liebensfeindliche Ehe keine Gesittung bestehen kann. Den Betrügern, die, ohne davon überzeugt zu sein, dasselbe proklamiren, blos weil es in ihrem persönlichen Interesse liegt, die bestehende Ordnung zu vertheidigen, schuldet man überhaupt keine Argumentation. Die gutmüthigen, aber kurzsichtigen Menschenfreunde dagegen, denen die Zukunft Angst macht, weil sie Rohheit und Zügellosigkeit, ja die Rückkehr zum Thierzustande in ihrem Gefolge zu sehen glauben, können sich beruhigen. Die Menschheit ohne Gott, ohne Herrscherwillkür und ohne Egoismus wird unendlich sittlicher sein als die, welche "zu Gott betet und ihr Pulver trocken hält«. Die Aufklärung lehrt den Menschen Wahrheiten, welche seinen durch lügenhafte Schmeicheleien verwöhnten Ohren zu allererst allerdings unangenehm klingen mögen. Sie lehrt ihn: "Du bist ein Einzelthier in einer Thiergattung, Menschheit genannt. Die regieren genau dieselben natürlichen Gesetze wie alle anderen Lebewesen. Dein Platz in der Natur ist der, den du dir durch passende Benutzung aller in deinem *Organismusvorhandenen Kräfte erobern kannst. Die Gattung ist eine höhere Einheit, von der du ein Theil, ein Gesammtorganismus, von der du eine Zelle bist. Du lebst das große Leben der Menschheit mit, ihre Lebenskraft bringt dich hervor und erhält dich bis zu deinem Tode, ihr Aufstieg nimmt dich mit in die Höhe, ihre Genugthuungen sind deine Freuden.« Das kitzelt die Eigenliebe der Menschen weniger, als wenn ein Medizinmann ihm sagt: "Du bist der besondere Liebling eines allmächtigen Weltherrschers, Gott genannt, du hast eine bevorzugte Stellung im Weltall und kannst dir noch ferner*

Privilegien verschaffen, wenn du mir Zehnten zahlst und meinen Befehlen gehorchst.« Aber wenn er einmal reif genug ist, das kindische Vergnügen an leeren Schmeicheleien als unstatthafte Schwäche zu erkennen, und wenn er die Doktrin der Aufklärung und die der Theologie eindringlicher erwägt, so findet er unschwer, daß die erstere die schönere und die tröstlichere ist. Sie schneidet ihn vom Himmel ab, aber wie tief und innig läßt sie ihn dafür in der Mutter Erde wurzeln! Sie nimmt ihm die Beziehungen zu einem Gotte, zu Heiligen, Engeln und anderen nie gesehenen Fabelwesen, aber sie gibt ihm dafür die ganze Menschheit zur Familie, sie schenkt ihm tausend Millionen Blutsverwandter, die ihm Liebe, Schutz und Hilfe schulden und von deren Zusammengehörigkeit mit ihm alle seine Sinne ihn überzeugen. Sie bekämpft seinen hoffärtigen Anspruch auf ewiges Leben, aber sie beugt seiner Verzweiflung über seine Endlichkeit vor, indem sie ihn lehrt, sich als eine unwichtige Episode im allein wesentlichen Vorgänge des All-Lebens zu bescheiden, und indem sie ihm die Möglichkeit einer unabsehbaren Fortdauer seines individuellen Daseins in daraus hervorgegangenen Nachkommen zeigt. Sie zerstört die bestehende, auf Religion gegründete Moral, das ist gewiß; aber diese Moral ist eine willkürliche, oberflächliche und geradezu unsittliche; sie erklärt nicht, weshalb sie diese Handlungen gute und jene schlechte nennt; als Grund, weshalb man das Gute thun soll, gibt sie an, daß man sich dafür einen Platz im Paradiese sichere, und als Grund, weshalb man das Schlechte lassen soll, daß man dafür in der Hölle brenne; und damit man nicht in Versuchung gerathe, zu betrügen, im Geheimen schlecht und offen gut zu sein, macht sie weis, man sei immer beobachtet und immer überwacht. Das ist also die religiöse Moral: ihre Triebkräfte sind Eigennutz und Angst vor Leibesstrafen; die Hoffnung auf paradiesische Vortheile oder die Furcht vor dem Schwefelfeuer des Teufels. Es ist eine Moral für Egoisten und Feiglinge, namentlich aber für Kinder, denen man mit der Drohung der Ruthe und der Verheißung von Gerstenzucker beikommen kann. An die Stelle dieser Moral, welche an die erbärmlichsten Triebe im Menschen appellirt, setzt die Aufklärung einen allgemeinen Grundsatz, die Solidarität der Menschheit, aus welcher sich eine neue ungleich tiefere, erhabenere und natürlichere Moral ergibt. Diese gebietet: "Thue Alles, was das Wol der Menschheit fördert; unterlasse Alles, was der Menschheit Schaden oder Schmerz zufügt.« Sie hat auf jede Frage eine vernünftige Antwort "Was ist gut?« Die Theologie sagt: "Das, was Gott wolgefällt,« ein Bescheid, der durchaus keinen faßbaren Sinn hat, es sei denn, man glaubte, daß Gott seine Ansichten geoffenbart hat. Die Solidaritätsmoral sagt:«Gut ist, was, wenn es verallgemeinert wäre, der Gattung günstigere Daseinsbedingungen schaffen würde.« "Was ist schlecht?« Die Theologie leiert wieder: "Das, was Gott verboten hat.« Die Solidaritätsmoral antwortet: "Schlecht ist, was, wenn es verallgemeinert wäre, das Leben der Gattung gefährden oder erschweren würde.« "Warum soll ich das Gute thun und das Schlechte lassen?« Die Theologie sagt: "Weil es Gott so will.« Die Solidaritatsmoral: "Weil du nicht anders kannst. Die Gattung hat, so lange sie Lebenskraft besitzt, auch Selbsterhaltungstrieb; dieser giebt ihr ein; das, was ihr schädlich ist, zu vermeiden, was ihr förderlich ist, zu thun. Dieser Trieb wurzelt im Unbewußten, läutert sich aber bis zum Bewußtsein empor. Wenn einst die Lebenskraft der Gattung erschöpft sein wird, dann wird sich auch ihr Selbsterhaltungstrieb abstumpfen. Dann werden die Begriffe von Gut und Schlecht allmälig verloren gehen, es wird in der That keine Moral mehr geben und das Verschwinden der Moral wird die unmittelbare Todesursache der altersschwach gewordenen Menschheit sein. Sie wird dann förmlich einen Selbstmord begehen.« "Welcher Lohn, welche Strafe steht mir für meine Handlungen bevor?« Die Theologie kommt mit ihrem Himmel- und Höllengefasel; die Solidaritätsmoral sagt einfach: "Da du ein Theil der Menschheit bist, so ist ihr Gedeihen dein Gedeihen und ihr Leiden dein Leiden. Thust du also das, was ihr gut ist, so erweisest du dir ein Gutes; thust du aber das, was ihr schlecht ist, so fügst du dir ein Schlechtes zu. Die blühende Menschheit ist dein Paradies, die verkümmernde deine Hölle. Und da der Selbsterhaltungstrieb der Gattung die Quelle deiner Handlungen ist, so wirst du instinktiv das Gute thun und das Schlechte lassen, so lange du in normaler Verfassung bist. Du wirst gegen die natürliche Moral erst dann sündigen, wenn du der krankhaften Entartung verfallen bist, welche auch das Individuum zur Selbstverstümmelung und zum Selbstmord treibt.«

Das ist der kurze Katechismus der natürlichen Moral, deren Quelle die Solidarität der Gattung ist. Die natürliche Moral ist die einzige, welche die Menschheit immer wirklich empfunden hat; alle anderen Moralprinzipien waren und sind äußerliche Heuchelei, Selbstbetrug und Betrug Anderer. Sie ist ausgedrückt in Rabbi Hillels: "Liebe deinen Nächsten wie dich selbst,« in des Evangeliums Gebote, auch dem Feinde zu vergeben und ihn zu lieben, in Kants kategorischem Imperativ. Wer immer nach einer sichern Grundlage der Moral gesucht hat, der Religionsstifter oder der Philosoph, ist zuletzt auf dieses ewige, felsenfeste Prinzip der Solidarität gestoßen; denn es bildet einen fundamentalen Bestandteil des menschlichen Bewußtseins, es ist eine der organischen Triebkräfte seines Handelns. Nur die Religionen, welche das Solidaritätsprinzip zu ihrem Hauptdogma machten, konnten eine allgemeine Verbreitung finden und dauern. Dann war es aber auch nur dieses unverwüstliche Prinzip, welches die übrigen Dogmen trug, wie das leichte Gas, welches den Luftballon aufsteigen macht, alle schwereren Bestandtheile des letzteren mit sich in der Höhe erhält. Wenn man die theologische Moral durch die natürliche, das Christenthum durch die Solidarität ersetzt, so vollzieht man nur ein Werk der Reinigung und Vereinfachung; man behält das, was die Religion aus dem ewigen Sammelbecken menschlicher Umtriebe geschöpft und sich angeeignet hat und man verwirft die abgenutzten Hüllen und Verkleidungen, welche den wahren Kern derselben umgeben.

Aber nicht blos die Quelle aller Moral, sondern auch die aller Einrichtungen muß die Solidarität werden. In den bestehenden Formen kommt der Egoismus zum Ausdruck, die Formen, welche ihre Stelle einzunehmen berufen sind, wird der Altruismus vorzeichnen. Die Selbstsucht erweckt den Wunsch, Andere zu beherrschen, sie führt zum Despotismus, sie macht Könige, Eroberer, eigennützige Minister und Parteiführer, die Gattungsliebe gibt den Wunsch ein, der Gesammtheit zu dienen, sie führt zur Selbstverwaltung, zur Selbstbestimmung, zu einer Gesetzgebung, die blos von der Rücksicht auf das Gemeinwesen inspirirt ist. Die Selbstsucht ist die Ursache der schlimmsten Ungerechtigkeiten in der Gütervertheilung, die Solidarität gleicht diese Ungerechtigkeiten so weit aus, daß Bildung und tägliches Brod jedem Bildungsfähigen und Arbeitswilligen gesichert sind. Der Kampf ums Dasein wird so lange währen wie das Leben selbst und er wird immer die Ursache aller Entwicklung und Vervollkommnung sein; aber er wird mildere Formen annehmen und sich zu seinem heutigen Wüthen so verhalten wie die Kriegführung gebildeter Nationen zum Würgen von Menschenfressern. Auf die Zivilisation von heute, deren Kennzeichen Pessimismus, Lüge und Selbstsucht sind, sehe ich eine Zivilisation der Wahrheit, der Nächstenliebe, des Frohmuths folgen. Die Menschheit, die heute ein abstrakter Begriff ist, wird dann eine Thatsache sein. Glücklich die spätergeborenen Geschlechter, denen es beschieden sein wird, umspielt von der reinen Luft der Zukunft, übergossen von ihrem hellern Sonnenschein, in diesem Bruderbunde zu leben, wahr, wissend, frei und gut!

Max Nordau

Die Nixe

I.

Die mondklare, sternhelle Juninacht begann auch dem rastlosen Paris ihre Zauberstille anzuschmeicheln. Die Theater waren seit einer Stunde geschlossen und der Strom ihrer Besucher in die Häuser versickert. Die hohen Mauern der verödeten Straßen hallten seltsam wider, wenn zwischen ihnen eine seltene Nachtdroschke entlangrumpelte.

Rudolf Körte hatte den Abend in einem Boulevardtheater verbracht, nach der Vorstellung noch auf der Terrasse eines Bierhauses eine Weile gesessen, um das allmähliche Abklingen und Ersterben des Weltstadtgetöses in seinen erregten Nerven genießend mitzuerleben, und dann den Heimweg durch das Hallenviertel genommen, das auch in der Nacht rege ist.

Nun stand er wieder in wunderlicher Einsamkeit an der Steinbrüstung des *Pont neufund nahm das unvergleichliche Bild in Whistlerscher Manier, Silber und Dunkelblau, in sich auf. Der in breiten Querlinien glitzernde Strom, der sich in der Ferne durch eine Rechtswendung dem verfolgenden Blick entzog, war vom roten Licht der Brückenlampen und dem Widerschein der Gasflammenzeilen beider Ufer feurig punktiert. Notre Dame zeichnete in den von einer geheimnisvollen Helligkeit überhauchten Himmel ihren ausdrucksvollen Umriß ein. In unabsehbarer Folge schatteten Türme, Kuppeln und Dachfirste auf den sternflimmernden silbern lasierten Grund hin. Es war eine andere Schönheit, als sie das Paris des Tages zeigt, eine Schönheit der Ruhe und des Friedens, die sich in feierlichen Architekturlinien ausdrückt und von der Rudolf Körte den entzückten Blick nicht loslösen konnte.*

Die Wonne des Lebens ging ihm ein wie vielleicht nie zuvor. Die Welt war so schön und er vierundzwanzig Jahre alt! Seine Erinnerungen waren Familienzärtlichkeit und gedeihliche Geistesarbeit, seine Gegenwart war unerschöpfliche Genußfähigkeit der Sinne und Seele, seine Zukunft ein schimmerndes Bild, von freudiger Hoffnung gemalt. Er war Neuphilologe und nach Beendigung seiner Studien in Bonn auf zwei Semester nach Paris gekommen, um sich in seinem Fach zu vervollkommnen, ehe er sich zum Herbstbeginn an seiner Heimathochschule als Dozent habilitierte. Seinen Vater, einen über die akademischen Kreise hinaus bekannten Professor, hatte er vor drei Jahren verloren. Er war der Augapfel und Stolz seiner verwitweten Mutter und der zwei jüngeren Schwestern, zwischen denen er aufgewachsen war und die er, von kurzen Ferienfahrten abgesehen, im vergangenen Herbst zum erstenmal verlassen hatte. Daß seiner eine ruhmvolle Laufbahn harrte, bezweifelte niemand, der ihn kannte. Er pflegte seine Wissenschaft nicht nur als Forscher, sondern auch als Dichter. Der Sonderzweig, dem er schon seine Doktordissertation gewidmet und mit dem er seitdem sich zu beschäftigen nicht aufgehört hatte, war der bretonische Sagenkreis in altfranzösischer Behandlung, und er brachte seinen Helden, dem König Artus und seiner Tafelrunde, Tristan und Isolde, den meerentstiegenen Schwanenjungfrauen, die Landbewohner heirateten, nicht bloß sprachwissenschaftliche Anteilnahme entgegen, sondern lebte auch im Gemüte mit ihnen. Nach Anlage und Neigung romantisch gestimmt, von Mondscheinnächten in rheinischen Trümmerburgen zur Schwärmerei geweckt, wurde er in diesem Hange durch die Beschäftigung mit den kindlichen und reizenden frühmittelalterlichen Stoffen bestärkt. Zum Ertrag seiner Pariser Arbeit durfte er sich Glück wünschen.

Ein Handschriftfund in der Nationalbibliothek war der Lohn seiner Forscheremsigkeit, die Nachdichtung eines altbretonischen Nixenromans in Versen die Frucht seines künstlerischen Schaffens. Er kehrte binnen wenigen Wochen mit zwei Werken heim, von denen er sich auf beiden Gebieten, wo er sich zu betätigen gedachte, Erfolg und Anerkennung versprach.

Die Herrlichkeit des Augenblicks hatte gleichsam perspektivische Verlängerungen, wie rückwärts, so vorwärts. Rudolf Körte war in dieser Minute das seltene Beispiel eines Menschenwesens, das sich bis an den Herzensgrund glücklich fühlt. Das eine Wehmutströpfchen, das sich in den Becher seiner Freudigkeit mischte, war die halbbewußte Vorstellung der Einzigkeit jedes Lebensmoments. Warum konnte er diese wunderbare Stunde mit ihrem überreichen Inhalt an Gesichten und Empfindungen, an Zuversicht und Ahnung nicht festhalten? Warum mußte sie mit leisem Fluge enteilen wie ein im Traum erblickter Vogel Phönix, den später die Sehnsucht immer wieder vergebens herbeizaubern möchte? Er war von klein auf zu sehr an selbstbetrachtendes Sinnen gewöhnt, um nicht über die Helligkeit, die jetzt seine Seele erfüllte, den Gedanken gleich einem Wolkenschatten hinhuschen zu fühlen, daß er Welt und Leben, sich selbst, seine Entwürfe und Erwartungen nie wieder so sehen, so empfinden würde wie in dieser mondbeglänzten Vorfrühe.

Er riß sich endlich von seinem schwelgenden Schauen los und lenkte die Schritte seiner Wohnung zu, die in einem alten Studentenhotel, an der Ecke des Quai des Grands Augustins und der Rue Séguier, gelegen war. Von Notre Dame her dröhnte der Glockenschlag halb zwei. Der Quai war menschenleer, so weit man ihn absehen konnte. Gerade als Korte in die Rue Séguier einbiegen wollte, fuhr aus der dunkeln Straße in wildem Lauf eine weibliche Gestalt heraus, prallte an ihn, daß sie, klein und schmächtig, wie sie schien, den hochgewachsenen, breitschultrigen jungen Mann zurücktaumeln machte und fast über den Haufen rannte, ließ sich indes durch den Zusammenstoß nicht aufhalten, sondern sprang wie ein gehetztes Wild in tollen Sätzen weiter, schräg über den Straßendamm bis zur Lücke in der Quaibrüstung, wo eine Zufahrt zum Stromufer hinabging, und verschwand im Nu hinter der Steinmauer.

Von der Plötzlichkeit des Vorganges überrumpelt, hatte Korte stillgestanden und dem vorbeijagenden Wesen verblüfft nachgeschaut. Floh sie vor einem Verfolger? Warum ließ sie dann keinen einzigen unwillkürlichen Hilferuf hören? In der Rue Séguier blieb es still – es war der Fliehenden niemand auf den Fersen. Kortes Zögern dauerte nur Augenblicke. Mit drei Schritten war er an der Brustlehne und kam gerade recht, um zu sehen, wie die Erscheinung, vom Anlauf fortgerissen, mit einem Bogenschwung in den Strom sprang, bei der

Berührung des kühlen Wassers einen schwachen Schrei ausstieß und klatschend in der aufsprühenden Flut unterging.

Er eilte den Abhang hinunter und ohne sich zu bedenken, ohne von der leichten Sommerkleidung etwas abzuwerfen, war der geübte Rheinschwimmer mit einem Satz in der Seine. Der Wasserstand war eben nicht hoch, die Strömung in dem die Citéinsel links umfassenden schmälern Flußarm nicht heftig. Er brauchte nicht lange zu warten und nicht nachzutauchen. Die Lebensmüde trieb nach wenigen angstvollen Sekunden auf und erschien einige Armlängen von ihm auf der Oberfläche. Mit zwei- oder dreimaligem Ausstreichen war er bei ihr und hatte sie gefaßt. Sie war noch nicht besinnungslos und versuchte um sich zu schlagen, wobei sie gurgelnd und heiser hervorstieß: "Laß mich! Laß mich!« Ohne sich an ihr Zappeln zu kehren, strebte er schleunig nach dem Ufer zurück und zog sie mit sich aus dem Wasser.

Als er gelandet hatte, suchte er die Gerettete auf die Füße zu stellen. Sie knickte zusammen. Ihre Augen waren geschlossen, ihre Atemzüge schwer und selten. Sie schien ohnmächtig zu sein. Er fand die Lage ungemütlich. Was zunächst beginnen? Sie hinlegen? Es widerstrebte ihm, sie auf das nackte Katzenkopfpflaster der Lände auszustrecken. Einen Flußwächter oder Schutzmann rufen? Weit und breit war keiner zu sehen. Ein forschender Blick überzeugte ihn, daß er ein zartes, zierliches, beinahe kleines Geschöpf vor sich hatte. Hier half kein Fackeln. Kurz entschlossen nahm er sie in seine Arme und stieg mit ihr hinauf. Sie ließ es widerstandslos geschehen und lehnte das blasse hübsche Gesicht wie ein schlafendes Kind an seine Brust, während ihr gelöstes schwarzes Haar lang und straff hinabhing und, wie ihre und seine Kleider, reichlich troff.

Er war bald oben, hatte seine Haustür erreicht und blieb stehen. Das klatschnasse, unvollkommen bekleidete Bündel in seinen Armen stieß einen Seufzer aus und schlug ein paar dunkle, wirr blickende Augen auf.

"Ich wohne hier,« sagte Korte; "können Sie stehen?«

Die Unbekannte erwiderte nichts, nestelte sich aber inniger an seine Brust.

"Soll ich Sie irgendwohin bringen? Sie wohnen ja zweifellos in der Nähe.«

"Nein nein,« kam es hastig und leise heraus.

"Ja – hier auf der Straße können wir doch nicht bleiben. Wir müssen doch zunächst aus den nassen Kleidern heraus.«

"Zu Ihnen! Zu Ihnen!« hauchte sie.

Ein Schüttelfrost durchflog ihren weichen jungen Leib und ihre Zähne begannen hörbar zu klappern. Auch ihn fröstelte es unbehaglich. Er urteilte, daß er keine Wahl habe. Auf sein Schellen wurde die Klinkenschnur gezogen, er trat mit seiner Last ein, stieß die Tür mit dem Fuß hinter sich zu, rief, an der Pförtnerstube vorbeigehend, laut seinen Namen und war bald an seiner Stube, die nur eine Treppe hoch lag.

Er setzte seinen Gast sachte ab, um die Arme und Hände frei zu bekommen. Jetzt ließ sie es geschehen und hielt sich mäuschenstill, bis er aufgeschlossen und drinnen Licht gemacht hatte.

Nun trat sie hinter ihm schwankenden Schrittes ein und ließ sich in die Ecke des roten Wollplüschsofas fallen, dessen Sitz und Rückenlehne sie gründlich näßte. Sie wandte ihr Gesicht seitwärts gegen die Lehne und begann krampfhaft zu schluchzen.

Es widerstrebte Korte, sie in diesem Zustande einem Verhör zu unterziehen, aber es mußte doch rasch etwas geschehen.

"Fassen Sie sich, bitte, fassen Sie sich,« sagte er sanft, ganz nahe an sie herantretend. "Sie müssen, zunächst aus dem nassen Zeug herauskommen. Ich auch. Ich werde die Pförtnerin wecken, damit sie Ihnen trockene Sachen leiht und sonst behilflich ist.«

"Nein nein,« stieß sie leise, doch energisch, hervor, "nicht die Pförtnerin.«

"Es ist mir ja auch nicht angenehm – wegen des Geredes – aber ich habe doch keine Damenwäsche –«

"Leihen Sie mir ein Nachthemd von Ihnen.«

"Ein Nachthemd! Von mir!«

"Damit kann ich zu Bette gehn. Inzwischen trocknen meine Sachen.«

Die Studentenwohnung bestand aus einem mäßig großen Salon mit zwei Fenstern nach der Rue Séguier und einem Alkoven mit kleinem Ankleidekabinett. Es gab da nur ein Bett und ein dreisitziges Sopha, das etwa als Lagerstatt dienen konnte. Wenn sie zu Bette zu gehen gedachte – hm.

Er überlegte nur ganz kurz. Dann zog er schweigend die Schublade der Kommode auf, holte eins seiner Nachthemden heraus und reichte es ihr.

Sie setzte sich gerade, fuhr sich rasch mit beiden Händen über die Augen und hörte zu weinen auf.

Sie begann an ihren Schnürschuhen zu basteln, ihre Finger zitterten jedoch und sie kam nicht vorwärts. Korte beobachtete ihr Tun und als er sah, daß sie den Knoten des Schuhbandes nicht offen bekam, kniete er vor sie hin, löste ihn, zog ihr, nicht ohne einige Gewalt, die verquollenen Schuhe und die Strümpfe, die erst vom Gummihalter hoch oben losgeknöpft werden mußten, von den kleinen, hochgewölbten, eisig naßkalten Füßen und behielt diese eine kleine Weile in seinen Händen, um sie zu wärmen. Er wollte sich überreden, daß er dies nur in Samariterabsicht tat, empfand es indes doch als ungehörig und ließ die weißen Füßchen, nicht ohne Bedauern, fahren. Da beugte die Gerettete sich zu ihm nieder, faßte seine Hand und drückte einen langen Kuß darauf. Er zog sie verwirrt zurück, stand auf und sagte mit einer Stimme, die er zu gleichmütigem Klange zu zwingen suchte: "Also, wenn Sie durchaus bis morgen hier bleiben wollen – es ist wohl in der Tat das Vernünftigste – so will ich Sie einen Augenblick allein lassen, damit Sie sich rasch auskleiden und ins Bett kommen.«

Während er aus dem Nachtkästchen, der Kommode und einem Wandschrank Pantoffel, allerlei Unterzeug und Kleidungsstücke zusammensuchte, fuhr er fort: "Es tut mir, sehr leid, daß ich Ihnen gar nichts Stärkendes anbieten kann – Sie haben es gewiß sehr nötig.«

"Nein. Nur Ruhe. Nur Wärme,« flüsterte sie mit einem Schauder.

"Doch, doch. Aber in dieser kahlen Junggesellenstube gibt es nichts. An die Pförtnerin soll ich mich nicht wenden. So will ich zu einem Freund nebenan gehen. Vielleicht finden wir bei ihm etwas.«

Ohne eine Antwort abzuwarten, ging er hinaus, schlich zu einer nahen Tür auf demselben Gang und pochte leise. Drinnen rührte sich nichts. Er wiederholte das Klopfen kräftiger, obschon er es gern vermieden hätte, die übrigen Hausgenossen zu stören.

"Wer ist da?« ließ sich endlich eine Baßstimme auf Englisch vernehmen und wiederholte gleich darauf die Frage auf Französisch mit heftig angelsächsischer Aussprache.

"Ich bin's, Korte,« gab der junge Mann deutsch zurück, "verzeihe, daß ich dich wecke. Bitte, öffne mir.«

"Oh!« tönte es aus der verschlossenen Stube heraus; man hörte das Anreißen von zwei oder drei Streichhölzern, die nicht gleich brannten, einiges Gepolter, hastig schlurrende Schritte, das Zurückschieben eines Riegels, die Tür ging auf und Korte stand vor einem stämmigen mittelgroßen, nicht mehr jungen Mann, der einen erstaunten Blick auf ihn warf und ausrief: "Junge! Wie siehst du aus! Kommst du aus dem Wasser?«

"Das tu ich wirklich, Jack,« gab der Angesprochene eintretend zurück. "Entschuldige diesen Einbruch in deine Nachtruhe. Ich muß mich aber zunächst mal unbedingt meiner nassen Kleider entledigen.«

Während er sich rasch vollständig auskleidete, den Leib mit einem Handtuch vom Waschstand seines Freundes ein wenig abrieb und in die mitgebrachten trockenen Sachen fuhr, sagte er: "Ich habe eben ein außerordentliches Abenteuer erlebt. Ich habe mir zur Geisterstunde in der Seine ein Nixlein gefangen und nach meiner Bude entführt. Da ist es nun.«

Der Mann, den Korte mit Jack angesprochen hatte, saß in seinem Nachtanzug auf seinem Bettrand und sah ihm zu. Als sein Freund vom Nixenfang sprach, schien er überrascht, seine noch etwas verschlafenen

Augen öffneten sich plötzlich groß und sein Gesicht nahm einen besorgten Ausdruck an. Er wußte, daß Korte seit Monaten an einer Dichtung von der Liebe eines Fischers und einer Nixe gearbeitet hatte und von dem Stoffe ganz erfüllt war, und sein erster Gedanke war: "Um des Himmels willen! Sollte er infolge allzu leidenschaftlicher Hingabe an seinen Gegenstand übergeschnappt sein?«

Dazu stimmte allerdings nicht, daß Korte ganz ruhig und verständig schien.

"Rudolf,« fragte Jack mit seiner tiefen Stimme, "erzählst du mir einen Gesang deiner Märchendichtung oder etwas Wirkliches?«

Rudolf mußte über den ernsten, eindringlichen Ton der Frage lächeln. "Beides, Jack. Ein Hauptstück meines Romans ist wunderbar lebendig geworden. So etwas wie ein Pygmalionerlebnis. Auf meinem Heimweg sah ich plötzlich ein schönes Weib, mit bloßem Haar und in einem Spitzenschlafrock, vor meinen Augen in die Seine springen.«

"Um ein nächtliches Flußbad zu nehmen?«

"Schwerlich. Ich ihr nach, ich fische sie heraus und da sie Wasser geschluckt hatte und nicht gleich stehen und gehen konnte, trug ich sie heim.«

"Heim zu ihr?«

"Nein. Zu mir. Ich sagte es dir ja schon.«

Jack schüttelte den Kopf. "Das war nicht recht.«

"Sie wollte es so. Ich weiß ja auch gar nicht, wo sie wohnt und wer sie ist.«

"Hast du sie gefragt?«

"Welch ein trockener Pedant! Daran denkt man wohl zuerst, wenn man ein verzweifeltes Geschöpfchen aus der Seine zieht! Na, kurz, da sitzt sie nun bei mir, oder ist inzwischen hoffentlich schon zu Bette gegangen, und klappert mit den Zähnen und ihre Schwanenflügel sind wohl ausgezogen und liegen auf meinen Möbeln zum Trocknen umher. Das Dringendste scheint mir jetzt ein stärkender Trunk für sie, womöglich etwas warmes. Ich bin sicher, daß du wieder einmal meine Vorsehung sein wirst.«

Jack schien unzufrieden. "Ich habe etwas Whisky und kann auf der Spirituslampe Tee machen.«

"Vortrefflich. Gib rasch den Whisky. Auf den Tee können wir dann warten.«

Jack erhob sich, holte ohne Eile aus einem Hängeschränkchen eine Flasche Old Morven und stellte sie nebst zwei Gläschen auf den Tisch. Rudolf goß rasch ein Gläschen voll und steuerte damit zur Tür.

"Nimmst du nicht auch einen Tropfen?« fragte Jack und füllte das zweite Gläschen.

"Später,« antwortete Rudolf von der Tür her und verschwand.

Jack sah ihm nach, schüttelte leise den Kopf und führte sich das stehengebliebene Gläschen Whisky langsam zu Gemüte. Dann hüllte er sich in einen Pyjama, der über die Lehne des Armstuhls am Fußende des Bettes gelegt war, und schritt bedächtig zum Bereiten des Tees.

Tassen und Zuckerdose standen auf dem Tische, auf der brennenden Spirituslampe begann das Wasser zu wallen und zu singen, als Rudolf wieder eintrat. Er war rot und atmete etwas stärker als gewöhnlich.

"So,« sagte er, "es hat ihr gut getan.«

"Ist sie wirklich zu Bette gegangen?« fragte Jack und goß das siedende Wasser in den Teetopf.

"Ja.«

"Weißt du nun, wer sie ist?«

"Nein,« sagte Rudolf kurz und beinahe ärgerlich, so daß Jack sich im Brauen unterbrach und zu ihm aufschaute. "Nach ihrer Sprache zu urteilen,« fügte er einlenkend hinzu, "ist sie etwas Besseres als eine gewöhnliche Arbeiterin oder dergleichen.«

Der Tee war fertig und Jack richtete ihn an. "Also eine Studentin von Bullier oder eine Frau, die nach einem Zank ihrem Mann weggelaufen ist. In beiden Fällen eine schlechte Gesellschaft. Ich liebe die

Schwanenjungfrauen nicht, die man sich um Mitternacht herum in der Seine fängt.«

Rudolf hielt es für überflüssig, etwas zu erwidern. Er nahm schweigend die dampfende Tasse mit drei Stückchen Zucker und dem Löffelchen auf der Untertasse und ging.

"Vorsicht!« brummte ihm Jack nach, "schau, daß du sie auf gute Art los wirst!«

Rudolf ging sachte, um aus der randvollen Tasse nichts zu verschütten, während er sie auf seine Stube trug.

In seinem Bette, von ihm sorgsam in die Decken eingesäumt, lag der Gast. Ihr schwarzes Haar war über das Kissen und die Schlummerrolle ausgebreitet und machte sie naß. Aus dem viel zu breiten Kragen des Nachthemdes sah der feine weiße Hals und ein tiefer Ausschnitt der Büste hervor, während die Hände in den langen Ärmeln verschwanden. Die Lippen waren wieder rot, auch die Wangen begannen sich zu färben und die dunkeln Augen blickten nicht mehr glanzlos. Sie lächelte ihm entgegen, als er an das Bett trat, und enthüllte dabei die Schneiden weißer, kleiner, gleichmäßiger Zähne.

"Trinken Sie noch etwas Tee,« sagte er, "dann lasse ich Sie ruhen.«

Sie wandte ihm das hübsche Gesicht zu und flüsterte: "Danke. Wie gut Sie sind!«

"Sie müssen sich aber aufsetzen, bitte.«

Sie blieb jedoch liegen und erwiderte leise: "Wenn ich mich bewege, dreht sich alles mit mir im Kreise und mir wird unwohl.«

"Gerade dafür ist der Tee vorzüglich. Erlauben Sie –«

Er hatte die Tasse auf den Nachttisch gesetzt und schob den linken Arm unter den Rücken der Liegenden. Sie setzte sich auf, lehnte den Kopf an seine Brust, schloß die Augen und ließ sich wie ein schlaftrunkenes Kind oder eine Schwerkranke den duftenden Trank von ihm einflößen. Sie versuchte gar nicht, die langen Ärmel zurückzustreifen, die Hände freizumachen und ihm die Tasse abzunehmen. Das Nachthemd entblößte ihre Schultern mehr, als es sie verhüllte.

Als sie ausgetrunken hatte, zog er den Arm, der leise zitterte, zurück und sie ließ sich langsam auf das Kopfkissen sinken, während ihre Blicke ihm innig dankten.

Er wandte den Kopf ab und blickte in seinem Zimmer umher. Was er sah, war nicht geeignet, sein Blut zu beruhigen. Auf dem Tische, auf den wenigen Stühlen, auf dem kleinen Sofa, auf der Kommode lagen und standen ein paar zierliche Schühchen, lange schwarze Seidenstrümpfe mit gestickten Zwickeln, ein Rosaatlasmieder mit schwarzen Spitzen, ein cremefarbener, hübsch geputzter Schlafrock, andere, vertrautere Kleidungsstücke, alle verführerischen Heimlichkeiten eines jungen Weibes, das alles bis auf den letzten Faden von sich geworfen hat, und jedes Stück und jede Spitze und jede Falbel beging prickelnde und stachelnde kleine Verrätereien und raunte ihm den Kopf voll gewürzter, duftender Lockungen. Er war weder ein Duckmäuser noch ein Fischblüter; weit entfernt davon; aber an der Liederlichkeit des Lateinischen Viertels hatte er, an seine heimische Zucht und den beständigen Umgang mit der Mutter und den beiden Schwestern gewöhnt, keine Freude und darum war seine unverbrauchte, unabgestumpfte Jugend für das Aufregende der weiblichen Gegenwart noch in allen Nervenfasern und Äderchen empfänglich.

"Sie müssen auch erschöpft sein – durch meinen Unsinn – verzeihen Sie –« sagte der Gast und zog die langen Ärmel zurück.

"Sehen Sie ein, daß es ein Unsinn war?« fragte Rudolf und drohte ihr mit dem Zeigefinger.

Sie bemächtigte sich seiner Hand, hielt sie fest und stieß einen tiefen Seufzer aus. "Wenn Sie wüßten! Aber nicht jetzt. Gehen Sie zur Ruhe.«

Sie zog ihn nicht eigentlich, aber es war etwas in der Berührung ihrer warmen, weichen Hände, was ihn zwang, sich zu ihr niederzubeugen. Sein Gesicht näherte sich dem ihrigen und ehe er sich bewußt wurde, ob er es gewollt, hatten seine Lippen einen brennenden Kuß wie einen

Blitzschlag empfangen und kurz und heiß erwidert. Doch erhob er sich rasch wieder, machte die an seinem Nacken verschlungenen Hände sanft los und sagte stockend: "Gute Nacht. Oder guten Morgen. Schlafen Sie. Und vergessen Sie den Spuk dieser Nacht.«

Sie rückte ein wenig vom Bettrand weg, seufzte wieder tief und schloß die Augen. Überwältigt von den Erschütterungen dieser letzten halben Stunde, tötlich ermattet von dem Gewitter, das sich in ihr ausgetobt hatte, schlief sie ganz plötzlich unter seinem Blicke ein. Er ging auf den Fußspitzen hinaus und machte die Tür behutsam hinter sich zu. Er war mit sich zufrieden, daß er dem leidenschaftlichen Drange seiner Sinne widerstanden hatte. Sein Gefühl sagte ihm beinahe vernehmlich, daß es nicht schön, nicht männlich gewesen wäre, sich an einem Wesen, dessen Wille zurzeit augenscheinlich vernichtet, das ohnmächtig in seine Gewalt gegeben war, für eine menschenfreundliche Bewegung bezahlt zu machen. Sittlich wäre dies von einer Versündigung an einer Leiche nicht viel verschieden gewesen – brr! Aber die Genugtuung über seine anständige Handlungsweise konnte nicht verhindern, daß er mit berückender Lebendigkeit die reizende Schläferin in seinem Bette vor sich sah und ihre Hände, ihren Rücken, ihre Lippen fühlte.

Er fand Jack, als er wieder bei ihm eintrat, am Tische sitzend und Tee trinkend. "So,« sagte er, "jetzt schläft sie. Morgen früh werden wir dann sehen, wie das Abenteuer sich weiter entwickelt.«

"Brav, Junge,« erwiderte Jack. "Hast dir eine Lebensrettungsmedaille verdient. Du kannst dich sehen lassen.«

"Ach was,« meinte Rudolf achselzuckend, und dachte bei sich, daß der Sprung ins Wasser nicht das Schwerste und Löblichste an diesem Erlebnisse war.

Jack hatte seinen Tee ausgetrunken. Er goß Rudolf eine Tasse voll, schenkte ihm ein Gläschen Whisky ein, erhob sich, breitete über einen ziemlich großen Divan, mit dem sein Zimmer ausgestattet war, eine Reisedecke, schichtete die beiden Kissen, die zu dem Möbel gehörten, an einem Ende, legte einen schottischen Plaid auf das andere und sagte:

"Damit mußt du vorliebnehmen. Aber es handelt sich ja nur um ein paar Stunden. In deinem Alter braucht man keinen Satrapenpfuhl, um sich auszuruhen.«

"Ich möchte dir lieber nicht zur Last fallen,« erwiderte Rudolf. "Die Nacht ist schön und lau. Es ist jetzt zwei Uhr morgens. Es wird wohl das vernünftigste sein, ich bummle bis zum Morgen.«

"Unsinn!« rief Jack streng. "Lege dich sofort hin. Ich tue dasselbe. Und nun gute Nacht.« Er streifte seinen Pyjama ab, kehrte in sein Bett zurück, wartete, bis Rudolf sich der Oberkleider entledigt hatte, blies die beiden Kerzen aus und schlief einige Augenblicke später den Schlaf des Gerechten.

Rudolf dagegen blieb noch lange wach. Der Gedanke an die liebliche Schläferin nebenan verließ ihn nicht. Er mußte die stärksten Willensanstrengungen machen, um nicht von seinem Lager aufzuschnellen und in seine Stube zu eilen. Er sann sich den Roman aus, der mit dem Sprung ins Wasser enden sollte. Er erfand und verwarf eine ganze Reihe Lesarten und die spätere war immer romantischer, immer edler als die vorhergehende. Alle niedrigeren Möglichkeiten, die sich der Einbildung zuerst darboten, wurden verworfen und er langte zuletzt dabei an, daß die Unbekannte ein tief und stark fühlendes Mädchen war, das seine Eltern – nein, das Stiefeltern zur Ehe mit einem ungeliebten Mann zwingen wollten und das diesem Schicksal den Tod vorgezogen hatte. Bei dieser Vorstellung verweilte er und mit ihr schlief er ein, als sich durch die unvollkommen verschlossenen Vorhänge das erste Licht der Morgendämmerung hereinstahl.

II.

Das Geräusch, das jemand verursachte, indem er die Tür hastig öffnete und ohne Vorsicht eintrat, weckte Rudolf. Er fuhr auf und rieb sich die Augen. An der Tür stand die Pförtnerin. "Verzeihung –«

"Ah! Es ist wohl schon spät –«

"Zehn Uhr,« sagte die Frau und ließ erstaunt den Blick durch die genügend helle Stube wandern, in der die Kleider ihres Mieters zum

Trocknen ausgebreitet umherlagen. Das Bett war leer, Jack ausgegangen.

"Teufel,« rief Rudolf. "Ich will schnell aufstehen.«

Die Frau machte keine Miene, sich zu entfernen.

"Wünschen Sie etwas, Madame Jeanne?«

"Das heißt – ich wollte sehen – Sie haben nicht wegen der Schokolade geklingelt und mein Mann hat Ihre Schuhe nicht vor der Tür gefunden. Und wir haben Sie doch heimkommen hören. Da habe ich bei Ihnen geklopft, aber keine Antwort bekommen. Das hat mich befremdet. Ich bin bei Ihnen eingetreten und da war – eine Dame –«

Sein Herz tat einige schnellere Schläge. Blitzgleich kam es ihm zum Bewußtsein, daß er erwartet, gefürchtet hatte, die Pförtnerin werde sagen: "und fand die Stube leer,« und daß er froh war, etwas anderes zu hören.

"Ja. Eine Bekannte. Wir sind uns zufällig im Theater begegnet. Sie wohnt draußen, auf dem Lande. Der letzte Zug war abgegangen. Da habe ich ihr Gastfreundschaft angeboten.«

Er erfand die Einzelheiten in dem Maße, wie er sie in erkünstelt gleichgültigem Tone zum besten gab; geläufig genug, um kaum zu stocken.

"Das ist nicht meine Sache,« erwiderte die Pförtnerin trocken. "Ich wollte nur sehen, ob Sie nicht etwa unwohl waren. Soll ich nicht Ihre Kleider zum Reinigen mitnehmen? Sie sind ja ganz naß! Hat es denn in der Nacht geregnet?«

Er blieb die Antwort schuldig. So viel sah er, daß sie von seiner Geschichte kein Wort glaubte. Um so schlimmer! Man war ja im Lateinischen Viertel.

"Wir wollen sie zuerst trocknen lassen. Ich ziehe andere Sachen an. Und nun bitte ich um meine Schokolade.«

"Auch für – die Dame?«

"Ich will sie zuerst fragen, was sie nimmt.«

Die Pförtnerin ging.

Er erhob sich rasch, fuhr sich nur mit dem benetzten Zipfel eines Handtuchs seines Freundes Jack über das glatte Gesicht, zwirbelte die Spitzen seines dunkelblonden Schnurrbärtchens ein wenig auf und trat in seine Stube.

Die Unbekannte lag noch im Bette. Sie lächelte ihm zu und streckte ihm mit einer anmutigen Bewegung des Kopfes die Hand entgegen. Sie zeigte keine Spur von Befangenheit und sah auch nicht niedergeschlagen aus. Sie schien sich wie zu Hause zu fühlen und über ihre Lage nicht im mindesten zu wundern. Sie blickte ihm voll ins Gesicht, aber er fand ihre großen, glänzenden braunen Augen nicht dreist und herausfordernd, sondern sanft, rührend zutraulich, leise bittend. Sie war mit ihrem reichen Rabenhaar, dem edeln Eirund ihres Gesichtchens, den auffallend starken schwarzen Brauen, dem feinen geraden Näschen, dem kleinen, etwas starklippigen Mund entschieden sehr verführerisch, viel hübscher, als er in der Nacht bemerkt hatte, und offenbar in der Blüte ihrer frischen Jugend.

Er nahm ihre kleine weiche Hand – es war keine Arbeitshand! – und behielt sie in der seinigen.

"Fühlen Sie sich wohl, – wie darf ich Sie nennen – Fräulein, nicht wahr?«

"Nennen Sie mich Catherine. Danke. Ganz wohl.«

"Haben Sie etwas geschlafen?«

"Vortrefflich. Ohne einmal zu erwachen. Erst Ihre Pförtnerin hat mich geweckt. Die gute Frau machte ein so verblüfftes Gesicht, als sie meiner ansichtig wurde! Sie scheinen nicht oft Damenbesuch zu empfangen.«

"Diese Unbefangenheit –« dachte er, aber sie ließ ihn zu längeren Betrachtungen keine Zeit.

"Haben Sie – keine – Freundin?«

"Aber – Fräulein-«

"Sie finden mich sehr indiskret?«

"Kann das Sie in diesem Augenblick wirklich interessieren?«

"Sehr.«

"Nun denn – nein; ich habe keine Freundin.«

Sie führte mit einer plötzlichen Bewegung seine Hand an ihre Lippen und drückte einen heißen Kuß darauf. Er zog sie rasch zurück.

"Und – Sie?«

"Was?«

"Haben Sie einen Freund?«

Sie setzte sich mit einem Ruck gerade, in ihren Augen blitzte eine Flamme auf und sie stieß heftig hervor: "Nein.«

Ihm wurde schwül. Im Widerstreit der Gefühle flüchtete er sich, wie natürlich, auf Gemeinplätze.

"Sie müssen hungrig sein?«

"Ja« sagte sie einfach.

"Was nehmen Sie? Schokolade oder Kaffee?«

"Schokolade, wenn es Ihnen gleich ist.«

Er trat rasch zum Kamin und schellte. Beide schwiegen, bis die Pförtnerin erschien. Inzwischen hatte er vom Tisch die ausgebreitete Wäsche weggeräumt, die sich kaum mehr feucht anfühlte.

"Schokolade, bitte,« sagte er der Pförtnerin, die an der Tür stehen blieb und mißvergnügt in die Stube blickte.

"Zwei?«

"Zwei, Madame Jeanne. Hierher, ja?«

Wieder schwieg er und ordnete weiter die Sachen des jungen Mädchens, bis die Pförtnerin den Tisch gedeckt, das Frühstück aufgetragen und sich zurückgezogen hatte.

"Wenn Sie aufstehen wollen, so gehe ich wieder einen Augenblick hinaus.«

"Darf ich im Bette frühstücken? Das ist zwar unartig, aber so bequem ....«

Er reichte ihr alles ins Bett und setzte sich selbst an den Tisch.

"Wie gut Sie sind!« murmelte sie und begann jetzt mit einem Behagen zu frühstücken, das sie nicht zu verheimlichen suchte.

Sie empfand anscheinend kein Mitteilungsbedürfnis. Er mußte also fragen, wenn er die Dunkelheiten der Lage aufklären wollte.

"Fühlen Sie sich genug erholt, um aufzustehen?«

"Aber gewiß!«

"Sehr wohl. Ihre Sachen sind trocken, bis auf die Schuhe und den Schlafrock. Wir hätten ihn auswringen sollen.«

"Um so schlimmer. Dann leihen Sie mir einstweilen Ihre Hausschuhe und einen Schal oder eine Morgenjacke.«

"So können Sie doch aber unmöglich über die Straße gehen?«

"Will ich auch nicht.«

"Ja – was gedenken Sie nun zunächst anzufangen?«

"Bin ich Ihnen sehr lästig? Wollen Sie mich sofort loswerden?«

"Das sage ich nicht,« erwiderte er in einem Tone, der eifriger klang, als er vielleicht beabsichtigte. "Aber Sie können doch nicht immer hier bleiben –«

"Warum nicht?«

Sie fragte das so natürlich, daß es ihm einen Augenblick die Rede verschlug.

"Aber – Fräulein –« stammelte er.

"Sagen Sie Catherine; wollen Sie?« bat sie mit einem halb schalkhaften, halb demütigen Blick.

"Ich verstehe nicht recht – Sie stehen doch wohl nicht ganz allein in der Welt – es muß doch jemand geben, der Ihretwegen in Sorge ist, der zur Polizei laufen wird, um zu erfahren, was aus Ihnen geworden ist –«

Sie hatte, während er sprach, wiederholt mit dem Kopfe kräftig "nein« geschüttelt. "Ich habe niemand. Ich schulde niemand Rechenschaft oder auch nur Auskunft über meinen Verbleib.«

Da er stumm blieb und zu Boden blickte, fuhr sie fort: "Ohne Sie läge ich jetzt wahrscheinlich in der Morgue, wenn ich nicht etwa zwischen Rouen und Havre schwämme. Auch darum hätte sich niemand gekümmert.«

"Arme Catherine! Sie werden wohl Ihre Gründe gehabt haben, weshalb Sie diese Nacht – den Unsinn machen wollten. Ich kann mir nicht recht denken, daß Sie es nur getan haben, weil Sie sich im Leben einsam fühlten –«

Sie schwieg hartnäckig.

"Sie haben scharfen Kummer gehabt – und solcher wird einem gesunden, jungen, schönen Mädchen nur von Menschen bereitet – die bloße Einsamkeit gibt nicht um zwei Uhr morgens den Entschluß ein–«

Sie war errötet, als er sie schön genannt hatte, und faßte wieder nach seiner Hand.

"Verweilen Sie nicht dabei, ich bitte Sie darum. Sie wollen mir doch gewiß nicht weh tun.«

"Nein, gewiß nicht. Ich habe übrigens kein Recht, Sie zum Preisgeben Ihrer Geheimnisse zu zwingen. Aber ich möchte wissen, was Sie nun vorhaben. Es ist nicht weit von Mittag, nachmittag muß ich unbedingt ausgehen und bis zum Abend müssen wir uns für etwas entschieden haben, denn ich kann nicht wieder die Gastfreundschaft meines Freundes in Anspruch nehmen.«

Ohne es zu merken, hatte er die Stimme ein wenig erhoben und seine letzten Worte klangen beinahe barsch. Über das Gesicht des Mädchens zuckte es, ihre Augen verschleierten sich mit hervorquillenden Tränen und sie sagte leise: "Seien Sie nicht böse. Zanken Sie mich nicht aus. Sie können mir die Tür weisen, aber bitte, tun Sie es mit Güte. Den Weg zur Seine kenne ich ja. Davon haben Sie sich überzeugt.«

Der Ton ihrer Worte ging ihm zu Herzen. Er streichelte ihr begütigend die feuchten Augen und die heißen Wangen. Sie schien nur auf diese erste zärtliche Annäherung gewartet zu haben, die er seiner bisherigen Zurückhaltung abrang. Ihre Arme flogen um seinen Hals, ihre Lippen brannten auf den seinen und ihm war, als trinke sie seinen Atem und sein Leben in großen, wilden Zügen auf–

Als er aus dem Rausche wieder zur Besinnung erwachte, blitzte ihm der Gedanke durchs Bewußtsein: "Ein Würfel ist gefallen. Mein Schicksal hat sich gewendet.« Er war darüber nicht froh; dazu war er nicht leichtfertig genug. Es reute ihn, daß er sich hatte überrumpeln lassen. Er fühlte sich nicht mehr als Herrn der Lage, wie noch vor einer halben Stunde. Die Seine-Nixe war ihm nicht mehr fremd und gleichgültig. Ihm schien, als dürfe er sie nicht mehr einfach abschütteln.

Catherine ihrerseits erkannte mit der unfehlbaren Sicherheit des weiblichen Instinkts, daß sie von dem jungen Manne Besitz ergriffen hatte. Ohne einen Augenblick zu verlieren, ging sie daran, sich in seinem Leben häuslich einzurichten.

"Wie heißt du?« fragte sie, ihren Kopf an seine Brust legend und zu ihm aufblickend.

Er nannte ihr seinen Namen.

"Du bist wohl ein Deutscher?«

"Ja. Du liebst wahrscheinlich die Deutschen nicht?«

"Du bist du. Die anderen sind die anderen. Du studierst hier?«

"Ja.«

"Bist du schon lange hier?«

"Zehn Monate.«

"Du sprichst vorzüglich französisch. Fast ohne Akzent. Bleibst du lang in Paris?«

"Noch fünf oder sechs Wochen.«

Sie stieß einen leisen Schrei aus. "Fünf oder sechs Wochen! So bald!«

Er schwieg, während seine Hand verliebt in ihrem losen Rabenhaar wühlte.

"Und – was gedenkst du dann zu tun?«

"In die Heimat zurückzukehren.«

"Zur Braut? Zu einem blonden Gretchen?«

"Zu meiner Mutter und meinen Schwestern. Zu meiner Pflicht.«

"Ah!« Sie entfernte seine nervöse Hand sanft aus ihrem Haar und behielt sie in der ihrigen. Nach kurzem Sinnen sagte sie: "Ich darf nicht klagen und dich um nichts bitten. Du wirst tun, was du mußt. Ich will nicht an die Zukunft denken. Mit welchem Rechte täte ich es auch? Ich war dem Tode verfallen. Es hat dir beliebt, mir neues Leben zu schenken. Ich darf nicht klagen, wenn ich mich deines Geschenks nicht lang erfreue. Aber es mag kurz oder lang dauern, um eins flehe ich dich an: schenke mir zu dem Leben auch etwas Glück. Mich hungert und dürstet danach. Ich habe es so wenig gekannt!«

Er zog sie fest an sich und küßte sie. "Was magst du in deinem jungen Leben erfahren haben, daß du so sprichst – und so handelst –«

"Frage mich nicht,« sagte sie sanft. "Es liegt hinter mir. Es liegt am Grunde der Seine. Ich habe keine Vergangenheit. Ich will keine haben. Ich verlange keine Zukunft. Laß mir nur die Gegenwart. Diese Stunde. Diesen Tag.«

In seiner Seele ertönte leise der Sang aus Lohengrin: "Nie sollst du mich befragen ....« Ihm war märchenhaft zumute in diesem Abenteuer von Tod und Liebe und Geheimnis. Allein in der wagnerisch orchestrierten Musik mittelalterlicher Romantik, die von seiner heißblütigen Jugend sehr modernisiert wurde, verzichtete der ehrbar erzogene, über den Augenblick hinauszudenken gewohnte Philister, der im Hintergrund seiner dichterisch gestimmten Seele bedächtig waltete, nicht ganz auf das Wort.

"Diese Stunde – diesen Tag – das sagt man wohl. Aber auf diesen Tag folgt ein anderer Tag und dann wieder ein anderer, man gewöhnt sich leicht an Glück und Wonne, und die plötzliche Ernüchterung nach dem Rausch muß furchtbar hart sein.«

"Vielleicht. Um so schlimmer.«

"Ich verstehe nicht, daß du dich mit dieser Aussicht so leicht abfindest.«

"Ich verschließe die Augen vor ihr.«

"Was soll ich nun mit dir anfangen?«

"Mich lieben.«

"Gewiß; das ist kein Opfer; aber wenn ich nach Deutschland zurückkehre –«

"Mach dir darum keine Sorgen, Geliebter. Ich verdanke dir mein Leben. Ich bin dein Eigentum, deine Sache. Du schaltest mit mir nach deinem Belieben. Du behältst mich so lange, wie du Freude an mir findest; du wirfst mich weg, wenn du von mir genug hast. Ich werde dir die Hand küssen und keinen Klagelaut hören lassen.«

Er versank in ein Nachsinnen, das von dumpfen Unlustgefühlen nicht frei war. Sie fühlte Zögern und innere Widerstände bei ihm und fuhr einschmeichelnder, inniger, verführerischer fort: "Du bist doch kein deutscher Eiszapfen. Du bist tapfer, du bist gut und du weißt zu lieben – warum bist du unentschlossen? Warum öffnest du mir nicht die Arme? Bin ich so abstoßend? Oder bist du um deine Freiheit besorgt? Ach, sei ruhig. Ich bin keine Krampe – ich klammere mich weder, an einen Menschen noch an das Leben. Ich werde dir nie zur Last sein.«

Er schloß ihr überwunden den Mund mit einem langen Kusse. "Ich habe dich nur als holde Last empfunden, als ich dich in meinen Armen hierher trug.«

"Nicht einmal eine holde Last will ich dir sein. Ich weiß nicht, ob du reich bist – Verzeihe, wenn ich diesen heikeln Punkt berühre – Ich bin kein Kind – Ich kenne das Leben ein wenig – Ich werde dich nichts kosten –«

"Wirst du wohl schweigen!«

"Nein, Geliebter. Laß mich reden. Ich bin eine geschickte Modistin. Ich verdiene mir reichlich mein Leben, wenn ich nur etwas Lebensmut habe und die Arbeit und alles mich nicht anwidert.«

"Ich bin nicht reich. Ich bin auf den Wechsel von meiner Mutter angewiesen. Aber es langt auch für dich, wenn du nicht anspruchsvoll bist.«

"Anspruchsvoll! O, Schatz! Du weißt nicht, was eine kleine Pariserin ist, die von ganzem Herzen liebt....«

Auf gut Glück! rannten ihm die erregten Sinne in die Seele. Schließlich: warum auch nicht? Er hatte ein Herrenrecht auf dieses entzückende junge Mädchen, das er sich mit Einsetzung seines Lebens erobert – jetzt stellte sich ihm sein recht harmloser Sprung in die Seine schon als lebensgefährliches Wagnis dar. Er hatte in Paris bisher zu den Füßen der keuschen Wissenschaft gesessen; es war doch schön, daß er nun auch zum üppigen Lebensfest zugelassen werden sollte, aus ihrem Freudenkelch einen tiefen Zug tun durfte. Weshalb sollte er sich diese köstliche Erfahrung versagen? Er brauchte keine Gewissensbedenken zu haben, wenn er das schöne Mädchen nach einigen Wochen verließ – sie sprach ihn ja im voraus von jeder Pflicht und Reue los – sie wollte es ja nicht anders haben. Er nahm dann aus Paris außer einem geschriebenen auch ein erlebtes Gedicht mit, eine wunderholde Erinnerung, die sein ganzes Philisterium durchduften sollte wie das kleine Riechkissen mit Veilchenwurzel den großen Wäscheschrank, an dessen Grunde seine Mutter es zu bewahren pflegte. Freilich – im Hintergrunde seines Bewußtseins dämmerten schattenhaft Bilder auf vom Hörselberg und von Venus, der süßen Teufelinne, und von dem jungen Sänger, der in ihrem Lotterschoße siech wird und um der Seelen Seligkeit kommt – aber wie konnten derartige halbdurchsichtige Nebelformen seine Aufmerksamkeit fesseln, die von dem vor seinen Augen, in seinen Armen blühenden jungen Leben beherrscht wurde?

"Du willst niemand ein Wort schreiben oder sagen lassen?«

"Niemand.«

"Aber du hast doch wohl irgendwo – Sachen – die dir gehören – die du holen mußt –«

"Ich werde sie holen.«

"Im Schlafrock?«

"Nein, Geliebter. Sorge dich nicht darum.«

"Soll ich es nicht –«

"Nein,« fiel sie ihm ins Wort; "mische dich in nichts.«

"Wo wohnst du eigentlich?«

"Bei dir, Schatz.«

Sie sagte das mit so drolliger Selbstverständlichkeit, daß er lachen mußte. "Ja wohl, aber ich meine – bisher?«

Er mußte lange auf die Antwort warten. Endlich erwiderte sie leise, ohne ihn anzusehen: "Erlasse mir, es dir zu sagen. Gib mir diesen ersten Beweis deiner Liebe.«

"Aber warum –«

"Verstehst du meine Empfindung nicht? Wenn du meine Wohnung weißt, wirst du dich erkundigen wollen – du sollst nicht. Ich habe dir schon gesagt – meine Vergangenheit ist begraben. Du sollst sie nicht aufdecken. Es ist nicht der Mühe wert. Für die paar Wochen, die ich dir gehören darf. Nimm mich, wie ich bin. Verlange nichts zu wissen. Es würde nur dir und mir Schmerz bereiten. Bist du erst wieder in Deutschland, vergißt du mich ja doch – also wozu?«

"Sonderbares Wesen!« murmelte er. "Kannst du mir wenigstens sagen, wie du heißt?«

Sie zögerte ein wenig. "Catherine Lefueur,« sagte sie dann.

"Ist das auch wirklich dein Name?«

Eine jähe Röte schoß ihr in die Wangen. "Ich lüge nie. Was ich nicht sagen will, das sage ich nicht.«

"Verzeihe. Nur eins noch. Bist du – deinen Eltern entlaufen?«

"Nein.«

"So! Du hast also nicht in deiner Familie gelebt. Aber sicher auch nicht allein?«

"Siehst du, Geliebter, nun fragst du doch. Und ich habe dich doch gebeten –«

"Gut, gut, wie du willst.«

Es war etwas wie ein leiser Unterton von Schmollen aus seiner Stimme herauszuhören und über sein Gesicht huschte ein Schatten von Unzufriedenheit. Es entging ihr nicht. Sie zog ihn an sich und sagte unter Liebkosungen: "Nun bist du mir böse. Ist es denn mein Verhängnis, daß ich kein ungetrübtes Glück gewähren kann? Ich möchte, daß du an mir nur Freude hast, nichts als Freude.«

"Und beginnst damit, daß du mir dein Vertrauen verweigerst und dich in Geheimnis hüllst –«

"Nicht aus Mangel an Vertrauen; um deiner Ruhe willen.«

Da er sich ihren Armen entwand, ließ sie ihn los, stieß einen tiefen Seufzer aus und sagte: "Ich entgehe meinem Stern nicht. Du hast vielleicht recht. Jage mich weg. Es war ein Traum.«

Statt aller Antwort küßte er sie lang und heiß. "So sei es denn. Ziehen wir den Vorhang der Zukunft zu. Leben wir frohgemut in den Tag hinein. Ich habe das bisher nie gekannt. Versuchen wir es.«

"Danke, Schatz, danke,« jubelte sie auf. "Du weißt nicht, wie leicht das ist; und wie angenehm. Sicher hat man ja doch nur den Tag; nicht einmal die Stunde; die Minute. Sich um das weitere den Kopf zu zerbrechen ist unnütz und töricht.«

Inzwischen war es mittag geworden. Die wonnige Erregung, die seit zwei Stunden seine Sinne wie eine leichte Trunkenheit befangen hielt, hatte seine Wahrnehmungsfähigkeit für das wirkliche einigermaßen abgestumpft. Jetzt erzwang sich aber die nüchterne Prosa der Alltagsumstände doch den Einlaß in seine schwärmerisch gesteigerte Stimmung. Er war noch nicht gewaschen und angekleidet; Catherine auch nicht. Es mußte für das Mittagessen gesorgt werden. Gewöhnlich nahm er es mit seinem Freunde Jack in einer Studentenpension. Heute sollte er vergebens auf ihn warten. Er mußte bei der Pförtnerin etwas für Catherine bestellen, da sie doch nicht ausgehen konnte. Was Madame Jeanne wohl dazu sagen würde? Die Fabel von der zufälligen Begegnung im Theater, dem versäumten Zug u. s. w. war nicht mehr aufrechtzuhalten. Er schämte sich, daß er ihr ausdrücklich oder stillschweigend bekennen sollte, eine Unwahrheit gesagt zu haben. Und was dann noch kommen würde – wenn Catherine ihre Sachen irgendwoher brachte und in aller Form zu ihm zog, und wenn sein Freund Jack sie in dem neuen Verhältnis fand – unangenehm; recht unangenehm. Das Leben hat doch gar kein Stilgefühl, gar keine Achtung vor der Lokalfarbe! Wenn einem ein Märchen aufblüht, so soll es sich billig nach Märchengesetzen entwickeln. War ihm eine Nixe zugeschwommen, hatte sie ihn mit ihren weißen Armen umklammert und wollte nicht mehr in ihre unbekannte Grotte zu ihrem unbekannten Wasservolk zurückkehren, so sollten nun auch andere Nixen oder Elfen, Kobolde oder Wichtelmännchen seine Gasthofstube in einen Feenpalast umwandeln und ihm auf sein Händeklatschen zu Diensten stehen, daß er nur zu wünschen, zu befehlen brauchte, um alles zu haben, und daß ihm die Berührung mit der Menschenwelt erspart blieb –

Es war aber in Begleitung seiner Nixe kein einziger dienstbarer Geist erschienen und er mußte selbst der Pförtnerin klingeln und sie, ohne sich bei ihrer verdrossenen Miene aufzuhalten, fragen, ob sie ihnen nicht einen Eierkuchen, ein Hammelrippchen mit Kartoffeln, ein Stückchen Käse, ein Flasche Wein – "und schwarzen Kaffee«, fügte Catherine vom Bette her unbefangen hinzu – besorgen wolle, und nach dem Essen würde er mit Madame Jeanne ein Abkommen zu treffen haben und spätestens am Abend kam das Gespräch mit Jack –

Daran dachte er mit besonderm Unbehagen. Denn Jacks Urteil war ihm nicht gleichgültig und er war nicht im Zweifel, wie es ausfallen würde.

Jack MacIntyre war ein Schotte von der eigentümlich ernsten, strengen Anschauungsweise der Besten seines Volkes. Er war der Sohn eines sehr wohlhabenden Sollicitors in Glasgow und seinem Vater zusammen mit seinem Bruder in seinem Berufe gefolgt. Er hatte zu diesem keine innere Neigung, erfüllte ihn aber gewissenhaft und sicherte sich dadurch geschäftlichen Erfolg, der den ererbten Wohlstand zu Reichtum mehrte. Sein eigentlicher Hang war auf die

Naturwissenschaften gerichtet und während er seinen Rechtsgeschäften oblag, erwarb er sich zuerst als Schmetterlingssammler, dann als wissenschaftlicher Systematiker in der Lepidopterologie Kenntnisse, die erheblich über die eines bloßen Liebhabers hinausgingen. Später wandte er sich auch der Anthropologie zu und wurde einer der Gründer der anthropologischen Gesellschaft für Schottland. Mit einer Verwandten sehr jung, kaum dreiundzwanzig Jahre alt, verheiratet, lebte er mit ihr in ungetrübtem, ruhigem Glück, bis sie ihm nach achtzehnjähriger Ehe durch die Schwindsucht entrissen wurde. Von drei Kindern, die sie ihm geschenkt hatte, war eins im zarten Alter gestorben. Als er Witwer wurde, blieb er mit einer siebzehnjährigen Tochter und einem sechzehnjährigen Sohne zurück. Er widmete sich ihnen in selbstvergessender Treue drei Jahre lang, bis das Mädchen mit einem Schiffsreeder glänzend verheiratet und der junge Mann als Lehrling bei seinem Oheim eingetreten war, mit dessen ältestem Sohne er später die alte Firma weiterführen sollte.

Nun hatte er als guter Familienvater sein Haus gewissenhaft bestellt und fühlte sich frei, ohne Pflicht gegen andere. Er vertrug sich mit seinem Bruder wegen seines Anteils an der Firma und ging endlich daran, seine alte Sehnsucht nach ausschließlicher Hingabe an die Naturwissenschaften zu befriedigen. Er begab sich zuerst nach Bonn, wo er zwei Semester lang Anatomie und Physiologie hörte. Trotz seines bescheidenen Auftretens war er an der Hochschule eine stark bemerkte Gestalt: wegen seines Alters, das den flaumbärtigen Kommilitonen greisenhaft schien, wegen seines Rufes auf einem, wenn auch engen, wissenschaftlichen Sondergebiete, wegen seiner Wohlhabenheit, die ihm gestattete, die ihm von den Professoren und den vornehmsten Korps erwiesene Gastfreundschaft in ersten Gasthöfen häufig und stattlich zu erwidern, und wegen seiner Tüchtigkeit in mehreren Sports, namentlich im Kricket und im Rudern, in denen er sich den schneidigsten jungen Nacheiferern spielend überlegen zeigte.

Mit Rudolf Korte war er in dessen Verbindung bekannt geworden, in der er am frühesten hospitierte. Aus den flüchtigeren Beziehungen der Kneipe und Paukbude wurde ein inniger Anschluß, als er sich von seinem jungen Freunde in dessen Familie hatte einführen lassen. Die Frau Geheimrat behandelte ihn mit einer Zuvorkommenheit, die erraten ließ, daß ihre mütterliche Fürsorge in einem Altersunterschiede von fast vierundzwanzig Jahren zwischen dem stattlichen, reichen Schotten und ihrer ältesten kein Hindernis sah, gewisse Hoffnungen zu nähren und auf ihre Verwirklichung diskret, doch zielbewußt hinzuarbeiten. Auch Fräulein Adele Korte schienen Vorstellungen, in denen sie sich mit der Mutter begegnete, nicht zu mißfallen. Ohne im geringsten aus ihrer mädchenhaften Zurückhaltung herauszutreten, zeigte sie dem Freunde des Bruders Zuneigung und Vertrauen. Im Korteschen Hause umgab ihn eine Wärme, die ihm sehr behaglich war; aber er blieb gegen Adele immer väterlich. Der alternde Mann versagte sich das Recht, ein so junges Geschöpf in sein Leben aufzunehmen. Aber seine Charakterfestigkeit war in dem Maße, wie die Monde dahingingen, immer stärkeren Prüfungen ausgesetzt und sie hätte dem Zauber einer stillen, keuschen Mädchenneigung vielleicht nicht lange mehr widerstanden, wenn Rudolf nicht am Ende des Schuljahrs beschlossen hätte, auf zwei Semester nach Paris zu gehen.

Mr. MacIntyre erklärte sofort, dasselbe zu tun. Ihm, der keinem Brotstudium oblag, war es gleich, wo er arbeitete, und der Umgang mit dem hochbegabten, ideal gerichteten Jüngling ihm ein Herzensbedürfnis geworden. Eine gewisse Wesensverwandtheit zog sie zueinander hin. Jack war Freidenker von äußerstem Radikalismus und las allabendlich vor dem Einschlafen in der Bibel, wie er es seit der frühesten Kindheit gewohnt war. Rudolf lebte in mittelalterlichen Stimmungen und war gleichzeitig von kühnstem Modernismus durchdrungen. Jack verband ein großes Maß praktischer Klugheit, die durch umfassende Lebenserfahrung reich entwickelt war, mit einer eigentümlichen Zartheit der Empfindung, edelm, selbstlosem Erkenntnisdrang und einer tiefen

Andacht für alles große und schöne, die ihm den Glauben ersetzte. Rudolf zeigte ein interessantes Gemisch von schwärmerischer Romantik und wohl ausgebildetem Sinn für die Forderungen der Wirklichkeit, der allerdings bisher bloß auf die Rüstung zu seinem Daseinskampfe gerichtet war. Sie waren mitunter beide heiter erstaunt, wie leicht sie sich an einem Treffpunkt begegneten, wenn sie in ihren Betrachtungen von ganz verschiedenen Voraussetzungen und Grundsätzen ausgingen.

Die Frau Geheimrat war recht enttäuscht, als Mr. MacIntyre seinen Entschluß ankündigte, Bonn zu verlassen, ohne auch nur hinzuzufügen, daß es bloß auf ein Jahr sei. Aber ihre Würde verbot ihr jede Anspielung, die eine Aufdringlichkeit gewesen wäre. Sie beschränkte sich darauf, ihm zu sagen, daß sie ihn ungern entbehre, daß ihr aber die Vorstellung angenehm sei, ihren einzigen Sohn in dem großen, verführerischen Paris gleichsam unter der Obhut eines zuverlässigen und erfahrenen Freundes zu wissen.

So war Mr. MacIntyre Rudolf gewissermaßen als Schutzgeist an die Seite gestellt. Er verkörperte für ihn die öffentliche Meinung des heimischen Kreises, sein gesellschaftliches Gewissen. Aus seinen mutigen blauen Augen blickten Mutter und Schwestern auf ihn. Bisher hatte er sie nicht gescheut. Für kleine Seitensprünge eines temperamentvollen Jünglings hatte Jack eine Nachsicht, die mit einer gewissen Geringschätzung gemischt war. Denn obschon er für seine Person Anhänger einer strengen Sittlichkeit war und vom Manne dieselbe Reinheit forderte wie von der Frau, nahm er doch in seinem Stammesstolze an, daß nur ein Schotte solche Selbstzucht üben könne, für einen Festländer jedoch, und wäre er auch sonst von vornehmer Gesinnung, dieses Ideal zu hoch sei. Ein richtiges Pariser Verhältnis dagegen würde sicher seine harte Mißbilligung erfahren. Diese Gewißheit war Rudolf sehr unbehaglich. Er sah aber keine Möglichkeit mehr, ihr zu entrinnen.

III.

"Du mußt nachmittags ausgehen, hast du mir gesagt?«

"Ja, nach dem College de France und nach der Sorbonne.«

"Sehr wohl, Schatz; wenn du mir zwei Stunden läßt, bringe ich alles in Ordnung. Du findest mich wieder hier und dann weiche ich nicht mehr von deiner Seite, so lange du mich nicht wegstößt.«

Er nickte schweigend.

"Aber – du gehst wirklich weg?«

Er blickte sie verwundert an: "Warum zweifelst du?«

Sie zögerte ein wenig. "Ich meine – du beobachtest mich nicht aus einem Hinterhalt – du suchst mir nicht zu folgen –«

"Wofür hältst du mich?« rief er unwillig.

"Verzeihe – ich wollte dich nicht verletzen – du bist ein Menschenkind – neugierig sind wir ja alle –«

"Ein Deutscher hält, was er verspricht.«

"Ihr seid wirklich außergewöhnliche Menschen. Danke, Schatz.«

Er nahm sie in seine Arme, blickte ihr lange in die dunkeln Augen, küßte sie und entwand sich ihr mit sanfter Gewalt, denn sie ließ ihn nicht gleich los. Sie sah zu, wie er seine Ledermappe nahm, einige Bücher und Papiere hineinschob und nach seinem Hut griff. Erst als er schon an der Tür war, sagte sie leise und tief errötend: "Noch eins, Schatz – ich schäme mich so – aber du begreifst – ich habe nichts mitgenommen –«

"Du brauchst etwas Geld?«

"Ein paar Sous – Ich glaubte ja nicht, daß ich noch etwas nötig haben würde – ich gebe sie dir auch gleich wieder, wenn du nach Hause kommst –«

"Närrchen. Genügt das?« Er reichte ihr ein Fünffrankenstück. Sie sagte nichts, sondern küßte ihm die Hand und den Mund und murmelte: "So. Nun gehe, Schatz, gehe ...«

Von den beiden Vorlesungen dieses Nachmittags nahm Rudolf nicht viel mit heim. Sein Geist war nur damit beschäftigt, sich der letzten Stunden zu erinnern und sich die nächsten auszumalen. Mehr als einmal erwachte er plötzlich wie aus einem Traum zu den Worten des Professors, wurde sich seiner Gedankenflucht bewußt und fragte sich: "Was mache ich hier? Warum gehe ich nicht heim, zu ihr?« Aber der kleine Saal war sehr schwach bevölkert, jeder einzelne Hörer stand voll unter dem Blicke des Professors und Rudolf scheute sich, die Empfindlichkeit des verehrten Meisters durch unziemliches Wegschleichen mitten im Vortrag zu kränken. Sobald er es indes mit Anstand tun konnte, eilte er weg, ohne an der anregenden zwanglosen Unterhaltung teilzunehmen, die wie immer dem förmlichen Vortrag folgte.

Als er in seinem Gasthof die Treppe hinaufhastete, öffnete die Tür der Pförtnerstube sich rasch und der Pförtner – diesmal nicht Madame Jeanne, sondern Monsieur Victorien in Person – rief ihm nach: "Monsieur Korté! Monsieur Korté!«

Rudolf blieb stehen: "Was gibt es, Monsieur Victorien?«

Der Pförtner trat zu ihm, lüftete das würdige Samtkäppchen zum Gruße und sagte mit Richterernst: "Verzeihen Sie, daß ich Sie aufhalte, Monsieur Korté; darf ich Sie bitten, einen Augenblick bei mir einzutreten?«

Rudolf folgte dem Manne mit dem achtunggebietenden Backenbart etwas begossen. Er hatte kein gutes Gewissen. Er suchte sich indes Haltung zu geben.

Monsieur Victorien bedeutete Madame Jeanne mit einem Blick, hinauszugehen, und als sie allein waren, hob er feierlich an: "Herr Korté, es tut mir leid, daß ich einen heikeln Gegenstand berühren muß. Die Dame – von heute Nacht – ist in einem sonderbaren Aufzug, in einem Schlafrock und ohne Hut, weggefahren – in einer Droschke, die wir ihr besorgen mußten – schon das war recht unangenehm – der Kutscher hat Augen gemacht – und die Vorübergehenden – die Nachbarschaft wird klatschen – Sie begreifen, Herr Korté –«

"Ich begreife, Monsieur Victorien.«

Die Ruhe und der hochmütige Ton seines jungen Mieters ärgerten den Pförtner sichtlich.

"Nun ja. Und dann ist sie mit ihrem Koffer und ihren sieben Sachen wiedergekommen und hat sich bei Ihnen eingerichtet, obschon wir ihr vorgestellt haben, daß wir in Abwesenheit des Mieters keine Fremde in sein Zimmer einlassen können. Sie hat uns aber nur ins Gesicht gelacht, die – Dame.«

"Ich hoffe, sie hat es an der gebührenden Höflichkeit nicht fehlen lassen. Jetzt ist ja übrigens alles gut.«

"Verzeihen Sie, Herr Korté – hat die – Dame etwa die Absicht, hier zu bleiben?«

"Es scheint.«

"In diesem Falle, mein Herr, tut es mir leid, Ihnen sagen zu müssen, daß dies nicht möglich ist. Unser Haus ist dafür bekannt, daß es gut gehalten wird. Wir können bei uns keine Unordnung dulden.«

Rudolfs Antlitz überzog langsam dunkle Röte. Die Unterredung nahm eine sehr unangenehme Wendung. Seine erste Bewegung war, dem unverschämten Hausknecht, der ihm mitten im Heidentum des Lateinischen Viertels eine Komödie von ehrbarer Zucht vorgaukeln wollte, sehr schroff zu antworten. Er sagte sich indes rasch, daß es klüger war, einen Zusammenstoß zu vermeiden.

"Hier herrscht offenbar ein Mißverständnis,« bemerkte er scheinbar leichtblütig; "die Dame ist eine alte Freundin, sie steht allein, sie will sich in meinen Schutz begeben. Sie soll ja nicht etwa das Zimmer mit mir teilen – sie möchte nur hier im Hause eine Stube mieten, um in meiner Nähe zu bleiben.«

"Ich bedauere, Herr Korté; das geht nicht.«

"Wie? Ist keine einzige Stube frei?«

"Wir vermieten nicht an einzelne junge Damen.«

Das war so fest und unliebenswürdig gesagt, daß Rudolf ohne ein Wort die Pförtnerwohnung verließ und auf seine Stube ging.

"Endlich!« rief Catherine, als er die Tür öffnete, und flog ihm entgegen. Nach einer stürmischen Umarmung zog er sie ans Fenster, hielt sie auf Armeslänge von sich und betrachtete sie lange, innig, mit augenscheinlich wachsendem Entzücken. Sie hielt lächelnd und errötend still. Ihr Trieb sagte ihr, daß sie bei dieser schweigenden Prüfung, die zu einer trunkenen Versenkung in ihre Reize wurde, nur gewinnen konnte.

Sie hatte sich schön gemacht. Ihr zierliches Persönchen steckte in einem hellen Sommerkleid mit Spitzenkragen um Brust und Schultern. Das Rabenhaar, zu einem Zopf geflochten, war auf dem Scheitel wie zu einem dunkeln Krönlein zusammengerollt und mit einem geperlten Kamm aus Schildplattnachahmung gehalten. Um ihren Hals glänzte ein dünnes Goldkettchen und eine *art nouveau* -Brosche, am linken Arm trug sie ein Kettenarmband. Sie hatte ihren ganzen armen Grisettenschmuck angelegt. Auf dem Tische lag ihr Hut, ein großer flacher Strohdeckel mit Flitteraufputz, Seidenflorbausch und künstlichen Vergißmeinnichtsträußchen, zwischen einem braunlakierten Körbchen und einer hohen weißen Pappschachtel. Auf dem Kanapee stand ihr Kofferchen, ein kleines, dürftiges Kofferchen, das bestenfalls nur einige Lappen enthalten konnte.

Wie um einer Frage zuvorzukommen, sagte sie: "Da bin ich, Schatz; mit meiner ganzen Habe. Du siehst, wir nehmen dir nicht viel Platz weg.«

"In der Tat. Aber –« er zögerte ein wenig – "man gönnt dir nicht mal dieses bischen Platz.«

"Wieso?«

"Der Engel mit dem feurigen Schwert aus der Pförtnerstube will dich nicht in diesem Paradiese dulden.«

"Um so besser,« erwiderte sie lebhaft, "um so besser. Er machte schon solch ein Gesicht, als ich ging und kam – es ist mir viel lieber, mit dieser Kratzbürste nicht in Berührung zu kommen.«

"Es bleibt also leider nichts übrig, als eine Wohnung zu suchen – noch heute – denn ich möchte von dem Menschen keine neuen Bemerkungen zu hören bekommen –«

"Warum leider? Mir ist es ganz recht. Mir graut vor dieser Straße, diesem Viertel. Weg, weg, so weit weg, wie es deine Bequemlichkeit irgend erlaubt. Ich werde erst wieder froh sein, wenn ich diese Gegend nicht mehr vor mir sehe. Komm, Schatz. Laß uns keine Zeit verlieren. Ich will dir einpacken helfen.«

"Mir? Einpacken? Du willst, daß ich –«

Ihre Wangen verfärbten sich, sie blickte ihn mit weitgeöffneten starren Augen an, ihre Stimme zitterte, als sie langsam sagte: "Bin ich dir so schnell leid geworden? Ist der Traum zu Ende, ehe er begonnen hat?«

"Ich habe diese Schwierigkeit nicht vorhergesehen –«

"Welche Schwierigkeit?«

"Ich kann doch nicht Knall und Fall ausziehen –«

"Warum nicht?«

"Ich wohne auf vierzehntägige Kündigung.«

"Dann kündige sofort und laß uns gehen.«

"Die Miete läuft aber bis Ende des Monats –«

"O, Rudolf – so jung – so schön – so stolz – und so kleinlich? Ist die deutsche Seele so?«

Er schämte sich. Es war wirklich eine philiströse Regung, auf eine lieblich sonnige Idylle den Schatten einer Sorge um dreißig Franken fallen zu lassen.

"Erlaube –« stotterte er, "du mißverstehst mich – wenn ich ausziehe – so muß ich es doch nach Hause melden – man wird nicht begreifen, daß ich wegen der paar Wochen –«

"Ta – ta – ta –« sagte sie schalkhaft lächelnd, setzte sich ihm auf den Schoß und küßte ihn zärtlich. "Du bist ja die reine Konfirmandin. Deiner Schüchternheit muß ich furchtbar verwegen scheinen. Daß du nach einem Jahr noch so wenig Pariser geworden bist! Was hast du eigentlich alle die Zeit getan?«

Nichts Nennenswertes – sie hatte vielleicht recht – staubige Bücher wälzen, das hätte er schließlich auch in einer deutschen Bücherei können. Den Pariser Rhythmus des Lebens spürte er erst jetzt in den Nerven. Er gab sich ihm hin.

"Nun gut. Wir wollen Wohnung suchen.«

Sie stieß einen kleinen Freudenschrei aus, sprang von seinem Schoß auf ihre Füße und langte rasch nach ihrem Hute.

"Nur noch einen Augenblick, mein Kätzchen. Ich will sehen, ob mein Freund zu Haus ist. Ihn muß ich doch verständigen.«

"Tu, was du mußt, Schatz.«

Es waren nur einige Schritte bis zu Jacks Tür, aber die kurze Strecke schien Rudolf überaus schwer gangbar. Es war, als ginge von dieser Tür eine starke Abstoßungskraft aus. Er mußte eine ernste Anstrengung machen, um den Drang zu überwinden, eine der förderlichen entgegengesetzte Richtung einzuschlagen. Er schalt sich innerlich aus. Mußte er in diesem Augenblick der Probe entdecken, daß er, der freie, junge Mann, der Dichter, bereits genug in spießbürgerlicher Ehrbarkeit versauert war, um sich vor einem Manne, einem Freunde, eines lenzpoesieumwobenen fröhlichen Abenteuers zu schämen? Nicht gezögert! Vorwärts!

Auf Rudolfs Anklopfen antwortete ein dröhnendes "Herein«.

"Ah!« rief Jack seinem eintretenden Freund entgegen; "du bist ja nicht zum Frühstück gekommen? Hast wahrscheinlich mit deiner Geretteten Scherereien gehabt?«

Rudolf nickte leicht.

"Nun, wie ist denn die Sache ausgegangen?«

Rudolf zwang sich, in leichtem Tone zu antworten: "Ich muß mich sofort auf Wohnungssuche begeben. Ich ziehe noch heute aus.«

"Wa-as?«

"Der Pförtner will nicht an Catherine vermieten – sie heißt Catherine – und so bleibt mir nichts übrig ...«

"Mensch – du bist von Sinnen – du willst doch nicht –«

"Ich kann nicht anders. Höre mich doch ruhig an, ohne aufzubrausen. Wenn dir in der Nacht auf dem Heimweg ein verirrter, herrenloser Hund zulaufen würde, du hättest nicht das Herz, ihn wegzujagen, nachdem du ihn gestreichelt und er dir die Hand geleckt und dich umwedelt hätte. Und ich soll ein schönes, junges Menschenkind herzloser behandeln als einen Köter?«

Jack hörte mit hart geschlossenem Munde und finsterm Blick zu. "Ich verstehe dich nicht. Willst du sie heiraten?«

"Das ist nicht dein Ernst.«

"Also eineBoul'Mich' -Spatzenehe?«

"Auf sechs Wochen.«

"So. Und zu einer solchen Liederlichkeit willst du hinabsinken?«

Rudolf lachte gezwungen. "Laß doch das Predigen, Jack.«

"Wie kannst du nur so leichtsinnig sein? Hast du dir denn klar gemacht, worauf du dich einläßt? Man weiß, wie solche Geschichten anfangen, aber nie, wie sie aufhören.«

"Doch, doch. Ende Juli muß ich nach Hause. Der Schluß der Dichtung ist also gegeben.«

"Wirklich! Und du denkst, du wirst dich nach sechs Wochen der Lotterei freimachen können, wenn du es nach einer Bekanntschaft von einigen Stunden nicht mehr kannst? Du bist im Begriff, eine furchtbare Dummheit zu machen. Ich lasse es nicht zu.«

"Du kannst es nicht verhindern.«

"Aber ich kann es deiner Mutter schreiben.«

"Das wirst du nicht tun!« rief Rudolf erbleichend. "Dazu hast du kein Recht.«

"Man hat immer das Recht, einen Freund vor dem Ertrinken zu retten. Du hast gestern Nacht auch nicht nach deinem Recht gefragt, als du dir deine Freundin aus der Seine fischtest. Aber wer ist sie denn?«

"Ich weiß nicht.«

"Fabelhaft. Hast du sie nicht gefragt?«

"Doch. Aber sie zieht vor, über sich und ihre Vergangenheit zu schweigen.«

"Weshalb ist sie denn ins Wasser gesprungen?«

"Das will sie nicht sagen.«

"Und du willst mit einer unbekannten Abenteurerin zusammenziehen, wahrscheinlich mit einer gewöhnlichen Kundin vonBullier , und willst dir von ihr das Leben zerrütten lassen?«

Rudolf faßte Jack am Arm. "Komm. Sieh sie doch wenigstens, ehe du sie verurteilst.« Er zog ihn rasch mit sich fort und Jack setzte keinen Widerstand entgegen.

"Mein Freund MacIntyre, der mir diese Nacht Gastfreundschaft gewährt hat,« sagte Rudolf vorstellend, als er mit Jack in seine Stube trat.

Catherine erhob sich vom Kanapee und errötete tief. Das entging Jack nicht und machte einen guten Eindruck auf ihn. Eine gewöhnliche Bullier-Pflanze war sie doch wohl schwerlich ... Er verneigte sich leicht. Der ältliche Mann mit dem strengen Gesicht und den ernsten Augen schüchterte sie ein. Es überkam sie eine unbestimmte Furcht, daß hier ein gefährlicher Gegner vor ihr stehe. Sie zwang sich indes, ihm die Hand, wenn auch zögernd, entgegenzustrecken und, wenn auch etwas zaghaft, zu sagen: "Die Freunde unserer Freunde –«

"Bitte, sitzen Sie, Fräulein,« sagte Jack, ohne sein Auge von ihr zu wenden. Seine Aussprache hatte die Wirkung, Catherine die volle Sicherheit wiederzugeben. Ihrem Ohr einer schalkhaften Pariserin klang sein Französisch wie das eines Zirkusclowns und mit der bangen Scheu vor dem Richter war es vorbei. Sie fühlte sich ihm überlegen; wenigstens in einem Punkte. Überdies erriet sie hinter seiner Zurückhaltung und Fremdheit eine geheime Väterlichkeit, ein gewisses mürrisches Wohlwollen, die sie beruhigten.

Die Lage war eigentümlich heikel und setzte Jack in Verlegenheit. Er räusperte sich. "Sie – Sie haben – einige bewegte Stunden hinter sich,

Fräulein.«

"Um so mehr freue ich mich, daß ich jetzt bei unserm Freund Ruhe und Glück finden werde,« erwiderte sie und zog die Hand Rudolfs, der an ihre Seite getreten war, zu den Lippen.

"Schlagfertig,« dachte Jack, der von seinem frühern Berufe her für gewandte Gegenrede besondere Schätzung hatte.

Rudolf beobachtete still. Er kam sich einigermaßen wie ein Hypereides vor, der Phryne vor den Archonten durch ihre Reize verteidigt. Es entging ihm nicht, daß der Schlich des schlauen attischen Rechtsanwalt noch immer zum Ziel führte.

"Vorher steht Ihnen aber noch das Ungemach eines Umzugs bevor,« meinte Jack.

Ein reizendes Lächeln öffnete leicht ihre kirschroten Lippen. "Das ist wirklich nicht der Rede wert, ein Garni gegen ein anderes zu vertauschen. Wir verlassen doch kein Stammschloß, um in die Verbannung zu ziehen.«

"Willst du uns suchen helfen?« fragte Rudolf heiter.

"Ach was – ich würde nur stören,« erwiderte Jack stirnrunzelnd.

"Ich bedaure nur,« bemerkte Catherine sanft, "daß ich zwei Freunde trenne.«

"Das ist eine gute Bewegung, Schatz. Wie wär's, Jack, wenn du mitkämst?«

"Unsinn,« brummte der Schotte.

"Warum Unsinn? Es wäre so schön, wenn wir zusammenblieben. Schon wegen meiner Leute zu Hause. Wenn wir beide zugleich umziehen, wird man mich kaum nach dem Warum fragen.«

Jack zuckte schweigend die Achsel, reichte Catherine die Hand und wandte sich zur Tür.

"Sie werden mich hoffentlich nicht als Hindernis betrachten, Rudolf in der neuen Wohnung zu besuchen?« fragte Catherine einschmeichelnd.

"Nein,« erwiderte Jack kurz und ging.

Rudolf folgte ihm in den Gang hinaus. Er sagte nichts, aber sein Blick fragte gespannt: "Nun?«

"Ein niedliches Ding,« knurrte Jack, während er langsam nach seiner Wohnung hinschritt; "gewiß. Jung, hübsch, nicht dumm – sie hat alles, was nötig ist, um das Leben eines jungen Narren zu verwüsten.«

"Verwüsten! Schäme dich, du Sauertopf.«

"Verwüsten,« wiederholte Jack mit Nachdruck. "Laß dich warnen. Wenn du auf diesen Leim gehst, bleibst du kleben und suchst dich später umsonst loszumachen.«

Rudolf lächelte vor sich hin. Der Gedanke, daß Catherine eine Gefahr sein könne, schien ihn zu belustigen.

"Könntest du mir wirklich raten, daß ich das arme Kind mit einem Fußtritt von mir stoßen soll?«

"Es ist ein Kniff, um dich selbst zu betrügen, daß du diesen brutalen Ausdruck wählst. Du schuldest ihr nichts und sie schuldet dir ihr Leben.«

"Das ich ihr gegen ihren Willen aufgenötigt habe und wofür ich nun verantwortlich bin.«

"Da haben wir deine deutsche Sentimentalität. Du kommst dir jetzt sehr edel und gütig vor; es ist aber nur Charakterschwäche. Du hast nicht den sittlichen Mut, eine notwendige Härte zu üben. Wenn du wirklich gut sein willst, so bestehe darauf, ihre Geschichte zu erfahren. Sie soll dir sagen, was ihr Kummer ist oder war. Weigert sie sich, so zeigt sie hinreichend, daß du ihr nichts bist. Eine fremde Person, die mit dir Versteckens spielt, die ihr Leben vor dir verbirgt, kannst du getrost laufen lassen. Hat sie dagegen Vertrauen, nun, dann suche ihr zu helfen. Versöhne sie mit ihren Leuten, wenn sie mit ihnen entzweit ist. Unterstütze sie, wenn sie in der Not ist. Dabei will auch ich dir gern an die Hand gehen. Führe sie mit Rat und Hilfe auf den rechten Weg zurück. Aber bringe sie um alles in der Welt von hier weg und ziehe deinen Kopf aus der Schlinge.«

"Wie kann man so prosaisch sein!« rief Rudolf unwillig. "Seid ihr Schotten denn wirklich jedes Schwunges unfähig?«

"Natürlich. Du kommst dir sehr schwungvoll und sehr poetisch vor, gegen mich beklagenswerten flachen Philister. Mein armer Rudolf, was dir dichterischer Schwung scheint, das ist nur krasse Selbstsucht eines Sinnesmenschen. Du glaubst um das Wohl des jungen Mädchens besorgt zu sein und denkst in Wirklichkeit nur an dein eigenes Vergnügen.«

"Das ist falsch,« erwiderte Rudolf um so erregter, als er im Innersten von der unerbittlichen Zergliederung seines Freundes betroffen war.

"Nein. Das ist richtig. Aber ich will zugeben, daß es dir nicht klar ist. Ich sehe die Sache eben als sechsundvierzigjähriger Mann, als Schotte, als Familienvater an und du siehst sie als vierundzwanzigjähriger Bursche ohne Verantwortlichkeit und mit festländischen Denkgewohnheiten an. Ich kann nicht hoffen, dich jetzt zu überzeugen. Aber ich möchte, du hättest genug Freundschaft, um mir blind zu folgen. Das wäre dein und des Mädchens Heil.«

Catherine hatte inzwischen das deutliche Gefühl, daß die da draußen über ihr Los verhandelten. Als ihr die Erwartung zu langwierig wurde, konnte sie ihre Ungeduld nicht bemeistern, öffnete die Tür und steckte den Kopf in den Gang hinaus. Jack wurde ihrer ansichtig, drückte Rudolf die Hand und ließ ihn mit den Worten stehen: "Was ich denke, weißt du nun. Wenn du kannst, unterlasse die größte Dummheit deines Lebens, so lang es noch Zeit ist.«

Es war nicht mehr Zeit. Als Rudolf wieder in seiner Stube war, umarmte Catherine ihn stürmisch und blickte ihm forschend, bittend, angstvoll in die Augen. Er verstand die Frage und zog sie statt aller Antwort fest an seine Brust.

"Mein!« jauchzte sie auf.

"Dein,« erwiderte er leise.

Wenige Minuten später sah Jack sie aus seinem Fenster Arm in Arm die Seine entlang in der Richtung zum Pont Neuf dahinschreiten. "Dummkopf!« stieß er unwillkürlich halblaut hervor, aber dem harten

Wort entsprach innerlich bekümmerte Teilnahme und das Gefühl, daß er es der Mutter und Schwester Rudolfs schuldete, ihn nicht ganz die schiefe Ebene hinabgleiten zu lassen, die in seiner Vorstellung sehr weit abfiel, bis in die gefährlichsten Sümpfe und Abgründe.

Wer war das Mädchen, das die Verwirrung in Rudolfs geordnetes Leben trug? Die Gewohnheiten seines frühern Berufes nahmen wieder von ihm Besitz. Als Sollicitor hatte er oft nicht umhin können, auch ein wenig Detektiv zu sein, um künstlich verdunkelte Tatbestände aufzuklären. Er wollte auch in diesem Falle herausbekommen, was die Unbekannte verbergen zu wollen schien.

Es dauerte nicht allzu lange, da war das Pärchen wieder im Hotel und Rudolf kam zu seinem Freunde, um sich von ihm zu verabschieden und ihm die neue Adresse am Quai Conti mitzuteilen.

"Wie heißt deine Freundin eigentlich?« fragte Jack scheinbar gleichgültig, während er sich Rudolfs Wohnung aufschrieb.

"Catherine Lefueur,« antwortete Rudolf arglos.

Damit war ein Ausgangspunkt für Jacks Nachforschungen gegeben.

Sie ließen sich anfangs leicht und verheißungsvoll an. Monsieur Victorien, verletzt von der Schroffheit, mit der sein Mieter nach fast einjähriger ausgezeichneter Beziehung das Haus wegen einer liederlichen Person verlassen hatte, wünschte nichts Besseres, als sein gekränktes Gemüt vor dem Freunde des Ungetreuen, der ihm blieb, zu erleichtern. Jack brauchte kaum eine Frage an den Pförtner zu richten, um zu erfahren, daß er der jungen Person nachmittags eine Droschke besorgt hatte und zwar, wegen ihres anstößigen Aufzugs, eine geschlossene, die zu finden im Juni nicht eben bequem war. Er hatte bis zum Standplatz hinter dem Odéon um sie laufen müssen und sich auf Verlangen seiner Gattin ihre Nummer gemerkt. Die durchnäßten Kleider der beiden hatten die Neugierde der Madame Jeanne stark gereizt. Sie wollte wissen, was das bedeutete, und nahm sich vor, den Kutscher gelegentlich aufzusuchen, um ihn auszuforschen oder dies durch den befreundeten Polizeiinspektor besorgen zu lassen, der ihr Meldebuch zu prüfen kam. Das erwies sich als überflüssig. Denn derselbe Kutscher brachte das junge Mädchen mit ihren sieben Sachen nach einiger Zeit wieder und während Monsieur Victorien diese widerwillig hinauftrug, fand Madame Jeanne Gelegenheit, vom Kutscher zu erfahren, daß er vorhin nur bis zu einem Hotel am andern Ende der Rue Séguier, dessen Nummer er angab, gefahren war und nach längerm Warten seinen sonderbaren Fahrgast, diesmal in anständigem Aufzug und mit Koffer, Schachteln u. s. w., wieder aufgenommen und hierher zurückgefahren hatte.

Madame Jeanne nahm sich vor, das erste freie Viertelstündchen zu einem Besuche bei der Kollegin im benachbarten Gasthof zu benutzen, um über die Entführerin ihres Mieters etwas zu erfahren. Jack wartete darauf nicht, sondern trat den Gang ungesäumt an. Er fragte die Pförtnerin des ihm bezeichneten Garni, ob Fräulein Catherine Lefueur zu Hause sei. Sie antwortete barsch, das Fräulein wohne nicht mehr da. Catherine hatte also keinen falschen Namen angegeben. Ein guter Punkt. Er erkundigte sich weiter. Die Frau wollte nichts sagen und nichts wissen. Sie war sichtlich äußerst mißtrauisch gegen ihn. Da er erkannte, daß er sie nicht kirren konnte, verlor er seine Zeit nicht, sondern ging heim und bat Madame Jeanne, die Frau zum Sprechen zu bringen.

Das gelang ihr ohne Mühe. Als Jack am Abend aus der Pension heimkam, wo er seine Mahlzeiten einnahm, konnte Madame Jeanne ihm mit einer umständlichen Erzählung aufwarten. Die Person war etwas Rechtes! Das konnte man sich ohnehin denken. Sie hatte seit einigen Monaten in dem Garni mit einem Studenten aus den Kolonien gelebt. Er war sehr verliebt und sehr eifersüchtig. Ob sie ihm dazu Anlaß gegeben, wußte die Pförtnerin nicht oder wollte es nicht sagen. Es gab häufige, überaus heftige Auftritte zwischen den jungen Leuten. Der Mulatte bedrohte seine Freundin wiederholt mit dem Revolver. Er schlug sich zweimal mit Stubennachbaren, weil sie ihr zu nahe gekommen waren, und wurde einmal nicht unerheblich verwundet. In der letzten Nacht war wieder Streit auf ihrer Stube ausgebrochen und so lärmend geworden, daß das Pförtnerpaar erwog, ob man nicht hinaufgehen und Ruhe fordern solle, obschon man ja in Studentengarnis auch nachts an keine Klosterstille gewöhnt ist. Da hatte Mademoiselle Catherine plötzlich " *Cordon, s'il vous plaît!* « gerufen und das Haus verlassen und der Lärm hatte ein Ende. Am Morgen schien der junge Mann von den Antillen verstört, lief früh weg, kam im Laufe des Vormittags wiederholt zurück, fragte in der Pförtnerstube, ob nichts für ihn gekommen sei, eilte wieder davon, ohne auf seine Stube hinaufzugehen, und zog schließlich mittags klipp klapp, ohne Kündigung, ohne Erklärung, ohne Angabe einer Bestimmung, mit Hinterlassung der Habseligkeiten seiner Freundin, aus. Nachmittags erschien dann Mademoiselle Catherine wieder auf der Bildfläche – in welcher Kluft, du grundgütiger Himmel! – und fand das Nest leer, was ihr indes anscheinend weder Kummer noch Überraschung bereitete. Was zwischen den beiden vorgefallen war, blieb dunkel, aber die Pförtnerin erklärte sich erfreut, daß sie das unbequeme Paar los geworden.

Jack hatte den Rahmen und die großen Züge des Lebens von Catherine und im Grunde konnte das genügen. Aber der Hang zur Genauigkeit in den Einzelheiten, der ihm natürlich war, ließ ihn noch nicht ruhen. Er brachte leicht den Namen des Mulatten in Erfahrung, der aus dem Garni der Rue Séguier verschwunden war. Er erkundigte sich bei einem Studenten aus Guadeloupe, der im physiologischen Laboratorium neben ihm arbeitete, nach dem Landsmanne. Der kannte ihn nur dem Namen nach, konnte aber Jack mit einem Kameraden in Verbindung setzen, der mit dem Mulatten enger befreundet war.

Bei dem Essen, zu dem Jack beide junge Leute einlud, sprach der eine, ein Interne (Krankenhaus-Hilfsarzt), mit Behagen, und nicht ohne leisen Spott, von seinem Freund und Catherine; er bildete sich nämlich ein, daß der alte Engländer in das Mädchen verschossen sei. So viel er wußte, war Catherine eine Blüte von Montmartre, dem Pflaster des heiligen Berges entsprossen, den Eltern aus angeborenem, unwiderstehlichem Drang zu wilder Ungebundenheit früh entlaufen. Sein Freund Cartaux hatte sie einem Vorbesitzer entführt, einem ältern Geschäftsmann, in dessen Modeatelier sie gearbeitet hatte. Das war eine unerquickliche Geschichte. Wegen Catherine hatte der Mann seine Frau, nach gefeierter silberner Hochzeit, aus dem Hause gejagt und sich eine Kugel durch den Kopf geschossen, als sie ihn verließ, um dem Mulatten zu folgen. Es gab überhaupt viel Melodrama im Leben dieses reizenden Mädchens. Sie verdrehte alle Köpfe. "Wir waren alle hinter ihr her, mein lieber Herr Mac, so viel wir unser waren, Freunde und Bekannte Cartaux'. Es war aus ihr nicht klug zu werden. Sie lockte alle an und ließ alle schnöde abfallen. Ich könnte große Eide schwören, daß keiner von uns sich auch nur so viel rühmen darf. Der arme Cartaux! Er wollte es freilich nicht glauben. Ein sehr hysterisches Geschöpf. Stark neuropathische Augen. Furchtbar gefährlich für Nervöse – und Schwachköpfe.«

Jack bekam eine gute Meinung vom Urteil des Interne und eine beklemmend düstere vom Schicksal seines jungen Freundes.

IV

Rudolf und Catherine lebten in der neuen Wohnung eine Art Honigmond und ihre wechselseitige Verliebtheit gab sich so ungezwungen, daß Jacks heikle Empfindung daran heftigen Anstoß nahm. Nach einem ersten Besuche, bei dem Catherine Rudolf auf dem Schoße saß und mit ekstatischen Augen an seinem Blicke hing, nach einem zweiten, erheblich kürzern, während dessen sie nicht aufhörte, ihren Freund mit Küssen zu bedecken, vermied er es eine Weile, von neuem Zeuge ähnlicher Geschmacklosigkeiten zu werden. Seine Enthaltung befremdete und beunruhigte Rudolf. Der ältere Freund, mit dem er seit zwei Jahren, und besonders im letzten, so vertraut gelebt, gewohnt, gegessen hatte, fehlte ihm. Nach der alten Wohnung mochte er nicht gehen, weil er vom Pförtner schmollend geschieden war, in die Pension kam er nicht mehr, weil er jetzt mit Catherine in einem Gasthaus aß, er mußte also, um ihn zu sehen, ihn entweder im Seziersaal oder Laboratorium aufsuchen oder ihm förmlich auf der Straße auflauern, beides sehr unbequem, und dadurch noch unbequemer gemacht, daß Catherine darauf bestand, ihn immer zu begleiten.

Sie wollte ihn keinen Augenblick allein lassen, sich bei Tag und Nacht nicht von ihm trennen. In den ersten Tagen setzte er es noch durch, daß er in die Sorbonne, in das College de France gehen durfte, ohne daß sie ihm in den Hörsaal folgte. Sie wartete dann während der Vorlesung draußen auf einer Bank, mit einem Buch in der Hand, das ihre Träumerei maskierte, und wenn er herauskam und sie seiner ansichtig wurde, eilte sie auf ihn zu, bemächtigte sich seines Armes, führte ihn rasch weg und erzählte ihm die Anfechtungen, die sie in der Stunde der Erwartung hatte abwehren müssen. In die Nationalbibliothek ließ sie ihn überhaupt nicht mehr gehen, als sich herausstellte, daß er ihr keine Karte für den Lesesaal erwirken konnte, die sie gefordert hatte. Sie fand dabei Worte, deren lästerlichen Klang sie nicht ahnte, da sie nie die Bibel gelesen. "Laß doch deine Bibliothek,« sagte sie; "deine Bücher wirst du immer haben. Mich aber wirst du nicht haben.« Wenn er schwache und immer schwächere Versuche machte, seine Arbeitsfreiheit zu verteidigen, überwand sie ihn mit der Bemerkung: "Du hast mir sechs Wochen versprochen. Das ist so wenig. Willst du mir auch die paar Augenblicke noch verkürzen?« Er mußte sich darein finden, daß es mit der ernsten Beschäftigung vorbei war. Er entschuldigte sich vor sich selbst damit, daß er in den paar Wochen ohnehin nichts Rechtes mehr geschafft haben würde.

Auch Jack vermißte Rudolf recht sehr. Er hatte in den zwei Pariser Semestern viele Bekanntschaften gemacht, aber bei dem großen Altersunterschiede zwischen ihm und den Kameraden und bei seiner natürlichen würdevollen Zurückhaltung keine neuen Freundschaften geschlossen. Er war also jetzt einsam; weit mehr, als es seinen Neigungen und Gewohnheiten entsprach. Doch daran war nun einmal nichts zu ändern. Das Schauspiel lockerer Lebensführung war ihm zu widerwärtig, als daß er ihm nicht nach Möglichkeit hätte aus dem Wege gehen wollen. Auch er klammerte sich indes an die Hoffnung, daß der nahe Beginn der Universitätsferien den Freund aus dem Zauberbann seiner Nixe erlösen werde.

Aus dieser beruhigenden Vorstellung schreckte ihn gegen Mitte Juli ein Angstbrief der Frau Geheimrat Korte auf, die ihm schrieb: "Mein verehrter, lieber Herr MacIntyre, Rudolf teilte mir vor einigen Tagen lakonisch mit, wir hätten auf seine Heimkehr, bis zu der wir alle die Stunden zählen, nicht mehr zu rechnen, er müsse noch eine Zeitlang – wie lange, sagte er nicht – in Paris bleiben. Auf meine dringende Bitte um nähere Angabe der Gründe antwortete er in unklaren ausweichenden Redensarten, die zu seiner sonstigen Bestimmtheit einen auffallenden Gegensatz bilden. Verständlich war mir nur eine Bemerkung, die mich mit der größten Unruhe erfüllt. Er schreibt nämlich: ›Ich werde vielleicht meinen ganzen Lebensplan zu ändern haben.‹ Was soll das heißen? Was geht vor? Eine frühere Anfrage, weshalb er plötzlich die Wohnung gewechselt, ließ er bis heute überhaupt unbeantwortet. Lieber, guter Herr MacIntyre, verzeihen Sie es meinem bangen Mutterherzen, wenn es sich an Sie, den bewährten Freund, mit der dringenden Bitte um Aufklärung wendet. Lassen Sie mich nicht warten, bitte; bitte! Aufrichtige Grüße von Ihrer Sie hochschätzenden C. Korte.« Eine Nachschrift sagte: "Adele und Tildchen grüßen herzlich. Auch sie wollen ihren Bruder wieder haben!«

Den Brief hatte die letzte Abendpost gebracht. Da zögerte er denn freilich nicht und eilte am nächsten Vormittag, ehe er sich in das Laboratorium begab, nach dem Quai Conti. Auf sein Klopfen an Rudolfs Tür, vor der zwei Paar Schuhe, Männlein und Weiblein, standen, antwortete eine Stimme aus dem Hintergrunde des Zimmers: "Wer ist's?«

"Mr. MacIntyre!« knurrte Jack.

"Oh!Gleich! Entschuldige!« rief es von drinnen, man hörte ein leichtes Gepolter wie von hastigen Bewegungen, die einen Stuhl umwarfen, und nach wenigen Minuten näherten sich Schritte der Tür, deren Riegel zurückgeschoben wurde.

Nach neun Uhr vormittags, im Juli, noch im Bette! Welche Änderung in Rudolfs Gewohnheiten!

"Verzeihe, daß ich dich ein wenig warten ließ,« sagte Rudolf, vor die halb geöffnete Tür tretend und ihm die Hand entgegenstreckend. Er war rasch in Pantoffel und Beinkleider gefahren, hatte sich aber keine Zeit genommen, auch eine Jacke anzuziehen. "Wir sind gestern spät nach Hause gekommen. Catherine versteckt sich vor dir unter der Decke. Komm herein.«

"Ich ziehe vor, dich unten zu erwarten, bis du dich angekleidet hast. Ich habe mit dir ein wenig zu plaudern. Deine Freundin will ich nicht stören.«

"Gut. Ich bin sofort bei dir.«

Jack ging hinunter und trat zu den Bücherkasten auf der Brustmauer des Quais, wo er zerstreut die regenverwaschenen und sonngebleichten Rücken der alten Bände betrachtete, bis Rudolf neben ihm stand.

"Was erfahre ich?« fragte Jack, langsam die Richtung nach dem Pont des Arts einschlagend, "du willst Ende des Monats nicht nach Hause reisen?«

"Hat dir meine Mutter geschrieben?« war Rudolfs rasche Gegenfrage.

"Ja. Sie ist sehr unruhig, denn sie kann sich deinen Entschluß nicht erklären.«

Rudolf schritt schweigend neben seinem Freunde her. Als die Antwort zu lang auf sich warten ließ, fuhr Jack fort: "Und ich erkläre mir ihn auch nicht.«

Der junge Mann schien noch mit sich zu ringen, endlich sagte er langsam und nachdrücklich: "Meine Mutter kann mich natürlich noch nicht verstehen. Aber dir sollte ich nichts zu erklären brauchen.«

"So! Als ich dich warnte, da erwidertest du mir wohlgemut: Ach was, Ende Juli ist ja doch alles vorbei. Und nun?«

"Ich war damals guten Glaubens. Ich kannte Catherine nicht. Jetzt – ist es etwas anderes.«

"Das heißt, du willst nicht von ihr lassen?«

Rudolf blieb stumm.

"Ich möchte nur wissen,« fuhr Jack eindringlicher fort, "wie du dir das weitere eigentlich denkst? Willst du deine ganze Zukunft in Trümmer schlagen, um mit deiner – Freundin beisammen zu bleiben?«

"So weit habe ich, ehrlich gestanden, noch nicht gedacht. Und so tragisch würde ich es in keinem Fall ansehen. Meine Zukunft hängt doch wohl in erster Reihe von meiner Kraft und Tüchtigkeit ab, nicht von meiner Beziehung zu einem geliebten Wesen. Vorläufig steht nur so viel fest, daß ich meine Pläne ein wenig ändern muß. Ich kann Catherine unmöglich nach Hause mitnehmen. Und – ich kann sie ebensowenig verlassen.«

"Deine Pflicht gebietet es dir, Rudolf.«

"Nein, Jack. Es gibt keine Pflicht, ein geliebtes Wesen zu töten.«

"Das glaubst du?«

"Das weiß ich. Du kennst Catherine nicht. Sie ist ein Wesen der Auslese, von feinster, vornehmster Empfindung. Wenn ich ihr heute sagen würde: Schatz, es muß geschieden sein, – sie würde kein Wort erwidern, mich nicht mit rührsamen Auftritten plärrender Ariadnen aus der Nähwerkstatt langweilen, aber sie würde es nicht überleben.«

"Darauf würde ich es ankommen lassen.«

"Ich auch, wenn sie – mir gleichgültig wäre.«

"Wenn ich dein Vater wäre, würde ich dich sofort auf einem Segelschiff einschiffen und nach Neuseeland fahren lassen. Der Äquator ist sehr gut für solche Zustände.«

Rudolf lächelte. "Ich weiß nicht, ob ich mich deinem Machtgebot unterwerfen müßte, wenn ich dein vierundzwanzigjähriger Sohn wäre, aber das weiß ich, daß Catherine mir sehr bald nach Neuseeland folgen würde, wenn sie nicht schon in einem Dampfer vor meinem Segelschiffe dort angekommen wäre.«

"Das heißt also: es ist ein Bund fürs Leben?«

"Warum nicht?«

Jack blieb stehen. "Rudolf, kennst du Fräulein Catherine Lefueur?«

"Ich schmeichle mir.«

"Ich meine ihre Vergangenheit?«

Rudolfs Miene verdüsterte sich. "Ich weiß davon, was mir zu wissen nottut, und mehr will ich nicht erfahren.«

"Du weißt also, daß sie –«

"Ich bitte dich,« unterbrach Rudolf ihn gebieterisch, "erzähle mir nichts. In ihrer heldenmütigen Aufrichtigkeit hat Catherine mir alles bekennen wollen. Ich habe es ihr verboten. Was soll es mir nützen, daß ich von ihrem Unglück eine Einzelheit mehr oder weniger weiß? Das Schicksal hat sie durch den Schlamm von Babylon geschleift. Das weiß ich. Aber ich weiß auch, daß der Schmutz ihr Inneres nicht besudelt hat. Das nächtliche Bad in der Seine hat sie reingespült. Ihr neues Leben ist nichts als Liebe und Treue und Hingebung. Sie lebt nur in mir und durch mich.«

"Und von dir,« fügte Jack trocken hinzu.

Rudolf ärgerte sich. "Das scheint mir in der Ordnung. Etwa nicht?«

"Doch, doch,« begütigte Jack.

"Sie ist völlig anspruchslos. Ich habe sie geradezu zwingen müssen, sich von mir ein wenig ausstatten zu lassen. Denn es war mir unangenehm, sie in Kleidern von unbekannter Herkunft zu sehen. Sie ist von einer Zartheit der Empfindung, von einem natürlichen Sinn für das Schöne, die mich stündlich neu entzücken. Wirst du glauben, daß sie von mir Unterricht im Deutschen gefordert hat und mit dem größten Eifer lernt, um meine Dichtungen in der Ursprache lesen zu können?«

"Ganz geschickt,« brummte Jack.

"Du hältst das für Berechnung? Welchen Vorteil soll sie davon haben? Sie weiß, daß sie dem Dichter nicht zu schmeicheln braucht, um des Menschen sicher zu sein.«

"Doppelt genäht hält besser.«

"Du willst von deinem Vorurteil nicht lassen. Gut.«

Sie gingen wieder eine Weile schweigend nebeneinander her. So gelangten sie bis zur Solferinobrücke. Hier machte Jack kehrt. "Ich sehe, wie die Dinge liegen. Sage mir nun, was ich deiner Mutter schreiben soll.«

"Ja – allerdings –« murmelte Rudolf. "Das ist eine etwas peinliche Sache. Ich habe nie gelogen und will es jetzt nicht lernen. Die Wahrheit kann ich meiner Mutter doch nicht gut sagen. Ich muß ihre zimperlichen Anschauungen schonen. Ich werde von Arbeiten sprechen, die mich noch hier festhalten. Das ist nicht geradezu unwahr. Es ist nur nicht die ganze Wahrheit.«

"Hm. So. Und ich?«

"Du – sollst bestätigen, daß ich einstweilen hier bleiben muß.«

"Ohne auf Einzelheiten einzugehen?«

"Ich glaube nicht, daß du dazu verpflichtet bist.«

"So. Nun will ich dir etwas sagen. Wie ich Frau Geheimrat kenne, wird sie, wenn sie aus deinen und meinen Briefen nicht klug werden kann, nicht lange fackeln, sondern einen dieser Tage ohne Warnung bei dir eintreffen. Dann magst du zusehen, ob du auch ihr an der Tür sagen kannst, Catherine verstecke sich vor ihr unter der Decke.«

Rudolf zuckte die Achsel. "Das ist in der Tat nicht ganz unmöglich. Es wäre sehr unangenehm. Aber was kann ich dagegen tun? Ich werde meine Mutter um Verzeihung bitten. Auf ihre Liebe rechne ich blind. Und ich traue Catherine zu, daß sie jede Feindseligkeit überwinden und jedes Herz gewinnen kann, wenn man sich nur die Mühe nimmt, sie kennen zu lernen.«

"Armer Junge,« war alles, was Jack erwiderte. Rudolf lächelte über das Mitleid seines Freundes.

"Komme jetzt mit hinauf. Catherine ist inzwischen gewiß fertig geworden.«

"Lieber nicht. Es ist spät. Ich muß ins Laboratorium. Ein andermal.«

"Aber recht bald. Möchtest du nicht heute abend mit uns essen?« fragte Rudolf, als er an seiner Haustür dem Freunde die Hand zum Abschied reichte.

Jack überlegte kurz. "Meinetwegen,« sagte er dann. "Ich hole euch um sieben ab.«

Seine Gedanken blieben bis zum Eintritt in das physiologische Laboratorium bei seinem Freunde. Anfangs überwog der Widerwille gegen die Verhältnisse, die er aus so unangenehmer Nähe beobachten mußte. Vielleicht wäre es das beste, den törichten Jungen zu schneiden. Es paßte einem Manne seines Alters, seiner Stellung, seiner Anschauungen nicht, gewissermaßen zu den vergnüglichen Beziehungen eines sentimentalen Narren die Kerze zu halten. Aber die Frau Geheimrat? Ihr würde er schreiben, daß er über die Pläne ihres Sohnes nichts Genaues wisse und ihn übrigens nur noch selten sehe, seit er nicht mehr mit ihm in einem Hause wohne. Sein Gefühl ließ ihn jedoch diese Lösung rasch verwerfen. Würde er Rudolf sich selbst überlassen, wenn er den Typhus bekäme, oder wenn er plötzlich geistig erkranken würde? Welcher Gedanke! Er würde natürlich an seiner Seite bleiben und ihn pflegen, auch wenn dies ihm große Unbequemlichkeiten auferlegen würde. Er mußte ihn als einen Kranken ansehen. Er mußte ihm beistehen; ihm helfen, seine Gesundheit wieder zu erlangen. Rudolf wollte nach den Sitten des Lateinischen Viertels leben, ohne gegen die Sentimentalität fest zu sein, wie es die Jugend des Lateinischen Viertels ist. Masern sind bei uns eine verhältnismäßig leichte Krankheit. Auf den Südseeinseln töten sie alle, die sie befallen. Ein Pariser Student konnte sich vielleicht ungestraft mit einer Catherine einlassen. Er behielt sie, solange sie ihm Spaß machte, und gab ihr ohne Wimpernzucken den Laufpaß, sowie sie ihm lästig wurde. Bei Rudolf aber war der Einsatz in diesem Spiele gleich das ganze Herz. Er beherrschte die Lage nicht. Er war weder kaltblütig noch herzensroh genug, um sich den bequemen Ausweg aus ihr offen zu halten.

Konnte er ihm daraus einen Vorwurf machen? Er selbst, der kühle, reife Mann, brachte es nicht über sich, mit Rudolf zu brechen, obschon dies jetzt eigentlich für ihn das richtige wäre, und ihn verband doch nur eine verständige Freundschaft lose mit dem jungen Mann. Wie sollte er sich wundern, daß Rudolf die unvergleichlich stärkeren Bande nicht zerreißen konnte, die ihn an ein schönes junges Mädchen knüpften!...

Schon die bloße Menschenpflicht gebot ihm, Rudolf nicht aufzugeben. Auch er wäre einem Freunde dankbar, wenn er unter ähnlichen Verhältnissen seinem Sohne beistände. Mit liebloser Strenge war offenbar nichts auszurichten. Sie würde nur Rudolfs Trotz herausfordern und zum Bruche führen. Nur durch treue Wacht und unablässige, jedoch nachsichtige und schonende Einwirkung durfte er hoffen, ihn über diese Krise hinwegzusteuern.

Und während Jack diese Verhaltungsregeln für sich im Geiste festlegte, schien es ihm, daß ihm die reizende Adele über die Schulter der Frau Geheimrat hinweg mit den sanften blauen Augen innig dankte.

Jack war wie immer pünktlich. Um sieben Uhr trat er bei Rudolf ein. Catherine, die, um nicht auf sich warten zu lassen, mit dem Hut auf dem Kopfe dasaß, begrüßte ihn mit ihrem bezauberndsten Lächeln und Blick und der Anrede: "Guten Tag, lieber Feind.«

"Feind?« fragte Jack etwas erstaunt, während er die ihm gereichte Hand leicht berührte.

"Gewiß, Sie würden mir sonst meinen Rudolf nicht mißgönnen.«

Jack erwiderte nichts, sondern blickte Rudolf an.

"Gehen wir,« sagte dieser.

"O, ich weiß sehr wohl,« plauderte Catherine, während sie die Treppe hinuntergingen, "daß Sie uns trennen wollen. Rudolf braucht es mir nicht zu sagen. Ich kenne jede Falte seines Herzens. Ich lese es in seinen Augen, wenn er mit Ihnen zusammen gewesen ist. Ich mache Ihnen keinen Vorwurf. Gott bewahre. Sie haben recht. Aber ich habe auch recht.«

"Das ist nicht möglich,« bemerkte Jack trocken.

"Doch, doch,« erwiderte Catherine lebhaft. "Es kommt nur darauf an, was man vom Leben verlangt: Geld oder Glück.«

"Von Geld ist nicht die Rede, Fräulein. Glücklich aber kann man nicht sein, wenn man seine Pflichten vernachlässigt.«

"Ich werde meinen Rudolf nie hindern, seine Pflichten zu erfüllen, alle seine Pflichten.«

"Lassen wir das,« sagte Rudolf, dem der Gang der Unterhaltung peinlich schien.

Er führte nach einem bescheidenen Gasthaus in der Rue Dauphine. Catherine glich in ihrem Essen und Trinken einem kleinen Vogel, der Körner pickt und zwischendurch den Schnabel netzt. Sie hatte nicht die Unformen, die Personen der niederen Stände bei Tische hervorkehren und für die Jack ganz besonders empfindlich war. Er litt unter ihrer Tischgenossenschaft nicht. Das war viel mehr, als er erwartet hatte. Und sie plauderte nett und klug über alle möglichen Dinge, etwas sprunghaft, oft drollig durch unvorhergesehene Einfälle und malerische Vergleiche, daß Jack nicht umhin konnte, sich zu bekennen, daß man die Gesellschaft dieser Kleinen sehr wohl kurzweilig finden konnte. Sie war zweifellos reich an Naturanlagen. Günstigere Verhältnisse hätten aus ihr einen berückend anziehenden, vielleicht auch edeln und guten Menschen machen können. Aber was half es, zu klagen, daß es anders gekommen war?

"Sage mir nun etwas über deine Sommerpläne, wenn du schon welche hast,« wandte sich Jack an Rudolf.

"Ich denke, ich werde ein wenig in der Provinz reisen. Ich möchte doch von Frankreich etwas mehr gesehen haben als Paris. Ein Seebad. Die Bretagne, die mich seit Jahren beschäftigt und die für mich bisher nur ein Traumland gewesen ist.«

"Das wird herrlich sein,« schwärmte Catherine. "Ich reise so gern. Das Meer, die bretonische Heide, das Land mit Wiesen und Blumen und Kühen – all das in Gesellschaft eines Dichters, den man anbetet – ich fürchte mich beinahe noch, daran zu glauben – wenn etwas dazwischen käme! ...«

Rudolf streichelte ihr zärtlich die Wange. "Sei ruhig, Schatz.«

"Schön,« bemerkte Jack. "Das wird einige Wochen in Anspruch nehmen.«

"Die Ferienmonate,« sagte Rudolf.

"Und dann? Im Oktober?«

"Wer wird auf so weit hinaus Pläne schmieden!« rief Catherine. "Das Leben wäre unleidlich, wenn es nach einem amtlichen Programm ablaufen würde. Für den Oktober lassen wir einstweilen Gott sorgen.«

"Das ist bequem.«

"Eben deswegen.«

Rudolf konnte ein Lächeln nicht unterdrücken.

"Ist das auch deine Meinung?« fragte Jack stirnrunzelnd.

Catherine kam dem Gefragten zuvor. "Rudolf zeigt manchmal eine bedauerliche Neigung, sich über das, was werden soll, den Kopf zu zerbrechen. Ich rede es ihm aber nach Kräften aus. Ich habe immer gefunden, daß es nichts Unnützeres in der Welt gibt, als die Zukunft festlegen zu wollen. Es kommt ja doch immer anders. Also wozu? Das einzig Vernünftige ist, heute fröhlich zu sein. Für morgen genügen Wünsche, Hoffnungen, Luftschlösser.«

"Das nenne ich Leichtsinn,« sagte Jack.

"Ich auch,« antwortete Catherine rasch.

Diesmal lachte Rudolf. "Sie faßt als Kompliment auf, was du als Vorwurf meinst. Ihr werdet euch nie verstehen.«

Es war Jack aufgefallen, daß seit einigen Minuten Catherine angeregter, ihre Stimme lauter, ihr Mienenspiel lebhafter, ihr Blick beweglicher geworden war. Die Unterhaltung rechtfertigte diese Veränderung nicht genügend. Eine zufällige Kopfwendung ließ ihn vermuten, daß er die Erklärung gefunden habe. An einem Nachbartische hatte ein hübscher junger Mann Platz genommen, nach seiner Erscheinung und seiner Ledermappe zu urteilen ein Anwaltsschreiber oder dergleichen. Er hatte eine Abendzeitung vor sich gegen sein Glas gelehnt, um beim Essen zu lesen. Er war auf die anziehende Nachbarin aufmerksam geworden und las nicht mehr, sondern suchte mit ihr zu äugeln. Catherine mied seinen dreist beredten Blick nicht, sie suchte ihn vielmehr, sie ermutigte und erwiderte ihn. Ihr ganzes Wesen und Gehaben entwickelte hundert kleine Anreize für den unbekannten Hofmacher. Dabei schmiegte sie sich inniger, zärtlicher, fast unpassend an Rudolf und das hin und her blitzende Auge nahm einen besonders verliebten Ausdruck an, wenn es nach einem raschen Brandblick auf den jungen Nachbar zu ihm aufschaute.

Jack verfolgte dieses kleine Spiel mit einem Gemisch von Mitleid und Verachtung. Was war das? Komödie? Verderbnis? Läßliche Koketterie? Unbewußtes Tun? War ihre Liebe zu Rudolf eine oberflächliche Regung, vielleicht gar nur Verstellung? Oder war bedenkenfreie Gefallsucht bei ihr gebieterischer als die Liebe? Er mußte an die Diagnose des Interne denken: "Stark neuropathische Augen; sehr hysterisches Geschöpf.« Aber seine Wahrnehmungen waren ihm nicht unangenehm. Sie ließen die Umrisse einer annehmbaren Lösung hervortreten. Wenn er Rudolf nicht bestimmen konnte, sie aufzugeben, so war sie es vielleicht, die seiner überdrüssig wurde und ihn eines Tages neuen Eindrücken zuliebe anpflanzte. Wohl würde seine Eigenliebe unter solcher Treulosigkeit einen Augenblick leiden, aber um so schlimmer. Die Rettung war es doch und ganz ohne Ungemach konnte man nicht hoffen, aus einem derartigen Abenteuer frei zu kommen. Der Gedanke fuhr ihm sogar durch den Kopf, Catherinens natürlichem Flattersinn Vorschub zu leisten, mit ihr eine Unterredung zu suchen, ihr eine Abfindung anzubieten, wenn sie Rudolf heimlich verlassen wolle – wie es später oder früher ohnehin geschehen würde. Als puritanisch erzogener Schotte war Jack kein Theatergänger und kannte die "Kameliendame« nicht. Vater Duvals Besuch bei Marguerite diente ihm also weder als Anregung noch als Lehre. Aber in seiner Sollicitorpraxis hatte er mehr als einmal geschäftsmäßig Beziehungen zu lösen gehabt, die reichen jungen Toren gefährlich zu werden drohten. Es war indes doch etwas in Catherinens Wesen, was ihn warnte. Er mußte noch beobachten, ehe er eingriff.

Er sah, wie der junge Nachbar mit dem Kellner flüsterte und dieser nach einem Blick auf ihren Tisch leise antwortete. Eine Erkundigung nach ihnen, vielleicht ein Auftrag ... Und es entging ihm auch nicht, daß Catherine, als sie aufbrachen, zu dem Fremden hin sprach, während sie vor dem Spiegel die Hutnadel zurecht steckte und laut vorschlug, sie sollten den Abend in einem Café-Konzert beschließen.

Der Köder lockte nicht genug. Der junge Mann folgte ihnen nicht. In Jacks Geiste aber stand es jetzt wie eine Zwangsvorstellung: "Armer Rudolf! Armer Rudolf!«

Rudolf war weit entfernt, sich für beklagenswert zu halten. Er folgte dem Rate Catherinens, mehr in der Gegenwart als in der Zukunft zu leben, und er sah diese nur als ein schwimmendes Gebilde, worin deutliche Formen nicht zu erkennen waren, das aber im ganzen von freundlicher Rosenfarbe schien. Auch über die Sorge, die ihm die Mutter bereitete, kam er unerhofft glimpflich hinweg. Auf seinen Brief, worin er ihr mitteilte, daß er in Frankreich reisen wolle, erhielt er eine Antwort voll sanfter Vorwürfe, weshalb er denn zuerst geheim getan und dies nicht gleich gesagt habe; es sei ja so natürlich, daß er auch die Provinz kennen zu lernen wünsche; jetzt sei er nahe dazu, wer weiß, ob er es später je wieder so bequem haben werde; und es könne ihm gewiß nur nützlich sein. Sie habe einen Augenblick ernstlich daran gedacht, diese Ferienreise, die sie sich entzückend vorstelle, unter seiner Führung mitzumachen – ihn überlief es kalt –, aber das würde doch wohl zu kostspielig sein – "ah! Gott sei Dank!« –; so solle er es sich denn gut gehen lassen und nur möglichst bald gesund heimkommen. Tildchen legte einen Gruß bei und mahnte, ihr nur ja von überall Ansichtskarten zu schicken. Er atmete erleichtert auf. Nun hatte er wenigstens zwei Monate lang freie Bahn vor sich. Das Weitere –

Die erste Erschütterung erfuhr seine Selbstzufriedenheit wenige Tage, ehe er an die See ging. Er schlenderte mit Catherine nachmittags einen Baumgang des Luxembourggartens entlang, als aus einem Seitenpfad ein dunkelhäutiger junger Mann mit dem Studentenbarett auf dem Krauskopf in den Hauptweg bog und beim Anblick des Paars plötzlich wie eingewurzelt stehen blieb. Gleichzeitig fuhr durch Catherinens zierliche Gestalt vom Scheitel bis zur Sohle ein jähes, kurzes Beben wie von einem elektrischen Schlag.

Rudolf blickte erstaunt zuerst auf Catherine, die leichenblaß geworden war und sich trotz sichtbarer Anstrengung nicht verhindern konnte, wie Espenlaub zu zittern, dann auf den Unbekannten, der sich ebenfalls fahl verfärbt hatte, und war sich sofort über den Sinn dieser Begegnung klar. Er wußte nicht, welchen Ausdruck sein Gesicht und seine Augen annahmen, aber Catherine und der junge Farbige sahen es. Dieser machte kehrt und schlug hastig wieder den Seitenpfad ein, Catherine aber wandte sich dem Eingang zu und zog mit dem Aufgebot ihrer ganzen Kraft Rudolf mit sich fort. Er hatte nur einen Augenblick triebhaft den Drang, sich von ihr loszureißen und dem Enteilenden nachzulaufen. Dann ließ er sich widerstandslos wegführen.

Lange gingen sie beflügelten Schrittes wortlos nebeneinander her. Endlich fragte Rudolf zwischen den zusammengebissenen Zähnen: "Dieser Neger war also dein – dein –«

Sie drückte seinen Arm an sich und beschleunigte ihren Gang.

"Antworte mir, Catherine.«

"Sei nicht grausam, Schatz,« murmelte sie flehentlich, "was soll ich dir sagen?«

"Mit einem Neger hast du dich eingelassen!«

Nun wurde sie doch empfindlich. "Er ist doch kein Neger! Er ist nur ein *›pays chaud‹* . Er gehört einer der besten Familien von La Martinique an. Aber warum drehst du mir die Messerklinge im Herzen um? Du hast mir versprochen, die Toten begraben sein zu lassen.«

"Tot! Er ist lebendig. Ich kann ihm auf Schritt und Tritt begegnen – o Catherine, wie konntest du –«

Sie ließ seinen Arm los. Über ihr Gesicht zuckte es. Plötzlich brachen zwei Tränenströme aus ihren Augen und überfluteten ihre Wangen. Vorübergehende blieben stehen und blickten den beiden nach.

"Catherine! Kein Ärgernis!«

"Verzeihe. Verzeihe. Ich bin schon ruhig. Ach, ich bin so unglücklich.« Sie fuhr sich mit dem Taschentuch über das trostlos scheinende Gesicht, während unterdrücktes Schluchzen ihre Büste erschütterte.

Er schämte sich seines Mangels an Selbstbeherrschung. In ihm wollte Mitleid mit dem armen Geschöpfe erwachen. In der Tat: mit welchem Rechte quälte er sie? Er durfte sie doch für das, was vor ihrer Bekanntschaft lag, nicht verantwortlich machen.

Er wiederholte sich das im Geiste einigemal. Aber er konnte den abscheulichen Eindruck doch nicht loswerden. Er hatte bisher vermieden, sich mit Catherinens Vergangenheit zu beschäftigen. Wenn er an sie denken wollte, machte er eine Anstrengung, um seine Gedanken abzulenken. Das gelang ohne allzu große Mühe, denn sie war eine Abstraktion, in der kein bestimmter Zug seine Aufmerksamkeit anrief und festhielt. Jetzt aber war diese Vergangenheit konkret verkörpert; jetzt sah er sie als einen scheußlichen schwarzen Kerl vor sich – welche Demütigung! Welcher Ekel! Sein Stolz eines Edelrassenmenschen, der nach der Art seiner in den Lehren von Lagarde und Gobineau und Nietzsche aufgewachsenen Hochschülergeneration fühlte, bäumte sich gegen unleidlich widerwärtige Vorstellungen. Er war auf sich selbst wütend, daß er nicht die Kraft fand, diese besudelte Kleine weit weg zu schleudern, sich ihrer Berührung zu entziehen.

Sie erriet genau, was in ihm vorging. Sie flehte: "Sei gut, sei großherzig, Schatz. Ich liebe dich so sehr! Ich weiß nichts mehr von dem, was war. Ich habe ein Gespenst gesehen. Ich begreife jetzt selbst nicht, daß es möglich war.«

Er setzte stumm den Weg fort, bis sie nach Hause kamen. Da war sie demütig und zerknirscht und in unterwürfigen Liebkosungen erfinderisch wie eine morgenländische Sklavin. Und sie flüsterte ihm unter Küssen ins Ohr: "Ich hätte das nie bei dir vermutet. Wenn du dich gesehen hättest! Ich war versteinert vor Entsetzen. Du warst so wunderschön – wie ein Mörder. Ich bin sicher, du hättest auch gemordet, wenn ich dich nicht weggerissen hätte. O Schatz, Schatz!«

Seine Widerstände erschlafften. Er suchte das Bild der Begegnung aus seiner Erinnerung zu verscheuchen. Er erwiderte Catherinens Zärtlichkeiten. Aber der Wurm saß im Kern ...

V.

Die Wahl eines Seebades fiel auf St. Enogat, das nicht ganz so anspruchsvoll wie Trouville oder die anderen übermütig üppigen Weltbäder, doch auch nicht ganz so spießbürgerlich langweilig war wie die "wohlfeilen Strandlöcher«, *petits trous pas chers,für die in den Volksblättern geklappert wurde. Es war auch da genug schillerndes und flatterndes Leben, um Rudolf als Bild zu überraschen und zu fesseln, aber der Wirbel des Gesellschaftstreibens raste nicht toll genug, um auch den Unbeteiligten mitzureißen und ihm Schwindel und Übelkeit zu verursachen.*

Catherine hatte sich vor der Abreise von Rudolf ein kokettes Badekostüm kaufen lassen und freute sich wie ein Kind auf ihr erstes Seebad. Als sie aber aus ihrer Zelle trat und, von Rudolf an der Hand gefaßt, die wenigen Schritte bis zum Wellensaum hinabeilte, um sich in die an diesem Tage gerade etwas kräftigere Dünung zu stürzen, da begab sich etwas Sonderbares. Bei der ersten Berührung der kühlen Salzflut mit dem Fuße schauerte sie zusammen, stieß einen schwachen Schrei aus und taumelte zurück. Rudolf, der sich mit einem Anlauf in die See gestürzt hatte, tauchte sofort wieder heraus, war im Nu an ihrer Seite und fing sie rechtzeitig in den nassen Armen auf, um sie vor dem Umsinken zu bewahren.

"Was hast du, Schatz? Was ist dir?«

"Nichts, nichts,« gab sie leise zurück. "Es ist schon wieder vorüber.«

"Verträgst du kaltes Wasser so schlecht? Und es ist eigentlich gar nicht kalt.«

"Es ist nicht das, Schatz. Komm, führe mich zur Zelle zurück!«

"Wie! Du willst nicht baden? Sei doch nicht so schlapp. Ich will dich ganz sachte hineinführen.«

"Ich kann nicht. Du weißt nicht. Es ging mir durch Mark und Bein. Mir war plötzlich wie damals – in der Nacht – nein; ich kann nicht. Laß dich nicht stören, Schatz; geh ruhig ins Wasser. Ich kleide mich inzwischen an.«

Er brachte sie kopfschüttelnd an die Zelle und kehrte in die See zurück.

Sie blieb dabei, daß ihr vor dem weiten, großen Wasser graute. Aber auf den Genuß ihres reizenden Badekostüms wollte sie dennoch nicht verzichten. Und so kleidete sie sich täglich in ihrer Zelle um und begleitete Rudolf ans Wasser. Während er schwamm und tauchte, saß sie in einem Strandkorb oder im Sand und sah seinen Künsten eines kräftigen, kühnen und geschickten Schwimmers bewundernd zu. Aber ihre Aufmerksamkeit war nicht so vollständig gebunden, daß sie ihre Blicke nicht hätte wandern lassen. Das schöne junge Weib im trockenen Badeanzug, der zwar züchtiger ist als der nasse, welcher die Formen schonungslos modelliert, aber dennoch kecker wirkt, weil er die Vorstellung einer durch keinen erkennbaren Zweck gerechtfertigten Entkleidung macht, übte rasch eine starke Anziehung auf die männlichen Strandbesucher, die sie zuerst umschlichen, dann sich in ihrer Nähe lagerten und mit großer Deutlichkeit den Wunsch erkennen ließen, mit ihr anzubändeln. Nur die Gegenwart des großen, augenscheinlich athletischen jungen Mannes, mit dem man sie kommen und gehen sah, verhinderte die Dreistesten, sie anzureden. Der Augensprache legte seine Anwesenheit indes keinen Zwang an und es wurden verstohlen stumme, doch durchaus deutliche Unterhaltungen angeknüpft, die nicht nur einseitig waren.

Rudolf dachte nicht daran, eifersüchtig zu sein. Er fühlte sich seiner Catherine ganz sicher. Er sah daher auch keinen Grund, sie mißtrauisch im Auge zu behalten, während er sich in der Flut tummelte. Er schwamm bei glatter See manchmal so weit hinaus, daß man ihn nur noch als kleinen Fleck auf der spiegelnden Fläche wahrnahm. Er bemerkte aber dennoch nach einigen Tagen, daß einige Herren fortwährend an ihr vorbeistrichen oder sich in ihrer unmittelbaren Nachbarschaft aufhielten, wenn sie im Badekostüm am Strand erschien, und das mißfiel ihm. Er tauschte mit diesen aufdringlichen Bewunderern herausfordernde Blicke aus, als er herauskam und den Bademantel umnahm, den Catherine ihm reichte, und er äußerte ihr gegenüber etwas übellaunig, daß sie sich doch recht auffällig mache, wenn sie im Badekostüm dasitze, ohne zu baden.

"Es macht mir aber so viel Spaß,« wandte sie schüchtern ein.

"Auch anderen,« bemerkte er trocken.

Wieso?«

"Jetzt spielst du Komödie. Es kann dir unmöglich entgangen sein, daß die Männer in hellen Haufen hinter dir her sind.«

"In hellen Haufen! Wie du gleich übertreibst. Ich bin nicht blind, aber ich achte nicht darauf. Ich kann Dummköpfe nicht verhindern, sich lächerlich zu machen, aber man erweist diesen Maulaffen zu viel Ehre, wenn man sich von ihnen stören läßt.«

"Erlaube –«

"Aber Schatz! Wenn ein junges Weib in Paris über die Straße geht, hat sie da nicht auch immer gleich einen Verfolger an den Fersen? Soll man etwa deshalb nicht ausgehen? Es ist doch nicht unsere Schuld, daß die Männer wie die Köter sind, die ihren Weibchen mit heraushängender Zunge nachlaufen.«

"Dann soll man ihnen wenigstens keinen Vorwand liefern.«

"Rudolf, du kränkst mich.«

"Ich tu' es ungern. Aber ich finde es nun einmal unpassend, daß du dich im Stil der Grenouilltère ausstellst.«

"Wozu bin ich dann im Seebad?«

"Um Seebäder zu nehmen. Da du aber erklärst, daß du das nicht kannst, so hat es auch keinen Sinn, daß du am Strand als trockene Nixe glänzest.«

"Dein Wille soll mein Gesetz sein,« sagte sie ergeben und küßte ihm die Hand.

Zur nächsten Flut kam sie angekleidet an den Strand. Das schien ihren prickelnden Reiz für ihre Verehrer nicht vermindert zu haben. Vielleicht vermehrte es ihn, weil man es für eine absichtlich raffiniert berechnete Gegensatz-Wirkung halten konnte. Man ging noch ausdauernder vor ihr hin und her und pflanzte sich noch standhafter neben ihr auf. Rudolf, der nun aufmerksam geworden war, ärgerte sich über solche Aufdringlichkeit. Er kürzte seine Bäder ab und entfernte sich weniger weit vom Strande. Es war immer noch nicht eigentlich Eifersucht, was in ihm gor, sondern Zorn über die Unverschämtheit der Burschen, die Catherine zu behelligen wagten, obschon sie sahen, daß sie mit ihm war. Bildeten sie sich vielleicht ein, daß es gefahrlos sei, sich über ihn lustig zu machen? Er wollte ihnen heimleuchten. Der wohlerzogene junge Mann hatte einen starken Widerwillen gegen öffentliches Ärgernis und es würde ohne Zweifel ein solches geben, wenn er im triefenden Schwimmanzug vor versammeltem Badevolk einen der Laffen, die Catherine umkreisten, am Wickel zu fassen bekäme. Aber dem natürlich und gewohnheitsmäßig rauflustigen Korpsstudenten zuckte es in allen Gliedern, über diese Leute wie Odysseus über die Freier herzufallen, wenn sie sich um Catherine sammelten, so wie er ins Wasser gegangen war. Im Widerstreit der Dränge hatte noch keiner die Oberhand gewonnen. Er begann aber doch, beinahe unbewußt, kleine Kriegslisten zu üben, um einen oder den andern der Strandgecken im weißen Flanellanzug, mit Monocle und Blume im Knopfloch, bei frischer Tat der Liebäugelei zu ertappen und schwer anzurempeln. Er landete nicht unmittelbar vor Catherinens Strandkorb, sondern seitwärts weit ab und ging in einem Bogen hinten herum auf sie zu. Man sah ihn aber doch kommen und stob weg, ehe er da war.

Catherine sagte er nichts. Es wurmte ihn indes ein wenig, daß sie sich durch die Annäherungsbestrebungen nicht belästigt fühlte. Ihm schien, daß es ihr ein Leichtes sein müsse, diese Schmeißfliegen wegzuscheuchen.

Er war wieder einmal, viel früher als gewöhnlich, der See entstiegen und hatte sich von der Seite her unversehens an den Strandkorb herangepürscht. Plötzlich fuhr eine Faust vor Catherinens Antlitz nieder und entriß ihr, ehe sie eine Bewegung machen konnte, ein Briefchen, das sie eben las. Sie fuhr auf und sah Rudolf vor sich stehen, der abwechselnd sie und den Brief ansah.

Sie wurde totenblaß und griff mit zitternden Händen nach dem neben ihr liegenden Bademantel, um ihn Rudolf zu reichen. Er langte sich ihn heftig, warf ihn um und ging mit großen Schritten auf die Kabinen zu, während er das Papier zu lesen begann.

Catherine folgte ihm wie ein Lamm, das zur Schlachtbank geführt wird. Zwei oder drei Zierbengel sahen dem Vorgang aus einiger

Entfernung zu. Er trat in seine Zelle und schloß sie hinter sich ab, ohne den Kopf nach Catherine zu wenden, die bang vor der Tür blieb.

Der Brief, den er ihr entrissen hatte, lautete: "Schöne Grausame, – Warum haben Sie nicht geantwortet? In Ihren schönen Augen lese ich süße Versprechen, die mich toll machen, aber Ihr Mündchen bleibt hartnäckig stumm und Sie fahren fort, mir den Rücken zu kehren, wenn ich Sie anflehe. Haben Sie vor Ihrem Gebieter Angst? Ein Wink, und ich finde Mittel und Wege, Sie zu befreien. Ich beschwöre Sie: lassen Sie mich nicht schmachten. Ein Wort, um des Himmels willen! Zu Ihren kleinen Füßen, der Brünette, der Sie anbetet.«

Als Rudolf angekleidet herauskam, schlug er den Weg nach dem Gasthof ein. Sie trottete neben ihm her und suchte mit ihm Schritt zu halten. Sie spähte ängstlich nach seiner finster drohenden Miene und versuchte einigemale, ihn leise anzusprechen, ohne eine Antwort zu bekommen.

Erst auf ihrer Stube stellte er sich vor sie hin und fragte zwischen den Zähnen mit bebender Stimme, indem er ihr den Brief vor die Augen hielt: "Was hast du zu sagen?«

"Höre mich an –«

"Keine Redensarten. Von wem ist dieser Brief?«

"Ich weiß nicht –«

"So! Du weißt nicht! Es ist nicht der erste.«

"Nein. Aber was kann ich dafür –«

"Warum hast du diesen Briefwechsel vor mir verheimlicht?«

"Weil ich ihm keine Bedeutung beimaß – und weil ich fürchtete, daß du es anders ansehen würdest.«

"Wirklich! Wer hat dir die Briefe zugesteckt?«

"Die Kabinenwärterin.«

"Und du hast sie angenommen?«

"Ich ahnte ja nicht –«

"Du ahntest nicht – nach einem ersten Briefe – wo sind die anderen?«

"Ich habe sie zerrissen.«

"Nochmals: wer ist der Schreiber?«

"Ich schwöre dir, ich kenne ihn nicht.«

"Du lügst!«

"Rudolf!«

"Du lügst. ›In Ihren Augen lese ich süße Versprechen.‹ Das ist dein Urteil.«

"Kein Urteil, eine Verleumdung. Ein Narr, ein Elender kann aufschneiden. Was beweist das?«

"Es beweist, daß du ihn ermutigt hast. Du kennst ihn. Du mußt ihn mir bezeichnen.«

"Niemals!« rief sie.

"Du hast Angst, daß die Wahrheit an den Tag kommt. Du bist eine –«

"Rudolf!« kreischte sie auf "sage kein Wort, das nicht wieder gut zu machen ist. Prügle mich, wenn du willst –«

"Ich bin kein Schwarzer.«

Wie von einem heftigen Peitschenhieb getroffen zuckte sie zusammen und sank mit den Händen vor dem Gesichte in die Ecke des rohrgeflochtenen Kanapees. Sie begann so herzbrechend zu schluchzen, daß Rudolf sein brandmarkendes Wort leid tat. Er sagte etwas weniger hart: "Ich will dich nicht weinen machen. Es hat keinen Zweck, daß wir einander Qualen bereiten. Du bist frei. Falschheit und Verrat dulde ich nicht. Aber wenn du meiner überdrüssig bist, wenn dir ein anderer ins Auge sticht, so brauchst du es nur zu sagen – ich halte dich nicht.«

Sie erhob ihr tränenüberströmtes Gesicht aus den vorgehaltenen Händen und stieß hervor: "Deiner überdrüssig! Ein anderer! Rudolf! Was habe ich getan, um das zu verdienen?«

"›In Ihren Augen lese ich süße Versprechen‹,« wiederholte er grausam. "Es ist wahr. Ich weiß, daß es wahr ist. Ich habe dich mehr als einmal dabei überrascht, wie du –«

"Rudolf,« unterbrach sie ihn; "ich war so glücklich bei dir, so glücklich – laß es nicht anders werden. Wenn du mich nicht mehr liebst, so töte mich. Der Tod von deiner Hand wird mir eine letzte Wonne sein. Oder befiehl mir, daß ich mich töte. Ich werde dir ohne Wimpernzucken gehorchen. Aber nicht schelten. Nicht schmollen.«

"Wenn du so sehr fürchtest, gescholten zu werden, warum gibst du dann zu solchen Briefen Anlaß?« Er zerriß das Papier und warf die Fetzen mit einem Ausdruck von Ekel weit von sich, daß sie falterähnlich durch die Luft flatterten.

"Rudolf –«

"Denn du leugnest umsonst, daß du Anlaß gegeben hast. Man wagt sonst nicht. Du bist gefallsüchtig. Du bist herausfordernd. Du machst mich lächerlich. Ich sehe hoffentlich nicht aus wie ein Ehemann, den man hörnt.«

"Wie kannst du nur aus einer harmlosen, nichtssagenden, lächerlichen –«

"Natürlich. Natürlich. Das hat gar keine Bedeutung. Zuerst die Augensprache, die ich nun schon an dir kenne, dann der Briefwechsel –«

"Rudolf,« flehte sie, "wenn du findest, daß ich unvorsichtig war, weil ich nicht immer wie eine Eule dreinsah, so bitte ich dich um Verzeihung. Ich werde es nicht wieder tun, obschon ich mir gar nichts dabei gedacht habe. Das schwöre ich dir. Wie ist es nur möglich, daß ein so kluger Mensch etwas so Einfaches nicht versteht? Die Männer sehen für gewöhnlich so gräßlich stumpf und langweilig aus – es genügt, daß man ihnen einen Blick zuwirft, manchmal ganz unbewußt, dann sind sie plötzlich verwandelt – es ist, wie wenn ein elektrischer Funke in sie geschlagen hätte – sie werden rot – ihre Augen blitzen und rollen – sie hüpfen und tänzeln – sie blähen sich, schlagen ein Rad, machen tausend Drolligkeiten – es ist zum Totlachen. Wenn du von ölgötzenartigen hölzernen Gliederpuppen umgeben wärst und mit einem Blick diese unheimlich leblosen Kegel beleben könntest, daß sie quecksilbern beweglich werden, zu zappeln anfangen und die lustigsten

Clownstücklein ausführen, würdest du der Versuchung widerstehen, deine Kraft zu erproben? Würdest du dir ein so kurzweiliges Schauspiel versagen? Ich frage dich!«

Sie war, während sie sprach, ohne es zu merken, selbst so geworden wie die elektrisierten Klötze, die sie schilderte. Ihr Redefluß wurde immer rascher und schoß zuletzt wie ein Wasserfall dahin. Blick und Mienenspiel und Gebärde waren eigentümlich angeregt und wie von der eigenen Beredsamkeit oder den inneren Gesichten, die ihr entsprachen, fortgerissen, brach sie plötzlich in lautes Lachen aus.

Sie erschrak selbst darüber, besonders da ihr nicht entging, daß ihre zu der Lage so schlecht passende Heiterkeit auf Rudolf einen äußerst übeln Eindruck machte, und bemühte sich rasch wieder, betrübt auszusehen.

"Mit deiner Theorie kann man weit kommen,« grollte Rudolf mit zusammengezogenen Augenbrauen und begann langsam in der nicht allzu großen Stube auf und ab zu gehen. "Ich will diese Hexenkünste nicht. Ich will nicht, daß du die Kegel elektrisierst. Die Clowns, die dich umtanzen, wissen ganz genau, was sie wollen –«

"Das ist ja gerade das unwiderstehlich Drollige! Das ist ja gerade das Unterhaltliche!« rief Catherine, indem sie aufschnellte und sich wieder auf den Sitz zurückfallen ließ.

"Hast du dich auch gefragt, welche Rolle ich in deinem Zirkus spiele? Glaubst du, daß die Clowns auch mich unterhalten?«

Sie glaubte es vielleicht, aber sie gestand es nicht. Sie antwortete vielmehr kleinlaut: "Du hast vielleicht recht –«

"Vielleicht?«

"Du hast ohne Zweifel recht. Aber es ist oft stärker als ich – wenn das Gezappel anfängt, muß ich nachhelfen – ich kann mich nicht enthalten. Ich werde es nicht wieder tun, da es dir mißfällt. Und wenn ich in die Unart zurückverfallen sollte, bitte ich dich im voraus um Verzeihung. Du bist gut. Du bist großherzig. Du wirst mich gegen mich selbst verteidigen.«

Bei solcher Widerstandslosigkeit war es unmöglich, heftig zu bleiben.

"Ich will dir glauben. Aber hier können wir nicht länger bleiben.«

"Aber Rudolf –«

"Das stört dich?« brauste er wieder auf.

"Nicht im geringsten,« erwiderte sie hastig, "ich sehe nur nicht ein –«

"Ich müßte aufs Baden verzichten, denn ich kann dich nicht mehr am Strand allein lassen. Also weg.«

"Wie du willst, Schatz. Nur sei nicht böse. Ich verdiene es nicht. Ich liebe dich so sehr!«

Am nächsten Tage führte der Zug sie weiter westwärts. Er änderte seinen Plan. Er verzichtete auf längere Aufenthalte und Ruhe und wollte nun möglichst viele Orte sehen, die ganze Küste von St. Malo bis Nantes, das Binnenland auf den Strecken von Dinan bis Brest und von Quimper bis Chateaubriand. Die Reise war nicht durchweg Vergnügen. Sie hatte Demütigungen und Dornen. Es kam einigemale vor, daß man in den meist von Damen gehaltenen ehrbaren Gasthöfen wenig besuchter Provinzstädte nach einem ausdrucksvollen Blick auf seine Begleiterin erklärte, es sei kein Zimmer frei. Um sich derartigen Abweisungen, die ihm das Blut in die Wangen jagten, nicht auszusetzen, nahm er bald die Gewohnheit an, von vornherein in Häuser zweiten Ranges zu gehen, wo er unter der Unsauberkeit und allgemeinen Zurückgebliebenheit litt. Die Verbindung mit den Seinen und mit Jack, der in Schottland mit seinem Sohn und Schwiegersohn Waldhühner schoß und Forellen fischte, wurde ärgerlich unsicher. Briefe gingen verloren oder erlitten, von Post zu Post nachgesendet, endlose Verspätungen. Er hatte die niederdrückende Empfindung, daß er aus seiner Kaste ausgestoßen, ein Paria, ein Höhlenschliefer geworden sei. Er mußte die Gasthöfe der guten Gesellschaft meiden. Jedes Schreiben seiner Mutter brachte ihm zum Bewußtsein, daß er ihr – und nun gar den Schwestern! – jetzt nicht vor die Augen treten könnte. Catherine war tadellos, wenn sie mit ihm allein war, und sie wünschte sich nichts Besseres, als immer mit ihm allein zu sein. Aber sein Argwohn, der, einmal rege geworden, nicht wieder einschlief, nahm häufig an ihr Anstoß, wenn sie im Bahnabteil, an der Wirtstafel, an Stränden, in Kasinos unter Leuten waren. Es kam zu Auftritten, er warf ihr Blicke und Haltungen vor, nicht einmal immer ihre eigenen, sondern die der anderen, und es verdroß ihn, daß er nichts zu erwidern fand, wenn sie klagte: "Aber Schatz, die Leute sind doch nicht auf den Kopf gefallen, sie sehen ganz gut, daß wir nicht verheiratet sind, und da nehmen sie sich leicht etwas heraus. Das ist doch nicht meine Schuld.«

Er fühlte sich vermindert und verkleinert. Inmitten der wechselnden Stadt- und Landschaftsbilder, die sechs Wochen lang an seinen Blicken vorüberzogen und ihn mit unmittelbaren, immer neuen Eindrücken genügend anregten, um kein Brüten aufkommen zu lassen, gab es doch ab und zu Augenblicke, namentlich wenn er mit Catherine Ärger gehabt hatte, wo ihm erschreckend deutlich wurde, wie sehr sich sein Gesichtskreis verengt hatte, auf welch niedern Plan sein ganzes Denken gesunken war. Die großen Probleme, die seit Jahren zu allen Stunden seinen Geist zu erfüllen pflegten: das Leben der Worte mit der Erhöhung und Erniedrigung ihrer Würde, der Wandel ihres Sinnes als fortlaufender Zeuge der feinsten Änderungen in den Gefühlen und Anschauungen der Zeit, die unbewußte Offenbarung der Volksseele auch in der individuellen Kunstdichtung, traten immer mehr in den Hintergrund seines Denkens und verdämmerten beinahe vollständig. "Du bist ein ungewöhnlich gewecktes kluges Ding, aber mich machst du entschieden dumm,« sagte er halb scherzend, halb bitter vorwurfsvoll zu Catherine und es tröstete ihn nicht, wenn sie erwiderte: "Ich lehre dich lieben, das ist doch die größte Klugheit und die vornehmste Wissenschaft.«

Mit der Zukunft sich zu beschäftigen mußte er streng vermeiden, wenn er nicht in die unbehaglichste Stimmung verfallen wollte. Die Vergangenheit zu berühren scheute Catherine sich ängstlich. So waren beide auf die Gegenwart allein angewiesen. Das bedeutete eine fast unerträgliche Einschnürung und Verödung des Denkens, das sich nur in den winzigen, kindischen Erlebnissen des Tages bewegen durfte. Es war nicht zu verhindern, daß das Gespräch an den länger werdenden Septemberabenden sich mitunter doch über diesen engen Bannkreis hinaus verirrte. Da machte Catherine schwermütige Andeutungen von einem Vater, der Gymnasiallehrer war, trunkfällig wurde und sein Amt verlor, von einer guten, lieben Mutter, die den Säufer von Mann und die vernachlässigten Rangen von Kindern ernähren mußte und dies nach anfänglichen tapferen Kämpfen mit allen Mitteln einer hübschen und anmutigen Frau tat, und wenn sie in ihren Erinnerungen so weit war, riß sie plötzlich den Faden ab und begann von Nationalfesten und Bällen und Theaterstücken zu plaudern, bei denen sie sich gut unterhalten hatte, und Rudolf sah in seiner Vorstellung grinsende Mohrenfratzen heraufkommen, vor denen ihm graute wie vor einem Spuk. War er es, der seine Kindheit und Jugend erzählte, so fühlte er es fast als anstößig, Mutter und Schwestern laut zu nennen, und er empfand deutlich, daß in diesen Bildern der Heimat für sie kein Platz war. Da fanden sich beide nach solchen Abschweifungen unversehens wieder bei den Hotel- und Kasino-Abenteuern einer versuchten Kellnerprellerei, eines verwechselten Strohhutes oder eines drolligen Nachbars im Gasthofomnibus oder schwärmten bestenfalls gemeinsam von der Schönheit einer bretonischen Heide mit einem Menhir neben einem Kalvarienberg.

Der Oktoberbeginn machte dem sorglosen, zuletzt nicht oft lustigen Schweifen ein Ende. Sie kehrten nach Paris in ihr altes Nest am Quai Conti zurück. Nun mußte er sich für etwas entscheiden. Der Gedanke, Catherine zu verlassen, war ihm so schmerzlich, daß er dabei nicht verweilen konnte. Andererseits wurden die Briefe der Mutter immer unruhiger, immer drängender, nicht am wenigsten auch darum, weil er um eine Erhöhung seines Wechsels bitten mußte, die bis an die Grenze ihrer Leistungsfähigkeit ging.

"Ich werde nicht umhin können,« eröffnete er Catherine nach der Ankunft in Paris, "auf einige Tage nach Hause zu reisen.«

Catherine wurde leichenblaß. "Warum?«

"Ei, das bedarf doch keiner Erklärung. Ich habe die Meinen seit einem Jahre nicht gesehen. Ich muß allerlei Angelegenheiten ordnen. Ich muß die Zustimmung meiner Mutter zu einer Verlängerung meines Aufenthaltes in Paris erlangen.«

"Und ich?«

"Du bleibst inzwischen hier. Ich werde nicht lange weg sein.«

"Rudolf,« sagte sie angstvoll, "du willst mich verlassen.«

Er zog sie an sich und küßte sie. "Närrchen, was fällt dir ein? Hältst du mich für so tückisch?«

"Dann nimm mich mit.«

"Unmöglich.«

"Weshalb unmöglich? Ich werde dich nicht stören. Du läßt mich in einem Gasthof und gehst zu den Deinen. Es genügt mir, wenn du täglich auf ein Viertelstündchen zu mir kommst.«

"Das ist ganz ausgeschlossen. Bonn ist nicht Paris. Meine Besuche würden keinen Tag lang geheim bleiben.«

"Gut. Dann besuche mich nicht. Ich bin schon zufrieden, wenn ich dieselbe Luft mit dir atme und dich von weitem sehe. Aber ich will in deiner Nähe sein.«

Er schüttelte mißmutig den Kopf, ging von ihr weg ans Fenster und starrte auf die Seine hinaus. Sie folgte ihm, umschlang ihn und begann bitterlich zu weinen. "Ich sehe, der schreckliche Augenblick ist gekommen. Sei offen gegen mich. Das ist die letzte Liebe, die letzte Gnade, die ich von dir erflehe.«

"Wie kannst du nur solches Wesen von einer kurzen Abwesenheit machen!« rief er ungeduldig und schob sie zurück.

Sie schluchzte heftiger. "Du kommst nicht wieder, wenn du von mir gehst. Ich weiß es. Man läßt dich nicht. Niemand wird für mich eintreten. Geh nicht weg von mir oder laß mich mitgehen. Oder sage: es ist aus.«

"Catherine, hast du mir nicht damals gesagt: Ich bin keine Krampe? Wenn ich das damals geahnt hätte –«

"Zanke mich nicht aus, Schatz,« sagte sie sanft, während sie die strömenden Tränen zu trocknen suchte. "Nein. Ich bin keine Krampe. Reise in Gottes Namen, wenn du mußt, und sei glücklich mit den Deinigen. Aber mich findest du nicht wieder. Suche mich gar nicht erst. Ich kann ohne dich nicht leben. Keinen Tag. Keine Stunde. Geh. Geh. Nur eins möchte ich: daß du dich manchmal mit einiger Liebe der kleinen Pariserin erinnerst, die dich geliebt hat, wie nie wieder ein Weib dich lieben wird.«

"Genug, genug,« brummte er, aber sein Entschluß hatte Sprünge bekommen und stürzte ein.

Es war ihm eine ungeheure Erleichterung, als wenige Tage nach ihm auch Jack in Paris eintraf und sich dafür entschied, wieder mit ihm in demselben Garni zu wohnen. Er kam nicht aus Schottland, sondern vom Rhein. Er hatte die Frau Geheimrat besucht und sie schwer besorgt gefunden. Sie hatte ihn beschworen, über Rudolf zu wachen. Sie wußte nichts, aber ihrem Mutterherzen schwante etwas. Sie war fest entschlossen, nicht zu dulden, daß ihr Sohn in Babel verderbe.

Er sagte Rudolf nicht, welchen Eindruck er von ihm empfing, er schien ihm aber erschreckend verändert. Er war nicht mehr der überschäumend frische, schwungvolle Junge mit den Wangen von Milch und Blut und den kühnen, lachenden Blauaugen. Er zeigte ein gedrücktes, verlegenes Wesen, schien träger zu denken und sprach langsamer. Er hatte keine gute Farbe und um Augen und Mund zeigte sich ein müder, unzufriedener Zug.

Catherine begrüßte Jack nett und zutraulich, aber im Innern war sie nicht froh, ihn wiederzusehen. Sie fühlte, daß Rudolf ihr entschwand, wenn er seinen alten Schotten hatte. Sie manövrierte schlau, um zu verhindern, daß er mit ihm allein sei, und um sie auf eine Viertelstunde abzuschütteln, mußte Rudolf ihr derb sagen: "Sei doch keine Klette. Jack hat mir vom Hause allerlei zu erzählen, was dich nicht interessiert.«

"Was nun?« fragte Jack, als Rudolf bei ihm eingetreten war und die Tür etwas heftig hinter sich zugeschlagen hatte.

"Ich habe mich entschlossen, noch ein Jahr in Paris zu bleiben. Ich habe es der Mutter geschrieben.«

"So! Du hast ohne Zweifel entdeckt, daß deine hiesigen Studien noch nicht abgeschlossen sind?«

"Ganz richtig. Zehn Monate waren wirklich zu wenig. Ich habe den Umfang meiner Arbeiten unterschätzt.«

Jack sah ihn ernst an und Rudolf schlug die Augen nieder.

"Armer Rudolf! Steht es so mit dir! Kindische Ausreden selbst mir gegenüber!«

"Erlaube –«

"Ich erlaube nicht. Die dumme Geschichte sollte bis zum Herbst dauern und dann wolltest du brechen. Statt dessen –«

"Was willst du? Es geht nicht. Lebende Menschen sind keine Schachfiguren und keine geometrischen Zeichnungen. Ich bringe es nicht übers Herz, sie von mir zu stoßen. Sie hat es nicht um mich verdient.«

"Aber Mensch! Bist du von Sinnen? Was kann sie dir sein?«

"Alles. Sie ist eine interessante Seele.«

"Höchstens ein interessanter Leib.«

Rudolf war bei Jack an keine Zynismen gewöhnt und errötete wie ein junges Mädchen. "Tritt ihr nicht nahe. Ich müßte es mir verbitten. Sie verdient jede Rücksicht. Selbst Achtung, denn es sind in ihr Anlagen zu allem Guten und Schönen vorhanden.

Der Gedanke hat für mich nichts abschreckendes, sie zur Genossin meines Lebens zu machen.«

"Rudolf! Und ihre Vergangenheit!«

"Du darfst sie dafür nicht verantwortlich machen. Und sie hat sie vergessen. Ich werde mir Mühe geben, mir gleichfalls eine Gedächtnislücke anzuerziehen.«

"Du würdest sie deiner Mutter, deinen Schwestern vorstellen?«

"Nach einer ausreichenden Probezeit, wenn sie sich dessen würdig zeigt –«

"Genug der Dummheiten. Ich habe deiner Mutter versprochen, dich ihr wiederzubringen. Ich werde Wort halten oder ich will nicht Jack MacIntyre heißen.«

"Ereifre dich nicht, Jack, du wirst mich ihr wiederbringen, mit Catherine. Ich kann, ich darf sie nicht verlassen. Ich bin für sie sittlich verantwortlich. Mein Gewissen würde mich anklagen, wenn ich – weißt du, daß es ihr Tod wäre?«

"Das sagt sie.«

"Zweifle nicht daran.«

"Und wenn auch! Du oder sie. Es ist der Fall der zwei Ertrinkenden, von denen man nur einen retten kann. Man muß wählen. Ich wähle dich.«

"Mache dich nicht lächerlich mit solchem Schwulst. Ich sehe nicht, wieso ich gefährdet bin.«

"Ich sehe es. Sie frißt dich auf, mit Leib und Seele. Sie ist eine hysterische Verwüsterin von Männerleben, die moderne Belit oder Astarte, die Menschenopfer fordert. Wenn sie behauptet, daß sie ohne dich nicht leben kann, so laß sie sterben.«

"Würdest du den traurigen Mut haben, an einem jungen, schuldlosen, liebenden Menschenkind zum Henker zu werden?«

"Nicht ich werde an ihr zum Henker, die Natur selbst besorgt dies. Sie scheidet einen gefährlichen Schädling aus. Die Unglückliche gehorchte einem heilsamen Trieb, als sie ins Wasser sprang. Du hast eine klare Absicht der Natur frevelhaft vereitelt.«

"Kratze den Freidenker und du entdeckst den Inquisitor.«

"Sie hat Männer in den Tod getrieben. Ich will dir ihre Geschichte erzählen.«

"Ich will nichts hören. Du bist ein Egoist mit steinernem Herzen. Genug von diesem Gegenstand.«

Jack mußte sich fügen, denn Rudolf griff nach der Klinke, als er fortfahren wollte, gegen Catherine loszuziehen.

Die Wirkung von Jacks heftigen Warnungen war merkwürdig verschieden von der, die er sich davon versprochen. Die Vorstellung von der Gefährlichkeit dieses süßen kleinen Wesens hatte einen aufregend prickelnden Reiz wie scharfes Gewürz. Sie schmeichelte ihm weit mehr, als sie ihn ängstigte. Seine Einbildungskraft, von jeher auf romantische Tonarten gestimmt, gefiel sich darin, bei dem dämonischen Zug in Catherinens Wesen deutend, vertiefend, ausgestaltend, mythenbildend zu verweilen. In seiner Seele wurden Anklänge an die Sagen laut, worin das uralte Grauen des Mannes vor der unheimlichen Gewalt des Weibes sich von jeher dichterisch ausgedrückt hat: die thebanische Sphinx, deren Tatzen dem Einfaltspinsel tötlich wurden, die Zauberin Circe, die den Hofmacher vertierte, die Elfenkönigin, die den Sterblichen nachts beglückte, um ihm beim Morgengrauen zu entschwinden und ihn als Greis zurückzulassen – all das geheimniste er ein wenig in Catherine hinein und er dachte sich dazu, daß die Sphinx ihren Ödipus und Circe ihren Odysseus und die Elfenkönigin ihren klugen Schäfer gefunden hatte, der sich in der Nacht ihres Rubinkrönleins bemächtigte und sie damit für immer an sich fesselte. Auch der Geist aus "Tausend und Einer Nacht« fiel ihm ein, den der Fischer aus der mit Salomonis Siegel verwahrten, ins tiefe Wasser versenkten Flasche befreit, der sich nachher unheilstiftend gegen seinen Befreier wendet und den dieser wieder in die Flasche bannt und ins tiefe Wasser zurückschleudert. Keine Bange! Er blieb Herr der Lage und seiner rätselhaften Freundin immer überlegen.

Das äußere Leben der beiden mußte sich jetzt ändern. Es ging nicht länger an, bis mittag im Bette zu bleiben, nachmittags spazieren zu gehen oder zu fahren, den Abend in Theatern oder Singspielhallen zu verbringen. Er mußte wieder auf Arbeit bedacht sein. Er bemühte sich zunächst, für seine altfranzösische Handschrift einen Verleger zu finden.

Das kostete viel Lauferei und einen regen, weitläufigen Briefwechsel. Das Lesen der Korrekturabzüge, das dann folgte und das er mit peinlichster Sorgfalt ausführte, nahm gleichfalls viel Zeit in Anspruch. Da konnte er sich Catherine weit weniger widmen als sonst. Wollte sie mit ihm plaudern, während er am Schreibtisch saß, verwies er sie, nicht immer geduldig, zur Ruhe. Viele Stunden hintereinander zu lesen war sie nicht imstande. Sie langweilte sich und sagte es Rudolf.

Er begriff es. "Natürlich langweilst du dich. Du müßtest ja eine Auster sein, um dich bei ewigem Müßiggang nicht zu langweilen. Suche dich zu beschäftigen. Du hast ja arbeiten wollen.«

"Erlaubst du mir das?« fragte sie freudig.

"Warum sollte ich nicht?« gab er verwundert zurück.

Sie klatschte in die Hände und fiel über Rudolf her, um ihn mit Küssen zu bedecken. "Ich will mich gleich morgen umtun. In eine Werkstatt will ich nicht gehen. Denn ich kann nicht den ganzen Tag fern von dir sein. Ich hoffe, Arbeit nach Hause zu bekommen. Du sollst sehen, wie geschickt ich bin und wie viel Geld ich verdienen werde.«

"Um so besser. Es wird nicht schaden, wenn du dir deine Toilette erwerben kannst.«

Er hatte Catherine für den Herbst und Winter ausstatten müssen und dabei eine Vorstellung davon bekommen, was es selbst bei geringen Ansprüchen kostet, holde Weiblichkeit zu unterhalten. Ohne eine Zwangsanleihe bei Jack, die er aus seinen künftigen Wechseln zurückzuzahlen hoffte, war er seinen ursprünglichsten Pflichten des Besitzers einer schönen Freundin nicht gewachsen.

Rudolf konnte nicht erraten, warum Catherine so hocherfreut war. Sie erlangte ganz einfach, ohne Lockerung des Bandes, das Rudolf an sie knüpfte, ihre Freiheit wieder. Sie konnte wieder kommen und gehen, ohne Erklärungen geben zu müssen. Das war ihr ein Bedürfnis, das sich seit der Rückkehr aus der Bretagne bis zur Unerträglichkeit gesteigert hatte. Mit Rudolf allein zu sein war ihr eine Lust, wenn er sich ihr widmen konnte. Dagegen fand sie es tötlich, wenn er über seine

Korrekturabzüge mit gekrümmtem Rücken wie ein Alter gebeugt war und stundenlang keinen Blick, kein Wort, keinen Kuß für sie hatte. Sie konnte so wenig still halten wie ein Spatz. Sie mußte flattern und sprudeln und zwitschern. Sie brauchte Bewegung und Lärm um sich. Auch Beachtung, Verlangen und Anfechtungen.

Und noch etwas anderes. Ihre Vergangenheit war nur für Rudolf tot, nicht auch für sie. Sie kroch wieder ganz sachte aus der Vergessenheit hervor und streckte dünne, zähe Saugarme nach ihr aus. Sie wollte wissen, ob ihre Alten noch lebten, ob der elende Papa nicht schon endlich an dem ersehnten Delirium tremens eingegangen war, ob ihre Schwester noch immer mit dem kleinen Schauspieler von den Bouffes du Nord lebte und von ihm täglich geprügelt wurde, und sie hatte auch eine verderbte, wonnevoll sündige Neugierde, was aus Cartaux, für sie der kleine Jacques, geworden war. Wirklich nichts als Neugierde. Denn sie liebte Rudolf mit ihrem ganzen Wesen und sie schüttelte sich bei dem bloßen Gedanken einer Untreue. Es drängte sie nur, zu erfahren, wie Jacques sich zu ihrem Verlust verhalten hatte. Sie wußte am besten, daß sie gegen ihn im Unrecht war. Sie hatte ihm zur Eifersucht Anlaß gegeben. Aber sie trug es ihm doch nach, daß er sie nicht zurückgehalten hatte, ihr nicht nachgeeilt war, als sie, von ihm mit dem Revolver bedroht, kaum bekleidet hinausstürzte, auf die Straße, in die Nacht, in den Tod... In den Tod aus Empörung darüber, daß er sie hatte laufen lassen. Nur darum? Oder auch aus anderen Gründen? Sie wußte es selbst nicht mehr. Jedenfalls war es sehr dumm. Und doch wäre es ihm ganz recht geschehen, wenn sie damals gestorben wäre; durch seine Schuld. Er war feige ausgerissen, als sie nicht wiederkam. Er fürchtete wohl, wegen ihres Todes Unannehmlichkeiten zu haben. Ob er schon wußte, daß sie nicht gestorben war, als er ihr im Luxembourggarten begegnete? Ob er überhaupt erfahren hatte, was in jener Nacht vorgegangen und nachher aus ihr geworden war? Ob er litt, wenn er sich erinnerte? Sie hätte das überaus gern gewußt, wie eitle Menschen viel darum geben möchten, ihren Nekrolog zu lesen.

Ihn wollte sie nicht sehen, sie fürchtete die Begegnung; aber einen seiner Freunde, mit denen auch sie vertraut verkehrt hatte; am liebsten den, der ihm am nächsten stand, den Interne. Sie suchte ihn in seinem Krankenhaus auf. Er war seit Beginn des Schuljahrs nicht mehr in der Charité. Der Pförtner wußte nicht, nach welcher Abteilung er versetzt war. Sie würde es bei der Armenverwaltung erfahren. Dort erhielt sie die Auskunft, daß er jetzt dem St. Louis-Krankenhaus zugeteilt war. Das war zu weit. Dorthin konnte sie nicht gehen. Denn allzu lang, halbe Tage wegzubleiben schien ihr doch nicht geraten. Sie ging in den Lesesaal des Louvre-Magazins und schrieb ihm, sie empfinde das Bedürfnis, ihn wiederzusehen und sich mit ihm einmal so recht vom Herzensgrunde auszuplaudern, er solle ihr postlagernd – sie gab Buchstaben und ein Postamt am Quai Malaquais an – mitteilen, ob er sie an einem der allernächsten Tage gegen drei Uhr im Antikensaal des Louvre, vor der Venus von Milo, erwarten wolle.

Ihre täglichen Ausgänge, von denen sie bisher allerdings, aus triftigen Gründen, noch keine Arbeit heimgebracht hatte, schienen ihr trefflich zu bekommen. Sie war nun dauernd vergnügt und zärtlich wie in ihren verliebtesten Stunden. Das Bewußtsein, ihre kleinen Geheimnisse zu haben, wirkte auf sie erregend wie Schaumwein. Rudolf bildete sich ein, es sei die Erlösung aus der Faulenzerei, was sie so froh, fast übermütig machte.

Catherine hatte ihm einmal, in der ersten Zeit ihrer Liebe, gesagt, eine Chiromantikerin habe aus ihren Handlinien trübe Geschicke herausgelesen; sie wisse, daß sie eine saturnische Natur sei. Der Ausdruck war ihr geläufig, denn sie war eine Leserin und große Verehrerin von Verlaine.

Sie war in der Tat eine saturnische Natur. Sie hatte kein Glück. Der Interne, dem sie geschrieben hatte, traf zufällig im Hofe der medizinischen Fakultät Jack, mit dem er seit der gemeinsamen Mahlzeit kameradschaftliche Beziehungen unterhielt.

"Was ich sagen wollte, lieber Herr Mac, sind Sie noch mit der kleinen Catherine?«

"Ich?!« rief Jack empört, während sein Gesicht purpurrot wurde.

"Na, na, ich wollte Ihrer anglikanischen Tugend nicht nahetreten. Ich glaubte –«

"Sie sind verrückt. Ich habe mit der kleinen Catherine nie etwas zu schaffen gehabt.«

"Um so schlimmer. Sie ist ein reizender Kerl. Ich würde es als Kompliment ansehen, wenn mich jemand im Verdacht hätte.«

"Wie kommen Sie auf diesen Unsinn?«

"Ich dachte, weil Sie sich vor einiger Zeit so lebhaft für die Kleine interessierten und weil sie dann vollkommen aus dem Umlauf verschwand. Sie scheint Heimweh nach dem Boul' Mich' zu haben. Wenigstens schreibt sie mir ungefähr in diesem Sinne.«

"Nein!« stieß Jack so laut hervor, daß der leichtblütige junge Mann ihn verwundert ansah.

"Wieso nein? Halten Sie mich etwa für einen Aufschneider?«

"Verzeihen Sie – ich meinte nur. Will die Kleine mit Ihnen anbändeln?«

"Ich weiß nicht. Ich wage nicht zu hoffen, obschon sie mir ein Stelldichein gibt.«

"Ei, ei. In ihrer Wohnung?«

"Nein. In ihrer überspannten Weise zu den Füßen der Venus von Milo. Ich glaube, sie will nur über mich zu ihrem Cartaux zurückgelangen.«

"Haben Sie den Brief bei sich?«

"Warum?«

"Könnte ich nicht einen Blick hineinwerfen?«

"Teufel auch! Ist das in England üblich?«

"Sie mißverstehen mich. Der Fall interessiert mich rein psychologisch und ethnographisch.«

Der Interne sah ihn scharf an, lächelte, drehte sich den Schnurrbart und verabschiedete sich von ihm. Jack gab eine Arbeit, die er vorhatte, auf und ging langsam nach Hause. Er kämpfte einen schweren Kampf mit sich. Seine natürliche Ritterlichkeit gebot ihm Schweigen. Sein Wunsch, Rudolf von der kleinen Hexe zu befreien, ließ es ihm als unabweisliche Pflicht erscheinen, dem Freunde den Verrat zu enthüllen, den Catherine plante oder schon begangen hatte. Denn daß ihm der Interne keinen Bären aufgebunden hatte, davon war er fest überzeugt.

Er fühlte sich gerechtfertigt, Rudolf die Augen zu öffnen. Er tat es ohne Übertreibung, doch ohne Schonung. Er wiederholte die Worte des Interne mit der Genauigkeit eines Zeugen, der unter seinem Eid aussagt.

Rudolf glaubte, ein Folterknecht reiße ihm das Herz vom Geäder los. Es war ein Schmerz, wie er ihn nie empfunden hatte. Zum Aufbrüllen. Zum Zusammenbrechen. Jack erschrak über den Ausdruck seines Gesichts und wollte ihm zureden, vernünftig zu sein. Rudolf bat ihn nur, ihn allein zu lassen.

Die Mitteilung überraschte ihn, während sich in ihm ganz still ein vollkommener Wandel der Hintergrunddekoration seines Lebensschauspiels vollzog. Angesichts der Schwierigkeit, Catherine in seine Familien-, Militär-, Gesellschaftsverhältnisse einzuordnen, machte er sich allmählich mit dem Gedanken vertraut, ihr zuliebe aus allen diesen Verhältnissen herauszutreten. Den Seinen war er nicht unentbehrlich. Eine Laufbahn tat sich ihm überall auf, wo es einen Lehrstuhl für Romanistik gab, auch im Ausland, selbst in Frankreich, wenn nicht gleich in Paris, dann an einer Provinzfakultät. Und mitten in der Arbeit der Anpassung an diese neuen Ausblicke flog eine Mine auf und legte den schimmernden Bau in wüste Trümmer.

Es war ein November-Nachmittag, der Himmel blaßgrau, der Quai mit den letzten welken Blättern der Straßenbäume bestreut, der Strom grüngelb und schlammgetrübt unter brauendem Nebel. Knapp vor Anbruch der Nacht kam Catherine von ihrem Ausgang heim und eilte wie gewöhnlich auf Rudolf zu, um ihm an den Hals zu fliegen. Er stieß sie zurück. Sie starrte ihn verblüfft an und bemerkte seine verzerrte Miene.

"Was hast du, Schatz?« stammelte sie, mitten in der Stube stehen bleibend.

"Die Komödie ist zu Ende, ich weiß alles, Verruchte.«

Wie ein Blitz schoß es ihr durch den Kopf: "Der postlagernde Brief ist ihm in die Hände gefallen!« Sie war nahe daran, die Geistesgegenwart zu verlieren, in die Kniee zu sinken, mit gefalteten Händen "Verzeihung! Gnade!« zu rufen. Da fuhr er fort:

"Du kommst wohl von deinem Neger. Gehe wieder zu ihm.«

Nein. Er konnte den Brief nicht haben. Wie wäre es auch möglich – Sie sammelte ihre Geister. "Rudolf! Was soll das heißen! Ich verstehe dich nicht! Du phantasierst!«

"Nochmals, ich weiß alles.«

"Was weißt du? Es gibt nichts zu wissen.«

"Leugnest du, daß du geheime Briefe wechselst?«

"Ich leugne es. Geheime Briefe? Mit wem?«

"Und die Rendezvous – am Fuße der Venus von Milo –«

Wieder wurde ihr schwarz vor den Augen. Aber sie machte eine neue Anstrengung. "Du träumst! Beweise!«

Wortlos schritt er zur Tür hinaus und kam gleich mit Jack wieder. "Die Elende leugnet. Sie verlangt Beweise. Sprich.«

Als Catherine Jacks ansichtig wurde, kam eine Wut über sie, die sie alles vergessen machte. "Ah! Dieser heuchlerische Clown ist der Angeber! Nichtswürdiger Spion! Verräter! Du treibst ein sauberes Handwerk. Was bekommst du dafür? Liest du das in deiner Bibel? Gleisnerischer Pastor! Hahnrei!«

Jack zuckte die Achseln. "Dein unflätiges Geschimpf,« sagte Rudolf zähneknirschend, "ist ein Geständnis. Geh! Ich will nichts mehr von dir wissen.«

Sie rutschte auf den Knien zu ihm und umfaßte ihn: "Rudolf! Ich flehe dich an! Höre mich an! Der Schein ist gegen mich –«

Er machte sich mit einer schroffen Bewegung los. "Geh. Ich bin mit dir fertig.«

"Rudolf! Wenn du mich wegschickst, so schickst du mich in den Tod!«

Er wandte ihr den Rücken. Da sprang sie auf, schrie gellend: "Du hast es gewollt!« und flog zur Tür, die sie wild aufriß. Es war in ihrem Schrei eine besinnungslose Verzweiflung, die ihn zwang, sich jäh umzukehren und einen Schritt zu ihr hin zu tun. Sie war aber schon draußen und auf der ersten Treppenstufe. Er wollte ihr nacheilen. Die Tür flog vor ihm ins Schloß, zwei eiserne Fäuste packten ihn und hielten ihn fest.

"Laß mich! Jack! Sie tut sich etwas an!« keuchte er und suchte sich loszureißen. Jack blieb stumm und drängte ihn von der Tür weg. Ein furchtbares Ringen begann zwischen dem Jüngling und dem reifen Mann, der bärenstarke Schotte bemeisterte aber den heftig erregten, fassungslosen Rudolf und schleuderte ihn in den Hintergrund des Zimmers zurück.

"Du bist ein Mörder!«

"Ich bin ein Retter,« sagte Jack tief atmend und stemmte sich mit dem breiten Rücken gegen die Tür.

Rudolf stand am Fenster. "Ah!« schrie er auf und suchte mit zusammengekrampften Händen die Flügel aufzureißen. Er sah sie im Zwielicht unten über den Straßendamm jagen – wie damals – und hinter der Quaibrüstung verschwinden – und im Nu einen großen Auflauf entstehen – und Leute hin und her rennen und gestikulieren – und Schutzleute laufen – wieder machte er einen Satz zur Tür, um hinaus zu gelangen, wieder schlug Jack seinen Angriff ab. Da brach Rudolf, obschon sonst nicht nervenschwach, zusammen und begann zu schluchzen wie ein kleines Kind....

Diesmal war niemand Catherine nachgesprungen. Mehrere Kähne waren losgetaut worden. Man hatte gerudert, gekreuzt und gestakt. Die Haken hatten aber nichts an die Oberfläche gebracht.

Jack suchte Rudolf alle qualvollen Berührungen mit der Polizei zu ersparen. Er erstattete die Anzeige. Er gab die Habseligkeiten ab. Er entführte ihn nach drei Tagen aus Paris, in die Heimat.

Weihnachten feierte Rudolf mit den Seinen. Die Mutter behandelte ihn wie einen Kranken, kaum Genesenden. An Jack hatte er seit der schrecklichen Minute nicht wieder das Wort gerichtet. Das hinderte Adele nicht, sich unter dem Christbaum mit ihm zu verloben; nicht aus Dankbarkeit allein, aber auch aus Dankbarkeit.

Max Nordau

Auf Abbruch ...

Es war in Cadiz, an einem wunderschönen Maitage, in später Nachmittagsstunde, als die Seebrise kühl zu wehen begann. Ich saß im Freien vor dem Café del Correo und las eine Ortszeitung. Da erregte auf dem schmalen Balkon des Hauses gegenüber eine weibliche Gestalt meine Aufmerksamkeit. Sie saß hinter dem halb herabgelassenen Rollvorhang aus grünen Holzstäbchen, der ihren Oberleib verbarg. Ich konnte nur hören, wie sie mit hohen Kopftönen eine Copla sang, deren Worte deutlich über die Straße zu mir herüberflogen:

"Me casé con un viejo
por su moneda
La moneda se acaba,
Y el viejo queda...«

"Einen Alten freit ich, ach!
Seinem Geld zu lieb –
Von dem Geld ist nichts mehr da,
Doch der Alte blieb.«

War sie schön oder häßlich, jung oder alt? Das sah ich nicht. Ihre Stimme klang reif und sie betonte ihre wilde arabische Weise mit einer Bitterkeit, die in die Seele schnitt. Das war nicht der gewohnheitsmäßige Singsang einer Frau aus dem Volke, die zu ihrer Kurzweil bei der Arbeit gedankenlos ein Lied vor sich hin trällert, das war persönliches Wehklagen. Das war der Jammerschrei einer gequälten Kreatur. Und plötzlich erwachte in mir die Erinnerung an die schwermütigen Schicksale einiger heimgesuchten Menschen, die ich in meiner Jugend persönlich gekannt habe.

* * *

Die Siefferts waren eigenartige Leute, von denen die Nachbarschaft viele Schnurren erzählte. Vater Sieffert war von Beruf Flickschneider, doch trat er an Sonn- und Feiertagen die Blasbälge der Orgel in der evangelischen Pfarrkirche und wartete außerdem in einigen reichen Bürgerhäusern zu besonderen Gelegenheiten bei Tische auf. Mutter

Sieffert arbeitete als Waschfrau, so oft ihr die eigene Wirtschaft und ihre Stelle als Pförtnerin einer großen Mietkaserne einen halbwegs freien Augenblick ließen. Das Ehepaar hatte vierzehn lebende Kinder, elf Mädchen und drei Jungen, und einige waren zum großen Schmerze der Mutter gestorben, die der Überfluß an lebenden Nachkommen niemals für die fehlenden trösten konnte. Die gesegnete Familie bewohnte zwei Räume, von denen der eine mit als Küche diente. Der ganze Hausrat und auch manches Stück, das man kaum so bezeichnen konnte, wurde nachts als Bettstätte verwendet. Man schlief in einer herausgezogenen Kommodenschublade, auf der von den Beinen abgehobenen Tischplatte, im großen Wäschekorb, auf Gurten-Feldbetten, die tagsüber zusammengeklappt waren. Vater Sieffert verließ jeden Morgen vor Tagesanbruch, wenn die anderen noch schliefen, mit einer Schiebkarre das Haus und begab sich nach der Markthalle, wo er eine Last des billigsten Gemüses der Jahreszeit erstand, sie wohl auch von den gutmütigen Grünkrämerinnen halb oder ganz geschenkt bekam. Dann sprach er bei einer Bäckerfrau vor, die ihm die altbackenen Brotreste des vorigen Tages aufbewahrte und um den halben Preis überließ, fuhr seinen Einkauf heim, schüttete ihn auf ein zu diesem Zweck ausgebreitetes Laken und rief der Mutter Sieffert zu: "Guten Morgen, Mutter. Für den heutigen Tag hat Gott wieder gesorgt.«

Größern Kummer machte die Kleidung. Jeder Lappen, dem ein Kind entwuchs, ging auf das nächste über und glitt die ganze Stufenleiter bis zum jüngsten hinab, wenn er seine absteigende Laufbahn nicht unterwegs wegen vollständiger Aufgetragenheit vor ihrem natürlichen Ende beschließen mußte. Die Beschaffung des Schuhwerks bereitete unüberwindliche Schwierigkeiten. Vollzählig war der Bestand niemals zu erhalten. Welches von den Kindern notwendig ausgehen mußte, zog das seiner Größe ungefähr angemessene Paar Schuhe an, dessen theoretischer Eigentümer mittlerweile in Pantoffeln oder barfuß das Zimmer hüten mußte.

Einmal geschah es, daß der Zufall die Siefferts durch einen kleinen Gewinnst in der Lotterie begünstigte. Für das Geld wurde nach ganz kurzer Beratung – die Leute wußten genau, was sie wollten – zunächst sämtlichen Kindern je eine Portion Gefrorenes gekauft, wonach die älteren seit manchen Jahren eine aussichtslose Sehnsucht geäußert hatten, und dann wurden auf einen Ruck sechzehn Paar kräftig gebauter Schuhe angeschafft, was der ganzen Familie, zum erstenmal seit ihrem Bestand, die Möglichkeit gewährte, gleichzeitig einen Sonntagsspaziergang nach dem Stadtwäldchen zu unternehmen, ein Ereignis, das in allen Straßen, durch die der Zug sich lärmend wand, fröhliches Staunen erregte. Ein Restbetrag sollte nach Übereinkunft der Eltern in einem siebzehnten Paar Schuhe angelegt werden – sie wollten einmal im Leben das Hochgefühl des Überflusses kennen! – nur bestand Vater Sieffert darauf, daß es für die Mutter, und Mutter Sieffert, daß es für den Vater sei, woraus sich zwischen ihnen ein heftiger Streit entwickelte, der erste seit Menschengedenken in dieser sonst so einigen Familie, deren beide enge Wohnräume zu allen Stunden, kaum mit Ausnahme der Schlafzeit, von Gelächter und Gesang erfüllt waren.

Vater Sieffert war ein sehr ordentlicher Mensch und man konnte sich allerwegen auf ihn verlassen. Wenn er bei Herrschaften aufwartete, trank er während der Bedienung nie einen verstohlenen Tropfen. Erst wenn der Dienst zu Ende war, bezechte er sich rasch, aber so gründlich, wie es die Menge der Weinneigen gestattete, – denn eine unangebrochene Flasche um die Ecke zu bringen ging ihm gegen das Gewissen –, packte an Geflügelresten und besonders an Nachtisch in einen zu diesem Zwecke mitgebrachten Leinensack, was er irgend bekommen konnte, und torkelte mit seinem ehrlich erworbenen Affen und den Leckerbissen zu den Seinen heim, die ihm um der letzteren willen den erstem verziehen und ihn nachsichtig seinen Schwips ausschlafen ließen, indes sie dem Mitgebrachten Ehre erwiesen.

Vater Sieffert nahm, was gute wohlhabende Menschen ihm für seine Kinder geben wollten, aber er verlangte nie etwas. Er war immer zufrieden und behauptete bei Erkundigungen, er habe, was er brauche. Drückte jemand unzartes Bedauern über seine Kinderlast aus, so wurde er beinahe unwillig. Es sei keine Last, setzte er auseinander, sondern ein Segen. Wohl müsse er fleißig arbeiten, aber das sei gesund und verhindere das Stocken des Geblüts. Bargeld könne er freilich einstweilen nicht auf die hohe Kante legen, aber seine Kinder seien seine Sparkasse, und wenn erst alle großgezogen sein und zu verdienen anfangen würden, so würden sie gar nicht wissen, wohin mit dem vielen Gelde. Inzwischen habe er den Vorteil, wohlfeiler zu leben als jeder andere, denn er kaufe alles dutzendweis und da sei es erheblich billiger als einzeln. Dazu feixte er dann und rieb sich fröhlich die Hände.

Mutter Sieffert allerdings faßte das Leben weniger vergnügt auf als ihr leichtblütiger Gatte. Die Hauptbürde wuchtete eben auf ihren armen Schultern. Sie hatte die vierzehn größeren und kleineren Mäulchen zu füllen, sie die vierzehn Rücken zu bedecken, daß sie sich in der Schule und Werkstatt anständig sehen lassen konnten, sie die Kinder zu pflegen, wenn sie erkrankten, was nie einzeln, sondern stets gleich reihenweis geschah. Selbst in den Wochen und während sie stillte blieb sie die Triebkraft des Hauswesens, ihr Dasein war rastlose, fast übermenschliche Arbeit und als einzige Erholung sah sie die einsamen traurigen Gänge nach dem Kirchhof an, wo sie zwei- oder dreimal des Jahres die kleinen Grabhügel der verlorenen Kinder mit Blumen schmückte.

Die Sprößlinge in ihrer fast lückenlosen Orgelpfeifenordnung dankten der aufopfernden Pflege mit blühendem Aussehen. Sie waren alle rund und rotbackig wie Winteräpfel und erregten den Neid reicher Eltern, die mit auserlesener Nahrung und feiner Wartung nicht zuwege bringen konnten, was die Siefferts mit altbackenem Brot, Kartoffeln, Rüben und Kohl und mit spartanischer Behandlung erreichten.

Die Älteste, Lene, die seit ihrer Einsegnung bei einer Nähfrau arbeitete und vier Jahre später genug verdiente, um sich selbst und fünf kleinere Schwestern ganz flott zu kleiden, war mit achtzehn Jahren zu einer auffallenden Schönheit entfaltet: groß, voll, blond, blauäugig, ein edles längliches Gesicht von Milch und Blut und zwei Zahnreihen, wie man sie in der Stadt bei armen Leuten kaum noch antrifft. In der Werkstatt war sie die unbestrittene Königin der zwanzig Nähmädchen, die sie wegen ihrer frischen Reize ebenso bewunderten, wie sie sie wegen ihrer Gefälligkeit und unversiegbar sprudelnden Heiterkeit liebten. Auf den winterlichen Sonnabendkränzchen des evangelischen Jugendbundes, in dem Vater Sieffert das Ehrenamt eines Kassenboten bekleidete – die nicht sehr zahlreiche Gemeinde hielt in der weitaus überwiegend katholischen Stadt eng zusammen –, war sie die Zentralsonne der um sie kreisenden männlichen Jugend. Obschon eine kaum erschlossene Knospe, war sie bereits das Ziel eifriger Bewerbung, die sie mit unbekümmert leichtblütigem Frohmut, ihrem Vatererbe, aufnahm oder abwies, wie man es auffassen will. Nur ein Tänzer, der seit dem Winterbeginn nicht von ihrer Seite wegzuscheuchen war, sowie sie mit den Eltern und zwei oder drei größeren Geschwistern den Vereinssaal betrat, trieb ihr das Blut in die Wangen und machte ihren Lachmund ernst. Das war ein gewisser Niklas Brunner, ein junger Riemergeselle, der eben vom Militär heimgekommen war und sich wieder in sein Handwerk einzuarbeiten begonnen hatte. Sie hatte es ihm sichtlich angetan und er gab sich keine Mühe, es ihr zu verheimlichen. Sie lachte anfangs, wie es ihrem Wesen entsprach, wenn er mit ihr schön tat, als sie aber bemerkte, daß ihr Herz bei seinem Kurschneiden heftiger und etwas schmerzhaft klopfte, verbot sie ihm eines Abends in der Tanzpause das Süßholzraspeln. Daraus entspann sich zwischen den beiden ein schnippisches Wörteln.

"So darf man etwa ein schönes Mädchen nicht mehr lieb haben?«

"Das hebt man am besten für seine Braut auf.«

"Da seh mal einer das altkluge Ding! Zum Heiraten sind Sie doch noch zu jung!«

"Dann auch zum Liebhaben.«

"Aus dem einen kann das andere werden.«

"Wie soll ich das verstehen?«

"Lassen Sie sich's von der Kartenaufschlägerin erklären, Sie kleine Duckmäuserin.«

Sie wendete sich schmollend weg, da begann die Tanzmusik wieder, er faßte sie herzhaft und während er sie flink im Walzer drehte, flüsterte er, sein Auge dreist ins ihrige bohrend: "Ich hätte Sie schon gebeten, sich mir zu versprechen, in ein, zwei Jahren hoff' ich, eine Frau heimführen zu können, ich fürchte mich nur ein bischen vor Ihnen.«

Sie warf ihm einen erstaunten Blick zu. "Fürchten?«

"Nun ja,« gab er lachend zurück, "die vielen Kinder sollen erblich sein. Ich weiß nicht, ob ich's vertragen würde, vierzehn Nestlinge –«

Bei dieser Derbheit des ungewaschenen Burschen ließ sie ihn mit flammenden Wangen plötzlich los, eilte an den Tisch der Eltern und wollte an dem Abend von Niklas nichts mehr wissen.

Am folgenden Ostersonntag war es, da sah Mutter Sieffert durch das kleine Fenster ihrer Vorderstube, das auf den Hausflur ging, wie ihr Mann anscheinend in vertrautestem Gespräch mit Herrn Behr hereinkam und wie Herr Behr mit einem langen Händedruck von ihm Abschied nahm. Sie war bei diesem Anblick starr vor Staunen. Herr Karl Emil Behr war der Eigentümer des Hauses, worin sie als Pförtnerin waltete. Er galt für einen der reichsten Männer der Stadt, bekleidete in der Gemeinde hohe Kirchenämter, war Stadtverordneter und Geheimer Kommerzienrat. Wie kam dieser große Mann dazu, mit Sieffert Händedrücke auszutauschen?

Sie bestürmte ihren Mann bei seinem Eintritt mit Fragen, er aber lachte nur still vor sich hin, schüttelte von Zeit zu Zeit den Kopf und setzte sich wortlos an den gedeckten Tisch, denn er hatte an dem großen Feiertage bis lange nach beendetem Gottesdienst in der Kirche zu tun und es war reichlich mittag, als er nach Hause kam.

Das Staunen seiner Frau wuchs. Vater Sieffert besaß drei Röcke: den schwarzen Hochzeitsrock – er war in zwanzig Jahren noch nicht zu eng geworden – für die Kirche und die Kassenbotengänge, die graue

Jägerjoppe mit grünen Aufschlägen und Hirschhornknöpfen für die Aushilfen bei Tische, den grauen Zwilchkittel für die Markthalle und das Haus. Hatte er der Pflicht halber die erste oder zweite Garnitur an, so war es, kaum daß er die Schwelle überschritten, seine erste Bewegung, den Rock oder die Joppe mit ehrerbietiger Sorgfalt wegzuräumen und den Kittel anzuziehen. Diesmal aber vergaß er diese unabänderliche Gewohnheit von Jahrzehnten und behielt den schwarzen Rock an, auf die Gefahr hin, ihm beim Essen einen Fleck beizubringen.

"Mann! Wo hast du deinen Kopf! Deinen Rock!« rief sie beinahe erschrocken. Er fuhr wie aus einem Traum auf, warf einen verwirrten Blick auf seine Ärmel und Schöße, sprang auf und holte den versäumten Kleiderwechsel nach.

"Was hat der Herr Geheimrat dir so eifrig zu erzählen gehabt?«

Er lachte nur hell auf, schüttelte wieder den Kopf und begann seine dicke Kartoffelsuppe mit Speckwürfeln zu löffeln.

"So rede doch, Mann! Was gibt es?«

"Später, später, Mutter. Du versäumst nichts. Laß mich jetzt essen.«

Er hatte aber das Festtagsgericht noch nicht aufgezehrt, da ging die Tür auf und vor den überrascht aufspringenden sechzehn Ansassen des Tisches – das Kleinste noch im Kinderstühlchen – zeigte sich der alte Diener des Geheimrats, der grinsend und blinzelnd einen schweren Picknickkorb mitten auf den Tisch stellte, der Frau Sieffert zunickte. "Vom Herrn Geheimrat! Wohl bekomm's!« sagte und unverweilt wieder verschwand.

Die Alten und die Kinder waren ganz verschüchtert. Lene überwand zuerst die Scheu, hob den Deckel auf und begann auszupacken. Sie brachte der Reihe nach einen ganzen gekochten Schinken, einen Napfkuchen, zwei Schachteln Mandeln und Rosinen und vier Flaschen Rotwein zum Vorschein. Die ganze Tafelrunde starrte auf diese Herrlichkeiten wie auf ein Blendwerk, an dessen Wirklichkeit trotz des Augenscheins niemand glauben mag. Diese Verblüffung verschwand jedoch sofort, als Vater Sieffert, der zuerst die Fassung wiederfand, behend eine Flasche entkorkte und sich und der Mutter einschenkte. Das kurze Mittagmahl hätte nach der Specksuppe mit etwas Schmorfleisch schließen sollen. Es wurde um den sofort tapfer angehauenen Schinken und den Napfkuchen verlängert und da auch noch der gänzlich ungewohnte Wein hinzukam, von dem die vorsorgliche Frau Sieffert vergebens zwei Flaschen für Krankheit oder künftige Feste zu retten suchte, steigerte die Stimmung sich rasch zu jauchzendem Übermut, der sogar das unverständige Jüngste zu lustigem Krähen, Händeklatschen und Strampeln anregte.

Frau Sieffert ließ nicht ab, die Frage zu wiederholen, was das alles bedeute. Vater Sieffert hörte nicht auf sie, sondern schmauste seelenvergnügt weiter, bis alles so pumpsatt war, daß es einmütig die vom Vater mit überlauter Stimme angebotenen Nachlieferungen zurückwies. Dann erst führte er sich ein letztes Glas zu Gemüte, wischte sich den Mund mit dem Kittelärmel, erhob sich, winkte seiner Frau, ihm zu folgen, und ging ihr in das zweite Zimmer voran. Er verriegelte die Tür hinter sich, ließ sich auf einen Strohsessel niederwuchten, daß die Beine krachten, und begann wieder kopfwackelnd vor sich hin zu lachen.

"Laß doch die dummen Faxen,« brummte Frau Sieffert ungeduldig, "wirst du mir endlich sagen ...?«

"Gleich, gleich, Mutter. Es ist zu komisch. Also weißt du, was es Neues gibt?«

"Nun?«

"Der Herr Geheimrat will Lene heiraten.«

"Unsere Lene?« schrie Frau Sieffert auf und ihre Wangen verfärbten sich.

"Wahrscheinlich.«

"Du bist verrückt!«

"Warum denn ich? Vielleicht der Herr Geheimrat.«

"Er hat dich darauf angeredet?«

"Das kannst du dir doch denken. Wie käm ich sonst darauf.«

"Und was hast du gesagt?«

"Daß ich es euch sagen werde.«

"Warum hast du ihm nicht gleich gesagt, was du denkst?«

"Ja, was denk ich denn?«

"Nun, doch wohl, daß es eine Sünde und Schande ist! Ein solcher Einfall! Wer hätte das für möglich gehalten! Tut so fromm und ehrbar – verdreht die roten Triefaugen – hat immer Gott den Herrn im Hängemaul – und schämt sich nicht, nach unserer Lene zu schielen, nach einem halben Kind –«

"Rege dich nicht auf, Mutter. Überlege dir's ruhig –«

"Was ist da zu überlegen –«

"Laß mich ausreden. Der Herr Geheimrat ist vielleicht der reichste Mann in der Stadt.«

"Willst du unsere Lene verkaufen?«

"Unsinn, verkaufen! Nein. Versorgen.«

"Mit einem Siebziger!«

"Einundsiebzig ist er alt. Zu Lichtmeß vor einem Jahr haben wir ihm mit den Kindern zu seinem siebzigsten Geburtstag gratuliert, erinnerst du dich nicht?«

"Einundsiebzig! Noch besser.«

"Ganz richtig; noch besser. Mann und Frau sollen im Alter nicht zu weit auseinander sein. Aber wenn der Unterschied mindestens fünfzig Jahre ausmacht, oder gar dreiundfünfzig wie hier, dann geht es wieder.«

"Auf den Tod eines Menschen spekulieren! Ist das rechtschaffen?«

"Mutter, sei nicht übertrieben. Kein Mensch kann ewig leben. Du weißt, wie es im schönen Psalm heißt: Des Menschen Leben ist siebenzig, und wenn es hoch kommt, so sind es achtzig. Seit einem Jahr ist dem Herrn Geheimrat eigentlich jeder Tag geschenkt. Laß ihn noch ein paar Jahre leben, dann ist Lene eine Zwanzigerin in der schönsten Blüte, und reich, und angesehen. Was hindert sie dann, sich wieder zu verheiraten, wie sie will, und glücklich zu leben wie eine Prinzessin in den Geschichten? Bist du denn sicher, daß sie bis dahin einen passenden Mann findet, wenn sie eine ledige arme Näherin bleibt? Ist es besser, in ihren jungen Jahren sich die Finger wund zu sticheln und die Augen matt zu gucken, als eine große Dame zu sein und in Hülle und Fülle zu leben?«

"Mit einem solchen Aas an der Seite!«

"Wirst du wohl schweigen! Der Alte wird sie nicht viel stören. Er wird schon zufrieden sein, wenn man ihn ruhig in seinem Lehnstuhl sitzen läßt und ihm von Zeit zu Zeit die Schlummerrolle zurechtrückt.«

Frau Sieffert erwiderte nichts und ihr Mann blieb auch eine Weile still. Aus dem Vorderzimmer tönte das Schreien, Lachen und Poltern der Kinder herein, die ein lärmendes Spiel begonnen hatten. Lene war die lauteste von allen.

Vater Sieffert folgte seinen Gedanken, die eine neue Richtung einschlugen. "Stellen wir uns meinetwegen vor, der Herr Geheimrat würde Lene für die paar Jahre, die ihm noch bleiben, als Krankenpflegerin zu sich nehmen wollen und ihr ein gutes Gehalt anbieten. Würdest du ihr raten, die Stelle auszuschlagen?«

"Du redest dummes Zeug. Das ist doch etwas anderes.«

"Kaum. Der Unterschied ist, daß Lene beim Geheimrat eine Oberkrankenpflegerin sein würde. Für die gröbere Arbeit würde sie Dienstboten haben. Sie wäre nur der Sonnenschein im Krankenzimmer, der tägliche Blumenstrauß auf dem Nachttisch.«

Im Geheimen bewunderte Mutter Sieffert die schöne Redekunst des Flickschneiders, aber sie wollte es nicht merken lassen. "Es ist eine Sünde und Schande. Dabei bleibe ich.«

"Eine Schande? Einen schweren Millionär, einen Geheimrat, einen Stadtverordneten, einen Kirchenältesten zu heiraten? Wie hoch willst du denn mit Lene hinaus? Sie soll wohl einen Prinzen bekommen? Und eine Sünde, wenn sie einem guten alten Menschen barmherzig den Lebensabend verschönt und zugleich das vierte Gebot fromm erfüllt?«

"Wie bringst du da das vierte Gebot herein?«

"Ehre Vater und Mutter, auf daß es dir wohlergehe auf Erden. Wenn Lene Frau Geheimrat Behr wird, so handelt sie als eine gute Tochter und Schwester, denn sie macht ihre Eltern und ihre ganze Familie glücklich. Der Geheimrat hat sich darüber weitläufig ausgelassen. Er würde es für seine Schuldigkeit halten, die Angehörigen seiner Frau schicklich zu versorgen. Mir sagt er das Amt eines Kassenboten der Gemeinde zu. Der alte Umbrecht soll nämlich nächstens in den Ruhestand treten. Das wäre etwas für mich. Denke, wenn der Mensch monatlich sein Gewisses hat! Da könnt' ich auch einmal im Leben in den hellen Tag hinein schlafen. Und dir würde es auch gut tun, wenn du das Waschen lassen könntest, ehe sich dir der Rheumatismus in die Knochen setzt. Und die Kinder, die nicht mehr barfuß laufen müßten und in der Schublade schlafen – was meinst du wohl, Alte?« Er versetzte ihr einen herzhaften Klaps mit der flachen Hand auf die Schulter und sah ihr lachend in die Augen.

"Mensch, ich begreife nicht, wie du lachen kannst,« murrte sie und zog sich unwillig zurück.

"Es ist doch zum Lachen, Mutter. Dieser Alte – wenn ich mir vorstelle, daß er auf Freiersfüßen geht und dem jungen Blut schön tut – in Ehren, versteht sich, in allen Ehren – da kann niemand ernst bleiben.«

"Du lachst und Lene wird sich die Augen ausweinen.«

"Warum denn? Sie wird auch lachen, wenn auch nicht dem Alten ins Gesicht. Es geschieht ihr doch nichts. Es ist eine Komödie. Sie dauert ein paar Jährchen und dann ist Lene ihr Leben lang glücklich.«

"Laß es darauf ankommen. Sag' es Lene. Du wirst ja sehen, ob sie lacht.«

Er bedachte sich keinen Augenblick. Der Riegel fuhr zurück, die Tür flog auf und Vater Sieffert rief in das Getümmel der Vorderstube: "Lene! Komm mal herein.«

Das junge Mädchen löste sich von einem Reigen los und kam wie ein Wirbelwind hereingesaust. "Was soll ich, Vater?«

Der Alte verschloß die Stube wieder, stellte sich vor seine Tochter hin, erfaßte ihre Hand und sagte ihr mit breitem Lächeln: "Nimm dich zusammen, Kind, es gibt einen Bums. Eins – zwei – drei – Man hält um dich an.«

"Der Brunner Niklas!« entfuhr es ihr. Brennende Röte überflog jäh ihre ohnehin erhitzten Wangen und ihr beschleunigter Atem stockte.

"Der Brunner Niklas?« fragte der Alte überrascht, während auch Frau Sieffert erstaunt aufblickte. "Ei ei, das ist ja ganz was Neues. Nein, Kind, das Bürschchen wirst du dir gefälligst aus dem Kopf schlagen. Gott sei Dank, wir haben es mit anderen Herrschaften zu tun. Na kurz, um dich nicht zappeln zu lassen: um dich wirbt der Geheimrat Behr!«

"Der Geheimrat Behr!« wiederholten ihre Lippen tonlos, Totenblässe löste auf ihren Wangen den Purpur ab und ihr entsetzter Blick flüchtete sich zur Mutter. Diese breitete die Arme aus und Lene warf sich ihr an die Brust. "Das kann doch nicht sein, Mutter, sage?«

"Es ist,« antwortete Frau Sieffert dumpf und streichelte ihr das wellige Blondhaar.

"Ich will nicht!« schrie sie leidenschaftlich auf. "Dieser Schneemann – lieber sitzen bleiben. Lieber einen grauen Zopf kriegen. Lieber ins Wasser gehen.«

"Rede dich nicht in eine dumme Aufregung hinein,« mahnte der Vater, zog die Widerstrebende mit sanfter Gewalt von der Mutter weg zu sich, drückte sie auf den Stuhl an seiner Seite und fuhr begütigend und einschmeichelnd fort: "Du bist ein Kind, dumm und unerfahren. Du weißt nichts. Höre auf verständige Leute. Du wirst eine steinreiche Dame –«

"Ich bin mit trockenem Brot zufrieden.«

"Das hast du lang genug gegessen und wir mit dir. Jetzt soll es besser kommen. Der Geheimrat will uns alle glücklich machen. Und dich am glücklichsten.«

Lene warf den Kopf empor und blickte den Vater mit flammenden Augen an.

"Und dich am glücklichsten, sag ich,« wiederholte er mit Nachdruck. "Du wirst wie eine Königin leben und in Sammt und Seide gehen und Brillanten tragen, daß den Leuten die Augen übergehen werden. Und du wirst für deine Brüder und Schwestern sorgen können und für deine Mutter, die sich dann nicht mehr zu rackern braucht. Von mir red' ich nicht. Ich verlange von niemand etwas. Ich habe mir immer mein Brot verdient, mir und den Meinen, und will es weiter so halten. Der Geheimrat wird dich auf Händen tragen. Und was will er denn von dir? Nichts anderes, als daß du um ihn bist. Du sollst seine Augenweide sein, sein Augentrost. Er will dir ein Vater sein –«

"Ich habe einen Vater,« unterbrach ihn Lene heftig.

"Doppelt genäht hält stärker, Kind, ich bin ein Schneidermeister und muß es wissen. Der neue Vater kann mehr für dich tun als leider der alte. Ja, wenn meinen Großvater nicht die Franzosenzeit ums Vermögen gebracht hätte –«

Wenn er auf den sagenhaften einstigen Glanz seiner Vorfahren zu sprechen kam, fand Sieffert kein Ende. Seine Frau, die das wußte, schnitt ihm rasch das Wort ab. "Lene, du weißt jetzt, wie es steht. Sag dem Vater, was du meinst.«

"Mutter, ihr wollt mich nicht opfern.«

"Opfern?« fiel Sieffert ein, "wo nimmst du das her? Ich bin nicht Abraham und du bist nicht Isaak, schon weil du ein Mädel bist –« er lachte sich selbst Beifall – "von einem Opfer ist keine Rede. Ich will dein Glück und es wird dein Glück sein.«

Als Lene stumm blieb, fuhr der Vater eindringlich fort: "Also entscheide dich, Kind –«

"Sie wird sich die Sache doch etwas überlegen dürfen,« sagte Frau Sieffert gereizt.

"Was ist da zu überlegen? Bis morgen oder übermorgen wird doch der Herr Geheimrat nicht jünger werden, sondern älter. Also rasch. Ich muß dem Herrn Geheimrat Bescheid sagen. Er wartet darauf. In seinem Alter ist Aufregung kein Spaß. Wenn die Freude seiner Gesundheit schaden sollte, so kann ich das vor meinem Gewissen verantworten. Aber wenn ihn vor Ungeduld der Schlag rührt, würde ich mir Vorwürfe machen müssen. Heraus mit der Sprache.«

"Also nein, Vater, nein, nein und nein!« rief Lene heftig, verbarg das Gesicht an der Brust der Mutter und brach in Schluchzen aus.

"Das macht vier nein,« bemerkte Sieffert kaltblütig; "drei zu viel. Schön. Ich gehe jetzt zum Herrn Geheimrat hinauf und melde ihm, daß sein Anliegen vorgebracht ist. Er kommt dann selbst und du kannst ihm dein "Nein!« ins Gesicht wiederholen, wenn du ein dummer Starrkopf sein willst.«

"Ich laufe weg!« rief Lene wild.

"Sehr wohl. Und wir können das Bündel schnüren.« Er zog seinen Kittel aus, fuhr wieder in den feierlichen Gottfried, langte sich den struppigen Zylinder und ging, Mutter und Tochter bestürzt und ratlos zurücklassend.

In der Tat, es dauerte keine zehn Minuten, da komplimentierte Vater Sieffert den geheimen Kommerzienrat Karl Emil Behr lächelnd und katzbuckelnd durch das Vorderzimmer, wo bei seinem Eintritt die erschrockenen Kinder plötzlich zu tollen aufhörten, in die zweite Stube und sagte: "So, Herr Geheimrat. Hier ist die Kleine. Ein bischen scheu – sie ist ja auch noch so jung. Nun, Sie werden sie schon kirre machen, wenn Sie sich mit ihr recht von Herzen aussprechen.« Dann winkte er seiner Frau gebieterisch mit Kopf und Blick, bis sie zögernd und verlegen hinausgegangen war, folgte ihr rasch und schloß die Tür hinter sich. Die Mutter setzte sich in eine Ecke des Vorderzimmers, faltete die Hände im Schoß und starrte vor sich hin. Vater Sieffert ließ sich am Tische nieder, aß einige übrig gebliebene Mandeln und lächelte von Zeit zu Zeit. Die Kinder, die eine dunkle Ahnung hatten, daß da drinnen etwas

Außergewöhnliches vorging, drängten sich in Klumpen zusammen und flüsterten bang.

In der Stube hatte Lene sich erhoben und stand bleich, verwirrt, mit niedergeschlagenen Augen vor Herrn Behr. Dieser war ein mittelgroßer, schwerer Mann mit einem langen weißen Bart, einer etwas hängenden starken Unterlippe und schlaffen Wangen von der Farbe welker Blätter. Er ließ den Blick der blauen Triefaugen mit den Wassersäcken an den Unterlidern eine Weile schweigend auf dem schönen Mädchen ruhen, dann zog er aus einer Tasche ein Seidenpapierpäckchen hervor, wickelte es langsam auseinander und sagte mit tiefer, gedämpfter, in deutlicher Bewegung bebender Stimme: "Wollen Sie erlauben, liebe Lene?« Gleichzeitig ließ er ihr eine schön gearbeitete schwere Goldkette über den geneigten Kopf auf den weißen Nacken niedergleiten. Lene fuhr mit einem leisen Ausruf zurück. "Nicht doch, Herr Geheimrat – bitte –« und faßte nach dem Geschmeide.

Der alte Mann nahm ihre Hand und führte sie sanft von der Kette weg. "Machen Sie mir die Freude. Nehmen Sie die Kleinigkeit. Sie verpflichtet Sie zu nichts. Wie immer Ihre Antwort ausfällt, einige schöne Augenblicke haben Sie mir altem Manne schon jetzt geschenkt. Lassen Sie mich Ihnen dafür durch eine Gegengabe danken.«

Er sprach so gütig, so zärtlich, so demütig – es ging dem gutmütigen Mädchen zu Herzen. Ein alter Mann ist vielleicht doch nicht solch ein Scheusal, wie man sich vorstellt. Flüchtige Betrachtung ließ sie erkennen, daß der Schmuck prachtvoll war. Der Schieber, welcher die Kette zusammenhielt, stellte eine Schlange dar, deren Kopf ein großer Brillant und Rubin schmückten. An der Kette hing ein Ührlein mit brillanten- und rubinenbesetztem Deckel. Und diese Kostbarkeiten sollten ihr gehören!

"Sie nehmen an – nicht wahr?« fragte er eindringlich, ihre Hand immer noch in der seinen haltend.

"Ich weiß nicht – ob ich darf –« flüsterte sie stockend.

"Abgemacht. Ich bin glücklich, daß ich Sie schmücken durfte. Und nun setzen Sie sich und hören Sie mich freundlich an.«

Er ließ sich neben ihr nieder, sammelte sich ein wenig und hob dann langsam und innig zu sprechen an.

"Es mag sehr dreist scheinen, daß ein so alter Mann ein so junges Geschöpf heiraten will. Lächerlich werden Sie mich aber nicht finden, wenn Sie mich erst recht verstanden haben. Vor sieben Jahren habe ich meine Frau verloren, nach siebenunddreißigjähriger glücklichster Ehe. Vor fünf Jahren habe ich meine jüngste Tochter verheiratet. Seitdem bin ich allein. Ich habe immer lustiges Leben um mich gehabt. Ich kann mich an die Einsamkeit nicht gewöhnen. Sie gibt mir einen Vorgeschmack des Todes. Meine große Wohnung ist wie ein großes Grab, so still und leer. Mit Ihnen würde wieder Leben einziehen. Ich wäre ja schon zufrieden, wenn Sie als Gesellschaftsdame zu mir kämen, wenn Sie mir die Wirtschaft führen wollten, so daß ich Sie immer in meiner Nähe hätte. Aber das ist nicht möglich. Trotz meines Alters und Ihrer Jugend. Wegen der Welt. Ich kann mich Ihrer Nähe nur erfreuen, wenn Sie meine Frau werden.«

Sie hatte wiederholt schwache Versuche gemacht, ihre Hand zurückzuziehen. Er gab sie jedoch nicht frei.

"Lenchen, Sie sind in diesem Hause geboren. Sie sind unter meinen Augen aufgewachsen. Die erste Puppe, die meine Frau Ihnen beschert hat, habe ich für Sie eingekauft. So lang Sie klein waren, sind Sie mir immer zugelaufen und haben mir die Hand geküßt, wenn Sie mich auf dem Hofe erblickten, und ich habe Ihnen das blonde Köpfchen gestreichelt. Meine Frau hat Sie lieb gehabt. Und als ich Sie diesen Winter auf unseren Jugendbundkränzchen beobachtete und Sie zu einem so blühenden, schönen, lieben Mädchen herangewachsen sah, da fühlte ich deutlich, daß meine Frau im Himmel es Ihnen danken würde, wenn gerade Sie etwas Sonnenschein auf meinen traurigen Lebensabend werfen würden. Das hat mir den Mut gegeben, vor Sie und Ihre Eltern hinzutreten.«

Lene wurde ganz weich und überließ ihm die Hand, die er zärtlich drückte.

"Schenken Sie mir ein paar Jahre Ihres teuern Lebens. Ich weiß, ich verlange viel von Ihnen. Aber ich wage es. Denn Sie sind so lieb und gut, wie Sie schön sind. Wie lange dauert es denn? Ich bin nicht weit von achtzig. Bald begraben Sie mich und sollen dann nicht um mich trauern, das verlange ich nicht, das will ich gar nicht. Sondern Sie sollen an mich denken wie an den besten Freund, den Sie im Leben haben konnten, und Sie sollen sich bis an Ihre Sterbestunde darüber freuen, daß Sie an einem Menschen ein barmherziges Werk getan haben; an einem Menschen, der Ihre Güte vielleicht verdient, denn er hat auch immer gut zu sein getrachtet. Vor Ihnen brauche ich mich nicht zu rühmen. Sie kennen mich ja.«

Seine Stimme zitterte stärker, er beugte sich über ihre Hand, küßte sie und sie fühlte Tränen darauf tropfen. Das war zu viel für sie. Sie begann ebenfalls zu weinen und erwiderte leise den Druck seiner Hand.

"Also ja?« flehte er.

"Ja,« hauchte sie.

Er faßte ihren Kopf mit beiden Händen, drückte einen Kuß auf ihren Scheitel und auf ihre Stirn, erhob sich schwer, nahm sie an der Hand und führte sie langsam und feierlich in die Vorderstube.

Als die Tür sich öffnete, sprang Sieffert auf. Behr ging an ihm vorbei zur Frau Sieffert, reichte ihr die Hand und sagte: "Ich bin glücklich, Sie als meine künftige Schwiegermutter begrüßen zu dürfen.« Frau Sieffert erhob sich, bemerkte auf den ersten Blick die wunderbare Kette um den Hals ihrer Tochter und ging ihr sprachlos mit ausgebreiteten Armen entgegen. Sieffert rief laut: "Gratuliere! Gratuliere!« und machte Miene den alten Herrn zu umarmen, der sich betreten der handgreiflichen Vertraulichkeit erwehrte. Die Kinder waren starr und stumm und blickten mit ganzer Seele aus weit aufgerissenen Augen. Nur Betty, die dreiste Dreizehnjährige, brach in lautes Gelächter aus, was ihr im Nu eine schallende Ohrfeige von ihrem Vater zuzog. Sie heulte auf, von den

Kindern war der Bann gelöst und in dem entstehenden Tumult machte der Geheimrat sich so schleunig, wie es seine Beweglichkeit gestattete, davon.

In den folgenden Tagen erlebte die Familie Sieffert eins jener Märchen, worin ein Glücklicher in den Besitz einer Wünschelrute gelangt. Sie verließ die beiden Erdgeschoßstuben am Hausflur, die zwanzig Jahre lang ihr enges Los immer zwängender umhegt hatten, und sah sich in eine eben leerstehende Wohnung zwei Treppen hoch emporgetragen. Sie schien Eltern und Kindern ungeheuer, denn sie bestand aus vier Zimmern, wovon zwei auf die Straße gingen, einer Küche und einer fensterlosen Kammer. Sie war nach landläufigen Begriffen sehr schlicht, fast dürftig eingerichtet, aber die Siefferts glaubten sich in einen Feenpalast versetzt und wagten zuerst kaum voll aufzutreten. Denn es standen in allen Räumen richtige Möbel, ein Auszugtisch aus Nußholz, eine Kredenz, Stühle mit Stoff überzogen, sogar ein Kanapee und zwei Lehnstühle und ein volles Dutzend Betten, beinahe eins für jedes Kind! Vater Sieffert stand nicht mehr vor Tags auf und entsagte dem Brauch, mit der Schiebkarre zur Markthalle zu ziehen. Der Tisch deckte sich zweimal täglich wie von selbst und bei jeder Mahlzeit gab es Fleisch. Mutter Sieffert wusch nicht mehr für Fremde und waltete nur noch in der Hülle und Fülle ihrer Wirtschaft. Die ganze Kinderschar war neu eingekleidet und herrlich beschuht und in zwei breiten Schränken bogen sich die Fachborde unter der Last der Leib- und Hauswäsche. Vater Sieffert verbannte die Jägerjoppe und den Zwilchkittel in die Kammer und trug nur noch den Bratenrock, denn der Herr Geheimrat hatte seine Zusage wahr gemacht und ihn zum Kassenboten der Kirchengemeinde ernennen lassen. Lene ging nicht mehr zur Nähfrau, es kamen vielmehr eine Schneiderin und Nähmädchen zu ihr und nahmen ihr das Maß zu Kleidern von wunderbaren Stoffen und zu einer Ausstattung aus feinem Leinen mit Stickerei und Spitzen. Im Frühling war man auch, die Sonne lachte durch weiße Vorhänge in die Stuben und die Gesichter von Alt und Jung lachten ihr wieder, das Glück rauschte mit hörbarem

Flügelschlag durch die Räume, kicherte aus den Ecken und schimmerte aus Kisten und Kasten, Lene lebte wie in einem Rausch dahin, es wirbelte alles um sie und in ihr und auf ihrem Wesen lag ein Widerschein von der hellen Freude, die ihre Geschwister ausstrahlten. Alle anderen um sie her waren so glücklich, daß das gutherzige, leichtblütige Mädchen sich mehrmals am Tage, wenngleich nicht beim Erwachen und Einschlafen, einredete, sie sei es auch.

Ihr greiser Bräutigam machte ihr diese fromme Selbsttäuschung nicht zu schwer. Er übte zartfühlende Zurückhaltung gegen sie. Er kam nicht einmal jeden Tag zu Besuche. Die zwei Treppen widersetzten sich offenbar seinem Verlangen, sie häufiger zu sehen. Überwand er diese Schwierigkeit und trat keuchend bei Siefferts ein, so nickte er schweigend nach allen Seiten einen Gruß, setzte sich in die Ecke, bis er wieder zu Atem kam, küßte die errötende Lene, die sich ihm befangen näherte, ehrerbietig auf die Stirn, plauderte mit der Mutter über das neue Amt ihres Mannes, über ihre Kinder, über den Fortgang der Arbeiten für Lenes Aussteuer, und ging nach einem Viertelstündchen mit Händedrücken für Alt und Jung.

Am Sonntag Jubilate, dem dritten nach Ostern, platzte die Bombe. In der Pfarrkirche fand das erste Aufgebot statt. Die Gemeinde traute ihren Ohren nicht, als die Namen von der Kanzel verkündet wurden. Nach dem Gottesdienste traten Gruppen zusammen und man versicherte sich zunächst durch wechselseitige Erkundigung, ob man auch richtig gehört hatte. Jawohl: Herr Geheimer Kommerzienrat und Kirchenältester, Witwer Karl Emil Behr, mit der Jungfrau Helene Sieffert, ältesten Tochter des Gemeindekassenboten Andreas Sieffert und seiner Ehefrau Marie geborenen Kullak! Dann ging ein Schwatzen und Klatschen los, das kein Ende nehmen wollte. Man war begierig, Näheres zu erfahren, forschte eifrig nach den Umständen, und da niemand etwas wußte, erfand jeder, je nach Gemütsart und Gesinnung, frisch von der Leber weg Günstiges und Abgünstiges, was die Neugierde mehr reizte als befriedigte. Nachmittags strömten nähere und selbst entferntere Bekannte scharenweise zu den Siefferts, angeblich um zu beglückwünschen, doch hauptsächlich, um der Klatschsucht zu fröhnen. Sie überzeugten sich von der eingetretenen Änderung der äußeren Verhältnisse und das mußte ihnen genügen, denn Frau Sieffert und Lene waren vom Geheimrat zu einer gemeinsamen Ausfahrt abgeholt worden und Vater Sieffert, der die Besucher empfing, war sehr wortkarg und gab zu verstehen, daß er mit seinen Kindern den schönen Maisonntag auf einem Spaziergange zu genießen wünsche.

Montag mittag war Vater Sieffert eben heimgekommen und schickte sich an, zu Tische zu gehen, als in der immer offenstehenden Küche hastige Schritte gehört wurden und ein Mann ohne anzuklopfen in die erste Stube drang, die auch als Eßzimmer diente. Sieffert stand überrascht auf. Er erkannte den ältesten Sohn des Geheimrats, den Dampfmühldirektor Behr, einen bereits angegrauten Vierziger.

"Sieffert, ich habe mit Ihnen zu sprechen,« stieß der Eintretende mit rotem Gesichte und Erregung in der Stimme hervor.

"Es ist zwar Eßstunde, doch wenn es sein muß –« erwiderte Sieffert, schickte mit einem Winke Frau und Kinder in das nächste Zimmer und bedeutete dem Besucher mit einer Handbewegung, Platz zu nehmen, während er sich wieder setzte.

Jener blieb stehen. Er folgte mit den Augen der etwas zögernd abziehenden Schar und wartete kaum ab, daß das hinterste die Tür geschlossen hatte. "Was soll das alles heißen?« rief er, "Mensch, was haben Sie mit meinem Alten angefangen?«

Sieffert blickte ihm gerade ins Gesicht. "Herr Direktor, den Hut könnten Sie vielleicht doch abnehmen. Wenn man auch arm ist, so hat man darum doch seine Ehre.«

Direktor Behr langte etwas hastig nach seinem Hut und murmelte etwas Unverständliches zwischen den Zähnen. Da Sieffert schwieg, fuhr er deutlich und grimmig fort: "Ich hab's nicht glauben wollen, trotz des Aufgebots. Aber mein Vater sagt, es stimmt.«

"Es stimmt auch wirklich.«

"Unmöglich. Das kann und darf nicht sein. Mein Vater weiß nicht mehr, was er tut. Es ist himmelschreiend! Hinter unserm Rücken! Daß wir nichts davon wußten, ehe der Skandal öffentlich wurde –«

"Skandal? Entschuldigen Sie –«

"Was! Das soll kein Skandal sein? Wenn mein Vater diese – diese Dummheit begeht, werden seine Enkel erheblich älter sein als ihre Großmutter.«

"Das ist freilich komisch,« meinte Sieffert gelassen und verzog den Mund zu einem breiten Lächeln.

"Komisch finden Sie das? Ich finde es empörend. Sie hätten doch merken müssen, daß der alte Mann kindisch geworden ist. Sie hätten mich oder eins meiner Geschwister verständigen müssen, damit wir unsern Vater unter Aufsicht stellten –«

"Entschuldigen Sie, Herr Direktor, Ihr Herr Vater ist so klar im Kopf wie Sie und ich. Sie sollten mit mehr Respekt von ihm reden. Das alte vierte Gebot ist immer noch –«

"Lassen Sie diese gleißnerischen Redensarten!« brach Behr wütend los. "Sie treten jetzt keinen Blasbalg in der Kirche. Schämen Sie sich, Ihr eigen Fleisch und Blut für Geld zu verkuppeln.«

Nun sprang auch Sieffert auf. "Herr Direktor,« kreischte er mit einer Stimme, die sich fast überschlug, "verlassen Sie augenblicklich meine Wohnung, oder ich werde mein Hausrecht gebrauchen.«

Behr stülpte den Hut auf den Kopf. "Ihr sollt von mir hören, elendes Pack,« knirschte er und ging mit großen Schritten davon.

Die Siefferts hörten auch von ihm, und zwar mannigfaltig. Der Geheimrat, bei dem Sieffert sich bitter über seinen ältesten Sohn beschwerte, erzählte stockend und mit Tränen in den Augen, der ungeratene Junge sei gekommen und habe sich erlaubt, ihm einen Auftritt zu machen. Er habe ihm die Tür weisen müssen. Nun hetze er ihm die übrigen Kinder an den Hals. Sie hätten ihm sogar mit gerichtlicher Entmündigung gedroht. Er fürchte freilich nichts, denn er wisse, daß er geistig nie gesunder gewesen sei als jetzt; aber solche Lieblosigkeit, solcher Undank sei herzbrechend; von Kindern, denen er immer ein treuer, sorgender Vater gewesen. Sie wollten mit ihm brechen, wenn er dabei bleibe, Lene zu heiraten. Sei es darum. Er bleibe dabei. Die Kinder finde er mit dem Pflichtteil ab. Dann hätten sie von ihm nichts mehr zu fordern, denn das Muttererbe hätten sie ohnehin schon. Lene aber sei ihm nie so notwendig gewesen wie jetzt. Sie müsse ihm die ganze Familie ersetzen, die er verloren habe.

Ein Rechtsanwalt kam zu Sieffert und bot ihm im Namen der Familie Behr einen für ihn ansehnlichen Betrag an, wenn er die Verlobung rückgängig machen wolle. Vater Sieffert ließ sich die Sache schriftlich geben und beeilte sich, das Papier dem Geheimrat auszuliefern. Dieser zerriß es wortlos und brachte am nächsten Tage für jedes der Sieffertschen Kinder ein Sparkassenbuch mit einer Einlage, welche insgesamt das von der Familie angebotene Abstandsgeld erheblich überschritt.

Nichts erschütterte die Vorsätze des Geheimrats und der Sifferts. An den Sonntagen Cantate und Rogate erfolgte das zweite und das dritte Aufgebot und Sonnabend vor Pfingsten fand die Trauung statt. Die Kirche war gesteckt voll. Von der Familie Behr war niemand da. Auch die gute Gesellschaft hielt sich streng fern. Nur das gewöhnlichste Volk drängte sich herzu. Die Stimmung dieser Menge war geteilt. Die älteren Frauen hatten meist gute Lust zu einem Haberfeldtreiben und sie enthielten sich nur darum lauter Kundgebung ihres Unwillens, weil einerseits der Geheimrat Behr denn doch eine geachtete, bis dahin vorwurfsfreie Persönlichkeit war, andererseits die Armut der Siefferts stadtbekannt war und man sie als mildernden Umstand gelten ließ. Die jungen Frauen und Mädchen hatten Mitleid mit Lene Sieffert. Sie zweifelten nicht, daß das schöne Mädchen sich für die Seinigen geopfert hatte und dem alten Mann seine frische Jugend als barmherzige Schwester darbringen wollte. Das war unter allen Umständen verdienstlich und ließ sie rührend und liebenswert erscheinen. Und warum sie auch beklagen? Sie war nun reich, zu langweilen brauchte sie sich auch nicht, wenn sie nicht auf den Kopf gefallen war, und bald versammelte sie wohl ihre Mitbürger in derselben Kirche zu einer schönen Leichenfeier ...

Es ging ein lautes Gemurmel durch die Menge, als Lene im Brautkleid mit Kranz und Schleier am Arm ihres beinahe herausfordernd blickenden Vaters in neuem Sonntagsrock, dem ersten seit seiner Verheiratung, durch den Mittelgang zum Altar schritt. Sie war denn doch bleich und bang. Sie schlug die Augen nieder, um den sie anstarrenden Hunderten von Augenpaaren nicht zu begegnen. Sie hatte trotzdem nahe am Eingang im Vorüberschreiten den Brunner Niklas bemerkt, der an einem Pfeiler lehnte und ihr mit gepreßten Lippen und düster zusammengezogenen Brauen nachschaute. Das hatte ihr einen Stich ins Herz versetzt und sie war unwillkürlich rascher gegangen, um ihm aus den Augen zu kommen. Es schien ihr, sie sollte Kranz und Schleier abnehmen und umkehren. Aber für heftige Handlungen war sie nicht geschaffen. Sie war sanft und ergeben. Nur konnte sie nicht verhindern, daß ihr Tränen in die heute schwermütigen blauen Augen quollen.

Der Pastor (Primarius) hatte Unwohlsein vorgeschützt. Ein Hilfsgeistlicher nahm die Trauung vor. Die ganz kurze Predigt bestand aus einigen verlegenen Redensarten über die Verdienste des Bräutigams, über seine bekannte Wohltätigkeit und Gottesfurcht, die ihm ein Anrecht auf spätes Glück gäben; sie schloß mit dem Wunsche, daß dies Glück seinen Lebensabend lange verklären möge.

Der Geheimrat vermied es, jung und stramm zu tun, den selbstgefällig prahlerischen Hahn zu spielen, als er nach der Trauung seine achtzehnjährige Frau in die Sakristei führte. Er hatte vielmehr gegen sie die Haltung eines väterlichen Freundes, der zärtlich über ihre Schritte wachte und ihr junges Haupt beschützte. Das hielt eine alte Fraubase nicht ab, hinter ihm her das Zeichen von Hörnern über der Stirn zu machen. Eine Nachbarin riß ihr die Hände herunter. Andere lachten. Der Neuvermählte merkte nichts von der niedrigen Verhöhnung.

An dem Hochzeitsschmaus nahmen nur die Siefferts teil, da alle Bekannten des Geheimrats die Einladung abgelehnt hatten. Trotz der geräuschvollen Lustigkeit des Vaters Sieffert, der seinem greisen Schwiegersohn zutrank und sogar ein Lied steigen ließ, herrschte bei Tische eine recht gedrückte Stimmung. Denn Lene saß still mit nassen Augen da, die Mutter war derart in die Betrachtung der bräutlich geschmückten, doch so trüb blickenden Tochter versunken, daß sie zu essen vergaß, und die zwölf bereits tischfähigen Geschwister waren von ihrem vornehmen alten Schwager stark eingeschüchtert und muckten nicht. Der Geheimrat machte der Mahlzeit so rasch, wie es sich schicklich tun ließ, ein Ende und entführte seine junge Gattin zur Bahn.

Er hatte seit vielen Jahren die Gewohnheit, wegen seines Rheumatismus alljährlich nach Teplitz zu gehen. Diesmal begab er sich etwas vor der Zeit nach dem Kurort und vereinigte praktisch die Hochzeits- mit der Badereise.

Statt der üblichen vier Wochen blieben sie über drei Monate weg. Gleich nach der Ankunft in Teplitz hatte Lene an die Mutter eine Postkarte geschrieben, dann nicht wieder. Nur vom Geheimrat kamen einige kurze Grüße und die Mitteilung, daß er nach beendetem Gebrauche der Heilquelle seiner jungen Frau auch sonst noch etwas von der Welt zeigen wolle. Aus der Schweiz traf einmal eine starke Sendung Baseler Leckerli und später aus Oberitalien eine Kiste Feigen ein.

Der Sommer ging zur Neige, als eines Abends die all die Zeit her dunkeln Fenster der Behrschen Wohnung sich mit einemmal erhellten. So erfuhren Siefferts, daß ihre Tochter wieder da war. Sie hatte mit keinem Worte ihre Heimkehr angezeigt. Vater Sieffert lief spornstreichs hinunter und wurde vom Geheimrat empfangen, der ihn kurz begrüßte und ihn ersuchte, das Wiedersehen mit der Tochter zu verschieben, weil sie der Ruhe bedürfe. Da auch sein Schwiegersohn keine Lust zeigte, sich auf eine längere Unterhaltung einzulassen, zog Sieffert sich betreten und kopfschüttelnd zurück und schickte unverweilt seine Frau hinab.

Ihre Mutter nahm Lene an. Frau Sieffert fand sie schlecht aussehend. Sie war blaß und ihr Gesicht schien schmäler geworden.

"Du bist doch nicht krank, Lene?« rief die Mutter und breitete die Arme nach ihr aus. Da warf sich die Tochter ihr an die Brust, brach in Schluchzen aus und stammelte abgerissen und kaum hörbar: "Es ist nicht wahr – daß ich barmherzige Schwester sein sollte – ach, Mutter – warum haben wir es getan!«..

Ende März war Kindtaufe beim Geheimrat. Dem greisen Vater war ein kleines Mädchen beschert worden. Er freute sich über die Maßen damit und erwies sich der Mutter dankbar, indem er ihr ein prachtvolles Brillantenarmband als Wiegenangebinde verehrte. Von den Gefühlen der Mutter erfuhr die Welt nichts. Sie war den ganzen Herbst und Winter nicht ausgegangen und hatte keinen Besuch empfangen, nicht einmal ihre Eltern und Geschwister sehen wollen, als hätte sie eine Schande vor aller Welt zu verbergen. Gleich nach den Wochen ging sie mit ihrem Kinde aufs Land und kam erst beim Herbstbeginn nach der Stadt zurück. Sie verkehrte mit keiner menschlichen Seele und ließ sich nirgendwo blicken. Sie verließ ihre Wohnung nur wie verstohlen und immer dicht verschleiert und stieg aus ihrem Wagen erst irgendwo weit draußen, an einer einsamen Stelle, um ihrer Gesundheit zuliebe Bewegung im Freien zu machen, sonst war sie immer zuhause bei ihrem Kinde, das übrigens nicht lang das einzige blieb.

Je weniger man die junge Frau Geheimrat sah, um so mehr fuhr die Stadt fort, sich mit ihr zu beschäftigen. Es gingen allerlei krause Sagen über sie um. Die verbreitetste erzählte, der alte Behr sei eifersüchtig wie ein Tiger, er halte sie in engem Gewahrsam, weiche nicht von ihrer Seite und lasse nicht einmal ihre Eltern zu ihr, weil er auch ihnen nicht traue und ihr begünstigendes Einverständnis zu irgend einer Weiberlist fürchte. Die Wirkung solchen Klatsches war, daß ein Luftkreis von Verachtung und Feindseligkeit den Geheimrat umgab. Mit seiner Familie blieb er völlig zerfallen, aber auch seine ältesten Freunde und Bekannten zogen sich von ihm zurück und er wurde nach Ablauf seiner Amtsfristen weder zum Kirchenältesten noch zum Stadtverordneten wiedergewählt.

Das schien ihn jedoch nicht anzufechten. Er sah wohl und zufrieden aus und zeigte die rosige Gesichtsfarbe gesunder alter Leute, die von sorgsamster Pflege umgeben sind. Er fand offenbar einen Jungbrunnen in seinem häuslichen Glück, das sich immer reicher entfaltete. Denn es ging fast kein Jahr ins Land, ohne daß sein Heim mit einem Zuwachs gesegnet wurde. Der Name des alten Behr wurde sprichwörtlich. Auf der Straße wies man mit den Fingern auf ihn als auf eine der Merkwürdigkeiten der Stadt. Er aber war stolz auf seine späte Vaterschaft und da er seine Frau nicht bestimmen konnte, sich öffentlich mit ihm zu zeigen, führte er allein, von Amme und Kindermädchen begleitet, seine Kinderschar spazieren, die größeren an der Hand, die kleinen im Wägelchen, das kleinste in den Armen der Amme, und ergötzte sich an dem Aufsehen, das der Zug immer erregte.

Frau Sieffert kränkte es bitter, daß ihre Tochter auch mit ihr nicht verkehren wollte, und am wenigsten zu den Zeiten, wo das Weib sonst das natürliche Verlangen fühlt, sich von einer mütterlichen Hand liebkosen zu lassen. Vater Sieffert rächte sich an Lene für ihre Kälte und Fremdheit, indem er sie verklatschte. "Sie ist stolz geworden. Sie ist eine große Dame. Ihre Eltern sind ihr nicht mehr gut genug. Meinetwegen. Fehlen wir ihr nicht, so fehlt sie uns nicht. Wer hat sie zu dem gemacht, was sie ist? Das vergißt sie. Nun, Undank ist der Welt Lohn. Mir kann es recht sein. Ich habe nie jemand gebraucht.«

Er ließ es sich aber mit Vergnügen gefallen, daß sein Schwiegersohn für alle seine Kinder in dem Maße, wie sie heranwuchsen, sorgte, die Mädchen aussteuerte, die Jungen ausbilden ließ und ihnen zu Stellungen verhalf, ihn selbst ohne Unterlaß mit Geldgeschenken und Gaben für die Speisekammer bedachte. Seinen Hochzeitsrock hatte er zwanzig Jahre lang getragen, ohne daß er ihm zu eng geworden war. Jetzt mußte er seine Kleider alle zwei Jahre erweitern, und manchmal dauerte es nicht einmal so lang.

Das grüne Alter des Geheimrats wollte kein Ende nehmen. Der Tod schien ihn vergessen zu haben. Elf Jahre waren ins Land gegangen, seit er Lene heimgeführt, und in dieser Zeit war sie sechsmal Mutter geworden. Fünf lebende Kinder umwimmelten sie, eins hatte sie verloren. Was ihr Leben in diesen elf Jahren gewesen war, das wußte niemand außer ihrem Kindermädchen und ihrem Arzt, der ein beinahe täglicher Besucher ihres Hauses war. Denn Krankheit war ein ständiger Gast in den beiden Kinderstuben, die Kleinen waren ausnahmslos kümmerliche, quienige Geschöpfe, bleich, blutarm, rhachitisch, skrophulös, wie mit einem ungenügenden Maße Lebenskraft für die Erdenreise ausgerüstet, und die Krankenpflegerin, die sie ihrem rüstigen Alten nicht zu sein brauchte, mußte sie hundertfältig seinen Kindern sein. Sie klagte nicht, sie schmollte nicht einmal, aber nie hatte sie jemand seit ihrem Hochzeitstage lächeln sehen, ihre einst so lustigen blauen Augen waren glanzlos, ihre blühenden Mädchenwangen weggeschmolzen, sie sah blaß und dünn, vergrämt und welk aus und erweckte die Vorstellung, als sei ihre herrliche Jugend in die geschrumpften Adern ihres Mannes hinübergeflossen und als habe sie selbst sich bei diesem heroischen Opfer ihrer Lebenssäfte verblutet.

Sah der alte Behr nicht, wie sie dahinschwand? Wollte er es in seiner grausamen Selbstsucht nicht sehen? Man hat es nie erfahren. Er war gegen sie von einer Zärtlichkeit, die rührend gewesen wäre, wenn sie nicht einen Beigeschmack von ruchlosem Kannibalismus gehabt hätte. Er erreichte damit jedenfalls, daß seine Frau, die auch jetzt noch die gutmütige Lene nicht verleugnete, ihm nichts nachtrug. Nur ihren Eltern und sich selbst war sie böse, nicht dem lüsternen Greise, der sie auf Händen trug und sich ihr gegenüber in schmeichelnder Unterwürfigkeit nicht genug tun konnte.

Wie bei ihrem ersten, so hatte er ihr bei jedem folgenden Kinde ein kostbares Geschmeide geschenkt, sie aber legte die Juwelen niemals an, sondern schloß sie in die hinterste Ecke ihres Schrankes weg, um sie nicht vor Augen zu sehen. Denn der reiche Schmuck erinnerte sie hart strafend daran, daß sie sich für Geld verschachert hatte, mit dem sündigen Hintergedanken noch dazu, das Schicksal zu übervorteilen und ein unredlich gutes Geschäft zu machen. Dagegen ließ sie es sich ohne Selbstvorwürfe gefallen, daß ihr Mann tief in die Tasche griff, wenn eine ihrer Schwestern sich verheiratete.

Vier waren im Laufe der elf Jahre mit seiner ausgiebigen Unterstützung unter die Haube gebracht worden. Jetzt hatte sich für die fünfte ein annehmbarer Freier gefunden und Vater Sieffert, der niemand brauchte, wandte sich wie gewöhnlich an den Geheimrat wegen der Ausstattung und Mitgift. Er nahm seinen Schwiegersohn mit Selbstverständlichkeit, kraft eines Gewohnheitsrechts, in Anspruch. Er war deshalb ebenso erstaunt wie entrüstet, als der alte Behr diesmal seine Bitte rund abschlug. "Kommst du mir so, du alter Filz!« knurrte er vor sich hin, als er in seine Wohnung hinaufstieg, und schickte unverweilt die Braut zu Frau Behr, damit sie den knickerigen Greis bei ihrer Schwester verklage.

Das Mädchen weinte der Schwester vor, daß ihr Bräutigam sie sitzen lassen würde, wenn er sich in seinen natürlichen Erwartungen getäuscht sehe, und daß sie nicht begreife, weshalb sie so viel schlechter behandelt werden solle als ihre Schwestern vor ihr.

Frau Behr beruhigte das junge Ding mit dem Versprechen, sich bei ihrem Manne für sie zu verwenden. Als die Schwester gegangen war, fiel ihr ein, daß der Geheimrat ihr vier Monate vorher bei der Geburt ihres sechsten Kindes zum erstenmal gegen seinen unwandelbaren Brauch nichts geschenkt hatte. Sie hatte es wohl bemerkt, war aber ganz zufrieden gewesen, denn es schien ihr zu beweisen, daß er endlich, wenn auch sehr spät, eingesehen hatte, wie wenig sich der Anlaß zu aufdringlichen Freudenbezeigungen eignete. Jetzt fragte sie sich, ob sie die Enthaltung nicht anders deuten müsse?

Sie hatte von ihrem Manne noch nie etwas verlangt. Alles war von seiner freien Entschließung ausgegangen. Zum erstenmal trat sie jetzt mit einem Anliegen an ihn heran, und sie tat es gleich mit Gereiztheit.

Unbewußt und unwillkürlich ließ sie in ihre Worte etwas von der Bitterkeit sickern, die sie alle die Jahre her in ihrem Gemüt aufgedämmt hatte.

Als sie in sein Arbeitszimmer trat, fand sie ihn, den Kopf in beide Hände versenkt, an seinem Schreibtisch sitzen, als ob er schliefe. Bei ihrer unerwarteten Ansprache schrak er empor und blickte sie mit wirren Augen an.

"Du hast meinem Vater erklärt, daß du für meine Schwester nichts tun willst?«

Er schwieg und wich ihrem Blick aus.

"Es ist dir wohl etwas über die Leber gekrochen?«

Er blieb noch immer still.

"Es ist der Mühe wert, die Frau eines reichen Mannes zu sein, wenn man seinen Angehörigen nicht einmal bescheiden beistehen kann.«

"Erlaube –« stotterte der Geheimrat; "ich habe doch wahrhaftig für die Deinigen genug getan –«

"So? Was meinst du wohl, wenn ich eine Frau wäre wie andere, hätte ich nicht für Putz und Lustbarkeiten und Badereisen mehr Geld ausgeben können, als die Meinigen je von dir bekommen haben? Ich koste dich blutwenig. Ich bin dir eine billige Wärterin, Haushälterin und Kinderfrau. Meinen Lohn wenigstens will ich für meine Familie haben. Den kann ich dir nicht schenken.«

So hatte der alte Behr Lene nie gesehen. Er griff nach ihren Händen und bat: "Schatz, sei nicht so – du weißt nicht –«

Sie entriß ihm ihre Hände. "Ich weiß, daß du ein hartherziger Geizkragen bist. Nun ja. Ich bin nicht die kleinste Rücksicht mehr wert. Ich bin nicht mehr das frische junge Mädchen, von dem man verlangt hat, daß es sich aufopfert. Jetzt bin ich welk und häßlich. Was braucht man sich da noch aus mir zu machen?«

Er erhob sich mühsam und sagte leise und demütig: "Lene, Lene, schilt mich nicht aus. Es ist nicht recht von dir. Du weißt, daß du mein

Augapfel bist. Ich will ja alles tun, was du willst; alles, was ich kann. Es ist nur so – so–«

Er konnte nicht weiter. Er sank in seinen Stuhl zurück und brach in Tränen aus.

Lene dachte, der Alte sei vollkommen kindisch geworden, und es tat ihr leid, daß sie ihn hart angelassen hatte. Ihren Willen hatte sie ja nun und so begütigte sie ihn mit einigen Worten und ließ ihn allein.

Er war beim Abendessen wie abwesend. Er rührte keinen Bissen an und stieß häufig tiefe Seufzer aus. Sie war noch immer verstimmt und sagte nichts, und da auch er schwieg, verlief die Mahlzeit in unheimlicher Stille. In der Nacht merkte sie, daß er sich schlaflos auf seinem Lager wälzte. Er weckte sie einigemale durch seine Anstrengungen, sich im Bette aufzusetzen. Sie fragte ihn, ob ihm etwas fehle, er erwiderte aber nur: "Nichts, mein Kind, nichts.«

Am Nächsten Vormittag ließ er viel früher als gewöhnlich anspannen. Ehe er ging, küßte er Lene auf die Stirn und sagte: "Für deine Schwester soll gesorgt werden.«

Er war etwa eine Stunde weg, da trat der Diener, der ihn auf den Fahrten immer begleitete, hastig bei ihr ein und meldete tief verstört: "Frau Geheimrat wollen verzeihen – der Herr Geheimrat sind plötzlich erkrankt –«

"Wo ist er? Was ist es?« rief sie erschrocken.

"Es ist beim Herrn Direktor geschehen – beim Herrn Sohn –«

"Was!« stieß sie hervor, "bei seinem Sohn? Ist mein Mann bei seinem Sohn gewesen?«

"Jawohl, Frau Geheimrat. Und da hat er einen Anfall bekommen –«

Sie machte Miene, zur Tür zu eilen. "Ist er im Wagen unten?«

"Nein. Der Herr Doktor erlaubt nicht, daß man den Herrn Geheimrat transportiert. Er ist beim Herrn Direktor geblieben.«

"Ich komme,« murmelte sie. Im Nu hatte sie einen Hut aufgesetzt und einen Mantel umgenommen und saß im Wagen, der sie in rasselnder Eile zur Behrschen Dampfmühle führte. Was bedeutete das? Was ging vor? Dem Geheimrat hatte sich seit elf Jahren ihres Wissens keins seiner Kinder oder Enkel genähert. Sie waren einander urfremd geworden. Und nun besuchte er mit einemmal seinen ältesten Sohn? Ohne ihr ein Wort zu sagen?

An der Einfahrt der Dampfmühle führte eine Treppe zu den Kontorräumen hinauf. Als der Wagen hielt, trat der Herausspringenden der Direktor Behr mit finsterer, verlegener Miene entgegen und verneigte sich leicht.

"Er lebt doch?«

"Er lebt.«

"Wo ist er?«

"Darf ich bitten.«

Er geleitete sie wortlos die Treppe hinauf durch ein Vorzimmer und einen Arbeitssaal mit Schreibern, die in sichtlicher Aufregung waren, an eine Tür, die er vor ihr öffnete. Er ließ sie allein eintreten und blieb selbst draußen.

Auf einem Sofa sah sie ihren Mann liegen. Ein Professor und sein Assistent saßen zu seinen Häupten. Sie wollte zu ihm eilen. Der energisch warnende Finger des Arztes bannte sie fest. Er kam ihr entgegen und flüsterte ihr zu: "Um Gotteswillen, nur ruhig. Jede Aufregung kann lebensgefährlich werden.«

"Aber was ist es?«

"Ihr Herr Gemahl hat einen leichten Schlaganfall erlitten.«

"Einen leichten –«

"Nun ja, er war nicht tötlich. Aber in seinem Alter – Sie begreifen –«

"Kann ich ihn sehen?«

Der Professor wandte den Kopf nach dem Kranken. Dieser war wieder bei Bewußtsein, er hatte die Eintretende erkannt, seine Augen starrten nach ihr hin, er stieß Röchellaute aus und schien sich aufrichten zu wollen.

"Ja, gehen Sie zu ihm,« sagte der Professor.

Frau Behr trat an das Sofa und beugte sich bewegt über den Kranken. Er versuchte zu sprechen, brachte aber nur unartikulierte Laute hervor. Er streckte ihr die Linke entgegen und brach in stille Tränen aus. Sein Mund war nach links gezogen, seine rechte Seite gelähmt. Sie sprach ihm Trost zu, er verstand sie offenbar und klammerte sich mit der Linken an ihre Hand fest, die er nicht fahren ließ.

"Was soll nun geschehen?« fragte sie den Professor. "Wir können ihn doch nicht hier lassen.«

"Nur noch einige Stunden, Frau Geheimrat. Wenn keine neue Gehirnblutung eintritt, so können wir ihn gegen Abend mit größter Vorsicht auf einer Tragbahre nachhause schaffen lassen.«

Sie richtete sich auf. Der Kranke hielt sie ängstlich fest und stöhnte und winselte in abgebrochenen, fast bellenden Tönen. Sein Benehmen drückte aus, was er nicht in Worten sagen konnte: "Geh nicht weg! Laß mich nicht allein!«

Sie verstand ihn. "Sei ruhig, Karl, ich bleibe bei dir.«

Am Abend durfte sie ihn in die Wohnung schaffen lassen. Als sie mit den Trägern die Dampfmühle verließ, erschien Direktor Behr am Tor und begrüßte sie schweigend. Tagsüber hatte er sich nicht wieder sehen lassen.

Nach einigen angstvollen Tagen besserte sich der Zustand des Kranken. Die Sprache kam allmählich wieder, die Lähmung dagegen ging nur wenig zurück. In der zweiten Woche nach dem Schlaganfall konnte er endlich beichten. Und da erfuhr die niedergeschmetterte Frau, daß der Geheimrat in einer schweren Finanzkrise, die kurz vorher über das Land hereingebrochen war, alles verloren hatte. Denn angesichts seiner neuen zahlreichen Familie hatte er geglaubt, sein Vermögen durch Spekulationen vermehren zu müssen, und das war ihm zum Verderben geworden. Er hatte das Schreckliche vor seiner Frau verborgen, so lange es möglich war. Erst als sie von ihm ein Opfer verlangte, das er nicht mehr bringen konnte, entschloß er sich zum Äußersten. Er ging zu seinem Sohne, enthüllte ihm seine Lage und flehte ihn um Beistand an. Der aber wies ihm unmenschlich die Tür. "Es ist mein Tod,« jammerte der unglückliche Vater. "So verrecke,« antwortete der entartete Sohn. Da waren dem Alten die Sinne geschwunden...

Wenn sie nicht gleich ermaß, was das Bekenntnis des Geheimrats bedeutete, so kamen alsbald Tatsachen ihrem Verständnis zu Hilfe. Das übermäßig mit Schulden belastete Haus wurde versteigert. Sie mußte ihren ersten Stock verlassen, da keine Rede davon war, daß sie die Miete einer hochherrschaftlichen Wohnung bezahlen konnte. Auch Siefferts mußten hinaus, denn mit der Unentgeltlichkeit ihrer Behausung war es vorbei. Vater Sieffert kam aus dem Zorn nicht heraus. Er wollte sich mit Ratschlägen an seine Tochter herandrängen. Sie wies ihn jedoch schroff ab. Nur der jammernden Mutter sagte sie trockenen Auges und harten Tones, sie hätten alle, was sie verdienten; sie hätten die Vorsehung überlisten wollen, aber die Vorsehung hätte es ihnen heimgezahlt und die Betrogenen blieben nun sie. Sie sagte es nicht ganz mit diesen Worten, denn sie war nicht gebildet und hatte nach der Volksschule nur Kolportageromane gelesen, aber das war doch der Gedanke. Sie hatten gerechnet, sie würde eine kinderlose reiche Witwe werden, sie war nun eine Ruine, ebenso bettelarm, fast ebenso kinderreich, wie einst ihre Eltern, nein, noch viel ärmer als sie, weil ohne eine Stunde der Liebe, der Zufriedenheit, des Glücks.

* * *

Vater Sieffert wollte seine Tochter in den bitteren Tagen der Verwirrung und Ratlosigkeit überreden, den gelähmten Alten samt den fünf Kindern dem Direktor und seinen reichen Geschwistern auf den Hals zu schicken und für sich selbst von ihnen, nötigenfalls auf dem Klagewege, standesgemäßen Unterhalt zu erzwingen. Sie verbat sich solche Reden und sagte ihrem Vater rund heraus, daß ihr seine Gegenwart in ihrer derzeitigen Verfassung unangenehm sei.

Sie holte die Geschmeide hervor, die der Geheimrat ihr bei der Geburt ihrer Kinder geschenkt hatte, und machte sie zu Geld. Sie mietete eine bescheidene Wohnung in der Vorstadt und richtete sie einfach ein, so daß sie sich beinahe in ihre Kinderzeit zurückversetzt glaubte. Dann wartete sie. Direktor Behr und die übrigen Kinder, alle Millionäre, wußten gleich der ganzen Stadt, wie es um den Vater, die Stiefmutter und die Stiefgeschwister stand. Sie ließen jedoch nichts von sich hören. Da raffte Lene Behr alle Kraft zusammen, die ihr das Unglück gelassen hatte, und nahm als das tapfere Weib aus dem Volke, das sie im Grunde immer noch war, den Kampf mit dem Schicksal auf. Sie erinnerte sich, daß sie ein Nähmädchen gewesen war, und kehrte zu ihrem Berufe zurück. Sie öffnete eine Werkstatt, stellte Arbeiterinnen ein und suchte Kunden. Gute Menschen nahmen Anteil an ihr und gaben Aufträge. Sie mußte sich hart rackern, von früh bis spät, aber sie fand ihr bescheidenes Auskommen. Dem gelähmten alten Mann machte sie keinen Vorwurf und zeigte nicht einmal ein unfreundliches Gesicht. Er saß in seinem Rollstuhl an schönen Tagen vor der Tür, bei schlechtem Wetter in der Stube mit den Kindern, von denen die ältesten ihn beaufsichtigen, schieben und ein wenig zerstreuen mußten. So viel ihre Zeit es erlaubte, pflegte Frau Behr ihn wie ihre kränklichen und schwächlichen Kinder und es störte sie nicht merklich, daß sie einen Mund mehr zugleich mit den übrigen Mündern zu füllen hatte.

Ihre Handlungsweise machte auf die öffentliche Meinung starken Eindruck. Um ihrer schlichten Treue willen verzieh man dem alten Behr seine frühere Ungehörigkeit und erinnerte sich wieder, daß er einen großen Platz im Stadt- und Gemeindeleben eingenommen hatte. Der Vorsitzende des Konsistoriums ließ ihr diskret Unterstützung anbieten. Sie lehnte stolz ab. Behrs Kinder aus erster Ehe wurden allmählich gewahr, daß man ihre Lieblosigkeit allgemein hart verurteilte, und auch sie schickten eines Tages ihren Rechtsanwalt zu Frau Behr und erklärten sich durch seinen Mund bereit, ihr ein bescheidenes Monatgeld zu bewilligen. "Zu spät,« sagte sie, denn es geschah erst im dritten Jahre nach dem Schlaganfall; "sagen Sie dem Direktor Behr, sein Vater kann auch ohne sein Monatgeld verrecken.« Und als der Rechtsanwalt sie verblüfft ansah, fügte sie hinzu: "Sie verstehen mich nicht. Der Direktor Behr wird mich schon verstehen.«

Der alte Behr sprach lallend und verwechselte die Worte, er blieb auf einer Seite gelähmt und versank allmählich in Blödsinn, aber er lebte, lebte erstaunlich, unheimlich weiter. Zwölf Jahre lang verschonte der Tod noch den sagenhaften Greis, und erst als er volle vierundneunzig Jahre alt geworden war, erlosch endlich sein ewig scheinendes Lebenslämpchen.

Sein Begräbnis war ein Ereignis. Die ganze evangelische Gemeinde und viele andere Mitbürger folgten dem Leichenwagen. Am Grabe hielt der Superintendent selbst die Trauerrede. Umgeben von fünf Kindern, zwischen zweiundzwanzig und zwölf Jahren, darunter einem verwachsenen Mädchen und zwei zwergwüchsigen Knaben, stand die einundvierzigjährige verhärmte Witwe, die wie eine Sechzigerin aussah, neben dem Sarge und schluchzte herzbrechend. Und je wärmer der Superintendent ihre selbstlose Hingabe rühmte, und je beredter er sie als Muster einer christlichen Gattin von lauterster Tugend und Pflichttreue pries, um so reichlicher strömten ihre Tränenbäche und um so heftiger rang sie die Hände. Die Stiefkinder und Enkel auf der andern Seite des offenen Grabes waren im geheimen wütend über das, was sie für Komödie hielten. Auch die Fremden fanden solche Verzweiflung übertrieben und beinahe anstößig. "Es ist nicht wahr, daß man so um einen bald Hundertjährigen trauert, den man als Siebziger geheiratet hat,« flüsterte eine Frau lieblos ihrer Nachbarin zu.

Lene Behr trauerte auch nicht um den Toten im Sarge. Sie weinte trostlos über sich, über ihre Jugend, über ihr Leben, um das man sie betrogen hatte.

* * *

In meiner Erinnerung stieg das Bild der schwarzgekleideten vorzeitig gealterten Frau mit den Spuren einstiger Schönheit auf, ich hörte ihr verzweifeltes Schluchzen, das ich so genau verständlich fühlte wieder das tiefe Mitleid, das meine siebzehnjährige schwärmerische Seele bei dem denkwürdigen Leichenbegängnisse mit der Unglücklichen gefühlt hatte, während vom Balkon über der engen Gaditaner Straße die Klage zu mir herübertönte:

"Me casé con un viejo,
Por su moneda,
La moneda se acaba,
Y el viejo queda...«

Max Nordau

Französische Staatsmänner

1916

Die zwei Frankreiche

Die große Umwälzung ist eine ungeheure Tatsache, die, seit sie sich vollzogen, nie aufgehört hat, in erster Reihe in Frankreich selbst, doch durchaus nicht dort allein, lebendig fortzuwirken. Auf sie muß man immer wieder zurückgehen, wenn man den Ablauf der politischen Ereignisse in Frankreich verstehen, den tiefern Sinn der dortigen Parteibildungen und -bestrebungen erfassen und die neuere Geschichte des französischen Volkes als einen organischen und vernünftigen Vorgang begreifen will.

Man spricht häufig von den " *zwei Frankreichen* «, die hinter der scheinbaren Einheit des französischen Volkes ein gegensätzliches Sonderdasein leben. Das Wort ist richtig. Es gibt in der Tat zwei Frankreiche, das der Revolution und das der Gegenrevolution, deren jedes das andere zu überwältigen, wenn nicht zu vernichten sucht, und ihr Kampf um die Vorherrschaft ist seit fünf Vierteljahrhunderten der eigentliche Inhalt der Geschichte Frankreichs, deren geradliniger Zug allerdings in allzu kurzen Abständen durch schwere auswärtige Verwicklungen von seiner bestimmten Richtung abgedrängt wurde.

Am 14. Juli 1789, als eine wildentschlossene Schar durch die Rue und den Faubourg St. Antoine nach der Bastille zog und sie erstürmte, ging ein Riß durch das französische Volk, der heute wie am ersten Tage klafft.

Die rückschrittlichen Geschichtschreiber haben gut schmähen: "Die Bastillenstürmer waren eine Bande barfüßigen, zerlumpten Gesindels ohne andere Absicht als die des gröbsten Unfugs und der Zuchtlosigkeit.« Sie waren gut bewaffnet. Sie führten Kanonen mit sich. Sie waren von Soldaten in feldmäßiger Ausrüstung begleitet. Sie waren wirklich das französische Volk, und sie leitete ein politischer Gedanke.

Jene Geschichtschreiber haben gut spotten: "Die Bastille war ein halbverfallenes mittelalterliches Bauwerk, das ein paar hilflose Invaliden bewachten.« Gewiß, das rechteckige Bollwerk mit den Halbrunden

Ecktürmen hatte eine schwache Besatzung. Aber hinter seinen hohen fensterlosen Mauern erschien die Majestät des Gottesgnadentums, das kein Recht und kein Gesetz einschränkte und in dessen Vollgefühl der König sagen konnte: "Der Staat bin ich.«

Als dem König Ludwig XVI. der Sturm auf die Bastille gemeldet wurde, rief er: "Das ist ja eine Revolte.« "Verzeihung, Sire,« entgegnete der Herzog von La Rochefoucauld-Liancourt, "es ist eine Revolution.« Der Hofmann sah klarer als sein König. Der Handstreich der Menge war eine sinnbildliche Handlung, die das Ende einer langen Entwicklung bezeichnete. Der Kampf zwischen der *Königsmachtund dem Volksrecht* , der gegen anderthalb Jahrtausende dauern sollte, begann, als der grimme Frankenkrieger das Prunkgefäß von Soissons zerschlug, das König Chlodwig außer seinem rechtmäßigen Beuteanteil für sich verlangte, da der überkommene Brauch doch gebot, daß es in der Masse der eroberten Wertsachen bleibe und über seine Zuteilung das Los entscheide. Das mittelalterliche Gemeinwesen baute sich zwischen den Trümmern der römischen Rechtsordnung und Gesittung auf, in denen siegreiche Wandervölker sich einnisteten. Die Heerkönige strebten nach cäsarischer Macht, die sie vom Hörensagen kannten, in ihren Mannen war eine, wenn auch sich allmählich verdunkelnde Erinnerung an ursprüngliche trotzige Unabhängigkeit wehrhafter Vollfreier lebendig. Die Kirche begünstigte die Ansprüche des Herrschers, indem sie ihn salbte, einen göttlichen Ursprung seiner Gewalt behauptete und ihn zu einer überirdischen Höhe entrückte, wo menschliche Vorbehalte ihn nicht mehr erreichen konnten. In der Auffassung seiner Waffengenossen war er nur der Erste unter Gleichen, dessen Recht aus seiner Erhebung auf dem Schilde, das heißt aus dem Willen des versammelten Volkes stammte. "Wer hat dich zum Grafen gemacht?« fragte König Hugo Capet zornig seinen ungefügigen Vasallen Adalbert von Perigord. "Wer hat dich zum König gemacht?« antwortete der Vasall ohne Besinnen. Im Mittelalter gab es keine *Freiheit* , jedoch *Freiheiten* . Die Theorie der souveränen Persönlichkeit war unbekannt, die Praxis ihrer Durchsetzung geläufig.

Wer stark genug war, erzwang sich vom Herrn die Anerkennung seiner Ansprüche auf Selbstbestimmung in Gestalt einer bindenden Verleihungsurkunde, der Eide, Unterschriften und bedeutende Siegel die unheimliche Weihe eines Talismans von der Art der alten Zauberrunen verliehen. Höchste Beispiele solcher köstlichen Pergamente waren die Magna Charta und die Goldene Bulle, bescheidenere bildeten den Hausschatz aller Stände, Innungen, Zünfte, Körperschaften, Berufe, Gemeinwesen und namhaften Familien. Sie waren mit Blut und Tod erworben, sie verkörperten Kampf und Mut und Entschlossenheit, und ihre erblichen Besitzer wußten, daß sie allezeit bereit sein mußten, sie gegen Vergewaltigungsgelüste mit Einsetzung ihrer ganzen Persönlichkeit zu verteidigen. Schiller hat in der Rütliszene seines "Wilhelm Tell« dieser Denkweise für ihr mißachtetes Recht eintretender freier Männer unübertrefflichen, unerreichten Ausdruck gegeben.

Im unaufhörlichen Ringen der Königsmacht mit den Standesgerechtsamen erstritt bald der eine, bald der andere Teil Erfolge. Ludwig XI. beugte die starren Nacken seines Hochadels, während der Fronde konnte dieser sein Haupt wieder erheben; unter Ludwig XIII. durfte Kardinal Richelieu Chalais, Montmoreney-Vetteville, Cinq-Mars aufs Blutgerüst schicken, ihren Ranggenossen zur blutigen Warnung, und Ludwig XIV. trat gestiefelt und mit der Reitpeitsche in den Parlamentssaal und verkündete seine Allmacht, die keine Fessel duldete. Mit der Einführung der stehenden Heere, über die der König allein verfügte, und einer geordneten Verwaltung, deren Beamte sich als persönliche Diener, man möchte sagen als Hausgesinde ihres Herrn empfanden, schien der Sieg des Herrschers von Gottes Gnaden entschieden und der Absolutismus felsenfest – " *rocher de bronze* « sagte Friedrich Wilhelm I. mit einem unmöglichen Bilde – gegründet. Die englische Umwälzung von 1648, die Hinrichtung des gesalbten Königs Karl I., die Ausrufung des Freistaates mit Cromwell als Schutzherrn zeigte den verwirrt aufschauenden Völkern andere Möglichkeiten, doch wurde die Lehre dieser Ereignisse nicht gleich begriffen.

Erst im *18. Jahrhundertwagten vorgeschrittene Denker, Montesquieu, Voltaire, Turgot, Condorcet und der aufgeregte Schwärmer Rousseau, die Behauptung, daß das Selbstbestimmungsrecht der Völker und Individuen seine Quelle nicht in den Pergamenten hat, die einem Herrn abgenötigt wurden, sondern daß sie ihm angeboren sind. Heute gilt in der Rechtswissenschaft die Anschauung, daß es ein Naturrecht nicht gibt, sondern daß dieses ein sentimentaler Irrtum der rationalistisch konstruierenden Enzyklopädisten und ihrer Schüler, daß alles positive Recht geschichtlich geworden und nachweisliches Menschenwerk ist. Das ist unleugbar und im tiefsten Grunde dennoch falsch. Denn die Menschen hätten nie ein positives Recht aufgerichtet, das der formalistische Jurist allein als solches anerkennt, wenn in ihnen nicht immer ein dunkles, sich allmählich aufhellendes Bewußtsein persönlicher Würde und Ansprüche gelebt hätte, das in kraftvollen und höher differenzierten Persönlichkeiten von genug starken Emotionen begleitet war, um ihnen fremde Willkür unerträglich zu machen und ihre Faust gegen sie zu waffnen. Die Kirche hatte immer eine Ahnung vom Rechte der Persönlichkeit, das sie, ihrer Weltansicht entsprechend, in den mystisch umnebelten Begriff der Gotteskindschaft faßte. Der Staat mußte zu seiner Anerkennung durch eine gewaltsame Volkserhebunggezwungen werden, wie der Sturm auf die Bastille sie darstellt.*

Der Riß, der, wie ich sagte, am 14. Juli 1789 durch das französische Volk ging und die Parteigänger der Menschen- und Bürgerrechte, das heißt der souveränen Persönlichkeit, von den zu willenlosem Gehorchen gedrillten Anhängern der Königsallmacht schieb, folgte nicht glatt den Säumen der Stände. Der Adel, der in der unvergeßlichen Nacht vom 4. August 1789 aus eigener Entschließung auf alle seine verbrieften Vorrechte verzichtete, Graf Mirabeau, der jüngere Sprößling einer uradeligen marquisalen Familie, der dem die Nationalversammlung im Namen des Königs auflösenden Marquis de Dreux-Brézé im Ballhaussaal die drohenden Worte zurief: "Gehen Sie zu Ihrem Herrn und sagen Sie ihm, daß wir durch den Willen des Volkes hier sind und nur der Gewalt seiner Bajonette weichen werden!« waren revolutionär, das eine Frankreich. Die Vendeer Bauern, die Söhne jener tierähnlichen Leibeigenen, von denen Labruyère die oft angeführte erschreckende Beschreibung gegeben hat, das Pariser Bürgertum, aus dem nach dem Sturz der Jakobiner am 9. Thermidor 1794 die verstiegen rückschrittlichen Incroyables hervorgingen, die Lyoner Arbeiter, die sich 1793 gegen die vom Konvent eingesetzte Regierung empörten, der barfüßige Pöbel, der nach dem Fall Napoleons in den Städten Südfrankreichs den "weißen Schrecken« entfesselte und unter dem Abzeichen des Bourbonenkönigs Republikaner und Bonapartisten abschlachtete, waren antirevolutionär, das andere Frankreich. So ist es bis heute geblieben. Die Hauptmacht des Reaktionsheeres rekrutiert sich allerdings aus den vornehmen und reichen Ständen, die des Radikalismus aus dem geringen Bürgertum, dem ländlichen Kleingrundbesitz, der Arbeiterschaft, doch finden sich in diesem neben Plebs und Proletariat nicht wenige Abkömmlinge von Kreuzrittern und Millionäre, in jenem zwischen den Trägern echter und zweifelhafter Adelstitel Krämer, Bauern, Handwerker und Handlungsgehilfen.

Aus der heftigen Gegenströmung, die nach der Niederwerfung der Jakobiner einsetzte, tauchte Napoleon empor und ließ sich von ihr bis zur Kaiserkrönung in der Notre-Dame-Kirche tragen. Napoleon gilt seinen Schmeichlern als Vollender, seinen Gegnern als Würger der Revolution. Beethoven, der kein Politiker und kein Geschichtsphilosoph war, jedoch mit seinem starken Fühlen triebhaft, wie es die Art des Genies ist, den Kern der Dinge erfaßte, empfand ihn als das letztere, strich ihn nach dem Staatsstreich vom 18. Brumaire 1799 für sich aus der Reihe der Lebenden und stimmte in der Eroica auf den "Tod eines Helden« eine erschütternde Totenklage an. Napoleon verabscheute die Revolution, der er sein Geschick verdankte, und suchte ihre Spuren auszutilgen. Er verdunkelte den Ruhm des republikanischen Generals

Hoche. Er setzte den Dichter und Verfasser der Marseillaise, Rouget de l'Isle, zurück und mißhandelte ihn mit vielfacher Kränkung. Er haßte und verfolgte die Ideologen, das heißt die Erben jener Philosophen des Jahrhunderts der Aufklärung, die die Väter der Revolution gewesen waren. Er verbannte die Tochter Neckers, Frau von Staël, aus seiner Hauptstadt, weil sie die Revolution zu rühmen und republikanische Sitten als die Vorbedingung einer Erneuerung des Schrifttums zu bezeichnen gewagt und ein freisinniges nachgelassenes Werk ihres Vaters (" *Dernières vues de politique et de finances* «) veröffentlicht hatte. Er verwirklichte die Weissagung, die Montaigne drei Jahrhunderte vorher ausgesprochen hatte: In einer Demokratie, in der allmählich die Tyrannei aller allen unerträglich wird, ersteht schließlich ein einziger Cäsar. Für ihn war das französische Volk ein hart diszipliniertes Heer, dessen Höchstbefehlender er war. Er schuf einen neuen Absolutismus mit einem neuen Orden, einem neuen reich abgestuften Adel und einer starren Hofetikette. Er dichtete sich sogar eine neue Legitimität an, indem er von seinem Hause als der "vierten Rasse« oder Dynastie sprach, nach denen der Merowinger, Karolinger und Capets, und bedauerte, daß er "nicht sein eigener Sohn war«, das heißt, seine vom Papst geweihte Krone nicht dem rechtmäßigen Erbgang, sondern leider seinem eigenen Genie verdankte.

Das französische Volk ertrug sechzehn Jahre lang ohne eine Abwehrbewegung, ohne einen Schrei, den Despotismus Napoleons, der es in einem dauernden Ruhmesrausch erhielt. So erleidet der Kranke in der Chloroform- oder Ätherbetäubung ohne einen Laut den Eingriff des Wundarztes. Im kaiserlichen Frankreich war das von 1789 und 1793 nicht wiederzuerkennen. War die große Nation, über die der Cäsar herrschte, wirklich dieselbe, die die Bastille dem Erdboden gleichgemacht und ihr Königspaar unter das Fallbeil des Henkers Samson geschleudert hatte? Die Revolution schien endgültig überwunden, selbst die Erinnerung an sie ausgelöscht.

1815, das Schicksalsjahr der hundert Tage, Waterloos, St. Helenas, berichtigte diesen Eindruck nicht. Das todmüde, von furchtbaren Blutverlusten aufs äußerste erschöpfte französische Volk ließ sich die *Wiedereinsetzung der Bourbonengefallen, die, wie später gesagt wurde, "auf den Gepäckwagen der Feindesheere« in das Land zurückkehrten, das sie verjagt hatte. Der treugebliebene Adel, der mit seinem König aus der Verbannung heimkam, machte putzige Versuche, die neue Zeit an die alte anzuknüpfen und alles, was zwischen 1789 und 1815 lag, zu unterdrücken. Ludwig XVIII. hatte nicht diesen Mut oder diese Folgerichtigkeit. Trotz seines Hofes, der mit greisenhaftem Eigensinn die Versailler Überlieferungen von den Toten erweckte, trotz seiner Gardeoffiziere, die keine Zufallsbegegnung mit den verächtlich " brigands de la Loire «* genannten Halbsoldveteranen Napoleons haben konnten, ohne mit ihnen Herausforderungen auszutauschen, schwankten er und seine Regierung zwischen zwei Haltungen. Der Lehrordenspriester Loriquet verfaßte für die Staatsgymnasien ein Lehrbuch der Geschichte, das Ludwig XVIll. am 21. Januar 1793 den Thron besteigen ließ und vom Marquis Napoleon Bonaparte als dem Konnetabel sprach, der die Heere des Königs auf dessen Geheiß zu glänzenden Siegen führte. Man schleifte jedoch weder den unvollendeten Triumphbogen der Place de l'Etoile noch die Vendomesäule, sondern begnügte sich damit, auf dem Abakus der letzteren das Standbild des Kaisers durch eine weiße Fahne mit einer riesenhaften Wappenlilie an der Stange zu ersetzen. Man bewilligte den Emigranten eine Milliarde als Entschädigung für die ihnen weggenommenen Güter, ließ diese jedoch den Scheinkäufern, die sie von der Revolutionsregierung meist um eine Handvoll wertloser Assignaten erworben hatten. Man stellte den Heiligen-Geist- und St. Ludwigs-Orden wieder her, nahm jedoch die Ehrenlegion und den Napoleonischen Adel in die alt-neue Ordnung hinüber. Man verfolgte die noch lebenden und erreichbaren Konventsmitglieder, die 1793 für den Tod Ludwigs XVI. gestimmt hatten, als Königsmörder, rüttelte jedoch nicht an den Staats- und Rechtseinrichtungen, die die Revolution und das Kaiserreich geschaffen hatten. Der König ließ sich in Reims mit dem heiligen Öl salben und nahm, unabhängig von jedem Volkswillen und jeder menschlichen Zustimmung, nach dem Worte Wilhelms I. "seine Krone vom Tische des Herrn«, gewährte indes gleichwohl 1814 eine Verfassung mit einer Volksvertretung, die sich freilich durch ihre liebedienerische Haltung gegen die Regierung des Königs von Gottes Gnaden, mit ihrem schwachmütigen Verzicht auf die Ausübung ihrer Rechte den Namen der "unauffindbaren Kammer« verdiente. Doch fand sich selbst in dieser auf dem Bauch liegenden Versammlung ein aufrechter Mann, der Abgeordnete Jacques Antoine Manuel, in dem der Geist Mirabeaus lebte und den nur militärische Gewalt von dem Platz entfernen konnte, auf den ihn der Wille des Volkes gestellt hatte.

Die Gutgesinnten erbauten sich am "Journal de Paris« und an der "Gazette de France«, für die der Zeiger an der Uhr der Zeit immer noch auf 1787 stand, aber die Regierung mußte doch auch die "Quotidienne« und den "Globe« dulden, dessen unerschrockener Freisinn die Gemeinde begeisterte, die im Glauben an die Gedanken der Revolution kommunizierte. Daß diese Gemeinde groß, in ihrem Glauben eifernd und bis zur Blutzeugenschaft opferbereit war, bewies die Militärverschwörung von La Rochelle, die zur Hinrichtung von vier republikanisch gesinnten Sergeanten in Paris, am 21. September 1822, führte. Und als der Minister Karls X. Fürst Polignac durch seinen berühmten Erlaß die Presse knebeln wollte, da erhoben sich die Söhne der Bastillenstürmer, und ohne Vorbereitung, ohne Abkartungen und Einverständnisse, in einer natürlichen und gewissermaßen selbstverständlichen Bewegung schlugen sie in dreitägigem Straßenkampfe die Schweizer Söldner und Linientruppen Karls X. aufs Haupt und jagten den König von Gottes Gnaden aus den Tuilerien und aus dem Lande.

In den "drei *Ruhmestagen* « (" *les trois glorieuses* «) des Juli 1830 siegte das revolutionäre Frankreich über das antirevolutionäre ebenso entschieden wie am 14. Juli 1789, vielleicht noch entschiedener. Die Wiederaufrichtung der Republik schien dem Volke selbstverständlich.

Der alte Lafayette, ein Wiedererstandener der Revolution, trat aus einer langen Zurückgezogenheit heraus, bestieg einen Schimmel, ritt langsam durch die Straßen von Paris und wurde auf seinem Wege vom Jubel der Menge umbraust. Die von der Restauration des Landes verwiesenen alten Konventsmitglieder kehrten aus der Verbannung heim. Ludwig Philipp, der zwar von den Bourbonenkönigen den Rang eines Prinzen von Geblüt angenommen, jedoch seinen Vater, den fürstlichen Anarchisten und verunglückten Streber Philippe Egalité, nie verleugnet und stets mit dem Freisinn geliebäugelt hatte, zog aus dem Palais Royal ungesäumt in die Tuilerien hinüber, jedoch zunächst nur als Landesverweser. Erst nachträglich setzten ihm gewandte Politiker vom Schlage Adolphe Thiers' die Königskrone auf und drückten ihm das Zepter in die Hand, doch mußten die Krone die Form der Schirmmütze eines Spießbürgers und das Zepter die eines Regenschirmes annehmen, um von den Barrikadenkämpfern der Julitage gelitten zu werden.

Die *Radikalengrollten, daß taschenspielerisch geschickte Finger die Republik eskamotiert hätten, und August Barbier schrie ihre Entrüstung, ihre Enttäuschung, ihren Zorn in den heißen und bitteren Versen der "Jambes« ins Volk hinaus, die ihm Unsterblichkeit sichern. Die Stimmung blieb lange, wie sie sich in den Julitagen geoffenbart hatte. Deutsche Freisinnige wie Ludwig Börne eilten nach Paris gleich Verdurstenden, die sich an einer sprudelnden Quelle der Freiheit laben wollen. Ludwig Philipp hatte gut mit Biedermannsmiene und demokratischem Geiste regieren, sein Minister Guizot hatte gut den Mittelstand mit dem Zuruf: "Bereichert euch!« ködern, ein ansehnlicher Teil des Volks, namentlich der großen Städte und in erster Reihe von Paris, verharrte in grundstürzender Gesinnung, und die Juli-Monarchie führte ein bewegtes Dasein zwischen Straßenaufruhr – wie dem der Rue Transnonain –, Verschwörungen – wie der Blanquis – und Mordanschlägen – wie dem des Fieschi –. Wenn sie sich gleichwohl fast achtzehn Jahre lang behaupten konnte, so war es wahrscheinlich, weil die Feindschaft gegen die bestehende Ordnung so vielfache und kräftige Ablenkungen erfuhr, daß sie sich lange nicht zu einem entschlossenen Vorstoß mit vereinten Kräften sammeln konnten. Die Jugend stürzte sich mit Leidenschaft in den Kampf der Romantik gegen den Klassizismus und verbrauchte ihre Tapferkeit in den Schlachten um "Hernani« und die späteren Dramen Victor Hugos. Die Idealisten von mystischer Richtung schwärmten mit de Lamennais von einer Erneuerung, Demokratisierung, beinahe Republikanisierung der katholischen Kirche. Gefühlssozialisten, die sich der Brandrufe Babeufs erinnerten, scharten sich um Saint-Simon und seine Jünger, die Gütergemeinschaftsprediger Fourier, Père Enfantin, Cabet. Platoniker der Revolution begeisterten sich für die aufständischen Polen und drängten sich zu den Vorlesungen Adam Mickiewiczs, als er einen Lehrstuhl am Collège de France erhielt. Selbst der Haß gegen die Jesuiten, der Eugen Sues "Ewigem Juden« einen beispiellosen Erfolg verschaffte, hatte die Bedeutung eines Anzeichens des durch alle Schichten des französischen Volkes verbreiteten ungeduldigen und streitbaren Radikalismus, der in den leitenden Geistern bewußter Republikanismus war.*

Das offenbarte sich deutlich genug beim Ausbruch der langverhaltenen Volkserregung am 23. Februar 1848, der das Bürgerkönigtum noch rascher wegfegte als der Juli-Aufstand die Bourbonenherrschaft. Den Sinn der Februar-Revolution konnte kein Auslegungskniff verdunkeln oder fälschen. Sie bedeutete, daß das französische Volk nach einer Unterbrechung von einem halben Jahrhundert seinen Werdegang dort fortsetzen wollte, wo Bonaparte 1799 ihn mit Gewalt und Ludwig Philipp 1839 mit List aufgehalten hatte. Die einstweilige Regierung beeilte sich diesmal, schon am 25. Februar die Republik auszurufen, die der fortschrittliche Teil des Volkes sich bereits gewöhnt hatte, als seine rechtmäßige Verfassung zu betrachten, während die stets wiederkehrenden Rückfälle in einen Monarchismus, der bald Cäsarismus, bald Legitimismus, bald das Zwitterding eines Bürgerkönigtums war, ihm im Licht einer Auflehnung gegen das Gesetz zu erscheinen begannen.

Das eine Frankreich, das revolutionäre, hatte einen Sieg davongetragen, den man für entschieden halten durfte. Das andere Frankreich, das gegenrevolutionäre, streckte jedoch die Waffen nicht und bereitete neue Angriffe vor, die die Fehler des Gegners ihm erleichterten. Sie waren zahlreich und schwer. Die Nationalwerkstätten erwiesen sich als das unglücklichste Heilmittel der Arbeitslosigkeit und der von ihr verursachten Not des Proletariats. Als die Regierung aufhören mußte, ihr sich für einen Tagelohn ausgebendes Massenalmosen von einem Franken täglich zu verteilen, taumelte die leidende und enttäuschte Arbeiterschaft zum *Juni-Aufstand* , den Cavaignac in Blutströmen ertränkte. Auf dem aufgerissenen Pflaster der Pariser Straßen lagen über 2000 Proletarierleichen zuhauf, über die die zweite Republik alsbald stolpern und hinfallen sollte. Das revolutionäre Frankreich entdeckte, daß es wieder geprellt worden sei, und wandte sich grollend von einer Republik ab, die immer dreister ihr wahres Gesicht, das antirevolutionäre, cäsaristische, zeigte. Als der Berg, das heißt die äußerste Linke der Nationalversammlung, am 13. Juli 1849 gegen den beschlossenen Kriegszug nach Rom das Volk zu den Waffen rief, rührte sich keine einzige schwielige Hand, und dieselbe Erfahrung machten die republikanischen Abgeordneten, die am 2. Dezember 1851 frühmorgens in die Vorstädte von Paris eilten und die nach ihren Werkstätten wandernden Arbeiter auf der Straße anhielten und beschworen, sich dem Staatsstreich des Prinz-Präsidenten Louis Napoleon Bonaparte mit Gewalt zu widersetzen. Die Angesprochenen zuckten die Achsel und gingen achtlos ihrer Wege, und bei dieser Gelegenheit rief eine Arbeitergruppe den Volksvertretern das Hohnwort "25 Franken!« zu, womit man in den Volksvierteln die Abgeordneten nach dem Betrage ihres Taggeldes bezeichnete. Das gab Baudin Anlaß, den Beleidigern die Antwort zu geben: "Ihr sollt sofort sehen, wie man für 25 Franken täglich stirbt,« und sich auf einer Barrikade heldenmütig den Kugeln der Truppen auszusetzen, deren eine ihn denn auch wenige Minuten später in die Stirne traf und auf der Stelle tötete. Der Zwischenfall änderte nichts an der Haltung des Volkes, das gleichgültig, ja mit Schadenfreude, die Erwürgung einer Republik mit ansah, die an ihm Verrat geübt hatte.

Napoleon III.beging seinen Eidbruch gegen die von ihm beschworene republikanische Verfassung mit freudiger Zustimmung des antirevolutionären Frankreichs. Er selbst aber heuchelte immer, der Vertreter des revolutionären Frankreichs zu sein, und Thiers konnte das geflügelte Wort hinausflattern lassen: "Das Kaiserreich ist eine Monarchie, die vor der Demokratie auf den Knien liegt.« Und Vielleicht heuchelte Napoleon nicht einmal. Gedankenklarheit war seine starke Seite nicht. Er war voller Widersprüche und machte kaum jemals ernstliche Versuche, sie auszugleichen oder sich für die eine oder die andere seiner entgegengesetzten Strebungen zu entscheiden. Er führte das allgemeine Stimmrecht ein und unterwarf sich an den entscheidenden Wendungen seiner Herrschaft der Volksabstimmung, sorgte aber dafür, daß die Wähler nach der Geige seiner Verwaltung tanzten. Er führte beständig das Wort Freiheit im Munde und überlieferte das Land nach seinem Staatsstreich einer russischen Polizeityrannei, die es jahrelang knebelte. Er hatte sich in seiner Jugend mit der sozialen Frage beschäftigt, und aus seinen einschlägigen Schriften tönt uns ein gedämpfter Widerhall der leidenschaftlichen Reden des Saint-Simonismus und Fourierismus für die Rechte des vierten Standes entgegen. Als Kaiser machte er es sich zur Aufgabe, durch gewaltige Umbauten des alten Paris die Arbeiterschaft in Nahrung zu setzen, doch behandelte er diese Fürsorge für die Enterbten als Machtmittel, und sie wurde unter seiner Hand zu einer Bestechung der Arbeiter zugunsten des Kaiserreichs, das keine Wurzeln im Lande hatte und dem das Bürgertum den einzigen Vorzug nachsagte, daß es die Ordnung aufrechterhielt. Es störte ihn nicht, sich zugleich auf den Volkswillen als die Quelle seiner Herrscherrechte zu berufen und sie mit den dynastischen Ansprüchen eines Erben Napoleons I. zu begründen.

Im Innern ein Despot, begünstigte Napoleon III. in der auswärtigen Politik revolutionäre Bestrebungen und hatte manchmal wirksame, manchmal unfruchtbare Gefälligkeiten für Nationalitäten, die sich gegen die bestehende Staatsordnung Europas auflehnten. Die Vereinigung der Donaufürstentümer war wesentlich sein Werk. Er fürchtete nicht, Rußland zu verstimmen, indem er 1863 für die aufständigen Polen Partei nahm. Er stürzte sich für die italienische Einheit in einen Krieg mit Österreich. Freilich, auch hier welche Widersprüche! Er opferte Frankreichs Blut und Gold für die Befreiung der Lombardei von der österreichischen Herrschaft und verhinderte durch die Besetzung von Rom und Civitavecchia die Krönung des italienischen Einheitswerkes durch die Erhebung der ewigen Stadt zur Hauptstadt des unvollendeten Königreiches. Er lehnte es 1864 ab, sich in den Streit des Deutschen Bundes mit Dänemark um die Elbherzogtümer einzumischen, weil er das Recht des deutschen Volkes anerkannte, auf allen Wegen seiner Einheit zuzustreben, und er nahm von 1866 ab gegen den Norddeutschen Bund eine unfreundliche und zuletzt feindselige Haltung an, um Deutschlands Einigung unter Preußens Führung zu verhindern. Dieser Mangel an Folgerichtigkeit führte seinen Sturz herbei. Bis zur Schlußkatastrophe von 1870 aber war gerade seine Nationalitätenpolitik wegen ihres freiheitlichen, ja revolutionären Anscheins seine einzige Tat gewesen, die wirklich zeitweilig die breiten Massen des französischen Volkes mit ihm versöhnte. In dem Jubel, mit dem die Pariser 1859 das aus Italien heimkehrende Heer, die Sieger von Palestro, Magenta, Solferino, begrüßten und den 1856 die Eroberer von Sebastopol nicht entfernt in demselben Maße gekannt hatten, schlug zum erstenmal das Herz der französischen Demokratie für den Verüber des Staatsstreichs von 1851. Im Innern geknechtet, fand sie einen Trost und eine großherzige Selbsttäuschung darin, daß Frankreich wenigstens in der Fremde der Soldat der Freiheit war.

Auf seine alten Tage wollte Napoleon III. die Fesseln lockern, wenn nicht lösen, in der er die Volksrechte geschlagen hatte, und er unternahm den Versuch des *"liberalen Kaiserreichs«* . So unaufrichtig und hinterhältig er war, er fand Gläubige, die ihn ernst nahmen oder ein Interesse hatten, so zu tun. Emile Ollivier, Prévost-Paradol, Laboulaye,

Edmond About, mit die glänzendsten Geister unter den Gegnern des Kaiserreichs, machten ihren Frieden mit ihm und traten in den Dienst Napoleons. Durch ihr Plebiszit vom 8. Mai 1870 erklärten die Millionen der französischen Wähler sich mit der Wendung der kaiserlichen Regierungsmethode einverstanden. Aber in den siebzehn Jahren seit dem Staatsstreich war ein neues Geschlecht des revolutionären Frankreichs heraufgekommen, das den Waffenstillstand mit der Gegenrevolution kündigte und die brutal unterbrochene Entwicklung der Volkssouveränität weiterzuführen entschlossen war. Der Führer dieser kampflustigen republikanischen Jugend war Gambetta, ihr Trompeter Rochefort. Wann der entscheidende Zusammenstoß erfolgt wäre, wie er geendet hätte, kann niemand sagen, denn der Krieg mit Deutschland warf alles über den Haufen.

In Napoleons äußerer Politik finden sich alle Widersprüche seines Denkens und Wesens wieder. Ohne einen andern Anspruch auf die oberste Gewalt als seinen Namen, den er mit zweifelhaftem Rechte trug, begriff er, daß die Welt aus diesem die natürlichen Schlüsse ziehen und sich von ihm der Absicht einer Weiterdichtung des Napoleonischen Heldengedichtes versehen würde, er verkündete daher feierlich: "Das Kaiserreich ist der Friede.« Die Logik der Sachlage war jedoch stärker als sein Wille, und er taumelte von Krieg zu Krieg, immer ohne Not und ohne Nutzen für Frankreich. Der Krimkrieg war eine persönliche Rache an dem Zaren Nikolaus I., der ihn schlecht behandelt hatte, und ein Liebesdienst für das entgegenkommend und freundlich gewesene England, dem er die Kastanien der Vorherrschaft im Orient aus dem Feuer von Sebastopol holte. Der Italienische Krieg war ein romantisch-ritterliches Herzensabenteuer. Der chinesische Feldzug war ein Gewaltstreich ohne vernünftigen Grund. Der Einfall in Mexiko war eine arg verschüchterte zweite Auflage des spanischen Irrtums Napoleons I., und der Krieg mit Deutschland war ein Selbstmord. Vom Kaiserreich war gesagt worden: "Es ist zu fortwährendem Sieg verurteilt.« Als es die Niederlage von Sedan erlitt, sank es lautlos in sich zusammen, und was eben noch ein stattlicher Bau geschienen hatte, war in wenigen Augenblicken ein formloser Wust zermürbter Steine und wurmstichigen, morschen Gebälks.

Die *Umwälzung vom 4. September 1870war die einzige des 19. Jahrhunderts, bei der kein Tropfen Blut vergossen wurde. Wie eine Selbstverständlichkeit, wie eine Rückkehr zum Natürlichen und Gesetzlichen folgte dem Kaiserreich, einem langen und verhängnisvollen Zwischenfall, wieder die Republik, in der landläufigen Bezeichnung die dritte seit 1792, tatsächlich immer eine und dieselbe mit zeitweiligen Verdunkelungen. Sie trat eine schwer belastete Erbschaft an. Sie mußte den Krieg abwickeln, die schweren Friedensbedingungen annehmen, den Kommune-Aufstand niederringen, sich gegen die Unternehmungen der Monarchisten verteidigen.*

Die *Nationalversammlungvom 8. Februar 1871, von der der Minister Beulé das von den Freisinnigen jubelnd wiederholte Wort prägte, sie sei ›an einem Unglückstage gewählt worden‹, war durch und durch gegenrevolutionär. Die Rückschrittler bildeten in ihr eine Zweidrittelmehrheit. Ein gemeinsamer Abscheu gegen die Republik einigte sie. Als es sich jedoch darum handelte, die Monarchie wiederherzustellen, fielen sie in vier Parteien auseinander, zwischen denen eine Verständigung sich als unmöglich erwies, da jede ihre eigene Ansicht von der zu errichtenden Monarchie hatte. Die Legitimisten sahen im Grafen von Chambord ihren rechtmäßigen König Heinrich V., die Orleanisten riefen den Grafen von Paris an, einige Laue und Halbe träumten vom Herzog von Aumale als Statthalter nach Art der Oranier in den Vereinigten Provinzen, und die wenigen dem Zusammenbruch entgangenen Bonapartisten wollten ihren Kaiser wiederhaben. Diese Uneinigkeit machte es Thiers* , dem gewählten Oberhaupte der vollstreckenden Gewalt, möglich, der Versammlung als ein Provisorium die Republik aufzunötigen, ›die uns am wenigsten spaltet‹, allerdings mit dem Zugeständnis, daß es ›eine Republik ohne Republikaner‹ sein solle, da die Landspflöcke, die *›ruraux‹* , wie ihre Gegner die konservativen Provinzler der Versammlung nannten, sie nur unter dieser Bedingung selbst als vorläufigen Notbehelf annahmen.

Auf die Dauer wurde Thiers, im Augenblick der Wahlen von 1871 der ›notwendige Mann‹, der feindseligen Mehrheit unerträglich, sie stürzte ihn am 24. Mai 1873 und wählte an seiner Statt den Marschall von Mac Mahon, von dem sie erwartete, daß er seine Macht dazu gebrauchen werde, dem Grafen von Chambord, der sich inzwischen mit den Orleans versöhnt und den Grafen von Paris als seinen Erben und Nachfolger anerkannt hatte, den Weg zum Throne zu ebnen. Er war jedoch zu ehrlich oder nicht mutig genug, um die von seinen Wählern in ihn gesetzten Erwartungen zu erfüllen. Er zeigte zu ihrer Überraschung die Neigung, den Versuch einer freiheitlichen Regierung zu machen. Er mißlang kläglich. Ein so geschmeidiger Latitudinarier wie Jules Simon schien ihm noch ein gefährlicher Umstürzler, und am 16. Mai 1877 wies er diesem seinem Ministerpräsidenten mit einer staatsstreichartigen plötzlichen Bewegung, einem wahren Überfall, die Tür. Er berief den Erzreaktionär Herzog von Broglie zur Regierung, der prahlte, er werde ›Frankreich marschieren machen‹. Frankreich marschierte jedoch nicht, sondern zwang Broglie und seine Mitarbeiter zu marschieren. Die Kammerauflösung und die Wahlen hatten trotz eines amtlichen Druckes, wie ihn selbst das Kaiserreich nicht gekannt hatte, mit dem Sieg der Republikaner geendet, und Mac Mahon, dem Gambetta zugerufen hatte, er müsse *se soumettre ou se démettre* , sich unterwerfen oder gehen, tat beides; zuerst unterwarf er sich nach einem schwachmütigen Versuch seines Kriegsministers Generals Rochebouet, die Republik durch Militärgewalt zu erwürgen, und dann ging er, da er es nicht länger ertragen konnte, im Elyséepalast der Gefangene der siegreichen Republikaner zu sein.

Bis 1875, bis die Nationalversammlung von 1871, ehe sie sich widerwillig zum Auseinandergehen entschloß, die Wallonsche Verfassung mit einer Stimme Mehrheit annahm, hatte die dritte Republik um ihre gesetzliche Anerkennung, bis 1879, bis Mac Mahon von der

Präsidentschaft zurücktrat, hatte sie um die Zulassung der Republikaner zur Regierung der Republik zu kämpfen. Erst mit der Wahl Grévys zum Präsidenten wurde sie zu einer Wirklichkeit. Doch auch von da ab war ihr Leben nicht leicht. Die Gegenrevolution war wieder einmal geschlagen, doch nicht entmutigt. Sie kämpfte mit unversöhnlichem Haß weiter gegen die Republik, doch nicht mehr in ehrlicher, offener Feldschlacht unter der stolz entfalteten eigenen Fahne, sondern in einem tückischen Buschkrieg, aus listig gewählten Hinterhalten, in immer wechselnden Verkleidungen, unter falschen Flaggen.

Unvorsichtigkeiten Wilsons, des Schwiegersohnes Grévys, die so geringfügig waren, daß der Ausdruck Verfehlungen für sie beinahe zu stark wäre, wurden zu einem Kesseltreiben gegen den Präsidenten Grévy benutzt, das mit seinem erzwungenen Rücktritt endete. Die Rückschrittler erfanden das Schlagwort von der Fäulnis der Republik, und die Republikaner hatten die unverzeihliche Zaghaftigkeit, sich ins Bockshorn jagen zu lassen und puritanischen Übereifer zu spielen, statt ihren Gegnern die Maske vom Gesicht zu reißen und dem Lande zu zeigen, daß die sittliche Entrüstung über die Verderbnis der Regierenden Heuchelei und eine bloße Parteikriegslust zur Entehrung der Republik war. Der *Zusammenbruch des Panama-Unternehmens* , der bei den um ihr sauer verdientes Geld geprellten kleinen Sparern, der Hauptkundschaft Lesseps', die wütendste Erbitterung hervorrief, war ein neuer hochwillkommener Anlaß, die Verleumdung von der Fäulnis zu wiederholen. Die Anklage war ernster und gefährlicher als die gegen Wilson und Grévy. Die Liste der 104 Parlamentarier, an die der Makler des Lasters, Arton, der für Lesseps Gewissen erhandelte, Schecks verteilt hatte, war eine traurige Wirklichkeit. Die republikanische Mehrheit des Parlaments tat das Nötige. Sie brannte die jauchige Schwäre mit dem Glüheisen aus. Sie opferte einen Minister und mehrere Volksvertreter, die sich nachweislich hatten bestechen lassen. Aber sie unterließ es, die Tatsache ins Licht zu setzen, daß Lesseps und alle seine Mitarbeiter eifernde Klerikale waren, daß das ganze Panama-Unternehmen, zwar nicht in seinen Zielen, doch in seiner Organisation einen scharf ausgeprägten rückschrittlichen Charakter hatte und daß auf der Liste der Bestochenen, die dem von der Kammer eingesetzten Untersuchungsausschuß in die Hände fiel, die Presse und die Politiker der Rückschrittsparteien reichlich vertreten waren. Sie verhinderte nicht entfernt genug energisch, daß das Schimpfwort ›Panamisten‹ auf den Republikanern sitzen blieb und in der verhetzten Masse die Überzeugung sich einwurzelte, es sei vollauf verdient. Wenig fehlte, und der geschickte Gebrauch der Panamawaffe brach der Republik den Hals. Bei den allgemeinen Wahlen, die dem Panama-Ärgernis folgten, verloren die Republikaner gegen 100 Sitze, die der monarchisch-klerikalen Minderheit zufielen.

Den nächsten Sturm auf die Republik, führte General *Boulangeran, ein grundsatzloser Streber, Possenreißer und Schürzenjäger, der vorgab, die Republik von der ›Wilson-Bande‹ säubern zu wollen, und den vaterländischen Leidenschaften der Menge schmeichelte, indem er hölzerne Truppenbaracken an der Ostgrenze bauen und die Schilderhäuser im ganzen Lande mit den französischen Dreifarben bepinseln ließ. Die Mittel zu seinen dreisten Umtrieben lieferten ihm hochadlige Damen – eine Herzogin allein drei Millionen Franken –, die von ihm erwarteten, er werde den Grafen von Paris als König von Frankreich krönen und ihm als Antrittsgeschenk Elsaß-Lothringen zu Füßen legen. Die gefährdete Republik fand im Minister des Innern Constans einen geschickten und kaltblütigen Verteidiger, Boulanger floh außer Landes und machte in der Verbannung seinem kläglich verfehlten Leben durch eine Revolverkugel ein Ende.*

Kaum war der boulangistische und panamistische Rummel vorüber, als die klerikal-monarchistische Reaktion die *Dreyfus-Sacheins Werk setzte. Indem sie einen jüdischen Generalstabsoffizier fälschlich des abscheulichsten Landesverrats bezichtigte, spekulierte sie auf die abergläubische Spionenfurcht und den schlummernden, doch nie erstorbenen Erb-Antisemitismus der Menge. Sie verleumdete zuerst die Freisinnigen, dann alle Republikaner als Feinde des Heeres, als vaterlandslose Gesellen, als an den Feind verkaufte Verräter und spielte sich selbst als Verteidigerin der Armee, als Beschützerin und Beschirmerin des Volkes und Landes auf. Die beiden Frankreiche nannten sich in den aufgeregten Jahren von 1895 bis 1900 Anti-Dreyfusards und Dreyfusards, und es ist nicht viel weniger als ein Wunder, daß es zwischen ihnen nicht zum wütendsten Bürgerkriege kam. Dieser brach wahrscheinlich nur deshalb nicht aus, weil es an einer starken und verwegenen Persönlichkeit fehlte, die die kampfbereiten Streitkräfte der Gegenrevolution zusammengefaßt und zum Angriff auf die bestehende Ordnung geführt hätte. Paul Déroulède, der es versuchte, war nicht der Mann für eine derartige Aufgabe, die nicht mit der Leier eines Dichters, sondern nur mit dem Degen eines Militärs gelöst werden konnte.*

Die Dreyfus-Sache mißlang wie der Panamismus, der Boulangismus, der Wilsonismus. Die *Trennung von Staat und Kirchelieferte den nächsten Vorwand zu einer klerikalen Schilderhebung. Damen der Gesellschaft verschworen sich mit Geistlichen und frommen Jünglingsvereinen, um die Inventaraufnahme des Kirchenvermögens gewaltsam zu verhindern, und viele Offiziere, welche die gegen die gemischte Gesellschaft der Aufrührer aufgebotenen Truppen führten, verweigerten den Gehorsam, zerbrachen ihren Degen und schlugen sich auf die Seite der Widersetzlichen. Diese Bewegung ging nicht tief. Die fromm-fanatischen Kampfgesänge der Schloßherrinnen und eleganten Jesuitenzöglinge weckten keinen Widerhall in der Seele des Volkes, das für die Kirche und ihre Priester nicht zu begeistern ist. Die Gegenrevolution erkannte ihren Irrtum. Sie machte den schweren Fehler, sich offen zu ihrem Klerikalismus bekannt zu haben, rasch wieder gut, indem sie sich in einen streitbaren Nationalismus verkleidete, der auf allen Kreuzwegen den giftigsten Fremdenhaß predigte, grausam in der Wunde wühlte, die die Losreißung von Elsaß-Lothringen in der Flanke Frankreichs gelassen hatte, und einen an Wahnwitz grenzenden Taumel von Selbstüberhebung, Rachedurst und Kriegslust seuchenartig zu verbreiten suchte. Sie gliederte Radaubanden, die unter dem gewollt pöbelhaften Namen von Königshausierern die Straßenordnung störten und*

Tätlichkeiten gegen Minister, Richter und sonstige namhafte Persönlichkeiten begingen, sie gründete eine Hetzpresse, die das Äußerste an roher Verunglimpfung politischer Gegner leistete, und sie begann eine Schreckensherrschaft des wohlgekleideten Mobs einzurichten, die notwendig und bald zu blutigen Ereignissen führen mußte.

Der plötzliche *Ausbruch des Kriegesvon 1914 stellte auch zwischen den beiden Frankreichen den in allen beteiligten Ländern eingeführten Burgfrieden her, der in Frankreich den Namen ›heilige Einigkeit‹ erhielt. Sie wandten die gegeneinander gezückten Waffen gegen den auswärtigen Feind und wollten in den Schützengräben nur Frankreich ohne trennende Nebenbezeichnung sein. Eine Versöhnung bedeutet dieser Waffenstillstand nicht. Nach dem Kriege werden die beiden Frankreiche sich wieder einander gegenüber finden, sie werden ihren Hader aufs neue aufnehmen und ihn weiterführen, bis einer der beiden Gegner gänzlich aus dem Felde geschlagen ist.*

Von 1879 ab war die *Republikeine Wirklichkeit. Aber zwanzig Jahre lang, bis 1899, bis zur Ministerpräsidentschaft Waldeck-Rousseaus, hatte sie eine ausgesprochen konservative Richtung und verschloß sich der Erkenntnis, daß ihre Voraussetzung und Grundlage, die Demokratie, von ihr die Befriedigung sozialer Volksbedürfnisse erwartete. Waldeck-Rousseau gab zuerst, sehr gegen seine Neigung, dem Steuerrad eine scharfe Drehung zum Radikalismus. Er selbst war in seinen Neigungen und Grundsätzen durchaus konservativ. Sein Kampf gegen die Anti-Dreyfusards zwang ihm jedoch das Bündnis mit den Radikalen auf, denen er für ihre Unterstützung als Gegenleistung das in erster Reihe gegen die geistlichen Orden gerichtete Vereinsgesetz bot, die Vorbereitung der Trennung von Staat und Kirche, deren Durchführung das Werk seines Nachfolgers Emile Combes war. In der Person Combes' gelangte 1902 der Radikalismuszur Regierung, die ihm nicht wieder entwunden werden konnte. Die Radikalen fügten ihrem Parteinamen die Bezeichnung Sozialisten hinzu, nannten sich "Radikal-Sozialisten« und räumten damit ein, daß ihr Radikalismus ohne einen Einschlag von Sozialismus nicht mehr den Forderungen des Volkes entsprach und unfruchtbar bleiben mußte. Was sie zaghaft für die Enterbten taten oder tun wollten – Unfallversicherung, Altersversorgung, Berufsgenossenschaftsgesetz –, genügte freilich den reinen Sozialisten ohne einschränkende Nebenbezeichnung nicht. Daher ein innerer Zwiespalt unter den Republikanern, der gelegentlich den ganzen Bau der Republik erschütterte und zu zerstören drohte. Die oft sehr stürmischen Auseinandersetzungen zwischen den bürgerlichen Freisinnigen, den behutsamen Sozialpolitikern und den orthodoxen Sozialisten wurden durch den Krieg jäh unterbrochen. Sie werden zweifellos nach dem Friedensschluß wieder aufgenommen werden. Die arbeitenden Massen erwarten von der dritten Republik die Einlösung der Versprechen, die ihnen die erste und die zweite gemacht haben. Ihr Entwicklungsziel ist deutlich soziale Gerechtigkeit, das heißt eine Organisation der nationalen Arbeit, die den Arbeitern einen billigen Anteil an dem Genuß der von ihnen geschaffenen Güter sichert. Die praktische Formel dieser Organisation ist noch nicht gefunden, wenn Sozialisten und Syndikalisten auch das Gegenteil behaupten. Das mühselige und gefährliche Suchen und Versuchen muß fortgesetzt werden. Alle ernsten Politiker Frankreichs aber wollen, daß das Frankreich der Revolution für seine Bürger nicht ein kaltes Vaterland mit Amtsstuben und Exerzierhöfen, sondern ein warmes mütterliches Nest sei; daß der von seiner feudalen Eisenrüstung endgültig befreite Staat ihnen nicht bloß das starre, strenge Antlitz des Befehls, sondern auch den freundlichen Blick der Anteilnahme zeige, daß er nicht der kuranzende Büttel von Untertanen sei, sondern der bevollmächtigte Geschäftsführer und Sachwalter der gemeinbürgschaftlich verbundenen Volksgenossen. Das ist der Grundgedanke der großen Umwälzung und ihrer Verkörperungen in den drei Republiken.*

Adolphe Thiers

Adolphe Thiers, der 1797 in Marseille geboren war und 1877 in St. Germain-en-Laye bei Paris starb, hat in seinem achtzigjährigen Leben, während dessen er immer im Vordergrund der politischen Bühne Frankreichs stand und handelte, viele Beinamen erhalten. Gambetta nannte ihn während des 1870er Krieges "den unheimlichen Greis«, für den Royalisten de Meaux war er nach dem Friedensschluß "der unvermeidliche Mann«, die Männer des von ihm niedergeworfenen Kommune-Aufstandes bezeichneten ihn kurz als den "Massenmörder«, die Geschichte aber wird ihm den Ehrentitel des "Befreiers des Staatsgebietes« lassen, den ihm Gambetta, ehemals sein heftiger Gegner, bei einem denkwürdigen Anlaß widmete. Das war in der Kammersitzung vom 16. Juni 1877, während eines leidenschaftlichen Redekampfes über Mac Mahons parlamentarischen Staatsstreich vom 16. Mai. Auf Angriffe gegen die Rückschrittspartei und die Nationalversammlung von 1871, in der sie die große Mehrheit hatte, rief de Fourtou, der gewalttätigste Minister im Faustkabinett des Herzogs von Broglie: "Die Nationalversammlung hat das Staatsgebiet befreit!« Mit seiner gewohnten Schlagfertigkeit erwiderte Gambetta auffahrend: "Der Befreier des Staatsgebietes ist dieser hier!« und wies mit weit ausgestrecktem Arm auf Thiers, der still, gekrümmt, geschrumpft auf seinem Platze saß. Die ganze Linke der Kammer sprang auf, wandte sich dem in sich versunkenen Greis zu, klatschte minutenlang wütend in die Hände und wurde nicht müde, donnernde Hochrufe auszubringen. Der Auftritt wurde von Ehrmann in einem großen Gemälde von mäßigem künstlerischen Verdienst, doch starkem anekdotischen Interesse festgehalten, das sich jetzt in Versailles befindet. Eine derartige Apotheose ist der Lohn eines dem Gemeinwesen gewidmeten Lebens und weist ihrem Helden seinen dauernden Platz in der Geschichte seines Vaterlandes und des Weltteils an.

Thiers ist eine so vollendete Verkörperung des französischen Bürgertums, seiner Vorzüge und seiner Begrenzungen, seine Laufbahn so bezeichnend für die Möglichkeiten, die eine freie Demokratie einer hochbegabten und starken Persönlichkeit bietet, daß man glauben möchte, ein synthetisierender Romandichter von tiefster Geschichtsauffassung, großartiger menschenbildnerischer Kraft und gelegentlicher leiser Ironie habe die Gestalt, ihre Entwicklung und Geschichte frei erfunden, um einen Schulfall zur Verdeutlichung einer politischen und sozialen Theorie zu schaffen.

Der Abkömmling einer Familie, die wahrscheinlich aus dem provenzalischen Städtchen Thiers stammt und jedenfalls von ihr den Namen angenommen hat, studierte er die Rechte und ging 1821 nach Paris, um in der überlieferten Weise der Südfranzosen – vielleicht war er einer der Urheber dieser Überlieferung – die große Stadt und den trägern, mattern Norden zu erobern, wie Alphonse Daudet es später in seinem als Beitrag zur Volkskunde wertvollen Roman "Numa Roumestan« ohne Wohlwollen schildern sollte. Er begann, wie in Frankreich selbstverständlich, als Tagesschriftsteller. Villemain hat französische Verhältnisse richtig gekennzeichnet, als er den Ausspruch tat: "Der Journalismus führt zu allem, unter der Bedingung, daß man aus ihm heraustritt.« Man kann sich eines Lächelns nicht erwehren, wenn man zu verzeichnen hat, daß der junge Ringer aus dem Süden sich zunächst, wie alle Welt, auf die Kunstkritik warf und über den Salon von 1822 und 1824 schrieb. Er war nämlich der Philister ohne eigenes Kunstempfinden, doch von ehrerbietigem Konventionalismus, wie er im Buche steht, bildete sich jedoch ein, über Schönheitswerte und Schöpfergabe ein Urteil zu besitzen, und wandte sein Leben lang der Kunst ein rührendes Interesse zu. Wie jeder ehrbare und wohlhabende Spießbürger sammelte er alles mögliche. Als er jedoch letztwillig seine Schätze dem Louvremuseum vermachte und sein Trödel von bedauerlichen Bildern und Plastiken bis zu banalem Porzellangeschirr an dieser erlauchten Stätte aufgestellt wurde, stießen die berufenen Hüter des Geschmacks einen Schrei des Entsetzens und der Entrüstung aus und forderten stürmisch die Ausschließung der seltsamen Kostbarkeiten, die ihnen jedoch wegen der dem Andenken Thiers' schuldigen Achtung nicht bewilligt werden konnte.

Er erwarb einen kleinen Anteil an der Aktiengesellschaft, die den oppositionellen "Constitutionnel« gründete, und trat, ein merkwürdiger und wenig bekannter kleiner Zug, zum erstenmal in Beziehung zu Deutschland, indem ihn der Stuttgarter Klassiker-Cotta, der gleichfalls an dem Pariser Blatte mit seinem Kapital beteiligt war, zum bevollmächtigten Vertreter seiner Interessen im Aufsichtsrat bestellte. Bald darauf wurde er Mitbegründer des "National«, wo das System eingeführt wurde, daß die Gründer der Reihe nach je ein Jahr lang die oberste Leitung des Blattes ausübten. 1830 war das Jahr der Leitung Thiers' und damals geschah es, daß der Minister Karls X., Fürst von Polignac, die Verordnung erließ, die mit Vergewaltigung der Charte von 1814 der Presse die letzten geringen Freiheiten entriß. Thiers verfaßte die gemeinsame Verwahrung aller Blätter gegen die ministerielle Gewalttat und unterschrieb sie an erster Stelle. Er forderte die Bürger zum Widerstande gegen Polignacs Maßregel auf, dachte aber nur an den gesetzlichen Widerstand durch Wort, Schrift und Stimmzettel. Das Volk ging im ersten Anlauf weit über diese Einschränkung hinaus und vollzog den Juli-Aufstand, der den Bourbonenthron wegfegte. Damals griff Thiers zum erstenmal, und gleich entscheidend, in die Geschicke seines Vaterlandes ein. Die Straßenkämpfer der drei Julitage schlugen sich auf ihren Barrikaden mit Hochrufen auf die Republik. Thiers aber schrieb noch am 30. Juli in seinem Blatte: "Die Republik würde uns entsetzlichen Spaltungen aussetzen.« Einundvierzig Jahre später sollte er genau das Gegenteil sagen. Er forderte 1871 die Republik mit der Begründung: "Sie ist es, die uns am wenigsten spaltet.«

Dieser Widerspruch ist ein besonders schroffer, doch durchaus nicht der einzige in seinen Anschauungen. Seine vielfachen Wandlungen und Schwankungen erklären sich sämtlich aus einem ursprünglichen Gegensatz zwischen seinem Gefühl und seinem Verstand. In seinem Unterbewußtsein war er ein Mann der Ordnung, der Autorität, der guten alten Gewohnheiten, der sich an Symmetrie ergötzte, Regelwidrigkeiten verabscheute, Zucht und Botmäßigkeit forderte. In seinem bewußten Denken erkannte er die große Umwälzung als die Ursache der Weltstellung und Größe Frankreichs, als die Grundlage seiner lebendigen Einrichtungen, als die Bedingung, die allein einem geringen Sohne des dritten Standes, einem kleinen Bürger ohne Geburt und Namen wie ihm jeden Ehrgeiz gestattete und jeden Erfolg versprach. Bald ließ er sich von seinem Gefühl eines starren Konservativen, bald von seiner Einsicht eines vernünftigen Schätzers der Geistesverfassung des französischen Volkes bestimmen. Nur in zwei Punkten herrschte volle Übereinstimmung zwischen seinem Fühlen und Denken: in seiner Unzugänglichkeit für religiöse Vorstellungen und in seiner leidenschaftlichen Vaterlandsliebe. Er war ein Sohn Voltaires, der nie seinen geistigen Vater verleugnete, und er war ein stolzer Franzose, der für sein Land den ersten Platz beanspruchte, von dessen unvergleichlicher Bestimmung durchdrungen war und sich in seinem andächtigen Glauben durch keine Niederlage und Demütigung irremachen ließ.

Kaum 26 Jahre alt, begann er seine "Geschichte der Revolution« zu schreiben. Die Größe dieses Werkes vergegenwärtigt man sich heute schwer. Er hatte keinen Vorgänger. Er brach Urboden auf. Er sammelte die Tatsachen weit mehr aus den mündlichen Erzählungen der überlebenden Zeugen als aus den Urkunden und zeichnete viele Charakterbilder nach seinen persönlichen Eindrücken von den Modellen und nach den Aussagen der Männer, die sie gekannt hatten, nicht nach Büchern und abgezogenen Folgerungen. Nach ihm kam Lamartine mit seiner sentimentalen Teilnahme für eine Partei, die Girondisten, Louis Blanc mit seinem Bemühen um die Aufdeckung tiefliegender und entfernter Ursachen, Michelet, ein begeisterter Skalde, der Balladen singt, kein nüchterner Geschichtschreiber, Taine, der gallsüchtige Absprecher und Hasser des *profanum vulgus* , Aulard, der gewissenhafte Erforscher alles kleinen und kleinsten Tatsächlichen. Diese Nachfolger überflügelten und verdunkelten ihn. Nichts aber kann sein Verdienst schmälern, die Ereignisse von 1789 bis 1799 zuerst als eine zusammenhängende monumentale Freske dargestellt, sie schlicht, klar, fließend in einer Sprache erzählt zu haben, die nicht durch stilistische Künsteleien, sondern durch die Gewalt der vorgetragenen Tatsachen wirken will.

In der ersten Ausgabe seiner "Geschichte der Revolution« stand Thiers auf dem Standpunkt, den 60 Jahre später Clemenceau einnahm, als er in der Kammerdebatte über die Aufführung von Sardous "Thermidor« im staatlich unterstützten *Théâtre françaisdie Umwälzung für einen "Block« erklärte, den man im ganzen annehmen müßte, ohne das Recht, gegen einzelne Teile Vorbehalte zu machen oder sie abzulehnen. Thiers hatte auch für die Schreckensherrschaft Erklärungen und Entschuldigungen, merzte jedoch in den späteren Auslagen diese Stellen aus seinem Werke aus. Ein Gegenrevolutionär, G. de Mortillet, machte sich das boshafte Vergnügen, in einer besonderen Schrift, " Monsieur Thiers altéré par lui-même* «, "Herr Thiers, von ihm selbst geändert«, Paris, 1846, die Stellen zusammenzutragen, in denen er sich selbst verleugnete. Auf Widersprüche dieser Art stoßen wir bei Thiers fortwährend. Man hätte indes unrecht, ihm aus ihnen einen Vorwurf zu machen. Er war kein Doktrinär und gab sich nie als einen solchen. Er war ein Politiker und die Politik ist die Kunst der Anpassungen an gegebene Verhältnisse, die man nicht ändern kann. Nur ging er in diesen Anpassungen häufiger, als seinem Andenken zuträglich ist, bis zum Verzicht auf Menschlichkeit.

Nach der Juli-Revolution war er es, der den Herzog von Orleans seinem anfänglichen, aufrichtigen oder geheuchelten, Widerstande zum Trotz bestimmte, sich zum König der Franzosen ausrufen zu lassen. Der neue Herr lohnte ihm seinen Dienst mit einem Ministerportefeuille, dessen junger Träger seine vernünftige Wertung der Revolution völlig vergaß und sich ganz seinen konservativen Instinkten hingab. Als Minister des Innern im Kabinett des Marschalls Soult verhaftete er die Herzogin von Berry, die die Bretagne und Vendée zu einem legitimistischen Aufstand gegen das Bürgerkönigtum aufzuwiegeln suchte, und entehrte sie durch amtliche Veröffentlichung des Protokolles über ihre Niederkunft im Gefängnis, vierzehn Jahre nach der Ermordung ihres Gatten, des einzigen Sohnes Karls X. Die überwältigten Arbeiter des Lyoner Viertels der Croix Rousse und der Pariser Rue Transnonain, die gegen seine Regierung Barrikaden aufgeworfen hatten, schickte er erbarmungslos auf das Blutgerüst, und 1835 gab er ein Gesetz gegen die Pressefreiheit, er, der seine Erhebung seinem Widerstand gegen die Preßordonnanzen Polignacs und den von ihm heraufbeschworenen Barrikadenkämpfen der drei Julitage 1830 verdankte. 1840, als Ministerpräsident, setzte er die Rückkehr der Asche Napoleons von St. Helena so wirksam in Szene, daß sie der Ausgangspunkt der epischen Napoleonssage wurde, veranlaßte die Umwandlung von Paris in eine Festung mit Außenforts, Wall und Graben und rief in Deutschland durch seine offene Forderung der Rheingrenze für Frankreich einen Sturm vaterländischen Zorns hervor, dem August Becker in seinem vom Fels zum Meer hallenden "Rheinlied« Ausdruck gab. Guizot, die ragendste Gestalt der Juli-Monarchie und eine der dauernden Größen der französischen Ruhmeshalle, mißbilligte scharf diese Herausforderungen und Heftigkeiten, und seine Gegnerschaft hielt Thiers in den letzten Jahren des Bürgerkönigtums von der Macht fern.

Nach der Februar-Umwälzung fand er sich rasch mit der Verjagung Ludwig Philipps ab, dem er die Krone auf das Haupt gesetzt hatte, ließ sich in die Nationalversammlung wählen und folgte hier ohne Hemmung seinem Herzenszug, der ihn an die Seite der maßlos rückschrittlichen Rechten führte. Er stimmte immer mit ihr, bekämpfte mit den plattesten und rückständigsten Gründen Proudhon und die sozialistisch gefärbten Ansprüche des vierten Standes, unterstützte den Gesetzentwurf de Falloux', der unter dem Vorwand der Unterrichtsfreiheit die Schule für ein halbes Jahrhundert der Kirche auslieferte, und nahm an der Einschränkung des Stimmrechts teil, die den endgültigen Bruch zwischen dem Volk und der zweiten Republik verschuldete. Er hatte aus diesem Anlaß das Duell, eine harmlose Begegnung auf Pistolen, das im Leben keines französischen Mannes der Öffentlichkeit fehlen darf, mit dem freisinnigen Abgeordneten Bixio, der ihm seine Abtrünnigkeit von den Grundsätzen seiner Jugend heftig vorwarf. Er unterstützte aus Haß gegen Cavaignac, der ihm trotz seiner blutigen Niederwerfung des Juni-Aufstandes der Pariser Arbeiter viel zu republikanisch war, im Dezember 1848 die Bewerbung des Prinzen Louis Napoleon Bonaparte um die Präsidentschaft, vermutlich mit dem Hintergedanken, ihn zum Kaiser zu krönen, wie er 1830 den Herzog von Orleans zum König gekrönt hatte, trat ihm jedoch später als Gegner gegenüber, wie Napoleon immer behauptete, weil er ihm trotz der Begönnerung kein Ministerportefeuille angeboten hatte, und erfuhr nach dem Staatsstreich vom 3. Dezember 1851 das für einen unnachgiebigen Ordnungsmann mit weißer Halsbinde und Vatermörder sonderbare und ein wenig humoristische Abenteuer, wie ein roter Umstürzler ins Gefängnis von Mazas geworfen zu werden. Natürlich schlief er nicht lange auf dem feuchten Stroh des Kerkers. Nach seiner Haftentlassung zog er sich aber auf zwölf Jahre schmollend vom öffentlichen Leben zurück und benutzte seine würdige Muße zur Abfassung seiner "Geschichte des Konsulats und Kaiserreichs«, einer gleichwertigen Fortsetzung und Vollendung seiner "Geschichte der Umwälzung«.

Dem zweiten Kaiserreich blieb er bis zum Schluß ein unbestechlicher Kritiker. 1855 sagte er seinen Sturz und das Heraufkommen der Republik voraus. 1863 ließ er sich in die gesetzgebende Körperschaft wählen und die damals allmächtige Verwaltung bekämpfte seine Bewerbung nicht. Er wußte ihr dafür keinen Dank und hörte nicht auf, die Finanzen und besonders die auswärtige Politik Napoleons III. herb zu tadeln. Der Krieg für Italien, 1859, schien ihm eine Tollheit. 1866 forderte er nach Sadowa mit großer Heftigkeit Frankreichs bewaffnetes Eingreifen, nicht aus Wohlwollen für Österreich, sondern um Preußen zu schwächen. Er war ein Feind der Einigung Italiens und Deutschlands und wollte, daß Frankreich sie um jeden Preis verhindere. Das wurde ihm später als großes Verdienst und als Beweis seines staatsmännischen Weitblicks angerechnet. Es scheint mir im Gegenteil Kurzsichtigkeit zu bezeugen. Bei wirklicher Voraussicht hätte es ihm nicht entgehen können, daß die nationale Bewegung in Italien und Deutschland ein Naturvorgang war, den Mißgunst der Nachbarn verzögern, doch nicht dauernd aufhalten konnte und der sich gegen jedes Hindernis durchsetzen mußte. Eine weise Staatskunst hätte ihre Bemühung dahin gerichtet, daß die doch nicht zu vereitelnde Einigung der Nachbarvölker sich nicht gegen Frankreich vollziehe, daß das neue starke Italien und Deutschland Frankreichs Freunde, vielleicht Verbündete werden. Thiers' Politik machte sie zu Feinden Frankreichs und bereitete ihm schwere Niederlagen. Hier sah Napoleon III. klarer als sein Gegner, der sich ihm weit überlegen glaubte. Er begünstigte die Einheitsbestrebungen Italiens und Deutschlands, nur war er nicht beharrlich und verdarb mit einem schlechten Abschluß die ganze voraufgegangene Arbeit.

Im Juli 1870 war Thiers einer der sehr wenigen Volksvertreter, die sich dem Kriege mit Deutschland widersetzten. Es gehörte sittlicher Heldenmut dazu, sich dem entfesselten Strom des Chauvinismus entgegenzuwerfen, aber er besaß ihn. Er sah da klar, wo die ungeheure Mehrheit verblendet war. Er wußte, daß es Frankreich an allem fehlte, und er setzte alles, was er an Volkstümlichkeit und Ansehen besaß, unbedenklich aufs Spiel, um sein Vaterland von dem Sprung in den Abgrund zurückzuhalten. Man ersparte ihm den Vorwurf der Feigheit, ja des Verrates nicht, und die öffentliche Meinung war derartig gegen ihn aufgebracht, daß die Menge vor sein Haus zog und es mit gewaltsamem Einbruch bedrohte. Sie lernte bei dieser Gelegenheit den Weg zu seinem Heim an der Place St. Georges, den sie bald wieder einschlagen sollte, um es in blinder Raserei dem Boden gleichzumachen.

Schon nach wenigen Wochen verwirklichten die Ereignisse seine verzweifeltsten Weissagungen. Gambetta und seine Mitarbeiter luden ihn am 4. September dringend ein, an der einstweiligen Regierung teilzunehmen. Das lehnte er ab, obschon die Einsetzung dieser Regierung in seinen Augen keine Umwälzung war, sondern eine rechtmäßige Vorsorge in einem Augenblicke, wo durch das Verschwinden des Kaiserreiches die oberste Staatsleitung erledigt war. Er bedachte sich denn auch nicht, von der Regierung der Landesverteidigung, in die er nicht hatte eintreten wollen, Sendungen anzunehmen. Er unterhandelte im Oktober mit dem Grafen Bismarck erfolglos wegen eines Waffenstillstandes und machte bald darauf eine seltsame, man möchte sagen romantische Reise nach London, St. Petersburg, Wien und Florenz, um sich über die Gesinnungen der Mächte für Frankreich zu unterrichten, vielleicht ein nützliches Eingreifen zu veranlassen. Überall wurde er mit der größten Achtung und Rücksicht aufgenommen, überall mit verbindlichen Worten abgespeist. Das konnte nicht anders sein und man muß sich nur wundern, daß ein Mann seines Alters, seiner Vergangenheit, seiner Erfahrung sich herbeiließ, einen entweder so verschwommenen oder so aussichtslosen Auftrag zu übernehmen, wie mit fremden Ministern Plauderstündchen abzuhalten oder mit leeren Händen vor sie hinzutreten und sie um Dienste anzugehen, die man in der Weltpolitik nicht gewöhnt ist, aus reiner Gefälligkeit zu erweisen.

Nach Sedan hielt er es für unmöglich, noch eine Frankreich günstige Wendung herbeizuführen, er verlangte laut den Frieden und schalt Gambetta, dessen Zuversicht unerschüttert blieb und der den Krieg bis aufs äußerste predigte, einen Tobsüchtigen. Er hatte den Schmerz, wieder recht zu behalten. Paris übergab sich, Jules Favre unterschrieb einen Waffenstillstand, der bereits die schweren Friedensbedingungen vorschattete, und das Land wählte am 8. Februar 1871 die Nationalversammlung, die im Namen des souveränen Volkes den Frieden schließen sollte. Die Wahlen waren ein hastiger Stegreifvorgang zwischen Trümmern. Die deutschen Truppen hielten die Hälfte Frankreichs besetzt. In 43 Departements gab es keine Postverbindung. Den Wählern blieb keine Zeit, sich die Männer anzusehen, denen sie durch ihre Stimmzettel ihr Vertrauen ausdrückten. Es wurde eine Vertretung bestellt, die fast durchweg aus neuen, unerprobten Männern bestand, aus Provinzlern, " *ruraux* «, von örtlichem Ansehn, denen man nur einen deutlichen Auftrag mitgab: dem Krieg um jeden Preis ein Ende zu machen. Thiers wurde in 26 Departements gewählt. Es war beinahe ein Plebiszit auf seinen Namen. Die in Bordeaux zusammentretende Versammlung verstand die Stimme des Landes und wählte ihn zum "Oberhaupt der vollziehenden Gewalt der Französischen Republik«. Die Versammlung zählte gegen 450 Monarchisten, 200 Republikaner und etwa 30 Bonapartisten. Vor ihr lag freie Bahn. Gambetta war am 5. Februar von der Regierung zurückgetreten, weil die in Paris zurückgebliebenen Minister seine eigenmächtige Verordnung für ungültig erklärt hatten, welche den Ministern, Senatoren, Staatsräten und offiziellen Kandidaten des Kaiserreichs die Wählbarkeit aberkannte. Frankreich hatte tatsächlich keine Staatsleitung und die Versammlung konnte eine solche nach ihrem Belieben einsetzen. Bei ihrer Zusammensetzung schien es unzweifelhaft, daß sie ohne Zögern den Grafen von Chambord als rechtmäßigen König aus der Verbannung heimberufen würde. Zu diesem Entschluß fehlte ihr jedoch der Mut und die Kraft. Die einen schwankten zwischen dem Enkel Karls X. und dem Ludwig Philipps I., die beide Erbrechte geltend machen konnten, die anderen hielten es für geboten, mit der Aufrichtung des Thrones bis zur Herstellung geordneter Zustände zu warten, denn sie wollten nicht, daß der König seine Herrschaft mit Unterzeichnung eines fürchterlichen Friedensvertrages beginne, der zwei Provinzen preisgebe und in eine fast die Verblutung bedeutende Schätzung einwillige, daß er einen alsbald ausbrechenden Aufstand mit Waffengewalt zu unterdrücken habe, daß er sich aufs neue der Stichelrede aussetze, die seinen Großoheim verfolgt hatte, daß er nämlich in den Gepäckwagen des Feindesheeres nach Frankreich zurückgeführt worden sei. Sie schlössen daher gern mit Thiers den sogenannten Pakt von Bordeaux, in dem sie übereinkamen, die Frage der Regierungsform einstweilen ruhen zu lassen und nur an der Wiederaufrichtung Frankreichs zu arbeiten.

Ob Thiers aufrichtig war, als er den Pakt von Bordeaux einging, mag dahingestellt bleiben. Jedenfalls handelte er, als hätte er seine Unausführbarkeit in der Praxis sofort erkannt. Die Versammlung wollte ihn nur zum "Oberhaupt der vollziehenden Gewalt« wählen. Thiers bestand jedoch darauf, daß hinzugefügt werde: "der Französischen Republik«, und warf der murrenden und sich sperrenden Versammlung in einer peitschenden Rede vor, sie "wage nicht, sich selbst die Regierung einzugestehen, die sie sich doch gegeben habe«. Sie gab widerwillig nach, doch von diesem Tage, dem 17. Februar 1871, ab standen Thiers und die Nationalversammlung einander wie ein Bändiger und ein Rudel Raubtiere gegenüber, die sich vor dem Blick, der Stimme, der Faust des Mannes ducken, jedoch auf den Augenblick lauern, wo sie sich auf ihn stürzen und ihn zerreißen können.

Thiers fand Frankreich in einem Zustand vor, der auch die stärkste Seele entmutigen konnte. Im Lande schaltete der fremde Sieger als Herr, das Heer befand sich ungefähr vollständig in der Gefangenschaft, die Staatskassen waren leer, die Verwaltung so gut wie aufgelöst, Parteiung zerklüftete das Volk, aus Paris hörte man unterirdischen Donner wie von einem Vulkan vor dem Ausbruch und der Süden verriet eine nicht für möglich gehaltene Neigung, die Staatseinheit zu sprengen und sich vom geschichtlichen Frankreich loszureißen. Aber diese furchtbare Lage machte Thiers nicht bange. Er wuchs zu der Größe, die der Augenblick forderte. "Ich habe«, schrieb er später an den Grafen von St. Vallier seinen Vertreter beim Höchstbefehlenden des deutschen Besatzungsheeres in Nancy, von Manteuffel, "meine politische Aufgabe darauf beschränkt, Frankreich wieder einzurichten. Vor allem der Friede; dann die Wiederherstellung der Ordnung, das Gleichgewicht in den Finanzen, die Neuschaffung des Heeres.« Diese Aufgabe war so gewaltig, daß der Mann, der sie nicht nur unerschrocken unternahm, sondern auch unerhört rasch und glücklich löste, zu den höchsten Gestalten aller Zeiten und Länder gezählt werden muß.

Sein erstes war, den Frieden mit Deutschland zu schließen. Er konnte den Vorfrieden am 26. Februar 1871 unterzeichnen. Um dieses Ziel zu erreichen, hatte er sich die schwersten Opfer abgerungen: die Abtretung von Elsaß-Lothringen, von dem er wenigstens Belfort rettete, die Bezahlung von 5 Milliarden, die die ersten Finanzleute Europas für unmöglich erklärten, nachdem er eine sechste abgehandelt hatte, den Einzug des Siegers in Paris, den er immerhin auf einen engen Bezirk die Seine entlang bis zum Louvre einschränken konnte. Er hatte gegen heftiges Mißtrauen Deutschlands zu kämpfen. Graf Bismarck hatte in einem Runderlaß vom 13. September 1870 die Überzeugung ausgedrückt, daß "Frankreich, um seine Niederlage zu rächen, uns wieder angreifen wird, sowie es sich, sei es allein, sei es im Verein mit einem Bundesgenossen, dazu stark genug fühlt.« Thiers war zu klug und schätzte seinen Gegner geistig zu hoch ein, um zu versuchen, ihn mit heuchlerischen Beteuerungen einzulullen. Er sagte dem ersten Botschafter des Kaisers Wilhelm in Paris nach dem Friedensschluß, Grafen Arnim, in einem Gespräch über die künftige Gestaltung der deutsch-französischen Beziehungen: "Wir wollen einen langen Frieden. Doch nach vielen Jahren, wenn Deutschland einmal mit anderen Mächten im Streit liegt, kann Frankreich von ihm Entschädigungen verlangen, damit es seinen Beistand gewinne.« Einem Staatsmanne, der so ehrlich sein Zukunftsprogramm aufdeckte, durfte man trauen.

Während er mit Deutschland mühselig und peinlich verhandelte, zog im Innern ein furchtbares Unwetter herauf. Am 10. März 1871 beriet die Nationalversammlung über die Wegverlegung ihres Sitzes und desjenigen der Regierung von Bordeaux und verwarf grimmig den Gedanken der Rückkehr nach Paris, dem Herde "des organisierten Aufruhrs, der Hauptstadt des Umsturzgedankens, wo sie auf den Pflastersteinen der Barrikaden Platz nehmen müßte«; nach vielem Reden und Schwanken entschied sie sich für Versailles. Paris war über seine Absetzung vom Range der Hauptstadt empört. Es sah vom Pakt von Bordeaux die Republik bedroht. Es empfand den Einzug der deutschen

Truppen als eine tödliche Beleidigung. Es befand sich in einer schweren wirtschaftlichen Not. Zwei- bis dreihunderttausend rüstige Männer, seit Monaten jeder Arbeit entwöhnt, hörten plötzlich auf, ihren Soldatensold von anderthalben Franken täglich zu erhalten; die Aufhebung des Moratoriums hatte zwischen dem 13. und 17. März 150 000 Wechselproteste in Paris allein zur Folge. Die Geister waren noch in der krankhaften Verfassung, die ein ausgezeichneter Irrenarzt unbedenklich als eine bestimmte Form der Geistesstörung ansprach und "Belagerungswahnsinn«, " *folie obsidionale* «, nannte. Der Befehl, der Nationalgarde die Geschütze wegzunehmen, die man ihr zugeteilt hatte, war der Funke, der in den aufgehäuften Sprengstoff schlug. Am 18. März brach der Kommune-Aufstand los, der mit der Ermordung der Generale Lecomte und Clément Thomas begann und in der letzten Maiwoche mit der Einäscherung der herrlichsten Baudenkmäler von Paris, dem Gemetzel der Geiseln, deren die Kommune sich bemächtigt hatte, und der Überschwemmung der Straßen mit einem Blutmeer endete.

Die Nationalversammlung, die Minister, ganz Frankreich verloren den Kopf, nur Thiers behielt den seinen. Er vereinigte die wenigen kläglichen Trümmer der Streitmacht, die ihm in den Händen blieben, zu einem Heere, er verlangte von Deutschland die vorzeitige Befreiung der Soldaten aus der Kriegsgefangenschaft und ihre schleunigste Rückbeförderung nach Frankreich, er bestellte den Marschall Mac Mahon zum Höchstbefehlenden, nahm aber an der Heeresleitung persönlich teil, hielt mit eiserner Faust in Marseille und Lyon drohende Versuche der Nachahmung des Pariser Beispiels nieder und war die Seele des energischen Angriffs auf die der Anarchie überlieferte Hauptstadt. Er wütete gegen die besiegten Empörer mit einer Grausamkeit, die vielleicht in diesem Maße nicht geboten war. Er widersetzte sich nicht genügend den Rachegelüsten der Nationalversammlung, die das überwundene Paris die Furcht büßen ließ, die es ihr eingejagt hatte. Aber als er am 29. Juni in Longchamps die Truppenschau über ein Heer von 120 000 Mann hielt, das in sechs Wochen einer harten Belagerung und erbitterter Straßenkämpfe, wenn auch gegen Mitbürger, wieder den Kopf hochhalten gelernt hatte, da war er sich bewußt, der Retter des Vaterlandes gewesen zu sein.

Kaum diesem furchtbaren Orkan entronnen, wandte er seine ganze Kraft daran, die fünf Milliarden, das Lösegeld der französischen Niederlagen, aufzubringen. Am 27. Juni schrieb er eine erste Anleihe für 2225 Millionen Franken fünfprozentiger Rente zum Kurse von 82 Franken 50 aus. 331 906 Zeichner boten ihm 4897 Millionen an – vier Wochen nach der Erstürmung des brennenden Paris! Ein Jahr später, am 29. Juli 1872, erfolgte die Ausgabe einer neuen Anleihe zur Vervollständigung der fünf Milliarden, diesmal zum besseren Kurse von 84 Franken 50. Sie wurde von 934 276 Zeichnern dreizehnmal gedeckt, Frankreich und das Ausland boten Thiers 43 Milliarden an. Nörgler haben getadelt, daß er zu teuer geborgt hatte. In der Tat, mit allen Kommissionen und Kosten stellte der Zinsfuß dieser Riesenanleihen sich auf 6,17 v. H. Aber der fabelhafte Erfolg der Operation berauschte Frankreich förmlich, erregte die Bewunderung der Welt, flößte den leitenden Kreisen Deutschlands Staunen und unwillkürliche Achtung ein, richtete das zermalmte Selbstbewußtsein des französischen Volkes wieder auf, offenbarte den Reichtum, die Elastizität, die Zukunftssicherheit Frankreichs, und derartige Ergebnisse waren mit dem hohen Preise der Anleihe nicht zu teuer bezahlt.

Das Gelingen des bis zur Verwegenheit kühnen finanziellen Unternehmens gestattete Frankreich, am 5. September 1873 die letzte Abschlagszahlung auf die Kriegsentschädigung zu leisten. Am 16. September verließ der letzte deutsche Soldat den französischen Boden, ein Jahr früher, als der Friedensvertrag vorgesehen hatte. Thiers hatte nicht nur das Land freigekauft, sondern auch alle sonstigen Kosten des Krieges und des Kommune-Aufstandes, einschließlich der fünf Milliarden rund 15,5 Milliarden, beglichen und im Staatshaushalt durch rücksichtslose Erschwerung der Steuerlast das Gleichgewicht annähernd hergestellt.

Dieses beispiellos schwierige Werk verwirklichte er gegen die härtesten und gefährlichsten Widerstände. Der bedenklichste ging vom Fürsten Bismarck aus, der angesichts der ernsten und eifrigen Arbeit Thiers' an der Erneuerung des französischen Heeres den Verdacht nicht los wurde, daß er einen Rachekrieg plane und vorbereite, und das Pfand nicht vorzeitig aus der Hand geben wollte, das die vom deutschen Heere besetzten französischen Departements darstellten. Es brachte ihn auch gegen Thiers auf, daß er ihn beargwöhnte, durch seine Berliner Vertreter, zuerst Gabriac, dann Gontaut-Biron, mit Hilfe der Kaiserin Augusta und anderer hoher Persönlichkeiten des Hofes unmittelbare Beziehungen zu Kaiser Wilhelm zu suchen und ihn umgehen zu wollen. Er ließ ihn sogar manchmal auch den Ärger entgelten, den sein Pariser Vertreter Arnim ihm mit seinen Ränken und seiner eigenmächtigen französisch-deutschen Politik bereitete. Es gelang Thiers, die Voreingenommenheiten des Fürsten Bismarck allmählich zu entwaffnen.

Weniger glücklich war er mit seinen Feinden in der Nationalversammlung. Sie war zweifellos nur gewählt worden, um den Frieden zu schließen. Hatte sie diese Aufgabe erfüllt, so wäre es ihre Pflicht gewesen, auseinander zu gehen und die Entscheidung über seine weiteren Geschicke in die Hände des französischen Volks zurückzulegen. Sie aber erklärte sich am 30. August 1871 für souverän und berechtigt, dem Lande eine Verfassung zu geben. Die große Mehrheit wollte die Monarchie wiederherstellen. Thiers hielt nur die Republik für möglich. Freilich eine Republik ohne Republikaner, eine Republik, die in eine undurchdringlich dicke Hülle von konservativer Watte eingewickelt ist. In sein erstes Ministerium hatte er die drei sicher genug blassen Republikaner Jules Favre, Jules Simon und General Le Flô berufen, sie jedoch der Reihe nach dem schlechten Willen der Versammlung geopfert. In seiner Botschaft vom 13. November 1872 sagte er: "Jede Regierung muß konservativ sein und keine Gesellschaft könnte unter einer Regierung leben, die es nicht wäre. Die Republik wird konservativ sein oder sie wird überhaupt nicht sein.« Und am 19. desselben Monats fügte er in einer Rede hinzu: "Ich bin ein Monarchist, der die Republik anwendet, weil man eben heute nichts anderes tun kann.« Das alles genügte nicht, um die Versammlung kirre zu machen. Sie verharrte in ihrer feindseligen Haltung gegen Thiers und er konnte sich nur behaupten, indem er immer wieder mit seiner Abdankung drohte. Das war eine richtige Erpressung, die bei jeder Wiederholung schwächer wirkte und schließlich ganz versagte. Die lange drohende Katastrophe trat am 24. Mai 1873 ein. Die Versammlung erklärte ihm aus einem vom Zaun gebrochenen nichtigen Anlaß, daß sie kein Vertrauen zu ihm habe und "eine entschlossen konservative Regierung fordere«, und Thiers trat sofort von der Präsidentschaft zurück, in der er auf Betreiben des Herzogs von Broglie, des Führers der Mehrheit und Urhebers seines Sturzes, durch den Marschall de Mac Mahon, Herzog von Magenta ersetzt wurde. Von diesem verhängnisvollen Tag an wurde der konservative Monarchist Thiers das natürliche Oberhaupt der radikalen Republikaner. Gambetta ließ ihm den Vortritt. Er befolgte seine Ratschläge in dem Kampfe gegen Mac Mahon und Broglie. Der Sieg der Republik über die Verschwörungen und Anschläge der Monarchisten war wesentlich Thiers' Werk, den nur sein plötzlicher Tod am 3. September 1877 hinderte, von neuem als Triumphator in das Elysée einzuziehen. In seinen letzten Jahren waren seine unvergleichlichen Verdienste vom ganzen Volk anerkannt worden. Selbst Paris hatte ihm seine Unerbittlichkeit gegen die Kommunekämpfer verziehen und bereitete ihm das Leichenbegängnis eines Vaters des Vaterlandes.

Seine Überzeugungen und noch mehr deren Wandlungen hatten ihm sein Leben lang viele Angriffe zugezogen, und er sagte später selbst von sich: "Ich bin ein alter Regenschirm, auf den es viel geregnet hat,« aber selbst seine erbittertsten Feinde räumten willig ein, daß sein Leben spiegelblank war. Er war nie interessiert und suchte nie materielle Vorteile. Als die Akademie ihm für seine "Geschichte des Kaiserreichs« ihren großen Preis von 20 000 Franken verlieh, weigerte er sich, auch nur einen Sou dieses Geldes für sich zu behalten, und stiftete für den ganzen

Betrag einen Adolphe Thiers-Preis, dessen Zinsen die Akademie jährlich zu verteilen hat. Als während der Kommune die Aufständischen sein Haus niederrissen, konnte man ihn nur mit größter Mühe dazu bewegen, dem Beschluß der Nationalversammlung zuzustimmen, daß sein Heim auf Staatskosten wieder aufgebaut werde. Allerdings wurde ihm diese Selbstlosigkeit dadurch erleichtert, daß er Fräulein Dosne, die Tochter eines Großindustriellen, heiratete, die ihm eine Millionenmitgift zubrachte und ihn zugleich mit ihrer bei ihr wohnenden unverheirateten Schwester bis an ihren Tod wie einen Abgott verehrte.

Nach seiner ersten Begegnung mit Bismarck urteilte dieser, wie wir von Moritz Busch erfahren, daß er etwas sehr redselig sei und sich verblüffen lasse. Bismarck wird wohl in der Folge dieses etwas rasche Urteil berichtigt haben. Er hätte sonst schwerlich dem Botschafter Gontaut-Biron gegenüber Thiers lächelnd "Adolf I.« genannt. Kaiser Wilhelm I. hatte von ihm eine hohe Meinung. Wie Manteuffel St. Vallier erzählte und dieser Thiers berichtete, sagte der Kaiser zum Feldmarschall: "Dieser Mann ist eine wahre Sirene. Er ist so geschickt und so klug, daß mein Geist sich daran gewöhnt, das Wort Republik, das mir bisher ein Greuel war, nicht mehr zu verabscheuen. Wenn er mir seine Unsterblichkeit in der Leitung der Staatsgeschäfte verbürgen könnte, würde er mich zu einem Republikaner machen.«

Er war geistsprühend und scharfsinnig und hatte einen Falkenblick für alles, was innerhalb seines Gesichtskreises lag; nur war dieser Gesichtskreis etwas eng und schloß namentlich wenig Zukunft in sich. Ich habe gezeigt, wie unzulänglich sein Urteil über die Entwicklung des deutschen und italienischen Nationalstaates war. Als in den dreißiger Jahren die ersten Eisenbahnen in Frankreich gebaut werden sollten, verhielt er sich ablehnend und nannte sie "ein Modespielzeug, an das nach wenigen Jahren niemand mehr denken würde«. Er widersetzte sich der Einführung des Hinterladers in die Bewaffnung des französischen Heeres, weil "dieses Gewehr nur zu einer Vergeudung der Munition verleiten würde«. Er bekämpfte als Präsident der Republik mit seinem ganzen Ansehn und Einfluß die allgemeine Wehrpflicht und den preußischen Gedanken des Volks in Waffen, wollte durchaus ein Berufsheer mit siebenjähriger Dienstzeit und konnte nur mit äußerster Anstrengung dahin gebracht werden, daß er sich zur Zulassung einer fünfjährigen Dienstzeit bequemte. Einer Einsicht aber erschloß er sich dennoch: daß Frankreich nur noch republikanisch regiert werden könne.

Thiers war selbstbewußt, doch nicht eitel. Er hatte Ehrgeiz, doch keine Streberei. Seine kleine Schwäche war, sich für einen großen Feldherrn zu halten, weil er für seine Geschichte die Feldzüge Napoleons eingehend studiert, in ihnen gelebt, an ihnen Kritik geübt hatte; und man konnte über ihn lächeln, wenn er während der Erstürmung von Paris auf dem Trocadéro neben Mac Mahon stand und in der Haltung Napoleons, eine Hand hinter dem Rücken, mit der andern das Fernrohr vor das Auge haltend, das Vorgehen der Truppen beobachtete. Wenn aber der kleine Mann vor dem pommerschen Recken Bismarck, dem er etwa bis zur Magengrube reichte, stand und sich gegen ihn behauptete, wenn er der entfesselten Nationalversammlung die Stirne bot, wenn er im Juni 1871 mit tränenumflorten Augen über die Goldeinfassung seiner Brille hinweg auf das an ihm vorüberziehende Heer, seine teuerste Schöpfung, blickte, während sein bartloses Gesicht zu einer römischen Imperatorenmaske erstarrte, dann lächelte niemand, sondern jeder empfand, daß dieser kleine Mann ein Großer war, der Großes gewirkt hatte.

Mac Mahon

Beim Ausbruch des Kommune-Aufstandes wurde der Marschall Mac Mahon aus der deutschen Kriegsgefangenschaft entlassen. Er begab sich nach Versailles, um sich dem Präsidenten Thiers vorzustellen. Dieser teilte ihm mit, daß er ihn für den Kampf gegen Paris zum Befehlshaber des Regierungsheeres ernennen wolle. "Aber ich bin ein Besiegter,« stammelte der Marschall überrascht. "Wir sind alle Besiegte,« erwiderte der Präsident und drückte ihm die Hand. So gab Thiers Mac Mahon Gelegenheit, sein militärisches Ansehen wiederzugewinnen, das er bei Sedan gelassen hatte.

Thiers rechnete trotz seiner Menschenkenntnis auf einige Dankbarkeit für diesen Dienst. Vor der Krise des 24. Mai, die er kommen sah, besprach er mit politischen Freunden die Lage und fragte sie, wen die feindliche Mehrheit an seine Stelle setzen könnte. Man nannte Mac Mahon. "Mac Mahon wird niemals annehmen,« bemerkte der Präsident schroff. Mac Mahon nahm jedoch sofort an, ohne auch nur fünf Minuten Bedenkzeit zu verlangen. Der Vorsitzende der Nationalversammlung Buffet sprach zwar in seiner Mitteilung an sie am Abend des 24. Mai von den "Bedenken, Einwänden und Widerständen«, die der " *illustre maréchal* « der ihm seine Wahl ankündigenden Abordnung entgegengesetzt habe, fügte jedoch hinzu, eine "kräftige Anrufung seiner Opferwilligkeit und Hingabe an das Land habe genügt, um ihn zur Annahme zu bestimmen«. So wurde Mac Mahon Staatsoberhaupt dank der neuen Jungfräulichkeit, die Thiers ihm bereitet hatte. Hätte er nicht an der Spitze des Paris angreifenden Heeres gestanden, niemand wäre auf ihn verfallen. Denn er hatte keinerlei politische Vergangenheit und war immer nur Soldat gewesen. Als solcher hatte er allen Regierungen gedient, die einander seit dem Sturze Napoleons I. in Frankreich gefolgt waren, und er sagte von sich: "Ich habe alle mit Bedauern fallen sehen, nur eine einzige nicht – die meine.« Auch als Soldat hatte er sich nie durch Selbständigkeit hervorgetan, sondern immer nur die Tugend der Untergeordneten geübt: den Gehorsam. Nach den Augustkämpfen 1870 wollte er nach Paris marschieren. Palikao schrieb ihm im Namen der Kaiserin-Regentin den verhängnisvollen Zug nach Sedan vor. Er hatte die klare Erkenntnis, daß er dem Verderben entgegenging, und zögerte unter schmerzlichen Zweifeln. Seine Generalstabsoffiziere beschworen ihn, bei seiner ursprünglichen Absicht zu bleiben. Er entschied jedoch: "Befehl ist Befehl« und führte sein unglückliches Heer in den Kessel von Sedan. Jahre vorher hatte Marschall Bugeaud, als davon die Rede war, Mac Mahon zum Statthalter von Algerien zu ernennen, über ihn geurteilt: "Ich glaube, er ist ein ausgezeichneter Feldoffizier, sehr militärisch, sehr entschlossen; ich glaube aber nicht, daß er die nötige Weite des Geistes besitzt, um Europäer und Araber zu regieren.« Diese Weite des Geistes, die er 1852 nicht besaß, hatte er sicherlich auch 1873 nicht erworben. Gleichwohl wurde er dazu berufen, das französische Volk zu regieren.

Mac Mahon, dessen Vorname Patrice (Patrick) an seine Abstammung erinnert, war der Sprößling einer irischen Familie, die mit Jakob II. nach Frankreich kam. 1749 erlangte sein Ahnherr die französische Anerkennung seines irischen Adels. In diesem Zug liegt echt irischer Humor. Einen Adelstitel, der nach britischem Gesetz gültig ist, besaß die Familie in ihrer Heimat nicht. Jeder Ire ist jedoch überzeugt, der Nachkomme keltischer Könige zu sein, und diese Überzeugung scheint die einzige Begründung der Adelsansprüche der französischen Mac Mahons gewesen zu sein, deren Stammvater den ehrenhaften Beruf eines Apothekers ausübte, sich indes durch eine vorteilhafte Ehe mit einer französischen Witwe von vornehmer Geburt mit der französischen Aristokratie versippte. Patrice de Mac Mahon wurde 1808 als der Sohn eines Generalleutnants geboren, trat früh in das Heer ein, erhielt sein erstes Offizierspatent von Karl X. und war nach zwanzigjährigem Dienst in Algerien mit vierzig Jahren General. Nach seinen Familienüberlieferungen, die seine Erziehung und sein Gefühl bestimmten, war er Legitimist, und auf die Nachricht von der Juli-Revolution, die ihn in Afrika erreichte, war seine erste Bewegung, den Abschied zu nehmen. Er überlegte sich die Sache indes und diente auch unter dem Bürgerkönigtum weiter. Die Februar-Revolution und der Staatsstreich Napoleons störten ihn nicht mehr; er hatte sich bereits an Regierungswechsel gewöhnt.

Der Krimkrieg trug zuerst seinen Namen in weite Kreise. Er führte seine Brigade zum Sturm auf den Malakoffturm (eigentlich müßte der russische Name deutsch Malachow geschrieben werden, aber die französische Umschreibung ist allgemein angenommen worden) und nahm die Stellung. Er war da russischem Kreuzfeuer ausgesetzt, gegen das er keine Deckung hatte und das ihm schwere Verluste beibrachte. Im Hauptquartier erfuhr man überdies, daß der Turm unterminiert sei und jeden Augenblick auffliegen könne. Pelissier ließ ihm durch einen

Adjutanten sagen, er solle sich doch zurückziehen. Mac Mahon aber erwiderte: Hier bin ich, hier bleib' ich«; "j'y suis, j'y reste«. Das war wenigstens die Lesart, die sich sofort verbreitete, die sich dauernd erhielt und die ihren angeblichen Urheber volkstümlich machte. Sie wurde später von Zeugen bestritten und Mac Mahon selbst erwiderte auf Befragen, die Worte drückten seinen damaligen Gedanken aus, doch werde er sie schwerlich so gebraucht haben, da es nicht seine Art sei, Epigramme zu spitzen. Diese bescheidene Selbsteinschätzung ist so sympathisch, daß man ihm ihr zuliebe das geflügelte Wort gutschreiben mag. Der Lohn seiner Tapferkeit und vielleicht noch mehr des ihm zugeschriebenen spartanischen Ausrufs war das Großkreuz der Ehrenlegion und seine Ernennung zum Senator.

Im Italienischen Krieg 1859 erhielt er die Führung des 2. Armeekorps. Seine besten Freunde haben ihm nie militärisches Genie nachgesagt. Aber er hatte, was ein so berufener Beurteiler wie Napoleon I. an einem General höher schätzte als militärisches Genie: er hatte Glück. Am 4. Juni, am Tage von Magenta, hörte er Kanonendonner. Er wartete weder auf Befehle noch auf umständliche Aufklärung, sondern beeilte sich, der bewährtesten Kriegsregel folgend, nach der Kanone hin zu marschieren. Er kam gerade zurecht, um den Kaiser Napoleon III. und sein Gardekorps, die vollständig umzingelt waren, vor der Gefangennahme und das Heer vor der zermalmenden Niederlage zu retten. Wie groß die Angst des Kaisers gewesen sein mußte, erhellt aus der Eile, mit der er wenige Stunden nach der Schlacht seinen Befreier zum Marschall von Frankreich und Herzog von Magenta beförderte. Es ist bezeichnend für dessen Geistesart, daß er die Drahtung, in der er seiner Gattin das große Ereignis mitteilte, "Malakoff« unterzeichnete. Er glaubte seinen neuen Titel unterschrieben zu haben und verwechselte in der Zerstreuung den italienischen mit dem russischen Kampfplatz.

Der Kaiser bewahrte seinem neuen Marschall und Herzog dauernde Dankbarkeit und ehrte ihn unter anderm mit dem Auftrag, ihn 1861 als seinen Botschafter bei der Krönung von Wilhelm I. in Königsberg zu vertreten, wo man sich allseitig lebhaft für ihn interessierte. Er ernannte ihn auch zum Statthalter von Algerien, wo er indes sehr schlecht abschnitt. Obschon er die Presse knebelte und jede öffentliche Äußerung der Unzufriedenheit mit Härte unterdrückte, konnte er doch nicht verhindern, daß die Erbitterung der Franzosen und Araber über seine plumpe und törichte Säbelherrschaft in Paris bekannt wurde und seine Abrufung erzwang.

Beim Ausbruch des 1870er Krieges erhielt er den Befehl über das I. Armeekorps der Rheinarmee. Es war ihm beschieden, am 4. und 6. August bei Weißenburg und bei Wörth die Reihe der französischen Niederlagen zu eröffnen, die bis zum Ende des Feldzuges nicht aufhören sollte. Mit den Trümmern seines geschlagenen Heeres wich er nach Chalons zurück, und es zeigt, wie arm an Männern das Kaiserreich war, daß Napoleon III. diesem Besiegten die dort versammelten 120 000 Mann, seine letzte Hoffnung nach der Einschließung von Bazaine in Metz, anvertraute. Für sein Land und sein Heer wollte sein altes Glück nichts mehr tun; für ihn selbst hatte es bei Sedan noch eine Bewegung des Mitleides. Er wurde am 1. September, als er seine Stellungen abritt, von einem Granatsplitter verwundet und mußte, oder durfte, den Befehl an General Ducrot abgeben, wodurch ihm der Schmerz erspart wurde, seinen Namen unter die Waffenstreckung der Armee zu setzen.

Im März 1871 geheilt aus der deutschen Kriegsgefangenschaft entlassen und von Thiers an die Spitze des gegen das aufständische Paris aufgebotenen Heeres gestellt, gelangte er nach der erfolgreichen Lösung seiner militärischen Aufgabe zu einer neuen Volkstümlichkeit, zu der das überschwengliche Lob der Rückschrittspresse sehr wesentlich beitrug. Das Losungswort, eine Heldensage für ihn zu erfinden, ging von den Führern der Monarchisten in der Nationalversammlung, in erster Reihe vom Herzog Albert von Broglie, aus, der in ihm ein brauchbares Werkzeug für seine Pläne sah.

Die Nationalversammlung vom 8. Februar 1871 war die Herrin der Geschicke Frankreichs. Sie war so überwiegend monarchistisch, daß ihre republikanische Minderheit vernachlässigt werden konnte. Ihre natürliche Absicht war, den Grafen von Chambord zum König Heinrich V. auszurufen. Sie scheiterte indes an ihrer inneren Zerklüftung und an dem Charakter des Grafen von Chambord. Die reinen Legitimisten, die nicht zugaben, daß die Heimkehr des Königs aus der Fremde an irgendeine Bedingung geknüpft werde, waren für sich allein nicht die Mehrheit. Zu dieser wurden sie erst im Verein mit den minder altertümlichen Monarchisten, die dem Bürgerkönigtum ein zärtliches Andenken bewahrten, und zwar gleichfalls einen König wünschten, doch einen König, der seiner Zeit, seinem Volke, der Geschichte Zugeständnisse machte und sich nicht der Selbsttäuschung hingab, er könne eine einfache Fortsetzung Ludwigs XIV. sein und alles, was sich seit 1789 ereignet hatte, als ungeschehen betrachten. Da sie diese Zugeständnisse nicht vom König erlangen konnten, versagten sie den "Chevauxlégers«, wie man die unbedingten Legitimisten nannte, ihre Heerfolge, und diese Spaltung verurteilte die Mehrheit zur Ohnmacht.

Der Graf von Chambord erscheint in der Geschichte Frankreichs wie eine sinnbildliche Gestalt in der Glasmalerei eines gotischen Kirchenfensters, in ihren Umrissen schematisch vereinfacht, groß, ein wenig steif, von alten, geheimnisvoll leuchtenden Vollfarben. Er tat sein Leben lang grundsätzlich nichts, und es fügte sich, daß dieses methodische Nichtstun eine bedeutsame Tat war. Er weilte fern von Frankreich, ohne irgendeine Berührung mit dem französischen Volke, und er gab dennoch dessen Geschicken eine entscheidende Wendung.

Heinrich von Bourbon wurde bei seiner Geburt im Jahre 1820 "das Wunderkind« genannt, denn er kam einige Monate nach der Ermordung seines Vaters, des einzigen Sohnes Karls X., zur Welt, als jedermann glauben mußte, die gerade Linie der französischen Bourbonen sei zum Aussterben verurteilt und die Krone werde auf den Sohn des verhaßten Philippe Egalité übergehen, da der spanische Zweig durch den Pyrenäen-Vertrag von der Erbfolge in Frankreich ausgeschlossen war. Das junge grüne Reis, das dem bereits für tot gehaltenen alten Stamm entsproß, wurde von den Königstreuen als die Verheißung einer neuen Zukunft jubelnd begrüßt. Bei seiner Geburt erhielt er von seinem Großoheim Ludwig XVIII. den Titel eines Herzogs von Bordeaux und später den eines Grafen von Chambord, zur Erinnerung daran, daß die Anhänger des Königshauses durch eine mehr oder minder freiwillige öffentliche Sammlung mehrere Millionen aufgebracht, dafür das geschichtliche Schloß Chambord mit ansehnlichem Grundbesitz gekauft und dem Neugeborenen als Wiegengeschenk gestiftet hatten. Der Prinz hatte in der Folge den Herzenstakt, sich immer nur Graf von Chambord zu nennen, um zu zeigen, wie dankbar er seinen Getreuen für den Beweis ihrer Ergebenheit und Liebe immer geblieben sei.

Er ging nach der Juli-Umwälzung mit seinem Großvater in die Verbannung nach Österreich, dessen Gast er bis zu seinem Tode war. Man trennte ihn früh von seiner geistvollen und energischen Mutter, der Herzogin von Berry, die wegen ihres Wandels und ihrer Abenteuer von der Familie stillschweigend in Acht getan wurde, und vertraute seine Erziehung hochgebildeten und milden, doch vollständig mittelalterlichen Geistlichen an, aus deren Händen er als ein verblüffender lebender Anachronismus hervorging: gütig, tugendhaft, ritterlich, geistig geweckt, vielseitig und gründlich unterrichtet, doch fromm und der Kirche ergeben wie sein Vorfahr Ludwig der Heilige, unerschütterlich überzeugt, daß er sein Königsrecht und seine Herrschersendung von Gott selbst habe, und gegen alle Gedanken der Zeit hermetisch verschlossen. Er heiratete eine Prinzessin von Modena, Erzherzogin von Österreich, die von ihrer Tante, einer Tochter der unglücklichen Königin Marie Antoinette, erzogen war und von ihr das Grauen vor der Umwälzung überkommen hatte. Sie war um drei Jahre älter als ihr Gatte und durch einen Kindheitsunfall war ihr eine Gesichtshälfte tief entstellt. Ihr unglückliches Äußeres glichen jedoch Herzenseigenschaften aus, ihre Ehe war rein und harmonisch und nur durch ihren Schmerz über ihre Kinderlosigkeit getrübt. Sie teilte alle Anschauungen ihres Gatten und bestärkte ihn in ihnen. Vielfach wurde behauptet, sie habe ihren Gatten abgehalten, sich ernstlich um die Wiederaufrichtung des Thrones seiner Väter zu bemühen. Dies ist ein bloßer theoretischer Schluß aus ihrer bekannten Geistesverfassung. Ihre Kindheit war mit Schreckbildern der Pikenmänner, der Strumpfstrickerinnen, des Tempelgefängnisses, der Conciergerie, des Fallbeiles genährt worden, das französische Volk flößte ihr Angst ein und vor Paris schauderte ihr. Aber auf den Grafen von Chambord färbte das nicht ab. Er liebte sein französisches Volk immer wie ein zärtlicher Vater sein schwer krankes delirierendes Kind, und es ist auch nicht richtig, daß er die Herrschaft nicht antreten wollte. Er tat, was er für zulässig hielt, um sich die erdrückende Last der Königskrone aufs Haupt zu setzen, aber dies durfte allerdings nur unter ehrenvollen Bedingungen geschehen. Er war kein Abenteurer, der mit zweifelhaften Mitteln seinen Erfolg erzwingen will, nicht einmal ein Prätendent, dem Verschwörungen und Zettelungen sein Reich wiedergeben sollen. Er war vor Gott, der Welt und sich selbst der rechtmäßige König, und seine Würde gebot ihm, gefaßt zu warten, bis Frankreich sich zerknirscht und reuig seiner erinnern und ihn anflehen würde, gütig verzeihend in die Mitte seines verwaisten Volkes zurückzukehren.

Beim Tode seines Großvaters 1844 zeigte er den Mächten seinen Regierungsantritt an und fügte hinzu: "Ich will jedoch meine Rechte erst ausüben, wenn nach meiner Überzeugung die Vorsehung mich berufen wird, Frankreich wahrhaft nützlich zu sein.« Nach dem Sturz des Kaiserreichs, nach der Wahl der Nationalversammlung mit ihrer gewaltigen monarchistischen Mehrheit, schien dieser Augenblick gekommen. Die Orleanisten wollten jedoch zuerst vorsichtig das Gelände abtasten, um zu wissen, ob der König als Selbstherrscher oder verfassungsmäßig regieren wolle. Chambord erließ verletzt am 6. Juli 1871 ein Manifest, um zu erklären, daß er sich "keinen Bedingungen zu fügen habe und Frankreich nicht das Opfer seiner Ehre bringen werde«. Das machte die Orleanisten bedenklich, sie traten beiseite, und die Heimberufung Chambords unterblieb vorerst. Die Mehrheit wollte nun, um späteren Entwicklungen nicht vorzugreifen, ein Provisorium schaffen, den Herzog von Aumale, den Sohn Ludwig Philipps und Oheim des orleanistischen Thronerben Grafen von Paris, zum Präsidenten der vollziehenden Gewalt ernennen. General Trochu reiste im Januar 1872 zu Chambord nach Antwerpen, wo er sich aufhielt und die Ereignisse abwartete, und tat einen Kniefall vor ihm, um seine Einwilligung zum Plan seiner Anhänger zu erlangen. Chambord erwiderte schroff: "Ich gebe nicht zu, daß ein Prinz von Geblüt sich außerhalb der Umgebung seines Königs bewege.« Und kaum war Trochu gegangen, als er ein neues Manifest ausgab, worin er sagte: "Ich werde niemals verzichten und niemals einwilligen, der rechtmäßige König der Revolution zu werden.«

Immerhin milderte sich seine Unnachgiebigkeit ein wenig, und er ließ sich wenigstens herbei, mit dem Abgesandten der Mehrheit Chesnelong über seine Regierungsgrundsätze zu reden. Er versprach eine Verfassung, er gewährte eine Volksvertretung, er wollte nichts von Standesvorrechten wissen und meinte, er werde ohne Zweifel seine gewohnte Umgebung verstimmen, da er seine Ratgeber nicht aus ihrer Mitte wählen werde. Unerschütterlich jedoch blieb er in einem Punkte: er wollte nach Frankreich nur mit seiner weißen Fahne, der Fahne Heinrichs IV., zurückkehren und um keinen Preis das Dreifarbenbanner annehmen, das für ihn das unverschämte Abzeichen der Umwälzung war. Die weiße Fahne war nur ein Sinnbild. Aber er selbst war ja auch nichts anderes. Mit einer selbstironisierenden Anspielung auf sein Hinken, das ihm von einem Sturz vom Pferde geblieben war, sagte er: "Ich bin entweder das Heil oder ein dicker Lahmer.« Und ein andermal: "Ich bin ein Grundsatz. Verleugne ich mich, dann bin ich nur ein fetter krummer Mann.« Der Herzog von Broglie, im Herzen ein Orleanist, erkannte einerseits die Unmöglichkeit, Frankreich die weiße Fahne aufzunötigen, und war andererseits entschlossen, die Aufrichtung der Republik zu verhindern. Er setzte also einen weit ausgreifenden Plan ins Werk. Er sammelte die Legitimisten und Orleanisten, stürzte am 24. Mai 1873 Thiers und machte Mac Mahon zum Präsidenten, damit er, da der

Herzog von Aumale es nicht tun durfte, den Platz hüte, bis ein König ihn von seinem Posten abberufen würde. Broglie wußte, daß dieser König nicht Heinrich V. sein könne. Mac Mahon, trotz seiner unverfälscht legitimistischen Gesinnung, wußte es auch. Als man ihn fragte, wie das Heer die weiße Fahne aufnehmen würde, erwiderte er: "Bei ihrem Anblick würden die Chassepots von selbst losgehen.« In Ermangelung Heinrichs V. war Ludwig Philipp II., das heißt der Graf von Paris, der Mann der Vorsehung. Seit er am 5. August 1873, umgeben von seinen Oheimen, dem Grafen von Chambord auf seinem Landschloß in Frohsdorf gehuldigt, die Juli-Revolution und seinen Vater, wenn auch nicht ausdrücklich, verleugnet und das ausschließliche, gottgewollte, heilige Erbrecht des Oberhauptes seines Hauses anerkannt hatte, war er der Dauphin, der nur zu warten hatte, um im rechtmäßigen Erbgang der König aller Monarchisten zu werden. Die Lösung aller Schwierigkeiten sollte der Tod Chambords bringen. Das durfte man nicht roh aussprechen, aber alle Welt verstand den Gedanken Broglies, als er zuerst der Amtsdauer Mac Mahons gar keine Grenzen vorherbestimmen, dann ihr ein zehnjähriges Ziel setzen wollte und sich nur nach hartem Widerstand zur Annahme einer siebenjährigen Dauer bequemte, auch dann aber mit der Kraft der Verzweiflung dagegen ankämpfte, daß man das Septennat aus einem persönlichen Verhältnis Mac Mahons in eine Einrichtung des öffentlichen Rechts umwandle. Was Broglie wollte, das war, daß Mac Mahon die Ausrufung der Republik verhindere, jedoch in dem Augenblick freiwillig verschwinde, wo der König, ein möglicher König mit der Dreifarbenfahne, erscheinen würde. All diese Kniffligkeiten erwiesen sich als zwecklos gegenüber der unbeugsamen Starrheit Chambords. Er bestand auf seinem Grundsatz des göttlichen Königsrechts gegenüber dem angemaßten Volksrecht, er hielt seine weiße Fahne hoch, und als er erkannte, daß selbst die Monarchisten ihm nicht folgten, zog er sich wieder in seine Frohsdorfer Einsamkeit zurück und wartete weiter auf ein unmittelbares Eingreifen der Vorsehung, das aber bis zu seinem Tode nicht erfolgte.

Mit seinem blonden Haupthaar und Vollbart, seinen großen, sinnenden Blauaugen, seiner edelgebildeten geraden Nase, seinen männlich schönen regelmäßigen Zügen war Heinrich von Chambord eine überaus vornehme und eindrucksvolle Erscheinung. Er war einfach und natürlich, wußte aber im richtigen Augenblick äußerst königlich zu sein. Er hatte viel gesunden Menschenverstand und Mutterwitz, weigerte sich jedoch, Gedankengängen zu folgen, die ihn zum Zweifel an seinem Gottesgnadentum geführt hätten. Hätte die Umwälzung die Reihe der Könige Frankreichs nicht unterbrochen, so wäre er in ihr einer der besten, jedenfalls ein guter gewesen. Seine Charakterfestigkeit, die ihn auf die Herrschaft verzichten ließ, ersparte Frankreich gefährliche Erschütterungen, vielleicht mörderische Bürgerkriege. Seine Haltung sprengte den Bund der Monarchisten, löste die konservative Mehrheit auf, entmannte die Nationalversammlung und zwang sie gegen ihren Willen, trotz ihres ohnmächtigen Widerstandes, am 30. Januar 1875, mit einer Stimme Mehrheit, mit 353 gegen 352 Stimmen, die republikanische Regierungsform anzunehmen. So wurde Heinrich V., der heilige Georg des Drachen der Revolution, der eigentliche Urheber der dritten Republik.

Der Herzog von Broglie, der Sohn eines Pairs, der unter der Juli-Monarchie für einen Freisinnigen galt, glaubte ehrlich, gleichfalls ein solcher zu sein. Aber er weigerte sich, ein Recht der Zahl anzuerkennen, er hielt die Millionen der Menge für unfähig, sich selbst zu regieren, er war überzeugt, daß sie einer Führung bedurften, und er wollte, daß der gebildete und besitzende höhere Mittelstand der Führer der dumpfen und beschränkten Mehrheit sei. Deshalb widersetzte er sich hartnäckig der Republik und wollte, als er ihre Ausrufung nicht verhindern konnte, sie wenigstens in einen Käfig von Einrichtungen sperren, die einer kleinen gesellschaftlichen und geistigen Auslese die Herrschaft gesichert hätten. Seine Anstrengungen waren eitel. Das allgemeine Stimmrecht riß seine schwachen Papierdämme spielend nieder und ersäufte ihn.

Mac Mahon ernannte ihn am Tage seiner Wahl zum Ministerpräsidenten. Das war das wenigste, was er für den Mann tun konnte, der ihn zum Staatsoberhaupt gemacht hatte. Er ließ ihn jedoch ruhig fallen, als ein Jahr später, am 16. Mai 1874, die Nationalversammlung ihm ihr Vertrauen entzog. Der Herzog von Magenta nahm sich ernst. Man hatte ihm eine Rolle anvertraut, und er fühlte sich als die Person, die er nur spielen sollte. Er weigerte sich, den Grafen von Chambord zu empfangen, als er im Oktober 1873 insgeheim nach Versailles kam. Er sagte in seiner Botschaft vom 3. Dezember 1874 an die Nationalversammlung: "Ich habe einen Dienstbefehl und werde niemals fahnenflüchtig werden.« Er unterschrieb die republikanische Verfassung, als sie angenommen war. Die Versammlung rang sich Ende 1875 den Entschluß ab, sich aufzulösen. Am 20. Februar 1876 wurde eine neue Kammer gewählt, und ihre Mehrheit war republikanisch. Auch das störte Mac Mahon nicht. Es kostete ihn keine Selbstüberwindung, mit einer republikanischen Kammer zu regieren. Er versuchte es zuerst mit einem Ministerium Dufaure von unentschiedener Färbung und dann, am 12. Dezember 1876, mit einem Kabinett, in dem Jules Simon den Vorsitz führte. Dieser trat sein Amt mit der Erklärung an, er sei "tief konservativ und tief republikanisch«. Broglie hörte nur das zweite Beiwort, nicht das erste. Er sah mit wurmendem Unmut, daß die Republik sich im Lande von Tag zu Tag mehr befestigte, und er benutzte den ersten Vorwand, um Jules Simon beiseite zu stoßen, die Zügel wieder selbst in die Hand zu nehmen und scharf nach rechts zu wenden.

Das geschah an dem berühmten 16. Mai 1877, der für Mac Mahon der Schicksalstag werden sollte. Tags vorher hatte Jules Simon in der Kammer sich der Abschaffung des reaktionären Preßgesetzes von 1875 nicht mit genügender Energie widersetzt, obschon er dem Präsidenten versprochen hatte, sich für dessen Aufrechterhaltung einzusetzen. Mac Mahon schrieb ihm einen Brief, in dem er ihm den Wortbruch vorwarf und fortfuhr: "Die Haltung des Ministerpräsidenten zwingt zur Frage, ob er noch den nötigen Einfluß auf die Kammer besitzt, um seine Ansichten vorwiegen zu lassen. Eine Erklärung ist unerläßlich; denn ich bin zwar nicht wie Sie der Kammer verantwortlich, wohl aber habe ich Frankreich gegenüber eine Verantwortlichkeit, die heute mehr als je meine Sorge sein muß.« Man hat später glauben machen wollen, Mac Mahon habe diesen keiner Regierungsüberlieferung entsprechenden harten öffentlichen Verweis seinem Ministerpräsidenten aus eigener Entschließung erteilt. Es ist jedoch bewiesen, daß er sich in der Nacht zum 16. Mai mit Broglie beriet und daß der Brief dessen Werk ist.

Jules Simon ging, und der Herzog von Broglie trat an die Spitze der Regierung, deren erste Tat es war, die Kammermehrheit vor den Kopf zu stoßen und mit ihr zu brechen. Sie erklärte dem Ministerium mit 363 Stimmen ihr Mißtrauen, und Broglie antwortete darauf zuerst am 17. Mai mit ihrer Vertagung und dann, am 18. Juni, mit der Auflösung. Während der Wahlbewegung übte er den härtesten Druck auf das Land. Die Presse wurde geknebelt, der Verkauf der Zeitungen erschwert oder brutal verhindert, 2000 Strafprozesse wegen Präsidentenbeleidigung und angeblicher Übertretung der Polizeivorschriften für den Zeitungsvertrieb eingeleitet, Gambetta selbst am 11. September wegen seiner Rede von Hâvre von einer gefälligen Pariser Strafkammer im Abwesenheitsverfahren zu drei Monaten Gefängnis und 2000 Frank Buße verurteilt, eine Strafe, die freilich nie vollstreckt wurde. Mac Mahon zog im Lande umher und suchte mit seinem persönlichen Eintreten auf die Wähler Eindruck zu machen. Es half jedoch alles nichts. Aus den Wahlen vom 14. Oktober ging die republikanische Mehrheit der 363 beinahe vollzählig wieder hervor, und Broglie mußte zurücktreten. Aber hinter der Kulisse lenkte er noch die Bewegungen Mac Mahons wie die einer Gliederpuppe. Der Präsident versuchte, den Kampf fortzusetzen. Er ernannte General de Rochebouet am 14. November zum Ministerpräsidenten und Kriegsminister mit der später vergebens abgeleugneten Absicht, einen Staatsstreich auszuführen. Als das Kabinett sich der Kammer vorstellen wollte, weigerte sie sich, mit ihm in Berührung zu treten. An alle Garnisonen ergingen geheimnisvolle

Befehle, die durch die kühne Tat eines Stabsoffiziers, des Majors Labordère vom 14. Infanterieregiment, der weitesten Öffentlichkeit bekannt wurden. Aus der Reihe der Offiziere, die in Limoges zusammenberufen wurde, um einen Tagesbefehl zu empfangen, trat er nämlich hervor und erklärte, er verweigere den Gehorsam, da der Befehl nur einen Staatsstreich bedeuten könne. Wegen dieser Verweigerung des militärischen Gehorsams wurde Labordère sofort verhaftet und in der Folge schlicht verabschiedet, doch zum Abgeordneten gewählt; der Zwischenfall erschreckte jedoch die Leiter des Widerstandes gegen den Volkswillen, da er ihnen zeigte, daß sie auf das Heer nicht zu rechnen hatten. Broglie gab den Kampf auf, und Mac Mahon streckte die Waffen. Er entließ Rochebouet, kroch durch das kaudinische Joch der republikanischen Mehrheit, die ihm Dufaure als Ministerpräsidenten aufnötigte, verhielt sich 1878 ruhig und ergeben, um den Erfolg der Pariser Weltausstellung von 1878, einer großen Kundgebung der französischen Lebenskraft und der Erholung des Volkes von den 1879er Niederlagen und ihren äußeren und inneren Folgen, nicht zu beeinträchtigen, und dankte am 30. Januar 1879 ab, da in der Regierung der radikal gewordenen Republik für ihn kein Platz mehr war.

Das Mittelalter war von der Neuzeit nach einem letzten erbitterten Ringen in den Staub geschleudert worden, die Königsüberlieferung strich vor der Umwälzung die Flagge. Die Republik war unerschütterlich gegründet, der Volkswille in ihr die treibende Kraft, die Demokratie von der Vormundschaft befreit, die eine kleine, an Vorrechte gewöhnte Klasse sich über sie anmaßen wollte. Mac Mahon lebte noch eine Reihe von Jahren in einer ruhmlosen Zurückgezogenheit und starb 1893, halb verschollen und ganz unbeachtet.

Während des Kampfes nach dem 16. Mai war er der Gegenstand erbarmungsloser Angriffe der spitzesten republikanischen Federn. Das Bild, das sie damals von ihm zeichneten, prägte sich der Menge ein und blieb unverwischbar. Es zeigt ihn als unmäßigen Verehrer der Chartreuse und als bis zur Trottelei einfältigen Schwachkopf. Man erzählte von ihm die lächerlichsten Anekdoten, die willig geglaubt wurden. Einem schwarzen Kadetten, der ihm in St. Cyr als besonders tüchtig vorgestellt wurde, hätte er gesagt: "Sie sind Neger? Schön. Fahren Sie fort, es zu sein.« Bei der Flottenschau in Hâvre hätte er das Meer lange angestarrt und schließlich ausgerufen: "Das viele Wasser! Das viele Wasser!« Beim Besuch eines Militärkrankenhauses hätte er am Bett eines Typhuskranken bemerkt: "Typhus? Schlimme Geschichte. Man stirbt daran oder bleibt zeitlebens ein Idiot. Ich muß das wissen. Ich habe in Algier den Typhus gehabt.« Wahrscheinlich ist all das Erfindung, Entstellung oder Mißdeutung. Es war anstößig übertrieben, ihn den "Bayard der Gegenwart« zu nennen, wie der Graf von Chambord es in seinem Manifest vom Oktober 1873 getan hatte, es war bedauerlich ungerecht, ihn als einen albernen Tropf zu malen, wie es später geschah. Er war einfach ein mittelmäßiger Mensch ohne besondere Gaben, ein tüchtiger Kommißoffizier, der großen Heerführeraufgaben nicht gewachsen war, und seine geschichtliche Bedeutung liegt nur darin, daß die Sache der Gegenrevolution bei ihrem letzten verzweifelten Unternehmen gegen die Revolution in der ganzen konservativen Partei keine bedeutendere Verkörperung finden konnte als diese Mittelmäßigkeit.

Jules Simon

Es gibt vielleicht ganz einheitliche, ganz eindeutige Naturen, aber sie stehen außerhalb der uns bekannten Menschheit, und wir glauben nicht an sie. Es entspricht nicht der Arbeitsmethode des Gattungsgenius, Individuen bloß aus Gemeinheit oder bloß aus Tugend und Heldentum herzustellen. Im Paradiese Mohammeds hat das Bein eines Verbrechers Platz gefunden, der einmal einem angebundenen Esel mit dem Fuß ein Heubündel näherschob, wonach das hungernde Tier vergebens den Hals reckte. Der Bösewicht hatte einmal im Leben auch eine gute Regung. Die katholische Kirche wartet mit der Heiligsprechung grundsätzlich bis zum Tode des letzten Zeitgenossen der Person, der sie den Strahlenkranz um das Haupt flechten will. Der Heilige hatte auch einmal einen Augenblick der Menschenschwäche, und die es bezeugen können, müssen erst verschwinden, ehe ihm Altäre geweiht werden. Wahr, begreiflich und darum fesselnd erscheinen uns nur die gemischten Naturen, die Licht und Schatten in richtigem Verhältnis vereinigen. Den Schatten begrüßen wir als das Erwartete, das Selbstverständliche, worin wir die uns bekannte Menschlichkeit wiederfinden, das Licht geben wir um der Schatten willen leichter zu. Diese und ähnliche Gedanken weckt der Anblick des Hauses Nummer 10 an der Place de la Madeleine, wo Jules Simon 51 Jahre lang gewohnt hat. Nicht in derselben Wohnung, das sei sofort hinzugefügt. Als kleiner Dozent mietete er einige enge Hofzimmer eine Treppe hoch. Als außerordentlicher Professor erhob er sich auf den zweiten Stock. Als berühmter Abgeordneter, Redekünstler, Schriftsteller, Minister erklomm er das oberste Stockwerk und erlangte das formale Recht, von der Dachkammer zu reden, in der er hauste. Ganz richtig: es war eine Dachkammer fünf Treppen hoch, unmittelbar unter dem Speicher. Aber die "Mansarde« umfaßte zehn Zimmer, sie hatte Raum für eine Bücherei von 25 000 Bänden, einen Balkon von dreißig Schritt Länge, die märchenhafte Aussicht auf die Madeleinekirche und die Flucht der Boulevards bis zum Knick etwa an der Oper auf der einen und bis zur St. Augustinkirche auf der anderen Seite, sie kostete 5000 Fr.

jährlich und war nur darum so billig, weil der kluge Mieter einen langjährigen Vertrag zu einer Zeit geschlossen hatte, als der Mietzins niedrig stand, und sie war um ihrer Bequemlichkeit und unvergleichlichen Lage willen der Gegenstand des Neides all seiner Besucher. Diese Dachkammer war ein Sinnbild des Charakters und Lebens ihres vieljährigen Bewohners. Sie schien dürftig und war reich bis zur Üppigkeit. Sie tat demütig proletarisch und war raffiniert patrizisch. Diese Pose der Bescheidenheit, der Verkleidung in das Mäntelchen eines irreführenden gefälligen Wortes finden wir fortwährend bei Jules Simon. Er war eben eine gemischte Natur, und das macht ihn unterhaltlich.

Er hat in seinem langen Leben viele und große Erfolge gehabt. Das ist immer ein Beweis von Begabung und Kraft. Nur der oberflächlichsten Betrachtung wird der Erfolg sich als reine Glückssache darstellen. Auch der günstigste Zufall will benutzt sein, und die richtige Benutzung setzt mindestens Raschheit des Urteils, Gewandtheit im Zugreifen, Entschlossenheit im Festhalten voraus, und das sind Vorzüge. Es sind die Vorzüge, mit denen Jules Simon für den Kampf ums Dasein ausgerüstet war.

Jules Simon war 1814 in Lorient geboren und starb 1896 in Paris. Seine Anfänge waren rührend. Er war ein Bettelstudent. Als Gymnasiast in der bretonischen Stadt Vannes gab er Stunden, die ihm mit 3 Fr. monatlich bezahlt wurden. Freilich konnte er vier Schüler zugleich unterrichten, und so brachte ihm die Stunde tatsächlich 12 Fr. monatlich. Er hatte ihrer zwei, also 24 Fr. Einkommen. Für Wohnung und Kost mußte er aber einer alten Witwe 25 Fr. bezahlen, und der eine fehlende Frank erlangte für ihn beinahe eine tragische Bedeutung, bei der er in seiner Lebensgeschichte sehr wirksam verweilt. Die Bedrängnis dauerte indes nicht lange. Er erhielt vom Departement ein Stipendium von 200 Fr. und konnte nicht nur den Fehlbetrag decken, sondern sich auch den Luxus flotter Kleider und Schuhe genehmigen.

Seine erste starke Tat war, daß er sich einen Gönner gewann. Das war Victor Cousin, ein großer Mann in seinen Tagen. Jules Simon kam mit 39 Fr. und einigen lauen Empfehlungen nach Paris, wo er keine Seele kannte. Cousin nahm ihn wohlwollend auf, machte ihn zu seinem Sekretär und Mitarbeiter, erleichterte ihm den Eintritt in die *Ecole Normale* , verschaffte ihm die ersten Gymnasiallehreranstellungen, erwirkte dann seine Ernennung zum Professor der Philosophiegeschichte an der Sorbonne, öffnete ihm die vornehmsten Zeitschriften und hinterließ ihm bei seinem Tode seine wertvolle Büchersammlung von 20 000 Bänden. Er ebnete ihm also die amtliche und schriftstellerische Laufbahn auf ihrer schwierigsten Strecke. Er förderte ihn wie keinen andern seiner Jünger und Höflinge. Er schenkte ihm sogar einen Namen.

Denn Jules Simon war der Sohn eines lothringischen Juden, der ursprünglich Simon Schweizer geheißen hatte, dann von den Bauern seines Wohnorts Loudrefing Suisse genannt worden war und diesen Namen beibehielt, als er nach Lorient zog und dort, in der kleinen bretonischen Hafenstadt, einen Kramladen auftat. Die Nachbarn nannten ihn nur den Vater Simon, und sein Sohn Jules François unterzeichnete seine erste schriftstellerische Arbeit mit dem Namen Jules Simon-Suisse. Victor Cousin sah diese Unterschrift und strich mit entschlossenem Zuge das Wort Suisse. "Niemals«, rief er, "werden Sie mit dem Namen Simon-Suisse berühmt werden. Das ist kein Name, der geeignet ist, *hominum volitare per ora* « (von Mund zu Mund der Menschen zu fliegen). Und er veranlaßte ihn, sich nur Jules Simon zu nennen.

Für all die Liebe, die er von Cousin erfahren, hat Jules Simon sich dankbar erwiesen. Er hat seine Werke herausgegeben, die ein Denkmal der Nichtigkeit, Flachheit und Geistesöde dieses sogenannten Philosophen sind, und er hat in seinen Erinnerungen liebevoll verzeichnet, wie eitel, wie hochmütig, wie knickerig, wie gewissenlos, wie unehrlich er war. Schon als Victor Cousin auf der Höhe seines Ruhmes stand, als er Pair von Frankreich war, im Unterrichtsministerium unbegrenzten Einfluß hatte, die Universität und die Akademie beherrschte, sagte man ihm nach, daß er von erhabener Unwissenheit sei und alle jungen Talente für sich arbeiten lasse. "Die Werke des Herrn Cousin«, spottete Heinrich Heine 1835, "sind so kolossal, so erstaunlich, daß das Volk nie begriff, wie ein einziger Mensch dergleichen vollbringen konnte, und es entstand die Sage, daß die Werke, die unter dem Namen dieses Herrn erschienen sind, von mehreren seiner Zeitgenossen herrühren.« In demselben Aufsatze stellt Heine fest, daß Cousin, der Ausleger der Werke Kants, die Barni erst später ins Französische übersetzen sollte, kein Wort Deutsch verstand, und fährt fort: "Ich will dies beileibe nicht in tadelnder Absicht gesagt haben. Die Größe des Herrn Cousin tritt um so greller ins Licht, wenn man sieht, daß er die deutsche Philosophie erlernt hat, ohne die Sprache zu verstehen, worin sie gelehrt wird. Dieser Genius, wie überragt er dadurch uns gewöhnliche Menschen, die wir nur mit großer Mühe diese Philosophie verstehen, obgleich wir mit der deutschen Sprache von Kind auf ganz vertraut sind.« Jules Simon bestätigt jedes Wort der Heineschen Ironie. Er zeigt, daß Cousin die deutschen Philosophen nicht lesen konnte, über die er bändereiche Werke schrieb, daß die meisten seiner Bücher die Arbeit seiner Sekretäre sind und daß er diesen Mitarbeitern für täglich zehnstündige Rackerei niemals einen Centime bezahlte. Ohne Zweifel hat ihm das Herz geblutet, als er das Andenken seines Lehrers und Wohltäters so unerbittlich dem Abscheu oder dem Spotte der Nachgeborenen preisgab. Aber seine Hand zeichnete das abschreckende Bildnis ohne Schwäche. Er fühlte, daß er seinen Lesern geschichtliche Wahrheit schuldete, und er gestattete seiner Dankbarkeit nicht, sich der Erfüllung dieser heiligen Pflicht zu widersetzen.

In seiner Pflichterfüllung war er überhaupt von unerschütterlicher Festigkeit. Als am 4. September 1870 das Volk in die gesetzgebende Versammlung eindrang und sie sprengte, da behielt Jules Simon, der damals Abgeordneter war, die Gruppe Gambetta, Jules Favre, Crémieux scharf im Auge. Besonders Gambetta verließ er mit keinem Blick. Denn er war damals der volkstümlichste Regierungsgegner und der natürliche

Führer einer Bewegung gegen das Kaiserreich. Mit einem Male sah Jules Simon Gambetta, umgeben von seinen nächsten Freunden, den Sitzungssaal verlassen und auf den Platz vor dem Palais Bourbon hinauseilen. Er begriff sofort, daß der Zug nach dem Stadthaus ging und die Einsetzung einer einstweiligen Regierung im Werk war. Jules Simon zögerte nicht. Über Bänke, Schultern, Köpfe hinweg stürzte er den Abziehenden nach. Wem diese Turnerei unwahrscheinlich dünkt, dem sei gesagt, daß Jules Simon sieben Jahre später als Hauptredakteur des "Siècle« seine Mitarbeiter häufig verblüffte, indem er vor ihnen über die Redaktionstische hinwegsprang, um ihnen die Kraft und Gelenkigkeit seiner damals bald 63jährigen Beine zu zeigen. Als er hinausgelangte, waren Gambetta und seine Genossen bereits davongefahren. Mit größter Mühe gelang es ihm, einer Droschke habhaft zu werden. Rücksichtslos hohes Trinkgeld beschleunigte die Gangart des Fuhrwerks. Er kam fast gleichzeitig mit den anderen zum Stadthaus, drang durch alle Hindernisse in den Saal, wo eben die Regierung der Landesverteidigung ausgerufen wurde, und bestand darauf, daß sein Name der bereits abgeschlossenen Ministerliste angefügt werde. So verhütete sein entschlossenes Auftreten in entscheidender Stunde eine Vergeßlichkeit seiner politischen Freunde, die offenbar ein Undank gewesen wäre und der ganzen republikanischen Partei zur Unehre gereicht hätte.

Die bisher angeführten Züge scheinen das Bild eines reinen Strebers zu geben. Aber man muß daran festhalten, daß Jules Simon eine gemischte Natur war. Er hatte auch seine vorbildlichen Augenblicke, in denen er für sein künftiges Denkmal und die Geschichte saß. Am 9. Dezember 1851, eine Woche nach dem Staatsstreich, unmittelbar vor dem Plebiszit, begann er seine Vorlesung in der Sorbonne mit diesen Worten: "Sie erwarten von mir einen Vortrag über Moral, doch auch ein Beispiel der Moral. Dem öffentlichen Recht ist Gewalt angetan worden. Und wenn es in den Urnen nur einen einzigen Stimmzettel der Verurteilung geben sollte, so wird es der meine sein.« Es war seine letzte Vorlesung in der Sorbonne. Tags darauf war er abgesetzt. In der Folge hat ihm diese tapfere Tat nicht geschadet. Doch zu ihrer Stunde erforderte sie eine gewisse Kühnheit. Am 31. Oktober 1870, als Flourens und Millière die meuternden Bataillone von Belleville und La Villette nach dem Stadthaus führten und die Kommune ausrufen wollten, geriet Jules Simon in die Gewalt der Aufrührer und war mehrere Stunden lang ihr Gefangener, zugleich mit den anderen Jules der Regierung, mit Jules Favre, Jules Ferry, Jules Trochu. Die Lage war nicht ungefährlich. Die Ermordung der Geiseln, die sechs Monate später die Rue Haxo berühmt machen sollte, warf bereits ihre Schatten voraus. Doch Jules Simon hielt sich gut. Er deklamierte nicht wie Jules Ferry, er ballte nicht die Faust und rollte nicht die Augen wie Jules Favre, er murmelte keine Vaterunser wie Jules Trochu, er saß ruhig in seinem Lehnstuhl und erinnerte an die römischen Senatoren, die in ihren kurulischen Stühlen das Eindringen der Gallier des Brennus und den Todesstreich von den Bronzeschwertern erwarteten. Nach dem Zeugnis der Empörer selbst war er der würdigste der vier Jules. Wahrscheinlich war es die Erinnerung an diesen 31. Oktober, die am folgenden 1. Februar die Pariser Regierung bestimmte, ihn zur Delegation nach Bordeaux zu schicken, mit dem Auftrag, die Verordnung zu vernichten, durch die Gambetta die führenden Bonapartisten von der Wählbarkeit in die Nationalversammlung ausgeschlossen hatte. Die Sendung war nicht bequem. Gambetta hatte gute Lust, Jules Simon im Fort Blaye einzusperren, ja ihn, wenn er Umstände machte, erschießen zu lassen. Doch Jules Simon forcht sich nit. Zwar unternahm er nichts, bis drei andere Mitglieder der Pariser Regierung, Pelletan, Garnier-Pagès und Arago, zu seiner Unterstützung herbeigeeilt waren und Fourichon, Glais-Bizoin und Crémieux zum Abfall von Gambetta bestimmt hatten. Doch hielt er während schwieriger acht Tage mutig aus und verhinderte durch seine bloße Anwesenheit in Bordeaux Gewaltstreiche der Delegation. Das war der eine, der einzige Augenblick seiner politischen Laufbahn, wo er über sich selbst hinausgewachsen war.

In die Politik trat er nach der Februar-Umwälzung ein. Er bewarb sich mit Erfolg um einen Sitz in der Nationalversammlung, in der er jedoch nicht hervortrat, sondern vorsichtig abwartete, woher der Wind wehte. Wie er es 1851 mit dem Kaiserreich verdarb, haben wir gesehen. Seiner damaligen Haltung verdankte er es, daß er 1863 in die gesetzgebende Körperschaft gewählt wurde, in der er sich dem winzigen, doch ruhmreichen Häuflein der unversöhnlichen Gegner des triumphierenden Kaiserreichs anschloß. Ich habe erzählt, wie er sich am 4. September selbst zum Mitglied der Regierung ernannte. Sein Auftreten gegen Gambetta in der Frage der Wählbarkeit der Stützen des Kaiserreichs rechnete Thiers ihm so hoch an, daß er ihn in sein erstes Ministerium berief. Die Nationalversammlung duldete ihn jedoch nicht lange. Als er im Herbst 1871 in einer Rede vor dem Kongreß der Gelehrtengesellschaften ausrief: "Thiers allein ist der Befreier des Staatsgebiets!«, forderte die Rechte seinen Rücktritt, da er die Nationalversammlung durch Herabsetzung ihres Verdienstes beleidigt habe. Thiers opferte ihn unbedenklich, und Jules Simon war klug genug, weder zu schmollen noch sich rächen zu wollen. Er war im Gegenteil so musterhaft gemäßigt, so entgegenkommend für die Rechte, so verständnisvoll für alle Formen des Rückschritts, insbesondere für den Klerikalismus, daß Bischof Dupanloup gelegentlich mit einem maliziösen Lächeln äußerte: "Dieser Mann wird früher als ich Kardinal werden.« So weit hat er es nun allerdings nicht gebracht, aber Mac Mahon – oder Broglie – gewann genug Vertrauen zu ihm, um ihm am 13. September 1876 den Auftrag zur Bildung eines Ministeriums zu erteilen, als ihm klar wurde, daß nicht länger um ein ausgesprochen republikanisches Ministerium herumzukommen sei. Sein Antrittsprogramm war bester Jules Simon. Ein verständnisvolles Augenblinzeln zu Mac Mahon und seinem Hintermann: "Ich bin tief konservativ!« Ein bedeutungsvolles Lächeln zur republikanischen Kammermehrheit: "Und ich bin tief republikanisch.« Diesmal war er indes zu geschickt gewesen und hatte den Schmerz, sich von beiden Parteien durchschaut zu sehen. Als ihm Mac Mahon am 16. Mai 1877 im Unteroffizierston die unverlangte

Entlassung ankündigte, dankte er gehorsam für die gnädige Strafe, wie es für wohlgedrillte Militärs vorgeschrieben ist. Bischof Dupanloup wird seine Freude an ihm gehabt haben, als er christlich die linke Wange reichte, nachdem die rechte den Backenstreich erhalten hatte. Damit war seine Rolle ausgespielt. Er blieb Senator, gelangte jedoch nie wieder zur Regierung. Nur einmal trat er noch, wenn auch nicht gerade aktiv politisch, hervor. Er vertrat Frankreich auf der Konferenz für die Arbeitergesetzgebung, die Kaiser Wilhelm 1890 nach Berlin einberief. Der Kaiser fand an ihm großes Wohlgefallen. Das ist verständlich. Ihn bestachen an Jules Simon die französischen Nationaleigenschaften der gesellschaftlichen Sicherheit und Gewandtheit, der liebenswürdigen Glätte, des anmutigen und geistvollen Geplauders, und er rechnete sie ihm an, als wären sie seine persönlichen Vorzüge. Bis zur Kenntnis des Individuellen unter dem Generellen konnte der Kaiser bei der Kürze und der Art seines Verkehrs mit dem fremden Gast unmöglich vordringen.

Er hatte einen schlechten Abgang von der politischen Bühne. Er hatte einen besseren verdient. Denn er war ein guter Schauspieler. Er war es als Redner, als Politiker, als Professor, als Schriftsteller. Über diese letzteren Verkörperungen nur einige Worte. Als Schriftsteller war er gleichmäßig blühend, lau und nichtssagend. Er hat wahrscheinlich nie eine Zeile geschrieben, die unter die akademische Höhenlage herabsinkt, und ich habe nie eine Zeile behalten, wenn ich ein Buch von ihm zu Ende gelesen hatte. Seine "Arbeiterin « erregte in den fünfziger Jahren des neunzehnten Jahrhunderts Aufsehen. Glückliche Zeiten, wo ein Schriftsteller mit dergleichen Aufsehen erregen konnte! Er schilderte in dem Buche das Los der Frauen, die ihr Brot mit ihrer Hände Werk verdienen müssen, und verlangte eine Besserung ihrer Lage. Es war ein Gemisch von tränenfeuchter Empfindsamkeit, billiger Nächstenliebe und väterlicher Mahnung zu Tugend und Geduld, etwas wie Béranger in Prosa und Henri Murger mit Salbung. Ein Milligramm Sozialismus, mit sehr viel Zucker, Rosenwasser und etwas Weihrauch zu harmlosen Pillen verrieben. Als Professor erfreute er die Studenten, als Politiker das

Parlament mit niedlichen Reden. Gelernt haben die einen und das andere nichts von ihm. Vor 1870 galt in den Lehrstühlen der Fakultäten wie auf der Rednerbühne der Kammern nur die Rhetorik. Seitdem ist das anders geworden, wenigstens was die Lehrstühle betrifft. Caro war das letzte Beispiel des Süßholzrasplers auf dem Katheder, und er verfiel bereits dem Spotte Paillerons. Heute würden die Studenten einen Drescher leeren Strohs von der Art der Jules Simon, Caro, Paul Janet die erste Vorlesung nicht beenden lassen. In der Politik geht es noch mit diesem alten Handwerksgerät. Aber auch da muß man es anders handhaben wie Jules Simon. Er gab sein Leben lang vor, ein Verteidiger der Freiheit zu sein. Aber was verstand er darunter? Das Recht, die Republik des Plato in einem Kinofilm vorzuführen. Sein Ideal war ein Zustand, in welchem seine Köpfe geistreiche Sticheleien gegen die Regierung vor diskret lächelnden Salonmenschen zum besten geben durften und Akademiker vom Staatsoberhaupt zur Mitarbeit an den öffentlichen Geschäften berufen wurden. Als er jedoch den Einbruch der Barbaren in die Politik erleben mußte, als er die struppigen Proletarierköpfe mit den unwissenden Stirnen, den furchtbar aufrichtigen Augen und den bittern Mündern vor sich auftauchen sah, da verhüllte er schaudernd sein Haupt und floh entsetzt von der Bühne. Diese Menschen würdigten keine gekräuselten Phrasen mehr! Ihnen waren Wahlen, Reden, Abstimmungen nicht mehr eine anregende Komödie! Sie meinten es ernst! Da war ein guter Komödiant seines Lebens nicht mehr sicher, und Jules Simon beeilte sich, in der Kulisse zu verschwinden. Auch der Redner wirkte durch den Vortrag, die Mimik, die Gesten, das Lächeln, die Kunstpausen, die Betonung der Treffworte. Wer heute den Mut hätte, eine Rede von ihm, wäre es auch die berühmteste, die gegen die antiklerikalen Märzdekrete Jules Ferrys, zu lesen, würde wahrscheinlich seinen Augen nicht trauen. Dieses flaue, armselige, fadenziehende Zeug hat einen Menschen berühmt machen können? Ja. Wegen der Triller und Orgelpunkte, die er dazu flötete und die in dem Texte nicht mitgedruckt sind.

Jules Simon war ein vortrefflicher Mime, und dem Mimen flicht die Nachwelt keine Kränze. Auf Nachruhm hat er keinen Anspruch. Er hat kein dauerndes Werk geschaffen, das ihn vor den Nachgeborenen verteidigt. Das einzige, was ihm einen Platz in der französischen Geschichte sichert, ist, daß sein Name mit dem Gewaltstreich vom 16. Mai verknüpft ist, das heißt mit dem letzten Versuch einer französischen Staatsregierung, die Republik zu zertrümmern, den Gedanken der Volkssouveränität zu unterdrücken und die Umwälzung zu verleugnen.

Léon Gambetta

Die Persönlichkeit, die aus den Anfängen der dritten Republik mit dem stärksten Relief hervortritt, ist die Léon Gambettas. Er zwang sich seinen Zeitgenossen weniger noch durch seine Taten, obschon sie bedeutend waren, als durch seine große Natur auf, die lodernde Begeisterung entzündete und leidenschaftlichen Haß erregte, das sicherste Kennzeichen einer solchen. Ein vorzeitiges Ende verhinderte ihn, sich zu seinem vollen Maß auszuwachsen, und zerstörte grausam die Hoffnungen von Millionen. Er ist ein Versprechen geblieben, dem die Erfüllung versagt war, und das Geschlecht der Franzosen, das ihn gekannt, hat nicht aufgehört, sein Andenken mit einem nie in Gleichgültigkeit erstorbenen Bedauern zu umgeben.

Gambetta wurde 1838 in dem südfranzösischen Städtchen Cahors geboren. Sein Großvater war gegen 1820 aus Genua in Frankreich eingewandert, sein noch in Italien geborener Vater sprach bis zu seinem Tode Französisch mit stark italienischer Aussprache, er selbst empfand sich noch als Jüngling so sehr als Ausländer, daß er unter dem Kaiserreich die Wehrpflicht der Franzosen nicht auf sich nehmen wollte und sich nicht stellte, um eine Nummer für die Einreihung in das Heer zu ziehen, wie es damals üblich war. Das wurde ihm später hart genug vorgeworfen. Seine gültige Entschuldigung ist, daß der Verlust eines Auges ihn doch dienstuntauglich machte und daß man es vor der Einführung der allgemeinen Wehrpflicht mit der Gestellung überhaupt nicht allzu genau nahm. In seinen Briefen an vertraute Freunde verhehlte er indes nicht, daß er bei einem Besuch in Genua unbeschadet seiner tiefen Vaterlandsliebe Heimatsgefühle hatte und sich bewußt war, an dem Ruhm der alten Republik und an der großen Vergangenheit der Nebenbuhlerin von Venedig und Königin des Tyrrhenischen Meeres seinen Erbanteil zu haben.

Unbeglaubigt ist der jüdische Ursprung Gambettas, obschon er von seinen Gegnern in der Zeit, als der politische Kampf um ihn tobte, mit der Absicht, ihn zu entwerten, täglich behauptet wurde. Die Gesichtsbildung Gambettas würde der Annahme jüdischer Abkunft nicht widersprechen, aber sie beweist bei einem Sohne Liguriens nichts, da alle Umwohner des Mittelländischen Meeres, von den Säulen des Herkules bis zu den Dardanellen, zweifellos derselben Rasse angehören. Man hat ihn selbst einmal über den Punkt befragt. Das war im August 1876, zur Zeit der Erhebung Disraelis in den Grafenstand. In einem Salon, wo in zahlreicher Gesellschaft auch Jules Simon, Crémieux und Gambetta anwesend waren, sprach man von diesem Ereignis und der jüdischen Herkunft mancher hervorragenden Staatsmänner, und Crémieux, der bekenntnistreue Jude, wandte sich an Jules Simon mit der Frage: "Ist es wahr, daß in Ihren Adern jüdisches Blut fließt?« Simon erwiderte sofort, sein Großvater sei als Jude gestorben, erst sein Vater habe die Taufe empfangen, und auf Gambetta deutend, fügte er hinzu: "Ich glaube, unser Freund ist in demselben Falle?« Gambetta wurde ein wenig verlegen und antwortete ausweichend, sein Stammbaum habe ihn nie genügend interessiert, um ihn zu Nachforschungen über diesen Punkt zu veranlassen. Die Frage bleibt also unentschieden.

Gambettas Vater wurde in Cahors nie anders als "der Genuese« genannt. Weit entfernt, diese Bezeichnung als Spitznamen zu empfinden, legte er sie sich vielmehr selbst bei. Er betrieb einen Handel mit Medizinalkräutern und nannte seinen Laden "Zum Hafen von Genua«. Dieses Schild hat sogar 1878 zu einem sonderbaren Rechtsstreit Anlaß gegeben. Als Gambettas Vater die Rente beisammen hatte, die er sich bei Beginn seiner Geschäftstätigkeit als Ziel vorgesteckt, zog er sich nach damaliger französischer Sitte zurück und verkaufte Laden, Warenvorrat und Kundschaft an einen Nachfolger, der ausdrücklich die Bedingung stellte, daß die Firma weiterzugehen habe: " *Gambetta. Herboriste. Au port de Gènes* « Einige Jahre lang hielten sich beide Teile zur vollen beiderseitigen Zufriedenheit an das Übereinkommen, allein als Gambettas Sohn 1878 eine große Triumphreise nach seinem Heimatsdepartement unternahm, begann sein Vater es für unpassend zu finden, daß der berühmt gewordene Name mit dem prosaischen Beisatz "Kräutler« auf einem gewöhnlichen Ladenschilde zu lesen sei, und er wollte seinem Geschäftsnachfolger die Weiterführung der alten Firma untersagen. Der aber verstand seinen Vorteil und berief sich auf seinen Vertrag. Daraus entstand ein Rechtsstreit, der den Feinden Gambettas nicht wenig Vergnügen bereitete und den ein Ausgleich aus der Welt schaffte.

Der Einäugigkeit Gambettas hat die Sage sich mit besonderer Vorliebe bemächtigt. Er sollte sich das rechte Auge selbst mit den Fingern ausgedreht haben, um sich dienstuntauglich zu machen, weil sein Vater ihn gegen seinen Willen für die Kadettenschule von St.-Cyr bestimmte. Das ist eine alberne Fabel. Gambetta verlor in der Kindheit das Auge durch einen Unfall. Wahr ist aber, daß sein Vater das Gebrechen des Knaben zum Anlaß nehmen wollte, um ihn, als zu augenanstrengenden Studien nicht geeignet, in seinem Geschäfte zu verwenden, und daß nur der entschiedene Wille der Familie seiner Mutter diese Absicht durchkreuzte und Gambetta davor bewahrte, ein ehrenwerter Kräutler zu werden.

Er beendete die Mittelschule in Cahors und kam neunzehnjährig nach Paris, um die Rechte zu studieren. Nun beginnt die romantische Periode seines Lebens, die des Lateinischen Viertels. Er wohnte im "Hotel du Sénat«, das trotz seines hochklingenden Namens nur eine gewöhnliche Studentenherberge in der Rue de l'Odéon war. Seine Kunden waren vornehmlich Südfranzosen. Alfons Daudet bewohnte in diesem Gasthof eine Dachstube, als er zu seinem ältern Bruder Ernst nach Paris kam. Es war ein wildlustiges Leben, das die tollen jungen Leute hier führten. Tag und Nacht war die alte Bude vom sympathischen Lärm dröhnender Stimmen und übermütigen Gelächters erfüllt. Jede der dürftigen Mahlzeiten, die zweimal täglich die Kostgänger des Gasthofs um den gemeinsamen Tisch versammelten, wandelte sich in ein klassisches Symposion um, in dem weder die Trankopfer noch die geistreichen und tiefsinnigen Gespräche fehlten, die zu solchen Festen gehören. Gambetta führte bei Tische den Vorsitz. Er übte eine Autorität über seine Genossen, der sich alle willig unterwarfen. "Den Teufel spürt das Völkchen nie,« den Genius aber spürt das Völkchen der Studenten stets. Man stellt mitunter Gambetta zu jener Zeit als einen armen Teufel von Bohème dar, der morgens seine Kameraden um ein Zwanzigsousstück anpumpte, um abends eine Mahlzeit zu haben. Das Bild entspricht der Wirklichkeit nicht. Gambetta erhielt von seinem Vater monatlich 300 Fr., zu jener Zeit ein ansehnlicher Wechsel für einen Bewohner des Lateinischen Viertels, und seine verhältnismäßige Wohlhabenheit, sein ungeheurer Appetit und Durst, seine Körperkraft, seine unverwüstliche geräuschvolle Heiterkeit, besonders aber sein Redestrom, machten ihn sehr früh zu einer Respektsperson in seinen Kreisen. Hatte er bei Tische das Wort, so schwiegen alle anderen. Und er hatte fast immer das Wort. Er liebte es, den Klang seiner starken, tiefen, wohllautenden Bruststimme zu hören. Er sprach, um zu sprechen, und jede seiner Stegreifreden löste sich schließlich in ein lautes Gelächter oder in einen lärmenden Rundgesang auf.

Es ist etwas Wundersames um die Macht des Wortes bei südlichen Völkern. Dem Nordländer ist die Rede ein Mittel zum Zweck der Verständigung, dem Südländer ist sie Selbstzweck. Jener wird vom Wort überzeugt, dieser überwältigt und hingerissen. Es ist ihm ein physischer Genuß, eine Nervenwonne, schön sprechen zu hören. Stolze, volltönende Sätze, ein rauschend dahinströmender breiter und ununterbrochener Redeguß entzücken ihn wie das Spiel eines Virtuosen oder wie das Lied einer guten Sängerin. Darum sind Laufbahnen wie die Mirabeaus,

Dantons, Kossuths, Castelars und Gambettas eben nur bei südlichen Völkern möglich.

Gambetta wußte früh, daß er eine dröhnende Stimme, eine breite, herrische Geste, ein eindrucksvolles Mienenspiel und eine losgebundene, geläufige Zunge hatte, und er gab bei jeder Gelegenheit Konzerte aus seinem Tonwerkzeug, der Sprache. Er verbrachte seine Abende im Gasthof oder im geschichtlichen Café Procope und deklamierte vor einem andächtigen Zuhörerkreis, den seine Worte entflammten, gegen das damals noch sehr mächtige, sehr gefährliche, sehr grausame Kaiserreich. Diese Standredner der Studentencafés sind ein aussterbender Typus. Daudet hat ihn in der Gestalt des Elysée im Roman "Die Könige im Exil« für die Nachwelt bewahrt. Wer früher eine Eingebung fühlte, auf wen, um mit der Schrift zu reden, "die Jungen herabstiegen«, der erhob sich am Biertisch und sprach; es wurde ihm sicher zugehört, geglaubt, Beifall geklatscht, hatte er eine besonders kräftige Lunge, ein besonders loses Mundwerk, waren seine Paradoxe genug verblüffend, seine Ideen genug toll, seine Ausdrücke genug kraftgenialisch, so wurde er eine örtliche Berühmtheit, und man drängte sich in das Lokal, das der Schauplatz seiner Abendvorstellungen war. So fingen manche Talente an, die später im Gerichtssaal und in der Kammer glänzten. Die meisten Bierredner blieben allerdings ihr Leben lang bei dem wüsten Wortschwall des Kaffeehauses und verloren über der Gewohnheit des Schwadronierens die des Denkens und Arbeitens, bis sie zu blöden, gehirnerweichten Windkesseln herabsanken, die ein jüngeres, unehrerbietiges Geschlecht von Bocktrinkern zum Tönen brachte, so oft es ein wenig lachen wollte. Gambetta war einer von der Gattung der Kaffeehausredner des Lateinischen Viertels und einer der größten seines Jahrhunderts. Die Gattung scheint sich durch die Hervorbringung dieses Gipfelindividuums erschöpft zu haben, denn seitdem ist sie unfruchtbar geblieben.

1860 hatte er seine Studien beendet und wurde Rechtsanwalt in Paris. Er verließ die Hörsäle mit einem geringen Schulsack belastet, wußte aber in der Folge durch einen nie ermattenden Leseeifer, den ein ungewöhnliches Gedächtnis fruchtbar machte, seine Bildungslücken auszufüllen. Sein Beruf nahm ihn anfangs wenig in Anspruch. Er wohnte regelmäßig den Sitzungen der gesetzgebenden Körperschaft bei, über die er in der "Europe« Bericht erstattete, dem freisinnigen französischen Blatte, das damals in Frankfurt a. M. erschien und an dem die hervorragendsten oppositionellen Schriftsteller und Politiker mitarbeiteten. Indes vernachlässigte er auch den Gerichtspalast nicht, und der Ruf des redegewandten jungen Advokaten verbreitete sich bald über die Grenzen des Lateinischen Viertels und drang auf das rechte Ufer der Seine. Gambetta verbrachte nunmehr seine Abende im Café de Madrid, und wie früher in der Rue de l'Ancienne Comédie, so war er nun auf dem Boulevard Montmartre eine anerkannte Autorität. Seine Zuhörer waren jetzt nicht mehr Studenten, sondern Journalisten, Schriftsteller und Künstler, die der Haß gegen das Kaiserreich zu einer Art Freimaurerbund vereinigte. Die Zeitungen begannen sich mit ihm zu beschäftigen. Journalisten wählten ihn zu ihrem Verteidiger in den zahlreichen Preßprozessen, mit denen man sie damals verfolgte, und wenn sie ihn auch für seine Bemühungen in der Regel nur mit einem Händedruck und einem stets gutgemeinten, wenngleich nicht immer üppigen Frühstück belohnten, so erwiesen sie sich doch gleichzeitig durch die große Publizität dankbar, die sie seinen Verteidigungsreden gaben.

Zum berühmtesten Mann des Tages machte den Dreißigjährigen im November 1868 der Prozeß gegen Delescluze, der in seinem "Réveil« eine Sammlung für ein Denkmal Baudins eröffnet hatte, des Volksvertreters, der am 3. Dezember 1851 auf der Barrikade im Kampfe gegen den Staatsstreich gefallen war. Unter dem Vorwande, den Angeklagten zu verteidigen, griff Gambetta das Kaiserreich, seine Anfänge, seine Methoden, seine Grundsätze, seine Ziele mit einem wilden Ungestüm an, der die Richter und den Staatsanwalt entsetzte und bei allen Gegnern Napoleons III. einen wahren Freudentaumel hervorrief. In Gambettas

Worten rollte ein Widerhall des Donners von Victor Hugos "Napoléon le petit« und "Châtiments«. Delescluze wurde zwar verurteilt, seinem Verteidiger aber boten in ihrer ersten Begeisterung die Wähler des Pariser Arbeiterviertels Belleville und von Marseille bei den allgemeinen Wahlen vom 23. Mai 1869 einen Kammersitz an, den er hocherfreut annahm.

Sein Einzug in die gesetzgebende Körperschaft erregte noch größeres Aufsehen als der Henri Rocheforts, der sich mit ihm wegen seiner "Lanterne« in die grenzenlose Volkstümlichkeit teilte. Er wurde sofort das anerkannte Oberhaupt der "Unversöhnlichen«, *Irréconciliables* , die nicht verhehlten, daß nur der Sturz des Kaiserreichs sie

125 zufriedenstellen konnte. In einer großen Rede, die alle in ihn gesetzten Erwartungen übertraf, bekämpfte er am 5. April 1870 das von der Regierung geplante Plebiszit und forderte zum starren Entsetzen der Mamelukenmehrheit unerschrocken die Republik. Der Krieg entfesselte in ihm Orkane vaterländischer Leidenschaft. Seine Heftigkeit kannte keine Grenzen. Am 17. August beantragte er die Vertreibung aller Fremden aus Frankreich und erfand das System der Gefangennahme aller erreichbaren Angehörigen des Feindesstaates, ohne Unterschied des Alters und Geschlechts, das seitdem zur Kriegsregel erhoben wurde.

Als der unbestrittene Führer der Unzufriedenen fand er sich am 4. September von selbst an der Spitze der Volksvertreter, die das Kaiserreich für abgeschafft erklärten und die Regierung des Landes an sich rissen. Er übernahm der Form nach das Portefeuille des Innern, in Wirklichkeit regierte er als Diktator. In den fünf Monaten, die seiner Erhebung folgten, entfaltete er eine Tatkraft, eine rücksichtslose Entschlossenheit, eine unüberwindliche Kampfbegierde, die in der Geschichte kaum ihresgleichen haben. Wenn Frankreich damals zu retten gewesen wäre, er hätte es gerettet. Er zertrat mit eiserner Ferse den "Bund des Südens«, als er Losreißungsbestrebungen vom französischen Staate andeutete. Er jagte ohne Schwanken die Generalräte auseinander, die monarchistische Kundgebungen wagten.

Als die Bank von Frankreich Schwierigkeiten machte, die von ihm geforderten Millionen für die Landesverteidigung vorzuschießen, drahtete er am 23. Dezember an de Roussy: "Ich bin zu allem entschlossen. Wenn es sein muß, zerschmettern wir die Bank und geben Staatspapiergeld aus.« Aus dem belagerten Paris flog er in einem Ballon in die Provinz hinaus und entflammte sie mit Brandreden zum "Krieg bis zum äußersten«. Er stampfte Heere aus dem Boden und fand ausgezeichnete Generale zu ihrer Führung, Aurelles de Paladine, Faidherbe, Chanzy, Bourbaki. Er war vom Geiste von 1793 erfüllt und versuchte das "Massenaufgebot« der großen Umwälzung. In ihm schlug damals das Herz Frankreichs, und lebte, wirkte, delirierte wohl auch ein wenig, der Gedanke des französischen Volkes. Er war der Abgott der Millionen und der Schrecken der kleinen Minderheit von Bedächtigen, Kühlen, Alten, die zu vernünftig waren, um mit dem Kopf gegen die Wand zu rennen. Thiers nannte ihn einen Tobsüchtigen, aber der Freiherr von der Goltz ist später seinem Wirken ritterlich gerecht geworden und hat erklärt, er habe Frankreichs Ehre gerettet, da er ihm den Sieg nicht geben konnte, und ein solcher Griesgram und Nörgler wie Hippolyte Taine schrieb während der Heftigkeiten des Diktators in einem Privatbrief: "Selbst wenn wir zermalmt werden, wird in jedem Falle die Ehre erhalten bleiben. Frankreich wird gezeigt haben, daß es zu Organisation imstande ist. Es wird dafür in Zukunft höher geachtet sein. Man wird weniger leicht versuchen, es als ein Polen zu behandeln. Man wird nicht glauben, daß es verfault, daß es zur Beute gut ist, was man geglaubt hätte, wenn es nach Sedan sofort klein beigegeben hätte. Das ist der klarste Gewinn, vielleicht das einzige gute Ergebnis des verlängerten Widerstandes. Freilich: mit wieviel Milliarden und Menschenleben wird es erkauft sein?«

Gambettas letzte Gewalttat war die Verordnung, die die Würdenträger des Kaiserreiches im Februar 1871 für unwählbar erklärte. Als seine Kollegen an der Regierung sie aufhoben, trat er zurück. Seine Diktatur war zu Ende, die epische Epoche seines Lebens abgeschlossen. Neun

Departements wählten ihn in die Nationalversammlung, in der er am 1. März gegen den Vorfrieden mit Deutschland stimmte, wie er auch die feierliche Verwahrung der elsaß-lothringischen Abgeordneten gegen die Abtretung ihrer Wahlkreise an Deutschland unterzeichnete. Das war noch ein Weiterschwingen seiner Kriegsaufregung und machte ihn zu einem schwer erträglichen lebenden Vorwurf für die 546 Abgeordneten, die sich in das Unvermeidliche fügten und den Friedensvertrag annahmen. Er blieb sich in seinem Verhältnis zu Deutschland immer selbst getreu.

Bismarck und Moltke gaben sich über die Wirkung der Losreißung Elsaß-Lothringens von Frankreich keiner Selbsttäuschung hin. Jener sagte, Deutschland werde in jedem Streit Frankreich an der Seite seiner Gegner finden, dieser sah voraus, daß Deutschland fünfzig Jahre lang gezwungen sein werde, zur Verteidigung seines Landerwerbes gerüstet zu bleiben.

Gambetta war die Verkörperung des Revanchegedankens. Das ist unbestreitbar. In Frankreich selbst empfand man ihn so, und als er zur Regierung berufen werden sollte, gaben seine Gegner das Schlagwort aus: "Gambetta ist der Weg.« Er selbst verstand jedoch seine Aufgabe anders, weniger eindeutig, weniger geradlinig. Zwar wies er den Gedanken eines Verzichts auf Elsaß-Lothringen weit von sich, doch war er sich der furchtbaren Gefahr eines Rachekrieges klar bewußt, und er überredete sich zu einer mystischen Hoffnung, das ersehnte Ziel ohne die Wanderung durch ein rotes Meer vergossenen Blutes erreichen zu können. So sagte er während der Wahlbewegung von 1876 in Lille in einer Rede vor einer großen Wahlversammlung: "Ich hoffe, daß wir eines Tages nur durch das Vorwiegen des Rechts unsere von uns getrennten Brüder wiederfinden werden, zum Nutzen des Gleichgewichtes in Europa und des Triumphes der Gerechtigkeit.« Etwas Bestimmtes kann man sich unter diesen verschwommenen Redensarten freilich nicht vorstellen, und deutlicher hat er sich nie ausgedrückt. Ein Hetzer ist er in keinem Augenblick gewesen. Zur Erwerbung billiger Volkstümlichkeit hat er seine Rückforderung nie erniedrigt. Er gab im Gegenteil die Losung aus:

"Denken wir immer daran, doch sprechen wir nie davon.« Denn wie er bei einer anderen Gelegenheit sagte: "Ich bin vor allem ein Vaterlandsfreund.« Die Vaterlandsliebe war seine Religion, die einzige, die er hatte, und sie war ihm zu heilig, um ihm als Mittel zu persönlichen oder politischen Zwecken zu dienen. In Berlin war man überzeugt, er treibe zum Kriege, um den blinden Leidenschaften der Menge zu schmeicheln. Graf von St. Ballier schrieb im Oktober 1873 an Thiers: "Der schwarze Punkt ist dort« (in Berlin) "wie allerwärts immer Herr Gambetta. Sein Name flößt einen Widerwillen ein, der sich mit neuer Gewalt geltend macht. Herr von Redern, ein Vertrauter des Kaisers, soll gesagt haben: "Wenn dieser Mensch zur Macht gelangt, so ist dies in unseren Augen mit der Herrschaft der Umwälzung gleichbedeutend, Und das würden wir nicht geschehen lassen.« Thiers erwiderte: "Herr Gambetta wird nicht mein Nachfolger werden. Das Land hat eine Abneigung gegen ihn bekommen. Die Bewegung ist in Frankreich wie überall in Europa und besonders in Deutschland demokratisch, doch keineswegs demagogisch.«

Gambetta wollte Frankreichs Heeresmacht entwickeln und suchte Anknüpfungen für künftige Bündnisse mit England, Italien und Rußland, wenn nicht mit dem amtlichen, doch mit dem General Skobeleff, dem man großen Einfluß auf die der russischen Politik zu gebende Richtung zuschrieb. Gleichzeitig aber ging ihm ein seltsamer Gedanke durch den Kopf, der nicht vollständig aufgeklärt ist. Schon 1878 hatte Graf Henckel von Donnersmarck eine Zusammenkunft zwischen ihm und dem Fürsten Bismarck vermitteln wollen, zu der die Anregung vom Reichskanzler ausging. Schon waren alle Einzelheiten vereinbart, als Gambetta im letzten Augenblicke zurückwich. Er fürchtete, durch seine Reise zum "Ungeheuer« ("le monstre«), wie er Bismarck immer nannte, seine Volkstümlichkeit zu gefährden, wenn nicht zu vernichten. 1882 aber war er es, der eine Begegnung mit Bismarck suchte und zu diesem Zwecke im tiefsten Geheimnis nach Friedrichsruh reiste. Die Zusammenkunft fand nicht statt. Es scheint, daß Fürst Bismarck sie im letzten Augenblicke abgelehnt hat. Es ist gut, daß die beiden einander nicht gesprochen haben. Die Unterredung hätte nichts Gutes ergeben. Gambetta konnte keine andere Absicht haben, als die Gestaltung der deutsch-französischen Beziehungen zu erörtern und seine Beredsamkeit an Bismarck zu versuchen, Bismarck aber war für Einwirkungen dieser Art völlig unzugänglich, und jeden Versuch, von Elsaß-Lothringen zu sprechen, hätte er schroff abgeschnitten. Der Abschied wäre wahrscheinlich sehr jäh und unwirsch erfolgt, und der Besuch hätte bei beiden, und besonders bei Gambetta, Eindrücke zurückgelassen, die das Verhältnis Frankreichs zu Deutschland wohl sehr verschlechtert hätten.

Es war eine merkwürdige Verkennung des Wesens Gambettas, daß man ihn für einen Umstürzler hielt. Diesen Irrtum beging man nicht in Berlin allein. Auch Thiers, der nicht die Entschuldigung der Entfernung hatte, verfiel in ihn. Er sagte von Gambetta: "Dieser Mann wird in der Haut eines Aufrührers sterben,« und zeigte damit nur, daß Weissagen nicht seine starke Seite war. Weit entfernt, in der Haut eines Aufrührers zu sterben, war er vielmehr in der Haut eines Regierungsmannes geboren. Er sagte in einer Pariser Wahlrede am 26. Juni 1871: "Seien wir eine Regierungspartei,« wenn er sich mitunter aufgeregt gebärdete, so war dies bloß eine widerstrebend angewandte Taktik, über die er in einem Brief an seine geliebte Freundin Madame Leonie Leon schrieb: "Ich muß zu meinem großen Mißvergnügen Vernunft und Gerechtigkeit in die Livree der Heftigkeit kleiden, um ihnen zum Triumph zu verhelfen,« und obgleich er unter dem Kaiserreich die Bezeichnung " *les irréconciliables* «, "die Unversöhnlichen«, die Bilder von Barrikaden und Sturm auf die Tuilerien heraufbeschwören, in die Sprache der Politik einführte, bereicherte er diese später mit dem Ausdruck " *Opportunisme* «, der mit ihm bis an sein Ende verknüpft blieb. Sein Wesen war Ordnung, Zucht und Maß; er war so sehr die verkörperte Autorität, daß man ihn als Diktator verschrie. Er wollte die Listenwahl, weil sie sicherer als die Einzelwahl einer starken Persönlichkeit die gebieterische Leitung der Menge gestattete. Er leugnete in einer berühmten Rede in Hâvre, am 18. April 1872, die soziale Frage und erklärte: "Es gibt nicht eine soziale Frage, es gibt nur soziale Fragen. Die Aufgaben müssen der Reihe nach vorgenommen werden. Frankreich verlangt von seiner Regierung zwei Dinge: Ordnung und Freiheit.«

Diese entschlossene Gegnerschaft gegen gewaltsame und überstürzte Lösungen, gegen alles Übers-Knie-brechen machte Clemenceau und die Radikalen zu seinen bittersten Feinden und versöhnte Thiers völlig mit ihm.

Seine "République française«, die er im November 1871 gründete und die sein Organ blieb, zeichnete sich durch ihre ehrbare, beinahe pedantisch zeremoniöse Haltung aus, sprach immer im Regierungston und gestattete nie ein Wort, das nicht im tadellosesten Salon am Platze gewesen wäre. Er unterstützte Thiers bis zu seinem Sturz, er deckte seinen erbarmungslosen Feldzug gegen die Regierung des 16. Mai 1873 und gegen Mac Mahon mit seinem Namen, und er hätte ihn nach dem Sieg der 363 am 14. Oktober 1877 wieder zum Präsidenten gemacht, wenn er nicht unmittelbar vorher gestorben wäre. Als er die Regierung übernahm, stellte er unbedenklich den General de Miribel, den klerikalsten, monarchistischsten und reaktionärsten Offizier des Heeres, an die Spitze des Großen Generalstabs und ordnete ihm de Gallifet bei, den Würger der Kommune-Gefangenen. Die Radikalen stießen über diese Ernennungen ein Wutgeschrei aus, und Clovis Hugues rief Gambetta in der Kammer zu: "Wenn diese Männer Sie nach der Kommune an einer Straßenecke erwischt hätten, würden sie Sie auf der Stelle haben totschießen lassen.« Das verschlug bei Gambetta nichts. Er glaubte, Miribel und Gallifet seien für das Heer wertvoll, und darum verwertete er ihre Fähigkeit, ohne sich um ihre Meinungen zu bekümmern. Der alte "Unversöhnliche« war er nur in einem Punkte: wo es sich um die Herrschgelüste der Kirche handelte. In einer Rede in St. Julien, am 20. Oktober 1872, sprach er das geflügelte Wort: "Der Feind, das ist der Klerikalismus,« dem Kabinett vom 16. Mai brach er den Hals, indem er in der Kammer am 18. Mai rief: "Das Land duldet keine Pfaffenregierung!« was dann in allen Wählerversammlungen mit durchschlagendem Erfolge wiederholt wurde, und er entwurzelte den Einfluß der Rückschrittsparteien im Lande, indem er sie leidenschaftlich anklagte, die weltliche Herrschaft des Papstes wiederherstellen zu wollen und zum Krieg mit Italien zu treiben. Doch selbst hier war dem " *irréconciliable* « der " *opportuniste* « gesellt, und als man versuchte, den geistlichen Orden in der Türkei, die er als Stützen des französischen Einflusses in jenem Staat ansah, die Gönnerschaft der Regierung zu entziehen, entschied er: "Der Antiklerikalismus ist kein Ausfuhrartikel.«

Nach dem Sturze des Ministeriums Broglie durch eine Mehrheit, die Gambettas Leitung folgte, hätte die parlamentarische Wahrheit erfordert, daß Mac Mahon ihn zur Regierung berufe. Gambetta hätte vielleicht angenommen. Mac Mahon wich jedoch von der Regel ab, versuchte es zuerst mit dem schwachmütigen Staatsstreichgeneral de Rochebouet und dann mit Dufaure, den der Präsident einmal dazu benutzte, um die Linke für sich zu gewinnen, und dann, um bei der Rechten die Verzeihung für seine Waffenstreckung zu erlangen. Gambetta blieb im Hintergrund, übte aber von da einen derart bestimmenden Einfluß auf die Kammermehrheit, daß seine Feinde das Märchen von seiner "Diktatur« und seiner "Geheimregierung« mit Erfolg verbreiten konnten.

Als Mac Mahon im Januar 1879 ging, schien alles Gambetta als seinen natürlichen Nachfolger zu bezeichnen. Er wollte jedoch nicht Bewerber sein und die Mehrheit wählte Grévy zum Präsidenten. Immerhin galt Gambetta von da ab als der Dauphin der Republik. Grévy, der ihn nicht liebte, erlangte von seinen Parteigängern seine Wahl zum Kammerpräsidenten, um ihn in diesem Amt kaltzustellen. Er bemühte sich ehrlich, als Vorsitzender über den Parteien zu stehen, er blieb indes dennoch der Führer seiner Partei und stieg in die Arena hinab, wenn er in den Kampf eingreifen zu müssen glaubte. Im Herbst 1881 trat er den Vorsitz an Brisson ab und war wieder frei.

Im vorhergehenden August hatte er mit Heftigkeit seinen Bruch mit dem Radikalismus vollzogen. Die Wähler der Pariser Vorstadt Charonne, vor denen er sprechen wollte, hatten ihn mit Pfeifen und Johlen am Reden verhindert, er aber hatte mit seiner Löwenstimme den Lärm übertönt und ihnen zugedonnert: "Ihr seid besoffene Sklaven! Ich werde euch in euern Schmutzhöhlen zu finden und zu packen wissen!« Nur ein schleuniger Rückzug, den seine Leibwache von Freunden deckte, konnte ihn vor tätlichen, vielleicht mörderischen Angriffen retten. Wer ihn jetzt noch einen Demagogen hätte nennen wollen, würde ein Hohngelächter hervorgerufen haben.

Die am 21. August 1881 gewählte Kammer begann am 28. Oktober ihre Tagung. An der Spitze der Regierung stand Jules Ferry. Die Besetzung Tunesiens, die er im Sommer durchgeführt hatte, wurde von der verwirrten öffentlichen Meinung und der mißtrauischen Kammermehrheit nicht verstanden, und eine Interpellation, mit der man ihm ungesäumt an den Leib ging, führte am 9. November seinen Rücktritt herbei. Jerry fiel, weil er Tunesien dem französischen Besitz angegliedert hatte, Gambetta hatte diese Politik gutgeheißen, gleichwohl erhielt er am 10. November den Auftrag, ein Ministerium zu bilden. Ein Widerspruch und eine Unbegreiflichkeit, wie sie in ungeklärten Lagen einer neugewählten; noch halb unbewußten Kammer vorkommen, in der die Mehrheit sich sucht, sich jedoch noch nicht gefunden hat.

Gambetta nahm den Auftrag an. Hätte er abgelehnt, würde er das Märchen von seiner geheimen Regierung und Kulissendiktatur zu rechtfertigen geschienen haben. Aber er wußte, daß er in der neuen Kammer Schiffbruch erleiden werde. Er wollte ein Ministerium bilden, das man im voraus "das große Ministerium« nannte, weil es fast durchweg aus ehemaligen Ministerpräsidenten zusammengesetzt sein sollte, aus Freycinet, Jules Ferry, Léon Say, Henri Brisson. Diese klugen und erfahrenen Politiker lehnten jedoch ab. Sie trauten seinem Stern nicht. Er ließ sich also ziehen und hielt sich an seine Freunde und Jünger: Waldeck-Rousseau, Paul Bert, Raynal, Spuller usw. Nun spotteten die

Parlamentarier und die Presse, es sei "das kleine Ministerium«! Sein Leben war kurz, sein Ende unrühmlich. Schon nach drei Monaten, am 26. Januar 1882, führte ein Antrag, die Verfassung einer Durchsicht zu unterziehen, seinen Sturz herbei. Ein unnatürliches Bündnis der äußersten Linken unter Clemenceaus Führung und der Rechten verdrängte ihn von der Regierung. Die Revisionsfrage war ein Vorwand. In Wirklichkeit war die entscheidende Abstimmung ein Scherbengericht. Er war vielen zu groß geworden. Er nahm in der Republik einen zu breiten Platz ein.

Sein Sturz verkleinerte Gambetta nicht. Auch seine Überwinder wußten sehr wohl, daß seine dreimonatige Ministerpräsidentschaft nur ein Proberennen war, der die eigentliche Leistung erst folgen sollte. Zu dieser kam es nicht. Am 16. Dezember desselben Jahres verwundete er sich zufällig in seinem Landhaus zu Ville d'Avray bei Paris. Um den Unfall rankte sich ein abenteuerliches Sagengestrüpp. Eine Freundin, mit der er brechen wollte, hätte auf ihn geschossen. Das ist eine alberne und böswillige Erfindung. Er hatte eine Herzensbeziehung zu einer Frau Leonie Léon, die 1869 in heißer Liebe zu ihm entbrannt war, als sie ihn von der Galerie der gesetzgebenden Körperschaft sah und eine seiner hinreißenden Reden hörte. Sie suchte seine Bekanntschaft und fand sie leicht. Er war in ihrem Besitze namenlos glücklich und ließ nie von ihr. Er vermied öffentliches Ärgernis und lebte nicht mit ihr zusammen. Er machte sie aber zur Genossin seiner Pläne und weihte sie in seine geheimsten Gedanken ein. Er hatte die Gewohnheit, ihr täglich aus der Kammer, auf seinen Reisen, in seinen Ausschußsitzungen zu schreiben, und die großenteils veröffentlichten Briefe sind eine unschätzbare Quelle zu seiner Kenntnis. Er wollte sie heiraten und flehte sie jahrelang um ihre Einwilligung an. Sie verweigerte sie, weil sie fürchtete, eine Kette an seinem Fuß zu sein und ihn an der Vollendung seiner großen Geschicke zu verhindern. Die Wahrheit ist, daß ein Revolver, den er handhabte, sich zufällig entlud und daß die Kugel ihm in den Handteller und den Vorderarm drang. Während er wegen dieser Verletzung das Bett hütete, erlitt er einen heftigen akuten Anfall einer chronischen Blinddarmentzündung, an der er seit Jahren gelitten hatte, ein Eiterdurchbruch veranlaßte eine allgemeine Bauchfellentzündung, und in der Neujahrsnacht von 1883 starb er an einer Krankheit, die man damals noch nicht richtig zu behandeln verstand und von der er in unsern Tagen durch einen rechtzeitigen chirurgischen Eingriff sicherlich geheilt worden wäre.

Sein Tod wurde als Nationalunglück empfunden, seinem Sarge folgten am 7. Januar in Paris mehrere Hunderttausend Leidtragende. An seinem Grabe verstummten alle feindlichen Stimmen. Er war nicht mehr Vitellius, er war die entschwundene Hoffnung Frankreichs, der Held von 1870, der größte Redner, den die französische Tribüne seit Danton gekannt hatte.

Sein Denkmal von Morice vor dem Louvre, gewaltig, verwickelt, überladen und mittelmäßig, zeigt ihn in ganzer Gestalt, in einem philiströsen Bratenrock, dem im Sturm zurückfliegende offene Schöße vergebens eine romantische Physiognomie zu geben suchen, mit heftig in den Nasen zurückgeworfenem, langhaarigem Kopf und starr ausgestreckter Hand, die auf ein Ziel in der Ferne weist. Das ist der Gambetta von 1870, der den Heiligen Krieg mit flammendem Munde predigt und mit dem Finger auf Straßburg zeigt, um der französischen Nationalenergie die Richtung anzugeben. Das ist ein Anblick Gambettas. Es ist nicht der einzige. Es ist nicht der bedeutendste. Er läßt den vorsichtigen, weitherzigen, nicht zu entmutigenden Staatsorganisator und Volkserzieher im Schatten, der das demokratische und republikanische Frankreich auf den Wegen der Ordnung, der Gesetzlichkeit, der allmählichen, organischen Entwicklung zu den höchsten Geschicken führen wollte.

Jules Grévy

Die Geschichte kann das Witzemachen nicht lassen. In einem der kritischsten Augenblicke der dritten Republik mußte just der Mann ihr Präsident werden, der seine politische Laufbahn damit begann, daß er in der Nationalversammlung von 1848, kaum zu ihrem Zweiten Vorsitzenden gewählt, den Antrag stellte, die Präsidentenwürde abzuschaffen und an die Spitze der Regierung ein häufiger Erneuerung zu unterwerfendes Ministerkollegium zu stellen. Beging er eine Folgewidrigkeit, als er 31 Jahre später das Amt annahm, dessen Überflüssigkeit er einst scharfsinnig und überzeugend nachgewiesen hatte? Nein. Denn als Präsident bemühte er sich mit Erfolg, der lebendige Beweis zu sein, wie richtige Ansichten er als Abgeordneter vertreten hatte.

Daß Grévy die Präsidentschaft annahm, war von ihm ein Opfer. Ein helläugiger Beobachter und selbsttäuschungsloser Kenner seines Volkes, wußte er, daß die Franzosen, wie die Frösche der Fabel, noch nicht ohne Oberhaupt sein konnten, und er zog vor, selbst der harmlose Holzpflock zu sein, damit nicht, wenn er diese verdienstliche, doch undankbare Rolle ablehnte, ein bedenkenfreier Storch sie übernahm. Oder sagen wir, wenn man Holzpflock für ein verletzendes Gleichnis halten sollte, Grévy habe sein Amt als ein rein dekoratives aufgefaßt. Er brachte es über sich, seine Persönlichkeit aufzugeben und nur ein Grundsatz zu sein. Er war die Ausgleichung des Widerspruchs, daß eine auf dem allgemeinen Stimmrecht beruhende Republik, also die Leugnung des persönlichen Regiments, an die Spitze ihres Regiments eine mit Willen und Macht ausgerüstete Persönlichkeit setzt. Der 16. Mai 1877 hatte gezeigt, welche Störungen eine derartige Persönlichkeit hervorrufen könne. Grévy wollte im Gegensatz zu seinem Vorgänger Mac Mahon keinen Willen und keine Macht entfalten. Er war wie das Bild auf einer Münze: er trat mit kaum merklicher Erhöhung von der Fläche der verfassungsmäßigen Gewalten hervor; man sieht es, doch man fühlt es nicht. Dieses freiwillige Sichverflachen, dieses Verbergen der individuellen

Physiognomie hinter der typischen Maske des obersten Würdenträgers der Republik war das Verdienst und die Bedeutung der Präsidentschaft Grévys.

Jules Grévy, der 1807 geboren war und 1891 starb, war der Sohn von Landleuten und ein Abkömmling eichenfester Jurabauern. Seine Rechtsstudien machte er in Paris. Er kam während der Tage der Juli-Erhebung nach der Hauptstadt und beteiligte sich mit dem Feuer schwärmender Jugend an den Straßenkämpfen. Er schrieb darüber seinem Vater in seinem ersten Brief aus Paris: " *Je suis venu à Paris pour faire mon droit et – mon devoir.* « "Ich bin nach Paris gekommen, um das Recht zu studieren und meine Pflicht zu tun«; eine kahle Übersetzung, die das hübsche Wortspiel der Ursprache nicht wiedergibt. Nach Beendigung seiner Studien kehrte er in sein Heimatsdepartement zurück und wirkte als vielbeschäftigter Rechtsanwalt, bis ihn nach der Februar-Umwälzung seine Mitbürger in die Nationalversammlung wählten. Hier lenkte er die allgemeine Aufmerksamkeit zuerst durch seinen Zusatzantrag zur Verfassung auf sich, der die Abschaffung der Präsidentenwürde bezweckte. Er ließ sich von der Regierung als Kommissar in den Jura senden, wo er sich tapfer persönlicher Gefahr aussetzte, um Leben und Eigentum der Besitzenden gegen anarchistische Anwandlungen des Pöbels zu verteidigen. Napoleons Staatsstreichsgehilfen urteilten am 2. Dezember 1851, daß Grévy einer der gefährlichen Politiker sei, deren man sich versichern müsse, und er erfuhr die Auszeichnung, wie sein weit berühmterer Kollege Thiers ins Mazas-Gefängnis gesteckt zu werden. Nach diesem Zwischenfall blieb er in Paris und ließ sich in die Anwaltskammer (" *le barrau* «) aufnehmen. Seine kühle, überlegene Ruhe, seine knappe, sachliche, trocken witzige Beredsamkeit, sein juristischer Scharfsinn brachten ihm rasch im Gerichtspalast eine erste Stellung ein. Es schadete ihm nicht, daß er ein wohlhabender Mann war. Man schätzte sein Vermögen auf eine Million, die er zum kleinem Teil selbst erworben, zum größern geerbt hatte. Die Bauern des französischen Ostens sind vielfach reiche Leute, die für die

Erziehung ihrer Kinder jedes Opfer bringen und sie gut ausstatten können. Auch die beiden Brüder des Präsidenten hatten eine Laufbahn, wie sie anderwärts den Söhnen eines einfachen Ackerbürgers kaum beschieden ist: der eine wurde Kommandierender General, der andere Senator und Generalgouverneur von Algerien.

Ehe er in den Elyséepalast einzog, hatte Jules Grévy fünfzehn Jahre lang eine bescheidene Wohnung drei Treppen hoch in der Rue St. Arnaud inne. Er gab sie auch nicht auf, als er zum Präsidenten gewählt wurde, und kehrte in sie zurück, als seine Präsidentschaft ein etwas gewaltsames Ende erreichte. In der höchst einfachen Zimmereinrichtung fiel nur ein Prachtstück auf: eine reizende Marmorgruppe von Carpeaux, zwei spielende halbwüchsige Mädchen darstellend.

Politisch trat er während des Kaiserreichs nicht hervor. Erst 1868 ließ er sich in die gesetzgebende Körperschaft wählen, in der er sich der Opposition anschloß, ohne an den Heftigkeiten Gambettas und Rocheforts teilzunehmen, an Streitbarkeit mit Jules Ferry, an rednerischer Emphase mit Jules Favre wetteifern zu wollen. Nach dem Sturz Napoleons III. in die Nationalversammlung geschickt, wurde ihm allseitig eine führende Rolle in der Minderheit zuerkannt. Der dringenden Empfehlung Thiers' verdankte er seine Wahl zum Ersten Vorsitzenden. Er unterstützte Thiers, doch ohne sich zu ereifern. Er war Republikaner, doch gemäßigt. Er bekämpfte die monarchistische Mehrheit, doch ohne unnötige Herausforderung. Gambetta liebte er nicht. Er war ihm zu heftig. Er hatte gegen ihn das Mißtrauen und die Kälte des gesetzten, allem Überschwang abgeneigten Nordfranzosen gegen den stürmisch brausenden Südfranzosen. Er wurde der natürliche Mittelpunkt der Gruppe, die die Republik, die Demokratie, die fortschrittliche Erneuerung der französischen Staats- und Gesellschaftseinrichtungen wollte, aber nicht in der galoppierenden Gangart, die sie fälschlich Gambetta zutraute.

Im Kampfe gegen den 16. Mai stand er seinen Mann. Den ersten Lohn seiner Festigkeit fand er in der Auszeichnung, nach dem Tode Thiers' von dessen Wahlkreis, dem 9. Pariser Stadtbezirk, als sein Nachfolger in die Kammer gewählt zu werden, die ihn wieder zu ihrem Vorsitzenden ernannte. Er blieb indes auch jetzt bedächtig. Als das Gerücht zu schwirren begann, daß das Ministerium de Rochebouet einen Staatsstreich sinne, trat ein achtzehnmitgliedriger Ausschuß der Republikaner zusammen, um den Widerstand zu organisieren. Gambetta wollte, daß man Mac Mahon und seiner Regierung gegebenenfalls mit den Waffen entgegentrete. Die Mehrheit stimmte ihm zu. Grévy widerriet mit großer Bestimmtheit jeder Gewalttat. Man müsse, sagte er, fest auf dem Boden der Gesetzlichkeit stehen und alle Schuld den Gegnern lassen. Man dürfe den Titel eines Abgeordneten oder Kammervorsitzenden nicht als Waffe im Bürgerkriege gebrauchen. Komme es zum äußersten, so müsse man den Auftrag niederlegen. Als Privatmann habe dann jeder zuzusehen, wie er seine Bürgerpflicht erfülle. Diese Haltung ist bezeichnend für den vorsichtigen Politiker, der auch in Ausnahmelagen nicht aufhört, Jurist zu sein. Nach dem Rücktritt Mac Mahons war Grévy der einzige Bewerber um die Präsidentenwürde, da Gambetta es abgelehnt hatte, sich gegen ihn aufstellen zu lassen. Seine Wahl bildete ein Datum in der Geschichte Frankreichs. Sie bedeutete, daß Frankreich sich endlich offen zum Geiste seiner Verfassung bekannte. Die Feinde der Republik in Frankreich und außerhalb hatten sie nicht ernst genommen, solange ihr Präsident ein Marschall gewesen war. Das klang noch harmonisch mit monarchischen Überlieferungen und Anschauungen zusammen. Sobald es nur ein Soldat ist, der an der Spitze des Reiches steht, kommt es auf seinen Titel nicht an. Ob er nun Podestà oder Doge oder Präsident oder König heißt, das macht für eine etwas höhere Auffassung keinen Unterschied. Die Hauptsache ist, daß der Grundsatz der persönlichen Autorität, des Befehlens und Gehorchens ohne Widerrede zur Geltung besteht und der Untertanrespekt vor dem Säbel und der goldgestickten Uniform gewahrt bleibt. Der Marschall Mac Mahon hatte während seiner Präsidentschaft eine richtige Hofhaltung im Elysée. Er war von drei Adjutanten und etlichen Zeremonienmeistern umgeben, hatte einen Hofkaplan, einen

Hausalmosenier, er sprach von "seiner« Armee, "seiner« Regierung, sogar "seinem« Volke. Am 1. Juli 1877 richtete er nach einer Truppenschau in Longchamps an das Heer einen Tagesbefehl, in dem es hieß: "Soldaten! Ihr begreift eure Pflichten, ihr fühlt, daß das Land euch die Hut seiner teuersten Interessen anvertraut hat. Ich zähle auf euch, um sie bei jeder Gelegenheit zu verteidigen. Ich bin sicher, daß ihr mir helfen werdet, den Respekt vor der Autorität und den Gesetzen in der Ausübung der Sendung aufrechtzuerhalten, die mir anvertraut ist und die ich bis zu Ende erfüllen werde.« Ein Selbstherrscher kann kaum anders sprechen. Jeden Augenblick wurden Leute, die von seiner Gottähnlichkeit nicht zu überzeugen waren, wegen Marschallsbeleidigung – man war versucht, "wegen Majestätsbeleidigung« zu sagen – zu schweren Strafen verurteilt, und öffentliche Beamte der Republik beteuerten fortwährend ihre Ergebenheit für die Person des Herrn de Mac Mahon, Herzogs von Magenta und Abkömmlings irischer Könige einer unbestimmten Fabelzeit. Das sah allerdings einer Monarchie zum Verwechseln ähnlich, und die Feinde der Republik hatten recht, zu schmunzeln, wenn von dieser die Rede war. Erst die Wahl Grévys machte der monarchistischen Komödie im Elysée ein Ende. Erst seitdem war die Republik eine wirkliche Republik.

Grévy war ein Bürger in der großen und kleinen Bedeutung des Wortes. Seinen Namen zierte kein "de«, sein Knopfloch kein Endchen bunten Bandes. Er besaß im Augenblick seiner Erwählung keinen einzigen Orden, auch nicht den der Ehrenlegion. Das große Band legte er zum erstenmal am 14. Juli 1880 an, als an das erneuerte Heer die neuen Fahnen verteilt wurden. Auch dann faßte er es als ein unpersönliches Abzeichen auf, das die Würde des Staatsoberhauptes begleitet, ohne an dem Menschen zu haften, und als er ins Privatleben zurücktrat, verzichtete er wieder auf die Farbwirkung des roten Bändchens. Er war Demokrat im Privatleben und blieb Demokrat als Präsident der Republik, das erste Beispiel seit 1793. Lamartine war seinen Neigungen und seiner

Abstammung nach Aristokrat, ebenso Cavaignac, dessen Soldatennatur die Demokratie ausschloß. Thiers war in seinem Gefühl Monarchist, vieljähriger Diener und Freund eines Königs, verliebt in Hofzeremoniell, Kenner und sorgfältiger Beobachter jeder Etikette; es war einer der schönsten Tage seines Lebens, als er das spanische Goldene Vlies erhielt, und wenn er von dem Baronstitel, den ihm König Ludwig Philipp beschert hatte, keinen Gebrauch machte, so war es wohl, weil ihm dieser Adelsrang nicht hoch genug schien, um mit ihm Staat zu machen. Grévy aber war ein wirklicher und überzeugter " *égalitaire* «; es hätte ihm nichts gemacht, "Bürger Präsident« angeredet zu werden, und er tat, was an ihm lag, um aus dem vornehmen Elyséepalast ein europäisches Seitenstück des Weißen Hauses von Washington zu machen.

Grévy war gewöhnlich ernst und schweigsam, er besaß jedoch die Gabe treffender epigrammatischer Bemerkungen. Als Regierungskommissar im Jura führte er sich 1848 mit der Erklärung ein: "Ich will nicht, daß die Republik Furcht einjage.« An Napoleons Plebiszit nach dem Staatsstreich übte er diese Kritik: "Die Antwort, die man vom Volk verlangt, ist ein Befehl, den man ihm erteilt.« Im Mai 1877 ließ er einmal eine außerordentliche Sitzung der Kammer einberufen. Der Vorsteher der Hausbeamten fragte ihn, ob die Einberufung im Amtsblatt veröffentlicht werden oder eine persönliche für jeden einzelnen Abgeordneten sein solle. "Sie soll persönlich sein, wie die gegenwärtige Regierung,« war seine Antwort.

Seine Erscheinung war eindrucksvoll. Er war groß, stark, breitschultrig, der Typus jenes tüchtigen ostfranzösischen Menschenschlags, in dem das fränkische und burgundische Blut vor dem gallischen weit vorwiegt. Sein geräumiger Schädel war kahl, Oberlippe und Kinn trug er rasiert, das kräftige, verschlossene Gesicht war von weißen starken "Favoris« eingerahmt, die korrekte Rechtsanwaltsmaske aus der Mitte des 19. Jahrhunderts. Sein Mund hatte gewöhnlich einen etwas harten Zug, war jedoch eines gewinnenden Lächelns fähig. Fürst Hohenlohe hat in seinem Tagebuch unfreundlich von ihm gesprochen. Er sagt ihm nach, er habe sich mit dem Finger in der Nase gebohrt, während der deutsche Botschafter mit ihm plauderte. Fürst Hohenlohe hat da eine Flüchtigkeit begangen. Grévy hatte die Gewohnheit, sich, wenn er aufmerksam zuhörte, den rechten Zeigefinger an die Nase zu legen und sie mit dem Daumen zu streicheln. Diese vielleicht nicht gerade elegante, doch nicht anstößige Bewegung hat Fürst Chlodwig bedauerlich mißdeutet.

Der bonapartistische Abgeordnete Mitchell sagte von Grévy im Dezember 1877, als zuerst davon die Rede war, ihn zum Nachfolger des sich mit Rücktrittsgedanken tragenden Mac Mahon zu machen: "Ich habe Angst vor diesem Menschen. Er hat kein galantes Verhältnis, man hat ihn nie eine Karte anrühren sehen, und er trinkt weder Wein noch Likör. Ein unheimlicher Mensch!« Die Tatsachen waren richtig. Er verabscheute die Karten, und man kannte keine Frau, der er den Hof gemacht hätte. Das Schlimmste, was der Wandelgangklatsch ihm aufmutzte, war, daß er als Kammervorsitzender mit schönen und eleganten Galeriebesucherinnen gern liebäugelte, es bis zum Austausch pikanter Briefchen kommen ließ und sich mitunter so sehr in ein anziehendes Lärvchen vergaffte, daß er der Verhandlung nicht folgte, Ungehörigkeiten ohne Rüge durchgehen ließ und in seiner Unaufmerksamkeit gelegentlich wohl auch einen Bock schoß, was bei einem hohen Sechziger eine merkwürdige Empfänglichkeit für Frauenreiz bezeugte. Er war ein ausgezeichneter Schachspieler und ließ auch als Präsident einen langjährigen bescheidenen Partner ein- bis zweimal wöchentlich ins Elysée kommen, wo er die Ehre hatte, das Staatsoberhaupt matt zu machen, wenn er nicht den Höflingstakt hatte, sich von ihm matt machen zu lassen. Seine Enthaltung von allen geistigen Getränken machte Grevy durch eine wahre Leidenschaft für Kaffee wett. Um sich seines Lieblingsgetränks stets in gleicher Vorzüglichkeit zu erfreuen, bereitete er es sich in der Regel selbst. Man erzählte sich in diesem Zusammenhang eine drollige Anekdote von ihm. Er war einmal von dem Abgeordneten Menier mit seinem Freunde

Bethmont zu einer Jagdpartie geladen. Die beiden Gäste verirrten sich im Wald und gerieten auf der Suche nach dem rechten Wege in ein einsames Wirtshaus. Sie waren müd und durstig und verlangten zu trinken. Bethmont war mit dem vorhandenen Krätzer gedient, Grévy, der den Wein verabscheute, wünschte Kaffee. Zum Staunen seines Freundes wandte er sich an den Wirt mit der Frage: "Haben Sie Zichorie?« "Gewiß, mein Herr.« "Bringen Sie mir sie.« Der Wirt ging und kam mit einem Röllchen Zichorie wieder. "Haben Sie noch?« "Ein klein wenig.« "Bringen Sie mir auch das.« Der Wirt entfernte sich wieder und brachte diesmal nur ein halbes Röllchen, nicht ohne seinen Gast verwundert anzusehen. "Ist das alles?« "Ja. Mehr habe ich nicht.« "Schön. Nun gehen Sie und bereiten Sie mir eine Tasse Kaffee.« Bethmont und der Wirt lachten herzlich, und Grévy hatte das Kunststück vollbracht, von einem Bauerwirt Kaffee ohne Zichorie zu erlangen. Seine einfachen Gewohnheiten gestatteten ihm eine weise Sparsamkeit. Da er auch im Elysée nicht viel anders lebte als in seinem dritten Stock der Rue St. Arnaud, legte er ungefähr sein ganzes Präsidentengehalt auf die hohe Kante, und die bösen Zungen rechneten ihm nach, daß er sich von 1879 ab jährlich für eine Million Pariser Häuser kaufte. Sein Bauerinstinkt mißtraute jedem Papier und beruhigte sich nur mit einer sichern Anlage in Grundbesitz.

Es ist tragikomisch, daß dieses Vorbild ehrbar biedermännischen Bürgertums und kleiner negativer Mittelstandstugenden gerade von einem Aufruhr des empörten Sittlichkeitsgefühls weggefegt werden sollte. Grévy war nach Ablauf seiner ersten siebenjährigen Amtsdauer 1886 wiedergewählt worden. Seine tadellose Handhabung der Präsidentengewalt, seine absichtliche Farblosigkeit hatten ihm alle republikanischen Parteien gewonnen. Im Ministerrat, dem er vorsaß, beschränkte er sich darauf, die Beschlüsse der Kabinettsmehrheit zusammenzufassen, wie ein Richter den Wahlspruch der Geschworenen verkündet, ohne seine eigene Meinung durchschimmern zu lassen. Er lehrte, im Präsidenten der Republik nichts zu sehen als den Schlußstein der verfassungsmäßigen Gewalten, der sich jeder tätigen Eigenbewegung enthalten muß, soll er nicht das Gewölbe erschüttern, dessen Halt und Siegel er sein muß. Das Unheil, das über ihn hereinbrach, ging denn auch nicht von ihm aus und war nicht von ihm verschuldet.

Er hatte 1881 seine einzige Tochter Alice mit dem Abgeordneten Daniel Wilson, damals einem einundvierzigjährigen ehrgeizigen Politiker, dem Schloßherrn von Chenonceau, verheiratet. Er wollte sich von seinem Kinde nicht trennen – diese Vaterzärtlichkeit vervollständigt sein anheimelndes Charakterbild – und ließ das Ehepaar bei sich im Elyséepalast wohnen. Wilson strebte nach hohen Zielen. Er wollte Parteiführer, Regierungsmitglied, Ministerpräsident werden und gedachte taktlos das Ansehen seines Schwiegervaters in den Dienst seiner Pläne zu stellen. Er gründete ein Tageblatt, "La petite France,« und wollte es gleichzeitig in verschiedenen Provinzausgaben erscheinen lassen. In seinem Organ bekämpfte er besonders Gambetta und nach dessen Tode seine Partei, die "Republikanische Vereinigung«. Diese vergalt Hieb mit Hieb. Sie erhob heftigen Einspruch dagegen, daß Wilsons Blatt unter dem Dach des Elyséepalastes redigiert wurde, wodurch es in den Augen der Menge den Anschein gewann, die Eingebungen des Präsidenten zu verbreiten, und ihn aus seiner Stellung über den Parteien mitten in ihren Kampf hineinstieß. Sie entdeckte, daß Wilson das dem Präsidenten allein zustehende Recht unentgeltlicher Briefbeförderung für sich benutzte und seine ganze Post unfrankiert versendete; ferner, daß er von einem Großkaufmann in Hâvre für seine Zeitungsunternehmungen 100 000 Franken bekommen hatte, wofür er ihm das Bündchen der Ehrenlegion verschaffte. Die mißbräuchliche Benutzung der Postfreiheit war ein läßliches Vergehen, das überall, wo diese Freiheit für die Parlamentarier besteht – wie früher in England und jetzt in Spanien – gang und gäbe ist und ohne Bemerkung geduldet wird. Die Verleihung von Orden und Titeln an unbescholtene Männer als Belohnung für Geldopfer zu Parteizwecken ist in England, um nur ein Land anzuführen, eine offen geübte Methode, an der niemand Anstoß nimmt. Wilson aber war der Sohn eines Engländers und hatte von seinem Vater englische Anschauungen überkommen. Seine Gegner jedoch erhoben ein wütendes Geschrei über Betrug, Hinterziehung, Ordensschacher, Bestechung, die Feinde der Republik wiederholten mit überschwenglicher Schadenfreude diese Anklagen und verallgemeinerten sie zur Beschuldigung tiefer Verderbnis der Republik, der Sturm tobte um das Elysée und hüllte auch Grévy in seine Wirbel. Die Kammer forderte in einer Tagesordnung seinen Rücktritt. In einer vorbildlich würdigen Botschaft ermahnte er sie, sich nicht von einer unüberlegten Laune hinreißen zu lassen und nicht das Beispiel einer leichtblütigen Mißachtung der Verfassung zu geben. Sie beharrte bei ihrem Beschluß, in Dauersitzung versammelt zu bleiben, bis der Präsident ihr seine Abdankung übermittelt haben würde. Grévy war damals, 1887, achtzig Jahre alt. Er wollte nichts mehr als Ruhe. Zum Kampf gegen die Kammer, vielleicht zu ihrer Auflösung und zur Anrufung des Landes gegen sie, hatte er weder den Willen noch die Kraft. Er warf also sein Amt hin, verließ das Elysée, zog still wieder in seine Rue St. Arnaud, die inzwischen ihren Namen geändert hatte, und lebte dann noch vier Jahre lang in strenger Zurückgezogenheit als ironischer Zuschauer der weitern Entwicklung der Dinge. Er sah noch den Boulangismus und den Panamaskandal, die ihn an den Catonen rächten, von denen er im Namen der gekränkten Tugend geopfert worden war. Genugtuung empfand er jedoch darüber nicht, denn er war seinem Vaterland innig ergeben und litt unter jeder Schmähung von dessen gutem Ruf mehr als unter der seines eigenen.

Jules Ferry

Jules Ferrys Geschick ist eine echte Tragödie, die alle Bedingungen dieser Dichtungsgattung erfüllt. Ein mächtiger Wille kämpft für große Ziele mit Widerständen, die seiner würdig sind. Das Fleisch erliegt, der Gedanke siegt. Der Held ist immer guten Glaubens, aber seine Gegner, wenigstens die ausschlaggebenden, wenngleich nicht ihre gelegentlichen Bundesgenossen, sind es nicht minder. Der eine wie die anderen handeln nach ihrem kategorischen Imperativ ohne Rücksicht auf ihr persönliches Wohl, und jener wie diese sind unerschütterlich überzeugt, daß sie recht haben. Sie haben es auch unzweifelhaft, jeder vom eigenen Standpunkt. Diese Standpunkte selbst jedoch über die sie zeitweilig vertretenden vergänglichen Menschen hinaus vergleichend zu beurteilen ist die Aufgabe der Geschichte.

Jules Ferry wurde in Saint-Dié im Vogesendepartement 1832 geboren. Sein Vater war Rechtsanwalt, seine Mutter die einzige Tochter eines Gerichtsvorsitzenden. Sein Großvater war Ziegelbrenner und Bürgermeister von St. Dié, die älteren Ahnen waren Glockengießer, Schöffen und Ratsherren derselben Stadt. So stammt er väterlicherseits aus dem guten festgewurzelten Bürgertum und durch die Mutter aus dem Richteradel, die unter dem *ancien régimeals dritter Stand und als zweifelhafter Einschluß in den zweiten die Schmiede der Staats- und Volksgeschicke waren und zu allen Großtaten Frankreichs die Arme und die Herzen, das Blut, das Hirn und das Gold lieferten. Tief in den heimischen Boden gepflanzt, hatte Ferry den Gesichtskreis seiner Kindheit und Jugend, der auch derjenige aller seiner Vorfahren bis in unvordenkliche Zeiten gewesen war, fortwährend als selbstverständlichen Schauplatz seiner geheimsten Gedanken und Träume vor dem innern Auge, und noch in seinem letzten Willen schreibt er: "Ich wünsche in demselben Grabe zu mein wie mein Vater und meine Schwester, im Angesicht jener blauen Vogesenzeile, von der die Klage der Besiegten bis zu meinem treuen Herzen dringt.« Dem innersten Mark des französischen Stammes entsprossen, verkörperte er dessen ausgezeichnete Eigenschaften ebenso wie die minder rühmlichen und war in seinem Fühlen und Denken immer eins mit ihm. Und hier beginnt die Tragödie: dieser typische Volksmann war zeitlebens das Opfer des tiefsten Volkshasses.*

Sein Äußeres bezeugte wie sein Name die alte romanisierte Form des fränkischen Friedrich, den starken germanischen Einschlag, den man in der ganzen östlichen Grenzbevölkerung Frankreichs antrifft. Er war von hohem Wuchs, breitschultrig, blond an Haar und Bart, die allerdings früh ergrauten, helläugig und langschädelig. Er war für den Kampf ums Dasein ausgerüstet wie selten jemand. Stark, kühn und dauerbar war er den meisten Menschen überlegen und allen gewachsen. Geistig war dieses vorzügliche Exemplar der Gattung wesentlich Rohstoff ohne besondere Differenzierung. Es war eine allgemeine gleichmäßige Tüchtigkeit, aus der keine stark profilierte Sonderbegabung hervortrat. Das ist so wahr, daß er nicht einmal eine ausgesprochene Neigung zu einem bestimmten Beruf hatte. Er wollte ursprünglich Maler werden, doch hinderte ihn die Beschäftigung mit der Kunst nicht, auf dem Straßburger Gymnasium ein Musterschüler zu werden und dies auch als Rechtshörer zu bleiben. Er schrieb sehr hübsche Reisebriefe aus Spanien, Italien und Griechenland, aber es hat ihn nie gedrängt, ein Buch zu schreiben, von einigen frühen politischen Broschüren abgesehen. Er hatte die Geistesverfassung der großen Praktiker: zuverlässiges Gedächtnis für Einzelheiten, Sinn für das Tatsächliche, rasches Erfassen der wirklichen Zusammenhänge, und er kannte keine angenehmere Erholung, als Gedichte zu lesen, wie er denn stundenlang Verse von Victor Hugo, Théophile Gautier, Leconte de Lisle sprechen konnte. Er war ein tüchtiger Rechtsanwalt, ehe er sich auf die Politik warf. Er hatte von der Philosophie, namentlich dem Positivismus Auguste Comtes, mehr als Liebhaberkenntnisse. Was immer er geworden wäre, er hätte es zu anständigen, vielleicht glänzenden Erfolgen gebracht, doch schwerlich tiefe und dauernde Furchen gezogen.

Die Eigenschaften, durch die er sich hoch über den Durchschnitt erhob, waren eben nicht solche des Geistes, sondern des Charakters. Er hatte den natürlichen, organischen Mut des Löwen, der niemals theatralisch werden kann, weil sein Besitzer ihn als etwas so Selbstverständliches, Unverdienstliches, zu keiner Prahlerei sich Eignendes empfindet, wie etwa seine Eßlust bei Tische oder sein Schlafbedürfnis nach dem Arbeitstage, und er hatte einen unverwüstlichen, stählernen Willen; er war ein Willensgenie. In diesem Urteil sind alle einig, die ihn kannten, auch wenn sie ihn nicht liebten.

General Trochu sagte von ihm, er sei "sehr energisch, sehr kühn, von heldischer Tapferkeit gewesen«. Gambetta äußerte: "Hätte er die militärische Laufbahn eingeschlagen, er wäre Ney oder Murat geworden.« Antonin Proust bezeugte: "Es gibt vielleicht keine Seite in der Lebensgeschichte Jules Ferrys, auf der nicht eine Heldentat verzeichnet wäre.« Und die ihm feindliche "Lanterne« rief ihm nach seinem Tode nach: "Er war einer von jenen, die sich nicht ergeben.«

Tatsachen beweisen dies. Henri Houssaie erzählt: "Am 13. Oktober 1870 stand ich mit meinem Zug vor dem Fort Banves als Geschützbedeckung. Ferry, der mit zwei Mitgliedern der Regierung gekommen war, um die Schlacht zu beobachten, hielt sich in geringer Entfernung von der Batterie auf. Eine preußische Granate schlug in einen Munitionskarren ein, der aufflog und mit seinen Geschossen und Trümmern etwa zehn Mann tötete oder verwundete. Ferry blieb ruhig, wie wenn er einem harmlosen Feuerwerksversuche beigewohnt hätte. Seine mannhafte Haltung wirkte um so stärker, je mehr sie von der seiner beiden Begleiter abstach. Er hatte den grauenhaften Hauch des Todes ohne Schauder über sich hinwehen gefühlt.«

Als die meuternden Nationalgarden unter Flourens' Führung am 31. Oktober 1870 in das Pariser Stadthaus drangen und die versammelten Mitglieder der Regierung, unter denen sich auch der Bürgermeister von Paris Jules Ferry befand, am Leben bedrohten, rief einer der Aufständischen Ferry zu: "Jetzt hab' ich dich endlich, du wirst mir nicht entwischen!« Ferry erwiderte: "Ich habe dich, verstehst du mich? Morgen wirst du in der Lage sein, in der ich heute bin.« Es gelang ihm, aus dem Saal zu entkommen, wo seine Kollegen gefangengehalten wurden. Er sammelte einige treugebliebene Bataillone um sich und eilte an ihrer Spitze nach dem Stadthaus zurück. Allen voran stürmte er, der ihn empfangenden Flintenschüsse nicht achtend, die Treppe hinan in den Beratungssaal und sprang auf den Tisch. Bei seinem Anblick schrie Flourens: "Schießt ihn nieder! « Die Garden wandten sich jedoch zu wilder Flucht. Ferry rief ihnen nach: "Ihr seid meine Gefangenen! Ich habe euch! Ihr seid mir geliefert! Heute will ich euch noch Gnade gewähren. Jetzt aber hinaus! Und denkt daran: wenn ihr wieder anfangt, habt ihr auf kein Erbarmen zu hoffen!« Dieselbe Schneidigkeit wie bei dieser Gelegenheit zeigte er am 18. März 1871, als er beim Ausbruch des Kommune-Aufstandes das letzte Regierungsmitglied war, das seinen Posten verließ. Und nicht anders wie auf dem Schlachtfeld und vor dem Aufruhr benahm er sich der Wut der feindlichen politischen Parteien gegenüber. Als der Kampf um sein von den Klerikalen als kirchenfeindlich empfundenes Schulgesetz am wildesten tobte, rief ihm de Carayon-Latour in der Kammersitzung vom 18. März 1882 grimmig zu: "Nein! Dieses Gesetz wird niemals vollstreckt werden!« Ferry schleuderte sofort der tobenden Rechten die Antwort ins Gesicht: "Das Gesetz wird vollstreckt werden, Ihnen zum Trotz, gegen Sie. Sie werden auf Ihre Kosten erfahren, daß in Frankreich nur ein Gesetz und eine Gerechtigkeit gilt.«

Nach Beendigung seiner Studien ließ er sich in Paris 1851, noch nicht zwanzig Jahre alt, als Rechtsanwalt eintragen. Er war ein Sohn seiner Zeit und teilte die Gesinnungen seiner Generation. Die junge Anwaltschaft war dem Staatsstreich feind. So geriet Ferry in die Opposition gegen das Kaiserreich und blieb ihr mit der ihm eigenen Beständigkeit treu. Er sammelte eine Gruppe von Alters- und Berufsgenossen um sich, arbeitete an den wenigen damals geduldeten oppositionellen Zeitungen mit und betätigte sich bei den Wahlen. Sein Freundeskreis glaubte von allem Anfang an seine Zukunft. Seine erste Broschüre gegen die amtliche Kandidatur, "Der Wahlkampf«, 1863, wurde viel bemerkt. Als Mitglied des Pariser republikanischen Wahlausschusses wurde er gerichtlich verfolgt und zu 500 Franken Geldbuße verurteilt. Er setzte indes seinen Plänklerkrieg gegen die bestehenden Gewalten fort und wurde 1869 durch seine Broschüre: " *Les comptes fantastiques d'Haussmann* « berühmt. Unter dem fast gleichklingenden Titel " *Les contes fantastiques d'Hoffmann* « sind E. T. A. Hoffmanns Erzählungen und Märchen in Frankreich sehr volkstümlich, weit mehr als in Deutschland. Das Wortspiel war die beste Einführung seiner herben Kritik der Finanzlotterei des Seine-Präfekten Haußmann. Es wirkte stärker als die ernsten Zahlen und Tatsachen der Broschüre. Am 7. Juni 1869 wurde er in Paris zum Abgeordneten gewählt. So öffnete ihm ein Kalauer die Pforte der Volksvertretung und wurde die erste Stufe zu seinen späteren Erfolgen in der Politik.

Er wurde auf ein Programm gewählt, das unter anderem erklärte: "Frankreich wird nicht frei sein, solange es eigensinnig bei seinem System stehender Heere verharrt. Man muß vor allem Dezentralisation, unbedingte Trennung von Staat und Kirche, breite Entwicklung der Schwurgerichte, Umwandlung des stehenden Heeres fordern. Das sind die notwendigen Zerstörungen.«

Allerdings haben auch Gambetta, Michelet, Littré, Gaston Paris usw. dieses Wahlprogramm unterschrieben. Der erste aber, der es verleugnete, war Ferry. Er war eben ein Regierungs- und Ordnungstemperament und nur durch die Verkettung der Umstände in die Opposition geraten. Schon 1871 nannte er Picards doch recht harmlosen Antrag auf Abschaffung der Unterpräfekten einen "anarchistischen Gedanken«. 1873 schrieb er, der zwanzig Jahre lang in Paris«als Kaffeehaus-Politiker und Redaktionsstuben-Verschwörer gewirkt hatte, aus Athen an seinen Bruder: "Griechenland ist die Beute von Wirtshausrednern, dieser Pest aller Demokratien, die schwatzen, Blödsinn kramen und kannegießern.« In einer Rede sagte er 1885 in Bordeaux: "Das 1869er Programm war im Grunde nur die Absetzung des Kaiserreiches in gesetzlicher Form, durch seine fortschreitende, unaufhörliche Entwaffnung... Wir wußten vom Militarismus nicht viel Gutes zu sagen. Wir hatten eine unklare Sehnsucht nach Abrüstung, eine für die damalige Demokratie bezeichnende Neigung, eine Art Nationalgarde zu schaffen ... Das Land hat den 1870er Krieg gesehen und diesen gefährlichen und trügerischen Utopien für immer den Rücken gekehrt... Es bemüht sich, die Schule und durch das härteste Heergesetz Europas das ganze Volk zu militarisieren ... Wir beneiden die Republikaner nicht, die sich rühmen, unwandelbar zu sein, weil sie sich nach 25 Jahren Opposition gegen das Kaiserreich und gegen die ›moralische Ordnung‹ verpflichtet glauben, auch die republikanischen Minister mit derselben Heftigkeit zu bekämpfen.« Hier erklingt beinahe schon die komische Note von Rabagas ... Ähnlich heißt es in einem Brief an Magalhaes Lima: "Unseren Radikalen scheint die Republik das Mindestmaß von Regierungsgewalt zu bedeuten. Verhängnisvoller Irrtum ... Zwischen einem Lande, das regiert sein will, und einer Partei, die keine andere Regel zu kennen scheint, als die Regierung zu entwaffnen, besteht ein tiefes Mißverständnis, das tödlich werden kann. Wehe uns, wenn wir es nicht einsehen.« Diese Briefstelle erschließt das Verständnis von Ferrys politischen Geschicken.

Nach dem Sturze des Kaiserreichs ernannte die Regierung ihn zum Bürgermeister von Paris, und von da bis zu seinem Tode ist seine Geschichte die Geschichte der dritten Republik. Nach kurzer Verwendung als Gesandter in Athen wurde er 1879 zum erstenmal Minister, zwischen 1880 und 1885 dreimal Ministerpräsident, am 30. März opferte ihn auf die falsche Nachricht von der Niederlage des Jammerlappens Herbinger bei Langson, zwei Tage vor dem glänzenden Frieden mit China, die feige und demoralisierte Kammermehrheit dem Haß seiner Gegner, und die Wut gegen ihn war so heftig, daß er auf einer Leiter über die Mauer zwischen dem Palais Bourbon und dem Garten des Auswärtigen Amtes klettern mußte, um dem Pöbel nicht in die Hände zu fallen, der vor dem Palais Bourbon auf ihn lauerte und ihn in Stücke zerreißen wollte. Im August 1887 hatte er einen Zweikampf mit Boulanger, den er einen "Tingeltangel-Saint-Arnaud« genannt hatte. Nach Grévys Verzicht auf die Präsidentschaft wollte die Kongreßmehrheit ihn am 3. Dezember 1887 zum Präsidenten der Republik wählen. Hetzer wühlten jedoch die Hefe der Bevölkerung gegen ihn auf und drohten mit Barrikaden, Brand und Totschlag, wenn er ernannt würde. Ferry wollte es auf keinen Bürgerkrieg ankommen lassen und trat zugunsten Carnots zurück. Die von seinen Feinden ausgestreute Saat ging jedoch blutig auf. Acht Tage später, am 10.

Dezember, feuerte der halbverrückte Auvertin vor dem Palais Bourbon aus unmittelbarer Nähe vier Revolverkugeln auf ihn ab, die ihm zwar nicht in den Leib drangen, jedoch durch die Brustwand den Herzmuskel kontusionierten und ein Herzleiden verursachten, dem der starke Mann, kaum 61 Jahre alt, 1893 fast plötzlich erlag. Zwei Monate vorher hatte er noch die Genugtuung erlebt, zum Senatspräsidenten gewählt zu werden, nachdem er acht Jahre lang wie ein Geächteter gelebt hatte.

Ein Günstling der Menge, solange er unter dem Kaiserreich dem Kreise der Unversöhnlichen angehörte, wurde er über Nacht der meistgehaßte Mann Frankreichs, als er zur Teilnahme an den Staatsgeschäften berufen wurde, und blieb es bis an sein Ende, das die Hand des sinnlosen Verbrechers vielleicht um Jahrzehnte beschleunigte. Der Grund dieses Hasses waren gerade seine Großtaten, die von frecher, beharrlicher Lüge und Verleumdung als Verbrechen gegen Volk und Staat hingestellt wurden.

Als Bürgermeister von Paris hatte er für die Ernährung der Bevölkerung während der Belagerung zu sorgen. Am 6. September trat er sein Amt an, am 19. war Paris vollständig eingeschlossen. Durch Wunder der Umsicht und Anschlägigkeit, durch eine unvergleichliche Raschheit der Entschließungen und fast übermenschliche Tätigkeit gelang es ihm, in dreizehn Tagen so viel Lebensmittel zusammenzubringen, daß Paris mehr als vier Monate durchhalten und sich durch seine tapfere Verteidigung Ruhm erwerben konnte. Der Dank des Volkes, das er von Schmach oder Hungertod gerettet, bestand darin, daß es ihn "Ferry den Aushungerer«, "Ferry l'affameur«, nannte und am 31. Oktober totschlagen wollte.

Als Ministerpräsident gab er Frankreich das Kongogebiet, Tunesien, Tonkin, Anam und die Schutzherrschafi über Madagaskar, die später in eine unmittelbare Angliederung umgewandelt wurde. Der Dank für diese ungeheure Gebietsvergrößerung, die dem "gedemütigten und verkleinerten« Frankreich eine Weltstellung gab, wie es sie in seinen glänzendsten Tagen nicht gekannt hatte, bestand darin, daß man ihn mit dem Schimpfnamen "der Tonkinese« brandmarkte, ihn am 30. März lynchen wollte, ihn 1887 bei der Rückkehr vom Kongreß in Versailles mit Steinen und Kot bewarf und die Hand eines gestörten Meuchelmörders gegen ihn waffnete.

Er erneute die französische Volksschule, die er der Geistlichkeit entriß, schuf die Mädchengymnasien, gab 400 Millionen für Schulhäuser aus, erhöhte den Aufwand für Unterricht von 36 auf 168 Millionen, führte die Zahl der Analphabeten auf die Hälfte zurück. Der Dank für die Erziehung des französischen Volks bestand darin, daß seine Geburtsstadt St. Dié, die er seit 1871 in der Kammer vertreten, ihn 1889 nicht wiederwählte, so daß die Senatorenwähler ihn nachträglich dem Parlament retten mußten.

Er war Patriot bis zum flammenden Chauvinismus. Er gehörte zu den Gründern der Patriotenliga. Und ihn nannten seine Feinde "Ferry den Verkauften« und beschuldigten ihn, er habe sich von Bismarck nach Tunesien und Tonkin locken lassen, um Frankreich mit Italien zu verfeinden, das Heer zu zerrütten und den Volksgedanken von Elsaß-Lothringen abzulenken.

Der Volkshaß, der ihn zwanzig Jahre lang unerbittlich und unversöhnlich verfolgte und ihm jede neue vaterländische Glanzleistung als neues Verbrechen ankerbte, war das Werk verschiedener Parteien, die einander sehr fernstanden und aus sehr ungleichen Beweggründen handelten.

Zuerst feindeten ihn die Bonapartisten an, die mit Recht in ihm einen der Urheber der Umwälzung vom 4. September sahen. Ihnen schlossen sich, gleichfalls mit Recht, die Anarchisten an, die hauptsächlich seine Entschlossenheit am 31. Oktober besiegt hatte. Dann kamen die Klerikalen, die ihm seine Schulgesetze und den Kampf gegen die tiefe Unwissenheit nicht verziehen, in der jeder Aberglaube trefflich gedeiht. Die Monarchisten waren über ihn erbittert, weil er die Prinzen von Orléans aus Frankreich verbannte und zum Zwecke der Säuberung des durch und durch reaktionären Richterstandes die Unabsetzbarkeit der

Richter zeitweilig aufhob. Diesen Verkörperungen der Vergangenheit, verbündet mit den anarchistischen Feinden jeder Ordnung und der Gesittung selbst, gesellten sich später die Radikalen zu, die in ihm seit dem Tode Gambettas den einzigen ernst zu nehmenden, widerstandskräftigen Vertreter jenes Opportunismus sahen, der ihrer Meinung nach jeden republikanischen Fortschritt verhinderte.

Daß aber die Feindschaft dieser vier Parteien sich in der niederträchtigen Form schändlicher Beschimpfung und Verleumdung, ja der Anstiftung zum Meuchelmord betätigen konnte, war hauptsächlich, vielleicht einzig das Werk Paul Dérouledès. Dieser haluzinierende Dichter hatte die Geistesverfassung der Ketzerrichter des Mittelalters und Hexenverbrenner der Reformationszeit, nur war sein Fanatismus nicht auf den Glauben, sondern auf einen Patriotismus gerichtet, der in seinem Hirn zu einem Delirium des Hasses, zu aktivem und passivem Verfolgungswahn wurde. In jeder politischen Handlung, die er nicht begriff, sah er schnöden Landesverrat an Deutschland.

Die Klerikalen und Bonapartisten kannten Déroulède genau und machten sich über ihn lustig, bedienten sich aber seiner. Sie flüsterten ihm das eine Wort "Bismarck« ins Ohr, während sie mit dem Finger geheimnisvoll auf Ferry wiesen, und nun war ihm alles klar. Er war ein Verräter, ein von Bismarck bezahlter Verräter. Dieses furchtbar gefährliche Schlagwort warf er in die zu Anfang der achtziger Jahre noch sehr kranke Volksseele, und so entstand die Erregung der Menge gegen Ferry, der die straff gegliederte, ihrem Führer Déroulède blind gehorchende Patriotenliga die Richtung wies. Seinen parlamentarischen Gegnern war Ferry immer überlegen. Überwältigen konnten sie ihn erst, als sie die Straße gegen ihn mit Hilfe Déroulèdes mobilmachten und dem Todesgeheul der aufgewiegelten Menge die Fenster und Türen des Kammersitzungssaales öffneten.

Die Sympathien aller anständigen Leute wären nicht notwendig mit ihm gewesen, wenn der Kampf gegen ihn immer in parlamentarischen

Formen geführt worden wäre. Denn seine starke, angriffsfrohe Natur war dazu angetan, heftige Widerstände hervorzurufen.

Er war ein Mann der Überlieferung durch und durch. Die Klerikalen und Monarchisten haben das nicht erkannt; die Radikalen waren sich darüber immer klar. Ferry blieb Republikaner, weil er es in jungen Jahren geworden war, doch nur aus feudaler Treue des Vasallen und Gefolgsmannes für den Lehnsherrn. Er war weder Demokrat noch Gleichheitsmensch, sondern Diener der Autorität, der hierarchischen Gliederung, des Gehorsams der Regierten, der Unantastbarkeit der Regierenden. Er war in tiefster Seele sogar kirchlich gesinnt, trotz seiner Schulgesetze und Maßregeln gegen die Jesuiten. Er wiederholte bei jeder Gelegenheit, daß er die Kirche hochachte und nur dem Staate seine Souveränitätsrechte sichern wolle.

Die Radikalen hatten von ihrem Standpunkt aus recht, Ferry zu bekämpfen. Er war der begabteste von jenen Politikern, die den Napoleonischen Staatsbau gegen die neuen Volkskräfte verteidigten und dafür eintraten, daß das Regiment ein Kaiserreich mit republikanischem Etikett blieb. Er verkörperte die alte Tyrannis des viel regierenden, alle Regungen der sich weiten wollenden Volksseele streng hemmenden Staats. Er mußte überwunden werden, wenn die Republik etwas anderes werden wollte als die Geschäftsführerin des abwesenden und verhinderten Cäsarismus, wenn der republikanische Gedanke sich die logisch nötigen Staats- und Gesellschaftsformen schaffen sollte.

Er war ein um so gefährlicherer Gegner, als er persönlich keinen Angriffspunkt bot. Er war makellos in seinem Leben und Wirken. Seine Hände waren peinlich rein. Er hatte nicht einmal Ehrgeiz. Er wollte die Macht nur, um in der ihm allein richtig scheinenden Weise für sein Vaterland wirken zu können. Seine große Leidenschaft war die Liebe zu Frankreich, eine selbstlose, opferfreudige Liebe. Eine tragische Liebe, denn sie blieb unerwidert.

Erst als er tot war und Frankreich größer, gebildeter, zukunftsreicher zurückgelassen hatte, als er es aus den Händen des Kaiserreichs übernommen, erkannte auch die Menge, welch treuen Diener sie in diesem starken und geduldigen Mann besessen. Nun erhoben sich für ihn Denkmäler in St. Dié, in Haiphong, in Tunis, und bei jeder Denkmalsenthüllung wurde all das Große aufgezählt, das er für Frankreich gewirkt. Diese späte Anerkennung fügt seinem schmerzerfüllten Leben eine Melancholie mehr hinzu. Man denkt an Heines Gedicht "Der Dichter Firdusi«. Dem lange verkannten, nach Thus verbannten Dichter wird endlich Anerkennung und Lohn. Der Schah schickt ihm eine Karawane mit reichen Ehrengaben.

"Wohl durch das Westtor zog herein
Die Karawane mit Lärmen und Schrein.
Doch durch das Osttor am andern End'
Von Thus zog in demselben Moment
Zur Stadt hinaus der Leichenzug,
Der den toten Firdusi zu Grabe trug.«

Waldeck-Rousseau

Die Sturm- und Drangzeit der dritten Republik war zu Ende. Sie hatte sich im Parlament gegen den Abscheu, die Anschläge, die Ränke der verschiedenen monarchistischen und Bonapartistischen Parteien, im Lande gegen das Mißtrauen der ordnung- und ruheliebenden Volkskreise durchgesetzt. Ihr Bestand war von keinem innern Gegner mehr ernstlich bedroht. Der Sohn Napoleons III. war in einem kläglichen Abenteuer 1879 in Südafrika den Speeren wilder Zulus unrühmlich erlegen, sein Erbe, Hieronymus Napoleon, ein Freidenker und Republikaner, von den Bonapartisten heftig verleugnet worden, und dessen Sohn, der sich zu tadellos konservativen Grundsätzen bekannte, lebte schattenhaft in der Verbannung und konnte die allmähliche Zersetzung und Abbröckelung seiner Partei nicht verhindern. Der Graf von Chambord war, in seine weiße Fahne gehüllt, eindrucksvoll und unbrauchbar, gestorben, sein Rechtsnachfolger, der Graf von Paris, bald nach ihm verschwunden, dessen Sohn, der Herzog von Orleans, dem Lande fremd, geistig wenig begabt, von anstößigem Wandel, ein Werkzeug in der Hand bedenkenfreier Anhänger, die ihn und seine Sache durch Aufrührergewohnheiten und Anarchistengewalttaten in Verruf brachten.

Man klagte die Republik an, Frankreich zum Paria inmitten des monarchischen Europas zu machen und bündnisunfähig zu sein. Selbst Fürst Bismarck war dieser Ansicht und begünstigte sie darum gegen die Versuche der Wiederherstellung des Königsthrons, da nach seiner Überzeugung die Krönung Heinrichs V. zu einer Koalition der katholischen Mächte unter Führung des Papstes und zum Kriege führen mußte. Die Republik wurde jedoch von allen Monarchien als vollwertig und ebenbürtig anerkannt, keine stellte ihre Ranggleichheit in Frage, die Herrscher Rußlands, Englands, Italiens, Portugals, Belgiens, der drei skandinavischen und einiger balkanischen Königreiche machten ihr wiederholt zeremoniöse Aufwartungen und vertrautere Freundesbesuche, und ein mit den Jahren immer enger werdendes Bündnis verknüpfte sie mit dem rückschrittlichsten Reiche Europas, bei dem man die unüberwindlichste Abneigung gegen solche Gemeinschaft vorausgesetzt hatte.

Die dogmatische Behauptung Thiers': "Die Republik wird konservativ sein oder sie wird überhaupt nicht sein,« war von der Entwicklung längst Lügen gestraft worden. Das vornehme Bürgertum, das sich an die Stelle des enteigneten Adels der alten Monarchie gesetzt und Frankreich durch drei Menschenalter regiert hatte, war seinerseits von jenen "neuen Schichten«, von denen Gambetta zu sprechen pflegte, aus der Herrschaft verdrängt worden, in den Elyséepalast und die Ministerhotels zog die Demokratie ein, die zur Vornehmtuerei zu selbstbewußt war und durch natürliche stolze Würde selbst den Snobismus, so gern er gespottet hätte, zum Verstummen und zur Verbeugung nötigte, ein Radikalismus, der den Mut seiner Überzeugung hatte, wuchs immer kräftiger in die autoritären Staatseinrichtungen, hauptsächlich die Schöpfung Napoleons I., hinein und erfüllte sie mit seinem Geiste, sofern er sie nicht einfach sprengte. Diese Umwandlung beunruhigte niemand mehr, da selbst die Ängstlichsten sich durch den Augenschein überzeugten, daß sie die von

Unglücksraben geweissagten Katastrophen nicht heraufbeschwor. Das Leben des Volkes floß in der gewohnten Weise dahin, die Ordnung wurde von niemand gestört, es sei denn von ihren angeblichen Stützen und Verteidigern, den Gegenrevolutionären, die allein noch die revolutionären Methoden anwandten. Frankreich erfreute sich eines ununterbrochenen wirtschaftlichen Aufschwungs. Nach 43jährigem Bestande der Republik waren ihre Einnahmen und Ausgaben von rund 2,5 auf rund 4,5 Milliarden gestiegen, ihre dreiprozentige Rente hatte wiederholt und auf längere Zeit den Kurs von 100 überschritten, den höchsten, den Frankreich je gekannt hatte, sie war imstande gewesen, die Zinsen aller ihrer Staatsanleihen auf drei vom Hundert herabzusetzen, sie hatte für Bahn-, Kanal- und Straßenbauten acht Milliarden aufgewendet, ihre Aus- und Einfuhr annähernd verdoppelt. Der Beweis war erbracht, daß Frankreich keines Retters bedurfte und daß der Volkswille genügte, um seine Staatsgeschäfte in regelmäßigem Gange zu erhalten. Und es bedurfte nicht einmal außergewöhnlicher Persönlichkeiten, um den Volkswillen zu verstehen und zu vollstrecken.

Die starken Männer, die die Republik gegründet, ihre Wiege verteidigt, ihre ersten Schritte geleitet hatten, waren abgenützt, oder gestorben, oder vom Volksundank beiseite geschoben worden. In das Vordertreffen rückten Jüngere ein, die nicht ihren Wert besaßen. Seit dem Rücktritt Grévys, seit dem Abgang Ferrys regierten anderthalb Jahrzehnte lang anständige Mittelmäßigkeiten, gelegentlich wohl auch solche, die sogar unter dem Durchschnitt blieben, doch auch sie machten ihre Sache nicht allzu schlecht, da im ganzen die Routine genügte.

Nach Grévys erzwungener Abdankung zog in das Elysée, von dessen Toren der verhetzte Pöbel Jules Ferry mit Steinwürfen weggetrieben hatte, Sadi Carnot ein, der Träger eines großen Namens der Revolutionsgeschichte, doch ganz und gar Epigone; kalt, tadellos, steinern ernst, vertraute Annäherung entmutigend, grau in grau. Er fiel bei einer amtlichen Reise in Lyon unter dem Messer des anarchistischen Mörders Caserio. Nach ihm wollte ein Teil der Linken Waldeck-Rousseau zum Präsidenten wählen; die Mehrheit zog Casimir Périer vor, den Enkel eines der Schöpfer und großen Minister des Bürgerkönigtums. Er war sehr reich, von hoher Geistesbildung, charakterfest, entschlußfähig, doch zu nervös, zu empfindlich. Sein Pflichtgefühl oder sein Selbstbewußtsein war nicht stark genug, um ihn gemeine Angriffe verachten zu lassen. Bübereien eines Gossenblattes verletzten ihn derartig, daß er schon nach wenigen Monaten das Elysée verließ und die Tür krachend hinter sich zuschlug. Sein Nachfolger wurde Felix Faure. Je weniger man von dieser unempfehlenswerten Gestalt sagt, desto besser. Er war an der Spitze der Republik der erste Emporkömmling, der sein möglichstes tat, um die Demokratie lächerlich zu machen. Er war ein Zierbengel, dessen Laffentum durch sein Alter besonders widerlich wurde. Er träumte für sich eine goldgestickte Seidenuniform vom Schnitt der alten Hoftracht und forderte, daß auch seine Freunde aus früherer Zeit zu ihm in der dritten Person sprachen. Zugleich aber haschte er nach billiger Volkstümlichkeit, indem er, der ehemalige Lederhändler, für den Arbeiter posierte, der er nie gewesen war, und ein altes Lichtbild verbreiten ließ, das ihn in der Faschingsverkleidung eines Gerbergesellen darstellte. In der Dreyfus-Krise verriet er seine Partei an den Rückschritt, dem er sich als willen- und grundsatzloses Werkzeug auslieferte. Sein Ende war seines Lebens würdig. Inmitten greisenhafter Ausschweifung ereilte ihn der Tod, der nach der Sage den König Etzel in den Armen von Chriemhilde traf. Der nächste Präsident, Emile Loubet, war, mit diesem Vorgänger verglichen, eine Lichtgestalt: ehrbar, klug, umsichtig, bescheiden als Mensch, würdig als Staatsoberhaupt, genug sicher in seiner begründeten Selbstachtung, um durch die tätliche Beleidigung des jungen royalistisch-klerikalen Raufboldes Barons Christiani weder in den eigenen Augen noch in denen der Welt vermindert zu werden, nur freilich auch etwas schüchtern, etwas schwunglos, ein wenig zu werktätig für ein so hochgestimmtes, nach heroischem Leben dürstendes Volk wie das französische. Loubet war der erste Präsident, dem es gegönnt war, seine sieben Jahre zu erfüllen und geräuschlos und regelrecht abzugehen – ein letzter Beweis, daß die dritte Republik die

Region der Klippen und Untiefen hinter sich hat und in freiem Fahrwasser schifft. Nach Loubet kam Fallières, wesentlich ein anderer Loubet, nur reicher entwickelt, lebendiger, stärker als er, mitteilsamer, überströmender, einnehmender, doch nicht minder unparteiisch, verfassungstreu, gewissenhaft und fest. Auch er konnte seine sieben Jahre friedlich vollenden und sein Amt nach Vorschrift in die Hand Raymond Poincarés legen, über den nur in breiterem Rahmen der Weltgeschichte das Urteil zu fällen sein wird.

Unter diesen Staatsoberhäuptern regierten Ministerpräsidenten, die meist in raschem Wandel wie Gestalten eines Schattenspiels vorüberhuschten, ohne einen Eindruck zu hinterlassen, und von denen nur einige sich durch genauere Umrisse und irgendeinen eigenartigen Zug dem Gedächtnis einprägten: de Frencinet, behutsam bis zur Ängstlichkeit, undurchdringlich, voller Vorbehalte, immer zu Ausgleichen mit seinem Gewissen bereit; Goblet, ein unscheinbarer Provinzadvokat, der in einem kritischen Augenblick während des Schnäbele-Zwischenfalls zu ungeahnter Ansehnlichkeit wuchs und eine durchaus ehrenvolle Lösung zu erlangen wußte; Floquet, romantisch, stürmisch, der Mann, der 1867 dem den Gerichtspalast besuchenden Zaren Alexander II. ins Gesicht rief: "Es lebe Polen, mein Herr!« und der im Degen-Zweikampf den General Boulanger gefährlich verwundete; Ribot, ein Nachahmer englischer Parlamentarier, von Grundsätzen nicht allzu sehr beschwert, geschäftstüchtig, gewillt, der Zeit zu folgen, doch nicht immer gelenkig genug, um mit ihr Schritt zu halten; Brisson, grundehrlich, feierlich, doch schwach und ohne Mißtrauen gegen arglistige Mitarbeiter, von denen er sich wie ein harmloses Kind prellen ließ; Bourgeois, eine tönende Schelle, der man indes das eine Talent zugestehen muß, nie etwas geleistet und gleichwohl den Glauben unterhalten zu haben, ein großer Mann, ein großer Staatsmann zu sein; Charles Dupuy, ein beleibter Auvergnate, den ein glückliches Mißverständnis berühmt machte: der Anarchist Vaillant schleuderte mitten in der Sitzung von der Galerie eine Bombe in die Kammer; sie flog auf und verwundete einige Abgeordnete; Dupuy, damals Vorsitzender, hatte mit seinem dichten Gehirn nichts gesehen und nichts gehört; er nahm nur verblüfft den Tumult eines Aufbruchs, das Streunen aufspringender und von ihren Plätzen wegeilender Abgeordneter wahr, vermutete ein Mißverständnis, gab das Glockenzeichen und rief ahnungslos: "Die Sitzung dauert ja fort!«; man hielt für Tapferkeit, was Begriffsstutzigkeit war, schrie einen einfältigen Ausruf als ein antik heldisches Wort, als eine römisch senatoriale Äußerung aus, und der Mann, der dem Neger Norton, Déroulède und Millevoye geglaubt hatte, daß Clemenceau ein Spion in englischem Solde sei und der britischen Botschaft in Paris schriftliche Geheimberichte liefere, widersprach nicht, sondern machte sich die Lesart der Leichtgläubigen zunutze; Méline, ein rücksichtsloser Agrarier, der die durch Sperrzölle begünstigten Landwirte und Gewerbetreibenden zu Anhängern gewann und dem sein menschliches und juristisches Gewissen gestattete, das Vorhandensein einer Dreyfus-Frage zu leugnen, das Urteil in dieser Sache für gut, gesetzlich und gültig zu erklären; noch andere, die nicht einmal an diese zum Teil doch immer noch ehrenwerten und bürgerlich tüchtigen Männer heranreichten und deren Namen bereits der verdienten Vergessenheit anheimgefallen sind.

Mittelmäßig wie die leitenden Politiker war ihre Politik und das öffentliche Leben, in dem sie wirkten. Das Parlament verbrauchte seine Kraft in byzantinischem Parteigezänk; die Abgeordneten vergaßen das Gemeinwohl und dachten nur daran, ihren einflußreicheren Wählern Regierungsbegünstigungen zu verschaffen; an die Stelle großer Ziele trat die Jagd auf Ministerportefeuilles, und Wandelgangränke wurden die Hauptaufgabe der Volksvertreter. Inzwischen bereitete ein geistlicher Orden, der große Zeitungen gründete, Finanz- und Gewerbegeschäfte machte, in allen Kreisen zuverlässige Mitarbeiter und Helfer warb, ungehindert und ungestraft die Gegenrevolution vor. Sein Werk war der Boulangismus, nach ihm der Lärm um das Panama-Ärgernis. In den vom Tiefpflug dieser beiden Bewegungen aufgelockerten und umgewühlten

Boden streuten die Verschwörer die Saat des Antisemitismus und der Spionage-Wahnvorstellungen, die üppig aufging und dem französischen Volksleben bald die Beschaffenheit eines Dschungels gab. Im Großen Generalstab, wo die Angegliederten der Ordenskongregation die Alleinherrschaft ausübten, war man Verrätereien auf die Spur gekommen: in seinen Bureaus arbeitete ein einziger jüdischer Offizier, der Artilleriehauptmann Dreyfus; auf diesen Eindringling warfen seine Vorgesetzten und Kameraden ohne Besinnen den Verdacht; sie teilten ihn sofort ihrer Presse mit, ließen den Beschuldigten verhaften, mit Vergewaltigung aller Rechtsformen und Gesetze verurteilen und unter Veranstaltungen, die an die Vollstreckung von Todesurteilen der Inquisition erinnerten, öffentlich vor versammeltem Kriegsvolk und Zehntausenden von Zuschauern aus dem Heere stoßen, ehe sie ihn zu lebenslänglicher schmachvoller Strafverbüßung nach der Teufelsinsel schickten. Ein hochherziger, unerschrockener und gewissensreiner Offizier, der Straßburger Oberstleutnant Picquart, Vorsteher der Nachrichten-Abteilung im Kriegsministerium, entdeckte in den Akten des Dreyfus-Falles ein augenscheinlich gefälschtes Schriftstück. Er berichtete seinen Vorgesetzten darüber und diese beeilten sich, ihn aus dem Amte zu entfernen und mit einem sinnlosen Scheinauftrag an die Südgrenze von Tunesien zu schicken, von wo er, so hofften sie, nicht lebendig zurückkommen sollte. Der Anschlag mißlang, Picqart legte öffentlich für die Wahrheit Zeugnis ab und wurde dafür in den Kerker geworfen. Verteidiger des meuchlerisch geopferten jüdischen Offiziers riefen leidenschaftlich die öffentliche Meinung an, das französische Volk fing Feuer, und der Brand, der es bis in seine letzten Tiefen ergriff, wütete sechs Jahre lang. Es gab keinen Franzosen, der nicht mit der ganzen Heftigkeit des nationalen Temperaments Partei nahm. Lebenslange Freundschaften wurden zerrissen, Eltern gegen die Kinder gewaffnet, das Gesellschaftsleben in eine heulende Wildnis umgewandelt. Die klerikalen Verschwörer erfanden die tollsten Spukgeschichten, die in einer Irrenhaus-Atmosphäre blind geglaubt wurden. Es sollte ein geheimnisvolles teuflisches "Syndikat« bestehen, das, vom internationalen Judentum finanziert, im Solde Deutschlands arbeitete und die Vernichtung des französischen Heeres und Staates plante. Die Fälschung des Belastungsmaterials gegen Dreyfus wurde für eine gottgefällige, heilige Tat, für eine rühmliche Verteidigung des schwer bedrohten Vaterlandes erklärt. Die öffentliche Ordnung wurde heftig gestört. Tobende Banden, in denen bezahlte Strolche gutgläubige verwirrte Fanatiker einrahmten und leiteten, beherrschten die Straße, überfielen die Freisinnigen, johlten "Es lebe das Heer!« spielten sich als die einzigen Patrioten auf, stießen Todesrufe gegen die Dreyfusards als gegen vaterlandsloses Gesindel, Feinde des Heeres und Verräter an Frankreich aus. Briefe wurden aufgefangen, in denen die klerikalen Rädelsführer nächtliche Überfälle auf ihre Gegner verabredeten und einander aufmunterten, mit Knütteln Schädel einzuschlagen (" *écer-veler avec des bayados* «). Der schamlosen Dreistigkeit der volksvergiftenden und mit Verbrechermethoden arbeitenden klerikalen Verschwörer antwortete die wutbebende Erbitterung der für Recht und Wahrheit kämpfenden Republikaner. Alles drängte zu einer nahen furchtbaren Katastrophe. Da erstand im Augenblick der äußersten Spannung dem sinnlos aufgeregten Land ein Mann der Vorsehung: Waldeck-Rousseau.

Nach anderthalb Jahrzehnten sah die Republik an die Spitze der Regierung wieder einen Ministerpräsidenten treten, der nicht ein bloßer Politiker, sondern ein wirklicher Staatsmann war. Waldeck-Rousseau setzte die Reihe der schöpferisch begabten geborenen Führer, der Gambetta, Jules Ferry, fort, deren Freund und Jünger er war und in deren Fußtapfen er trat. René Waldeck-Rousseau, 1846 in Rennes geboren, war der Sohn eines hervorragenden Rechtsanwalts, der 1848 seine Mitbürger in der Nationalversammlung vertrat und in dieser eins der angesehensten Mitglieder der republikanischen Linken wurde. Er selbst ließ sich nach Beendigung seiner Rechtsstudien 1869 zunächst in St.-Nazaire, dann in Rennes nieder, wo ihm außer seiner eigenen Tüchtigkeit das Ansehen seines Vaters rasch eine erste Stellung sicherte. 1879 wurde er zum Abgeordneten gewählt, und es dauerte nur wenige

Wochen, bis in der neuen Kammer, in der ihm der väterliche Ruf voranging, Gambetta ihn bemerkte oder, wie er sich rühmte, entdeckt hatte. Die vornehme Erscheinung des eleganten, hochgewachsenen jungen Mannes mit dem regelmäßigen, ruhigen, ernsten Gesicht und den kalten, gebieterischen Augen, seine warme, ohne Anstrengung weittragende Stimme, seine Sicherheit und Freiheit auf der Rednerbühne, die Sachlichkeit, die Knappheit, die klassische Formvollendung seiner Rede, die nie in Emphase verfiel und von keiner Gestikulation begleitet war, machten starken Eindruck auf die Versammlung, die sofort erkannte: "Dieser Anfänger ist jemand!« Man wunderte sich denn auch nicht, daß schon zwei Jahre nach seinem Eintritt in das Parlament, am 14. November 1881, ohne daß er den üblichen Probedienst als Parteigruppenschriftführer, Ausschußberichterstatter, Unterstaatsseketär geleistet hatte, Gambetta ihm in seinem großen, oder kleinen, Ministerium ein Portefeuille anvertraute. Die dritte Republik hatte bis dahin noch keinen 34jährigen Minister ohne parlamentarische Vergangenheit gesehen.

Er bewährte sich hier wie in allen Stellungen; so sehr, daß nach dem raschen Sturze Gambettas auch seine Nachfolger sich ihn als Mitarbeiter sichern wollten. Jules Ferry nahm ihn am 21. Februar 1883 zum Minister des Innern und Waldeck-Rousseau wirkte an seiner Seite bis zum schwarzen Tage, dem 30. März 1885, an dem die Nachricht von der Schlappe bei Langson den Aufruhr der Kammer gegen das Kabinett erregte. Die Ungerechtigkeit des Parlaments und der Menge gegen Ferry, den er hochschätzte und dessen innere und äußere Politik er als die dem Heil und der Größe Frankreichs dienlichste erkannte, empörte ihn so tief, daß er sich bis zum Ende der Kammertagung jeder politischen Betätigung enthielt und nach Ablauf seines Auftrages, 1889, keine Wiederwahl annahm. Fünf Jahre lang blieb er dem Parlament fern und widmete sich ganz seinem Berufe in Paris, wo man ihm allseitig den Rang des ersten forensischen Redners zuerkannte. 1894 gab er jedoch dem Drängen seiner alten Parteigenossen nach und ließ sich in den Senat wählen. Trotzdem er sich vom parlamentarischen Leben ferngehalten, an keinen Parteiumtrieben teilgenommen, nie um Gunst und Freundschaften geworben hatte, war sein Ansehen so groß, baß man ihn nach der plötzlichen Abdankung Casimir Périers zum Präsidenten der Republik wählen wollte. Er selbst tat nichts zum Gelingen dieses Plans, und so blieb er um 40 Stimmen hinter Felix Faure zurück, zu dessen Gunsten er vor dem nötig gewordenen zweiten Wahlgang ausdrücklich und bestimmt auf die eigene Bewerbung verzichtete.

Wieder hielt er sich fünf Jahre im Hintergrund, bis der wenige Monate vorher zum Präsidenten der Republik gewählte Loubet ihn nach dem Sturze Charles Dupuys im Juni 1899 zur Regierung berief. Die Schwierigkeit seiner Aufgabe, der er sich voll bewußt war, erschreckte ihn nicht. Er hatte in einer Rede gesagt: "Die Politik darf keine Laufbahn sein; sie ist ein öffentlicher Dienst.«

Danach handelte er. Er erkannte, daß er eine Pflicht zu erfüllen hatte, und er entzog sich ihr nicht. Er griff mit fester Hand in die Zügel der Regierung, die seine Vorgänger hatten schleifen lassen. Er stellte in der Polizei und im Offizierkorps die gelockerte Zucht wieder her. Er machte den Ruhestörungen auf der Straße ein Ende. Er sorgte für die achtungsvolle Vollstreckung des Urteils, durch das der Kassationshof, Frankreichs höchstes Gericht, die Wiederaufnahme des Verfahrens gegen Dreyfus angeordnet hatte. Er ließ das unglückliche Opfer des klerikalen Justizverbrechens von der Teufelsinsel kommen und umgab das Kriegsgericht von Rennes, vor dem der neue Prozeß abrollte, mit allen Bürgschaften strenger Regierungsunparteilichkeit. Man hat ihm vorgeworfen, daß er nichts tat, um die Militärrichter dem offen und schamlos geübten Druck der klerikalen Verschwörer zu entziehen. Seine Verteidigung lautete: "Nur indem wir uns vollständig jedes Eingriffs enthielten, konnten wir hoffen, dem Urteil die Autorität zu sichern, die das ganze Volk zwingen sollte, sich davor zu verneigen.« Das Gericht von Rennes kam zu einer hinterhältigen und verlegenen Entscheidung: es verurteilte Dreyfus ein zweites Mal, doch mit mildernden Umständen, die unbegreiflich und nicht zu verteidigen waren, wenn es ihn schuldig glaubte. Wenige Tage nach dieser neuen Rechtsbeugung verlangte und erhielt Waldeck-Rousseau von Loubet die Begnadigung von Dreyfus und damit war das gewaltige Drama äußerlich beendet. Die Verteidiger der Gerechtigkeit waren mit diesem Abschluß unzufrieden, da er ihrem Sittlichkeitsgefühl keine Genugtuung gewährte, Waldeck-Rousseau aber sagte mit einem alten skeptischen Richter: "Das Wesentliche an einem Urteil ist nicht, ob es gerecht oder ungerecht ist, sondern daß es einem Prozeß ein Ende macht.« Er blieb nicht auf halbem Wege stehen. Er setzte auch bald darauf ein Amnestiegesetz für alle mit dem Dreyfus-Handel zusammenhängenden Strafsachen durch. Diese Tat zog ihm besonders heftige Vorwürfe zu. Die Verschwörer, die sechs Jahre lang eine Schreckensherrschaft ausgeübt und unzählige Missetaten begangen hatten, konnten sich jetzt unter dem Schutz der Amnestie ins Fäustchen lachen und waren sicher, nicht zur Rechenschaft gefordert zu werden. Eine ideale Lösung war das nicht. Das Recht und die Moral kamen bei dieser Handhabung des Schwammes sicherlich zu kurz. Aber Waldeck-Rousseau war ein Mann der Regierung und ein Praktiker. Ihm kam es in erster Reihe darauf an, den innern Frieden herzustellen und einen Rache- und Vergeltungsfeldzug zu verhindern, der den virtuellen Bürgerkrieg in einen aktuellen verwandelt hätte.

Er wußte jedoch aus den sechsjährigen Dreyfus-Wirren die Lehre zu ziehen, die sie in sich schlossen. Er hatte die klerikale Organisation an der Arbeit gesehen und war entschlossen, sie zu sprengen.

Er brachte das Gesetz über die Vereine ein, das, wie er ausdrücklich zugab, gegen die geistlichen Orden gerichtet war und sie auflöste, soweit sie nicht durch ein besonderes Gesetz gestattet wurden. Das Vereinsgesetz, ein harter Schlag für den Klerikalismus und die Gegenrevolution, rief in der Kammer und im Senat den wütenden Widerstand der Rechten hervor. Waldeck-Rousseau verteidigte ihn mit unerschütterlicher Ruhe. "Ich überlasse mich«, hatte er bereits Jahre vorher gesagt, "nicht den Leidenschaften, die ich nicht kenne, ich suche meine Eingebungen in meiner Vernunft, die vom Studium unterstützt ist.« Leidenschaftslos, in der Tat, doch mit einer unerschütterlichen Entschlossenheit, wie Frankreich sie an seiner Regierung seit Jules Ferry nicht gekannt hatte, setzte er die Annahme seines Vereinsgesetzes durch, dann kündigte er, am 3. Juni 1902, dem Präsidenten Loubet seinen Entschluß an, von der Regierung zurückzutreten. Er erfreute sich des vollen Vertrauens der Mehrheit beider Kammern. Kein äußerer Anlaß nötigte ihn zur Abdankung. Sie war durchaus freiwillig. Ein der Welt noch unbekanntes, doch ihm nicht verborgenes Übel unterwühlte seine Gesundheit. Er hatte seine Pflicht getan, seine Aufgabe gelöst. Drei Jahre lang hatte er am Steuer gestanden und das Staatsschiff sicher durch Klippen und Sturm geführt. Er hatte die zerrüttete Ordnung wiederhergestellt, dem fiebergeschüttelten Land die Ruhe wiedergegeben, neue Anschläge der ewigen Feinde der Republik mindestens erschwert, wenn nicht unmöglich gemacht, er urteilte, daß er sich das Recht auf Erholung erarbeitet hatte. Ehe er ging, empfahl er dem Präsidenten und dem Parlament als seinen Nachfolger Emile Combes, und er hatte die Genugtuung, seinen Vertrauensmann zum Ministerpräsidenten ernannt zu sehen. Er war überzeugt, daß Combes das Vereinsgesetz, das er als sein Lebenswerk ansah, in seinem Sinne vollstrecken werde. Hierin hatte er sich, wie im folgenden Abschnitt gezeigt werden soll, getäuscht. Als er dies erkannte, erhob er, am 27. Juni und 20. November 1903, im Senat unwillig grollend die Stimme zu einer Verwahrung und Mahnung. Vergebens. Er konnte die Entwicklungen, zu denen er selbst den Anstoß gegeben, nicht aufhalten. Die Krankheit, ein Leberkrebs, setzte ihre Verwüstungen fort und streckte den starken Mann im Sommer 1904, vor vollendetem 58. Lebensjahre, nieder. Er nahm den Ruhm mit sich ins Grab, der rechte Mann an der rechten Stelle in einem Augenblicke gewesen zu sein, wo ihn wahrscheinlich niemand hätte ersetzen können.

Emile Combes

Combes, geboren 1835 in Roquecourbe, einem Dorf des Tarn-Departements, ist der Sohn eines blutarmen Tischlers, den das Schicksal höhnisch mit Kindern überreichlich gesegnet hatte. Der spätere Ministerpräsident lernte in Kindheit und Jugend die bitterste Not kennen. Der Vater konnte für seine Heranbildung nichts aufwenden und überließ den ältesten Sohn deshalb gern einem Bruder, der Geistlicher war und dem kleinen Neffen eine Freistelle im Unterseminar ("petit séminaire«) seines Bistums verschaffte. So studierte der junge Combes bis zur Reifeprüfung und bis zu den Priesterweihen und erwarb sogar den Grad eines Doctor litterarum mit einer Dissertation über "die Psychologie des heiligen Thomas von Aquino«, die weniger durch eigene Gedanken als durch gründliche Gelehrsamkeit Achtung einflößt. Aber es fehlte ihm die Berufung und zum Heucheln die Begabung. Er zog den Priesterrock, kaum daß er ihn angelegt hatte, wieder aus und sah sich nach einem andern Beruf um. Sein Vater war inzwischen gestorben, und er der Ernährer seiner jüngeren Geschwister geworden. Er nahm eine Stelle als Klassenaufseher an einem Gymnasium an, und während er sich tagsüber für ein elendes Gehalt mit den Rangen herumbalgte, denen Verachtung und boshafte Hänselei des armen Teufels von "piou« überlieferungsgemäß als rühmlicher Sport gilt, bereitete er sich in der Nacht für das Studium der Heilkunde vor, das er mit eiserner Ausdauer unter den schlimmsten Widerwärtigkeiten zu Ende führte. Arzt geworden, ließ er sich in dem Städtchen Pons nieder und erwarb sich bald eine bescheidene Praxis, die ihm gerade zu leben und für seine Mutter und Geschwister zu sorgen gestattete. Seine Kranken bezahlten ihn schlecht, behandelten ihn aber ebenso gut wie er sie, denn sie wählten ihn der Reihe nach zum Bürgermeister von Pons, zum Generalrat der Charente Inférieure und – 1885, und seitdem bei jedem Ablauf seines Auftrags – zum Senator.

Combes ist kein Blender. Er hat sich nie vorgedrängt, sich nie weithin bemerkbar machen wollen. Aber die den bescheidenen Mann aus der Nähe beobachteten, müssen doch immer von der Gediegenheit seiner stillen Arbeit einen starken Eindruck empfangen haben, denn er trat nie in eine Versammlung ein, ohne von seinen Kollegen alsbald, oft mit sanfter Nötigung, an die erste Stelle gezogen zu werden. Der Gemeinderat von Pons wählte ihn zum Bürgermeister, der Generalrat seines Departements wählte ihn zum Ersten Vorsitzenden. Der Senat wählte ihn zweimal, 1893 und 1894, zum Zweiten Vorsitzenden. Die Senatsgruppe der fortschrittlichen Republikaner wählte ihn zu ihrem Obmann. Als Léon Bourgeois 1895 Ministerpräsident wurde, wählte er ihn – gegen wie viele stürmische Wettbewerber! –zu seinem Unterrichtsminister. Und als Waldeck-Rousseau 1902 freiwillig zurücktrat, wählte er ihn zu seinem Nachfolger. Ohne Ehrgeiz, ohne Ränke, ohne die kleinen Künste, die bei Strebern Charakter und Talent ersetzen, wurde er nur von der Achtung seiner Weggenossen von Stufe zu Stufe bis zum höchsten aktiven Staatsamt emporgetragen.

Waldeck-Rousseau hielt nach langer Umschau Combes für den geeignetsten Mann, sein Vereinsgesetz in seinem Sinn zu vollstrecken, nämlich unbeugsam bis zu der Grenze, die er im Geiste gezogen hatte, doch nicht um Haaresbreite darüber hinaus, auch wenn ihn die grundstürzenden Parteien noch so wild drängen, die rückschrittlichen noch so rücksichtslos herausfordern sollten. In Waldeck-Rousseaus Absicht war Combes der kräftige Bremser im Kraftwagen, den er bis zu einer stark abschüssigen Straßenkrümmung gelenkt hatte. Nie hat sich jemand in einem andern so schwer getäuscht wie Waldeck-Rousseau in seinem Nachfolger.

Waldeck-Rousseau war in seinen persönlichen Neigungen konservativ bis ins Knochenmark. Er rühmte sich dessen. Er sagte am Beginn seiner politischen Laufbahn: "Die Gemäßigten dürfen vor der Ehre nicht zurückweichen, Gemäßigte genannt zu werden.« Der Dreyfus-Handel machte aus ihm einen Radikalen mit beschränkter Haftpflicht. Den Juristen empörte die Verletzung des formalen Rechtes im Verfahren gegen den angeklagten Offizier. Den Anhänger der altrömischen und Hegelschen Theorie von der Allmacht des Staates beleidigte der Bestand einer Gewalt im Staate, die ihn verachtete und verhöhnte und mit allen seinen Machtmitteln gegen den Willen der Regierung schaltete, nämlich des Jesuiten- und Assumptionistenordens, in deren Hand die Verfolger von Dreyfus bloße Schachfiguren waren. Seine Entrüstung machte ihn zum Ministerpräsidenten, und als solcher sah er es als seine Hauptaufgabe an, die von ihm als rebellisch empfundene Macht der beiden Kampforden Zu brechen. Er unternahm seinen Kulturkampf genau aus denselben Anschauungen heraus wie Fürst Bismarck: nicht als Freidenker, nicht als Gegner geistlicher Gewalt über die Seelen, sondern als starrer Regierungsmann, der auch von der Kirche Unterwerfung unter die Staatsautorität fordert. Waldeck-Rousseau war Realpolitiker genug, um zu wissen, daß er kein Sondergesetz gegen die Jesuiten und Assumptionisten schaffen konnte und daß er zu jeder Gesetzgebung gegen die Orden der Radikalen bedurfte. Er hielt sein Gesetz deshalb allgemein so daß es scheinbar gegen alle Orden gerichtet war, und er schloß, anscheinend ohne Hintergedanken, einen Bund mit den Radikalen, in seinem Geist aber stand von vornherein fest, daß er das allgemeine Ordensgesetz nur gegen die zwei Kongregationen anwenden würde, die er besonders aufs Korn genommen hatte. War das geschehen, so sollte das Gesetz zu einem sehr langen Winterschlaf hingelegt werden. Und mit seinen unheimlichen radikalen Freunden wollte er auch nur so lange gehen, bis er über die gefährlichen Wegstrecken durch den Dreyfus-Sumpf und die Kongregations-Schlucht hinaus gelangt war. Dann gedachte er sich vor ihnen kurz zu verneigen und ungeleitet nach Hause zu gehen.

Ein Mann genauer Ordnung, wie er war, verfuhr Waldeck-Rousseau streng anschlagsmäßig. Als er das Ordensgesetz in dem Maße, das er sich vorausbestimmt, vollstreckt hatte, ging er ab und überließ es Combes, sich seiner Anwendung auf andere als die von ihm ins Auge gefaßten Orden mit Auskunftsmittelchen zu widersetzen.

Es kam jedoch ganz anders. Combes vollstreckte nicht Waldeck-Rousseaus Hintergedanken, sondern den Wortlaut und den Geist des

Gesetzes. Er tat mehr. Er strebte über das Gesetz noch hinaus. Er ging aufs Ganze. Er unternahm es, Frankreich aus einer katholischen Monarchie mit erledigtem Thron in eine weltliche Demokratie umzuwandeln. Ein großes Ziel. Und der unscheinbare Mann wuchs zusehends mit seinen größeren Zwecken.

Combes ist der erste französische Staatsmann seit 1792, der es mit der Verweltlichung ernst meinte. Alle seine Vorgänger, auch die grimmig kirchenfeindlich fauchten, streiften das ungeheure Problem nur tangentiell an einem Punkte und flohen es dann in parabolischer, wenn nicht hyperbolischer Kurve. Jules Ferry wurde von den Klerikalen als eine Art Diocletian verschrien. Der berühmte Artikel 7 seines Unterrichtsgesetzes, den er nicht durchsetzen konnte, lautete: "Niemand wird zur Leitung einer öffentlichen oder privaten Lehranstalt oder zur Erteilung des Unterrichts an einer solchen zugelassen, wenn er einer nicht gestatteten Ordenskongregation angehört.« Madier de Montjau, ein alter Achtundvierziger, logischer und aufrichtiger als Ferry; beantragte, daß das Verbot nicht nur die Mitglieder nicht gestatteter Orden, sondern alle Mönche, Nonnen und Weltgeistlichen ohne Ausnahme treffe. Doch davon wollte der angebliche Pfaffenfresser Ferry nichts wissen. In seiner Rede vom 8. Juli 1879 rief er: "Für die Jesuiten Mitleid zu erregen ist zwar in Frankreich unmöglich. Aber sofort strömen Verwahrungen herbei, wenn man den französischen Bauern von der Schließung der Kirchen, der Abschaffung des Katechismus, dem allgemeinen Auszug der Mönche und Nonnen spricht. Das allgemeine Stimmrecht ist eine ungeheure Macht. Man verliert die Wähler rasch, wenn man sie verletzt... Machen Sie der französischen Geistlichkeit begreiflich, daß Sie nicht dic leiseste Neigung haben, die Geldbezüge und die geistige Herrschaft der Kirche zu vermindern, daß Sie nur Herren im eigenen Hause sein wollen, dann werden die Dinge sich anders gestalten. Aber erklären Sie nicht 50 000 Geistlichen den Krieg, tun Sie nicht 40 000 Seelsorger in den Bann der öffentlichen Meinung!« Und zwei Jahre später, am 28. Mai 1881, dankte derselbe Ferry bewegt dem Papste Leo XIII. für seine Mahnung an die französischen Katholiken, sich der Republik anzuschließen, und sagte mit Tremolos in der Stimme: "Die Beschwichtigung wird immer allgemeiner werden. Denn sie hat zum Hauptmitarbeiter den höchsten katholischen Einfluß der Welt, sie hat zum edeln und großherzigen Mitschuldigen den Friedenspapst, der im Vatikan thront.« Ferrys Geistesart war die aller anderen republikanischen Minister. De Freycinet fiel am 23. September 1880, weil er als Ministerpräsident hinter dem Rücken seines eigenen Kabinetts mit dem Vatikan im geheimen Über eine Scheinunterwerfung der Jesuiten verhandelte und seine Minister, als sie ihm auf diese Sprünge kamen, ihre Entlassung verlangten. Soll an die geheime oder offenbare Kirchlichkeit eines Jules Simon, Spuller, Goblet, Waldeck-Rousseau erinnert werden? An Challemel-Lacour, der "Enthaltung von allem« empfahl, was "die klerikalen Departements beunruhigen oder entfremden könnte«, oder selbst an Jaurès, der seine Kinder mit Jordanwasser taufen ließ, vermutlich weil dies besser hält? An die minder berühmten Politiker in Stadt und Dorf, die in Reden gegen die Kirche wettern und ihre Kinder in die Klosterschule schicken? Sie alle hielten sich an die freilich anders gemeinte Empfehlung der "Weisheit des Brahmanen«:

"Ein rechter Mann hat zwei Gesichter, die er hält:
Das eine für sein Haus, das andre für die Welt.«

Combes hatte nur ein Gesicht für Haus und Welt, und das war das Neue an seinem Falle. Er hatte sich selbst von den Dogmen befreit, er wollte Frankreich von ihnen befreien. Er war kein Schaufechter, sondern ein Kämpfer auf Leben und Tod.

Und wahrlich, diese Selbstbefreiung, die Vorbedingung der Befreiung eines Volkes, war ihm nicht leicht geworden. Die Medizin hatte ihm zwar geholfen, sich aus der Gottesgelahrtheit und der allseitig gebundenen thomistischen Philosophie herauszuarbeiten, aber die erste katholische Färbung hält gut und wird auch mit naturwissenschaftlichen Spülbädern nicht ganz weggewaschen. Er ist im tiefsten Innern mit Glaubens- oder doch Ahnungs- und Sehnsuchtspoesie durchtränkt, er hat sich 1902 in der Kammer als einen Spiritualisten, als einen Gottgläubigen bekannt, und selbst als er unerschrocken auf die Trennung von Staat und Kirche und auf die Überwindung des Katholizismus in der französischen Volksseele losschritt, schien ihm der bloße Rationalismus oder Agnostizismus kein befriedigendes Ideal der Volkserziehung, und er träumte für Frankreich einen staatlich gelehrten "Neuen Glauben« nach der David Friedrich Straußschen Offenbarung: ein Gemisch von Kunstandacht, Schönheitsdienst und altruistischer Bitt- und Bußstimmung.

Man versteht diesen Seelenzustand besser, wenn man Combes' Ursprünge kennt. Er ist der Nachkomme von Albigensern. Seine Vorfahren waren die heiligsten Ketzer, die jemals die katholische Kirche bedroht haben, stille, tiefe Schwärmer, die sich mit ihrem Gott unter vier Augen begegnen wollten und unwillig die Dazwischenkunft des Geistlichen zurückwiesen; die auf Tugend und Sittlichkeit alles, auf Messe und Beichte gar nichts gaben und die ihre Lehrer und Führer – Priester kann man nicht sagen – "parfaits«, "die Vollkommenen«, nannten, weil die Religion ihnen Selbstvervollkommnung und nichts anderes bedeutete. Der Freidenker Combes, der immer noch bang mit den Ewigkeitsfragen ringt, ist ein unbewußter verspäteter Albigenser. Er glaubte nur das Geisterbefreiungswerk der Enzyklopädisten und der Umwälzung fortzusetzen, doch sein Unternehmen wurzelte noch viel tiefer in der französischen Geschichte, es knüpfte an das furchtbare Ringen zwischen Raymond von Toulouse und Simon von Montfort, zwischen dem kritischen Süden und dem fanatischen Norden an und nahm den Kampf von neuem auf, in dem vor sieben Jahrhunderten seine Vorfahren tragisch unterlegen sind.

Die Klerikalen verteidigten mit begreiflicher Zähigkeit ihre Stellung, sie konnten sie jedoch nicht retten. Combes leitete in die Wege, was alle französischen Staatsmänner vor ihm für unmöglich erklärt hatten: die Trennung von Staat und Kirche. Er zerriß einseitig das Konkordat, dieses vielleicht schwierigste und geschickteste Werk Napoleons I., berief

Frankreichs Vertreter beim Vatikan ab und bereitete die Beschlagnahme des Kirchenvermögens und sogar der Kirchen, Pfarrhäuser, Bischofspaläste und Seminare vor. Er war bereit, alle dem Gottesdienste geweihten Gebäude mit ihrer Einrichtung und dem zu ihrem Unterhalt dienenden beweglichen und unbeweglichen Eigentum Kultusvereinigungen zu überlassen, die in jeder Pfarrgemeinde gebildet und vom zuständigen Bischof als rechtgläubig katholisch anerkannt werden sollten. Der Papst gestattete die Bildung dieser Vereinigungen nicht, die Katholiken wiesen die Hand zurück, die die französische Regierung ihnen reichen wollte, und die Trennung vollzog sich unter seinem Nachfolger Rouvier in ihrer schroffsten Form. Vorher waren die staatlich nicht genehmigten Ordensniederlassungen, 384 Männer- und 662 Frauenklöster, geschlossen und beschlagnahmt und ihre Insassen, 7444 Mönche und rund 14 000 Nonnen, verjagt worden. Die Gläubigen widersetzten sich vielfach tätlich der Aufnahme des Kirchenvermögensinventars, der Aufhebung der Klöster und der Austreibung der Ordensleute, und diese Amtshandlungen mußten unter militärischem Schutz vollzogen werden. Combes ließ sich nicht ins Bockshorn jagen und vollstreckte seine Ordensgesetze mit einer Festigkeit, die kein Zögern und kein Schwanken kannte.

Als er seine Arbeit, die schwerste, die ein französischer Staatsmann je unternommen hatte, getan glaubte, erinnerte er sich des Beispiels seines Vorgängers und verehrten Vorbildes Waldeck-Rousseau und trat nach zweieinhalbjähriger Leitung der Regierungsgeschäfte am 18. Januar 1905 von seiner Stellung an der Spitze des Ministeriums zurück. Nichts nötigte ihn dazu. Aber ganz freiwillig war es doch nicht. Seine Mehrheit in der Kammer zeigte nämlich in den letzten Wochen die Neigung, immer mehr zusammenzuschrumpfen, und war am 14. Januar 1905 bei einer Abstimmung auf sechs Stimmen gesunken. Er wollte es nicht darauf ankommen lassen, in der Minderheit zu bleiben, und da er auch seiner Natur nach kein Kleber ist, kam er seinem Sturz durch den Rücktritt aus eigener Bewegung zuvor.

Er blieb Senator und Vorsitzender seiner Parteigruppe. Sein Einfluß nahm mit den Jahren eher zu als ab. Sein Rat bestimmte an entscheidenden Wendungen häufig die Haltung der Kammermehrheit, die sich für grundsätzliche Abstimmungen bei ihm das Losungswort holte, und mehr als einmal wollte man ihn wieder an die Regierung berufen, er lehnte jedoch immer ab. Erst im zweiten Jahre des Krieges von 1914 ließ er sich überreden, ein Ministerium ohne Portefeuille zu übernehmen, weil er es als seine Pflicht erachtete, in der Stunde der Gefahr seinem bedrängten Vaterlande seine Dienste, den tätigen Regierungsmitgliedern das Gewicht seines Ansehens und seinen Rat nicht zu verweigern und die schwere Verantwortlichkeit mit ihnen zu teilen. Auf ihn ist es in erster Reihe zurückzuführen, daß die Französische Republik heute der einzige altgeschichtliche Großstaat ist, der amtlich keinen Konfessionalismus kennt, gänzlich auf weltlicher Grundlage steht, jeden Bürger "nach seiner Fasson selig werden läßt« und die Religion, ohne sie im geringsten zu verfolgen oder zu schmähen, zu jedermanns Privatsache gemacht hat. Es gehörte fast übermenschlicher Mut dazu, die "älteste Tochter der Kirche« von ihrer Mutter zu trennen, von ihr den freiwilligen Verzicht auf ihr Elternerbe zu erlangen und sie zu emanzipieren. Der Versuch, den Combes gewagt hat, ist für das Verhältnis von Staat und Kirche in der ganzen Menschheit von größter Bedeutung.

Georges Clemenceau

Es war eine große Überraschung für alle Welt, als das Pariser Renaissancetheater im November 1901 ein Stück von Georges Clemenceau herausbrachte, "Der Schleier des Glücks«. Der große Parlamentarier war auf seine alten Tage unter die Komödienschreiber gegangen! Was hatte er zu sagen. Das Trostloseste, was man sich denken kann. Das Stück zeigt einen blinden Vizekönig von China, dem ein europäischer Arzt mit einem Augenwasser die Sehkraft wiedergibt, ohne daß seine Umgebung es ahnt. Er sieht nun entsetzt und verzweifelt, daß ein verurteilter Dieb, für den er, da er ihn unschuldig glaubte, die Begnadigung beim Kaiser erwirkt hat, bei seinem Dankbesuch alles stiehlt, was ihm unter die Hand gerät, daß die Sammlung seiner Gedichte, die er seinem Sekretär und Vertrauten zur Veröffentlichung übergeben hat, von diesem unter seinem eigenen Namen herausgegeben worden ist, daß sein einziger Sohn im Hof des Namen unter den Augen seines beifällig lächelnden Erziehers seinen blinden Vater durch Nachäffung seines unsicheren Ganges und seines Tastens grausam verhöhnt, daß sein angebetetes junges Weib ihn mit seinem besten Freunde betrügt. Er kann diese fürchterlichen Anblicke nicht ertragen. Er überredet sich, daß er Fiebergesichte gehabt hat, und um ihnen nicht wieder ausgesetzt zu sein, zerstört er sein wiedergewonnenes Augenlicht aufs neue. Jetzt umgibt ihn ewige Nacht, aber der Mandarin begrüßt sie als Erlöserin. Er ist wieder glücklich, wie er es gewesen, ehe der Europäer ihn sehend gemacht: seine Blindheit ist "der Schleier des Glückes«.

Moral: Das Leben ist Laster und Verbrechen; erträglich macht es einzig die Selbsttäuschung.

Buddha lehrt: "Die Welt ist Schein; hinter dem Schleier der Maya verbirgt sich das Nirwana; hinter dem Sinnentrug ist das Nichts.« Der jüdische Prediger ruft: "Eitelkeit der Eitelkeiten! Alles ist eitel.« Clemenceau ist in seinem Stück weniger radikal als der Inder, doch bitterer als der Jude. Darin stimmt er mit beiden überein, daß alle

Lebenswerte Täuschung sind. Aber hinter ihrem Schleier sieht er nicht das ruheverheißende tröstliche Nichts des Sâtti-Amuni, nicht die überlegen zu belächelnde Eitelkeit der Eitelkeiten des Ekklesiastes, sondern die folternde, tragische Lüge, die vertrauende Herzen bricht.

Diese Weltanschauung entspricht schwerlich der Wirklichkeit, in der eine objektive Betrachtung Gutes neben Bösem entdeckt. Aber sie ist folgerichtig aus Clemenceaus Erfahrung abgeleitet.

Er hat einen sehr merkwürdigen Lebensgang, reich an ungewöhnlichen Erfolgen, doch auch reich an zermalmenden Niederlagen, von denen ein anderer sich schwerlich erholt hätte. Er war lange ein Mann der Tat, ehe ihn des Gedankens Blässe ankränkelte. Er lebte und wirkte große Dramen auf der politischen Bühne, dann ging er von ihr ab, trat mit kleinen Federmenschen in Wettbewerb, war jedoch nach vorübergehender Verdunkelung seines Sterns wieder zu Heldenrollen berufen. Ein Auf- und Abstieg wie in den Schicksalen morgenländischer Märchenfürsten.

Er ist ein Mustervertreter der Herrenschicht keltischen Stammes. Er wurde 1841 als Sprößling einer uralten vendéeischen Adelsfamilie geboren, in der man seit Jahrhunderten fanatisch gläubig, abenteuerlich tapfer, grausam rücksichtslos und hochmütig gewesen ist. Diese Eigenschaften hat er von den Ahnen geerbt; aber er zeigt sie in anderer Mischung und Verwendung. Sein Fanatismus ist nicht religiös, sondern politisch. In der Tapferkeit und Rücksichtslosigkeit steht er den Vorfahren nicht nach; er übte sie nicht nur mit dem Degen, sondern auch moralisch, und das ist sicherlich der schwierigere Teil. In seiner Erscheinung, seinem Wesen ist er der echte Sohn des Granitbodens und der schwermütigen Heide des französischen Nordwestens. Schlank, mager, sehnig wie ein Wolf; der Kopf eckig; die Gesichtsmaske eines Samurai wie von einem Steinmetz aus dem Urfelsen gehauen. Der bohrende, dreiste Blick der tiefliegenden dunklen Augen ist eine Herausforderung. Die schneidende Stimme verschüchtert den Feigling und weckt im Temperamentsmenschen positiv Rauflust, wie der

Gemsbart am Hut und die Spielhahnfeder beim jungen Tiroler. Er hat große Leidenschaften gekannt, auch im Privatleben, aber er hat sie stets verhalten. Je wilder es in ihm tobte, um so ruhiger schien er von außen. Eine hochinteressante Gestalt, für jede Betrachtung, für die äußerliche wie für die geistige.

Er ging vom Studium der Medizin aus, das er nach einem längeren Aufenthalt in Nordamerika – er begab sich dahin, weil er sich mit seinem Vater überworfen hatte, und verdiente sich sein Leben als französischer Sprachlehrer – in Paris vollendete, und übte die Heilkunst anfangs auch praktisch, obschon vermutlich als Zweifler an Asklepios und Hygieia. Ob seine Rezepte heilten, weiß ich nicht. Aber sie verpflichteten seine Gratispatienten von Montmartre zu solcher Dankbarkeit, daß sie ihn 1871 zum Bürgermeister ihres Viertels wählten. Zugleich kühn und vorsichtig, steuerte er haarscharf an der wildesten Strömung der Kommune entlang, so daß sie ihn fördersam trieb, ohne ihn in den Abgrund zu reißen. Er landete in der Kammer und war da zwanzig Jahre lang einer der starken Männer, zuzeiten der stärkste. Darum der stärkste, weil er nichts für sich wollte. Sein Ehrgeiz war nicht von der Art, die auf den guten Willen der anderen angewiesen ist und von ihnen Befriedigungen erwartet. So fürchteten ihn alle, und er fürchtete niemand. Ein vollkommen selbstloser Mann in der Politik, zugleich ein durchdringender Kritiker, ein verwegener Draufgänger, ein sprungkräftiger Redner, ist schrecklich. Er ist ein Schwerbewaffneter inmitten eines Rudels Wehrloser. Ein Tiger – das ist der Name, den man Clemenceau gegeben hat – in einer Antilopenherde. Ein Sport, der darin besteht, bloß aus Lust an der Entfaltung der eigenen Kraft zu würgen, ist eigentlich nicht mehr schön.

Zwei Jahrzehnte lang übte er die Schreckensherrschaft im Parlament, von vielen gehaßt, von allen bewundert, von niemand geliebt. Seine Beredsamkeit war anders als die der Alltagsredner. Er verachtete weitläufige Perioden und Füllsel. Er war immer von imperatorischer Kürze, aber jedes Wort war eine stählerne Lanzenspitze mit einem

Sankt-Elms-Feuer-Flämmchen der Leidenschaft darauf. Wen sein Stahl traf, der war zugleich durchbohrt und "elektrokutiert«. Die Ministerien, die er mit einem jähen Ansprung in den Sand streckte, zählen nicht nach Einheiten, sondern beinahe nach Dutzenden. Am 26. Januar 1882 war er es, der Gambetta stürzte. Im Juli 1882 warf er das Kabinett de Freycinets wegen seiner ägyptischen Politik, die England zum alleinigen Herrn des Nillandes machte, über den Haufen. Am 30. März 1885 entfesselte er den Sturm der Kammer, der Jules Ferry zwang, auf einer Leiter über eine Mauer zu fliehen. Im Januar 1886 stürzte er de Freycinet ein zweites Mal durch Verweigerung der von ihm verlangten Kredite für Tonkin und Madagaskar. Am 18. Mai 1887 rang er Goblet nieder, und im Dezember 1887 veranlaßte er den Beschluß der Kammer, der Jules Grévy zwang, die Präsidentschaft niederzulegen. Die Parteigruppen, auch solche, die nicht auf sein politisches Programm eingeschworen waren, kämpften willig unter seiner Führung, denn nach dem Siege wendete er sich geringschätzig weg und verschmähte einen Anteil an der Beute. Wie oft wollten seine niedergerannten Gegner ihn zwingen, Ministerpräsident zu werden! Er lachte sie einfach aus. So konnte er mit den Ministerien seine grausame Kurzweil haben, ohne Heimzahlung fürchten zu müssen. So konnte er die Menge durch einen glänzend logischen, idealen Radikalismus blenden und entzücken, ohne in die Verlegenheit zu geraten, dessen unmögliche Verwirklichung zu versuchen.

Ich frage mich manchmal, wer wohl ein stolzeres Hochgefühl hat, die bejahende Gottheit, der verneinende Teufel? Ahuramazda, der die blühende Welt betrachtet und sich sagt: "All die Herrlichkeit habe ich geschaffen«? Ahriman, der sie überschaut und spricht: "All die Herrlichkeit kann ich vernichten, wie und wann es mir gefällt«? Ich philosophiere hier nicht über die objektive Würde des einen und des anderen Gefühls. Ich spreche nur von ihrer subjektiven Intensität und bekenne, daß ich sie nicht zu hierarchisieren vermag. Sicher ist, daß Clemenceau zwei Jahrzehnte lang die Empfindung hatte und haben durfte, er sei der unumschränkte Herr der Republik. Wohl regierten andere, doch nur, weil und solange er es wollte. Die Quintessenz der Macht war in seiner Hand. Nur mit ihren Schlacken schleppten die Minister sich und lösten einander in raschem Wechsel unter ihrer Last ab. Das ist eine Ausweitung und Steigerung der Persönlichkeit, wie nur wenige nicht auf einem Thron geborene Sterbliche sie erfahren haben.

Phantastisch wie sein Erfolg war dann sein Sturz. Eine idiotische Fälscherbande schrieb eines Tages seinen Namen auf eine angeblich in der englischen Botschaft in Paris gestohlene Liste französischer Verräter und Spione im Solde Englands, und diese Ungeheuerlichkeit war für die Menge nicht zu dumm. Und nicht nur für sie. Der damalige Ministerpräsident Charles Dupuy, dem Clemenceaus Feinde die Liste vertraulich zeigten, ehe sie sie auf der Rednerbühne der Kammer vorlasen, rief melodramatisch: "Wenn wir in der alten Republik Venedig lebten, würden wir den Elenden nachts in der Lagune ersäufen!«

Clemenceau hatte eine Zeitung, "La Justice«, gegründet, und da er selbst kein Vermögen besaß, eine Kommandité aus der Hand eines faulen Gründers und Finanzschwindlers Cornelius Herz angenommen. Die geriebenen Gauner, die Frankreich die Panamamilliarde gestohlen hatten, wußten mit unvergleichlicher Geschicklichkeit Cornelius Herz, der mit Panama schlechterdings nichts zu schaffen hatte, als den Milliardendieb hinzunageln, und die Opfer ließen sich auch noch foppen, nachdem sie sich hatten plündern lassen. Sie nahmen blindwütend die falsche Spur auf, ließen die wirklichen Diebe unverfolgt, zagten und heulten hinter dem Wild her, auf das jene sie gehetzt hatten, und zerrissen alles Lebende, was auch nur durch die flüchtigste Berührung etwas von der Witterung des verbellten Wildes angenommen hatte. In der Kammer wurde Clemenceau wütend niedergeschrien, als er sich gegen die Anklage Déroulèdes verteidigen wollte, und seine Wähler von Toulon verjagten ihn 1893 unter dem Gekläff: "Aoh Yes!«, "Panama!« und "Cornelius!« Da lag er nun am Boden. Er hatte die Macht verloren. Nicht auch die Würde. Stolz verschmähte er es, mit der törichten Menge zu diskutieren. Er verteidigte sich vor ihr nicht, er bewarb sich auch nicht um einen neuen Sitz in der Kammer oder im Senat. Er blieb 13 Jahre lang dem Parlament fern. Freilich nicht auch der Politik. Was Volksgunst wert ist, hatte er erfahren. Die Einsicht des allgemeinen Stimmrechts hatte er erprobt. Aber der Dreyfus-Handel zog herauf und entfachte mächtig seine Kampfbegierde. Vier Jahre lang stritt er in der vordersten Reihe. Sein Feldzug in der "Aurore« genügt, um ihm einen Platz in der Geschichte zu sichern. Täglich hieb er in die nämliche Kerbe und seine Streiche waren mit die gewaltigsten in diesem Kriege der Geister. Als die Hauptstellung des Feindes erstürmt war, schleuderte er die Waffe von sich. Nachhutgefechte waren seine Sache nie.

In dieser Zeit häutete er sich neu und erstand in erstaunlicher Wiedergeburt, sechzig Jahre alt, als Dichter; Erzählungen, Romane, auch das Drama "Der Schleier des Glücks«, entquollen seiner Feder und errangen ihm einen jungen Ruhm. Die Wandlung ist vielleicht ohne Beispiel. Faust wendet sich nach einem langen Dasein der Studierstube und des Schreibpultes entschlossen dem Leben zu. Clemenceau wandte sich nach einem langen Dasein mitten im Leben, wo es am heißesten wallt, entschlossen dem Schreibpult und der Studierstube zu. War das ein Aufstieg? War es ein Sturz? Wo ist oben? Wo unten? Es kommt vielleicht lediglich auf den Standpunkt des Schauenden und Schätzenden an.

Clemenceau hatte die stärksten Empfindungen der Macht gekannt. Er kannte dann auch die köstlichen Gefühle eines zweiten Lebensbeginns, die Bangigkeiten des Neulings, das Entzücken des ersten künstlerischen Erfolgs mit dem "Schleier des Glücks«.

Dieser war unverkennbar eine Beichte. Schade. Cincinnatus, der nach der Diktatur zum Pfluge zurückkehrt, Karl V., der nach der Weltherrschaft die Klosterzelle von San Yuste bezieht, müssen gleichmütig bleiben, um groß zu sein. Sowie sie bitter werden, schwindet der Zauber, und sie schrumpfen. Damit ihre Dunkelheit nach dem Glänze ruhmreich sei, muß sie gewollt, nicht erlitten sein. Wenn sie bedauern und klagen, sind sie nicht länger Überwinder. Clemenceaus philosophischer Monolog – das ist "Der Schleier des Glücks« eigentlich –

ist bitter. Er klagt über die Nichtswürdigkeit der Menschen. Das stört das Bild des außergewöhnlichen Parlamentariers. Er, der ganz oben gestanden und die Menschen von sehr hoch gesehen hatte, sollte über sie lächeln. Nur so wäre der junge Dramatiker dem alten Parlamentarier ebenbürtig geblieben.

Nach den ersten Befriedigungen bekam er übrigens das Schrifttum satt und stürzte sich entschlossen wieder in sein Lebenselement, die Politik. Im Januar 1906 ließ er sich in den Senat wählen, und schon zwei Monate später, im März, nahm er zum Staunen von Freunden und Gegnern aus der Hand Sarriens das Portefeuille des Innern an. Er war allseitig so sehr als das Haupt des Ministeriums anerkannt, daß jedermann es natürlich und als die Rückkehr zur Regel empfand, daß er, als Sarrien am 18. Oktober 1906 wegen schlechter Gesundheit zurücktrat, in aller Form zum Ministerpräsidenten ernannt wurde.

In dieser neuen Verkörperung bot er ein verwirrendes Schauspiel. Er zeigte ein fremdes Gesicht, und doch entdeckte man mitunter darin wohlbekannte alte Züge. Er, der wegen der Besetzung Tunesiens und der Eroberung Tonkins und Madagaskars Ministerien niedergerissen hatte, leitete die Politik der Eroberung Marokkos mit der Besetzung Udschdas durch General Lyautey (März 1907) und der Beschießung Casablancas (5. August 1907) ein. Er, der ehemalige Grundstürzer, der in seinem Programm vom Juni 1879 unter anderem unbeschränkte Versammlungs- und Vereinsfreiheit gefordert hatte, verwandelte Paris in ein Kriegslager, um die sozialistische Maifeier zu verhindern, und verfolgte den "Allgemeinen Arbeitsbund«, die Landesgliederung der Berufsgenossenschaften. Hierüber in der Kammer zur Rede gestellt, erklärte er leichtblütig: "Jetzt stehe ich auf der anderen Seite der Barrikade.« Dagegen fand man den Clemenceau der Freischärlerzeit ganz wieder, als er kurzerhand am 11. Dezember 1997 den in Paris zurückgebliebenen Sekretär der päpstlichen Nuntiatur Monsignore Montagnini mit Gendarmen über die Grenze bringen ließ, weil er zu französischen Politikern Beziehungen unterhielt. Seine Energie, seine gebieterische Natur offenbarte er auch in der Regierung. Das 17. Infanterieregiment, das meuterte, als es am 21. Juni 1907 gegen das von einem Narren namens Marcelin Albert aufgewiegelte, unter schlechten Weinpreisen leidende Béziers marschieren sollte, die Sozialisten, die Postbediensteten, die im März 1909 einen Ausstand machten, bekamen seine eiserne Faust zu spüren. Aber auch zu Deutschland fürchtete er nicht, in einem Ton zu sprechen, wie man ihn so fest seit Goblet, 1887, nicht vernommen hatte. Als im September 1908 in Casablanca einige deutsche Fremdenlegionäre fahnenflüchtig und hierbei von Angestellten des deutschen Konsulats in Schutz genommen wurden, verteidigte Clemenceau den französischen Standpunkt und brachte den Vertrag vom 24. November 1908 zustande, der alle marokkanischen Streitfragen zwischen Frankreich und Deutschland einem Schiedsgericht unterwarf.

Mit der Zeit scheint Clemenceau sich an der Spitze der Regierung gelangweilt zu haben. Denn am 20. Juli 1909 ließ er es geschehen, daß in einer halbleeren Kammer eine Zufallsabstimmung über eine untergeordnete Flottenangelegenheit ihn stürzte. Er konnte darüber hinweggehen. Er hatte in der Kammer eine zuverlässige Mehrheit. Er wollte sie jedoch nicht anrufen, sondern ging. Der Entschluß war so plötzlich, so grillenhaft und unbegründet, daß man sagen konnte: "Clemenceau ist so gewöhnt, Ministerien zu stürzen, daß er sich selbst gestürzt hat, als er kein anderes sich gegenüber hatte.«

Er war nun 68 Jahre alt und zeigte die Neigung, sich Ruhe zu gönnen. Doch nicht lange. Er gründete bald wieder eine Zeitung, "Der freie Mann«, in der er täglich mit der alten Frische ungestüme Fechtgänge lieferte und namentlich den Präsidenten Poincaré, dessen Wahl er im Januar 1913 vergebens zu hintertreiben gesucht hatte, erbarmungslos bekämpfte. Beim Ausbruch des Krieges, 1914, willigte er eine Zeitlang in die Waffenruhe des Burgfriedens ein. Bald wurden ihm jedoch die Fesseln und Knebel der Zensur unerträglich, und er änderte mit grimmigem Humor den Titel seiner Zeitung in "Der Mann in Ketten« um und übte an den Fehlern, Unentschlossenheiten, Irrtümern und

Unzulänglichkeiten der Regierung scharfe Kritik. Man wollte ihn wiederholt zum Eintritt in das Ministerium bestimmen, er wies jedoch alle diese dringenden Einladungen beharrlich ab. Man glaubt vielfach, er sei der vorbestimmte Mann für den Augenblick nach dem Friedensschluß, und er glaubt es vielleicht auch.

Clemenceau ist ein Menschenverächter, und er nimmt die kleinen Interessen, die geringfügigen Freuden und Schmerzen, all das vergängliche Treiben der Sterblichen nicht ernst. Das ist vielleicht eine Tugend für einen Philosophen; es ist sicher keine für einen Regierenden, der nur dazu bestellt ist, endliche Dinge zu verwalten. Er ist ein Verneiner, und den Völkern ist bei der Leitung ihrer Geschäfte nur mit einem Bejaher gedient. Darum erstrahlte Clemenceaus glanzvolle Subjektivität sehr viel heller in den Jahrzehnten seiner Opposition als in den drei Jahren seiner Ministerschaft.

Jean Jaurès

Das erste Opfer des Krieges von 1914 war der Mann, der ihn am meisten verabscheut und bekämpft, mit der größten Beharrlichkeit zu verhindern gesucht hatte, Jean Jaurès. Am 31. Juli des Schicksalsjahres, nach einem arbeitsreichen Tage, an dem er in einem letzten Artikel seiner "Humanité« mit verzweifelter Anstrengung den furchtbar bedrohten Frieden verteidigt hatte, saß er in einem Gasthaus an der Ecke der Rue Montmartre und der Straße der Zeitungsdruckereien, Rue du Croissant, und schickte sich an, sein Abendbrot einzunehmen. Er hatte an einem Tisch im Saale des Erdgeschosses vor einem offenen Straßenfenster Platz genommen, dem er den Rücken zuwendete. Ein Vorübergehender namens Villain erkannte ihn, zog einen Revolver aus der Tasche und schoß von außen aus nächster Nähe zwei Kugeln auf ihn ab. Beide drangen ihm durch das zerschmetterte Hinterhaupt ins Gehirn und töteten ihn auf der Stelle. Es ist möglich, daß die Waffe des Meuchelmörders eine Tat der Barmherzigkeit getan hat. Jaurès wäre vielleicht über die Zerstörung des Traumes seines ganzen Lebens nicht hinweggekommen. Dieser Traum war die Versöhnung zwischen

Frankreich und Deutschland, die Völkerverbrüderung, die allgemeine Abrüstung, die Herbeiführung einer Ära des Friedens und des fruchtbaren Wetteifers in der Arbeit des sittlichen, geistigen und sachlichen Fortschritts der Menschheit. Alle Praktiker waren überzeugt, daß das ein Hirngespinst war, und die Wirklichkeit hat es ja auch mit einem Griff ihrer gepanzerten Faust zerrissen. Sie zuckten die Achsel über sein Apostolat und fuhren fort, im Krieg das einzige Mittel zur Förderung des Volkswohls zu sehen. Ein überspannter Patriot mit Banditeninstinkten hielt Jaurès für einen Vaterlandsverräter und schoß ihn kurzerhand nieder.

Jaurès war ein Schwärmer, ein Jünger des Jesaias, der das Schwert in eine Pflugschar umschmieden und alle Menschen zu einer Herde unter einem göttlichen Hirten vereinigen wollte. Er ließ es sich nicht zur Warnung gereichen, daß die Lehren des Propheten in Israel seit etwa dritthalbtausend Jahren in die Ohren und Seelen der Menschen dröhnen, ohne die geringste Wirkung auf sie geübt zu haben. Er führte die klägliche Ohnmacht des Wortes der Liebe und Vernunft auf die Verfassung der Gesellschaft zurück und richtete sein Streben darauf, sie von Grund auf umzugestalten. Sein heißes Friedensverlangen machte ihn zum Sozialisten. Wirtschaftliche Gerechtigkeit sollte das Individuum befreien und entwickeln, Organisation das Proletariat zum Bewußtsein seiner Macht, seiner Rechte, seiner Pflichten erwecken, die Erkenntnis der Gemeinsamkeit ihrer Interessen die Arbeiter aller Länder einander nähern, eine neue Auffassung der Menschen-, Bürger- und Völkerrechte eine Politik des persönlichen Ehrgeizes, der Eroberung, der Unterjochung, eine knifflige Geheimdiplomatie gegenseitiger Überlistung und gewalttätiger Erpressung unmöglich machen. Hätte er länger gelebt, die Einsicht wäre ihm nicht erspart geblieben, daß auch der Sozialismus nicht das geeignete Mittel der Erziehung des Menschengeschlechts zum Ideal der Nächstenliebe und Eintracht, zum tausendjährigen Gottesreich des Jesaias ist.

Einen vollkommeneren Gegensatz als den zwischen Faurès und Clemenceau kann man sich schwer vorstellen. Dieser ein Negativer, den die Launen des Lebens auf einen Posten positiver Arbeit gestellt, jener ein Positiver, den die Umstände bis ans Ende in der Opposition, das heißt im Negativen festgehalten haben. Der eine ein finsterer Pessimist, der andere ein zukunftstrunkener Optimist. Der eine ein Menschenverächter, der andere unerschütterlich in seinem Glauben an das Gute und Große im Menschen. Das einzige, was sie außer ihrem ungewöhnlichen Talent des Wortes und der Feder gemein haben, ist ihre tiefe Aufrichtigkeit, die immer die kleinen Künste der Opportunitätspolitik und parlamentarischen Strategie verschmäht hat. Sie folgten nicht der von den Klugen und Gewandten gerühmten "mittleren Linie«, sondern schritten unbeirrbar, mit Verachtung aller Widerstände, in der Richtung fort, welche die Logik ihrer Überzeugungen ihnen vorschrieb.

Jean Léon Jaurès war in Castres 1859 geboren, also 55 Jahre alt, als der Mörder seinem Leben jäh ein Ende machte. Er stammte aus einer angesehenen südfranzösischen Bürgerfamilie, die dem Lande Admirale, hohe Richter, Professoren gegeben hat. Er wuchs in einem Luftkreis von Gläubigkeit und konservativer Gesinnung auf, die auch die seine war, bis er sich durch mühevolle Arbeit an sich selbst über sie erhob. Seine sich früh kundgebende Neigung führte ihn der Universitätslaufbahn zu. Er wurde in die *Ecole Normaleaufgenommen, beschloß seine Studien mit einer Abhandlung, in der er sich zur spiritualistischen Philosophie bekannte, wirkte zuerst am Gymnasium zu Albi und dann als Professor der Philosophie an der Universität von Toulouse. Er wandte sich früh der Politik zu und wurde 1885, kaum 26 Jahre alt, zum erstenmal in die Kammer gewählt. Hier schloß er sich anfangs der gemäßigten Linken an. Erst allmählich rückte er von diesem ursprünglichen Standpunkt immer weiter links ab, bis er über den Radikalismus beim Sozialismus anlangte. Das ist eine Entwicklung, die der meistens beobachteten entgegengesetzt ist. Normal ist die vom Jugendrausch zur Altersnüchternheit. Ein französischer Staatsmann sagte am Anfang der dritten Republik: "Ich beklage jeden, der mit zwanzig Jahren kein Republikaner, und der es mit fünfzig Jahren noch ist.« Der Neuling tritt mit inbrünstigem Glauben an die Güte, die Weisheit, die unbegrenzte Vervollkommnungsfähigkeit der Menschen ins Leben. Dieses macht ihn bald zum Zweifler. Er erkennt, daß die Menschen dumpfe Gewohnheitstiere, denkfaul und beschlußunfähig sind und rettungslos in jeden Unfug abirren, wenn ein fremder Wille sie nicht zur Zucht anhält, eine überlegene Einsicht ihnen nicht gebieterisch den geraden Weg weist. Eine beklagenswerte Folge dieser Erkenntnis ist bei gewöhnlichen Naturen das Schwinden des vielleicht bis zum Opferdrang gesteigerten Gemeinbürgschaftsgefühls und seine Verengung zu verknöcherter Selbstsucht. Wie viele Beispiele dieses Entwicklungsganges weist die Geschichte auf! Der "rote« Becker frohlockt als Jüngling: "Wir färben rot, wir färben gut – Wir färben mit Tyrannenblut!« und landet im Alter der Reife im Lehnstuhl eines erzloyalen Oberbürgermeisters. Miquel, der 1848 Marx brieflich Aufwieglung und Bewaffnung der hannoverschen Bauern anbietet, bringt es weiter, bis zum agrarisch«konservativen königlich preußischen Staatsminister. Der freisinnige Oppositionsmann Emile Ollivier endet in der Haut eines Ministerpräsidenten des Kaiserreichs, der Verschwörer und Umstürzler Crispi in der einer Stütze der savoyischen Monarchie und eines Gesellschaftsretters, der Radikale Disraeli in der eines Grafen von Beaconsfield, Ritters des Hosenbandordens und Neuschöpfers der konservativen Partei. Faurès hatte noch weit näher liegende Beispiele. Von den Genossen am Beginn seiner politischen Laufbahn fanden die Sozialisten Millerand, Briand, Viviani nacheinander den Weg zur Macht und vertauschten ehrbar den Kittel des Barrikadenkämpfers mit dem gestickten Frack der Ministeruniform. Er folgte ihnen nicht. Er entfernte sich immer weiter von dem Bürgertum, in dem er geboren und das seine natürliche Lebensgeschichte war, und wählte mit Bedacht seinen Platz inmitten des Proletariats. Nach vierjährigem Aufenthalt in der Kammer, wo er vorerst wenig hervortrat, unterlag er bei den allgemeinen Wahlen 1889 und nahm vorübergehend wieder seinen Lehrstuhl an der philosophischen Fakultät ein. Er wurde indes bald an die Spitze der äußerst radikalen, doch nicht sozialistischen "Petite Republique« berufen, eine Teilwahl verschaffte ihm 1892 wieder einen Abgeordnetensitz, den er diesmal bereits auf der äußersten Linken auf den Bänken der Sozialistengruppe einnahm, und 1894 gründete er "L'Humanité«, die das amtliche Organ der sozialistischen Partei, der französische "Vorwärts« wurde, ohne freilich auch nur entfernt die wirtschaftliche Entwicklung, den Einfluß und die Verbreitung des deutschen Blattes zu erreichen.*

Durch seinen goldechten und gewinnend liebenswürdigen Charakter, seine rednerische Begabung und seine publizistische Stellung wurde er bald das geistige Oberhaupt, oder sagen wir, da diese Partei keine monarchische Spitze duldet, eines der Oberhäupter der Sozialistengruppe. Er hatte nicht den starren Dogmatismus Guesdes, den Witz Marcel Sembats, den gemütlich hemdärmeligen Plebejismus Coutants, den eisigen Fanatismus Vaillants. Er ließ sich in Wort und Haltung nie zu der hahnebüchenen Art herab, die Sprecher in Volksversammlungen und Führer äußerster Parteien annehmen zu müssen glauben. Er war immer der Mann von ausgezeichneter Erziehung und besten Formen, und seine Beredsamkeit behielt immer einen akademischen Charakter. Man konnte nicht verkennen, daß ihn die Lehrkanzel für die Rednerbühne vorgebildet hatte. Das ist kein Fehler in Frankreich, wo, wenn nicht die Partei, doch die parlamentarische Vertretung des Sozialismus zum größten Teil aus Professoren, Rechtsanwälten und Schriftstellern besteht.

Innerhalb seiner Partei vertat er die Evolution gegenüber der Revolution, die ihren Theoretiker in Jules Guesde fand. Seine Rechtgläubigkeit war den Ketzerrichtern der Partei immer verdächtig. Auf den Landeskongressen und in der Parteileitung hatte er dauernd die Gegnerschaft Guesdes und seiner Anhänger zu bekämpfen, und in der letzten Zeit wich er mehr und mehr vor Guesdes Richtung zurück, die sich als die stärkere erwies. Die Entwicklung schien übrigens vor dem Ausbruch des Krieges über Faurès wie über Guesde hinweggehen zu wollen. Die berufsgenossenschaftliche Bewegung bemächtigte sich der Arbeiterschaft und zog sie von der rein sozialistischen ab. Der

Syndikalismus, das heißt Proudhons Soziologie der verjüngten Zünfte und ihrer unmittelbaren Erwerbsinteressen, war im Zuge, Marx, d. h. Hegels Mystizismus der Staatsallmacht mit Anwendung auf das Proletariat, zu besiegen. Ob die Entwicklung nach dem Kriege wieder dort einsetzen wird, wo dieser sie angehalten hat, ist eine Frage, die die Zukunft zu beantworten hat.

Während des Dreyfus-Handels setzte Jaurès, nicht ohne harte Anstrengung, es durch, daß die sozialistische Arbeiterschaft in den Kampf für das Recht gegen die klerikal-nationalistischen Verschwörer eintrat. Die Guesdisten verteidigten die Auffassung, daß es sich um einen Familienhader der Bürgerklasse handelte, der kein Interesse des Proletariats berührte, also dieses nichts anging und in den es sich deshalb nicht einzumischen hatte. Jaurès hatte eben nicht das gegen die ganze außenstehende Welt feindlich verschanzte Klassenbewußtsein des Durch-und-durch-Sozialisten, der nichts sehen will, was außerhalb seines absichtlich eingeschränkten Gesichtskreises liegt. Das hinderte nicht, daß er emsig bestrebt war, die Massen in Frankreich zu einer sozialistischen Weltanschauung zu erziehen. Er bediente sich dazu u. a. der Geschichtsdarstellung aus dem Gesichtspunkte seiner Partei. Seine "Sozialistische Geschichte der großen Umwälzung« ist, wie immer man sie als Erzählung wirklicher Ereignisse und als Urteil über Menschen und Handlungen einschätzen mag, ein schriftstellerisches Meisterwerk, das sich nicht selten zur Höhe Micheletscher Rhapsodik erhebt.

Die Logik seiner innigen Friedensliebe machte ihn zu einem Gegner des stehenden Heeres, das er abschaffen und durch Milizen nach Schweizer Muster ersetzen wollte. In diesem Punkte war er bei dem Programm der Demokraten von 1869 stehengeblieben, das seitdem von allen andern französischen Parteien mit Reue, Scham und Abscheu verleugnet worden war. Die Miliz war seine buchstäbliche Auffassung des Begriffs des "Volkes in Waffen«, dem Preußen seine Wiedergeburt nach dem Zusammenbruch von Jena verdankte. Er verhehlte sich nicht, daß Frankreich mit einer wenn auch noch so zahlreichen Herde flintenbewaffneter Bürger keinen Angriffskrieg würde führen können. Aber einen solchen wollte er auch um keinen Preis, und für die Verteidigung glaubte er sein System ausreichend.

Trotz seiner, man kann sagen: leidenschaftlichen Friedfertigkeit – dieses Beiwort, zu diesem Hauptwort gesellt, ist nur scheinbar drollig – wies er den Gedanken eines endgültigen Verzichts auf Elsaß-Lothringen immer weit von sich. Nur erwartete er die Anerkennung der seiner Überzeugung nach unverjährbaren Ansprüche Frankreichs nicht von der Gewalt, die nur neue Gewalt erzeugen und die Kette wilder Bluttaten bis in eine unabsehbare Zukunft verlängern mußte, sondern vom Fortschritt der Gesittung. Er verfolgte den Gedankengang, man müsse daran arbeiten, das Rechtsgefühl im deutschen Volke zu entwickeln und zu verfeinern, so daß es ohne äußeren Zwang, aus seinem eigenen geweckten Gewissen heraus sich zur Achtung des Selbstbestimmungsrechtes der Völker bekennen und den Bewohnern von Elsaß-Lothringen anheimgeben werde, durch Volksabstimmung zu entscheiden, welchem Staate sie angehören wollen. Er war überzeugt, daß die beharrliche, unentmutigte Anrufung der deutschen Arbeiterschaft, die er als den vorgeschrittensten Teil des deutschen Volkes ansah, schließlich den erwarteten Widerhall in ihrer Seele wecken würde. Er tat, was er konnte, um dieses Ergebnis herbeizuführen. Unbekümmert um die gehässige Ausbeutung dieses Schrittes durch die Nationalisten, ging er nach Deutschland und sprach auf deutsch zu einer nach Tausenden zählenden Versammlung von Deutschen Worte der Versöhnung und Freundschaft. Die deutschen Behörden sahen diesen Annäherungsversuch mit Mißvergnügen, und im Publikum außerhalb der Parteigenossen des Redners belächelte man sein Unternehmen, das sprachlich recht unzulänglich war und politisch als kindlich beurteilt wurde. Niemand wollte die sittliche Bedeutung der Bewegung eines französischen Volksvertreters, eines Parteiführers erkennen und würdigen, der, seine Stellung im eigenen Vaterland in die

Schanze schlagend, ruhig in die Mitte des deutschen Volkes trat und die Bruderhand zu ihm ausstreckte.

Die Ereignisse haben sich brutal gegen ihn gewendet. Heute triumphieren seine Feinde, denen alle seine Ideale Narrenspossen, alle seine Lebenswerte Verbrechen sind. Seine Bruderliebe zu allen Völkern brandmarken sie als niederträchtige Vaterlandslosigkeit, seinen Haß gegen den Krieg und die ihn notwendig herbeiführenden Rüstungen als schändlichen Antimilitarismus und Landesverrat, seine Friedensschwärmerei als albernes Schafgeblök. Und wer weiß: wenn er den Krieg erlebt hätte, würde er vielleicht sich selbst zu dieser Anschauung bekannt und in Sack und Asche für seine vorherigen Irrtümer Buße getan haben. Noch mehr: er würde es vielleicht als treuer Sohn seines Volkes für seine Pflicht angesehen haben, in der Stunde der Gefahr zusammen mit seinen Parteigenossen Jules Guesde, Marcel Sembat, Albert Thomas selbst an der Leitung des furchtbarsten Krieges der Weltgeschichte tätigen Anteil zu nehmen. So hat sein tragischer Abschluß die Einheit seines Lebens erhalten.

Zeittafel

1789	14. Juli	Französische Revolution – Bastillesturm
1792	22. Sept	Die erste Republik
1804		Napoleon I. Kaiser der Franzosen
1814		Die erste Restauration und die "hundert Tage«
1815		Die zweite Restauration
1830	27.-29. Juli	Die drei "großen Tage«. – Das Bürgerkönigtum
1848	23.-24. Febr	Die zweite Republik
	24.-26. Juni	Aufstand der Pariser Arbeiterschaft

1851	2. Dez	Staatsstreich Louis Napoleons
1852	2. Dez	Kaisertum Napoleons III.
1853-56		Krimkrieg
1859		Der italienische Feldzug. Machthöhe Napoleons III.
1870	4. Sept	Die dritte Republik
1871	Februar	Nationalversammlung in Bordeaux, Thiers Präsident der Exekutive, Friede von Versailles
	17. März bis 28. Mai	Aufstand der Kommune
	31. Aug	Thiers Präsident der Republik
1873	24. Mai	Thiers' Sturz. Mac Mahon Präsident.
1875	30. Jan	Entscheidende Abstimmung über die republikanische Verfassung
1877	16. Mai	Staatsstreich Ministerium Broglie
	15. Okt	Endgültiger Wahlsieg der Republikaner
1879	30. Jan	Mac Mahons Rücktritt. Grevy Präsident
1880	Sept	3. Ministerium Ferry
1881	April	Besetzung von Tunis
	Nov	Sturz Ferrys; Ministerium Gambetta
1882	Januar	Sturz Gambetta´s
	Juli	Ablehnung der Kredite für Besetzung des Suezkanals. Besetzung Ägyptens durch die

		Engländer
	31. Dez	Gambetta †
1883	Februar	Letztes Ministerium Ferry
	August	Verkündung des französischen Protektorats in Tonkin und Anam
1885	Februar	Besitzergreifung von Französisch-Kongo
	30. März	Sturz Fennys infolge vorübergehenden Mißerfolgs in Tonkin
	Juni	Friede von Tientsin, China erkennt Frankreichs Herrschaft in Tonkin und Anam an
	Dezember	Grevys zweite Präsidentschaft
1886		Boulanger Kriegsminister
1887	April	Schnäbele-Affäre, Höhepunkt der deutsch-französischen Spannung
	Mai	Boulangers Rücktritt
	2. Dez	Grevys erzwungener Rücktritt. Carnot Präsident
1888		Boulangers Agitation für Verfassungsrevision
1889		Boulanger Abgeordneter in Paris, seine Flucht und Verurteilung.
1890		Weisung Leos XIII. an die Katholiken, sich mit der Republik zu "ralliieren«
1891	August	Russisch-französisches Einvernehmen
1892/93		Der Panama-Skandal

1893		Annexion eines Teils von Siam durch Frankreich. Mac Mahon †, Jules Jerry †
1894	24. Juni	Ermordung Carnots. Casimir Périer Präsident
1894/95		Feldzug in Madagaskar
1895	Januar	Rücktritt Périers. Felix Faure Präsident
1896	Juni	Madagaskar französische Kolonie
	Oktober	Zar Nikolaus II. in Paris
1898	Januar	Zolas Eintreten für Dreyfus
	Juni	Delcassé Minister des Auswärtigen (bis 1905)
	Juli	Major Marchand in Faschoda
	Sept	Kitchener holt in Faschoda die französische Fahne nieder
1899	Februar	Faure †, Loubet Präsident. März. Verständigung mit England über Sudan
	Juni	Ministerium Waldeck-Rousseau
	Sept	Begnadigung von Dreyfus, Ende der "Affäre«
1901	Mai	Annahme des Vereinsgesetzes
1902	Juni	Ministerium Combes
1903	April	König Eduard VII. in Paris
1904	8. April	Englisch-französisches Abkommen über Marokko und Ägypten
1905	Januar	Ministerium Rouvier. April. Wilhelm II. in Tanger
	Juni	Delcassés Rücktritt

	Juli	Kirchentrennungsgesetz.
1906	Januar	Fallieres Präsident
	Januar bis April	Marokko-Konferenz in Algeciras
	März	Ministerium Sariien-Clemenceau
	Dezemb	Einziehung des Kirchenvermögens
1907	Juli	Franzosenfeindliche Bewegung und Verstärkung der französischen Truppen in Marokko
1908	Sept	Deutsch-französischer Zwischenfall in Casablanca
1909	Juli	Ministerium Brians
1911	Mai	Einmarsch der Franzosen in Fez
	Juni	Ministerium Caillaux
	Nov	Deutsch-fränzösisches Marokko-Kongo-Abkommen
1912	Januar	Caillaux' Sturz; Ministerium Poincaré
	August	Poincaré in Petersburg
1913	Januar	Poincaré Präsident Zweites Ministerium Briand
	Februar	Delcassé Botschafter in Petersburg (bis Jan. 1914)
	März	Ministerium Barthou
	Juli	Einführung der dreijährigen Dienstzeit
	Dezember	Ministerium Doumergue; Caillaux Finanzminister
1914	März	Caillaux' Rücktritt infolge des Anschlags seiner Gattin aus Calmette

Juni	Ministerium Viviani. 800 Millionen-Kredit für Heereszwecke
Juli	Poincaré in Petersburg
31. Juli	Faurès' Ermordung
2. Aug	Ausbruch des Krieges zwischen Deutschland und Frankreich

Max Nordau

Paradoxe

Vorwort zur ersten Auflage.

Weshalb "Paradoxe«? Weil dieses Buch an die darin behandelten Probleme in voller Unbefangenheit herantritt, unbeirrt von einschüchternden Dekreten der Schule und unbekümmert um herkömmliche Anschauungen. Behauptungen, die für unantastbar gelten, weil man sie nie zur Rede gestellt hat, müssen es sich gefallen lassen, nach ihren Legitimationspapieren gefragt zu werden, und da zeigt es sich oft genug, daß sie keine haben. Gemeinplätze werden gezwungen, den Wahrheitsbeweis anzutreten, und wenn sie ihn nicht führen können, so behütet sie weder Rang noch Stand vor der Verurteilung. Dieses Buch soll hauptsächlich beweisen, daß auch das Selbstverständlichste noch sehr viele Fragen offen läßt und große Verlegenheiten bereitet, sowie, daß es für dieselbe Thatsache die entgegengesetztesten Auffassungen und Erklärungen geben kann, die alle gleich einleuchtend scheinen und wahrscheinlich alle gleich falsch sind. Der Verfasser wird seine Absicht erreicht haben, wenn er den Leser dazu veranlaßt, allen fertigen Formeln gegenüber mißtrauisch, aber auch allen ehrlichen Meinungen gegenüber nachsichtig zu werden. Der überzeugendste Beweis soll noch einen Zweifel übrig lassen, aber auch das unannehmbarste Argument geduldiger Prüfung gewürdigt werden, vor allem aber soll man niemals auf das Recht eigener Entscheidung verzichten, und wäre es zu Gunsten der größten Autorität. Der Verfasser giebt gerne zu, daß diese Regeln zuerst auf ihn angewandt werden. Er verlangt nicht, daß man seine Meinungen teile, nur daß man sie anhöre. Er schmeichelt sich nicht, Lösungen gebracht zu haben, er möchte nur den Leser anregen, selbst nach solchen auszuschauen. Im Streben nach der Wahrheit ist ja nicht das Finden die Hauptsache, sondern das Suchen. Der hat genug gethan, der ehrlich gesucht hat.

Im Mai 1885.

Der Verfasser.

Optimismus oder Pessimismus?

Die Pyramiden werden als ein Weltwunder angesehen? Die hängenden Gärten der Semiramis? Der Koloß von Rhodus? Ich kenne ein größeres, vielleicht das kunstvollste und staunenswerteste, das der menschliche Geist bisher hervorgebracht hat, und das ist der Pessimismus; ich meine den richtigen, gründlichen, zur Weltanschauung ausgebildeten Pessimismus, der Natur, Menschheit und Leben ewig wie aus einem von vierundzwanzig erlauchten Schoppen abstammenden Standes-Katzenjammer heraus ansieht.

Wir müssen zwei Arten von ehrlichem Pessimismus unterscheiden: den wissenschaftlichen und den praktischen. Der wissenschaftliche Pessimismus übt eine vernichtende Kritik an der gesamten Erscheinungswelt. Der Kosmos, so lehrt er voll Überzeugung, ist ein elendes Machwerk, nicht besser als der mißlungene Erstlingsversuch eines Stümpers. Hat sein Bestand überhaupt einen Zweck? Man steht kopfschüttelnd vor der schwerfälligen und verwickelten Maschine und sucht vergebens nach einem Sinn und Verstand in dem tollen Getriebe. Und wenn schon das Weltganze ein unvernünftiges, planloses Durcheinander ist, haben wenigstens seine einzelnen Teile Logik und Gesetz? Auch nicht. Roher Zufall beherrscht die Natur und das, was uns in ihr am meisten interessiert, das Menschenleben. Keine Sittlichkeit lenkt den Gang der großen wie der kleinen Ereignisse; das Böse triumphiert öfter als das Gute; Ahriman wirft Ormuzd zur Treppe hinunter und lacht unverschämt, wenn dieser dabei ein Bein bricht. Weshalb ist, weshalb dauert nun eine solche Welt und wäre es nicht klüger und moralischer, sie würde in das Urnichts zurückgeschmettert, aus dem sie hervorgegangen sein soll, – was aber erst noch zu beweisen wäre?

Welche kindliche Selbstverliebtheit und Überhebung liegt doch dieser Denkweise zu Grunde! Sie geht von der Annahme aus, daß das menschliche Bewußtsein die höchste Leistung der Natur sei, daß es alles Seiende zu umfassen vermöge, daß also außerhalb desselben nichts vorhanden sein könne und daß seine Gesetze auch die des Weltalls sein müssen. Nur von diesem Standpunkt aus ist die Kritik der Welterscheinung verständlich.

Allerdings, wenn die Natur von einem Bewußtsein geleitet wird, welches ähnlich dem menschlichen beschaffen ist, so ist sie thöricht und tadelnswert, denn sie läßt nicht erkennen, was sie vorhat, sie begeht dumme Streiche, ist bald verschwenderisch, bald knickerig und wirtschaftet überhaupt so unbekümmert um die Zukunft, so leichtsinnig in den Tag hinein, daß man sie, je früher, je besser, unter die Vormundschaft eines Professors der Philosophie stellen sollte.

Ebenso verhält es sich mit der empörenden Unsittlichkeit des Weltlaufs. Hätte ein feingebildeter, edelgesinnter, mit einem guten Sittenzeugnis von seiner Heimatsbehörde versehener Gentleman aus dem neunzehnten Jahrhundert die Weltordnung festzustellen, so wäre sie sicherlich anders. Dann würde das Beispiel der vom Schicksal verfolgten Tugend uns nicht betrüben und das Laster uns nicht durch seine frechen Siege empören. So oft denn auch ein solcher Gentleman berufen ist, aus sich heraus eine Welt nach seinem Sinn aufzubauen, also einen Roman oder ein Theaterstück zu dichten, läßt er die erfreulichste Sittlichkeit walten und das liebe Publikum klatscht sich wie unsinnig die Hände wund, wenn auf der letzten Seite oder im fünften Akte die Tugend einen Orden und das Laster fünf Jahre Zuchthaus bekommt, und es denkt sich: "So soll es sein! Das Leben trifft es nur nicht so gut wie unser edler Dichter.« Freilich giebt es auch unter den Schriftstellern sonderbare Käuze, welche sich's angelegen sein lassen, die Wirklichkeit ohne Auswahl und Verbesserung nachzuschreiben, und in den Werken dieser Menschen ohne Einbildungskraft geht es thatsächlich ganz so bedenklich zu wie im Leben selbst; der Hans kriegt die Grete nicht, trotzdem er sie ehrlich und treu liebt, vielmehr giebt sie einem Halunken den Vorzug, der sie elend macht, das Talent geht zu Grunde, weil es keine für seine Entwickelung günstigen Verhältnisse findet, und der Herr Präsident bleibt Präsident, und wenn der ganzen Stadt noch soviel erzählt wird, wie er es geworden ist. Die Moral macht da so schlechte

Geschäfte, daß sie zum Schlusse bankerott wird, und das Publikum wendet sich mit Entrüstung von so trostlos unsittlichen Erzeugnissen ab.

Es ist also wohlverstanden: die Natur hat weder Logik noch Moral und sie sollte sich entweder bessern oder machen, daß sie verschwindet.

Aber armseliger Tropf, der du diese Kritik übst, wer sagt dir, daß deine Logik etwas anderes ist als das Gesetz, welches das Neben- und Nacheinander der organischen Vorgänge bloß in unserem eigenen Denkapparate regelt? Woher nimmst du das Recht, sie auf die Folge von Zuständen im Weltganzen anzuwenden? Ist es nicht möglich, ja im höchsten Grade wahrscheinlich, daß unsere menschliche Logik die kosmischen Erscheinungen so wenig regelt, wie etwa der kleine Hohlschlüssel unserer Taschenuhr älteren Systems das Brahmaschloß eines feuersichern Geldschranks öffnet? Die Kräfte, die in unserem Organismus und im Weltganzen walten, können darum doch dieselben sein, wie ja auch die mechanischen Grundsätze, nach welchen das Brahmaschloß und die Taschenuhr gebaut werden, dieselben sind. Es handelt sich da nur um den Unterschied zwischen einem Kleinen und einem unendlich Großen, zwischen einem vergleichsweise Einfachen und einem im höchsten Grade Zusammengesetzten. Nichts beweist uns, daß es in der Natur kein Allbewußtsein giebt, dessen Umfang unser enges Bewußtsein nicht zu fassen vermag. Man mag dabei an Spinozas Pantheismus oder an Schopenhauers Willen denken; auf den Namen kommt es nicht an. Sicher ist eins: wir sehen, daß der Stoff, wenn er in Form eines Menschenhirns gruppiert ist, und die Kraft, wenn sie als Nerventhätigkeit wirkt, ein Bewußtsein geben. Dieselben Elemente, welche den Leib und das Hirn des Menschen bilden und unter denen außer Sauer-, Wasser-, Stick- und Kohlenstoff Eisen, Phosphor, Schwefel, Calcium, Natrium, Kalium und Chlor die wichtigsten sind, finden sich in ungeheuren Massen auch außerhalb des menschlichen Organismus; die Kräfte, welche die Lebensvorgänge bewirken, also die chemischen und mechanischen Einflüsse, die Elektrizität und andere Formen der Kraft, die uns unbekannt sind, erscheinen auch außerhalb des menschlichen

Organismus thätig. Wer darf nun kecken Mutes versichern, daß diese Elements und diese Kräfte nur in der Form von Nervengewebe, nur in der Form eines Menschenhirns ein Bewußtsein hervorbringen können? Ist es nicht denkbar, ja wahrscheinlich, daß die Form des Nervengewebes das Zufällige und nur die es bildenden Elemente, die darin wirkenden Kräfte das Wesentliche sind und daß diese auch dann einem Bewußtsein als Unterlage dienen können, wenn sie auf einander in einer Weise wirken, welche völlig verschieden ist von der, die in den unserer Beobachtung zugänglichen Organismen herrscht?

Aber ich gehe noch weiter und sage: wir bedürfen nicht einmal der Annahme eines Weltbewußtseins, um einzusehen, daß wir kein Recht haben, die Vorgänge im Kosmos mit der kurzen Elle menschlicher Logik zu messen. Um den Weltlauf unvernünftig zu nennen, müssen wir zuerst annehmen, daß er irgend etwas bezwecke, daß er auf irgend ein Ziel lossteure; denn von einem Wanderer, von dem wir nicht wissen, ob er überhaupt irgendwohin gelangen wolle, ob er nicht einfach gehe, um Bewegung zu haben, können wir doch nicht sagen, daß er unrichtige Straßen wähle, Umwege mache, nicht rasch genug ausschreite! Diese Voraussetzung eines Zwecks ist aber völlig willkürlich. Es ist doch denkbar, daß Finalität, ganz so wie Kausalität, ausschließlich eine an organische Vorgänge geknüpfte Erscheinung ist und außerhalb des Organismus einfach nicht existiert. Die Erfahrung hat uns gelehrt, daß in unserem Hirn kein Denk- und kein Willensakt entsteht, ohne daß er von einer ihm vorangehenden Veränderung im Nervensystem, einem Sinneseindrucke, veranlaßt ist; wir haben uns deshalb daran gewöhnt, bei jeder unserer Handlungen, bei jedem Vorgang in unserem Organismus, eine Ursache vorauszusetzen, selbst wenn sie uns nicht besonders zum Bewußtsein gelangt ist, und wir verallgemeinern diese Gewohnheit und tragen sie selbst in unsere Beurteilung der Erscheinungen, die außer uns vorkommen. Allein weil unsere Organe einer äußern Erregung bedürfen, um in Thätigkeit versetzt zu werden, weil sie ohne Reiz nicht arbeiten, weil ihnen jede Veränderung in der

That eine Ursache hat, weil sie also wirklich unter dem Gesetze der Kausalität stehen, so folgt daraus doch noch nicht, daß dieses Gesetz für den Stoff auch dann Geltung hat, wenn er sich unter Bedingungen befindet, die von seiner Anordnung in unserem Organismus völlig verschieden sind! Nehmen wir an, eine Kaffeemühle wäre ein Wesen mit Bewußtsein; müßte sie nicht glauben, eine Frauenhand sei die unerläßliche Voraussetzung jeder Bewegung und eine solche nicht denkbar, wenn sie nicht durch eine die Kurbel drehende weibliche Hand bewerkstelligt wird? Sähe diese arme Kaffeemühle nun eine elektrodynamische Maschine, die in Bewegung gesetzt wird, ohne daß ihr eine menschliche Hand nahekommt, so würde ihr diese Erscheinung offenbar unglaublich und undenkbar vorkommen und sie würde vergebens nach der Kausalität suchen, die für sie die ausschließliche Form einer Frauenhand angenommen hat. Die Kaffeemühle kann von ihrem Standpunkte sicherlich nicht anders als annehmen, daß ohne eine Frauenhand keine Bewegung denkbar ist; ihre Erfahrung muß sie zu dieser Überzeugung bringen und für die ganze Ordnung der Kaffeemühlen hat sie auch vollkommen Recht; wir aber wissen dennoch, daß sie irrt, daß ihr Gesetz keine Verallgemeinerung zuläßt, daß es auch Bewegungen giebt, die nicht von einer Frauenhand hervorgebracht werden, wenn auch galante Flachköpfe nahe genug sein mögen, in diesem Punkte die Überzeugungen der Kaffeemühle zu teilen. Ich übersehe keineswegs, daß die Bewegung der elektrodynamischen Maschine freilich auch eine Ursache hat, ganz so wie die der Kaffeemühle, mein Beispiel soll eben nur zeigen, wie wenig die aus einer bestimmten Ordnung von Thatsachen gezogenen Erfahrungen geeignet sind, zu Gesetzen verallgemeinert zu werden, welche einer Anwendung auf verschiedenartige Thatsachen fähig wären. Wie meiner Kaffeemühle mit der Kausalität, so würde es einer Lokomotive, die Bewußtsein hätte, mit der Finalität ergehen. Sie wüßte, daß ihr Dampf den Zweck hat, durch den Kolben Räder zu drehen. Wäre sie von einer epigrammatischen Geistesrichtung oder Freundin knapper Formeln, so würde sie, wahrscheinlich mit einiger Selbstgefälligkeit, sagen: "Kein

Dampf ohne Räderdrehung!« Wie sehr müßte diese Lokomotive nun staunen, wenn sie etwa einmal vor dem Geysir stände und da eine gewaltige Dampfentwickelung beobachtete, die nicht das geringste Rad dreht! Das würde ihr absurd scheinen, alle ihre Vorstellungen von Zweck und Wirkung des Dampfes wären auf den Kopf gestellt und es sollte mich nicht wundern, wenn sie über dieser unheimlichen, in kein ihr bekanntes Gesetz einzuordnenden Erscheinung den Verstand verlöre. Es wäre doch möglich, daß die Veränderungen des Stoffs, die außerhalb des Organismus vorkommen, im Stoffe selbst ihre Ursache haben und sich Selbstzweck sind, daß wir also vergebens für sie eine äußere Ursache und einen fremden Zweck suchen, der eine Beziehung zu einer andern Stoffgruppe voraussetzt. In diesem Falle könnten wir die Natur nicht länger thöricht nennen, unsere Kritik ihres Zwecks oder ihrer Zwecklosigkeit würde gegenstandslos und wir würden, um sie zu verstehen und zu beurteilen, um eine Ursache und einen Zweck ihrer Erscheinungen zu begreifen, im Mittelpunkte stehen müssen, aus dem heraus sich diese Erscheinungen abwickeln.

Noch kaffeemühlenhafter als die Anklage der Zwecklosigkeit ist die der Unsittlichkeit der Weltvorgänge. Vom Standpunkt unserer Moral aus scheint sie allerdings begründet; aber wer giebt uns denn auch das Recht, uns auf diesen Standpunkt zu stellen, wenn wir Natur und Leben ansehen wollen? Unsere Moral ist etwas zeitlich und örtlich Begrenztes; sie ist etwas geschichtlich Gewordenes; sie wechselt ihren Schnitt wie Kleider und Hutformen. Sie ist die Moral der weißen christlichen Menschheit des neunzehnten Jahrhunderts und keiner andern. Selbst innerhalb der engen Gemarkung, in der sie wenigstens theoretische Geltung hat, muß sie sich zu vielen Zugeständnissen verstehen und viele Widersprüche hinnehmen. Sie tadelt den Totschlag als Verbrechen, wenn ihn ein einzelner begeht, und lobt ihn als etwas Edles und Tugendhaftes, wenn ihn ein ganzes Volk in Waffen im Großen an einem andern Volke übt; sie nennt den Betrug und die Lüge ein Laster und gestattet ihn doch in der Diplomatie; ein großes, hochgebildetes Volk, das der Vereinigten

Staaten von Nordamerika, das Raub und Diebstahl an Individuen hart ahndet, findet diese Sünden unbedenklich, wenn Gesamtheiten, Städte oder Bundesstaaten, sich ihrer schuldig machen, indem sie betrügerischen Bankbruch anmelden und ihre Gläubiger beschwindeln. Unsere Moral ist heute etwas anderes, als sie in einer bekannten Vergangenheit war, und es ist nicht unvernünftig anzunehmen, daß sie in der Zukunft wieder etwas anderes sein wird. Sie ist überhaupt nichts anderes als eine in die Form von Gesetzen und Sittenregeln gegossene Definition der Bedingungen, welche jeweilig als dem Bestande unserer Gattung nützlich erkannt werden. Mit der Entwickelung der Menschheit ändern sich einige der Bedingungen ihres Gedeihens und mit ihnen auch die Anschauungen über das, was moralisch und unmoralisch ist. Und diesen unsichern Maßstab unserer Moral will man an die Weltvorgänge legen? Etwas, was nicht einmal für unsere Urgroßväter galt und vielleicht unseren Enkeln nicht mehr Wahrheit scheinen wird, soll das unwandelbare Gesetz der ewigen Natur sein? Eine alberne Zierpuppe, die sich über das stets gleichmäßige Blau des Himmels beklagte und die Forderung erhöbe, daß seine Farbe mit der ihrer Tagestoilette wechsele, um mit ihr hübsch im Einklang zu sein, wäre ganz so weise und bescheiden, wie es der Weltkritiker ist, der sich über die Unsittlichkeit und Tyrannei des Weltlaufs beschwert.

Der ego- oder geozentrische Standpunkt des Aristoteles ist in der Kosmologie seit Kopernikus aufgegeben. Man glaubt und lehrt nicht mehr, daß unsere Erde der Mittelpunkt des Weltsystems und der Mensch der Endzweck der Natur sei; daß der Mond die Bestimmung habe, unsere Nächte zu erhellen und das Sternenheer, unseren lyrischen Dichtern als Gleichnis zu dienen. In der Philosophie aber hält mancher an dieser kindlichen Auffassung fest und schilt den Kosmos unvernünftig, weil sich der Kohlenvorrat der Erde mutmaßlich erschöpfen wird und Krakatoa mit so und so viel tausend lebensfrohen Menschen untergegangen ist, und unmoralisch, weil die Jungfrau von Orleans verbrannt wurde, Gustav Adolf bei Lützen fiel und manche liebende

Mütter im Kindbette sterben. Wenn die Fäulnisbakterien philosophischen Denkens fähig sind, wie schwarz muß ihre Weltanschauung sein! Alle Einrichtungen der Welt, von ihrem Standpunkt aus gesehen, sind grausam und verabscheuenswert unsittlich und werden es täglich mehr. Besen und Scheuerlappen, der tödliche Sauerstoff und das grimmige heiße Wasser verschwören sich gegen ihr Dasein; was ihnen zur Nahrung dienen könnte, wird von ihnen unsichtbaren Mächten weggeschafft, zerstört, unzugänglich gemacht. In ihr behaglichstes Liebeleben bricht oft die verheerende Karbolsäure und verwandelt ihr fröhliches Gewimmel in einen Totentanz, in welchem die tugendhafte Bakterie ganz so mitwirbeln muß wie die lasterhafte. Aber was ihnen zu einem sehr berechtigten Pessimismus Anlaß geben muß, das wird von uns in dicken Büchern als Fortschritt der Hygieine beschrieben und als etwas Hocherfreuliches gefeiert!

Ich stelle mir eine Fliege vor, die mit Kunstverständnis begabt wäre und beispielsweise die kleine Biene, das Münzzeichen auf gewissen Jahrgängen französischer Zwanzigfrankenstücke, sehr hübsch fände; meine Annahme hat nichts besonders Phantastisches an sich, denn die Vorliebe dieses Tieres für Gemälde und Statuen ist allen reinlichen Haushälterinnen schmerzlich bekannt. Nun fliegt sie aber an der Münchener Bavariastatue entlang – wie sinnlos, wie unlogisch, wie unförmlich muß ihr diese Metallmasse erscheinen – ohne Anfang und Ende, bald unverständlich glatt, bald wunderlich rauh, hier ein unmotivierter Vorsprung, da eine gesetzlose Einsenkung; und wenn die ästhetische Fliege ihr Dasein im Innern der großen Bildsäule zu verbringen, hätte, so könnte sie über das, was ihr das Universum scheinen müßte, ein Buch voll bitterer Epigramme schreiben, in welchem die Zwecklosigkeit und Unvernunft ihrer Welt beredt dargethan wäre und das aus alle ihre tierischen Mitbewohner des Bavaria-Innern überzeugend wirken würde. Zur Erkenntnis der Wahrheit wäre sie aber doch nicht gelangt, wie ihr auch ein mäßig begabter Münchener Fremdenführer unschwer beweisen könnte.

Nein nein; die pessimistische Philosophie verträgt keine ernsthafte Behandlung. Soweit sie ehrlich ist, scheint sie nichts anderes zu sein als eine Form der tiefen Unzufriedenheit mit der Endlichkeit unseres Verstandes. Man möchte den Weltmechanismus begreifen und kann nicht und ist darum mürrisch und lästert ihn, wie ein naiver Wilder schmollend die Spieldose zur Erde wirft, nachdem er umsonst versucht hat, ihre Einrichtung zu verstehen. Man preist sich als den Herrn der Schöpfung und muß sich auf Schritt und Tritt überzeugen, daß es mit der Herrlichkeit doch nicht so weit her ist. Darüber wird man verstimmt, man bringt die üble Laune in ein System und nennt sie Pessimismus. Das Kind, das die Hand nach dem Mond ausstreckt und zu greinen beginnt, weil es ihn nicht erreichen kann, ist in seiner Art auch ein Pessimist, ohne es zu wissen. Nur heilt man seinen Pessimismus leicht mit etwas Gerstenzucker.

Es ist übrigens erfreulich festzustellen, daß die Systematiker des Pessimismus in der Regel Schätzer eines frohen Mahls und guten Trunks sind, daß sie sich nach gefühlvoller Werbung in den bewährten Formen schwunghaft beweiben und für alles Angenehme im Leben einen entwickelten Sinn haben. Ihre Philosophie ist eine Amtstracht für große Gelegenheiten und als solche für die achtungsvolle Zuschauermenge imposant genug; wir wissen aber, daß unter dem feierlich schwarzen Talar mit dem gekreuzten Totenbein alltagsmenschliche Unterkleider getragen werden, das unscheinbare, aber behagliche Flanellleibchen des fröhlichen Peters und des trällernden Pauls.

Neben dem überzeugten wissenschaftlichen Pessimismus, der die größte Fidelität im wirklichen Leben nicht ausschließt, giebt es allerdings auch einen praktischen, den der Volksmund Mieselsucht nennt. Dieser Pessimismus raisonniert und argumentiert nicht. Er hat keine Systeme und keine Klassifikationen. Er versucht gar nicht, zu erklären, weshalb ihm Welt und Leben mißfallen; er empfindet eben aufrichtig und triebhaft alles, was ist, als unleidlich und Zerstörungsgedanken einflößend. Einen solchen Pessimismus kann man nicht widerlegen, nur zergliedern. Er ist immer die Begleiterscheinung einer Gehirnerkrankung, die entweder bereits voll ausgebrochen oder erst im Keime vorhanden ist. Jahrelang, ehe ein solcher unglücklicher Wahnsinnskandidat ausgesprochen geistesgestört wird, leidet er an Schwermut, ist er weltscheu und menschenfeindlich. Ein unvollkommen entwickeltes oder intimen Zerstörungsvorgängen anheimfallendes Denkorgan hat die unheimliche Gabe, seine eigene Verwüstung wahrzunehmen, deren Fortschritte zu beobachten, sich als in der Auflösung begriffen zu erkennen. So blickt das Bewußtsein fortwährend auf den eigenen Zerfall und dieses schauerliche Schauspiel fesselt es so vollkommen, daß es für andere Erscheinungen nur eine schwache und zerstreute Wahrnehmungsfähigkeit übrig behält. In einem solchen Gehirn muß sich natürlich die Welt so spiegeln wie in einem staarblinden Auge: als die tragische Nacht des Chaos. Alle großen Dichter des Weltschmerzes waren zerrüttete Organismen. Lenau starb im Wahnsinn, Leopardi litt an gewissen geschlechtlichen Verirrungen, die dem Irrenarzt wohlbekannt sind, Heine wurde erst trüb und verschleiert, als seine Rückenmarkskrankheit ihre nie fehlende Wirkung auch auf das Gehirn übte, und Lord Byron hatte jene Exzentrizität des Charakters, die der Laie Genialität nennt, während der Psychiater sie als Psychose etikettiert. Dieser Pessimismus, der angesichts eines Liebespaares die Hände ringt und an einem leuchtenden Maimorgen in Schluchzen ausbricht, ohne Grund, ohne Trost, ohne Ende, ist Krankheit und kein Gesunder wird daran denken, auf ihn einzugehen.

Das sind die Formen des ehrlichen Pessimismus, die allein auf Kritik Anspruch haben. Außerdem giebt es freilich auch eine geheuchelte Schwarzseherei, die sehr beliebt ist bei Thoren, welche sich einbilden, daß sie ihnen gut stehe. Es ist ein seiner Dilettantismus, eine geistige Vornehmheit, durch die man sich von der gewöhnlichen Menge absondert. Die Blässe des Gedankens gilt bei Leuten mit verdorbenem Geschmacke für interessant wie die Blässe der Wangen. Man ist bitter, um die Ahnung zu erwecken, daß man viel und merkwürdiges erlebt habe, der Held seltsamer Abenteuer gewesen ist. Man seufzt und ächzt, um glauben zu machen, man sei ein Mitglied der kleinen hocharistokratischen Gemeinde, welche in die eleusynischen Mysterien des Schmerzes eingeweiht ist. Bei dem Pessimisten dieser Gattung braucht man nicht analytisch zu verweilen. Man klopft ihm nach französischer Sitte auf den Bauch und sagt ihm: "Loser Schäker!« Ein Weltwunder ohne Gleichen habe ich den Pessimismus genannt und wollte damit sagen, daß er einen Triumph der Einbildungskraft über die Wirklichkeit und ein Zeugnis für die Fähigkeit des Menschen darstellt, die Natur trotz ihres heftigsten Widerstandes in die ihr von seiner Laune zugeschnittenen Verkleidungen zu zwängen. Wie er das kronenhafte Geäst ehrlicher Bäume veranlaßt, in unvernünftige Tier- und Bauformen zu wachsen, wie er Wasser gegen dessen ausgesprochenste Neigung mit Hilfe von Pumpwerken den Berg hinauffließen macht, so leitet er aus Thatsachen, welche ihm die hellsten Gedanken nahelegen, eine finstere Weltanschauung ab und trägt seinen Pessimismus in die Natur hinein, die mit allen Blumenglocken und allen Vogelkehlen den Optimismus ausläutet und ausruft.

Denn das thut die Natur und um es zu hören, braucht man nicht einmal besonders aufmerksam hinzuhorchen, da der Laut durchdringt, selbst wenn man sich die Ohren mit scholastischer und rabulistischer Baumwolle zustopft. Der Urinstinkt, der allem Denken und Thun des Menschen zu Grunde liegt und sein ganzes Leben beherrscht, ist der Optimismus. Jeder Versuch, diesen zu entwurzeln, ist vergeblich, denn er ist der eigentliche Grundstein unseres Wesens und nur mit diesem zu zerstören.

Wenn man die Hauptbeschwerden des Pessimismus ganz nahe betrachtet, so findet man, daß sie aus einem Übermute protzigen Selbstbewußtseins hervorgehen und mit den Sorgen zu vergleichen sind, die einem Millionär seine Reichtümer machen. Man ist unzufrieden mit der Zwecklosigkeit des Weltganzen oder genauer mit dem Unvermögen des Menschen, einen Zweck desselben zu erkennen? Ist denn aber diese

Unzufriedenheit selbst nicht ein Beweis, zu welcher hohen Entwicklung der menschliche Geist gelangt ist, und haben wir nicht Grund, uns mit dem Erreichten zu freuen? Welche Gesundheit und Kraft des Denkens setzt es voraus, sich die Frage nach einem Endzwecke der Natur vorzulegen! Welche Weite des Gesichtskreises, solche Probleme überhaupt wahrzunehmen! Und welche schönen Aussichtspunkte muß der Mensch erklommen, welche geistigen Genugthuungen und Freuden auf dem Weg erfahren haben, ehe er den hohen Standpunkt erreichte, auf dem er sich ernstlich berechtigt und fähig glaubt, das Weltganze vor sich zu laden und ihm mit der Autorität eines Generalinspektors zu sagen: "Du mußt nach einem Plan angelegt sein; in diesen Plan will ich Einsicht nehmen, um an ihm meine Kritik zu üben!« Kein Tier hat Weltschmerz und unser Ahn, der Zeitgenosse des Höhlenbärs, war gewiß von allen Sorgen um Menschheitbestimmung frei; wenn dieser prognathe Realist ordentlich vollgegessen war, so fand er ohne allen Zweifel, daß sein Leben einen ausreichenden Inhalt habe, und blieb ihm dann überhaupt noch ein Wunsch, so kann man annehmen, daß es der war, ungestört zu schlafen. Wir aber sind mit dem zunehmenden Gesichtswinkel vornehmer geworden und haben ganz andere Ideale als ein fettes Auerochs-Steak. Allein, wie das ja natürlich ist, unsere Gier nach geistigem Erwerb wird um so heißer, je größere Kapitalien wir angehäuft haben, und da wir es so herrlich weit gebracht, so lassen wir es uns überhaupt nicht mehr gefallen, daß unserem Lauf und Flug eine Grenze gezogen sei.

Ähnlich verhält es sich mit einer andern Klage des Pessimismus, der über das Vorhandensein des Schmerzes in der Welt. Welche Kurzsichtigkeit, ich möchte fast sagen: welche Undankbarkeit! Aber brave Pessimisten, wenn der Schmerz nicht bestände, so müßte man ihn ja erfinden! Er ist eine der wohlthätigsten und nützlichsten Einrichtungen in der Natur! Vor allem setzt der Schmerz ein gesundes und hochentwickeltes Nervensystem voraus, ein solches ist aber auch die Vorbedingung all der angenehmen Empfindungen, die man doch aus dem Leben nicht hinausleugnen kann. Die niedrigen Lebewesen sind starker Schmerzempfindungen unfähig, aber wir dürfen annehmen, daß auch ihre Lustempfindungen unvergleichlich stumpfer und matter sind als die unsrigen. Es wäre doch gar zu wunderbar, wenn wir zwar genug feine Sinne haben sollten, um uns am Duft einer Rose, an einer Symphonie Beethovens oder einem Bilde Lionardos zu berauschen, jedoch für den Geruch der Verwesung, das Knirschen der Feile in den Sägezähnen und den Anblick eines Krebsgeschwürs unempfindlich wären! Man frage einmal eine hysterische Kranke, die mit Unempfindlichkeit einer oder beider Körperhälften behaftet ist, ob sie sich ihres völlig schmerzlosen Zustandes freut! Ihr kann die Außenwelt nicht wehthun; aber sie kann ihr auch keine angenehmen Eindrücke senden und nach kurzer Erfahrung fordert sie ungestüm, daß man sie wieder fähig mache, Schmerzen zu empfinden. Dutzende Male war ich Zeuge, wie eine solche Kranke es mit einem Freudenschrei begrüßte, wenn ihr ein Nadelstich zum ersten Male wieder wehthat! Der Schmerz hat die Rolle, welche der Köhlerglaube dem Schutzengel zuteilt; er ist unser Warner, der uns die Gefahren zeigt und uns auffordert, sie zu bekämpfen oder ihnen zu entfliehen. Er ist also unser bester Freund, der Erhalter unseres Lebens und die Quelle unserer stärksten Lustempfindungen. Denn der Schmerz regt uns zur Anstrengung an, seiner Ursache entgegenzuwirken, diese Anstrengung ist mit der höchsten Spannung unserer Fähigkeiten verbunden und gewährt die unvergleichliche Befriedigung, welche mit der Bethätigung unserer Individualität verbunden ist. Ohne Schmerz würde unser Leben kaum einen Augenblick lang dauern können, denn wir wüßten die Schädlichkeiten nicht zu erkennen und uns nicht vor ihnen zu hüten. Ein Weltverbesserer großen Stils wendet vielleicht ein, es sei denkbar, daß die Schmerzempfindung durch die Einsicht ersetzt sei; wir müßten nicht notwendig durch ein Leiden gemahnt werden, uns gegen drohende Einwirkungen zur Wehr zu setzen, eine schmerzlose triebhafte Erkenntnis dessen, was uns schädlich ist, thäte denselben Dienst. Darauf ist zu antworten: entweder würde die Erkenntnis uns nicht mächtig genug zu einer Anstrengung spornen und rütteln, dann würden wir ihrer Aufforderung auch nicht immer und nicht in genügendem Maße nachkommen und von den Feinden unseres Daseins leicht besiegt werden, oder ihre Mahnung wäre so stark und eindringlich, daß wir ihr unbedingt mit einer äußersten Anspannung unserer Kräfte antworten müßten, und dann würden wir sie einfach ebenfalls als Schmerz empfinden, ganz so wie jetzt die mahnenden Vorgänge in unseren Empfindungsnerven. Was der Schmerz im Körperlichen, das ist die Unzufriedenheit im Geistigen. Wenn sie stark genug auftritt, um als Leiden empfunden zu werden, so wird sie zur Anregung, die Verhältnisse, welche sie veranlassen, mit Anspannung aller Kräfte zu andern und zu bessern. Einem Glücklichen wird es nie einfallen, seine Umgebung mit zerstörungslustigen Blicken zu betrachten; ohne Zwang führt auch Herkules, den es doch nichts Besonderes kostet, seine zwölf Arbeiten nicht aus, und um sein Lager umzubetten, muß man unbequem liegen. Die Unzufriedenheit ist also die Ursache allen Fortschrittes und wer ihr Vorhandensein in unserem Geistesleben als ein Ungemach beklagt, der sollte gleich den Mut haben, die Verurteilung der Menschheit zu einer unwandelbaren, lebenslangen Chineserei als sein Ideal anzuerkennen.

Übrigens ist die Unzufriedenheit mit den thatsächlichen Verhältnissen, in denen ein Einzelmensch oder ein ganzes Volk zu leben gezwungen ist, gar nicht einmal als Beweisgrund für den Pessimismus zu verwenden, sie ist im Gegenteil ein Beweis mehr, daß ein unzerstörbarer Optimismus die Grundlage unseres Denkens bildet. Jede Kritik ist nämlich das Ergebnis eines im Geist angestellten Vergleichs zwischen den wirklichen und idealen Zuständen, welche man sich in der Vorstellungswelt aufgebaut hat und die man als vollkommen erkennt; der Thatsache aber, daß man eine solche Kritik mehr oder minder klar formuliert, liegt der unausgesprochene Gedanke zu Grunde, daß die als tadelnswert oder unleidlich empfundenen Verhältnisse einer Änderung zum Guten fähig sind, und dieser Gedanke wird doch wohl ein optimistischer genannt werden müssen! Ja noch mehr: indem man über etwas Bestehendes murrt, indem man deutlich denkt oder undeutlich ahnt, daß es oder wie es besser werden könnte, hat man die Besserung potentiell schon durchgeführt, die Umwandelung ist in der Vorstellungswelt des unzufriedenen Individuums bereits vollzogen und sie hat, wenigstens für dieses Letztere, den Grad von Thatsächlichkeit, der überhaupt allen Vorgängen in unserem Bewußtsein eigen ist, der durch die Sinnesnerven vermittelten Erkenntnis der Außenwelt nicht mehr als der auf einer kombinierenden Thätigkeit der Hirnzellen beruhenden Konstruktion einer besseren Idealwelt. So ist jeder Unzufriedene ein Reformator im Geist, ein Schöpfer einer neuen Welt, die in seinem Kopfe vorhanden ist und alle Bedingungen des menschlichen Glücks in sich schließt, und wenn er in der Analyse der eigenen Empfindungen geübt ist, so wird er unschwer erkennen, daß ihn seine Unzufriedenheit mit den Dingen zu einer großen Zufriedenheit mit sich selbst führt und daß die Freude, welche die ideale Welt seiner eigenen Schöpfung ihm verursacht, den Unmut, welchen die reale Welt ihm bereitet, mindestens aufwiegt. Und hier gebe ich meinem Argument unbedenklich eine persönliche Wendung und frage den ehrlichen pessimistischen Philosophen, ob er nicht sehr mit sich zufrieden, wenn es ihm gelungen ist, die Schlechtheit und Unvernunft von Welt und Leben recht überzeugend darzustellen? Er springt vielleicht vom Schreibtisch auf und läuft vor Entzücken seine Frau umarmen, wenn eine Seite seiner Abhandlung besonders glänzend schwarz geraten ist, und hat er sein Buch vollendet, so liest er wohl in der Stammkneipe den Freunden daraus ein Kapitel vor und hat dabei innere Genugthuungen, die allein ihm das Leben schon lebenswert machen würden.

So ist die Bitterkeit über das Nichtverstehen des Weltmechanismus und Weltzwecks ein Beweis hoher Entwickelung unseres Denkens, die uns stete Befriedigungen und Genüsse verschafft, der leibliche Schmerz ein Zeuge der Gesundheit und Leistungsfähigkeit unseres Nervensystems, der wir alle angenehmen Empfindungen unseres Daseins verdanken, und die Unzufriedenheit der Anlaß schöpferischer Thätigkeit unserer Phantasie, die uns zu einer Quelle tiefen Vergnügens wird. Wo da der Pessimismus bleiben soll, das kann ich nicht erkennen.

Hoffentlich wird niemand meine Ausführungen so arg mißverstehen, daß er mich für einen Jünger des weisen Pangloß hält. Ich bin durchaus kein Bekenner der thomistischen Lehre dieses zufriedenen Philosophen und behaupte keineswegs, daß diese Welt die beste aller Welten sei. Was ich sage, das ist etwas ganz anderes. Ich sage: diese Welt mag nun die beste oder die schlechteste aller Welten oder eine mittelmäßige sein, die Menschheit sieht sie immer und ewig als eine erträgliche an; der Mensch hat die wunderbare Gabe, die natürlichen Verhältnisse, die er absolut nicht ändern kann, nicht etwa bloß mit mürrischer Duldung hinzunehmen, sondern sich mit ihnen zu befreunden, sie selbstverständlich und angenehm zu finden und sich in ihnen so zu gefallen, daß er gar keinen Wunsch hat, sie mit anderen zu vertauschen, selbst wenn er sich viel bessere denken kann. Das ist doch nur möglich, weil das Grundgewebe seines Wesens, auf welches die Erfahrung allerlei schwermütige Bilder stickt, aus eitel Optimismus besteht.

Sollte es der Beispiele bedürfen, um diese Behauptungen zu erläutern? Sie sind zur Hand. Selbst der Berufspessimist giebt die Schönheit der Natur zu und freut sich eines Sommertages, wenn die Sonne vom wolkenlosen Blau des Himmels niederleuchtet, oder einer lauen Juninacht mit dem Vollmond inmitten zehntausend glitzernder Sterne. Nun denn: ein Bewohner der Venus, der sich plötzlich auf unsere Erde verpflanzt sähe, würde sich wahrscheinlich wie in einer trostlosen Wüste voll Kälte und Finsternis vorkommen. An die blendende Helle und Backofenhitze seines Geburtsplaneten gewöhnt, fröre er in unserem Tropenmittag und fände unsere heitersten Farben erloschen und aschgrau, unser schönstes Licht bleich und trübselig. Und einem Bewohner des Saturn, wie langweilig, wie tot müßte ihm der Anblick unseres Himmels mit seinem einzigen Mond erscheinen, ihm, der an das unfaßbar reiche Wechselspiel von acht Monden und zwei, vielleicht noch mehr Ringen gewöhnt ist, die mit ihrem Auf- und Untergang, ihren ewig verschiedenen Stellungen zu einander, ihrer verwickelten Bewegung in seinen Gesichtskreis einen Reichtum der Abwechselung bringen, von dem wir uns gar keine anschauliche Vorstellung machen können! Wir aber haben gar keine Sehnsucht nach der Sonnenpracht der Venus und der verwirrenden Mondquadrille des Saturn und bescheiden uns mit unseren armseligen astronomischen Verhältnissen so dankbar, als hätten wir wirklich zu den Füßen Pangloß' gesessen. Doch wozu die Bewohner der Nachbarplaneten heranziehen? Es bedarf gar keiner Ausflüge in den Weltraum, um den menschlichen Optimismus zu beweisen. Wir müssen nur nach den Polargegenden blicken. Dort wohnen Menschen, deren Frohsinn allen Forschungsreisenden aufgefallen ist. Sie können sich nichts Herrlicheres denken als ihre eisstarrenden Wohnsitze und ihre ewige Nacht und wenn sie Poeten hätten, so würden diese die grauenhaften Schneewüsten Grönlands gewiß mit ebensolcher Überzeugung besingen und feiern wie unsere Dichter eine Rheinlandschaft mit Rebenhügeln, wogenden Ährenfeldern und dunkelnden Wäldern im Hintergrunde. Das eröffnet, nebenbei bemerkt, tröstliche Ausblicke in die künftige Eiszeit, der die Erde entgegenaltert, sofern nämlich die Auskühlungstheorie richtig ist. Wenn wir uns diese Zukunft vorstellen, so denken wir uns gewöhnlich die letzten Menschen in Robbenfelle gehüllt um ein armseliges Feuer aus den letzten Kohlen gekauert, die mageren Hände zitternd über die spärliche Glut haltend und traurig, traurig wie ein brustkranker Orang-Utang im Berliner Tiergarten. Dieses Bild ist sicherlich falsch. Von den Eskimos auf unsere eiszeitlichen Nachkommen schließend, bin ich überzeugt, daß diese die kreuzlustigsten Kumpane der Welt sein werden. Sie werden Fastnachtsvereine bilden, täglich Eisfeste halten, sich die Kälte durch unermüdlichen Tanz aus den Gliedern treiben, ihren Thran in Begleitung jauchzender Trinklieder genießen und ihren Zustand für einen vortrefflichen halten. Wenn endlich der letzte Mensch erfrieren wird, so wird er wahrscheinlich ein breites Lachen auf den Lippen und die letzte

Nummer des Kladderadatsch der Epoche in den erstarrten Händen haben.

Der Dichter sagt zwar, das Leben sei der Güter höchstes nicht, wir denken und empfinden aber, als ob es dies wäre. Der Gedanke des Aufhörens unseres Bewußtseins, der Vernichtung unseres Ichs ist entsetzlich, der Tod, wenn schon nicht der eigene, so doch der der Eltern, der Kinder, derjenigen, die wir lieben, verursacht uns die bittersten Schmerzen, die wir zu empfinden fähig sind, und wir können uns und unseren Freunden kein köstlicheres Gut wünschen als langes Leben. Was ist aber langes Leben? Hundert, hundertzwanzig Jahre, das sind äußerste Zahlen; mehr wird wohl niemand wünschen. Ein Hundertjähriger fühlt, daß er beneidenswert ist, man beklagt dagegen das Geschick des Jünglings, der zu zwanzig oder fünfundzwanzig Jahren sterben mußte. Nun denn, alle diese uns so geläufigen Anschauungen, gegen die wir uns nicht auflehnen und die wir nicht kritisieren, sind der Ausfluß unseres unverwüstlichen Optimismus. Wir begnügen uns mit 100 Jahren und weniger, weil wir kaum jemals ein Beispiel sehen, daß diese Frist überschritten wird. Wäre die Lebensdauer des Menschen 2 oder 300 Jahre, wie es die des Raben, Karpfen und Elefanten sein soll, er würde 2 oder 300 Jahre alt werden wollen und jammern, wenn ihm angekündigt würde, er habe schon zu 150 Jahren zu sterben, obwohl er sich doch jetzt mehr als 100 Jahre gar nicht wünscht. Umgekehrt wenn der Mensch bloß für eine 30- oder 35 jährige Lebensdauer organisiert wäre wie etwa das Pferd, kein Mensch würde wünschen, älter als dreißig oder fünfunddreißig Jahre zu werden, und man würde ein Individuum, das in diesem letztern Alter stürbe, ebenso glücklich preisen, wie man es heute bedauert. Mehr als das: wenn nur ein Beispiel, ein einziges, bekannt wäre, daß ein Mensch dem unerbittlichen Gesetze des Todes entgangen sei, so würde niemand sterben wollen, jeder würde hoffen, wünschen, träumen, daß das blos einmal beobachtete Ereignis sich bei ihm wiederholen werde, die große Mehrzahl der Menschen würde an den Tod so denken wie etwa gegenwärtig an eine chinesische Hinrichtung durch

Zersägung zwischen zwei Brettern, ein gräßliches Ausnahmegeschick, das manchmal Einzelne heimsucht, dem man aber mit aller Macht zu entgehen strebt. Da man jedoch nie gehört hat, daß ein Mensch dem Tod entgangen sei, so macht sich jeder ohne besondere Schwierigkeit, und selbst ohne besondern Schmerz, mit dem Gedanken des Hinscheidens vertraut und hofft nur, daß dasselbe recht spät erfolgen werde. Könnte der Mensch nicht einige hundert, einige tausend Jahre alt werden? Wir kennen keinen vernünftigen Grund, weshalb das nicht sollte sein können. Wir wünschen es aber nicht, weil es eben nicht ist. Muß der Tod überhaupt das individuelle Dasein zu einem Ende bringen? Die Notwendigkeit ist nicht einzusehen, wenn auch Weismann und Götte zu beweisen gesucht haben, daß er eine im Interesse der Gattung gelegene zweckmäßige Einrichtung sei. Dennoch findet man sich mit der schrecklichen Thatsache des Todes ab, wieder bloß, weil wir sie als unvermeidlich kennen. Wir sind eben so glücklich organisiert, daß wir das wirklich, das absolut Unvermeidliche leichtblütig hinnehmen und uns weiter keine trüben Gedanken darüber machen. Das erklärt unter anderem auch die Möglichkeit des Galgenhumors, der lustigen Stimmung armer Sünder, die zur Richtstätte geführt werden. Ihr Vorkommen ist nicht zu bezweifeln, sie ist von zuverlässigen Zeugen beobachtet worden. Der Todeskandidat findet sich selbst mit dem Strick ab, wenn er erst von der Überzeugung durchdrungen ist, daß er unabwendbar sei.

Bleibt dagegen auch nur die leiseste, die entfernteste Möglichkeit offen, daß ein Zustand änderungsfähig, ein Übel abwendbar sei oder ein günstiges Ereignis eintreten könne, wie bricht da der ursprüngliche Optimismus des Menschen wieder siegreich und unaufhaltsam hervor! Eine Möglichkeit, die so klein ist, daß kein seiner Sinne mächtiger Mensch auf sie eine Wette eingehen würde, die so klein sein kann, daß sie sogar fast schon der Wahrscheinlichkeitsrechnung unzugänglich wird, genügt ihm dann noch als Baugrund für die stattlichsten Luftschlösser und versetzt ihn in einen Zustand der Erwartung, welcher der Glückseligkeit nahekommt. Hier ist ein äußerstes Beispiel dieses optimistischen Hanges des Menschen. In Frankreich wurde eine Lotterie veranstaltet, deren Haupttreffer 500 000 Fr. betrug. Es wurden 14 Millionen Lose ausgegeben, von denen nur eins das glückliche sein konnte. Jeder Käufer eines Loses erwarb also ein Vierzehnmillionstel Wahrscheinlichkeit, daß das große Los ihm zufallen werde. Um den Wert dieses Bruches zu veranschaulichen, will ich eine Analogie anführen. Es giebt in Europa ungefähr 100 000 Millionäre und wahrscheinlich über 500 000 Personen, die eine halbe Million besitzen. Vernachlässigen wir die halbe Million und nehmen bloß die 100 000 Millionäre zur Grundlage unserer Berechnung. Wir dürfen annehmen, daß von zehn Millionären einer kinderlos, ohne nähere Verwandte oder mit seiner Familie verfeindet und in der Stimmung ist, einen Menschen, dessen Bekanntschaft er zufällig macht und der ihm gefällt, zum Universalerben einzusetzen, Europa zählt zur Zeit etwa 320 Millionen Einwohner. Es kommt also auf 32 000 Europäer ein Millionär, der nur auf einen Zufall wartet, um einem von den 32 000 seine Million oder Millionen zu hinterlassen. In Wirklichkeit stellt sich für einen Deutschen oder Engländer das Verhältnis noch viel günstiger, weil in Deutschland oder England die Millionäre zahlreicher sind als z. B. in Rußland oder Italien. Die Wahrscheinlichkeit, daß jeder von uns, ohne ein Los zu kaufen, einen Millionär beerben wird, beträgt demnach mindestens ein Zweiunddreißigtausendstel, ist also 437 mal größer als die, daß ein Besitzer eines Loses der " *Loterie des Arts* « den Haupttreffer von 500 000 Fr. gewinnen würde, und wenn wir unsern Ehrgeiz auf die halbe Million beschränken wollen, so ist die Wahrscheinlichkeit, daß sie uns einmal als Erbteil von einem ganz unbekannten, nicht einmal im Verhältnis des Onkels aus Amerika mit uns verwandten Gönner beschert wird, sogar 2500 mal größer als die Gewinnchance eines solchen Loskäufers. Dennoch würde wohl keiner von uns auf diese Million oder halbe Million hoffen oder gar rechnen wollen. Nun denn: es haben sich zwölf Millionen Menschen in einem einzigen Lande gefunden, die für die vierzehnmillionstel Gewinnchance einen Franken bezahlten und ernste

Hoffnungen auf sie bauten, obwohl sie dazu 437- oder 2500mal weniger berechtigt waren als jeder von uns, die wir für unsere Erbschaftschance mindestens nichts bezahlen. Ich glaube, statt den Berufspessimisten mit Gründen zu widersprechen, sollte man ihnen als zermalmendes Schlußargument ein Los der *Loterie des Artsins Haus senden.*

Drehen wir das Verhältnis um. Jeder von uns thut Dinge, die ihn mit einer Wahrscheinlichkeit, welche 1/14 000 000 wesentlich übersteigt, der Todesgefahr aussetzen. Auf den europäischen Eisenbahnen wird z.B. von weniger als vierzehn Millionen Reisenden jährlich einer getötet. Ist darum jemand pessimistisch genug, die Benutzung der Eisenbahn zu unterlassen? Eine Möglichkeit von einem Vierzehnmillionstel ist offenbar ungenügend, uns ängstlich zu machen; sie ist aber genügend, um in uns Hoffnungen zu erwecken. Für eine so schwache Einwirkung unangenehmer Vorstellungen ist unser Geist unempfindlich; einer nicht stärkeren Einwirkung angenehmer Vorstellungen ist er zugänglich. Warum? Weil er seiner Natur nach optimistisch und nicht pessimistisch gestimmt ist.

Das beobachten wir wie im größten so im kleinsten. Wer von uns würde jemals einen Beruf wählen, wenn wir nicht hartnäckige Optimisten wären? In jeder Laufbahn sind diejenigen, die es zu einer ersten Stellung bringen, die seltenen Ausnahmen. Von 50 Avantageuren wird einer General; von 100 Ärzten einer Universitätsprofessor; der Rest bleibt in ruhmloser Dunkelheit, oft in Armut, und hat bis an sein Lebensende mit allen Bitternissen seines Berufs zu kämpfen, ohne eine einzige seiner erfreulichen und belohnenden Seiten kennen zu lernen. Wir sehen aber, wenn wir zur Berufswahl schreiten, nur den einen von 50 oder 100 und nicht die 49 oder 99 und haben die feste Zuversicht, daß wir dieser eine sein werden, obwohl dies doch für jeden nüchternen Rechner im höchsten Grad unwahrscheinlich ist. Mit jedem Unternehmen, das wir beginnen, verhält es sich genau so. Das Fehlschlagen ist in der Regel ganz so möglich wie das Gelingen, vielleicht möglicher. Wir zögern dennoch nicht, uns in das Unternehmen einzulassen, und wir thun dies natürlich nur, weil mir an den Erfolg glauben. Das, was den Ausschlag giebt, das, was die Ziffern der Wahrscheinlichkeitsrechnung aufwiegt, das, was die Vorhänge an den Fenstern zuzieht, welche auf das wahrscheinliche schlimme Ergebnis Aussicht haben, und das Bild des weit weniger wahrscheinlichen guten Erfolges an die Wand hängt, das ist der Optimismus.

Wohlgemerkt: dies gilt nur für uns selbst und unsere eigenen Angelegenheiten. Wenn wir dagegen einem andern zur Wahl eines Berufs raten, die Aussichten des Unternehmens eines andern beurteilen sollen, dann nehmen wir die Hindernisse und die Wahrscheinlichkeiten des Mißlingens genau wahr und neigen fast immer zu pessimistischen Voraussagungen hin. Warum? Weil dann das rein subjektive Element des Optimismus unsere kaltblütige Rechnung nicht fälscht und unsere Schätzung nicht beeinflußt. Die Schwierigkeiten sehen wir wohl, aber nicht zugleich die Kraft, welche den Vorsatz und darum auch die Hoffnung hat, jene zu überwinden. Diese Kraft fühlt nur ihr Besitzer, der sich zu irgend einer Handlung anschickt, und darum beurteilt er deren Ausgang ganz anders als der Zuschauer, der die Dinge vom Profil sieht und nicht wahrnimmt, eine wie breite Angriffsfront das Selbstgefühl und das Bewußtsein der eigenen Lebensfülle vor sich haben. Recht lustig ist, daß selbst die schlimmsten Skeptiker diesen subjektiven Optimismus besitzen und bei allen Gelegenheiten, oft unbewußt, bekunden. Leute, die sich für unbelehrbare Schwarzseher halten, empfinden Ehrfurcht vor dem Alter und Rührung vor der Kindheit. Der Greis erweckt in ihnen die Vorstellung der Weisheit und Erfahrung, der Säugling die der vielversprechenden Entwicklung. Und doch ist das Kind vorläufig nichts anderes als ein unbewußtes Tierchen, das sich besudelt, schreit und seine Umgebung quält, und der Greis ist der unvoreingenommenen Betrachtung leiblich ein unangenehmes Bild des Zerfalls, gemütlich eine blinde, unerbittliche Selbstsucht, die gar nicht die Fähigkeit hat, sich noch mit etwas anderem als sich selbst zu beschäftigen, und geistig ein geschwächtes, beschränktes Denken, dessen Hauptinhalt alte Irrtümer und Vorurteile sind und das neuen Vorstellungen verschlossen ist. Warum betrachtet man dennoch das Alter mit Ehrfurcht und Pietät, die Kindheit mit Zärtlichkeit? Weil wir glücklich sind, uns Illusionen machen zu können, und weil ein Lebensende wie ein Lebensanfang, ein letztes wie ein erstes Kapitel, uns Gelegenheit bietet, den fehlenden Roman aus eigenen Mitteln so schön, so erbauungsvoll wie möglich hinzuzudichten. Dem Greise geben wir die Vergangenheit, dem Kinde die Zukunft eines Idealmenschen, obwohl doch hundert gegen eins zu wetten ist, daß der ehrwürdige Greis als Jüngling und Mann ein banaler Einfaltspinsel, in Vorzügen und Fehlern ein keinen Blick verdienender Dutzendmensch gewesen ist und daß das rührende Kind ein unerquicklicher Geck von Charakter, ein knickeriger Gewürzkrämer von Beruf werden, lügen, kriechen, seinen Nebenmenschen verlästern wird wie neun Zehntel der Leute, die um uns wimmeln und die uns weder Ehrfurcht noch Rührung einstoßen. Wir räumen widerwärtige Thatsachen eben nur ein, wenn mir mit der Nase auf sie stoßen, und selbst dann nicht immer; wo wir aber, wie beim Greise oder Kinde, die Wahl haben, in Ermangelung sicherer Kenntnis von Vergangenheit und Zukunft uns die eine und die andere schön oder häßlich vorzustellen, da schwanken wir keinen Augenblick und improvisieren uns aus dem Greise und dem Kinde Lichtgestalten von Halbgöttern, die in Wirklichkeit nichts anderes sind als überlebensgroße Illustrationen zu unserem tiefinnern Optimismus.

Sage und Märchen, welche die Weltanschauung der schlichten Masse plastisch einkleiden, bezeugen hundertfach den unwiderstehlichen, elementaren Optimismus des Volks. Ich habe oben gezeigt, wie leichtblütig sich jeder einzelne mit der grauenhaften Thatsache des Todes abfindet. Das Volk geht weiter: es macht aus der Not sogar eine Tugend und ersinnt eine Geschichte, die den Gedanken ausdrückt, daß der Tod eine Wohlthat ist und ewiges Leben ein schreckliches Mißgeschick wäre. Denn das ist klärlich die Moral der Legende vom ewigen Juden, der den Tod verzweiflungsvoll als Erlösung ersehnt, ihn jedoch nicht finden kann. Gleicht das Volk, das diese Legende erfindet, nicht dem Fuchs in der Fabel, der voll Überzeugung die unerreichbaren Trauben, nach welchen er giert, für saure erklärt? Die Unsterblichkeit ist nicht zu erlangen, folglich ist sie ein tragisches Übel und damit sind wir getröstet und der Fiedelmann kann zum Tanz aufspielen. Oder das schöne Märchen von dem armen Manne, den sein Kreuz so schwer drückte und der um ein anderes flehte! Sein Schutzengel führte ihn an einen Ort, wo viele Kreuze lagen, große und kleine, schwere und leichte, scharfkantige und gerundete; er versuchte sie der Reihe nach, keins paßte ihm ganz. Endlich fand er eins, zu dem er sich noch am besten schickte, und siehe da – es war sein eigenes, das er doch zu vertauschen, gewünscht hatte! Dann die lustige Geschichte von den drei Wünschen, wo ein blutarmes, altes Ehepaar, dem ein Geist die Gewährung dreier beliebiger Bitten zusagte, aus dem wundersamen Glücksfalle nicht mehr herauszuschlagen weiß als eine Bratwurst! In verschiedenen Formen und Wendungen ist da immer wieder die Anschauung ausgedrückt, daß jeder Mensch sich in den eigenen Verhältnissen ausgezeichnet befindet, daß er Unrecht hätte, sich etwas anderes zu wünschen, als was er hat, und daß der Höcker eigentlich ganz so das Glück des Buckeligen ausmacht wie sein hoher Wuchs das des Gardeflügelmanns.

Die Wahrheit ist, daß der Optimismus, ein grenzenloser unentwurzelbarer Optimismus, die Grundanschauung des Menschen bildet, das instinktive Gefühl, das ihm in allen Lagen natürlich ist. Was wir Optimismus nennen, ist einfach die Form, in der uns die eigene Lebenskraft, der Lebensvorgang in unserem Organismus zum Bewußtsein kommt. Optimismus ist also nur eine andere Bezeichnung für Vitalität, eine Bekräftigung der Thatsache des Seins. Wir empfinden die Lebensthätigkeit in jeder Zelle unseres Ichs, eine fruchtbare Thätigkeit, welche fortgesetztes Wirken vorbereitet und damit auch vorahnen läßt; wir glauben also an eine Zukunft, weil wir sie in den Tiefen unseres Wesens fühlen; wir hoffen, weil wir das Bewußtsein haben, daß wir noch dauern werden. Erst wenn dieses Bewußtsein mit der Lebenskraft selbst schwindet, verdämmert und schwindet auch die Hoffnung und die Lichtpforte der Zukunft schließt sich, aber dann bricht auch schon das Auge und kann die unangenehme Veränderung nicht mehr wahrnehmen. Die Fähigkeit des Organismus, sich den Verhältnissen anzubequemen, eine Fähigkeit, ohne die er eben nicht bestehen könnte, und der ihm innewohnende Wachstumsplan, der ihn antreibt, einen vorbestimmten Entwickelungskreis zu durchlaufen, das sind die lebendigen Unterlagen des Optimismus, den wir zugleich als ein Sichbescheiden mit Gegebenem und als ein erwartungsvolles Vorwärtsschauen kennen gelernt haben. Tapferes Hinstreben zum Entwickelungsziele, siegreiche Selbstbehauptung gegen feindliche Einwirkungen, Bewegung, Fortschritt, Hoffnung, Leben, das sind alles nur Synonyme von Optimismus. Der alte Lateiner, der den Spruch erfand: "dum spira spero«, "so lange ich atme, hoffe ich«, hat die Philosophie des Lebensprozesses kurz zusammengefaßt und einer biologischen Grundwahrheit die Form eines klassischen Kalauers gegeben.

Mehrheit und Minderheit.

Für jede wohlgeborene Seele ist der Philister der schwarze Mann. Wer nur die geringste Genialität in sich spürt, kaum genug, um das Tragen langer Haare und die Verachtung des Cylinderhut-Vorurteils zu rechtfertigen, der übt seine Armmuskeln, indem er auf das Haupt des Philisters losschlägt, – natürlich nur bildlich, denn der Philister hat in der Regel einen Hausknecht, wenn er nicht selbst einer ist. Diese Feindschaft ist schnöde Undankbarkeit. Der Philister ist nützlich und hat selbst die verhältnismäßige Schönheit, die der vollkommenen Zweckmäßigkeit eigen ist. Er ist der perspektivische Hintergrund im Gemälde der Zivilisation, ohne dessen kunstvolle Kleinheit die Vollgestalten des Vordergrunds nicht den Eindruck der Größe machen würden. Das ist seine ästhetische Rolle, aber diese ist nicht entfernt die wichtigste, die er mit Autorität spielt. Wenn man die Pyramiden bewundert – ich weiß nicht, warum ich schon wieder an die Pyramiden denke; vielleicht nur, weil sie sich um ihrer Figur willen zu festen Punkten für geistige Vermessungsarbeiten besonders eignen – sagt man sich da nicht, daß man sie dem arg verkannten Philister verdankt? Erdacht hat sie ja wahrscheinlich ein begabter altägyptischer Staatsingenieur erster Klasse, ausgeführt aber haben sie die Kinder Israels, trotzdem diese sehr gewöhnliche Naturen gewesen sein müssen, wenn man aus ihrem verbürgten Geschmack an Zwiebeln und Fleischtöpfen auf ihren Gesamtcharakter schließen darf. Was helfen uns alle Konzeptionen des Genius? Sie leben nur in seinem Kopfe und für ihn, sind aber für uns nicht vorhanden, so lange nicht der uninteressante Philister mit baumwollener Zipfelmütze herangekommen ist und sie brav verwirklicht hat, dieser Philister, der seine dienstbereite Aufmerksamkeit nicht mit eigener Erfindungsthätigkeit zerstreut, sondern in gewinnender Gedankenlosigkeit auf Anregungen, Eingebungen und Befehle Berufener wartet. Wer selbst schaffen kann, der hält sich in der Regel mit Recht zu gut zum Übersetzen. Sache der erwählten Geister ist es, zu denken und zu wollen; Sache der mittelmäßigen Menge, den

Gedanken und Willen in die Formen der Erscheinung zu übertragen. Was wirft man dem Philister noch vor? Daß er dem Anstoße des Genius nicht leicht nachgiebt? Das ist vortrefflich; dafür soll er noch besonders gesegnet sein. Seine Schwerfälligkeit, sein sicheres Gleichgewicht, das nicht leicht zu erschüttern ist, machen ihn zu einem Turngerät, zu einer Art Werfstein oder Hantel, woran die Elitenatur ihre Kraft zu erproben, aber auch zu entwickeln hat. Gewiß, es ist hart, seine träge Masse in Bewegung zu setzen. Es ist aber für das Genie eine heilsame Gymnastik, sich anzustrengen, bis es gelingt. Wenn ein neuer Gedanke nicht imstande ist, den Philister zu handhaben, so beweist dies offenbar, daß er nicht robust genug ist, daß er nichts oder noch nichts taugt; wirkt dagegen eine Konzeption auf den Philister, so hat sie schon die erste und wichtigste Probe ihrer Vortrefflichkeit bestanden. Mit seinem Verstande ist er allerdings nicht fähig, die Ideen der Auserwählten zu prüfen und zu beurteilen; aber durch sein Beharrungsvermögen wird er zu einer Vorrichtung, die unbewußt, doch deshalb um so sicherer, die Vollentwickelten und lebensfähigen von den unreifen und wertlosen sondert. Es wäre verständlich, wenn die Philister sich über einander beklagten ober erlustigten, wenn ein Philister dem andern diesen Schimpfnamen voll Verachtung an den Kopf würfe, wie ein Schwarzer den andern im Zorn Nigger zu heißen pflegt; denn in der That, ein Philister kann mit einem andern nichts anfangen; er hat von ihm weder Anregung noch Unterhaltung zu erwarten; der eine sieht im lichtlosen Gesichte des andern das Spiegelbild der eigenen Beschränktheit; der eine gähnt dem andern Rezitative der Langweile vor; wenn zwei von ihnen beisammen sind, so erschreckt sie gegenseitig die unheimliche Lautlosigkeit ihres Geistes und sie haben das niederdrückende und demütigende Bewußtsein der Hilflosigkeit, welche der an Führung gewöhnte Mensch empfindet, wenn ihn sein Leiter im Stiche läßt. Aber der Mensch von Begabung sollte den Philister preisen. Dieser ist sein Reichtum, der Acker, der ihn ernährt. Gewiß, er ist mühsam zu bestellen, aber so fruchtbar! Man muß schwer arbeiten, um ihn ergiebig zu machen; man muß von früh bis spät Furchen ziehen, tiefpflügen, hauen, brechen, wenden, harken, ausstreuen, zudecken, schneiden, man muß schwitzen und stieren, aber die Ernte bleibt nicht aus, wenn die Saat keimfähig war. Wer freilich faules Korn oder Steinchen auswirft, der hat auf keinen Ertrag zu hoffen. Ebensowenig, wer etwa Dattelkerne den Ufern des kurischen Haffs anvertraut. Wenn aber bei solcher Wirtschaft das Feld tot bleibt, so ist das nicht die Schuld des Feldes, sondern des Träumers, der jene versucht. Dem Genius muß das Urteil zur Seite stehen, um ihm den richtigen Ort und die richtige Zeit für die Äußerung seiner Gedanken zu bezeichnen. Sofern er nur Zeit und Ort vernünftig zu wählen weiß, wird er die Philisterschar immer bereit finden, auf die Saat mit der Ernte zu antworten. So oft denn auch Genies um einen Stammtisch versammelt sind, sollte nach Recht und Sittlichkeit ihr erstes Prosit dem Philister gelten. Was ist eigentlich die große Schuld, deren man den Philister bezichtigt? Daß man nicht suchen muß, um ihn zu finden; daß er in ungeheurer Menge vorkommt; daß er die Regel und nicht die Ausnahme ist. Wollte man einmal davon absehen, in welchen Zahlenverhältnissen er verbreitet ist, und ihn an sich betrachten, so müßte man, sofern man billig wäre, anerkennen, daß er ein ganz patenter Kerl ist. Er ist meistens schöner als selbst ein hübscherer Affe, wenn er auch nicht so schön ist wie der Apoll vom Belvedere, der aber auch banal wäre, wenn er den Durchschnittstypus der Menschheit bildete; er ist vielfach geschickter als selbst ein abgerichteter Pudel, wenn er auch keinen Zirkusclown abgeben könnte, den man aber gleichfalls als plump verachten würde, wenn jeder Bauernjunge auf dem Kopfe stehen und Luftsprünge machen könnte, wie er jetzt auf seinen Beinen stattlich fürbaß schreitet, und mit dem Fleurett Fliegen an die Wand spießt, wie er jetzt mit der Heugabel Mieten baut; er ist häufig ein gut Stück vernünftiger als eine Auster, ja selbst als der weise Elefant, wenn er auch nicht so tief und scharf denkt wie Darwin, dessen Einsicht die Philosophen der Zukunft indes wahrscheinlich nicht höher schätzen werden, als wir die physiologischen Theorien des Parmenides oder Aristoteles. Wer Philister sagt, der sagt einfach Mehrheit und wer diese verachtet, der lehnt sich gegen das theoretische Grundgesetz aller staatlichen und gesellschaftlichen Einrichtungen auf.

Freilich giebt es viele, denen dieses Vergehen nicht nur keine Angst macht, sondern die sogar eine Vorliebe dafür heucheln oder aufrichtig fühlen. Ich hasse die gemeine Menge und halte sie mir vom Leibe, sagen sie mit Horaz; sie verkünden ausdrücklich, daß sie zur Minderheit gehören, und sind stolz darauf; sie behaupten, anders zu empfinden, anders zu denken und zu urteilen als der Haufe, das heißt in minder geringschätziger Ausdrucksweise als die Mehrheit, und nichts würde ihnen beleidigender scheinen, als wenn man sie banal nennte, womit man doch auch wieder nichts anderes gesagt hätte, als daß sie der Mehrheit ähnlich seien. Wir werden uns gleich mit der Frage zu beschäftigen haben, woher diese Abneigung vor der Mehrheit komme und ob sie berechtigt sei; zuerst aber wollen wir sehen, ob die vornehmen Menschen, welche sich dagegen verwahren, daß man sie zur Masse zähle, auch folgerichtig denken und handeln. Sie müßten, wenn sie logisch wären, ihre Verschiedenheit vom Troß in allen ihren Lebensäußerungen markieren und durch Hervorkehrung ihres Sondercharakters die Verwechselung mit der Mehrheit zu verhüten suchen; sie müßten andere Kleiderformen zur Schau tragen, andere Gewohnheiten, Sitten, Moralbegriffe annehmen, sich stets über die Rechtsprüche der Mehrheit hinwegsetzen. Thun sie dies? Nein; sie thun sogar das gerade Gegenteil von alledem. Es scheint ihnen geschmackvoll, nicht aufzufallen, also von der verachteten Menge nicht unterschieden zu werden; sie beugen sich vor der öffentlichen Meinung und empfinden es schmerzlich, wenn sie sich im Gegensatze zu ihr wissen; sie sind die kräftigsten Stützen des Gesetzes, das doch nichts ist als die Zusammenfassung der Anschauungen des Volkes, das heißt der Mehrheit, in Form von Geboten; sie verteidigen den Parlamentarismus, der auf der Anerkennung des Rechtes der Mehrheit beruht, der Minderheit ihren Willen aufzunötigen, und in vielen Fallen schwärmen sie für das allgemeine Stimmrecht, das doch die Apotheose der Banalität ist. Ich übersehe nicht, daß man häufig mit dem Strome schwimmt, nicht weil man wirklich die Absicht hat, in dessen Richtung vorwärts zu gelangen, sondern weil man nicht stark genug ist, gegen ihn anzukämpfen. Derjenige, der das Sprichwort erfunden hat, daß man mit den Wölfen heulen müsse, hat damit eine harte Notwendigkeit und nicht eine besondere Hochachtung vor den Wölfen ausdrücken wollen. Aber ein anderes Sprichwort erklärt Volkesstimme für Gottesstimme und führt den Philister geradenwegs in den Olymp ein. Und es bleibt eine Thatsache, daß auch beim Verächter der Menge die wichtigsten Handlungen und Unterlassungen die Erkenntnis zur stillschweigenden Voraussetzung haben, die Anschauungen des Marktpöbels seien in ihren Hauptzügen richtig und achtenswert.

Einige wenige Männer, so wenige, daß man sie an den Fingern einer Hand herzählen könnte, haben den Mut gehabt, logisch zu sein, das ist wahr. Treitschke preist den aufgeklärten Despotismus, jenes summarische Regierungssystem, das die Mehrheit für nichts achtet und der bis zur Einheit zusammengeschmolzenen Minderheit das Recht zuspricht, für das ganze Volk zu denken und zu beschließen. Carlyle predigt den Heroendienst und fordert die unbedingte Unterordnung der Masse unter das gewaltige einzelne Individuum. Montesquieu macht den Scherz, das Schöffengericht nur unter einer Bedingung für annehmbar zu erklären: wenn nämlich die Meinung nicht der Mehrheit, sondern der Minderheit zum Wahrspruch erhoben würde, da unter zwölf Geschworenen sicherlich mehr Schafsköpfe als Weise sein werden, folglich das Urteil der Minderheit voraussichtlich das Urteil der Weisen, das Urteil der Mehrheit das der Schafsköpfe sein wird. Das ist ja eine recht drastische Art, den Gedanken auszudrücken, daß sich die Einsicht bei den wenigen findet, während die Menge thöricht und beschränkt ist. Montesquieu übersieht jedoch, daß die Minderheit, da sie alles in sich schließt, was anders ist als die Durchschnittsmasse, nicht bloß diejenigen enthält, die über das Gemeinmaß hervorragen, sondern auch die, welche darunter zurückbleiben, also neben den Genies auch die Trottel und neben der gesunden Eigenart auch die krankhafte Sonderbildung. Die Mitglieder der Akademie sind eine winzige Minderheit in der Nation, aber die Insassen der Staatsirrenanstalt sind es auch und Montesquieu läuft Gefahr, einem Forscher und zwei Idioten den Sieg über neun mittelmäßige Schulzes oder Müllers zu wünschen, was absurd wäre, wie Euklid sagen würde. Ich habe aber auch den Verdacht, daß Carlyle und Treitschke die Mehrheit nicht so verachten, wie sie sich den Anschein geben und wie sie vielleicht selbst glauben. Aufgeklärter Despotismus! Heroendienst! Hm! Sehen mir einmal zu: Heißt denn aufgeklärter Despotismus nicht, daß ein regierendes Genie die Masse dahin bringe, auf seine Anschauungen und Absichten einzugehen, seine Meinungen anzunehmen, mit ihm eines Sinnes zu werden, also in letzter Linie die Übereinstimmung zwischen jenem und dieser herzustellen? Und Heroendienst, ist denn das nicht der Wunsch, den Heros, das heißt die Ausnahmeerscheinung, vom Gevatter Hinz und Kunz gewürdigt, gefeiert, anerkannt zu sehen? Das scheint mir doch ein stetes Hinschielen auf die Menge, das sich mit der vorgeblichen Verachtung derselben nicht recht zusammenreimen läßt. Was braucht dem Schmäher des Philisters an dessen Meinung zu liegen? Was fängt er mit seiner Zustimmung und Bewunderung an? Aus Treitschkes Auffassung ginge folgerichtig hervor, daß ein Friedrich der Große, ein Josef der Zweite eigentlich abdanken und den Thron irgend einem biedern Dutzendmenschen seiner Verwandtschaft überlassen sollte, denn er ist zu gut, um sich mit der Kanaille abzugeben; er hat kein vernünftiges Interesse daran, Dummiane zu seinen erleuchteten Gedanken zu bekehren, und seine Perlen sind nicht dazu da, vor die Säue geworfen zu werden. Nach Carlyles Auffassung ist es eine Selbstentwürdigung, wenn ein Michel Angelo den Moses vor die blöden Glotzer von der Straße hinstellt oder ein Goethe den Faust zum Gebrauch für höhere Töchter drucken läßt; der Beifall der Menschenherde, statt ihnen erwünscht zu sein, sollte sie im Gegenteil bedenklich machen, und sie müßten eigentlich wie jener wirklich konsequente Redner ausrufen: "Man applaudiert – habe ich denn eine Dummheit gesagt?« Ein Friedrich der

Große schließe sich also in einen Schloßpark ein und habe mit dem gemeinen Volke nichts zu thun, ein Goethe ziehe sich nach einer wüsten Insel zurück und deklamiere seine Verse bloß den eigenen Ohren vor und es lebe die Logik!

Es besteht da ein Widerspruch, den man nicht wegleugnen kann. Auf der einen Seite behauptet man, die Menge zu verachten, auf der andern Seite thut man alles im Hinblick auf sie; man spricht der Menge die Fähigkeit ab, über die Leistungen des Genius zu urteilen, und der schönste Traum des Genius ist doch Ruhm und Unsterblichkeit, das heißt die Anerkennung der Menge. Man leugnet die Einsicht der Menge, und Parlamentarismus, Schöffen- und Schwurgericht, öffentliche Meinung, Einrichtungen, die von der höchsten Achtung umgeben sind, beruhen doch auf der Voraussetzung, daß die Mehrheit nicht bloß zuverlässig weise, sondern geradezu unfehlbar sei. Man betrachtet es als eine Erniedrigung, zur Menge gezählt zu werden, und ist doch bei allen großen Gelegenheiten stolz darauf, genau so zu fühlen und zu denken wie die Menge. In einer Bewegung hohen Aufschwunges findet der alte Römer nichts Vornehmeres von sich zu behaupten als: "Ich bin ein Mensch; nichts Menschliches betrachte ich als mir fremd;« und er wäre doch vielleicht erstaunt, wenn ihm ein cynischer Dialektiker unter seinen Zeitgenossen entgegnen würde: "Du sagst, du seist ein Mensch wie andere Menschen auch; du rühmst dich also, banal zu sein?«

Nun denn: diesen Widerspruch, ich glaube, ich bin imstande, ihn zu erklären. Es erscheint mir mit überzeugender Klarheit, daß er auf einer biologischen Grundlage beruht. Die unbekannte Kraft, welche den Stoff zu Lebewesen anordnet, bringt ursprünglich nicht Gattungen, sondern Individuen hervor. Ich will hier nicht die verschiedenen Theorien des Lebensanfangs erörtern und lasse dahingestellt sein, ob, wie die landläufige Ansicht ist, zu einer gegebenen Zeit aus dem leblosen Stoffe lebendes Protoplasma sich gebildet oder ob, wie Preyer meint, der Stoff in aller Ewigkeit Leben ganz so zum Attribut gehabt hat wie Bewegung und Anziehung. Genug, zur Bildung der Lebewesen, die der Stoff heute hervorbringt, ist der Anstoß in anderen Lebewesen gegeben, die ihnen vorausgegangen sind und von denen sie abstammen. Leben ist in letzter Analyse Aufbau und Zersetzung eiweißartiger Stickstoffverbindungen unter Dazwischenkunft von Sauerstoff; dieser Vorgang kann sich in den mannigfaltigsten Formen vollziehen und so oft die Natur daran geht (ich drücke mich nur der Bequemlichkeit halber so uneigentlich, so anthropomorphisch aus), ein Lebewesen zu bilden, hat sie die Wahl, ihm eine von den Billionen oder Trillionen denkbarer und möglicher Formen zu geben. Würde sie denn auch die Lebewesen aus dem Urstoffe neu bilden, so ist es wahrscheinlich, daß jedes von dem andern verschieden ausfallen würde und daß sie untereinander kaum eine andere als die sehr schwache Ähnlichkeit hätten, welche eine Folge des Umstandes wäre, daß sie alle schließlich doch der Ausdruck, die Erscheinungsform eines identischen chemischen Grundgesetzes; das Werkzeug einer und derselben Funktion zu sein hätten. Nun entstehen aber die Lebewesen heute, wenigstens unseres Wissens, nicht mehr aus dem Urstoffe durch einen Spontan-Akt der Natur, sondern sie werden aus demselben durch die Vermittelung eines elterlichen Organismus gebildet. Der Stoff, aus dem das neue Lebewesen geformt wurde, ist durch einen bestehenden Mechanismus hindurchgegangen, er ist von diesem gehandhabt worden, er hat also von ihm Eindrücke empfangen. Es ist aber eine der nicht erklärten, jedoch kaum zu bezweifelnden Eigenschaften des Stoffes, oder etwas genauer seiner Zusammensetzungen, empfangene Eindrücke, Gruppierungen, Formen zu bewahren. Darauf beruht beim Einzelwesen das Gedächtnis, bei der Gattung die Vererbung. Das neue Lebewesen, dessen Baumaterial von einem andern Lebewesen manipuliert worden ist, wird also die von dem letztern ihm aufgeprägten Eindrücke bewahren, es wird ihm ähnlich werden. Es wirken folglich in ihm zwei verschiedene Gesetze: das ursprüngliche Lebensgesetz, welches selbständige, von anderen verschiedene und unabhängige Organismen aufzubauen trachtet, die bloß geschickt sein müssen, eiweißartige Stickstoffverbindungen zu bilden und zu zersetzen, diese Arbeit aber in irgend einer der zahlreichen möglichen Formen verrichten können und nicht notwendig einer gegebenen Form ähnlich zu sein brauchen, und das Vererbungsgesetz, welches strebt, den neuen Organismus seinen Eltern, von denen er gebildet worden ist, ähnlich zu machen.

Jedes Individuum ist demnach das Ergebnis des Waltens dieser beiden Tendenzen: des primitiven Lebensgesetzes und der Vererbung. Jenes möchte neue, zur Besorgung des Lebensgeschäfts taugliche Formen schaffen, diese ein bereits vorhandenes Schema, das der Eltern, wiederholen. Ich kann nicht nachdrücklich genug betonen, daß meiner Ansicht nach die unbeschränkte Freiheit der Wahl unter allen möglichen Formen das Ursprüngliche, die diese Freiheit einschränkende Ähnlichkeit mit der elterlichen Form das später Hinzugetretene ist; denn erst diese Annahme macht die ganze Darwinsche Theorie verständlich, die ohne sie keine Erklärung, sondern eine bloße Konstatierung wahrgenommener Thatsachen ist.

In der That: wenn, wie Darwin und mit ihm die ganze Schar seiner Jünger und Ausleger glaubt, die Vererbung das ursprüngliche und wichtigere Gesetz wäre, welches die Entwicklung des Individuums bestimmte, wie wäre dann eine Abweichung davon, eine Aufhebung desselben denkbar? Das Erzeugte müßte unter allen Umständen dem Erzeuger ähnlich bleiben und wenn die äußeren Verhältnisse ihm dies nicht möglich machten, so müßte es einfach zu Grunde gehen. Die große Erscheinung der Anbequemung an gegebene Lebensbedingungen, welche nach Darwin eine der Hauptursachen des Entstehens der Arten ist, bliebe ein völlig unlösbares Rätsel. Meine Hypothese dagegen bietet die Lösung dieses Rätsels. Das Lebewesen, sage ich, ist an die eine Form nicht mehr gebunden als an die andere, es braucht nur überhaupt eine Form zu haben, die ihm die Sauerstoffaufnahme und die Herstellung von Proteinstoff ermöglicht; gerade diese ursprüngliche unbedingte Freiheit gestattet ihm, die Form anzunehmen, die ihm durch äußere Verhältnisse aufgeprägt wird, wie ein ruhender, freischwebender Körper von allen möglichen Richtungen diejenige einschlagen wird, in die ihn auch nur der leiseste äußere Anstoß bewegt. Der elterliche Organismus giebt ihm die eigene Form? Gut; so wird der junge Organismus die elterliche Form annehmen. Die äußeren Bedingungen, unter denen er leben soll, suchen ihn umzugestalten, ihn seinen Eltern unähnlich zu machen? Gut; so wird er die ererbte Form aufgeben und, dem neuen Impulse folgend, diejenige annehmen, welche die äußeren Lebensbedingungen ihm aufzuprägen streben. Auf diese Weise erklärt sich die Anpassung, die nach dieser Hypothese nicht mehr ein Gegensatz, sondern eine Analogie der Vererbung ist.Die Biologie, die Wissenschaft des Lebens, kennt nur das Individuum, nicht die Gattung. Nur jenes ist etwas wirklich vorhandenes, selbständiges, scharf begrenztes, diese ist viel unbestimmter, sie mit Sicherheit zu definieren ist oft unmöglich. Zwei Individuen gehen nie in einander über, verschmelzen nie und unter keinen Umständen, selbst nicht in den teratologischen Bildungen von der Art der siamesischen Zwillinge. Von den Gattungen kann man das nicht sagen, sie sind im Gegenteil in fortwährender, wenn auch langsamer Umgestaltung begriffen, ihre Grenzen sind fließend und bis zur Unkenntlichkeit verwaschen, sie entwickeln sich in neue Formen hinein und sind in einer geologischen Epoche etwas ganz anderes, als sie in einer frühern gewesen sind, und wahrscheinlich auch, als sie in einer spätern sein werden. Das, was trotzdem das Individuum an die Gattung knüpft, das ist das Gesetz der Vererbung, das ist die Ureigenschaft des Stoffes, in der Anordnung zu verharren, die er einmal empfangen hat, und sie erst unter dem Zwange eines neuen Anstoßes aufzugeben, der stärker ist als die Neigung zum Verharren. Die gegenwärtige Ökonomie der Natur kennt anscheinend nur die Entstehung von Leben aus Leben. Theoretisch wäre es ganz gut denkbar, daß das Leben immer wieder neu aus nichtlebendem Stoffe entstände. Daß dies nicht geschieht, das hat seinen Grund wahrscheinlich darin, daß durch die Thätigkeit von elterlichen Organismen Leben mit geringerer Anstrengung erzeugt werden kann als durch das Zusammentreten von Urstoff und es ein bekannter, durch die ganze Natur gehender Zug ist – auf den Leibniz zuerst hingewiesen hat, der aber freilich neuestens von Karl Vogt mit geistreicher Begründung geleugnet wurde, – daß diese jeden Zweck mit der größtmöglichen Sparsamkeit, dem denkbar geringsten Kraftaufwand zu erfüllen sucht. So haben wir nun die logische Kette der Lebenserscheinungen: der eigentliche Schauplatz dieser letzteren, die Form, in der sie sichtbar werden, ist das Individuum, nicht die Gattung. Daß dennoch die Individuen einander ähnlich sind und die Gattung einen Anschein von Bestand hat, das ist die Folge zweier Ursachen: einmal, daß heute unseres Wissens das Leben aus anderem Leben hervorgeht, zweitens, daß das eben erklärte Gesetz der Vererbung waltet. Die Abstammung von einem elterlichen Organismus bedingt Ähnlichkeiten und einen gewissen Zusammenhang der Individuen, das ursprüngliche Lebensgesetz bedingt Sonderung und Selbständigkeit derselben. Thatsächlich giebt es wirklich nicht zwei Individuen, die einander völlig gleich wären, und wahrscheinlich ist sogar jedes Individuum im innersten und geheimsten Chemismus und Mechanismus seiner Grundbestandteile von jedem andern ungleich verschiedener als jede Gattung von jeder andern. Das erklärt auch die Möglichkeit des Egoismus, der undenkbar und unerklärlich wäre, wenn man die Gattung als etwas thatsächlich Vorhandenes und nicht bloß als eine Abstraktion des menschlichen Geistes betrachten müßte. Das Individuum fühlt sich ursprünglich als das einzig Seiende und einzig Wesentliche und erst die höhere Ausbildung seines Denkens legt ihm die Erkenntnis nahe, daß zwischen ihm und den ihm ähnlichen Wesen notwendige Beziehungen bestehen und daß es durch gewisse Rücksichten auf sie sein eigenes Wohlbefinden fördere. Das Gemeingefühl ist also kein ursprünglicher Trieb wie das Sonder- oder Selbstgefühl, sondern eine erworbene Einsicht, der Altruismus ist kein Gegensatz, sondern eine Vertiefung und Ausweitung des Egoismus und der Mensch gelangt zur idealen Einrichtung der Solidarität, wie er zur materiellen Einrichtung der Polizei und des Grundbuchs-Amtes gelangt ist: durch die Erwägung ihrer Nützlichkeit für ihn.

Und nun fügt sich diese ganze biologische Betrachtung, die dem Leser bisher vielleicht eine Abschweifung schien, in das Geleise der gegenwärtigen Untersuchung ein. Das Vererbungsgesetz bedingt die Banalität, das ursprüngliche Lebensgesetz die Originalität. Die niedrigsten Verrichtungen, welche zugleich die notwendigsten und darum die häufigsten sind und die gewiß auch der Vater und Ahn ausgeführt hat, verfallen dem Gesetze der Vererbung; die höheren und höchsten Verrichtungen dagegen, die selten nötig werden und die der Vorfahr vielleicht nie oder so wenige Male zu besorgen gehabt hat, daß sie keine genug tiefe Spur in seinem Organismus zurückgelassen haben, um vererbt werden zu können, werden selbständig und eigenartig vollzogen. Mit einer Lage, in der er sich oft befindet und die für viele und alle dieselbe ist, wird der Organismus auf banale Weise fertig; in einer Lage, die sich ihm zum ersten Male darstellt, wird er originell sein, wenn er sich ihr nicht entziehen kann. Der größte Genius wie der bescheidenste Wasserträger ißt mit dem Munde und hört mit den Ohren und der französische Dichter trifft den Nagel auf den Kopf, wenn er sagt: "Man ahmt jemand nach, wenn man Kohl pflanzt.« Diese Verrichtungen, die allen Menschen gleich sind, werden von allen Menschen gleich vollzogen. Dagegen wird sich sofort ein Unterschied zeigen, wenn man zwei Menschen etwa an die Spitze je einer Gesellschaft gleich derjenigen der "Pilgrimväter« stellt, die in der "Mayflower« nach Amerika segelten, um eine neue Gesellschaft zu gründen, und wenn man ihnen die Aufgabe vorzeichnet, eine unbekannte Welt zu erobern und von Grund auf ein Staatswesen zu erbauen.

Ein Organismus, der bloß mit der durchschnittlichen Menge von Lebenskraft geladen ist, gelangt überhaupt nie dazu, die höheren und höchsten Verrichtungen vollziehen zu müssen; er sucht keine Lage auf, die nicht schon seinen Vorfahren geläufig war; wenn er gegen seinen Willen in eine neue Lage gestellt wird, so bemüht er sich zunächst, ihr zu entgehen; gelingt das nicht, so strebt er, sie nach gewohnten Analogien zu behandeln, das heißt, sich in ihr so zu benehmen, wie er es in anderen, häufig vorkommenden, der neuen ungefähr ähnlichen Lagen zu thun gepflegt hat, und kann er durch dieses Auskunftsmittelchen ihren

Anforderungen nicht gerecht werden, so läßt er sie eben sich über den Kopf wachsen und unterliegt ihr, es sei denn, daß in ihm Kräfte verborgen leben, die in seinen gewohnten Verhältnissen keine Gelegenheit hatten, sich zu entfalten, durch die Notwendigkeit aber wachgerufen werden; er bleibt also immer innerhalb des Bannkreises der Erblichkeit, er schrickt vor der kleinsten Änderung der Linien seiner Ähnlichkeit mit den Vorfahren und Genossen in der Mittelmäßigkeit zurück und er beschließt sein Leben, wie er es begonnen hat: als ein Abklatsch von Formen, die ihm vorausgegangen sind und neben ihm bestehen. Ein Organismus jedoch, dessen Lebenskraft den Durchschnitt übertrifft, fühlt entweder geradezu den Drang nach neuen Lagen, oder wenn er in sie versetzt ist, so unterwirft er sie sich oder paßt sich ihnen an, ohne sich an gegebene Beispiele zu halten oder von der Gewohnheit der Väter bestimmt zu sein. Ein solcher Organismus wächst über die Schranken der Erblichkeit, die nur bis zu einer gewissen Höhe reichen, triumphierend hinaus und in einer Erhebung, zu der sich schwächere Individualitäten nie emporentwickeln, entfaltet er sich ungebunden zu selbsteigenen, allen anderen unähnlichen Formen.

Ich habe also in letzter Linie Eigenart und Durchschnittsart auf die Menge von Lebenskraft zurückgeführt. Hat man davon nur ein solches Maß, das gerade ausreicht, um einen Organismus von bestimmtem Typus auszustatten, so bleibt man in der überkommenen Form und hilft der Gattung die hergebrachte Physiognomie erhalten; hat man dagegen einen Überschuß davon, so überwindet die Lebenskraft die Trägheit, die den Stoff in die ererbte Bildung bannt, sie gestaltet sich in voller Freiheit nach eigenem Drang ihre Erscheinungsform und ihren Entwickelungsplan und man kann so weit gehen, zu sagen, sie werde zum Ursprung einer neuen Unterart in der Gattung. Das Leben ist die erhabenste Funktion des Stoffs; sein Besitz flößt allen Wesen instinktive Achtung ein, ungefähr wie Geldreichtum gemeinen Naturen; weil nun die Eigenart auf größerem Reichtum an Leben beruht, so erkennt man sie als vornehmer an denn die Durchschnittsart, welche das Einbekenntnis kleiner Renten von Lebenskraft ist. Darum verachtet man die Banalität und sucht originell zu sein oder, wenn man das nicht vermag, mindestens zu scheinen. Nicht zum Haufen gehören wollen heißt sich für einen Millionär an Vitalität ausgeben. Die Geringschätzung des Philisters ist eine Form, in der man dem Leben Bewunderung zollt. Man ist viel stolzer darauf, Stammvater als Erbe, Schriftsatz als Abzug zu sein, und weiß sich etwas, als Titelblatt eines Buchs und nicht als eingeheftete, fortlaufend numerierte Seite darin zu figurieren. Da aber auch der zeugungstüchtigste Vater denn doch gleichzeitig ein Sohn ist und jeder Gründer einer neuen Linie Vorfahren bis zur Ascidie oder zum Urplasma hinauf hat, so hängt selbst das eigenartigste Individuum doch wieder mit der Gattung zusammen, auch die mächtigste Lebensfülle unterliegt in ihren niedrigeren Verrichtungen der Banalität, der Widerspruch zwischen der Absonderung vornehmer Naturen und ihrem gelegentlichen Aufgehen in der Menge löst sich und wenn der Philister will, so kann er sich etwas darauf einbilden, daß selbst ein Goethe oder Napoleon mit all ihrer Originalität nicht anders weinen und lachen, schlafen und sich rasieren können als er.

Bei den Lebewesen, die geschlechtlich differenziert sind, scheinen im Weibchen die Lebenskraft und deren Gestaltungsdrang geringer zu sein als im Männchen. Warum das ist, das weiß ich nicht zu sagen, aber es ist Thatsache, daß es sich so verhält. Darwin hat auf mehreren hundert Seiten (der "Abstammung des Menschen«) Einzelbeobachtungen angehäuft, aus welchen hervorgeht, daß bei den meisten Tiergattungen das Weibchen den Typus der Gattung bewahrt, während die Männchen, oft sehr bedeutend, von demselben individuell abweichen. Im Weibchen herrscht also das Vererbungs-, im Männchen das Sonderbildungsgesetz vor, das ich als das ursprüngliche Lebensgesetz anspreche. Dieses Verhältnis besteht auch im Menschengeschlecht. Das Weib ist in der Regel typisch, der Mann eigenartig; jenes hat die durchschnittliche, dieser eine besondere Physiognomie. Das läuft allerdings der gemeinen Anschauung zuwider, aber diese Anschauung ist eben eine grundfalsche.

Sie ist dadurch entstanden, daß man gewöhnlich seine Vorstellung vom Weibe aus Gedichten und Erzählungen geschöpft hat. Die Dichter sind bei der Schilderung des Weibes nicht von ehrlicher Beobachtung, sondern von unbewußten geschlechtlichen Erregungen bestimmt worden. Im schönwissenschaftlichen Schrifttum ist das Weib keine nüchterne naturgeschichtliche Abbildung, sondern die Idealschöpfung einer brünstig verzückten Mannesphantasie; der Dichter will nicht schildern, sondern den Hof machen; wenn er vom Weibe spricht, so ist er kein unbefangener Betrachter, sondern instinktiv ein Werber um Liebesgunst. Das fälscht die Beobachtung vollständig und man kann sagen, das Weib erscheine in der Dichtung aller Völker und Zeiten nicht wie es wirklich ist, sondern wie es sich einem verliebten Schwärmer darstellt. Das ist die natürliche Folge davon, daß alle Dichtung ursprünglich von Männern gepflegt wurde. Hätten Frauen die Lyrik und Epik erfunden, so wäre das Bild des Weibes in der Litteratur wahrscheinlich ein unparteiisches und darum recht gleichgiltiges geworden. Heute, wo das Romanschreiben, wenigstens in manchen Ländern, fast zu einer ausschließlich weiblichen Handarbeit geworden ist, wiederholt auch die weibliche Verfasserin das herkömmlich gewordene, vom Manne erfundene Idealbild des Weibes, einfach weil sie unfähig ist, sich über das Herkommen emporzuentwickeln und eigenartig zu denken. "Das Weib ist wechselnd wie die Flut und mannigfaltig,« lehrt ein tiefsinnig thuender Weltweiser; "wer kann sich rühmen, das Weib zu kennen!« ruft ein augenverdrehender Lyriker und leckt sich unter angenehmen Vorstellungen die Lippen; "jedes Weib ist ein Geheimnis und ein Rätsel und keine dieser Sphinxe gleicht der andern,« versichert ein Erzähler und spinnt uns zur Erläuterung seines Gedankens ein ellenlanges Garn von Räubergeschichten vor. Das ist aber alles hohle Phrase, über welche gerade vernünftige Frauen am meisten lachen und die nur albernen Gänsen gefällt, weil diese sie als ein persönliches Kompliment auffassen. Das Weib ist ungleich weniger verschieden als der Mann. Wer eins kennt, der kennt sie mit wenigen Ausnahmen alle. Ihr Denken, ihr Fühlen, ja selbst ihre leibliche

Erscheinung ist typisch und Gretchen, Julie und Ophelia sehen einander so ähnlich, daß man sie für Schwestern mit etwas verschiedenem Temperament und etwas anderer Erziehung halten möchte. Daraus erklärt es sich, daß Frauen sich so leicht in allen gesellschaftlichen Stellungen zurechtfinden. Ein Stallknecht, der durch die Gunst einer Zarin zum Herzog von Kurland erhoben wird, bleibt sein Lebelang vom Pferdeduft umwittert. Die Tochter eines Tambourmajors, die zur gräflichen Beherrscherin eines Königsherzens wird, unterscheidet sich nach wenigen Monaten, manchmal nach wenigen Wochen, in nichts von einer Dame, die für den Gothaschen Almanach geboren wurde. Es giebt keine weiblichen Emporkömmlinge. Sobald eine Frau sich die Formen eines ihr neuen Ranges angeeignet hat, – und bei ihrem Sinne für das Äußerliche und Kleinliche erlernt sie dieselben mit wunderbarer Leichtigkeit – ist sie auch vollständig in diesen Rang hineingewachsen. Es ist eben zwischen der Prinzessin und Wäscherin ein äußerst geringer Grundunterschied, das Wesentliche an beiden ist die Weiblichkeit, das heißt die unselbständige Wiederholung der Gattungsphysiognomie. Michelet verdichtet die Philosophie des Weibes in ein einziges Wort, dem er die durchbohrende Wirkung eines Stachelverses geben möchte; er sagt: "das Weib ist eine Persönlichkeit.« Das ist einer der grüßten Irrtümer dieses feurigen und schwungvollen, aber oberflächlichen Schriftstellers. Das Gegenteil ist wahr: das Weib ist keine Persönlichkeit, sondern eine Gattung.

Gewiß, es giebt auch sogenannte originelle Frauen. Darf ich dir aber einen Rat geben, lieber Leser? Hier hast du ihn: hüte dich vor der originellen Frau. Die Abweichung vom Typus ist bei der Frau in hundert Fällen achtzigmal krankhaft. Die eigenartige Frau unterscheidet sich von der gewöhnlichen wie ein Lungensüchtiger von einem Gesunden. Und in den übrigbleibenden zwanzig Fällen, die ich nicht als Krankheit deuten kann, ist die Sonderbildung eine geistige Vertauschung des Geschlechts. Was hierunter verstanden wird, das dürfte wohl allgemein bekannt sein. Man hat den Leib eines Weibes, jedoch den Charakter, die

Anschauungen und Neigungen eines Mannes, oder umgekehrt. Das Volksurteil ist auf der richtigen Fährte, wenn es eine originelle Frau schlechthin ein Mannweib nennt. Dieser Ausdruck schließt die Erklärung der Erscheinung in sich. Sowie das Weib aus der Gleichförmigkeit heraustritt, verliert es das hauptsächlichste seiner psychologischen Geschlechtsmerkmale. Ich kann als Beweis für die Begründetheit dieser Anschauung geltend machen, daß eigenartige Frauen in der Regel nur auf Männer mit verwaschener Physiognomie besonderen Eindruck machen, während männliche Individualitäten von scharf ausgeprägter Eigenart sich mit Vorliebe ans Dutzendweib halten. Das ist ein so häufiges Vorkommnis, daß ich ein Überflüssiges thue, wenn ich an das Beispiel Goethes, Heines, Carlyles, Byrons, Viktor Hugos u. s. w. erinnere. Das macht: der Mann, in dem die Lebenskraft nicht gewaltig genug ist, um zur Schöpfung neuer Formen auszureichen, sucht den Grundtrieb des Organismus, den der eigenartigen Bildung und Entfaltung, unbewußt durch Vereinigung mit einem reicher als er selbst ausgestatteten Weibe zu befriedigen; der von der Natur besser bedachte Mann hat das nicht nötig; er läßt es sich an seiner eigenen Sonderart genug sein.

Mit dem typischen Charakter des Weibes hängt die trostlose Banalität seiner Neigungen zusammen. Allerdings, eine ungewöhnliche Manneserscheinung, sei deren Ungewöhnlichkeit nun eine leibliche oder geistige, erregt wie alles Außerordentliche die Phantasie des Weibes und übt auf dasselbe eine mächtige Anziehung. Aber was beweist das? Doch nichts anderes, als daß das Neue auf die Frau, wie ja auch auf alle höheren Tiere, anregend und fesselnd wirkt. Aber ihr Urtrieb zieht sie unwiderstehlich zum Gewöhnlichen hin und der vollkommene Dutzendmensch, der weder durch zu auffallende Dummheit noch durch besondere Klugheit von der Norm abweicht, der sich in seinen Komplimenten an die guten Vorbilder hält, im Gespräch dem Wetter die Ehre giebt, für die in den Volksschulen eingeführten Ideale schwärmt und den behördlich genehmigten schwarzen Mann haßt, die Meinungen und Gesinnungen der wohlhabenderen Musterbürger teilt und dabei in der Form und Farbe seiner Halsbinde mit dem Zeitgeiste Fühlung behält, dieses Meisterwerk eines durch die Schablone malenden Raphaels wird 99 Frauen von 100 den Kopf verdrehen und kein aus freier Hand gezeichnetes Exemplar der höheren Menschenbildung kann neben ihm bestehen.

In Jahrhunderten wird einmal ein Weib geboren, das Ehrgeiz hat. Ich bitte, dieses vornehme Gefühl nicht mit der gemeinen Eitelkeit zu verwechseln, die sich gern für jenes ausgiebt. Ränkegewandte Frauen, die herrschen, Komödiantinnen, Zierpuppen, Salonpythien, die glänzen wollen, bilden sich manchmal wohl selbst ein, daß sie ehrgeizig seien; das sind sie aber nicht im geringsten. Ihnen handelt es sich um eine Nahwirkung der Persönlichkeit; sie wollen ihrer niedrigen Selbstsucht die Genugthuung verschaffen, daß man sie allgemein als schön, als reich gekleidet, als geistvoll anerkenne; sie wollen, daß viele Frauen sie beneiden, daß viele Männer zu ihren Füßen liegen, daß man auf der Straße den Kopf nach ihnen umwende und im Theater das Opernglas auf sie richte; es ist ihnen bloß um die äußerlichsten und einfältigsten Begleiterscheinungen örtlicher Bekanntheit zu thun. Ehrgeiz ist etwas ganz anderes; das ist der gewaltige Drang, das eigene Ich in einer Ausgeburt, einer Leistung zu verkörpern, welche ihm weit über die leibliche Dauer des Individuums hinaus Bestand sichert; es ist ein leidenschaftlicher Kampf gegen das allgemeine Gesetz der Vergänglichkeit, der hochgesinnte Wunsch, das eigene Sein, das man als vollberechtigt, als stark und nötig empfindet, in seiner Sonderform zu erhalten und die Natur selbst zu seiner Schonung zu zwingen. Das, was man Ehrgeiz nennt, läuft wieder nur auf das ursprüngliche Lebensgesetz hinaus und ist eine äußerste Kundgebung desselben; dieses drängt nämlich nicht nur zu selbständigen organischen Bildungen, die bloß sich selbst und nichts anderem ähnlich zu sein brauchen, sondern auch zum Versuch der Erhaltung dieser Bildungen, der Sicherung ihrer Dauer, wenn möglich ihrer Erweiterung zu einer neuen Art. Der Ehrgeiz beruht auf einer Fülle von Lebenskraft, wie die Frau sie kaum jemals hat. Sie träumt deshalb wohl Eroberungen, aber nicht die sogenannte Unsterblichkeit. Sie beschäftigt nur die Gesellschaft, die ihr gleich brühwarm sagen kann: "Madame, ich liebe Sie«; für die ungeborenen Geschlechter der fernen Zukunft, deren Huldigungen und Blumenbouquets nicht zu ihr gelangen können, hat ihre Koketterie kein Interesse. Das Verlangen, von der Gattung abzuweichen und eine neue Art zu begründen, deren Urbild sie wäre, hat sie nicht.

Aus dem Vorherrschen des Vererbungsgesetzes im weiblichen Organismus erklären sich auch alle übrigen Geistes- und Charakter-Eigentümlichkeiten der Frau. Diese ist fast immer eine Feindin des Fortschrittes und die festeste Stütze der Reaktion in jeder Form und auf jedem Gebiete. Sie hält am Alten und Hergebrachten leidenschaftlich fest und betrachtet das Neue, soweit es nicht etwa eine Mode ist, von der sie sich eine Steigerung ihrer leiblichen Wirkung verspricht, als eine persönliche Beleidigung. Sklavisch wiederholend, was vor ihr gethan wurde, verwandelt sie in ihrer Gedankenwelt Religion in Aberglauben, vernünftige Einrichtungen in äußerliche Formen, Handlungen voll Sinn in leere Zeremonieen und ursprünglich von der Rücksicht auf den Nebenmenschen eingegebene Satzungen des gesellschaftlichen Verkehrs in tyrannische und alberne Etikette. Sie ist, immer mit den seltenen Ausnahmen, die ich zugegeben habe, ein geistiger Automat, der bis zum Stillstand ablaufen muß, wie er aufgezogen wurde, und aus sich heraus den Mechanismus seines Ganges nicht ändern kann.

Nun, nachdem ich meine biologische Begründung der Banalität auseinandergesetzt habe, ergiebt sich meine Anschauung von den Grenzen der Eigenartigkeit von selbst. Subjektiv ist deren Berechtigung unbeschränkt; objektiv ist sie umschrieben. Wenn ich allein bin, kann ich originell sein; wenn ich unter die Menge hinaustrete, ist Gewöhnlichkeit meine erste Bürgerpflicht. Gedanken und Thätigkeiten, die ausschließlich ihn selbst betreffen, sind bei jedem der Vormundschaft des Herkommens ledig; Handlungen, welche in den Lebenskreis anderer eingreifen, müssen es sich gefallen lassen, von der Regel der allgemeinen Überlieferung beherrscht zu werden. Wohl bin ich kraft des ursprünglichen Lebensgesetzes ein unabhängiges, selbständiges Individuum, gleichsam eine Art für mich, keinem andern Wesen ganz gleich und mich nach den bloß mir eigenen organischen Formeln entwickelnd; aber kraft des Vererbungsgesetzes hänge ich doch in einer gewissen Ausdehnung meiner Oberfläche mit der Gattung, mit den Wesen zusammen, die infolge gleicher Abstammung mir ähnlich sind, und dieser Teil meiner Oberfläche ist meiner freien Selbstbestimmung entzogen. Darin geht es jedem von uns wie den siamesischen Zwillingen. Denken kann jeder Kopf für sich, nach Belieben heiter oder traurig, nach Vermögen klug oder dumm; gehen oder sitzen aber müssen beide Leiber zusammen. Diese Sätze haben eine weite Nutzanwendung. Sie verteidigen das allgemeine Stimmrecht. Sie machen der Demokratie eine Verbeugung. Sie begründen die Herrschaft der Mehrheit in Staats- und Gemeinde-Angelegenheiten. Mein geistiger Gesichtskreis gehört mir allein; da brauche ich nichts zu dulden, was mich stört oder mir nicht gefällt, und ich werfe die baumwollene Zipfelmütze des Nachbars, deren Troddel sich anspruchsvoll wie eine bewaldete Bergkuppe vor mir aufrichtet, mit der Fußspitze jenseits meines Horizonts; allein die Straße, die Stadt, das Land gehört uns allen zusammen; da bist du mein Bruder, würdiger Philister; da habe ich dir deinen Wunsch aus den Augen zu lesen; da darf ich nichts thun, was dir nicht behagt, und wenn ich will, daß du mir einen Gefallen erweisest, so ist es meine verfluchte Pflicht und Schuldigkeit, es dir in einer Sprache zu sagen, die du verstehst, und es mit Gründen zu unterstützen, die dir einleuchten.

Einen originellen Politiker, Gesetzgeber, Staatsmann darf es deshalb nicht geben. Je banaler jeder von ihnen ist, um so besser für ihn, um so besser für sein Volk. Wer berufen ist, Einrichtungen zu schaffen, in denen die Menge leben soll, der muß der Menge und nicht den Wenigen das Maß nehmen. Der Regimentsschneider arbeitet nach Durchschnittsnummern und nicht nach den Leibesverhältnissen eines hübsch gewachsenen Füsiliers seiner Bekanntschaft und was dabei herauskommt, wenn der Fuchs den Storch zu Gaste lädt und ihm die Speisen in seinem Familien-Eßgeschirr vorsetzt, das kann in Schillers nachdenksamer Fabel gelesen werden. Das natürliche Spiel der Kräfte verhindert selbstthätig jede Originalität in der Behandlung der Menschheit und Volksgeschäfte. Man braucht weder besonders tiefsinnig zu sein noch besonders scharf zu beobachten, um zu bemerken, daß jede größere Versammlung hoffnungslos mittelmäßig ist. Man setze vierhundert Goethes, Kants, Helmholtz', Shakespeares, Newtons u. s. w. zusammen und lasse sie über konkrete Fragen sprechen und stimmen. Ihre Reden werden sich vielleicht – sicher ist selbst das nicht – von denen eines Kreistags unterscheiden, ihre Beschlüsse nicht. Warum? Weil jeder von ihnen neben seiner persönlichen Sonderart, die ihn zu der ausgezeichneten Individualität macht, die er ist, die ererbten Gattungseigenschaften hat, welche ihm nicht nur mit seinen Nachbarn in der Versammlung, sondern auch mit allen namenlosen Vorübergehenden auf der Straße gemeinsam sind. Man kann das so ausdrücken, daß alle normalen Menschen ein Gemeinsames von gleichem Werte haben, das wir *anennen wollen, und die hervorragenden noch dazu ein Besonderes, das in jedem Individuum verschieden ist und das mir bei jedem anders bezeichnen müssen, also b, c, d u.s.w. Sind nun 400 Menschen beisammen, und wären sie allesamt Genies, so bedeutet das, daß wir 400 a, dagegen nur ein b, ein c, ein d u.s.w. vor uns haben. Da ist es dann nicht anders möglich, als daß die 400 a, über das eine b, c, d u.s.w. glänzend siegen, das heißt, daß das Gemeinmenschliche das Individuelle in die Flucht schlägt, daß sich die Baumwoll-Nachtmütze über den Doktorhut stülpt. Das Verschiedene ist keiner Addition fähig, das lernt man schon in der Volksschule. Darum ist wohl eine Partei von Flachköpfen, nicht aber eine Partei von Genies denkbar. Über den Wohlgeschmack von Sauerkraut ist durch Abstimmung ein Mehrheitsbeschluß zustande zu bringen, über den Wert von Weltanschauungen nicht. Stimmte man über solche ab, so würde mutmaßlich für jede eine Stimme abgegeben werden, die ihres Urhebers.*

Thatsächlich ist also der Philister Herr im Lande und der bockbeinigste Sonderling hat im Takte mitzutanzen, wenn der allgemeine Hopser aufgespielt wird. Den Inhalt aller öffentlichen Einrichtungen und der ganzen Politik giebt nicht die Geistesarbeit eines John Stuart Mill oder Herbert Spencer, sondern der stereotypierte Gedanke des würdigen Kunz, der sein Kreisblättchen nur mit Nachhilfe des wegweisenden Zeigefingers entziffern kann, und der eigenartigste Genius verliert seine Physiognomie und verschwindet unauffindbar im großen Aufzuge, wenn die Menge am Wahltage zur Urne strömt.

Muß der Genius deshalb darauf verzichten, seine neuen, von allem zeither Bekannten abweichenden Gedanken zu verkünden, ihre Verwirklichung anzustreben, den Philister zu ihnen bekehren zu wollen? Keineswegs. Er muß das nicht, ja er kann es nicht einmal. Denn wir haben ja gesehen, daß jede Sonderart den unbezwinglichen Grundtrieb hat, sich der Allgemeinheit aufzudrängen und diese nach sich zu formen. Worauf der Genius aber allerdings verzichten muß, das ist, seine Anschauungen wie Befehle vorzutragen und zu erwarten, daß die Heerschar der Philister darauf wie ein wohlabgerichtetes Regiment einschwenke. Er muß predigen, nicht kommandieren. Das ist ein gewaltiger Unterschied; der Unterschied zwischen dem Missionär und dem Oberst. Ich habe oben gesagt, der Philister sei der Acker des Genius. Das Bild scheint mir so richtig, daß ich darauf zurückkomme. Der eigenartige Denker hat grobe Landwirtschaft zu treiben wie der Kindererzieher feine Gartenkunst. Dieser pfropft auf Wildlinge fertige Reiser über, die auf anderen, veredelten, älteren Bäumen gewachsen sind, jener wirft mit breitem Armschwung Saatkorn aus und hat nach redlichem Düngen und Eggen geduldig zu warten, bis ihm nach Monaten stillen Wachstums die Ernte ersprießt. Das Ganze ist eine Frage der Zeit. Der Dutzendmensch will seine Gedanken erben und nicht selbst verarbeiten. Man hat also nur dem einen Geschlechte das mitzuteilen, wovon man will, daß es das Gemeingut der nächsten Geschlechtsfolge werde. Vorstellungen und Gedankenverbindungen, die schon der Vater und der Großvater im Kopfe gehabt und die sich seit langen Menschenaltern häufig wiederholt haben, sind zu einem Bestandteile des Organismus, sind organisiert worden, sie zu denken ist für das Individuum nicht anstrengender als zu gehen, zu essen, zu schlafen, das heißt als irgend eine andere organisch gewordene Verrichtung zu besorgen. Neue Vorstellungen und Gedankenverbindungen dagegen, die vor dem Individuum zum ersten Mal erscheinen, stören die ganze Arbeit der Denkmaschine, machen zu ihrer Aufnahme neue Einrichtungen nötig, erfordern Aufmerksamkeit und Dazwischenkunft des Willens und Bewußtseins. Es ist wie bei der mechanischen Weberei. Wenn ein altes Muster gewebt wird, auf das die Maschine gerichtet und der Arbeiter eingeübt ist, dann geht alles glatt und wie im Schlafe; der Arbeiter kann gedankenlos vor sich hinträumen, während das Gewebe Meter um Meter wächst. Soll aber ein neues Muster hergestellt werden, so muß man den Webstuhl darauf einrichten, an der Kette herumknüpfen, dem Schiffchen einen andern Gang geben, der Aufseher muß dazutreten und selbst Hand anlegen, der Arbeiter hat sich aus seinem bequemen Dusel aufzurütteln und aufzupassen, kurz die Arbeit macht sich nicht mehr von selbst, sondern will mit Hand und Kopf verrichtet sein. Dutzendmenschen sind auf die organisierte Denkarbeit eingestellt und können keine andere leisten. Sie sind nicht stark und nicht geschickt genug, ihren Webstuhl auf ein neues Muster zu richten. Die überlegene Natur hat nun die Aufgabe, nicht nur neue Muster zu erfinden, sondern auch die Webstühle in der großen Fabrik, welche man Menschheit nennt, von Grund aus so zu verändern, daß sie das neue Muster weben können, wie sie vordem das alte gewebt haben. Die Menge wehrt sich gegen neue Gedanken, nicht weil sie diese nicht denken will, sondern weil sie sie nicht denken kann. Das erfordert eine Anstrengung und alle Anstrengungen sind schmerzlich, Schmerzen aber wehrt man von sich ab.

Dem scheint die Beobachtung zu widersprechen, daß die Menge im Gegenteile nach neuem begierig ist und daß alles neue bei ihr Glück macht. Dieser Widerspruch ist aber nur ein scheinbarer, wie eine kurze Untersuchung leicht darthun wird.

Zur Empfindung und zum Bewußtsein gelangen nur Veränderungen in unserem Nervensystem. Wenn sich in diesem nichts rührt, so erfährt das fühlende und denkende Ich auch nichts. Der Nachrichtendienst in unserem Organismus ist nicht etwa so eingerichtet, daß im Mittelpunkte des Ichs ein wachsamer Oberaufseher sitzt, der alle kleine Weile in die Vorzimmer und Außenhöfe Boten hinausschickt, um anzufragen, ob nichts neues vorgehe; dieser Oberaufseher bleibt vielmehr unbeweglich an seinem Tisch im innersten Kabinett, wo alle Meldungen von außen zusammenlaufen. Langt keine Mitteilung an, so hält er sich ruhig, schlummert sogar ein und giebt jedenfalls kein Lebenszeichen. Wenn aber von außen die Nachricht kommt: "ans rechte Thor wird geklopft!« oder: "gegen das Fenster im ersten Stockwerk wird ein Stein geworfen!« oder: "der Wachtposten im Vorhof übernimmt eine Lebensmittellieferung!« oder dergleichen, so wird der Oberaufseher wach und giebt augenblicklich wenigstens die Bestätigung zurück, daß die Nachricht angelangt und zur Kenntnis genommen ist, oder er antwortet mit einem Befehl, welcher anordnet, was gegenüber der Veranlassung des gemeldeten Vorganges zu geschehen habe. Wäre es denkbar, daß die Welt einmal in völliger Unbeweglichkeit erstarrte, so blieben unsere Nerven in dem Zustand, in welchem sie sind, nichts würde auf sie einwirken, nichts sie anregen, nichts eine Veränderung in ihnen hervorbringen, die zur Kenntnis des Bewußtseins gelangen könnte. Unsere Augen würden nicht sehen, unsere Ohren nicht hören. Die Vorposten an der äußern Grenze unserer Persönlichkeit wären ausgestellt, aber sie hätten nichts zu beobachten und nichts zu melden. Dann würden wir auch nicht denken und unser Bewußtsein wäre wie in einem traumlosen Schlafe gefangen. Empfinden heißt also wahrnehmen, daß in einem Nervengebiete ein bestehender Zustand in einen andern übergeht. Der fast unmeßbar kurze Zeitabschnitt des Aufhörens eines und des Anfangens eines andern Zustandes ist eigentlich der ganze

Inhalt unserer Wahrnehmungswelt. Daraus ergiebt sich, daß der Mensch, um zu denken, um sich seines Ichs bewußt zu werden, angeregt sein muß; die Anregung aber wird nur durch eine Veränderung bewirkt, das heißt durch etwas neues. Und da das Bewußtsein des eigenen Ichs die notwendige Voraussetzung aller angenehmen Empfindungen, ja schon an sich ein Lustgefühl, Vielleicht sogar das mächtigste von allen ist, so wird das Neue, die Veränderung, die durch Erregung der Nerven zur Quelle des Bewußtseins wird, als etwas Angenehmes empfunden und eifrig gewünscht. Damit aber die Veränderung als angenehm empfunden werde, darf sie keine jähe und heftige sein. Das Neue, das die Nerven erregt, darf sich vom Alten, das ihm vorangegangen ist, nur ganz schwach, nur um einen Grad, eine Schattierung unterscheiden. Es muß der Nachbar des Alten sein und als eine Fortsetzung desselben auftreten. Um dies mit einem familiären Bilde zu verdeutlichen: eine neue Frackform wird leicht Mode werden, wenn sie die großen Linien des Fracks, den allgemeinen Charakter dieses luftig leichtfertigen und doch so würdevollen Kleidungsstückes unverändert läßt und nur in unwesentlichen Einzelheiten vom Vorbestehenden abweicht; wenn sie also kürzere oder stärker gerundete Schöße, breitere oder schmälere Brustlappen, diese glatt oder mit Seide ausgeschlagen zeigt; dagegen dürfte es einem starkgeistigen und vorurteillosen Schneider schwer werden, mit einem Festkleide durchzudringen, das mit der bisherigen Mode gründlich bräche und etwa eine römische Toga oder etwas noch Unbekannteres darstellte. Etwas vom Vorbestehenden völlig Verschiedenes erregt unangenehme Empfindungen, die sich bis zum heftigsten Widerwillen und Entsetzen steigern können. Lombroso, der große italienische Psychologe, hat dafür ein glückliches Wort erfunden: er nennt diesen Widerwillen, dieses Entsetzen "Misoneismus«, Feindschaft gegen das Neue, und weist sein Vorkommen beim ungebildeten Menschen, beim Kinde, ja beim Tiere nach. Um bei meinem Gleichnisse vom Webstuhle zu bleiben: es macht weder der Maschine noch dem sie bedienenden Arbeiter etwas, wenn die Fäden eine andere Farbe haben, solange nur das Muster dasselbe bleibt. Eine Veränderung der Farbe des Gewebes bedingt weder eine Umstellung des Webstuhls noch eine größere Aufmerksamkeit des Arbeiters. Nur wenn das Muster geändert werden soll, wird die Mühsal eintreten, die oben geschildert wurde. So erklärt es sich, daß zwar das Neue der Menge gefallen kann, daß sie aber dennoch das wirklich Neue, dasjenige, was von ihren gewohnten Vorstellungen spezifisch verschieden ist, mit wahrer Wut, oft mit verzweifelter Anstrengung ablehnt.

Ich bin sehr geneigt, zu glauben, daß die wilden Stämme vor der einbrechenden Zivilisation nur darum verschwinden, weil die ungeheuere Veränderung aller Verhältnisse rings um sie zu viele neue Vorstellungen und individuelle Verrichtungen von ihrem Geiste verlangt. Für sich selbst, ohne jede Hilfe der ererbten Denkvorgänge, soll der einzelne Wilde die neuen Eindrücke aufnehmen, unterbringen, verbinden, sie zu Vorstellungen und Gedanken zusammenfassen und auf sie mit individuellen Entschließungen und Handlungen antworten, die seinem Organismus völlig fremd und auf die sein Gehirn und seine Nerven nicht eingestellt sind. Das ist eine Arbeitsleistung, von der sich der Kulturmensch kaum eine richtige Vorstellung machen kann. Denn selbst der eigenartigste, von seinen Artgenossen verschiedenste Kulturmensch kommt verhältnismäßig nur selten in die Lage, ganz neue Eindrücke aufzunehmen und ganz neue Kombinationen von Anschauungen und Entschließungen zu schaffen. Der Wilde aber soll diese höchste Thätigkeit des menschlichen Organismus plötzlich und unausgesetzt im größten Maße liefern. Kein Wunder, daß sie ihn bald vollkommen erschöpft und daß er unter ihr zusammenbricht. Wenn es eine Gesittung gäbe, die von der unsern so unfaßbar weit verschieden wäre wie die unsrige von der eines Neuguinea-Papua und sie ohne Vorbereitung über uns hereinbräche, so würden die größten Philosophen und Staatsmänner der weißen Menschheit unserer Zeit vor ihr ganz so dahinsiechen und verschwinden wie die Wilden vor unserer Gesittung.

Aus diesen Betrachtungen ergiebt sich meine Auffassung vom Verhältnisse des Genius zum' Philister, welche der Carlyles entgegengesetzt ist. Der Seher von Chelsea läßt seinen Heros wie einen Kapitän Cook unter der Schar der Dutzendmenschen erscheinen und von diesen unter Hinweis auf gute Flinten und Kanonen Unterwerfung, Anerkennung seiner Überlegenheit und Bewunderung seiner höhern Kunst und Wissenschaft verlangen. Ich betrachte den Lebensgang des Menschen der Auslese nicht als eine Entdeckungsreise in der Südsee und Landung bei nackten Menschenfressern. Ich kann ihm nicht das Recht zusprechen, vom typischen Haufen, der seine Gedanken fertig geerbt hat, dieselbe eigenartige und von der organisierten Gewohnheit unabhängige Geistesthätigkeit zu verlangen, die ihm, dem nichttypischen Individuum, durch eine größere organische Kraftfülle leicht gemacht ist. Wenn einsame Größe seinem Drang, auf andere zu wirken, nicht genügt, wenn er nicht gleich dem unglücklichen König Ludwig II. von Bayern sein Lebelang als einziger Zuschauer im Theater sitzen und dem Schauspiel zusehen will, das seine Gedanken vor ihm allein aufführen, wenn er den von gewaltiger Lebenskraft untrennbaren Trieb hat, seiner Form die Dauer zu sichern und sie anderen Organismen aufzuprägen, dann muß er seiner Originalität eine Gesellschaftsdame mieten, die Geduld heißt. Er muß der Menge die neuen Gedanken allmählich beibringen wie eine fremde Sprache oder eine kunstvolle Leibesübung: durch Beispiel, systematischen Vortrag und häufige Wiederholung. Mit einem Worte, es handelt sich darum, den Dutzendmenschen ins Joch einer neuen Gewohnheit zu brechen, die er ebenso gedanken- und mühelos, ebenso automatisch, halbschlummernd und wiederkäuend tragen kann wie die alten, und das schließt jähe Einwirkungen aus.

Der Leser bemerkt, daß ich hier immer neue und alte Gedanken einander entgegensetze, nicht bessere und schlechtere, höhere und niedrigere, mit einem Worte, daß ich mich scheue, Beiwörter zu gebrauchen, die Lob oder Tadel in sich schließen und Vorliebe für die einen, Abneigung gegen die anderen bezeugen. In dem stillen oder lauten Kampfe der eigenartigen Minderheit gegen die typische Mehrheit handelt es sich eben in der That nur darum, an die Stelle alter, ererbter Auffassungen neue zu setzen; diese neuen brauchen gar nicht besser zu sein, ihr wesentliches Merkmal ist bloß, daß sie neu, daß sie anders sind als die herkömmlichen. Man nennt gewöhnlich die Menge dumm. Das heißt ihr Unrecht thun. An sich betrachtet ist sie gar nicht dumm, sie ist nur nicht so klug wie die allergescheidtesten Individualitäten der Zeit. Sie stellt einfach die geistige Entwickelungsstufe dar, auf der die Besten gestern gestanden haben. Die Besten von heute sind freilich weiter, aber morgen wird die Menge ebensoweit sein und um ein Recht zu haben, sie zurückgeblieben zu nennen und über sie die Nase zu rümpfen, werden die Genies von morgen denen von heute so weit überlegen sein müssen, wie diese dem heutigen Marktpöbel. Eigenart und Mittelmaß haben also keine absolute, sondern nur eine relative Bedeutung. Die Ausnahme strebt, zur Regel, die Originalität, zum Typus zu werden. Die mächtigen Naturen haben den Wert frei erfundener Modelle, die von den Dutzendmenschen getreu nachgemacht werden. Die Hutform, die gestern von einem kühnen Erfindertalent ersonnen wurde und auf dem Korso der Residenz Aufsehen erregte, prangt morgen bei der Dorfkirchweih auf dem Haupte aller Bauerndirnen und zieht nicht einmal mehr die Aufmerksamkeit der bebänderten Knechte auf sich. Woher diese Verschiedenheit der Wirkung? Ist die Form eine andere geworden? Nein. Sie hat nur aufgehört, selten zu sein. Banalität ist abgetragene Originalität, Originalität die erste Vorstellung, die " *première* «, wie die Franzosen sagen, der Banalität. Wir zucken heute die Achsel, wenn wir einen lyrischen Dichter dabei ertappen, wie er die Augen der Geliebten mit Sternen vergleicht, und bewundern Lenau, wenn er in seiner kühnen Bildlichkeit sagt: "An ihren bunten Liedern klettert die Lerche selig in die Luft.« Und doch ist eigentlich jenes Gleichnis ein ganz schönes, viel schöner als dieses. Indem der Liebende die Augen der Geliebten mit Sternen vergleicht, giebt er zunächst eine völlig anschauliche Umschreibung; er wendet ferner auf die Nachzeichnung des Bildes dieser Augen eine Methode der Vergrößerung an, die der Eigenliebe der Gefeierten schmeicheln muß und von seiner eigenen

Exaltiertheit eine gute Vorstellung ermöglicht; er knüpft endlich die Erscheinung der Geliebten an die schönsten Phänomene des Weltalls an und hebt sie gleichsam aus ihrer armen individuellen Endlichkeit heraus, um sie zur Unendlichkeit der Natur selbst zu erweitern. Wie kann daneben das Gleichnis Lenaus bestehen, das uns höchstens die Vorstellung einer Leiter, wenn auch einer buntangestrichenen, nahelegt, auf der eine Lerche wie ein abgerichteter Laubfrosch in seinem Glase emporsteigt, was zwar kurios anzusehen, aber weder besonders schön, noch namentlich erhaben ist! Der Vergleich der Augen mit Sternen hat sicher auf die Zeitgenossen einen tiefen Eindruck gemacht, als ihn ein Dichtergenie der allerdunkelsten Vorzeit zum ersten Male fand. Er ist banal geworden. Warum? Weil er vortrefflich ist. Lenaus packendes Bild wird dieses Schicksal nicht haben. Es ist dazu nicht tiefsinnig genug. Darauf habe ich hinauskommen wollen: die Banalität von heute ist nicht nur die Originalität von gestern schlechtweg, sie ist sogar die Blütenlese dieser Originalität, das beste und wertvollste derselben, das von ihr, was Dauer verdiente, weil es nicht neu allein, sondern neu, wahr und gut war. Hut ab vor der Banalität! Sie ist die Sammlung des Vortrefflichsten, was der Menschengeist bis zur Gegenwart hervorgebracht hat.

Das, was man die öffentliche Meinung nennt, also die Anschauung der Menge, kann für die besten Geister einer gegebenen Zeit nicht bestimmend sein. Aber sie verdient insofern selbst die besten Geister zu interessieren, als sie die Frucht der ganzen vorausgegangenen Entwicklung der Menschheit ist. Das wüste Geschrei einer Volksversammlung besteht aus den Stimmen großer Henker, die aus ihrem oft tausendjährigen Grabe heraus durch die bierheisere Kehle eines politischen Flickschusters sprechen, und wer sich die Mühe giebt, den Lärm auf seine einzelnen Elemente zu untersuchen, der wird jedes sinnlos gewordene Schlagwort, jede hohle Phrase auf einen bedeutenden Urheber zurückführen können. Der Gemeinplatz der Philisterrede hat seinen Lebenslauf als überraschende und glänzende Wendung begonnen und jede instinktive Neigung und Abneigung, jedes Vorurteil, jede unbewußte Handlung des Dutzendmenschen war ursprünglich das Ergebnis schwerer und ernster Gedankenarbeit eines Ausnahmemenschen. Die Mehrheit bedeutet in letzter Linie die Vergangenheit, die Minderheit kann die Zukunft bedeuten, wenn ihre Eigenart sich bewährt. Aristoteles, der Vater unseres heutigen Wissens auf den meisten Gebieten der Erkenntnis, könnte heute nirgends ein Abiturientenexamen bestehen, es sei denn im Griechischen, das er aber auch nicht so ergründet haben dürfte wie ein neuzeitlicher Philologe; Harveys Erklärung des Blutumlaufs, seinen Zeitgenossen eine unerhört kühne und ketzerische Auflehnung gegen alle anerkannte Wahrheit, wird jetzt ohne Aufsehen in den Volksschulen gelehrt und der Genius, der sich heute vornehm von der Menge absondert und stolz darauf ist, mit ihr nichts gemein zu haben, anders zu denken und zu fühlen als sie und von ihr nicht verstanden zu werden, dieser Genius würde vielleicht, könnte er in tausend Jahren auf die Erde zurückkehren, erstaunt sein, die kleinen Jungen seine eigensten und verblüffendsten Gedanken mit derselben Geläufigkeit und Selbstverständlichkeit ausdrücken zu hören, mit der sie die Tageszeit wünschen.

Was ich unter solchen Umständen nicht begreifen kann, das ist, daß die Konservativen und Reaktionäre, die Verteidiger des Bestehenden und Bekämpfer der Neuerungen, Feinde der Demokratie sind. Wenn sie Verständnis für ihr wirkliches Interesse hätten, so wären sie allesamt Erzdemokraten, würden dem Zaren zur Einführung des allgemeinen Stimmrechts in Rußland raten, das schweizer Referendum an die Stelle des Parlaments setzen und den Beschlüssen von Volksversammlungen ein ungleich größeres Gewicht beimessen als denen eines Ministerrats. Die Menge ist immer konservativ, weil sie nach ererbten Gattungstrieben, nicht nach neuen individuellen Denkvorgängen handelt, sich also auch nur in ererbten Verhältnissen und nicht in neuen zurechtfinden kann. Sie mag einem mächtigen Einzelwillen folgen, der sie aus den Bahnen der Gewohnheit herausreißt, aber aus eigenem Drange freien Umherschweifens wird sie nie ihr von den vorangegangenen Geschlechtern ausgefahrenes Geleise verlassen. Umwälzungen sind immer die That der Minderheit, deren Eigenart sich mit den nicht auf sie berechneten und ihnen nicht angepaßten überlieferten Verhältnissen nicht abfinden kann. Die Mehrheit folgt nur widerstrebend, es sei denn, sie wäre seit mehreren Zeitaltern allmählich darauf abgerichtet worden, die bestehenden Zustände als überlebt und unberechtigt zu empfinden. Die einzigen wirklichen Neuerer, welche die Geschichte kennt, waren die aufgeklärten Despoten, für welche die konservativen Historiker schwärmen. Dagegen fielen die Revolutionen, welche von der Masse ausgingen, unaufhaltsam in den Gemeinplatz zurück. An die Spitze eines reaktionären Geschichtswerks sollte man nicht das Porträt Friedrichs des Großen oder Josefs des Zweiten, sondern das eines 1848er Demokraten mit dem ausdrucksvollen Hute der Epoche setzen und die Reaktionäre, wenn sie einsichtig und ehrlich wären, müßten bekennen, daß die Barrikade eine Stütze des Staats- und Gesellschaftsbaues ist.

Wenn ich übrigens das Wort Gemeinplatz im Zusammenhang mit Politik ausspreche, so hat das Wort in meinem Munde den Wert einer Achtungsbezeugung. Die Politik hat den Zweck, der Menge möglichst günstige Daseinsbedingungen zu schaffen, sie muß sich also nach den Bedürfnissen der Menge richten. Diese denkt und fühlt automatisch, das heißt nach ererbten Formeln und organisierten Gewohnheiten, sie verlangt also mit Recht, daß man ihr nicht zumute, neue individuelle Geistesarbeit zu leisten, die fast stets über ihr Vermögen hinausgeht. Wer also Politik sagt, der sagt Mehrheitsherrschaft, Gemeinplatz, Herkommen. Der Übelgelaunte, dem diese Worte zu unparteiisch sind, mag meinethalben Tyrannei der Mittelmäßigkeit und Schlendrian an ihre Stelle setzen. Der mächtigen Individualität von eigenartiger Entwickelung behagt es nicht, sich in die typischen Verhältnisse einzuordnen, die für die typische Menge gerade das Richtige sind. Um so schlimmer für jene. Sie hat darum doch nicht das Recht, die kurzen Beine der Alltagsleute in ihre langen Pantalons zu stecken. Jede Einrichtung, welche der Mehrheit gefällt, ist gut; nicht an sich betrachtet, aber unter den gegebenen Verhältnissen. Das kann gar nicht anders sein. Nehmen wir an, die Menge irre sich, sie fordere einen Unsinn und schaffe die blödsinnigsten Gesetze. Man beeile sich ums Himmelswillen, ihr den Unsinn zu bewilligen und die blödsinnigen Gesetze einzuführen! Die Menge wird alsbald finden, daß sie übler dran ist als früher, klügere und weitersehende Geister werden ihr die Ursache ihrer Leiden zeigen und sie wird schnell genug die nötigen Änderungen fordern. Befindet sie sich aber wider Erwarten im Unsinn wohl und bei den blödsinnigen Gesetzen glücklich, so hat sie vollständig Recht, den Weisen, der sie mit aller Gewalt überzeugen will, daß es von ihr unvernünftig sei, sich glücklich zu fühlen, nach antikem Gebrauch mittels Topfscherben zum Tempel hinaus zu komplimentieren oder in minder eleganter neuzeitlicher Art bei der Polizei als Majestätsbeleidiger oder Wühler anzuzeigen. Wenn eine Menge blitzdumm ist, so muß man sie vorerst blitzdumm sein lassen. Es ist vom Klügern sehr schön und edel, wenn er sich der harten Arbeit unterziehen will, sie allmählich zu größerer Klugheit emporzuzüchten, aber zunächst hat sie Anspruch auf Einrichtungen und Gesetze, die für Hornvieh und nicht für schlaue Rechtsverdreher oder Börsenspekulanten berechnet sind. Der Minderheit von Klugen, denen es auferlegt ist, unter denselben Gesetzen und Einrichtungen zu leben, kann ich nur mein herzliches Beileid ausdrücken. Stellen wir uns doch nur einmal eine Stadt vor, die ganz oder fast ausschließlich von Blinden bewohnt würde. Theoretisch ist das ja denkbar. Ein Sehender würde nun fordern, daß man eine Straßenbeleuchtung einführe. Sein Vorschlag wäre an sich gewiß vortrefflich. Er könnte unschwer die überzeugendsten Gründe für die Notwendigkeit von Gasflammen anführen, mit hinreißendster Beredsamkeit die Pracht einer elektrisch erhellten Nacht schildern. Und dennoch würde die blinde Bevölkerung den Vorschlag einstimmig verwerfen und ich möchte den Vernünftigen sehen, der nicht ihr Recht geben würde und dem Verteidiger des Lichts Unrecht! Abdera braucht eine Stadtverordneten-Versammlung von Abderiten und die Gäste der platonischen Symposien haben da keinen

Platz. Wohnen sie dennoch in der Stadt und wollen nicht auswandern, so bleibt es ihnen allerdings unbenommen, einen Skatklub zu gründen und sich untereinander über ihre Mitbürger lustig zu machen.

Ich denke, der Philister kann mit dem Platze zufrieden sein, den ich ihm in der Welt eingeräumt habe. Ich erkenne ihn als eine monumentale Erscheinung an, nämlich als ein Denkmal der Vergangenheit, allerdings als ein oft schlecht erhaltenes: mit verstümmelter Nase, stümperhaften Ausbesserungen und der Kalktünche eines Viehs von bürgerlichem Anstreichermeister. Seine Physiognomie ist eine Chromolithographie nach einem Bilde, das hohen Kunstwert hat. Er ist der Erbe des Genius, der ihm beständig seine kostbarsten Güter hinterläßt. Ich sehe im Geiste über seiner Schlafmütze den grünen Turban, der ihn als Abkömmling des Propheten kennzeichnet. In seine innere Welt wird ihn der Genius allerdings nicht eintreten lassen. Die gehört diesem allein. Da gilt keine Mehrheit. Wie er denkt und fühlt, das ist ganz allein seine Sache. Allein so wie er aus seiner innern Welt heraustritt, so wie er es sich nicht genügen läßt, bloß durch sein Beispiel zu wirken und bloß für sich zu handeln, hat er die Sondertracht der Eigenartigkeit auszuziehen und die Uniform der Banalität zu tragen. Da ist er nur noch ein Ehrenphilister unter den Philistern. In England muß ein Prinz oder Lord, der in der Cityverwaltung eine Rolle spielen will, sich in eine Gilde aufnehmen lassen. Er muß dem Namen nach Schneider oder Tuchscherer oder etwas ähnliches werden. Das ist ganz, was ich meine.

Rückblick

In einer größeren Abendgesellschaft saß ich in einer Ecke und betrachtete mir das Bild, das ich vor Augen hatte. Der Hausherr zwang sein hartes und widerstrebendes Gesicht in das festgefrorne Lächeln oder vielmehr Grinsen einer Tänzerin, dem man allzu deutlich ansieht, daß es für die Gelegenheit vom Maskenverleiher geborgt ist. Die Hausfrau gab ihren rotgeschminkten Lippen eine liebenswürdig süßliche Krümmung und schoß ab und zu mit dreifachem Auszug von giftigem Neide versetzte Blicke auf einige weibliche Gäste, die jünger und hübscher waren als sie selbst. Die jungen Mädchen spielten teils geschickt, teils so ungeschickt, daß man sie hätte auspfeifen und mit faulen Äpfeln bewerfen mögen, die Possenrolle der verblüfften und eingeschüchterten Unschuld vom Lande; das waren in holder Verwirrung offen vergessene Mündchen, in grundloser Verzückung himmelwärts verdrehte Augen, das waren vollkommen blödsinnige "Ah« und "Oh«, Ausbrüche eines idiotischen Gekichers, wie es Austern haben mögen, wenn ein mutwilliger Finger sie kitzelt, geistreiche kleine Antworten, bei denen man hätte beide Arme gen Himmel erheben und in ein Jammergeschrei ausbrechen mögen; bei all diesem lieblichen Gethue und Gehabe die wunderbare Selbstbeherrschung eines unter den Waffen ergrauten Kriegers, dann und wann ein harter, unerbittlicher Seitenblick auf die Nebenbuhlerin, grausame und haßerfüllte Beurteilung ihrer Erscheinung und Toilette, krämerisch peinliche Abschätzung des Werts derselben, wissenschaftlich genaue Beobachtung der Dauer ihrer Unterhaltung mit den verschiedenen Herren und Feststellung der Anzahl ihrer Tänzer und Hofmacher; und zwischen dieser kaltblütigen Arbeit des Kopfrechnens alle kleine Weile im Geiste ein schwärmerischer Kniefall vor sich selbst und die litaneiartig wiederkehrende inbrünstige Selbstanbetungsformel: "Du bist doch die schönste, die klügste, die anmutigste von allen, Amen.« Die jungen und jungseinwollenden Herren waren würdige Partner dieses "reizenden Damenflors«, wie man ja wohl zu sagen pflegt. Sie bewunderten die Weiße und Glätte ihrer Hemdbrustfläche, den Glanz ihrer spitzen Plattfuß-Schuhe, den Schwung ihres Frackschnitts. Sie wußten beinahe das Kunststück des Chamäleons nachzuahmen und blickten mit dem einen Auge verliebt nach einem Mädchen, mit dem andern weit verliebter in den Spiegel. Die Leere ihres Geistes war von einem Bilde erfüllt: dem ihrer eigenen Unwiderstehlichkeit. Wenn einer von ihnen mit einer Dame sprach, so beobachtete er mit höchster Anspannung all seiner seelischen Fähigkeiten die Wirkung, die er auf sie hervorbrachte und die er mit hundert possierlichen Künsten des Leibes, der Stimme, des Blickes, des Wortes aufs äußerste zu verstärken suchte. Während dieser Zeit war auch die Dame mit nichts anderem beschäftigt als damit, einen möglichst tiefen Eindruck auf ihn hervorzubringen, und der Zusammenstoß dieser beiden unmeßbaren Eitelkeiten, dieser doppelten schonungslosen Selbstsucht ließ in der Dame und dem Herrn sichtlich eine angenehme Selbstzufriedenheit zurück, wie der Organismus sie empfindet, wenn er sich einer großen und zweckdienlichen Kraftausgabe bewußt ist. Neben den leidenschaftlich in sich verliebten Narren und Närrinnen, neben den ruchlosen Skalpjägern beiderlei Geschlechts, die in einem Salon wie in einem Urwald bloß Opfer suchen, um Trophäen auf ihren Gürtel reihen zu können, gab es auch andere Gestalten, die den Beobachter unterhalten konnten. Praktische Streber umlagerten Mütter und Tanten reicher Erbinnen. Widerwärtige Flachköpfe bildeten Gruppen um irgend eine dumm und frech aussehende Kokette, von der man sich allerlei unsaubere Geschichten ins Ohr zischelte, und ihre faunischen Augen, ihr satyrhaftes Lächeln verrieten uneingestehbare Vorstellungen, die ihre entarteten Sinne angenehm erregten. Man drängte sich um einen wichtigthuenden jungen Menschen, den einflußreichen Privatsekretär des Ministers, und schämte sich nicht, seine unsagbaren Plattheiten mit kriecherischem Beifallslächeln anzuhören. Ein berühmter Dichter wurde von zwei anspruchsvollen Damen, die ihre Jahresringe zu verheimlichen suchten, in eine Ecke gedrängt und zum Vorwande genommen, alberne Gemeinplätze über poetische Werke von sich zu geben. Ein tiefsinniger Philosoph war so ungeschickt, sich in einen kleinen Kreis zu verirren, der sich um einen aufgeblasenen Maler geschlossen hatte, und so gutmütig, sich da an der Unterhaltung zu beteiligen. Der Maler sprach von nichts als sich, seinen Nebenbuhlern, seinen Bildern und seinen Erfolgen und gab dem Denker eine halbe Stunde lang bloß zu nichtssagenden, ja einfältigen Bemerkungen Gelegenheit, über die er hernach selbst erröten mußte. Ein Schauspieler trug abgeschmackte Theateranekdoten mit einem Gewicht und einer Durchdrungenheit vor, als stände er auf dem Sinai und verkündete Heilsoffenbarungen, und aus den Augen seiner Zuhörerinnen brach ein Feuer der Bewunderung, das dem pontifizierenden Komödianten beinahe Löcher in die Weste brannte. Ein starker Millionär übersah das bunte Treiben und bedachte voll Selbstachtung, um wie viel größer und erhabener er dastehe als diese Dichter und Philosophen, Schauspieler und Maler, Leutchen, denen die Mode, das Vorurteil der Gesellschaft eine gewisse gleichmäßige Beachtung verschaffe, die aber alle miteinander noch nicht ein Hundertstel seiner Unterschrift gelten. So quirlte dieses Gemisch blödsinnigen Dünkels, alberner Ziererei, Beschränktheit und Gesinnungsniedrigkeit, demantharter Selbstsucht und schlichter Dummheit ohne weiteres Beiwort bald im Tanze, bald im Gespräche, von Musik oder dem Geklapper von Tellern und Tassen harmonisch begleitet, geschlagene fünf oder sechs Stunden durcheinander, bis man sich mit langgezogenen Gesichtern und schwarzen Ringen um die Augen zum Aufbruch anschickte.

Zu Hause angekommen überdachte ich nach meiner leidigen Gewohnheit die Eindrücke des Abends. Weshalb hatte ich mich durch die ungesunde Nachtwache ermüdet? Weshalb mich der Wohligkeit des Bettes beraubt, um in Hitze und Gedränge die Luft zu atmen, deren Sauerstoff bereits von gemeinen, dummen, schlechten oder gleichgiltigen Leuten verbraucht worden war? Welcher Vorteil an Leib, an Geist, an Gemüt war mir aus dieser Rackerei erwachsen? Welche angenehmen Eindrücke hatte ich empfangen, welches kluge oder sinnige Wort gehört, zu welcher vernünftigen Äußerung selbst Anregung empfangen? Auf die jüngsten Stunden zurückblickend, sah ich nichts; eine Einöde mit einigen dürren Kamelknochen und fernem Schakalgekläff; eine Finsternis mit etwas widerwärtigem Fäulnisgeflimmer; eine schwarze Lücke im Leben. Ich schämte mich der Feigheit, mit der ich die Einladung angenommen hatte, weil es doch nicht angehe, den vornehmen und einflußreichen Hausherrn durch eine Ablehnung vor den Kopf zu stoßen; ich war gedemütigt durch die Erinnerung an die unsittliche Duldung, mit der ich unverschämt dünkelhafte oder einfältig flache Bemerkungen hingenommen, ja höflich belächelt hatte, an die unbegreifliche Schwäche, mit der ich selbst auf das Gefasel der Leute eingegangen, in den Straßenschlamm ihrer Anschauungen getreten war und die mir nachträglich als strafwürdige Mitschuld ohne mildernde Umstände erschien. Ich hatte einen wahren Katzenjammer, der um so empfindlicher war, als ich vorher nicht das Vergnügen der Trunkenheit gehabt hatte. Und wie das zu gehen pflegt, ließ ich meinen Unmut nicht an mir, dem im Grunde allein Schuldigen, sondern an den übrigen aus. Es ist ja so menschlich, für das Ungemach, das man sich selbst zugefügt hat, andere verantwortlich zu machen. Ich suchte also meine verbitterte Stimmung durch die Fällung eines allgemeinen Verdammungsurteils über die Menschheit zu erleichtern. Lauter Hanswürste, oder Waldesel, oder Halunken! Wiederkäuendes Vieh, oder blutsaufende Bestien, oder gemeine Köter von der Art, deren Junge man zu ertränken oder zu verschenken pflegt! Ein Ekel oder ein Grauen! Und ein Schelm oder ein Narr, der sich ohne Halsnot unter dieses Gezücht begiebt und freiwillig mit den Wölfen heult und den Ochsen brüllt, mit dem Aasgeier die Appetitlichkeit des Luders rühmt und der Truthenne um ihres Geistes willen den Hof macht!

Während lästerliche Gedanken dieser Art einander in meinem Gehirn jagten, fiel mein Blick zufällig auf mein Mikroskop, das von der Nachmittagsarbeit her auf dem Schreibtisch stehen geblieben war. Dieses Werkzeug wirkte auf mich wie nie zuvor. Der Vergleich mag seltsam dünken, aber es schien sich vor mich hinzustellen wie die nackte Phryne vor die Richter von Athen und zu sagen: "Sieh mich an und verurteile dann, wenn du dazu imstande bist.« Eine Stimme erhob sich in mir, die mich mit Ernst und Nachdruck ungerecht nannte und die Menschheit, die ich eben verdammt hatte, begeistert zu preisen begann. Wie wagte ich es, dieselben Menschen dumm und oberflächlich zu schelten, die das Mikroskop erfinden gekonnt! Welche tiefe, anhaltende und starke Geistesarbeit setzte schon dieses eine Instrument voraus! Es mag sein, daß es der Zufall war, der zuerst lehrte, wie sich ein hohles, wie ein gewölbtes Glas, wie eine Vereinigung beider dem Lichtstrahle gegenüber verhalte. Aber der menschliche Geist hatte diesen Zufall durch seine Arbeit auszubeuten, um alle Früchte aus ihm zu ziehen, die er liefern konnte. Man mußte den Weg verfolgen und genau feststellen, den der Lichtstrahl durch die verschiedenen Gläser zurücklegte, bald auseinanderweichend, bald gleichlaufend, bald zusammentretend. Man mußte die geometrische Theorie dieser Erscheinungen finden. Man mußte Vorrichtungen von wunderbarer Feinheit herstellen, um auf eine Glasplatte Striche einzuritzen, die einen Millimeter in Zehntel teilen. Das alles haben Menschen fertig gebracht. Und wofür haben sie soviel Mühe und Scharfsinn aufgewendet? Um die Grenzsteine der Erkenntnis um eine ganz winzige, fast unermeßbar kleine Strecke weiter hinauszurücken. Denn über die wirklichen Dienste, welche das Mikroskop zu leisten vermag, täuscht sich nur der ganz Unwissende. Was man durch das Mikroskop unterscheidet, das ist nicht nur an Umfang, sondern auch an Wichtigkeit verschwindend gegen das, was man mit freiem Auge sieht. Der Hund ist viel merkwürdiger als das Aufgußtierchen und die Eiche als die Bakterie. Eine Schlagader ist viel wunderbarer als ein Haargefäß, die zusammengesetzte Bewegung eines Arms viel überraschender als die einfache Kriech-Regung eines Protoplasma-Klümpchens oder das Brownsche Flimmern eines winzigen, unorganischen Stoffteilchens und eine Menschenbrust mit allem, was sie enthält, viel erstaunlicher als eine Zelle und das, was in ihr ist. Die Aufschlüsse, die uns ein einziger Blick in die Außenwelt über alle Verhältnisse des Kosmos und unseres Ichs gewährt, lassen sich mit denen gar nicht vergleichen, die uns das anhaltendste Studium mikroskopischer Präparate geben kann. Was wir eigentlich wissen möchten: wie die Körper in ihrem innersten Wesen beschaffen, aus welchen letzten, einfachsten Bestandteilen sie zusammengesetzt sind, wie die chemischen und die Lebenskräfte wirken, davon verrät uns das Mikroskop auch nicht eine Silbe. Die letzte Form, die uns auch das beste dieser Werkzeuge enthüllt, ist die Zelle, in der wir einen Kern unterscheiden. Vielleicht sehen wir auch noch diesen Kern aus einer Hülle, einem wahrscheinlich flüssigen Inhalt und einem Mittelpunkt-Körperchen bestehen. Da hört aber auch das Sehen und Unterscheiden auf. Nach seiner Thätigkeit zu schließen, muß jedoch der Zellkern noch eine überaus komplizierte Maschine sein, deren Bau und Arbeit wir kennen müßten, um hinter das Geheimnis des Lebens zu kommen. Zwischen dem eben noch wahrnehmbaren Zellkern und dessen letzten Bestandteilen dehnt sich noch ein so ungeheurer Abstand aus, daß das Stückchen Weg zwischen dem mit freiem Auge sichtbaren Gewebe und der Zelle, das wir mit Hilfe des Mikroskops zurücklegen können, dagegen gar nicht in Betracht kommt. Es ist genau, als wollte ich, in Berlin in einer Stube sitzend, nach New-York hinüberschauen und öffnete mir die Thür, so daß ich meinen Gesichtskreis um die ganze Breite des Vorzimmers erweitert hätte. Und um diese winzige Verlängerung des Ausblicks haben sich Menschen so viel Mühe gegeben, haben sie so viel ausdauernde Arbeit, Geist und Geschicklichkeit aufgewandt!

Von meinem Mikroskop wanderte mein Blick zur Bücherei, wo er zuerst auf die Werke von W. Thomson und Helmholtz fiel. Ich überdachte, was wir heute von dem wissen, was man so überaus ungenau die Geheimnisse der Natur nennt. Die Natur hat keine Geheimnisse. Sie thut alles mit gutmütiger Offenheit. Ihre Verrichtungen geschehen bei hellem Tage, unter Entwicklung von Licht und Geräusch, in Begleitung von Erscheinungen, welche Aufmerksamkeit erwecken. Unsere Schuld oder vielmehr Schwäche ist es, daß wir nicht verstehen, was um uns und in uns vorgeht. Wie unbekümmerte Eltern in Gegenwart ganz kleiner Kinder über alles Mögliche sprechen, ohne daß der noch zu unentwickelte Geist der kleinen nicht beachteten Zuhörer den Inhalt des Gesprächs aufzufassen und mehr als einzelne Worte ohne Zusammenhang zu behalten vermöchte, so giebt sich die Natur in unserer Gegenwart allen ihren Arbeiten hin und wir sehen mit blöden Kinderaugen zu und begreifen nicht und merken uns nur ab und zu einen Handgriff, eine häufig wiederkehrende Bewegung, ein Wort, ohne zu ahnen, was das alles bedeute und wozu es geschehe. Man sieht, ich überschätze den Umfang unseres Wissens von der Natur nicht. Aber selbst das Wenige, was wir der großen Mutter abgeguckt haben, welche herrlichen Eigenschaften setzt es bei uns Menschen voraus! Man hat Jahrhunderte, Jahrtausende lang aufpassen, Scharfsinn, Gedächtnis, Kombinationsgabe, Einbildungskraft in gewaltiger Menge ausgeben, Geduld und Aufmerksamkeit aufs Äußerste anspannen, man hat die tückischsten Irreführungen vermeiden, die hartnäckigsten Gewohnheiten des Denkens besiegen müssen, um auf unsern heutigen Stand des Wissens von der Natur zu gelangen. Es ist ein Lieblingsbild meiner Phantasie, mir Pythagoras vorzustellen, wie er als berühmter ausländischer Gelehrter unter Führung der betreffenden Professoren das physikalische und chemische Laboratorium einer großen Universität unserer Tage besichtigt. Ich male mir die Vorgänge in seinem Geiste und den Wechsel von Staunen, Andacht und Bewunderung auf seinem Antlitz aus, wenn man ihm die Apparate zeigt und erklärt, welche die Sonnen- und sogar die Nebelhaufen-Strahlen auf die chemische Natur ihrer Quellen analysieren, welche die Anzahl der Wellen eines Tons in einer Sekunde, die Zahl und Weite der Schwingungen eines Lichtstrahls verzeichnen, die Geschwindigkeit des Ganges eines elektrischen Stroms durch einen Kupfer- oder Silberdraht messen, die Wärmemenge erkennen lassen, welche bei der chemischen Verbindung oder Trennung zweier Gase frei oder gebunden wird. Welcher Gesichtskreis würde sich ihm plötzlich aufthun! Welche gottähnliche Erweiterung seines Geistes würde er in sich spüren! Und dieser alte Großgrieche wußte doch schon selbst so viel und hatte schon den Gedanken gehabt, feste, einfache Zahlenverhältnisse hinter den Naturerscheinungen zu suchen. Was gehörte bloß dazu, auf die Vermutung zu kommen, daß die Luft, die wir atmen, aus mehreren Körpern zusammengesetzt sei, daß das einfache, allgegenwärtige, uns darum vertraute und sicherlich jahrtausendelang unauffällige Wasser aus zwei Luftarten bestehe, daß ein Ton in Wirklichkeit eine Wellenbewegung, eine einzige Farbe etliche Tausende oder Millionen Schwingungen sei! Denn in der That: wenn ich meine Gefühle zergliedere, so finde ich, daß das, was mich ergreift, weit weniger diese Thatsachen sind, die wir nun kennen, als der Drang, der uns angetrieben hat, sie zu suchen. Die Menschen, die dem schlichten Wasser Jahre der Forschung und Betrachtung widmeten, die, von der Beobachtung ausgehend, daß Hitze es in einen luftartigen Zustand versetze, sich die Frage vorlegten, ob der Dampf nicht seinerseits aus einfacheren Dämpfen oder Gasen zusammengesetzt sei, diese Menschen waren nicht stumpf und nicht flüchtig. Sie gaben sich mit keinem oberflächlichen Anschein zufrieden. Sie wollten allen Dingen auf den Grund gehen. Oder die Menschen, die sich bei etwas so Alltäglichem, wie es ein Gesichts- oder Gehörseindruck ist, aufhielten und diesen scheinbar einheitlichen und unteilbaren Eindruck als eine Zusammenfassung mehrerer Urbestandteile erkannten, waren sie etwa flüchtige Genießer, die sorglos in den Tag hineinlebten? Nein, diese Menschen waren sittlich. Sie waren tief und groß. Sie suchten keine Befriedigung ihrer gröberen und gröbsten Sinne, sondern Genüsse für den feinsten, den wir besitzen: für den Drang nach Wahrheit und Erkenntnis. Gewiß, es ist auch ein Vergnügen, eine neue Wahrheit zu finden, und wahrscheinlich ein viel mächtigeres, als es irgend eine andere leibliche Genugthuung gewähren kann. Der Schrei "Gefunden!« des Archimedes jubelt heller durch die Menschheitgeschichte als der verzückte Ruf irgend eines Liebenden bei der ersten Umarmung der Geliebten und das sprachlose Entsetzen Newtons, als seine Katze durch Umwerfen der Lampe die Blätter mit seinen wichtigsten Rechnungen verbrannte, ist wahrscheinlich eine ebenso qualvolle Empfindung gewesen wie die Napoleons am Abend von Waterloo. Aber es ist doch ein Vergnügen ganz anderer Art wie das, welches ein gutes Abendessen oder selbst eine sich bis ans Lebensende erstreckende Reihe guter Abendessen, welches das Einherstolzieren in schönen Kleidern, schmeichelhafte Ansprachen von Tischnachbarn, sogenannte Eroberungen und gesellschaftliche Erfolge gewähren können, und es sind doch Menschen, vor denen man die Hände falten möchte, die Menschen, die sich für ihr Leben keinen andern Inhalt verlangen als die Hoffnung, eine Wahrheit zu finden, und deren Glück und Freude eine neue Erkenntnis ist.

Neben den Physikern, den Astronomen, den Naturforschern tauchten vor dem langsam weitergleitenden Auge die Philosophen auf. Fechner, Lange, Wundt, Zeller, Lazarus, Spencer, Bain, Mill, Ribot; so las ich der Reihe nach auf dem Rücken von Büchern, die mir teuer sind. Es war ein Macbethsches Gesicht: gewappnete Häupter, Gestalten mit Kronen erschienen vor mir; ein langer Zug von Königen trat aus dem Dunkel hervor und schritt herrlich an mir vorüber, einen Gruß im leisen Neigen des gewaltigen Kopfes, eine Huld im freundlichen Auge. Und anders wie Macbeth bei der Hexe, empfand ich bei diesem Anblick kein Grauen, sondern eine unsagbare Erhebung. Denn diese Könige, diese Eroberer weiter Geistesgebiete, diese siegreichen Heerführer in Kriegen gegen mächtige Irrtümer waren keine Feinde, sondern meine eigenen stolzen Ahnen, mit denen, wenn auch noch so weitläufig, verwandt zu sein, von denen, wenn auch in noch so entfernter Herkunft, abzustammen, ein unvergleichliches Hochgefühl ist. Und diese Abstammung, diese Verwandtschaft kann nicht bestritten werden. Wir alle, die an der Bildung unserer Zeit teilhaben, gehören zur Familie jener Geisterkönige, wenn auch vielleicht nur als jüngere Söhne und ohne Aussicht auf Nachfolge in den höchsten Stellen; wir haben die Stammesähnlichkeit mit den erlauchten Münzköpfen; wir können den Besitz von Familien-Kleinodien nachweisen, von Gedanken und Anschauungen, die wir von jenen Ahnen geerbt haben. Sie haben für uns geschafft wie die Riesen und wir leben, fast ohne uns etwas Besonderes dabei zu denken, in Erkenntnissen, deren Erwerbung weit wunderbarer war als alle Arbeiten des Herkules zusammengenommen.

Ich wiederholte, was man vor mir schon so oft gethan hat, daß es schier Gemeinplatz geworden ist: angeregt durch den Anblick von Lubbocks Urgeschichte des Menschen überflog ich im Geiste die ganze Entwicklung unserer Gattung von ihrem ersten Auftreten auf Erden bis zum heutigen Tage. Welch ein Aufstieg! Welch eine Folge von glorreichen und erhabenen Bildern! Die Menschen, die in den dänischen Mooren ihre Küchenabfälle und im Neanderthal, im Cro-Magnon, in Solutre ihre Schädel zurückgelassen haben, standen nicht viel höher als die begabteren Tiere, vielleicht nicht so hoch wie der gebildete Pudel, den Sir John Lubbock lesen zu lehren versuchte; jedenfalls tiefer als Feuerländer, Buschmänner oder irgend ein gegenwärtig lebender Menschentypus. Sie waren gegen Kälte und Nässe schlechter geschützt als der nackte Regenwurm, der sich wenigstens rasch und leicht in die Erde einbohren kann. Sie waren schwächer als die großen Fleischfresser, langsamer als die Huftiere, wehrloser als die gehörnten Pflanzenfresser. Wo sie keine Baumfrüchte fanden, da hockten sie kläglich an Meeresküsten und warteten, bis die Ebbe ihnen allerlei Gewürm auf dem hervortretenden Seegrunde zur Nahrung überließ. Aber in diesen armseligen Geschöpfen lebte etwas, was sie zum Stolze der Erde machte. Die einzigen Wesen in der uns bekannten Reihe der Lebenden, ließen sie sich ihr Schicksal nicht gefallen und nahmen den Kampf gegen die ihnen von der Natur gemachten Daseinsbedingungen aus. Sie waren nackt? Sie erfanden sich Hüllen vom mythischen Feigenblatt bis zur Seiden- und Samtrobe des weltstädtischen Modeschneiders, die von ganz ernsten Leuten als Kunstwerk angesprochen wird. Der Regen ärgerte sie? Sie bauten sich Obdächer vom Baumnest aus geflochtenen Zweigen bis zur Kuppel St. Petri von Michel Angelo und fanden dazwischen noch Zeit zu solchen Scherzen, wie es ein Regenschirm, ein Panamahut und dessen Verspottung, die Cereviskappe, sind. Sie liefen nicht rasch genug? Sie brachen zunächst dem Pferde das Kreuz und gelangten schließlich zum Blitzzug, ihren Geist unterwegs mit der Erfindung der Droschke, des Bicykles und Bummelzugs ausruhend. Sie waren schwächer als die großen Tiere? Krupp und Whitehead sind da, um zu bezeugen, daß sie heute vor ihren Feinden keine besondere Angst mehr zu haben brauchen. Keinen Augenblick lang stillstehend, stetig vorwärtsschreitend, gelangten sie immer weiter, immer höher, vom Geflecht aus geknüpftem Bast bis zum mechanischen Webstuhl und vom Steinkeil bis zum elektrischen Accumulator. Jede Generation hat an diesem Werke mitgearbeitet, jede ohne Ausnahme. Man liest und hört manchmal, daß die Menschen allerlei wichtige Erfindungen vergessen haben sollen; daß den alten Ägyptern, Indern, Juden Künste und Naturkräfte bekannt gewesen seien, die uns entweder völlig verloren gegangen oder die wir nach jahrtausendelanger Verschollenheit von neuem haben entdecken müssen. Das ist im höchsten Grade unwahrscheinlich. Eine solche Annahme ist die Ausgeburt derselben Mystik, die den Menschen auch den weitverbreiteten Traum der "guten alten Zeit«, des in der Vergangenheit liegenden "goldenen Zeitalters« eingeraunt hat. Es ist nicht wahr, daß es Epochen des Rückschritts oder selbst nur des Stillstandes in der Geschichte der Menschheit giebt. Die entgegengesetzte Behauptung beruht auf ungenauer Beobachtung und auf Einseitigkeit. In Jukatan findet man mitten im Urwald die Ruinen großer Tempel, die eine hochentwickelte Baukunst bekunden, während die heutigen Bewohner des Landes in Hütten aus Baumzweigen wohnen. In Mittelasien schweifen Hirtenvölker, deren Obdach ein Filzzelt ist, durch die Trümmer weitläufiger Städte mit Steinpalästen, Abzugskanälen, Bildhauereien und Inschriften. In Ägypten blicken die Pyramiden und Thortürme auf die Lehmnester der Fellahin herab. Das frühe Mittelalter sieht sich wie ein Untergang der alten griechisch-römischen Gesittung an. Das übersehe ich keineswegs. Aber was bemerken wir in jedem einzelnen der angeführten Fälle? Bloß das eine, daß die Menschen es zeitweilig verlernt haben, Luxusbedürfnisse zu haben und sie zu befriedigen. Das Schöne, aber Überflüssige konnte vergessen werden, das Notwendige niemals. Die Menschen konnten die Fertigkeit verlieren, ihre Kleider zu sticken, niemals die, sich zu bekleiden, wenn sie dieselbe einmal erworben hatten. Man konnte aufhören, die Dächer mit Goldplatten zu überziehen, man hörte nie auf, sich ein Obdach zu bereiten. Die wesentlichen Kenntnisse, das heißt diejenigen, die bestimmt sind, die angeborene Hilflosigkeit des Menschen inmitten einer feindlichen Natur wettzumachen, also die ihm die Selbsterhaltung erleichtern, diese Kenntnisse hat er nie verlernt, sondern immer erhalten und erweitert. Es ist vorgekommen, daß barbarische Völker über Staaten, die durch eine hohe Zivilisation erschlafft und vermorscht waren, herfielen und sie zertrümmerten. Da schreit man dann über Rückschritt und Verwilderung. Mit Unrecht. Die siegreichen Barbaren blieben in diesen Fällen niemals stehen. Sie entwickelten sich weiter, aus sich heraus oder von den Unterworfenen lernend. Auch die Besiegten gingen nicht zurück, weil es etwa in ihnen lag, sich nicht weiter auszubilden, sondern weil sie von ihren neuen Herren gewaltsam verhindert wurden, in ihren Gewohnheiten weiter zu leben. Ich werde an die Möglichkeit des menschlichen Rückschritts glauben, wenn man mir in der ganzen Weltgeschichte einen einzigen Fall zeigen wird, in welchem ein Volk, obwohl keinen äußern, unüberwindlichen Zwang erleidend, obwohl in den von früher her gewohnten Verhältnissen verbleibend, rasch oder allmählich von einem einmal erreichten auf einen tiefern Stand der Gesittung hinabgeglitten wäre. Einen solchen Fall suche ich vergebens.

Überzeugten Verächtern des Menschengeschlechts flößen stoffliche Fortschritte keine Achtung ein, das weiß ich. Was beweist es, daß wir heute telephonisch und telegraphisch verkehren, sagen sie, oder daß wir nicht mehr mit Pfeilen, sondern mit Repetiergewehren schießen? Erfindungen, und wären sie noch so schön und nützlich, entspringen weder der Güte noch selbst der besonderen Klugheit der Menschen. Ihren Ursprung kann man gewöhnlich auf einen Zufall zurückführen und ihre Vervollkommnung ist fast immer das Werk der niedrigsten

Triebe. Der erste Erbauer der Dampfmaschine dachte nicht daran, armen Lastträgern oder Radtreibern die Mühsal des Lebens zu erleichtern, sondern daran, sich zu bereichern und Ruhm zu erwerben. Kein Erfinder hat sich mit dem Bewußtsein begnügt, der Menschheit einen Liebesdienst erwiesen zu haben. Er hat sich eifrig um Patente bemüht, die der geliebten Menschheit eine oft schwere Steuer für den Genuß der neuen Bequemlichkeit auferlegten; er hat wie ein Zahnbrecher geschrieen, wenn er sich von den Zeitgenossen nicht hinreichend geehrt, anerkannt und bar belohnt glaubte. Eisenbahnen und Werkzeugmaschinen sind also in keiner Art Beweise gegen die Erbärmlichkeit der Menschen.

Ich halte mich gar nicht dabei auf, die Anschauungen im einzelnen zu widerlegen; ich sage nur: wie groß sind neben den stofflichen doch auch die geistigen und sittlichen Fortschritte! Welche Summe von Edelmut, Überzeugungstreue und Erhabenheit der Gesinnung ist die Geschichte der Menschheit! Freilich, wenn man will, kann man in ihr nichts anderes sehen als eine Folge von wüsten Kriegen, viehischen Zerstörungen, Ränken, Lügen, Ungerechtigkeiten und Gewaltthaten. Aber es ist nicht die Schuld der Menschen, daß die Geschichtschreiber mit Vorliebe die häßliche und verbrecherische Seite der Ereignisse hervorgehoben haben. Diese haben auch eine schöne Seite, man muß sie nur suchen. Im scheußlichsten Gemetzel einer Schlacht treten glorreiche Züge von Selbstlosigkeit, Opfermut und Nächstenliebe zu Tage. Beim Kindermorde von Bethlehem haben wahrscheinlich Mütter Gelegenheit gehabt, alle Schätze eines mit Selbstvergessenheit liebenden Herzens auszubreiten, und ich zweifle nicht daran, daß es in der Bartholomäusnacht an Thaten rührender Treue und bewundernswürdigen Heldentums nicht fehlte. Auf jedem Blatte der Weltgeschichte leuchtet der Name von Blutzeugen, die für das, was sie als wahr erkannt hatten, stritten und litten. Für jede Erkenntnis, für jeden Fortschritt ist Blut geflossen, edles, großmütiges Blut, oft in Strömen. Und die es unerschrocken und ohne Zögern hingaben, welchen Lohn haben sie erwartet? Offenbar keinen stofflichen, denn was nutzen alle Millionen der englischen Bank, wenn die Verbindung zwischen Mund und Magen durch Zerschneidung der Speiseröhre unterbrochen ist. Und selbst keinen geistigen, selbst nicht den Nachruhm, das Fortleben in der Erinnerung der Menschen, denn viele Großthaten sind im Dunkeln geschehen, unbeachtet von geschwätzigen Zeugen, bloß von dem innerm Auge des Helden gesehen, das sich für immer schloß, als das Opfer vollbracht war. Nicht um groben Eigenvorteil haben die Vorkämpfer des Gedankens gerungen, sondern um ein so feines und edles Gut, daß es einen hochadeligen Geist voraussetzt, um es zu schätzen: um das Recht, in einem Luftkreise von Wahrheit zu atmen, die Handlungen mit den Anschauungen in Übereinstimmung zu bringen, die leisen Gedanken der innersten Seele laut auszusprechen, an einer gefundenen Erkenntnis alle Menschen teilnehmen zu lassen.

Ich habe aber gar nicht nötig, die tragischen Beispiele von Märtyrern anzuführen. Die Schönheit des Menschentums hat sich ja nicht bloß in den Flammen des Scheiterhaufens und aus der Schaubühne des Blutgerüstes enthüllt, sie waltet bescheidener, doch ebenso sichtbar, zu allen Zeiten, an allen Orten und mitten unter uns. Unser tägliches Leben ist von ihr umflochten und durchdrungen. Unsere Gesittung trägt im Größten wie im Kleinsten ihre Züge. Man vergegenwärtige sich nur, aus welchen Empfindungen heraus sich der Entschluß bildet, ein Hospital zu gründen, wo arme Leute in ihrer Krankheit gepflegt werden! Oder ein Leihhaus, wo der Dürftige zu geringen Zinsen ein Darlehn erhält! Die Menschen, welche diese Einrichtungen erfanden, waren in der Regel reiche Leute, in Überfluß lebend und sterbend, ohne eigene Erfahrung von Not und Verlassenheit. Man dürfte ihnen gar keinen Vorwurf daraus machen, wenn ihren Geist bloß die ihnen bekannten Bilder eines üppigen Daseins füllten, wenn Vorstellungen von Elend, die sie nie gesehen, in demselben keinen Platz fänden. Sie traten aber aus sich selbst heraus. Sie suchten das Fernliegende auf. Sie nahmen sich die Mühe, sich fremde Leiden zu vergegenwärtigen. Als die Reichen bei Tische sitzend, fragten sie sich, wie es Lazarus vor der Thür zu Mute sein müsse, und mit Goldstücken spielend, stellten sie sich vor, wie es wohl wäre, wenn sie den Marktpfennig nicht hätten, um den Kindern Brot zu kaufen. Ist das nicht gut, ist das nicht selbstlos? Da mag übrigens noch der Zusammengehörigkeits-Gedanke eine Rolle gespielt haben. Der Erste, der für Kranke und für Arme sorgte, mag unbewußt von der Vorstellung bestimmt worden sein: "Ich kann auch einmal arm und krank sein und dann wäre das Spittel oder Leihhaus auch für mich eine Wohlthat.« Aber daran hat, wenigstens in Europa, wo an Seelenwanderung nur wenig geglaubt wird, doch wohl schwerlich jemand gedacht, daß er auch einmal ein Köter oder Gaul werden könnte, und dennoch hat man Tierschutz-Vereine und Pflegestätten für herrenlose Hunde gestiftet und den Königsmantel menschlichen Mitgefühls auch über die unvernünftige Kreatur geworfen. Diese Weitherzigkeit, die sogar tierisches Leiden in ihre Fürsorge einschließt, achte ich selbst noch in der Antivivisektions-Bewegung. Die Menschen, von welchen dieselbe herrührt, sind zwar in geistiger Hinsicht hoffnungslose Trottel, die ein so vollständiges Unvermögen des Begreifens und Urteilens bekunden, daß man ihnen unbedingt das Recht nehmen müßte, in Staat und Gemeinde mitzusprechen oder selbst über ihr eigenes Vermögen zu verfügen. In Hinsicht auf das Gefühl ist aber gegen sie nichts einzuwenden. Sie haben ein Herz für Leiden, die sie sehen oder sich vorstellen können. Sie handeln aus uneigennütziger, wenn auch idiotischer Sympathie.

So sind wir von erhabenen und rührenden Kundgebungen menschlicher Tugenden ganz umgeben. So spricht alles von großen und edeln Eigenschaften des Menschen zu uns: jede Erfindung von seinem klugen Sinn und seiner Handgeschicklichkeit, jede Wissenschaft von seiner Gabe geduldiger Beobachtung und seinem ernsten Wahrheitsdrange, jede sittengeschichtliche Thatsache von seiner selbstlosen Herzensgüte und liebevollen Rücksicht auf Mitgeschöpfe. Unzählig sind die gewaltigen Geister und tiefen Gemüter, die vor uns gelebt haben und mit uns leben, und der ganze Inhalt unseres Daseins, unsere Gedanken- und Empfindungswelt wie unsere Alltags-Bequemlichkeit, besteht aus den Früchten ihrer Arbeit.

Der Anwalt des Teufels verliert seine Rechte nie. Er hemmte hier den hohen Flug meiner Begeisterung für die Menschheit, indem er grinsend die Zwischenbemerkung machte: Ganz richtig, große Geister hat es immer gegeben und wird es vielleicht immer geben; aber sind sie nicht die seltene Ausnahme? Ist darum die regelrechte Mehrheit weniger erbärmlich und gemein? Werden jene nicht immer von dieser verfolgt und angefeindet? Johann Huß, Arnold von Brescia waren je einer; der Pöbel, der um ihren Holzstoß stand und sie mit Erbauung braten sah, zählte nach Tausenden. Galilei war einer; die Kardinale, die ihn unter Androhung der Folter zum Widerrufe zwangen, waren Dutzende. Dir stellt sich der Entwickelungsgang der Menschheit als ein ununterbrochener Vormarsch mit breiter Front und in tiefen Massen dar. Das ist ein Bild. Ich sehe ein anderes; das einer Reihe von Tierbändigern, die einer feigen und blutgierigen Bestie zahme Sitten beibringen möchten; das böse Vieh denkt bloß daran, seinen Bändiger zu zerreißen, und es wird davon nur durch die Peitsche und die Pistole und seine eigene Dummheit und Niederträchtigkeit abgehalten. Es ist wohl überflüssig, hinzuzufügen, daß die Bestie die Menschheit und die Bändiger die großen Geister sind.

Diese Rede der innern Stimme erweckte einen Augenblick lang alle die Unlust-Empfindungen wieder, die ich von meiner Abendgesellschaft heimgebracht hatte. Ich war nahe daran, dem Teufelsanwalt Recht zu geben. Aber da stand noch das Mikroskop, da glänzten noch auf dem Rücken der Bücher die erlauchten Namen – nein, er hatte doch nicht Recht. Es ist ein rednerischer Kniff, die Menschheit in eine große Herde und wenige Hirten zu teilen. Es ist falsch, die auserlesenen Geister als die einzige Triebkraft, die Menge als das ewige Hindernis hinzustellen. Diesen Irrtum habe ich auch lange geteilt, ich gestehe es. Ich war der Meinung, man könnte die ganze weiße Menschheit auf den Standpunkt des Mittelalters oder noch tiefer zurückwerfen, wenn man zehntausend klug gewählten Zeitgenossen, den einzigen wirklichen Trägem unserer Kultur, den Kopf abschlüge. Ich glaube das nicht mehr. Die erhabenen Eigenschaften der Menschheit sind nicht das ausschließliche Gut von wenigen, welche Ausnahmen bilden, sondern Grundgaben, die gleichmäßig durch die ganze Masse der Gattung verteilt sind wie die Organe und Gewebe selbst, wie Blut und Hirnmasse und Knochen. Gewiß, einzelne haben mehr davon, aber alle haben etwas. Wie schade, daß der Versuch nicht zu machen ist! Aber theoretisch kann ich mir ihn ausdenken: man nehme eine Anzahl der gleichgiltigsten Dutzendmenschen, ohne besondere Geistesbildung, ohne Fachkenntnisse, Leute, die von nichts ein tieferes Wissen haben, als man es durch flüchtiges Überfliegen von Zeitungsartikeln und Bierhaus-Gespräche erlangen kann; man lasse sie durch Schiffbruch auf eine wüste Insel verschlagen werden und dauernd auf sich allein angewiesen sein; wie wird sich das Schicksal dieser Robinsons gestalten? Anfangs werden sie übler daran sein als die Wilden der Südsee. Sie haben nicht gelernt, sich ihrer natürlichen Gaben zu bedienen. Sie wissen nicht, daß man essen kann, ohne vom Kellner bedient zu werden, daß es außerhalb der Markthallen Nahrungsmittel giebt und daß man, um sich notwendige Kurzwaren zu verschaffen, auch andere Wege einschlägt als den zum Kramladen. Aber das wird nicht lange dauern. Sie werden sich bald zu helfen wissen. Sie werden zuerst in sich selbst Entdeckungen und dann wichtige Erfindungen machen. Es wird sich herausstellen, daß in dem einen ein großes technisches, im andern ein philosophisches, im dritten ein organisatorisches Talent steckte. Sie werden in einem oder zwei Menschenaltern die ganze Entwicklungsgeschichte der Menschheit aus sich heraus wiederholen. Alle von ihnen haben Dampfmaschinen gesehen, keiner von ihnen weiß genau, wie eine solche beschaffen ist, und sie werden durch eigenes Nachdenken dennoch bald dahinter kommen und sich eine bauen. Alle von ihnen haben von Pulver reden hören und keiner weiß genau, in welchen Verhältnissen seine Bestandteile gemischt sind; sie werden trotzdem alsbald brauchbares Pulver bereiten. Und so mit allen Geräten, Kenntnissen und Fertigkeiten.

Die Leute, die man daheim für das gewöhnlichste Pack ansehen mußte, waren in Wirklichkeit lauter, kleine Newtons, Watts, Helmholtz', Graham Bells. Inmitten unserer Gesittung fehlte ihnen die Gelegenheit, sich zu entwickeln, die Insel hat sie ihnen geboten. Das zivilisierte Leben verlangte nichts von ihnen als Klatsch und Eselei und etwas Bargeld. Um letzteres kauften sie, was sie brauchten und nicht auf Borg bekommen konnten, und Klatsch und Eselei lieferten sie zur Genüge. Die Not forderte von ihnen Ernst, Tiefe, Erfindung und siehe da – sie lieferten auch diese und genug, um in einer europäischen Hauptstadt einen großen Mann auszustatten. Die Volksweisheit hat längst bemerkt, daß man Menschen am besten im Krieg und auf Reisen kennen lernt. Warum? Weil sie da nicht in gewohnten Gleisen hinrollen, weil sie, um mit den Verhältnissen fertig zu werden, allen Witz, den sie im innersten Wesen haben mögen, hervorkehren müssen und weil sie in der Regel unter diesem Zwange thatsächlich Eigenschaften entfalten, die man sonst in ihnen nie geahnt hätte. Ich bin nicht weit davon entfernt zu glauben, daß in jedem gesund entwickelten Menschen die Anlage zu einem großen Kulturförderer ist. Man muß ihn nur zwingen, es auch zu werden. So kann aus jeder Baumkrone eine Wurzel werden, wenn man den Baum umgekehrt in die Erde setzt und auf diese Weise die belaubten Zweige zwingt, Nahrung aus dem Boden zu saugen.

Meine Abendgesellschaft stellte sich mir nun in einem ganz andern Lichte dar. Ich sah nicht mehr Närrinnen und Gecken, Selbstlinge und Dummköpfe, Gemeinheit und Eitelkeit, sondern nur noch unerkannte Talente, Brutus, die Blödsinn heucheln, große Menschen, die unsere ganze heutige und künftige Gesittung wieder herstellen würden, wenn sie aus irgend einer Ursache verloren ginge. Eine tiefe Liebe und Bewunderung für die ganze Menschheit zog in mein Herz ein und sie hat thatsächlich so lange gedauert, bis ich – wieder unter Menschen ging.

Erfolg

Was ist der letzte Zweck der Schule, allen Unterrichts wie aller Erziehung? Offenbar, das Leben durch Vertiefung, Bereicherung und

Verschönerung desselben angenehmer zu machen, anders gesagt, das Wohlbefinden des Einzelnen und der Gesamtheit zu erhöhen. Darüber kann es nur eine Meinung geben. Die Pädagogen, welche die Aufgabe der Schule scheinbar anders umschreiben, gehen einfach nicht bis zu deren äußerstem Ziele, sondern bleiben unterwegs stehen. So wenn man sagt, die Schule habe den Charakter zu formen. Was heißt das, wenn man dieser Phrase auf den Grund geht? Man formt doch den Charakter nicht um seiner eigenen Schönheit willen oder um das Auge einiger Kenner zu erfreuen, wie man etwa eine Bronzebüste gießt und ziseliert, sondern im Hinblick auf eine Nutzwirkung! Ein tüchtiger Charakter, das ist Festigkeit in den Vorsätzen, Ausdauer in den Unternehmungen, Unerschütterlichkeit in den Überzeugungen, Treue in den Neigungen und Furchtlosigkeit in den nötigen Feindschaften, wird als eine gute Wehr und Waffe im Kampfe ums Dasein betrachtet; man setzt voraus, daß er den Sieg über Mitstrebende und Gegner erleichtert oder, wenn es einmal den Göttern gefällt, eine schlechte Sache triumphieren zu lassen, und die gute sich die Niederlage mit dem Gedanken an den Beifall Catos versüßen muß, dem Besiegten doch die Genugthuung gewährt, daß er mit sich zufrieden und gerade auf die Eigenschaften, die seine Niederlage herbeigeführt haben, stolz ist. Oder wenn es heißt, die Schule sei berufen, den Geist zu bilden, den Willen zu stärken, den Sinn für das Gute und Schöne zu entwickeln. Wozu das alles? Man bildet den Geist, damit er die Erscheinungen der Natur und Gesellschaft begreife, damit er die Freude habe, das Wesen und den Grund vieler Dinge wenigstens bis zu einem gewissen Punkte zu verstehen, damit er Gefahren vermeiden und Vorteile benützen lerne; man stärkt den Willen, damit er Schädlichkeiten aller Art vom Individuum fern halte; man entwickelt den Sinn für das Schöne und Gute, damit er dem Bewußtsein erfreuliche Eindrücke zuführe. Worauf läuft all das hinaus? Immer nur darauf, dem Individuum das Dasein angenehm zu machen.

Erfüllt nun die Schule mit ihren gegenwärtigen Einrichtungen und Arbeitsmethoden diese Aufgabe? Ich leugne es. Fast alle Menschen streben einem einzigen Ziele zu, dem äußern Erfolge in der Welt. Ohne Erfolg kann das Leben für sie keine Annehmlichkeit haben. Wenn man sich anheischig macht, ihnen das Dasein angenehmer zu gestalten, so verstehen sie darunter nichts anderes, als daß man ihnen den Erfolg erleichtern und sichern will. Verwirklicht sich diese Vorstellung nicht, so fühlen sie sich verkauft und betrogen. Das ist der Standpunkt von 999 Menschen unter tausend. Und vielleicht ist in Wirklichkeit die Zahl derjenigen, die vom Leben etwas anderes verlangen als äußere Erfolge, noch kleiner, als ich hier annehme. Die Schule bereitet aber für alles andere eher vor als für den Erfolg, diese einzige Quelle des Glücks und der Zufriedenheit einer überwältigend großen Mehrheit. Die Ideale der Schule sind von denen des Lebens vollkommen verschieden, ja ihnen entgegengesetzt. Der ganze Lehr- und Erziehungsplan scheint mit der Absicht ausgesonnen, Menschen zu bilden, die im Getriebe der Wirklichkeit alsbald zur Welt- und Menschenverachtung gelangen, die sich voll Ekel aus dem Ringen um die staatlichen und gesellschaftlichen Preise in eine friedliche und keusche Selbstbetrachtung und Anschauung von hehren Traumbildern flüchten, die mit einem Worte den anderen, den Gemeinen, den Platz beim Gastmahl des Lebens ohne Kampf überlassen sollen. Das ist der Kern der Sache. Es ist, als wäre die Schule von schlauen Leuten erfunden, die sich und ihresgleichen die besten Bissen sichern und guten, frischen Mägen, deren künftiger Hunger ihnen gefährlich werden könnte, im voraus gründlich den Appetit verderben wollen; es ist, als sähen die Lehrer in den Schülern heranwachsende Nebenbuhler und suchten sie von vornherein unschädlich zu machen, indem sie ihnen die Nägel beschneiden, die Zähne befeilen und vor die scharf lugenden Augen blaue Brillen binden. Die Schule bereitet für den Kampf ums Dasein genau in derselben Weise vor, wie etwa ein Exerzier-Reglement den Soldaten für den Krieg vorbereiten würde, wenn es ihn lehrte, daß seine Waffen dazu da seien, um zu Hause gelassen zu werden; daß er sich hüten müsse, auf das Herschießen des Feindes mit Hinschießen zu antworten; daß er günstige Stellungen, die er dennoch innehaben sollte, dem Gegner zu überlassen habe und daß es überhaupt weit rühmlicher sei, geschlagen zu werden, als zu siegen. Manche Leute werden ein solches Reglement unsinnig finden; der Feind freilich wird damit höchlich zufrieden sein.

Der Erfolg, von dem ich hier spreche, kann ebenfalls mit wenigen Worten umschrieben werden. Er bedeutet, daß man bei der Mehrheit Ansehen erlangt. Dieses Ziel kann freilich auf vielen Wegen erreicht werden. Man gewinnt Ansehen bei der Mehrheit, wenn man viel Geld hat oder doch so thut; wenn man seinen Namen gleich einem Edelstein in einer kostbaren Fassung von Titeln präsentieren kann; wenn man seine Brust mit Bändern und Kreuzen koloristisch beleben darf; wenn man Macht und Einfluß besitzt; wenn man der Stadt oder dem Lande die Überzeugung beizubringen vermag, man sei ein großer, oder weiser, oder gelehrter, oder tugendhafter Mann. Die Rückwirkung des Ansehens auf den Angesehenen ist ebenfalls eine mannigfaltige. Sie ist stofflich oder geistig oder beides zugleich, meist mit Vorwiegen des einen oder andern Elements. Die Menge hat die gute Gewohnheit, ihre Schätzung in Form von Barleistungen auszudrücken. Der angesehene Arzt hat viele Patienten und empfängt majestätische Honorare. Der angesehene Schriftsteller setzt seine Bücher in zahlreichen Auflagen ab. Wenn man Erfolg hat, wird man also meist viel Geld verdienen und sich all die Annehmlichkeiten verschaffen können, die in diesem Jammerthale um Mammon zu haben sind. Der eine denkt dabei an Fasanen und Trüffeln, der andere an Sekt und Johannisberger, der dritte an Balletttänzerinnen, irgend ein Sonderling vielleicht sogar an die Unterstützung verschämter Armer. Doch den verschlungenen Pfaden individueller Neigungen nachzugehen haben wir nicht nötig. Die unstofflichen Vorteile des Erfolges sind anderer Art, aber wiewohl man sich nach dem volkstümlichen Ausdrucke für sie nichts kaufen kann, so haben sie für die meisten Menschen dennoch einen hohen Wert. Seltsamer Widerspruch der Menschennatur! Der Gewürzkrämer schätzt diese Vorteile bei anderen so wenig, daß er für sie kein Dütchen gemahlenen Pfeffers, selbst nicht wenn er mit Olivenkernen verfälscht ist, auf Borg giebt; aber er bringt für sie die größten Opfer an Zeit, Geduld, heißem Streben, ja sogar an Geld, an gesegnetem, teurem Gelde. Sie bestehen darin, daß man auf der Straße gegrüßt wird; daß die Zeitungen einen ab und zu nennen, in den höheren Graden sogar in Begleitung schmeichelhafter Beiwörter. Sie nehmen in den verschiedenen Gesellschaftsklassen und Berufen verschiedene Formen an. Eine Ansprache beim Hofball; Ausstellung der Photographie in den Schaufenstern; Pflichtmäßiger Besuch von ausländischen Vergnügungsreisenden; Anpumpung von Seiten vertrauensvoller Unbekannter; ein Ehrenbürger-Diplom; die Hochachtung der Kellner im Stammlokal; Aufforderungen, zu Denkmälern berühmter Seifensieder beizusteuern; schmeichelhafte Einladungen zu Mittag- und Abendessen in seinen Häusern; das sind einige Beispiele der nicht materiellen, aber innig ersehnten Genugthuungen, welche das Kapital Erfolg als Zinsen abwirft. Daß ich die Einladungen zu den unstofflichen Vorteilen des Ansehens zähle, geschieht nicht irrtümlich, sondern mit gutem Bedacht. Denn das Wesentliche an ihnen sind nicht die angebotenen Speisen, sondern die erwiesene Ehre. Die Speisen sind bloß sinnbildlich gemeint und wollen überdies mit Weihnachtsbescherungen zu ihrem weitherzig abgeschätzten vollen Werte bezahlt sein; die Ehre dagegen ist Reingewinn und wird nur von niedriggesinnten Naturen weniger gewürdigt als das Menü.

Sehen wir nun, ob die Schule die Jugend für das Ringen um den Erfolg ausrüstet und ihr auch nur die Anfangsgründe der Kunst beibringt, sich die aufgezählten materiellen und ideellen Befriedigungen zu verschaffen. Gegen die Volksschule ist nicht viel einzuwenden, das sei gleich zugegeben. In dem Alter, in welchem die Kinder sie besuchen, kann man mit diesen noch nichts Ernstes anfangen, denn die Fertigkeiten, mit denen man in der Welt seinen Weg macht, setzen eine gewisse Verstandesentwickelung und einige Reife voraus. Die Volksschule bringt den Kindern das Lesen und Schreiben und Rechnen bei und das kann nur nützen, namentlich das letztere. Rechnen zu können ist ein großer

Vorteil beim Geben, wenn auch ein kleinerer beim Nehmen, und auch Schreiben und Lesen sind meist förderlich, wenn man sich weise einzuschränken weiß und diese Künste nicht mißbraucht. Die Universität kann man sich ebenfalls teilweise gefallen lassen, denn die Verbindungen und Vereine bieten Gelegenheit, einige wichtige Talente zu entwickeln oder zu erwerben, zum Beispiel das, die Aufmerksamkeit Gleich- und Höhergestellter durch lautes Reden und Vielgeschäftigkeit auf sich zu ziehen, oder herrschende Strömungen zu erraten und sich mit ihnen treiben zu lassen, oder einflußreichen Leuten den Hof zu machen; aufmerksame Beobachtung der Assistenten-, Dozenten- und Professoren-Verhältnisse wird den Begabten ebenfalls zu gewissen Erkenntnissen führen, die von großem Werte fürs Leben werden können. Leider legen jedoch die Hochschulen nicht auf die Burschenschaften das Hauptgewicht und beschränken sich nicht darauf, durch das Beispiel der akademischen Laufbahnen erziehlich zu wirken; sie belästigen die Jugend auch mit Vorlesungen und Übungen, mit Hörsälen und Laboratorien und das scheint mir von sehr fraglichem Nutzen für das Fortkommen der Studenten. Das Gymnasium endlich ist keinen Schuß Pulver wert. Es fördert den ihm anvertrauten künftigen Bürger in keiner Weise. Im Gegenteile, es macht ihn eher noch ungeschickter für das Ringen um den Erfolg. Es bedeutet eine betrübende Verschwendung wertvoller Lebensjahre. Ich frage, was es dem Jungen nützen soll, mit Horaz und Homer genährt zu werden. Wird ihm das später das Verständnis der Butzenscheiben- oder Mistkarren-Poesie erleichtern? Oder welchen Vorteil wird es ihm gewähren, daß er sich für die Iphigenie begeistert hat? Wird es ihn in den Stand setzen, geistreich über *Cavalleria rusticanazu plaudern? Man sucht ihm als letzten Auszug der Geschichte den Satz beizubringen: Pro patria mori.Ist dieser klangvolle Satz eine Anleitung zu Ergebenheitsadressen an den Reichskanzler? Kurz der Bursche lernt in seiner bildsamsten Verfassung nichts von dem, was er später brauchen kann, und er wird nichts brauchen können von dem, was er lernt.*

Es besteht da in unserem Bildungsleben eine bedauerliche Lücke, die wirklich nicht länger unausgefüllt bleiben sollte. Ich träume eine Schule, die ausgesprochen bloß auf den Erfolg vorbereiten und nicht heucheln sollte, ich weiß nicht welchen abgezogenen Idealen zu dienen. Gewiß giebt es auch gegenwärtig Menschen, die ohne derartige Anstalten zum Erfolge gelangen. Aber das beweist nichts gegen die Richtigkeit meines Gedankens. In finsteren Zeiten der Barbarei hat es ja auch in Ländern, die keinerlei Schulen besaßen, vereinzelt und ausnahmsweise Gelehrte gegeben, die ihr Wissen ohne Anleitung und fremde Hilfe, ganz durch eigenen Fleiß erwarben. Aber wie mühsam ist dieses einsame Lernen! Wie viel Zeit verliert man dabei ohne Not und Nutzen! Welchen Irrtümern ist man ausgesetzt! Wie unvollkommen und einseitig ist selbst im günstigsten Falle das Ergebnis! Die Leute, die autodidaktisch sich zum Erfolge durchgearbeitet haben, werden, wenn sie sich am Ziele umwenden und die durchlaufene Bahn übersehen, mit Bedauern erkennen, wie viel Umwege, wie viel steile Kletterpartieen, wie viel aufreibende Sand- und Sumpf-Stellen ihnen ein kundiger Führer oder ein bischen Ortskenntnis erspart hätte.

Eins sei gleich von vornherein festgestellt: Mädchenklassen würde meine Schule des Erfolges nicht haben. Das Weib ist in der glücklichen Lage, in dieser Wissenschaft keines Unterrichts zu bedürfen. Es ist von der Natur mit allen Kenntnissen ausgerüstet, deren es bedarf, um zum Erfolge im Leben zu gelangen, und die kleinen Künste, die ihm nicht schon angeboren sein sollten, erlernt es später ganz von selbst. In der heutigen Weltordnung streben weitaus die meisten Frauen bloß eine Form des Erfolges an: sie wollen dem Manne gefallen. Um dieses Ziel zu erreichen, brauchen sie nur hübsch zu sein oder sich auffällig zu machen. Verkehrte Geister sind auf die unglückselige Schrulle verfallen, für die Mädchen höhere Töchterschulen zu errichten. Da lehrt man die armen Geschöpfe Zeichnen, Klavierpauken, mit lächerlichem Accent fremde Sprachen radebrechen und geschichtliche Daten verwechseln, also gerade das, was sie später für Männer zu einem Gegenstande des

Grauens machen wird. Der Plan dieser Schulen kann nur im Gehirn vergrämter alter Jungfern oder rachsüchtiger Ehekrüppel, die von ihrer Frau geprügelt werden, entstanden sein. Er beweist ein vollständiges Verkennen weiblicher Lebensziele. Die Orientalen fassen in ihrer uralten Erbweisheit die Sache ungleich vernünftiger an. Bei ihnen lernt das Mädchen nichts anderes als singen, tanzen, auf der Laute spielen, Märchen erzählen, sich die Nägel mit Henna und die Lidränder mit Khol färben, also die Fertigkeiten, die dasselbe dem Manne wünschenswert machen, die ihm Gelegenheit bieten, seine Reize in günstiger Beleuchtung zu zeigen, die seinen männlichen Lebensgefährten entzücken und dauernd an es fesseln werden. Unsere armen Mädchen des Westens werden von der herrschenden Erziehungsmethode künstlich verhindert, sich ihrem Triebe zu überlassen, der sie sicherer fördert als alle bebrillten und unbebrillten Lehrer in ihren Anstalten. Erst wenn sie die thörichte Mühsal der Schule völlig hinter sich haben, können sie frei ihrem innern Drange folgen und sich zweckentsprechend entwickeln. Dann erwerben sie aus sich selbst heraus die Kunst, sich zu schminken oder doch mit Reispulver herzurichten, herausfordernde Kleider zu tragen, so zu gehen, zu stehen und zu sitzen, daß das Anstößige in der Form ihrer Kleidung ganz besonders hervortritt; dann kommen sie von selbst darauf, ausdrucksvoll mit dem Fächer zu spielen, das Auge werbend wandern zu lassen, kleine Mienen, liebliche Gesten, süße Zuckermäulchen zu machen und der Stimme die reizenden Biegungen kindlicher Unschuld, jugendlicher Schelmerei und pikanter Unwissenheit zu geben. Mit diesen Mitteln sind sie sicher, überall, wo sie erscheinen, eine Herde von Bewunderern um sich zu sammeln, Tänzer, Anschwärmer, einen Mann und das übrige zu finden, kurz alles zu erlangen, was das Leben schön und angenehm macht. Die Frauen werden allerdings die Nase über sie rümpfen, auf die besseren und edleren Männer werden sie gleichfalls eher abstoßend als anziehend wirken; diese werden finden, daß Fett, Farbenflecke, Mehlstaub und Geschmier jeder Art auf einem weiblichen Gesichte nicht mehr an ihrem Platze sind als etwa auf einem Samtkleide, daß Schulterwülste und

Sattel-Tournüren das Weib buckelig und schwindsüchtig oder hottentottisch erscheinen lassen und daß Gefallsucht und Ziererei selbst das hübscheste Geschöpf bis zur Unleidlichkeit entstellen; aber was braucht dem Weibe an diesen Urteilen zu liegen? Bei dem eigenen Geschlecht erwartet sie kein Wohlwollen, sie könnte auch mit diesem nichts Vernünftiges anfangen; und was die männlichen Kritiker betrifft, so ist es ihr in hohem Grade gleichgiltig, wenn ein Schulfuchs ihr mißbilligend den Rücken wendet, sofern nur die jungen Herren vom Jockeyklub das Monocle wohlgefällig nach ihr kehren. Sie kann ihr Wesen und Gehaben unmöglich für den Mann von Geschmack einrichten. Dieser ist ein Phönix. Viele Frauen leben und sterben, ohne ihm je begegnet zu sein. Dem Dornröschen geht es nur im Märchen so gut, daß der Ritter kommt und es erlöst. In der Wirklichkeit darf man auf diesen Helden nicht rechnen und wer sich hinter dem Stachelzaun verbirgt, der hat alle Aussicht, dort vergessen zu werden. Das Weib beweist also große Klugheit, wenn es der Menge und nicht dem unfindbaren Phönix zu gefallen sucht.

Allein wenn das Weib im allgemeinen der theoretischen Anleitung zum Erfolge entbehren kann, so ist es dem Manne in der Regel nicht so gut geworden. Er muß, um seinen Weg in der Welt zu machen, Personen seines eigenen Geschlechts gefallen und das ist nicht so einfach, wie auf solche des entgegengesetzten Geschlechts einen guten Eindruck zu machen. Freilich, in einzelnen Laufbahnen erfreut sich der Mann derselben Vorteile wie das Weib; er kann mit seiner Persönlichkeit wirken und braucht nur den Frauen zu gefallen; zum Beispiel als jugendlicher Liebhaber, als Tenorist oder Verkäufer in einem Modewarengeschäfts. Männer dieser Klasse bedürfen keiner Schule des Erfolges. Wenn die Natur sie mütterlich behandelt hat, so kommen sie ohne jede Theorie vorwärts wie mit Dampf. Der beste Unterricht kann leider kein anmutig gekräuseltes Schnurrbärten geben und wenn man auch durch kunstvolle Scheitelung der Haartracht einen besonderen Zauber mitzuteilen vermag, so muß doch der Haarkräusler eine ausreichende Lockenfülle vorfinden, um seines Priesteramtes mit Erfolg walten Zu können. Ein Apollo von Belvedere in Fleisch und Blut, oder selbst nur ein unverwundeter Krieger von der Schloßbrücke zu Berlin braucht sich um sein Gedeihen in der Welt keine Sorge zu machen. Als Füsilier wird er bald aus der Küche in die Stube der Herrschaft aufrücken; als Lakai oder Kutscher lebhaft begehrt sein; als Kellner das Glück seines Hotels und sein eigenes machen; als Statist oder Chorist unter den Töchtern und vielleicht selbst ein wenig unter den Müttern des Landes wählen können; er thut zwar, um sich immerhin unangenehme Enttäuschungen zu ersparen, besser, von vornherein nicht nach Marschallstäben und Herzogtümern zu streben, weil zur Zeit auf den respektableren Thronen Europas keine Katharinen sitzen; aber einem mäßigen und soliden Ehrgeiz ist bei unseren Voraussetzungen Befriedigung sicher. Ein solcher Liebling der Frauen würde sich nur beeinträchtigen, wenn er seinen leiblichen Vorzügen auch noch geistige hinzufügen wollte. Es wäre schade, wenn er sich durch vieles Lesen den Glanz seiner Augen verdürbe. Durch Bildung, durch Witz könnte er seine Bewundererinnen einschüchtern und ihnen einen Zwang auferlegen, der es ihnen erschweren würde, sich rückhaltlos an seiner Erscheinung zu erfreuen. Schön sein wie ein griechischer Gott und dumm wie ein Teichkarpfen; damit hat man Mohameds Paradies auf Erden, mit den Huris und allem, was sonst noch zu seiner orthodoxen Vollständigkeit gehört. So ausgestaltete Individuen bedürfen ebensowenig einer Schule wie ein Genie.

Das Genie ist jedoch die seltene Ausnahme und die menschlichen Einrichtungen sind auf die Durchschnitts-Erscheinung berechnet. Beethoven wird auch ohne Konservatorium, was er werden soll, aber Kantorssöhne des alltäglichen Schlags müssen zum Ochsen des Kontrapunkts angehalten werden, damit sie später einmal zu einer Kapellmeisterstelle mit Pensionsberechtigung gelangen. Lassen wir also alle Kategorieen von Ausnahmeerscheinungen aus dem Spiele: die Apollos, die hohen Aristokraten mit ernstem Jahreseinkommen, die

Söhne der Millionäre; diese haben nicht dem Erfolge nachzulaufen, der Erfolg lauft ihnen nach. Meine Schule des Erfolgs ist bloß für die elende Masse bestimmt, die ohne Titel und Renten geboren wird und trotzdem hohe Steuerklassen und rote Adlerorden träumt. Die Mittelmäßigen nun würden mit viel besseren Aussichten den Kampf ums Dasein beginnen, wenn sie systematisch abgerichtet würden, sich im Gedränge der Wirklichkeit zurechtzufinden.

Bestände die Schule des Erfolges, so müßte deren Leiter jedem Vater, der ihm einen Jungen anvertrauen wollte, in aller Offenheit mit dieser kleinen Standrede das Gewissen schärfen: "Lieber Mann, werden Sie sich zunächst darüber klar, was Sie eigentlich wollen. Wenn Ihr Sohn bestimmt ist, sein Leben in einer idealen Welt zu verbringen, in der das Verdienst allein Kränze empfängt, die bescheidene Tugend in ihrem Verstecke aufgesucht und belohnt wird, Dummheit, Eitelkeit, Bosheit unbekannt sind und das Gute und Schöne allgewaltig herrschen, oder wenn Sie glauben, daß Ihr Sohn immer die Selbstachtung über den Beifall der Menge stellen, nur auf sein Gewissen und gar nicht auf die Meinung des Marktpöbels horchen und sich damit begnügen wird, seine Pflicht zu thun und von dem innern Zeugen gelobt zu werden, dann hat er nichts bei mir zu suchen. Dann thun Sie besser daran, ihn in eine beliebige andere Schule zu schicken und nach dem Schlendrian erziehen zu lassen. Dann soll er alte und neue Dichter lesen, sich mit den Wissenschaften amüsieren und bei dem Worte des Lehrers schwören. Wenn Sie aber wollen, daß Ihr Sohn ein Mann werde, den man auf der Straße grüßt, der in Salonwagen reist und in Hotels ersten Ranges absteigt, wenn Sie wollen, daß er Geld und Einfluß habe und dunkle Hungerleider verachten könne, dann lassen sie ihn hier. Daß er einmal im Plutarch stehen wird, verbürge ich nicht; wohl aber, daß Sie ihn einst an einer guten Stelle im Staatshandbuch finden werden.«

Die Schule des Erfolges müßte natürlich ganz so wie die Schule des abgezogenen Wissens verschiedene Abteilungen haben, niedere und höhere. So wie nicht jeder Schulpflichtige die Universitätsbildung und eine Professur erstrebt, so will nicht jeder Ehrgeizige Minister oder Milliardär werden. Viele begnügen sich mit bescheideneren Zielen und bedürfen deshalb bloß einer elementaren Unterweisung. Eine Gliederung in Volks-, Mittel- und Hochschule wäre also berechtigt und notwendig. Die Volksschule wäre für diejenigen bestimmt, die sich den gewöhnlicheren Berufen, dem Handwerk, dem Handel u. s. w. widmen. Man müßte ihnen nur einen einzigen Grundsatz beibringen, den die Volksweisheit längst gefunden hat, nämlich den, daß "Ehrlichkeit die schlaueste Politik ist«. Das klingt wenig macchiavellisch, aber daran ist nichts zu ändern: es ist einmal so, daß man sich in den niederen Verrichtungen durch Sorgfalt und Verläßlichkeit am besten empfiehlt. Der Schuster, der Stiefel gut und preiswürdig macht, der Krämer, der unter dem Namen Zucker solchen und nicht Sand verkauft, wird seinen kleinen bescheidenen Weg in der Welt machen und glücklich sein, wenn er nicht höher hinaus will, sondern sich mit dem Wohlwollen seiner Kunden und täglichem Fleisch mit Gemüse begnügt. Dieselbe Volksweisheit meint zwar auch, Klappern gehöre zum Handwerk, allein wenn man alles recht überlegt, so wird man vor dieser Anschauung warnen müssen. Die Verhältnisse liegen im Handmerk zu einfach, als daß Charlatanene sich empfehlen würde. Selbst der Dümmere kommt da zu rasch hinter Lügen, Flausen und Aufschneidereien und wird kopfscheu. In diesen Laufbahnen ist der Erfolg wirklich der Preis der Tüchtigkeit, weil jeder diese zu beurteilen vermag. Ob ein Rock zu eng oder zu weit ist, sieht jeder; wenn die Bettlade nicht hält, so merkt das auch ein stumpferer Geist und eine Beimischung von Cichorie zum Kaffee wird nur in einzelnen Gesellschaftskreisen Sachsens keinen Anstoß erregen.

Anders stehen die Dinge bei den höheren Berufen. Wer diese wählt, bedarf einer längeren und sorgfältigeren Vorbereitung für den Erfolg, die ihm in der Mittel- und Hochschule zu teil werden könnte. Da gälte es, dem Schüler einige Ur-Prinzipien einzuprägen, die vollständig von denen abweichen, an welche die gewöhnliche Erziehungsmethode glauben zu machen sucht. Aussprüche des Volksmundes wären sorgfältig zu beachten, denn sie schließen oft einen großen Kern von Wahrheit in sich. Da ist zum Beispiel der kluge, wenn auch ungrammatikalische Vers: "Bescheidenheit ist eine Zier, doch kommt man weiter ohne ihr.« Das ist eine goldene Lehre, die nicht genug beherzigt werden kann. In der That, der Erfolg in der Welt hat kein größeres und gefährlicheres Hindernis als die Bescheidenheit. Habe das größte Verdienst, sei aufs höchste begabt, leiste das Schwerste und Nützlichste, wenn du bescheiden bist, so wirst du nie den Lohn deiner Arbeit sehen. Vielleicht wird man dir einst ein Denkmal aufs Grab setzen; sicher ist auch das nicht; aber bei Lebzeiten wirst du weder Geld noch Ehren haben. Bescheidenheit heißt, bei der Thür bleiben und den anderen die Vorderplätze lassen: zögernd zum Tische treten, wenn die übrigen gesättigt sind; warten, daß man den Bissen angeboten bekommt, statt um ihn zu bitten, ihn zu verlangen, sich um ihn zu balgen. Wer diese thörichte Haltung einnimmt, der kann darauf rechnen, daß man ihn bei der Thür stehen läßt, daß er die Tafel abgeräumt findet, daß ihm niemand den Bissen darbieten wird. "Man vermeide sorgfältig die Geschmacklosigkeit, von sich zu sprechen.« Welcher Unsinn! Das Gegenteil ist richtig: sprich immer, sprich ausschließlich, sprich systematisch von dir. Mache dir gar nichts daraus, wenn das den andern nicht unterhält. Zunächst interessiert es dich. Dann verhinderst du, daß während der Zeit, da du das Wort hast, von einem andern, vielleicht einem Nebenbuhler, gesprochen wird. Endlich bleibt von dem, was du sagst, immer etwas haften, selbst im widerstrebendsten Gedächtnisse. Natürlich wirst du die einfache Weisheit besitzen, von dir nur Gutes zu sagen. Lege dir in dieser Hinsicht keinen Zwang und keine Einschränkung auf. Rühme dich, lobe dich, preise dich, sei beredt, begeistert, unerschöpflich. Gieb dir die herrlichsten Beiwörter, erhebe das, was du thust oder gethan hast, in den siebenten Himmel, beleuchte es liebevoll von allen Seiten, dichte ihm Vorzüge an, erkläre es für die wichtigste Leistung des Jahrhunderts, versichere, daß alle Welt es bewundere, wiederhole nötigenfalls schmeichelhafte Urteile darüber, die du gehört hast oder die du frei erfinden kannst. Du sollst sehen, wie weit du mit diesem System kommst. Die Weisen werden dich auslachen oder über dich empört sein. Was liegt dir daran? Die Weisen sind eine verschwindende Minderheit und die Lebenspreise werden nicht von ihnen verteilt. Deine Nebenbuhler werden dich ebenfalls tadeln. Um so besser! Du wirst ihnen zuvorkommen, ihre Äußerungen für Neid erklären und diesen letztern als neuen Beweis deiner Größe anführen. Die ungeheure Mehrheit aber, gerade die Menge, welche den Erfolg macht, wird dir glauben, dein Urteil über dich wiederholen und dir den Platz einräumen, den du dir angemaßt hast. Diese Wirkung ist dir durch die Feigheit und Geistesträgheit der Menge gesichert. Ihre Feigheit macht, daß sie sich nicht getraut, dir zu widersprechen, dich, wie man zu sagen pflegt, auf deinen Platz zurückzustellen. Man wird dich hinnehmen, wie du bist, man wird deine Unbescheidenheit als eine Eigentümlichkeit gelten lassen, sie vielleicht im Vorübergehen bemerken und sich dann weiter keine Gedanken über sie machen. Wenn man dich irgendwo einladen wird, so wird die Hausfrau sagen: "Dieser Mensch erhebt außerordentliche Ansprüche. Man kann sich nicht genug mit ihm beschäftigen, ihm nicht genug Ehren erweisen. Was soll man thun? Ich muß ihn zu meiner Rechten sitzen lassen, sonst ist er imstande und geht beleidigt davon.« Ist gerade ein bescheidenes Verdienst da, dem dieser Platz wirklich gebühren würde, so sagt man ihm ganz ruhig: "Nicht wahr, Sie haben nichts dagegen, daß ich ihn bevorzuge? Sie sind ja über solche Kleinlichkeiten erhaben –« und du hast endgiltig den ersten Platz erobert, du hast die Leute daran gewöhnt, ihn dir einzuräumen, und nach einiger Zeit wird niemand auch nur auf den Gedanken kommen, daß es anders sein könnte. Die Geistesträgheit der Menge ist die zweite Gewähr der Nützlichkeit deiner Selbstüberhebung. Die wenigsten Menschen sind imstande oder doch gewohnt, aus dem Rohstoff der Thatsachen ein Urteil zu destillieren, das heißt Eindrücke aufzunehmen, die Erfahrungen genau zu beobachten, sie zu vergleichen, zu deuten, geistig zu verarbeiten und zu einer festgegründeten eigenen Anschauung über sie zu gelangen; alle dagegen können ein vor ihnen ausgesprochenes Wort nachsagen.

Deshalb werden fertige Urteile anderer von der Menge mit Freude und Überzeugung angenommen. Es verschlägt nichts, wenn diese Urteile vollkommen falsch sind, wenn sie zu den Thatsachen im schreiendsten Widerspruche stehen. Um diesen zu bemerken, müßte ja die Menge die Thatsachen selbst prüfen und logisch verwerten können und dazu ist sie eben nicht fähig. Davon habe ich vor kurzem ein merkwürdiges Beispiel erlebt. Ich mußte einem kleinen Kinde Met verschreiben, wovon ihm ein Kaffeelöffelchen von Zeit zu Zeit eingegeben werden sollte. Eine halbe Stunde nach meinem Besuche bei dem kleinen Patienten fiel dessen Mutter wie eine Bombe in mein Zimmer und schrie schon bei der Thür atemlos: "Ach, Herr Doktor, das Kind stirbt! Kaum hatte es einige Tropfen der höllischen Medizin über die Lippen gebracht, als es ganz schwarz wurde, fürchterlich zu husten anfing und ersticken wollte. Ach, was haben Sie dem unglücklichen Kinde da für eine Arznei gegeben!« Mir war sofort klar, daß sich das Kind verschluckt hatte, doch erwiderte ich mit düsterer Miene: "Ja, das nimmt mich nicht Wunder. Wenn man ein so heroisches Mittel wie Met anwendet, dann kommen solche Wirkungen vor.« Die Frau rang die Hände und fing wieder an: "Wie kann man aber auch ein so heroisches Mittel ...« "Wissen Sie, woraus Met besteht?« unterbrach ich sie. "Nein.« "Es ist ein Gemisch von Honig und Wasser.« Ihr Antlitz drückte ein solches Grauen aus, als hätte ich gesagt: "Von Schwefelsäure und Rattengift.« "Sie begreifen,« fuhr ich fort, "wenn man so gewaltthätige Stoffe eingiebt wie Wasser und Honig ...« "Das ist wahr,« seufzte sie und aus ihrer Miene sprachen Schmerz und bittere Vorwürfe. So wie diese Frau, so nimmt die Menge alles, was man ihr sagt, buchstäblich und wiederholt es gläubig, ohne Wahrheit von Lüge, ohne Ernst von Hohn zu unterscheiden. Dem verdanken ganze Völker ihren Leumund und Rang in der Welt. Sie haben in Wirklichkeit alle schlechten und niedrigen Eigenschaften, aber sie versichern, daß sie die herrlichsten und edelsten besitzen. Sie sind neidisch und nennen sich großmütig, sie sind eigennützig und nennen sich selbstlos, sie hassen und verachten alle fremden Völker und rühmen sich ihrer allgemeinen, brüderlichen Menschenliebe; sie sträuben sich gegen jeden Fortschritt und behaupten, sie seien die Brutstätte aller neuen Gedanken; sie sind auf allen Gebieten zurückgeblieben und wiederholen beständig, daß sie überall an der Spitze stehen; mit den Händen knechten und unterdrücken sie schwächere Völker, berauben sie ihrer Freiheiten, brechen ihnen die Vertragstreue, mit dem Munde verkünden sie gleichzeitig die schönsten Grundsätze der Gerechtigkeit. Und die Welt nimmt sich nicht die Mühe, die Thatsachen zu sehen, sondern hört nur die Worte und wiederholt sie gläubig. Sie merkt nicht, daß die Hände den Lippen widersprechen, und ist überzeugt, daß jene Völker wirklich all das sind, wofür sie sich selbst ausgeben.

Also keine Bescheidenheit, mein Junge, wenn du in der Welt Figur machen willst. Demütige dich selbst und die anderen werden dich demütigen. Lasse einem andern den Vortritt und die Zuschauer werden überzeugt sein, daß er ihm gebührt. Nenne dich unwürdig, deine Leistung unbedeutend, deine Verdienste überschätzt, und die Hörer werden nichts Eiligeres zu thun haben, als deine Selbstbeurteilung ohne Quellenangabe zu verbreiten. Wohlverstanden: ich sage nicht, daß die Bescheidenheit unter allen Umständen zu verwerfen ist. Es kommt ein Augenblick, wo man sie ohne Schaden, ja sogar mit Vorteil aufhissen kann. Das ist, wenn man vollständig ans Ziel gelangt ist. Bist du erst in einer anerkannten, zweifellosen ersten Stellung, ist dein Rang so sicher definiert, daß niemand über den dir gebührenden Platz in Zweifel sein kann, dann magst du den Bescheidenen spielen. Bleibe dann immerhin bei der Thür, man wird dich schon im Triumph auf die Bühne schleppen; lehne nur getrost Komplimente ab, man wird sie schon mit Schwung und Heftigkeit erneuern; sprich nur unbesorgt von deiner Wenigkeit, dein Ordensstern, dein gestickter Frack werden dir schon deutlich genug widersprechen. Du wirst dich nicht beeinträchtigen und noch den Vorteil haben, daß man von deiner Tugend gerührt und entzückt sein wird.

Du hast nun gelernt, daß scheinen viel wichtiger ist als sein. Trinke so viel Wein, wie du willst, aber predige Wasser. Das ist selbst dann erbaulich, wenn deine Nase wie ein unheimliches Irrlicht flammt und die

Beine dich nicht tragen können. Sollten auch, während du Pindars Hymne zum Preise des Wassers deklamierst, deine Lippen vor eitel Tatterich zittern, besorge dennoch nichts. Deine Gemeinde wird das für Rührung halten und doppelte Ehrfurcht vor dir empfinden.

Ein anderer grundlegender Lehrsatz ist: hüte dich, wohlwollend zu sein. Damit kommst du zu nichts. Deine Nebenbuhler werden dich verachten, deine Feinde dich verspotten, deine Gönner dich langweilig finden. Niemand wird auf dich Rücksicht nehmen, denn man wird sagen: "Ach, der N., der ist so gutmütig, wenn man ihm auf die Zehen tritt, so bittet er verbindlich lächelnd um Entschuldigung.« Kurzsichtige, thörichte Ratgeber sagen dir vielleicht, es sei eine schlaue Politik, von aller Welt gut zu sprechen, da man dadurch die möglichen Gegner entwaffne. Bilde dir das ja nicht ein. Das Gegenteil ist wahr. Da man von dir kein Zurückschießen zu fürchten hat, so wird man um so lustiger auf dich hinschießen. Du mußt boshaft sein wie eine Hexe und eine giftige Zunge haben wie eine Schlange. Dein Wort muß Schwefelsäure sein und ein garstiges Loch lassen, wo es hinfällt. Ein Name, der durch deinen Mund gegangen ist, muß aussehen, als hätte man ihn eine Woche lang in einem Vitriolkrug aufbewahrt. Mache dich gefürchtet und bekümmere dich nicht darum, daß du dich gleichzeitig verhaßt machst. Die Feigen, die, wie dir schon auseinandergesetzt wurde, die große Mehrheit bilden, werden dich behandeln wie wilde Völkerschaften einen übelthuenden Götzen: sie werden dir schmeicheln und opfern, um dich bei guter Laune zu erhalten; die anderen werden dir zwar vielleicht mit gleicher Münze bezahlen, aber bedenke, welchen Vorteil du hast, wenn du auf feindselige Äußerungen eines Angeschwärzten achselzuckend erwidern kannst: "Der arme Mann sucht sich zu rächen. Sie wissen ja, was ich immer von ihm gedacht und gesagt habe!« Jedem abfälligen Urteile über dich ist in den Augen der Menge das Gewicht genommen, wenn du so klug gewesen bist, über den Urteiler zuvor immer und überall Böses zu reden, denn du kannst jenes dann als einen Vergeltungsversuch hinstellen.

Ein weitverbreitetes Vorurteil, das offenbar von unpraktischen Idealisten herrührt, will, daß man sich besonders um die gute Meinung und Achtung von seinesgleichen zu bemühen habe. Hüte dich, an die Richtigkeit dieses Satzes zu glauben. Deine Mitstreber sind deine Nebenbuhler. Ihre große Mehrheit will gleich dir den Erfolg und nichts als den Erfolg und ihr Platz wird um die ganze Breite des deinigen geschmälert. Erwarte von ihnen weder Gerechtigkeit noch Wohlwollen. Deine Fehler werden sie übertreiben und herumtragen, deine Vorzüge klüglich verschweigen. Du hast dich bloß um zwei Gattungen von Menschen zu kümmern, um die große Menge, die unter dir steht, und um die wenigen einflußreichen Personen, in deren Hand die Ehren, die Stellen, mit einem Worte deine Beförderung ruhen. Du mußt dich den Gesetzen einer doppelten Optik anpassen und dich so zu halten lernen, daß du von unten gesehen sehr groß, von oben gesehen sehr klein erscheinst. Das ist nicht ganz leicht, aber mit Übung und einiger natürlicher Anlage erlangt man diese Fertigkeit. Die Menge muß glauben, daß du ein Genius von außerordentlicher Ausdehnung bist, die Vorgesetzten oder Hohenpriester deines Berufes dagegen müssen dich für eine fleißige, willige Mittelmäßigkeit halten, die bei den Worten der Lehrer schwört, deren Ruhm eifrig verbreitet und eher sterben als diesen durch Kritik oder eigene Leistungen zu verdunkeln streben würde. Verstehst du es, dich von den Leuten unter und über dir stets im richtigen Focus sehen zu lassen, dann mache dir aus der Meinung von deinesgleichen weniger als aus einem Pappenstiel. Du kommst vorwärts und das ist dir doch die Hauptsache. Hast du die Mitstrebenden erst hinter dir zurückgelassen, bist du erst in der Lage, ihnen zu nützen oder zu schaden, dann sollst du deine Freude an der Raschheit und Vollkommenheit erleben, mit der sich üble Nachrede in begeistertes Lob, kühle Zurückhaltung in brennende Freundschaft, Geringschätzung in ehrfurchtsvolle Bewunderung verwandelt.

Über den philosophischen Grundsätzen, nach denen du dein Benehmen in der Welt einzurichten hast, darfst du selbstverständlich die

Äußerlichkeiten nicht vernachlässigen. Nur der sehr Reiche, dessen Millionen von niemand angezweifelt werden können, hat das Recht, wirtschaftlich bescheiden zu sein, aber ein solcher hat ja ohnehin in meiner Schule des Erfolges nichts zu suchen. Je ärmer du bist, um so nötiger hast du es, stattlich aufzutreten. Kleide dich reich, wohne vornehm, lebe, wie wenn du in Golkonda ein Majorat hättest. Aber das kostet Geld? Ganz richtig, viel sogar. Wenn man aber eben keines hat? Dann macht man Schulden. Schulden?! Allerdings, mein Junge, Schulden. Es giebt wenige Leitern, die einen so raschen und sichern Aufstieg zu den höchsten Zielen gestatten wie gerade Schulden. Es ist empörend, daran zu denken, wie sehr sie von Pedanten verleumdet und in Mißachtung gebracht worden sind. Man hat ihnen das schwerste Unrecht gethan. Dem genialen Heine wird viel Übermut und Ausgelassenheit verziehen werden, aber niemals sein Vers: "Mensch, bezahle deine Schulden!« Welcher Leichtsinn, welche Unsittlichkeit! Wenn du diesem Rate folgst, so bist du verloren. Bedenke doch nur eins: Wer soll sich um dich kümmern, wenn du in kleinlicher, engherziger Redlichkeit deinen Weg bezahlst? Niemand wird den Kopf nach dir umwenden. Gehe in einem fadenscheinigen Fähnlein daher, wohne in einer Dachkammer, iß trockenes Brot und mache keine Schulden; du sollst sehen, was dabei herauskommt; die Hunde werden dich anbellen, die Schutzleute dich mißtrauisch mustern, die anständigen Leute ihre Thür vor dir doppelt verriegeln. Und der Krämer, dessen Kunde du bist, wird in dem Augenblicke aufhören, auch nur das geringste Interesse an dir zu nehmen, in dem du ihm den Preis seiner Ware beglichen hast. Falle vor seiner Ladenthür zusammen und er wird nur den einen Gedanken haben, die Störung vor seiner Schwelle fortzuschaffen. Nimm dagegen alles auf Borg, pumpe, wo du kannst, und deine Stellung ändert sich wie mit einem Zauberschlage. Zunächst sind dir alle Genüsse zugänglich, die sich der arme Schlucker versagen muß. Dann wird deine Erscheinung überall das günstigste Vorurteil über dich erwecken. Endlich wirst du eine ganze Leibwache oder Gefolgschaft von eifrigen, ja fanatischen Mitarbeitern an deinem Erfolge haben. Denn jeder Gläubiger ist ein Freund, ein Gönner, ein Förderer. Er läßt nichts auf dich kommen. Er geht durchs Feuer für dich. Kein Vater wird sich für dich Mühe geben wie ein Gläubiger. Je mehr du ihm schuldig bist, ein um so größeres Interesse hat er, dich gedeihen zu sehen. Er wacht über dich, daß dir kein Haar gekrümmt werde, denn dein Leben ist sein Geld. Er zittert, wenn dir eine Gefahr droht, denn dein Untergang ist das Grab seiner Forderung. Habe viele Gläubiger, mein Junge, und dein Los ist von vornherein gesichert. Sie werden dir eine reiche Frau, eine große Stellung, einen guten Ruf sichern. Die unvergleichlichste Kapitalanlage ist die, das Geld der anderen zu einer ornamentalen Gestaltung des eigenen Daseins zu verwenden. –

Das wären ungefähr die leitenden Gedanken, nach welchen das Wesen der Erfolg-Zöglinge gebildet, ihr Benehmen geübt werden müßte. Die reifsten Schüler könnten auch in die Grundanschauung eingeweiht werden, auf welcher sich die ganze Wissenschaft der Erziehung für den Erfolg aufbaut. Sie läßt sich kurz darlegen. Man kann seinen Weg in der Welt auf zwei Arten machen: entweder durch eigene Vorzüge oder durch die Fehler der anderen. Die erstere Art ist die weitaus schwierigere und unsicherere, denn zunächst setzt sie voraus, daß man Vorzüge habe, was aber nicht jedermanns Fall ist, dann ist sie an die Bedingung geknüpft, daß diese Vorzüge rechtzeitig und ausreichend bemerkt und gewürdigt werden, was erfahrungsgemäß fast niemals geschieht Das Spekulieren auf die Fehler der anderen gelingt dagegen immer. Der Lehrer wäre also berechtigt, seinem Schüler zu sagen: Gieb dir keine Mühe, Außerordentliches zu leisten und deine Arbeit für dich sprechen zu lassen; ihre Stimme ist schwach und wird vom Geschrei der eifersüchtigen Mittelmäßigkeit überschrieen; ihre Sprache ist fremd und wird von der unwissenden Menge nicht verstanden; nur die Vornehmsten und Selbstlosesten werden deine Leistungen beachten und anerkennen, aber auch sie werden schwerlich etwas für dich thun, wenn du deine Person nicht unter ihre Augen drängst. Statt also deine Zeit mit redlichem und strengem Schaffen zu verlieren, gebrauche sie, um die

Fehler der Menge zu studieren und aus ihnen Vorteil zu ziehen. Die Menge hat kein Urteil, dränge ihr also eines auf; die Menge ist seicht und gedankenlos, hüte dich also, tief zu sein und ihr Gedankenarbeit zuzumuten; die Menge ist stumpfsinnig, tritt also mit solchem Getöse auf, daß selbst harte Ohren dich hören und blöde Augen dich sehen müssen; die Menge versteht keine Ironie, sondern nimmt alles buchstäblich, sage also gerade heraus und in den satzlichsten Ausdrücken von deinen Nebenbuhlern das Böse und von dir selbst das Gute; die Menge hat kein Gedächtnis, benutze also unbesorgt jeden Weg, der dich zum Ziele führen kann; bist du erst angelangt, so erinnert sich niemand, wie du herangekommen bist. Mit diesen Grundsätzen wirst du reich und groß werden und es wird dir Wohlergehen auf Erden.

Wenn nur kein Schüler, den ich in die Geheimnisse des Erfolges einweihen würde, auf den naseweisen Einfall geriete, mich zu fragen: "Da Sie so genau wissen, wie man es anfangen muß, so haben Sie selbst es wohl sehr weit gebracht?« Das würde mich in Verlegenheit setzen. Ich könnte bloß erwidern: ich habe andere zum Erfolge gelangen sehen und daran habe ich genug gehabt. Wenn man in der Küche steht und zusieht, wie der Brei angerührt wird, so verliert man den Appetit. Anderen kann man ihn aber noch immer wünschen.

Psycho-Physiologie des Genies und Talents.

Den Betrachtungen, welchen dieses Kapitel gewidmet ist, muß ich eine möglichst genaue Umgrenzung der Begriffe vorausschicken, um welche jene sich drehen werden. Was ist ein Talent? Was ist ein Genie? Die Antwort auf diese Fragen besteht gewöhnlich in unbestimmtem Gefasel, in welchem Hauptwörter, die Bewunderung, und Beiwörter, die Lob ausdrücken, vorherrschen. Daran können wir es uns nicht genügen lassen. Wir wollen keine komplimentierenden Floskeln, sondern eine nüchterne Erklärung. Ich glaube nun, wir kommen der Wahrheit sehr nahe, wenn wir sagen: Ein Talent ist ein Wesen, das allgemein oder häufig geübte Thätigkeiten besser leistet als die Mehrheit derjenigen, welche sich dieselbe Fertigkeit anzueignen gesucht haben; ein Genie ist ein Mensch, der vor ihm noch nie geübte, neue Thätigkeiten erfindet oder alte Fertigkeiten nach einer ganz eigenen, rein persönlichen Methode übt. Ich definiere absichtlich das Talent als ein Wesen, das Genie dagegen als einen Menschen. Das Talent scheint mir nämlich keineswegs auf die Menschheit beschränkt. Es ist zweifellos auch im Tierreich vorhanden. Ein Pudel, den man zu verwickelteren Kunststücken abrichten kann als andere Hunde, ist ein Talent; ebenso ein Rotkehlchen oder Schwarzplättchen, das besser singt als seine Artgenossen; vielleicht selbst ein Hecht, der erfolgreicher jagt, oder ein Glühwürmchen, das heller glimmt. Ein Genie dagegen ist bloß beim Menschen denkbar, insofern es bei einem Einzelwesen auftritt. Es soll darin bestehen, daß ein Individuum, um es volkstümlich auszudrücken, neue Bahnen einschlägt, die vor ihm nie gewandelt wurden. Das thut, soweit menschliche Beobachtung es feststellen konnte, kein einzelnes Tier. Gattungen mögen es thun. Sie mögen also gemeinsam mit Genie begabt sein. Die ganze Gemeinschaft der Lebewesen thut es gewiß. Die Entwickelung der Organismen vom einzelligen Wesen bis zum Menschen beweist es. Man kann also sagen, die organische Welt ist in ihrer Gesamtheit ein Genie. Evolution und Genialität sind Synonyme und die Deszendenz-Theorie ist nichts anderes als die Erkenntnis und

Verkündigung des Waltens eines Genies in der organischen Welt. Sicherlich besteht ja auch beim einzelnen Tiere eine gewisse Freiheit der Entwickelung, ein Drang zum Abweichen vom ererbten Stammestypus, denn die Veränderungen, die wir im Bau und Wesen der Arten nach langen Zeiträumen wahrnehmen, müssen sich doch in Individuen vollzogen haben. Aber bei dem einzelnen Tiere ist die Abweichung vom Alten und das Streben zum Neuen so überaus gering, daß wir es vernachlässigen müssen, weil wir es nicht wahrnehmen können. Eine Biene, die statt einer sechs- eine acht- oder viereckige Honigzelle baute, eine Schwalbe, die für ihr Nest eine neue Form fände, ein Ochse, der sich lieber töten als ins Joch spannen ließe, wäre ein Genie. Aber dergleichen hat eben die Welt noch nicht erlebt, während sie allerdings Menschen gesehen hat, die gleichwertige Abweichungen von ererbten Thätigkeiten fertig bringen gekonnt.

Zwischen dem Talent und dem Genie besteht also nicht ein quantitativer, sondern ein qualitativer Unterschied. Es entgeht mir hierbei nicht, daß man in letzter Linie dennoch jeden Unterschied auf ein Mehr oder Minder zurückführen kann, wenn man mit der Untersuchung sehr tief in das Wesen der Dinge eindringt. Es sei nur ein Beispiel angeführt. Um Professor der Geschichte zu werden, muß man ein gewisses Maß von Gedächtnis, von Willenskraft und von Urteil haben. Diese Eigenschaften geben zusammen doch nur eine erfolgreiche Mittelmäßigkeit, höchstens ein achtbares Talent. Sind sie aber in ganz außergewöhnlicher Stärke vorhanden, so kann ihr Besitzer ein großer Staatsmann, ein Beherrscher der Menschen werden, er giebt vielleicht der Weltgeschichte eine neue Wendung und man muß ihn als Genie ansprechen. Es ist wahr, der Unterschied beruht bloß auf der verschiedenen Größe derselben Eigenschaften, er ist aber ein so bedeutender, daß die beiden bloß quantitativ verschiedenen Erscheinungen den Eindruck machen, ihrem Wesen nach verschieden zu sein und in keiner Verwandtschaft zu einander zu stehen. So sind ja auch der Montblanc und ein Sandkörnchen aus Quarz bloß quantitativ von einander verschieden. Im Grunde sind sie eins und dasselbe. Das Quarzkörnchen brauchte nur genug groß zu sein, dann wäre es der Montblanc; dieser müßte nur zu einer ganz winzigen Ausdehnung zusammenschrumpfen, dann wäre er das Sandkörnchen. Dennoch finden wir, daß die bloße Größenverschiedenheit ausreicht, um aus zwei ihrem Wesen nach identischen Dingen so grundverschiedene Erscheinungen zu machen, wie es der Montblanc und das Sandkörnchen sind.

Im Kapitel über Mehrheit und Minderheit habe ich bereits zu zeigen gesucht, daß nicht jeder Organismus die Fähigkeit besitzt, auf die von außen kommenden Eindrücke mit eigenen, neuen, nicht ererbten Reaktionen des Nerven- und Muskelsystems, das heißt Gedanken und Handlungen, zu antworten. Das kann nur ein Organismus, der besonders vollkommen gebaut, an Lebenskraft besonders reich ist. Das Genie, dessen wesentliche Eigenschaft ich im Vermögen zu erkennen glaube, die Wahrnehmungen von der Außenwelt eigenartig zu verarbeiten, hat also eine höhere organische Entwickelung zur Voraussetzung. Das Klavier seines Geistes besitzt gleichsam eine Oktave mehr. Diesen größeren Umfang kann kein Fleiß, keine Übung geben. Er muß im Bau des Tonwerkzeugs begründet sein. Goethe sagt so ganz leichthin und mit der unschuldigsten Miene von der Welt: "Greift nur hinein ins volle Menschenleben!« Der "lustigen Person«, der er diesen Vers in den Mund legt, sitzt der Schalk im Nacken. Der Ausspruch klingt wie eine Naivetät und ist thatsächlich die stolze Ruhmredigkeit eines hohen Selbstbewußtseins. "Greift nur hinein ins volle Menschenleben ...« Wirklich! Das Rezept ist bewährt, aber ein Genie muß es befolgen. Der gewöhnliche und selbst der begabte Mensch weiß gar nicht, wie er es anzufangen hat, um diesen Griff zu thun, und wenn er ihn versucht, so wird er die Hand leer zurückziehen. Das macht: der Durchschnittsmensch, und ich rechne auch das Talent zu dieser Gattung, sieht die Welt gar nicht, sondern nur ihr Abbild in den Augen des Genies. Er sieht das "volle Menschenleben« nicht in wahrer Leiblichkeit, im Relief vor sich, sondern nur als Schattenspiel an der Wand, von der magischen Laterne des Genies dahin geworfen. Er mag immerhin versuchen, nach diesen bunten und beweglichen Schatten zu greifen, er wird nichts in die Hand bekommen. Die Erscheinung der Welt bildet einen Rohstoff, mit dem der Durchschnittsmensch nichts anfangen, aus dem nur das Genie etwas formen kann, das dann auch jener zu verstehen imstande ist. Wenn der Durchschnittsmensch Dinge und Ereignisse in abgeschlossenen Gruppen sieht, so ist es, weil das Genie die Gruppen gestellt hat; wenn sich ihm Welt und Leben in Form von übersichtlichen Bildern darstellen, so ist es, weil das Genie sie zusammengefaßt und eingerahmt hat. Er fühlt, urteilt und handelt, wie das Genie vor ihm zum ersten Mal gefühlt, geurteilt und gehandelt hat. An Erscheinungen, die das Genie nicht organisch verarbeitet hat, geht er vorüber, ohne sie wahrzunehmen, ohne etwas bei ihnen zu fühlen, ohne über sie zu urteilen.

Ich kann dieses Verhältnis nicht deutlicher machen als durch ein Gleichnis aus der organischen Welt. Die Stoffe, deren jedes Lebewesen zu seiner Ernährung bedarf, namentlich der Kohlen- und Stickstoff, sind überall auf Erden in ungeheurer Menge vorhanden, aber die Tiere können mit ihnen nichts anfangen, sie in der Form, in welcher die Natur sie ihnen ursprünglich bietet, nicht verwenden. In einer Atmosphäre, die mit Kohlensäure geschwängert, auf einem Boden, der an salpetersauren Salzen überreich wäre, müßte ein Tier elend zu Grunde gehen. Diese Rohstoffe zur Nahrung zu Verarbeiten vermag nur die Pflanze und unter den Pflanzen auch nur die chlorophyllhaltige. Erst wenn die Pflanze in ihrem eigenen Organismus den Kohlen- und Stickstoff verarbeitet hat, wird derselbe für das Tier zur Nahrung tauglich. Ganz so verhält es sich mit dem Genie und Nichtgenie, das Talent mitinbegriffen. Das Nichtgenie kann die Natur nicht verdauen, nicht assimilieren, nicht in Bestandteile des eigenen Bewußtseins umsetzen. Es sieht die Erscheinungen, aber es macht sich kein Bild aus ihnen; es hört, aber es begreift und deutet nicht. Das Genie dagegen hat ein Besondres in sich, gleichsam ein Chlorophyll, wodurch es befähigt wird, aus den

Erscheinungen fertige Vorstellungen zu bilden, die dann auch der gewöhnliche Menschengeist in sein Bewußtsein aufnehmen kann. Darwin giebt im ersten Kapitel seiner "Reise eines Naturforschers um die Welt« ein überraschendes Bild von dem Leben auf dem ganz nackten St. Pauls-Felsen mitten im atlantischen Ozean. Zwei Vogelarten brüten da, der Tölpel und eine Seeschwalbenart, der Weißkopf. Auf den Vögeln leben aber als Schmarotzer eine Fliege, eine Zecke und eine Federmotte; von ihrem Dünger nähren sich eine Art Mistkäfer und eine Holzlaus; den Fliegen und Motten stellen zahlreiche Spinnengattungen nach und man kann hinzufügen, was Darwin nicht sagt, daß nämlich um diese höheren Tiere sicherlich eine ganze Welt von mikroskopischen Wesen, von Infusorien, Kokken und Bakterien wimmelt. Es braucht also nur ein Vogel nach St. Paul zu kommen, um die kahle Klippe sofort in eine Nährstätte für eine recht lange Reihe von Geschöpfen zu verwandeln, die ohne jenen keinen Tag lang an diesem Orte dauern könnten. Ein ganz ähnlicher Vorgang ist der der Entstehung z. B. eines Schrifttums in einem Volke. Ein Genie schafft mit den ihm allein eigenen geistigen Verdauungsorganen die sinnlichen Eindrücke in ein menschlich faßbares Kunstwerk um. Sofort giebt es einer ganzen Schar von Schmarotzerwesen die Entstehung. Zuerst kommen die Nachahmer und wandeln das erste Kunstwerk mehr oder minder geschickt ab. Das sind gleichsam die Fliegen und Zecken, welche vom Blute der Seeschwalben zehren. Dann thun sich kritische und ästhetische Schulen auf; die mit der nackten Natur gar nichts mehr zu thun haben und sich nur mit den Ergebnissen der Verdauung dieser Natur durch das Genie und seine Nachahmer abgeben. Das sind etwa die Spinnen, welche hinter den Fliegen her sind, und die Mistkäfer, die sich von den Dungstoffen nähren. Zuletzt erscheinen die Geschichtschreiber der Litteratur, die mit großer Wichtigthuerei erzählen, wie alles vor sich gegangen sei. Für diese finde ich in der Eile nicht gleich das entsprechende Lebewesen auf dem St. Pauls-Felsen, da ich sie doch nicht den Mikroben gleichachten darf. So haben wir nun schon eine große Nationallitteratur mit schöngeistigen Werken zweiten Ranges, mit ästhetischen Systemen, mit geistreichen kritischen Arbeiten, mit Litteraturgeschichten und Sonderabhandlungen über einzelne Abschnitte derselben, mit gelehrten Erläuterungen aller dieser Bücher und mit einer ganzen Zunft von Professoren, die davon leben, daß sie jahraus jahrein über sie tiefsinnige Redensarten machen, und diese ganze Bücherei nebst ihrem lebendigen Anhang von Gelehrten nimmt ihren Ausgang und ihre Daseinsberechtigung ganz allein von den Schöpfungen irgend eines naiven Genies, das weder Gelehrter noch Professor war und sein Meistermerk hervorbrachte, wie der Apfelbaum Äpfel trägt, weil es eben organisch in ihm lag, sie hervorzubringen, und alle die anderen Leutchen, die nach ihm kamen, würden, der nackten Natur gegenübergestellt, nicht einmal Bäh! zu sagen gewußt haben, ja sie wären gar nicht erschienen, ebensowenig wie die kleine Tierwelt auf dem St. Paul-Felsen ohne den Vogel, der ihr Dasein ermöglicht.

Das Genie beruht also auf einer ursprünglich höhern organischen Entwicklung, das Talent auf einer durch Fleiß und Übung erlangten vollen Ausbildung der natürlichen Anlagen, die innerhalb eines gegebenen Stammes die Mehrzahl der gesunden und normalen Individuen besitzt. Wenn ich nun aber die Behauptung aufstelle, daß das Genie eine physiologische, strukturelle Unterlage hat, so ist man berechtigt, mich zu fragen, welches das Gewebe sei, dessen reichere Entwickelung das Genie ergebe. Die Frage sieht sich einschüchternd genug an, sie wäre indes vielleicht nicht gar so schwer zu beantworten, wenn Genie oder Talent einfache Erscheinungen wären. Man könnte dann mit einer recht simpeln Methode zur Lösung der Schwierigkeit gelangen. In diesem Falle ist ein auffallend großes Gedächtnis, in jenem ein ungewöhnlicher Wille vorhanden; offenbar sind also in diesen beiden Fällen die Hirnzentren besonders ausgebildet, welche dem Gedächtnis oder dem Willen vorstehen. Welches diese Zentren sind, weiß man zur Stunde auch noch nicht genau, aber man wird sie mit der Zeit finden und manchen ist man schon auf der Spur. Auf diese Weise wäre die Zergliederung und Erklärung der geistigen Ausnahmeerscheinungen ein Kinderspiel. Ja, aber leider liegen die Dinge nicht so einfach. Genie und

Talent sind höchst zusammengesetzte Erscheinungen; nur selten erklären sie sich durch das starke Hervortreten einer einzigen geistigen Grundfähigkeit, wenn auch meistens eine solche vorherrscht und durch genaue Untersuchung festgestellt werden kann; fast immer sind mehrere Grundfähigkeiten, obschon in ungleichem Maße, daran beteiligt, die Gesamterscheinung des Genies oder Talents hervorzubringen, und ihre verschiedenen Mischungsverhältnisse äußern sich in so verschiedenen Endergebnissen, daß es oft überaus schwer ist, aus diesen auf ihre organischen Ursachen zu schließen. Die ganze Kunst der psychologischen Analyse des Genies wie des Talents wird also darin bestehen, das, was sich wie ein einheitliches Ganzes ansieht, in seine einfachen Grundbestandteils zu zerlegen und diese bis zu ihrer Quelle im Organismus zurückzuverfolgen.

Jeder Gebildete weiß heute, daß unser Zentral-Nervensystem, also das Groß- und Kleinhirn, das verlängerte Mark, das Rückenmark, die Sinnes- und Bewegungsnerven, kein einheitliches Organ mit einfacher Verrichtung wie etwa das Herz oder die Niere, sondern eine Zusammenfassung zahlreicher Organe ist, die zwar ihrer Beschaffenheit nach verwandt sind, jedoch ganz verschiedenen Verrichtungen vorstehen. Es verhält sich damit ähnlich wie mit dem Verdauungs-System. Der ganze Zug der Eingeweide von der Aufnahms- bis zur Ausscheidungs-Pforte mit allen ihren Anhängseln bildet einen einzigen Apparat, dessen Teile sämtlich miteinander auf den Zweck hinarbeiten, die eingeführten Nahrungsstoffe durch zweckmäßige mechanische und chemische Veränderung derselben zum Aufbau und zur Erhaltung des Organismus tauglich zu machen. Aber wie verschieden sind die einzelnen Bestandteile dieses großen Apparats? Die Mundspeicheldrüsen haben mit dem Pancreas und der Leber nichts gemein; der Magen ist anders eingerichtet als der Dünndarm; die Pepsindrüsen unterscheiden sich in jeder Hinsicht von den Darmzotten. Hier wird ein Saft ausgeschieden, der Stärkemehl in Zucker verwandelt, dort ein solcher, der unlösliches Eiweiß löslich macht. Dieses Gewebe beschäftigt sich bloß mit der Fortbewegung der Nahrungsmasse, jenes hat ihr im Gegenteile zeitweilig den Weg zu versperren und sie zum Verweilen zu zwingen, noch ein anderes besorgt ausschließlich die Aussaugung. Ebenso erfüllt zwar das Zentral-Nervensystem in seiner Gänze die große Gesamtaufgabe, zwischen dem Ich und dem Nicht-Ich, minder philosophisch gesprochen zwischen der Außenwelt und dem Individuum, Beziehungen zu vermitteln, Eindrücke in Bewußtsein umzuwandeln und das Bewußtsein auf die Welt zurückwirken zu lassen, aber diese Arbeit zerfällt in zahlreiche einander sehr unähnliche Einzel-Leistungen, die von ganz verschiedenen Teilen des Gehirns und Rückenmarks geliefert werden. Ich will dies an einem einzigen Beispiele verdeutlichen. Nehmen wir das Sehen. Wer diesem Gegenstande als völliger Laie gegenübersteht, der denkt wohl, es sei etwas ganz Einfaches, ein Zeitungsblatt zu nehmen und zu lesen, was darin steht. Daß man dies nicht können wird, wenn man blind ist, das leuchtet ihm sofort ein. Dagegen wird er vielleicht sehr erstaunt sein, wenn man ihm sagt, daß ein sehendes Auge nicht genügt, um die Handlung des Lesens zu vollziehen, daß dazu die Mitwirkung einer Reihe anderer Organe nötig ist, die im Gehirn ihren Platz haben, und daß das Lesen nicht möglich ist, wenn auch nur ein einziges dieser Organe nicht ordentlich arbeitet. Der Augapfel stellt eine Vorrichtung nach Art der Dunkelkammer dar, auf deren Hinterwand ein verkleinertes und möglichst scharfes Bild der Außenwelt fällt. Diesen Hintergrund bildet eine Ausbreitung des Sehnervs, durch den der empfangene Eindruck, das heißt das auf den Augenhintergrund gefallene Bild, ins Gehirn geleitet wird. Empfunden wird der Eindruck an einer Stelle des Gehirns, die sehr wahrscheinlich im hintern Teil der sogenannten innern Kapsel liegt. Die Deutung des Eindrucks endlich findet an einer andern Stelle statt, die man nach den Forschungen Kutzmauls, Westphals und anderer ziemlich bestimmt in den linken untern Seitenlappen des Gehirns verlegen kann. Das Auge spiegelt also die Außenwelt wieder; das Spiegelbild wird vom Sehnerv zur innern Kapsel geleitet; die innere Kapsel verwandelt das Spiegelbild in eine Sinnesempfindung, diese wird an die graue Hirnrinde weitergegeben und von ihr in eine bewußte Vorstellung verarbeitet. Ist das Auge leistungsunfähig, so spiegelt sich die Außenwelt an keiner nützlichen Stelle ab und die Verbindung zwischen dem Ich und dem Nicht-Ich ist auf diesem Wege, dem des Gesichtssinns, völlig aufgehoben. Ist der Sehnerv krank, so spiegelt sich zwar die Welt an der richtigen Stelle ab, allein das Bild gelangt nicht dorthin, wo es erst empfunden wird. Ist der hintere Teil der innern Kapsel nicht in Ordnung, so gelangt das Bild wohl ins Gehirn, aber es ist dort sozusagen niemand, der es in Empfang nimmt; es ist, wie wenn eine telegraphische Leitung bestände, im Telegraphenamt jedoch der Empfangsapparat fehlte. Das Bild wird dann nicht empfunden. Ist endlich die Hirnrinde am untern linken Seitenlappen desorganisiert, so wird das Bild zwar empfunden, aber nicht verstanden, nicht gedeutet. Man sieht, aber man weiß nicht, was man sieht. Es ist, um beim Gleichnis mit dem Telegraphen zu bleiben, als wäre der Empfangsapparat da und die Depesche würde im Amte empfangen, sie könnte aber dem Adressaten nicht zugestellt werden. So ist jede einzelne Geistesthätigkeit, jeder Willensakt, jedes Gefühl, jede Vorstellung, und wenn sie sich noch so einfach und einheitlich ansieht, in Wirklichkeit etwas sehr zusammengesetztes, an dessen Zustandekommen zahlreiche wesentlich verschiedene Teile, das heißt Organe, des Zentral-Nervensystems einen Anteil haben.

Diese einzelnen innerhalb des Rückenmarks und Gehirns gelegenen Organe werden Zentren genannt und man hat sie in ein Rangverhältnis zueinander gebracht. Man spricht von niedern und höheren Zentren. Ihren Platz auf der Stufenleiter der Würde bestimmt natürlich die Verrichtung, die sie zu besorgen haben. Man ist aber bei der Schätzung des Werts dieser Verrichtungen nicht etwa von ihrer Wichtigkeit für die Erhaltung des Lebens, sondern von ihrem Anteil am Zustandebringen des spezifisch menschlichen Wesens ausgegangen. Es giebt Fähigkeiten, die der Mensch ganz allein besitzt; z. B. das Vermögen der Abstraktion oder die Sprache; andere, die er mit den Tieren teilt; z. B. das Gedächtnis, den Willen; noch andere, die er mit allen Lebewesen gemein hat; z. B. die

Ernährung, die Fortpflanzung. (Wohlverstanden: selbst die menschlichste aller Fähigkeiten, also gerade die als Beispiel angeführte Abstraktion oder Sprache, ist nicht etwa in dem Sinne ausschließlich menschlich, daß sie beim Menschen voll entwickelt auftritt, bei den unter ihm stehenden Tieren aber auch nicht durch eine Spur angedeutet ist; nach den Arbeiten Romanes', des englischen Tierpsychologen, ist es vielmehr kaum zweifelhaft, daß das menschliche Geistesleben nur eine höhere Ausbildung des tierischen Geisteslebens ist und daß die Natur auch hier wie überall nur ununterbrochene Entwickelungslinien, keine Sprünge und Risse kennt. Die weitere Ausführung dieses Gegenstandes gehört aber nicht hierher.) Die Würde einer Verrichtung, folglich auch des ihr vorstehenden Zentrums, steht nun in umgekehrtem Verhältnisse zu ihrer Verbreitung in der organischen Welt und zu ihrer Wichtigkeit für die Erhaltung des Lebens. Ohne die gröberen und feineren Ernährungsvorgänge, also ohne Verdauung, Atmung und Blutumlauf, könnte der Organismus keinen Augenblick lang bestehen; allein die Verdauungszentren in den Ganglien des sogenannten Sympathikus, die Zentren für die Brustmuskel und Herzthätigkeit im verlängerten Mark sind die allerniedrigsten. Die Bewegungen der Gliedmaßen, namentlich aber die richtige Kombination dieser Bewegungen, die erst das Gehen, das Greifen u. s. w. möglich macht, sind wohl noch sehr wichtig für das Individuum, aber man kann doch ohne sie leben; die Zentren der Muskelbewegungen und ihrer richtigen Zusammenstimmung (Koordination ist der Fachausdruck) im Rückenmark und wahrscheinlich in den Hirnschenkeln, vielleicht auch im Kleinhirn, sind aber schon höhere. Gedächtnis, Urteil, Einbildungskraft endlich sind für den Organismus überhaupt keine Lebensnotwendigkeit, sondern ein erfreulicher Luxus; das Individuum kann ohne sie sehr gut jahre-, selbst jahrzehntelang fortbestehen; ihre Zentren in der grauen Hirnrinde aber sind die höchsten. Diese Rangordnung ist durchaus nicht willkürlich, sondern wohlbegründet. Je allgemeiner und notwendiger eine Verrichtung ist, um so einfacher und gröber ist das Werkzeug dazu; in dem Maße, in welchem die Verrichtung eigenartiger und differenzierter wird, muß auch das Werkzeug feiner, verwickelter und darum heikler werden. Ein Pflug ist eine größere Notwendigkeit und wird von mehr Menschen benutzt als eine Taschenuhr, diese ist notwendiger und verbreiteter als ein Präzisionsinstrument zur genauen Vergleichung eines Meterstabs mit dem Pariser Ur-Meter. Der Pflug ist aber viel gröber und einfacher als die Taschenuhr und diese ist viel gröber und einfacher als das Präzisionsinstrument. Einen Pflug zu zerstören ist nicht leicht; eine Taschenuhr will schon etwas zarter behandelt werden, widersteht aber noch manchem Puff; das Präzisionsinstrument wird schon von der Erschütterung des Bodens durch einen in der Ferne vorüberfahrenden Wagen in Unordnung gebracht. Mit den Nervenzentren verhält es sich nicht anders. Je eigenartiger, je besonderer und ausschließlicher die von ihnen verlangte Arbeit ist, um so verwickelter, seiner und darum auch heikler sind sie. Die Ernährung ist eine vergleichsweise grobe Thätigkeit. Streng genommen würde man dazu gar keiner besonderen Organe bedürfen, wie man ja auch zum Beispiel eine Furche ohne Pflug, mit einem Stocke oder Steine oder selbst mit der bloßen Hand graben könnte, nur nicht so leicht und bequem. Jedes allereinfachste Klümpchen Protoplasma hat das Vermögen, sich im weitesten Sinne, durch Aufnahme von festen, flüssigen und gasartigen Stoffen, zu ernähren, also zu verdauen und zu atmen. Wenn wir zu diesem Geschäfte höchst zusammengesetzter Werkzeuge, wie des Blutumlaufs-, Atmungs- und Verdauungs-Systems, bedürfen, so ist es, weil unser Organismus auch verwickeltere Leistungen zu besorgen hat als ein Protoplasma-Klümpchen und auf die Arbeitsteilung angewiesen ist, wie denn auch z. B. ein Staatsminister nicht Zeit hat, sich selbst sein Mittagmahl zu kochen und seine Kleider zu flicken, was dagegen der neapolitanische Lazzarone ganz gut besorgen kann. Immerhin ist auch in unserem zusammengesetzten und mit sehr weitgehender Arbeitsteilung schaffenden Organismus die Ernährung ein niedriges und einfaches Geschäft und die ihr vorstehenden Zentren sind so grob, daß sie zerstörenden Einflüssen am längsten widerstehen und thatsächlich am letzten sterben. Auch die Bewegungszentren sind noch ziemlich niedrig und darum entsprechend widerstandskräftig. Es wird von diesen Zentren, die sich im Rückenmark befinden, nur ganz wenig verlangt. Wenn die Empfindungsnerven ihnen die Wahrnehmung zutragen, daß auf den Leib irgendwo eine fremde Kraft einwirkt, möge sich diese in Form einer einfachen Berührung oder eines Schmerzes kundgeben, so haben sie bestimmte Muskelgruppen zu einer Zusammenziehung zu veranlassen, andere an einer solchen zu verhindern und auf diese Weise eine zweckmäßige Bewegung zustande zu bringen, welche den Leib aus dem Bereiche der fremden Kraft entfernt. Man nennt das eine Reflexbewegung. Sie erfolgt ohne Befehl, ja ohne Kenntnis des Bewußtseins. Ein Frosch, dem das Gehirn ausgeschnitten ist, kann sie vollziehen. Die Bewegungszentren sind recht beschränkt, um nicht zu sagen dumm. Sie können die veranlassende Ursache der ihnen zugetragenen Wahrnehmungen nicht unterscheiden. Sie können auf die äußeren Anregungen nur mit den einfachsten Bewegungs-Maßregeln antworten. Wenn der Leib ohne Gefahr der fremden Kraft ausgesetzt bleiben kann, so muß ein höheres Zentrum ihnen befehlen, sich ruhig zu verhalten. Wenn es umgekehrt mit dem einfachen Wegrücken nicht genug ist, wenn der Leib etwa laufen oder springen soll, um sich einer äußern Einwirkung zu entziehen, so muß ihnen wieder ein höheres Zentrum befehlen, die richtigen Muskelgruppen in Bewegung zu setzen, deren Zusammenziehung das Laufen oder Springen giebt. Die Hirnzentren endlich, die den Willen und das Bewußtsein mit seinem ganzen Inhalt erzeugen, sind die höchsten, denn ihre Thätigkeit ist die mannigfaltigste und zusammengesetzteste, sie ist eine am ausschließlichsten menschliche und bedarf, wenn sie richtig besorgt werden soll, eines so genauen Ineinandergreifens so vieler seiner Bestandteile, daß schon sehr kleine Einflüsse den überempfindlichen Apparat stören, wie ja auch schon sehr kleine Einwirkungen ihn in Thätigkeit versetzen. Je höher ein Zentrum ist, um so später entwickelt es sich zur Reife, um so länger arbeitet der Organismus daran, es fertig zu machen, um so früher nützt es sich ab. Die Rangordnung der Zentren ist also keine willkürliche, sie ist nicht nach individuellen Anschauungen von der größern oder geringern Wichtigkeit ihrer Leistungen festgestellt, sondern von der Natur selbst gegeben. Ein Feinschmecker würde vergebens sagen: "Meinung gegen Meinung; ich stelle das Ernährungszentrum höher als das Gedächtnis- oder Urteilszentrum.« Man müßte ihm darauf erwidern, daß seine persönlichen Neigungen ihn zu einem Irrtum verleiten, das Ernährungszentrum könne nicht das höhere sein, denn es sei durch das ganze Tierreich verbreitet, erscheine im ersten Augenblicke des individuellen Lebens, dauere bis zum äußersten Verfalle des Organismus und liefere eine stets gleichförmige, niemals individuell modifizierte Arbeit, während das Gedächtnis- und Urteils-Zentrum erst bei den höheren Tieren auftreten, im individuellen Leben erst auf einer gewissen Höhe der Entwickelung erscheinen, in der Regel vor dem natürlichen Tode des Organismus stumpf und untüchtig werden und eine Arbeit liefern, die allen Änderungen der äußeren Verhältnisse folgen können muß.

Die übrigens schon von Virchow vorgeahnte neue, darwinistische Biologie faßt selbst den höchsten Tierorganismus, den menschlichen, nur als eine Kolonie einfacher Lebewesen mit weitgehender Arbeitsteilung und durch sie bedingter Veränderung der einzelnen Bürger dieser Kolonie auf. Ursprünglich ist jede Zelle, aus der wir bestehen, ein Organismus für sich, der alles kann, was zu können einem Organismus, der bestehen will, notthut; die Zelle kann sich also ernähren, auf die einfachste Weise durch Teilung fortpflanzen und durch Zusammenziehung ihres Protoplasmas bewegen. Indem ihrer aber ungezählte Millionen zusammentreten, um einen Tier- oder Menschen-Organismus zu bilden, teilen sie sich in diese verschiedenen Beschäftigungen, jede kann nur noch eine bestimmte Arbeit besorgen, verlernt die übrigen und müßte zu Grunde gehen, wenn die anderen Zellen nicht für sie thäten, was sie nicht mehr zu thun vermag. Das rote Blutkügelchen kann Sauerstoff aufnehmen und allen Geweben zutragen, aber sich nicht mehr bewegen und fortpflanzen. Die Muskelfaser kann sich bewegen und die übrigen Gebilde des Leibes mit sich schleppen, aber sie könnte keine unvorbereiteten Nahrungsstoffe aus der Natur an sich ziehen und sich nicht vermehren u. s. w.

Bei aller ursprünglichen Gleichheit sämtlicher Bestandteile, oder, um bei dem frühern Ausdrucke zu bleiben, sämtlicher Bürger der Kolonie, hat sich jedoch in dieser ein sehr strenges Rangsystem ausgebildet. Der Organismus ist eine zusammengesetzte Gesellschaft mit Proletariern, Bürgern und herrschenden Klassen. Er schließt Elemente in sich, welche die verschiedensten Entwickelungsstufen tierischen Lebens vertreten. Blutkörperchen und Lymphzellen stehen nicht höher als Bakterien, mit denen sie sich ja oft zu schlagen haben, von denen sie sogar manchmal besiegt werden, wenn sie sich auch in der Regel als die stärkeren erweisen. Das Rückenmark steht nicht höher als etwa das eines Frosches, das Empfindungszentrum nicht höher als das eines Menschen der niedersten Race, etwa eines Buschmanns, erst die vornehmsten Zentren des Denkens und Urteilens erheben den vagen Organismus über alle anderen Lebewesen und machen denselben nicht zu einem Lebewesen überhaupt, nicht zu einem Wirbeltiere, nicht zu einem Menschen im allgemeinen, sondern zu einem bestimmten Menschen, zu einem Individuum, das sich von allen anderen unterscheidet und über alle anderen hervorragt, wenn jene Zentren besonders entwickelt sind.

Die Hierarchie innerhalb des Organismus schließt übrigens eine gewisse Selbständigkeit der einzelnen Klassen dennoch nicht aus. Ich möchte sagen: es herrscht zwischen ihnen ein beständiger Kampf demokratischer und aristokratischer Grundsätze. Die niedrigen Zentren lassen sich von den höheren nicht gern befehlen, die höheren streben vergebens, sich der Tyrannei der niederen zu entziehen. Die Hirnzentren können die Ernährungszentren nicht verhindern, ihre Arbeit zu verrichten, sie können sie nicht bestimmen, die Arbeit so oder so, rascher oder langsamer zu verrichten; die Leistungen der Blutkörperchen, der Lymphdrüsen u. s. w. entziehen sich vollständig der Einwirkung des Bewußtseins und Willens; nur indirekt vermögen die Hirnzentren den Beweis zu liefern, daß sie denn doch die mächtigeren sind; es liegt in ihrer Gewalt, den niederen Zentren die Bedingungen vorzuenthalten, unter denen allein sie ihre Thätigkeit ausüben können, indem sie z. B. die Einführung von Nahrung in den Magen, von Luft in die Lunge verhindern und es dadurch den Verdauungsdrüsen und Blutkügelchen unmöglich machen, ihre Arbeit zu thun. Umgekehrt halten die niederen Zentren auch die höheren in einer starken Abhängigkeit, denn die letzteren können ihr Bestes nur dann leisten, wenn die ersteren ihre Pflicht regelrecht und vollständig erfüllen.

Demokratische Tendenzen herrschen nicht nur in den niederen Klassen der Kolonie, welche den Organismus bildet; auch deren ganzes Staatsrecht ist ein demokratisches oder doch wenigstens kein monarchisches. Wir haben nicht ein einziges Zentrum, welches mit Allgewalt wie ein absoluter König alle Zentren des Organismus regiert, sondern mehrere, die einander vollständig gleichgeordnet sind und in der organischen Kolonie ganz dieselbe Würde bekleiden. Wenigstens drei dieser Zentren können den Anspruch erheben, als das Triumvirat angesehen zu werden, das im Organismus Herrscherbefugnisse übt; es sind das die Zentren des Bewußtseins, des Gedächtnisses und des Willens. (Eigentlich ist es eine bloße Annahme von mir, daß diese drei Thätigkeiten bestimmte Zentren haben; bewiesen ist es bis jetzt nicht und es wäre möglich, daß eine noch tiefere Untersuchung die Erkenntnis zum Ergebnis hätte, Bewußtsein, Gedächtnis und Wille seien nicht einfach, sondern zusammengesetzt und auf letzte Grundbestandteile zurückführbar.) Sie beeinflussen einander, sind aber von einander unabhängig. Damit ihre Thätigkeit eine dem Organismus förderliche und nützliche sei, müssen sie zusammenstimmen; doch fehlt diese Harmonie manchmal in Fällen von Hirnkrankheiten und selbst bei anscheinend voller geistiger Gesundheit. Man verliert manchmal das Gedächtnis, bewahrt aber das Bewußtsein. Ebenso kann man bei erhaltenem Bewußtsein den Willen verlieren. Willen und Gedächtnis bestehen andererseits bei fehlendem Bewußtsein, z. B. im Nachtwandeln oder in manchen Formen des Hypnotismus. Und auch wenn alle drei Zentren normal arbeiten, gehen sie gewöhnlich dennoch ihre eigenen Wege, die ja gleichlaufend fein können, es aber durchaus nicht immer sind. Wir wissen, daß das Gedächtnis vom Willen ganz unabhängig ist. Es bringt uns Vorstellungen ins Bewußtsein, die mir nicht gesucht und verlangt haben, und enthält uns hartnäckig andere vor, an die wir uns mit größter Anstrengung zu erinnern suchen. Ebenso ist der Wille vom Bewußtsein und dessen ganzem Inhalt unabhängig. Wir haben gut uns mit dem Aufgebot aller Kräfte unseres Urteils zu überreden, eine bestimmte Handlung zu vollziehen, wir thun sie dennoch nicht. Das Bewußtsein ist voll überzeugt, der Wille aber kehrt sich nicht daran. Oder wir beweisen uns selbst mit den unwiderleglichsten Gründen, daß mir eine bestimmte Handlung unterlassen müssen. Der Wille hört zu, läßt reden und thut schließlich doch das, wogegen sich das Bewußtsein auflehnt. Die höchsten Zentren stehen also selbständig nebeneinander, vertragen sich einmal, stoßen ein andermal feindlich auseinander und ringen eigentlich während des ganzen Lebens um den vorwiegenden Einfluß im Organismus.

Wir haben schon früher, im Kapitel "Mehrheit und Minderheit«, gesehen, daß die höchsten Zentren nur bei sehr reicher und vollkommener Entwickelung imstande sind, neue Kombinationen herzustellen, das heißt auf die äußeren Eindrücke mit solchen Gedanken und Handlungen zu antworten, die bis dahin nicht üblich waren und für die es überhaupt noch kein Beispiel giebt, während dieselben Zentren bei nicht ganz so hoher Entwickelung nur in herkömmlicher und ererbter Weise arbeiten, das heißt genau so schaffen, wie sie selbst bei ähnlichen Anlässen früher geschafft haben und wie vor ihnen von den Eltern geschafft worden ist. Jede Thätigkeit, die man wiederholt übt, wird organisiert; das heißt das Verhältnis, in welches die Nervenzellen und Nervenfäden zu einander treten müssen, um diese Thätigkeit hervorzubringen, wird zu einem festen und starren und die letztere geht automatisch vor sich. Trotz allem, was Herbert Spencer gegen die Heranziehung von Vergleichen und Bildern zur Erklärung psychologischer Vorgänge sagen mag, bleibt dieselbe doch ein gutes Mittel, um den so überaus schwierigen Gegenstand auch Laien klar zu machen. Ich zögere also nicht, zur Erklärung dessen, was unter nicht organisierter und organisierter Thätigkeit der Hirnzentren verstanden wird, ein grobes und darum anschauliches Beispiel anzuführen. Die organisierte Thätigkeit verhält sich zur nicht organisierten wie das Spiel einer Musikdose zu dem eines Künstlers. Das Stück, für welches die Musikdose gebaut ist, spielt sie richtig durch, wenn man sie aufzieht; ein anderes als dieses Stück kann sie aber natürlich nicht spielen. Der Künstler dagegen wird jedes Stück spielen, dessen Noten man ihm vorlegt, und bei einem höhern Grade der Begabung wird er auch Stücke neu erfinden und nicht bloß aus fremden Noten heraus spielen können. Bei der Durchschnittsmenge sind die Hirnzentren wie die mechanischen Musikwerke; sie spielen nur die Stücke, die in sie hineingebaut, die in ihnen organisiert sind. Wer war der Mechaniker, der ihr Spielwerk auf die bestimmten Musikstücke eingerichtet hat? Das war die Reihe der Vorfahren, welche diese Musikstücke immer in derselben Weise so lange gespielt haben, bis das anfangs von frei spielenden Fingern zum Tönen gebrachte Instrument automatisch wurde. Bei den Ausnahmemenschen dagegen sind die Hirnzentren wie die Künstler; sie können Stücke spielen, die man früher nicht gehört hat; ihr Repertoir besteht nicht aus ein paar Stücken, die immer wieder heruntergeleiert werden, sondern wechselt fortwährend und ohne Zahlbeschränkung. Es bleibt eine letzte Frage: weshalb werden häufig geübte Thätigkeiten organisiert? Oder, um beim gewählten Beispiele zu bleiben: weshalb wird ein wiederholt frei gespieltes Stück schließlich auf die Musikwalze aufgesetzt? Meine Antwort kann nur eine Hypothese sein, die aber mit allem übereinstimmt, was wir von den Gesetzen der Natur wissen: das geschieht durch die Wirkung des allgemeinen Gesetzes, daß in der Natur alles mit dem möglich geringsten Kraftaufwands gethan wird. Wenn der Wille oder das Bewußtsein neue Kombinationen zu veranstalten haben, so erfordert das eine große Ausgabe an Nervenkraft. Jedes Tempo der Arbeit muß kommandiert und beaufsichtigt werden. Diese Ausgabe wird nun erspart, wenn es möglich ist, häufig vorkommende Tätigkeiten automatisch zu verrichten. Dann genügt ein einmaliger Impuls, den ein bloßer Sinneseindruck oder ein Befehl des Willens oder Bewußtseins geben kann, um die Mechanik in Bewegung zu setzen, und die Arbeit wird von Anfang bis Ende gethan, ohne daß die höchsten Zentren achtzugeben, einzugreifen und Einzelbefehle zu erteilen haben. Das ist wohl der Grund, weshalb häufig geübte Thätigkeiten nicht mehr von den höchsten Zentren frei verrichtet werden, sondern automatisch, das heißt organisch, vor sich gehen. Diese Tendenz der Arbeit- und Kraftersparung durch möglichst weitgehende Umwandlung freier in automatische Thätigkeit ist eine so starke, daß sie sich nicht bloß in der Gattung, sondern auch im Individuum fortwährend zur Geltung drängt. Es bedarf keiner langen Reihe von Geschlechtsfolgen, um eine Verrichtung in den sie leistenden Zentren zu organisieren; das geschieht in ganz kurzer Zeit, in viel weniger als einem einzigen Menschenleben. Selbst der mächtigste, also nach meiner früheren Auseinandersetzung originellste Organismus sieht seine Eigenartigkeit automatisch werden und wenn er den anderen Organismen gegenüber noch immer originell ist, so ist er es sich gegenüber nicht mehr. Er wird gleichsam zur Spieldose, welche die eigenen Tondichtungen mechanisch spielt. So erklärt es sich, daß das persönlichste Genie zuletzt manieriert wird und der brave Schuster hatte so unrecht nicht, als er vor einem schönen Bilde die Bemerkung machte, daß wohl viel Gewohnheit dazu gehöre, dergleichen hervorzubringen.

Die automatischen Verrichtungen der höchsten Zentren kommen uns nicht in der Form von Gedanken, sondern in der von Emotionen zum Bewußtsein. Nur diejenigen Thätigkeiten, die vom Anfang bis zum Ende im Bewußtsein vor sich gehen, das heißt die mit einem Sinneseindruck beginnen, sich in eine Wahrnehmung verwandeln, eine Deutung auf ihre Ursache erfahren, im Gedächtnis untergebracht werden und zu einem Urteil führen, dessen Vollstreckung dem Willen ausdrücklich aufgetragen wird, nur diese Thätigkeiten werden vom denkenden Ich als klare, scharf umrissene Gedanken empfunden. Diejenigen Thätigkeiten dagegen, die ohne direkte Dazwischenkunft des Bewußtseins vor sich gehen, die also darin bestehen, daß ein Zentrum auf eine Anregung hin maschinenmäßig einen Cyklus organisierter Handlungen durchläuft, wie eine Musikdose ihr Stück abspielt, diese Thätigkeiten werden nur als unklare, verschwommene Gemütsbewegungen, oder, um bei dem fremden, aber genau umschriebenen Fachausdrucke zu bleiben, als Emotionen empfunden. An dieser Unterscheidung ist sehr strenge festzuhalten. Sie bildet die Voraussetzung all dessen, was ich in diesem Kapitel noch zu sagen habe, und ich werde in den folgenden Abschnitten dieses Buches von ihr noch manches ableiten. Man vergesse nur nie, daß das, was wir das Bewußtsein nennen, nicht den ganzen Organismus, sondern nur ein Organ desselben, ein Hirnzentrum umfaßt, daß es mit einem Worte nicht das Bewußtsein, sondern ein Bewußtsein ist. Jedes Zentrum hat sein eigenes Bewußtsein, von dem aber das höchste Zentrum, dasjenige, welches die Grundlage unseres denkenden Ichs, unserer geistigen Persönlichkeit ist, keine oder nur dunkle Kunde erhält. Von den Vorgängen in den Zentren des Rückenmarks und des sympathischen Systems erfährt unser Ich, das heißt das höchste Hirnzentrum, nichts oder nichts Genaues. Und doch ist es zweifellos, daß jene Zentren auch ihr Bewußtsein, allerdings ein enges und untergeordnetes, haben, daß sie in jedem Falle wissen, mit welcher Thätigkeit, mit welchen Befehlen an die ihnen unterstehenden Gewebe, sie auf Anregungen antworten fallen. Man muß sich das Bewußtsein als ein inneres Auge vorstellen, welches durch eine Art Mikroskop auf die Zentren und deren Thätigkeit blickt. Das Sehfeld dieses Mikroskops ist ein verhältnismäßig kleines; was außerhalb desselben liegt, sieht das beobachtende Auge natürlich nicht; ebensowenig die Ursprünge und Enden von Bildern, die über das enge Sehfeld hinausragen. Letzte Ergebnisse der Thätigkeit anderer Zentren nimmt das Bewußtsein wahr; ihre Anfänge und Entwickelung nicht. Wenn das Gedächtnis eine Vorstellung ins Sehfeld des Bewußtseins rückt, so sieht dieses sie; wie diese Vorstellung aber herbeigeschafft wurde und wohin sie gleitet, das sieht das Bewußtsein nicht. Ebenso verhält es sich mit dem Willen. Die

Wirkung einer Thätigkeit des Willenszentrums, nämlich eine zweckentsprechende, zusammengesetzte Muskelbewegung oder Reihe von Bewegungen, sieht das Bewußtsein. Wie aber der Innervations-Impuls, das heißt die Kraft, welche durch die Nervenbahnen die Muskeln zur Zusammenziehung anregt, entsteht, das erfährt das Bewußtsein nicht. Die Art, wie das Bewußtsein die eigene Thätigkeit und die der anderen Zentren, soweit sie in seinem engen Sehfelde erscheinen, empfindet, ist eine völlig verschiedene. Die eigenen Handlungen, die es beginnt und beendigt, deren alle Teile es selbst bereitet, lassen in ihm keine Unsicherheit und kein Unbefriedigtsein zurück. Es sind eben, wie oben gesagt, Gedanken, also Helligkeiten; die nur unvollkommen wahrgenommenen Handlungen der anderen Zentren dagegen, auf die es keinen direkten Einfluß hat, deren einzelne Abschnitte es nicht sicher unterscheidet, deren Anfang, Entwickelung und Ende ihm entgehen, erwecken im Bewußtsein eine Art Unbehagen und Spannung, ich möchte sagen eine Sehanstrengung, das Gefühl, das ein Auge hat, welches etwas Entferntes, Kleines oder schwach Beleuchtetes genau sehen möchte und nicht kann; es ist eine Erkenntnis der eigenen Grenze, eine Erkenntnis von Schwäche und Unvollkommenheit, eine Neugierde und Unruhe und ein Drang des Mehrwissens. Diese Empfindung ist eben die Emotion, die uns nur als Ahnung, Sehnsucht, unbestimmte Erregung und verschwommen begrenzter Wunsch zum Bewußtsein kommt. Die scharfe und klare Gedankenarbeit, diese Thätigkeit des höchsten Bewußtsein-Zentrums, die ich der Kürze halber im Gegensatze zur Emotion Kogitation nennen will, wird von den vollkommener ausgerüsteten Individuen geleistet, welche die Fähigkeit besitzen, neue Kombinationen herzustellen. Die Durchschnittsmenge, deren Zentren automatisch arbeiten, die also nur organisierte Kombinationen enthalten, bleibt auf die Emotion beschränkt. Weitaus die meisten Menschen haben während ihres ganzen Lebens nie einen klaren, vollbeleuchteten Gedanken im Bewußtsein; dieses bekommt bei ihnen nie andere als halbdunkle, verschwommene Bilder zu sehen; sie wären nicht imstande, in einem gegebenen Augenblicke deutlich auszusprechen, was in ihrem

Geiste vorgeht; jeder Versuch dieser Art würde alsbald in unbestimmtes Gefasel und nichtssagende Gemeinplätze ohne Relief auslaufen; sie leben ausschließlich von Emotionen. Die Emotion ist also das Ererbte, die Kogitation das Erworbene. Die Emotion ist Gattungsthätigkeit, die Kogitation Thätigkeit des Einzelwesens.

Die Emotion ist trotz ihrer Verschwommenheit, trotzdem sie das Bewußtsein unbefriedigt läßt, ja beunruhigt, subjektiv angenehmer als die Kogitation, und zwar aus drei Gründen. Erstens ist sie leichter, das heißt sie kommt mit geringerem Aufwande an Nervenkraft zustande, da eben automatische Arbeit der Zentren bequemer ist als bewußte und freie, Bequemlichkeit aber als Annehmlichkeit, Anstrengung als Mühsal oder Schmerz empfunden wird. Zweitens schließt gerade das Unvermögen des Bewußtseins, in den Vorgängen innerhalb der automatisch arbeitenden Zentren, also in den Emotionen, klar zu sehen, neben einem Elemente der Beängstigung auch ein Element des Reizes und der Anregung in sich; das Bewußtsein sucht zu erraten, was es nicht weiß, es sucht auszugestalten, was es nicht deutlich sehen kann; diese Thätigkeit des Bewußtseins ist nichts anderes als die Phantasie, die also durch die Emotion angeregt wird; die Phantasie aber ist erfahrungsgemäß eine angenehme Thätigkeit des Bewußtseins. Drittens – und dieses Argument findet sich schon bei Darwin – sind natürlich die wichtigsten Thätigkeiten des Organismus auch die am häufigsten geübten; es werden also in der Regel die infolge ihrer häufigen Wiederholung automatisch gewordenen, organisierten Verrichtungen auch für die Erhaltung des Einzelwesens und der Gattung die wichtigsten sein; da diese Verrichtungen nur in der Form von Emotionen zum Bewußtsein gelangen, so wird der Organismus den Emotionen als dem Ausdruck der für ihn wesentlichsten und bedeutungsvollsten organischen Thätigkeiten die größte Bedeutung beimessen, das heißt subjektiv gesprochen, sie am tiefsten und mächtigsten empfinden. Von der Kogitation gilt das Gegenteil dieser drei Argumente. Sie kann nicht als angenehmer empfunden werden, weil sie erstens dem Durchschnitts-

Organismus zu schwer und unbequem ist, weil sie zweitens das erfreuliche Spiel des Bewußtseins, das man Phantasie nennt, nicht anregt, weil sie drittens dem Organismus auf den ersten Blick nicht wichtig und wesentlich erscheint, denn er hat erfahrungsgemäß bis dahin ohne sie bestanden und sie wird ihre Wichtigkeit oder Nützlichkeit erst zu erweisen haben, indem sie, einmal mit Vorteil für den Organismus geübt, häufig sich zu wiederholen Gelegenheit findet; in diesem Falle aber wird sie rasch organisiert sein und sich aus Kogitation in Emotion verwandeln. Eine Fülle dunkler Erscheinungen wird durch diese Voraussetzungen aufgeklärt. Die Romantik, die das Alte dem Neuen vorzieht, das Mittelalter "poetischer« findet als unsere Zeit, eine Ruine anschwärmt und ein zweckmäßiges, in gutem Stande befindliches Gebäude scheußlich nennt, diese Romantik hat ihre Wurzel darin, daß die alten, ererbten Vorstellungen automatische Thätigkeiten der Zentren anregen, folglich als Emotion empfunden werden, während die neuen noch nicht organisierten Vorstellungen mit einer Anstrengung des Bewußtseins nachgedacht werden müssen, also Kogitation hervorrufen. Die alte Postkutsche erweckte bei der Generation, die sich ihrer noch bedient hat, Emotion, die Eisenbahn Kogitation; die Zeitgenossen der großen Umgestaltung des Verkehrswesens fanden also die Postkutsche poetisch, die Eisenbahn nüchtern und unangenehm. Die ganze Poesie und ihre Wirkung beruhen auf diesem Grundunterschiede zwischen Emotion und Kogitation. Der Inhalt der Poesie sind allgemein menschliche Beziehungen, Zustände und Leidenschaften, also oft geübte, automatisch gewordene, organisierte Thätigkeiten; die Poesie geht demzufolge aus Emotion hervor und erweckt Emotion. Selbst in ihrer Ausdrucksweise knüpft sie an alte Vorstellungen an, nicht zufällig, sondern notwendig, weil es eben naheliegt, daß sich ererbte Vorstellungen auch in der Tracht, in der man sie von den Ahnen ererbt hat, in das Sehfeld des Bewußtseins schieben. Darum spricht die Poesie heute noch von Geistern und Elfen und Göttern; darum anthropomarphosiert sie die Natur und die Gemütsregungen; darum waffnet sie ihre Helden mit Pfeil und Keule und nicht mit

Mausergewehren; darum läßt sie Reisende ihre Bahn auf einem guten Rosse und nicht in einem Schlafwagen zurücklegen; darum bewahrt sie die Weltanschauung der Kinderzeit unserer Gesittung. Mit neuzeitlichen Vorstellungen und Formen kann sie nichts anfangen. In unserer heutigen Weltanschauung findet sie sich nicht zurecht. Das ist zu neu für sie; das hat sich noch nicht organisiert; das ist noch nicht automatisch; es ist mit einem Worte noch nicht emotionell, sondern kogitationell. Darum ist jeder Versuch, der Poesie einen modernen Inhalt zu geben, vollständig aussichtslos. Wenn manche Reimer sich vorsetzen, sogenannte Gedankenpoesie zu schaffen, Wissenschaft in ihre Verse einzuführen, so beweisen sie nur, daß sie vom Wesen der Poesie auch nicht die leiseste Ahnung haben. Die Poesie ist Emotion; sie zur Kogitation machen zu wollen ist ganz so, als wollte man einen Traum in helles Wachen verwandeln, ohne daß er doch aufhören sollte, Traum zu sein. Der Übergang aus der Kogitation in die Emotion wird aber erfolgen. Das ist nur eine Frage der Zeit. Was heute neu ist, das wird in einem Jahrtausend alt sein. Was heute individuell ist, das wird dann der Gattung angehören, ererbt und organisiert sein. Dann wird ein Bahnhof ganz so poetisch scheinen wie heute eine Burgruine, eine Kruppsche Kanone ganz so wie heute eine Turnierlanze, eine Anspielung auf eine elektrodynamische Maschine oder einen Bacillus ganz so wie heute ein Hinweis auf die Flügel des Gesanges oder auf das Schluchzen der Nachtigall. Denn man vergesse nur nicht, daß all das alte Rüstzeug der Poesie einst ganz so neu, also kogitationell war wie heute die Eisenbahn, die Artillerie, die Naturwissenschaft; damals hat man ganz gewiß die Ritterrüstung und das Schloß auf der Bergkuppe ebenso nüchtern gefunden wie heute einen Waffenrock und eine Kaserne und nur das, was damals das Alte war, als poetisch gelten lassen. Das ist nicht bloße Vermutung, wir haben bestimmte Anhaltspunkte für diese Behauptung. Fast bei allen alten Völkern knüpften sich an die Steinwerkzeuge religiöse, mystische, also emotionelle Vorstellungen, als jene bereits seit Jahrhunderten im Besitze von Bronzegeräten waren. Das Steinwerkzeug war den Barbaren der Bronze- und frühen Eisenzeit, was der mittelalterliche Kram den schwärmerischen Naturen unserer Zeit ist.

Es giebt Geschlechter, Alter, Völker, Epochen, in denen die automatische über die frei kombinierende Thätigkeit der höchsten Zentren, Emotion über Kogitation, vorwiegt. Das Weib, dessen höchste Zentren fast niemals zu der kräftigsten Ausbildung gelangen, die sie im Manne viel häufiger erreichen, ist weit emotioneller als der Mann. Das Kind, dessen Zentren noch nicht voll entwickelt, der Greis, bei dem sie bereits im Verfall sind, haben beinahe nur Emotionen, keine Kogitation. In der Krankheit, in der Rekonvaleszenz, während der Organismus, also auch das ganze Zentralnervensystem, noch geschwächt ist, bringt derselbe nur Emotionen zustande. Hirnkrankheiten kündigen sich zu allererst durch die Leichtigkeit an, mit der das betreffende Individuum die Stimmung wechselt, weinerlich und lachlustig wird, also Emotionen hat. Die Chinesen, die neuzeitlichen Romanen sind emotionelle Völker, sie lassen sich von halbbewußten Stimmungen, das heißt von der automatischen Erbthätigkeit ihrer Zentren leiten und bringen nur wenige Individuen hervor, in denen die höchsten Zentren genug stark sind, um den Automatismus zu hemmen ("zu inhibieren« ist der Fachausdruck der Physiologen) und freie Kombinationen herzustellen, das heißt persönlich zu denken, kogitationell zu sein. Das Mittelalter war eine ganze lange Epoche von rein emotionellem Charakter. Das Herkömmliche war allmächtig. Das Individuum ging vollständig in Sippe, Körperschaft und Stand auf. Es gab fast ein halbes Jahrtausend lang kein Hirnzentrum, das zur Kogitation fähig gewesen wäre. Darum mußte die ganze Epoche sentimental religiös und mystisch sein, Beiwörter, die nichts anderes bedeuten als jene Unklarheit, mit der, wie wir oben gesehen haben, die automatische Thätigkeit der Zentren dem Individuum zum Bewußtsein kommt.

Die Auseinandersetzungen, die ich bisher gegeben, sind breit geworden, aber der Leser, der nicht Psychologe von Fach ist, wird sie unerläßlich finden. Nun erst kann er verstehen, was damit gemeint war, als ich sagte, Genie und Talent seien auf den Grad der Entwicklung bestimmter Zentren zurückzuführen. In welchem Teile des Gehirns jedes der Zentren zu suchen ist, deren besondere Entwicklung sich durch eine besondere Begabung äußert, das wissen wir in den meisten Fällen nicht. Es ist aber nicht ausgeschlossen, ja sogar wahrscheinlich, daß die vereinigten Forschungen der klinischen Medizin, der pathologischen Anatomie und der Experimental-Pathologie, vielleicht auch die erst in neuester Zeit begonnene systematische Untersuchung des Gehirns hervorragender Männer, den Sitz der einzelnen Zentren feststellen werden.

Derjenige, für den die geistigen Thätigkeiten Verrichtungen einer Seele, also eines nichtstofflichen Gastes unseres Körpers, sind, wird die Erklärung der Erscheinung eines Genies und selbst Talents entweder lächerlich leicht oder ganz unmöglich finden. Er kann sich nicht damit helfen, daß er sagt, Peter hat mehr Seele als Paul, denn dort, wo kein Stoff vorhanden ist, giebt es auch keine Ausdehnung, welche nur dem Stoffe, und keine Intensität, welche nur der an Stoff gebundenen Kraft zukommt, also auch kein Mehr und kein Weniger, sondern immer nur die Einheit. Ebensowenig kann er sagen, die Verschiedenen Seelen seien ihrem Wesen nach verschieden, es handle sich also nicht um ein Mehr oder Weniger, sondern um ein Anders; denn eine Wesensverschiedenheit des Nichtstofflichen ist dem menschlichen Verstande ebenso undenkbar wie eine Wesensverschiedenheit des Stoffes, den unsere Weltanschauung als einheitlich, unveränderlich und immer sich selbst gleich annimmt. Es bleibt also nur die Erklärung, die keine ist, daß Gottes Gnade der einen Seele eben eine reichere Thätigkeit gestattet als der andern. Wer dagegen mit der neuzeitlichen Wissenschaft annimmt, daß geistige Thätigkeiten Verrichtungen bestimmter Organe, nämlich der Hirnzentren, sind, der kann ohne jede Schwierigkeit verstehen, daß ein besser entwickeltes Organ besser arbeiten wird, als ein minder gut entwickeltes. Warum bei einem Individuum dieses oder jenes Zentrum besser entwickelt ist als bei einem andern, das ist damit freilich noch nicht erklärt. Aber diesem zudringlichen Warum, das nach dem letzten Grunde der Erscheinungen fragt, geht ja die exakte Wissenschaft überhaupt aus dem Wege.

Bei dem Talente brauchen wir nicht lange zu verweilen. Es hat keine anatomische Unterlage. Es beruht nicht auf einer besonderen Entwicklung der Zentren. Es unterscheidet sich weder im Wesen noch selbst in den Mengeverhältnissen von den Leuten, an denen man kein Talent bemerkt. Ich bin nicht weit entfernt, diesen Gedanken noch schroffer auszudrücken und zu sagen: es giebt überhaupt kein Talent. Man darf wenigstens unter diesem Worte nichts Spezifisches verstehen. Was es giebt, das ist Fleiß und Gelegenheit, nämlich Gelegenheit zur Übung und zur Entwickelung. Jeder Normalmensch, eine Bezeichnung, die also Krankheit, Verkümmerung und Zurückbleiben hinter dem heutigen Durchschnittstypus der weißen Menschheit ausschließt, hat alles in sich, was nötig ist, um jede Thätigkeit in einer Weise zu verrichten, die man gemeinhin "talentiert« nennt. Er braucht sich dieser Thätigkeit nur ausschließlich oder vorwiegend zu widmen. Aus jedem vollkommen gesunden Durchschnittskinde kann man alles machen, was man will, wenn man es vernünftig, genügend lang und genügend streng dazu drillt. Bei richtiger Trainierung wäre es durchaus kein Kunststück, Regimenter, ja Armeen von allem, was Sie wollen, von Künstlern, Schriftstellern, Rednern, Gelehrten heranzubilden, ohne vorhergehende Auswahl, nach Los oder Laune, wie man Rekruten ins Heer einstellt, und jeder Mann dieser Armeen müßte durchaus als ein Talent anerkannt werden. Auf dieser stillschweigenden Voraussetzung beruht ja unser ganzes Bildungswesen. Die Schule nimmt an, daß alle Schüler gleich begabt sind und dieselben Bildungsziele erreichen können; sie hat deshalb für alle dieselben Lehrmethoden, dieselben Aufgaben, denselben Lehrstoff. Wenn es in der Wirklichkeit dennoch gute und schlechte Schüler giebt, so liegt dies, soweit unvollkommene, also nicht typische, krankhafte Entwickelung ausgeschlossen werden kann, nur noch an größerem oder geringerem Fleiße oder an der Möglichkeit, sich den Aufgaben der Schule mehr oder minder ausschließlich zu widmen.

Allerdings werden diese Armeen von Gelehrten, Rednern, Dichtern, Malern u. s. w. nie etwas Neues schaffen; sie werden die Grenze ihres Fachs nie erweitern, dessen Ziele nie hinausrücken; aber das, was man vor ihnen gethan hat, werden sie ganz geschickt, ganz leicht, ganz tadellos nachthun und wer das kann, den nennt man ja ein Talent. Es giebt Beispiele genug von Menschen, die tatsächlich auf den verschiedensten Gebieten als Talente anerkannt werden mußten. Ich will nur an die Universaltalente der Renaissance erinnern und als individuelles Beispiel etwa Urbino Baldi nennen, der klassischer Philologe, Maler, Mathematiker, Arzt, Dichter war, sechzehn Sprachen erlernte, an der Paduaner Universität Medizin lehrte und in allen Fächern ganz Tüchtiges leistete. In früheren Jahrhunderten waren solche Universaltalente überhaupt nicht selten und man könnte ihrer auch heute so viel wie man nur will heranzüchten, wenn der Wissensstoff sich nicht so bedeutend vermehrt hätte. Es kostet jetzt viel mehr Zeit, alles geschickt nachzuahmen, was bereits vorher geleistet worden ist. Das ist eine Frage der Jahre, nichts der Anlage. Würden die Menschen zweihundert Jahre alt, so könnte auch heute wie zur Zeit der Renaissance ein und derselbe Mensch eine ganze Anzahl verschiedener Geistesthätigkeiten bis zu ihrer vollkommenen Beherrschung erlernen und in jeder derselben die Tüchtigkeit erlangen, die ihn zu einem Talente der betreffenden Spezialität machen würde.

Was fange ich nun aber mit den sogenannten ausgesprochenen Neigungen zu einem bestimmten Berufe an? Ein Kind will von frühauf Soldat, ein anderes Musiker, oder Naturforscher, oder Mechaniker werden. Das deutet doch darauf hin, daß in ihm etwas ist, was anderen ganz fehlt oder nicht in diesem Maße eignet. Allerdings; so sagt man. Ich glaube aber, daß es sich in allen diesen Fällen von angeblicher Neigung eines Kindes zu einem Berufe um ungenaue Beobachtungen handelt. Meistens wird dem Kinde durch einen äußerlichen Umstand, durch das Beispiel seiner Umgebung, durch vor ihm geführte Gespräche, durch zufällig in seine Hand geratene Bücher oder vor seine Augen gelangte

Schauspiele die Vorliebe für einen bestimmten Beruf nahegelegt worden sein und bei noch vorhandener vollständiger Gleichgiltigkeit für alle Berufe bedarf es ja nur einer ganz geringen Anregung, um die Aufmerksamkeit auf den einen mehr als auf die anderen hinzulenken. Und in den wenigen Fällen, die nicht auf diese Weise zu erklären sind, ist die sogenannte ausgesprochene Neigung zu einem bestimmten Berufe durchaus keine solche, sondern eine ausgesprochene Abneigung gegen andere Berufe, die auf der Empfindung der Unfähigkeit zu gewissen Thätigkeiten beruht, welche wieder durch mangelhafte Entwicklung einzelner Nervenzentren bedingt, ist. Damit sind wir aber schon in das Gebiet des Krankhaften gelangt, wir haben da Individuen vor uns, die in irgend einer Richtung hinter dem Normaltypus zurückbleiben, mein Satz aber, daß Talent bloß Entwickelung durch ausreichende Übung ist, darf nur auf voll und gleichmäßig ausgebildete, normaltypische Individuen angewandt werden. Man sehe nur genau zu und man wird finden, daß jedesmal, wenn ein Junge dem Gymnasium oder dem Kaufmannskontor entläuft und Künstler oder Soldat wird, er nicht, wie er sich später wohl selbst einbildet, aus unwiderstehlichem Drang zum Künstler- oder Soldaten-Berufe gehandelt hat, sondern aus Angst vor der Mathematik oder vor der strengen Zucht eines Geschäftshauses und in der unbestimmten Vorstellung, daß die andere Laufbahn leichter und angenehmer sein werde als die ursprünglich eingeschlagene. Dieser Umsattler hat nicht vor anderen etwas voraus, eine bestimmte Fähigkeit zur Kunst oder zum Waffenhandwerk, sondern er hat um etwas weniger als die anderen, es fehlt ihm die Fähigkeit, die Anstrengungen des regelrechten Lernens oder der kaufmännischen Zucht zu ertragen.

Nach dem Vorausgeschickten erledigt sich die Frage der Erblichkeit des Talents von selbst. Da ich an das Talent als an etwas im Organismus Vorgebildetes nicht glaube, so kann ich auch an seine Erblichkeit nicht glauben. Was man für Erfahrung ausgiebt, das kann mich in dieser Anschauung nicht irremachen, ebensowenig wie das vielgerühmte Buch Galtons, das er mit merkwürdig ungenauer Anwendung des Hauptworts "Erbliches Genie« nennt. Daß in einer Familie eine Reihenfolge sogenannter Talente einer und derselben Richtung beobachtet wird, beweist nicht das Geringste. Was ist natürlicher, als daß das Kind früh durch das Beispiel des Vaters oder Oheims etc. angeregt wird, seinem Denken eine bestimmte Richtung zu geben? Der Sohn des Arztes ist seit seiner Kindheit von Vorstellungen medizinischer und naturwissenschaftlicher Art umgeben; er muß sich, wenn er nicht stumpfsinnig ist, notwendig mit diesen Vorstellungen beschäftigen, sie werden ihn zur Wahl des väterlichen oder eines verwandten Berufes drängen und wenn er ein Normalmensch ist, so wird er zweifellos in dem gewählten Berufe tüchtig, also ein Talent werden. Hat er darum ein bestimmtes Talent seines Vaters geerbt? Nein. Seine Fähigkeit, alle menschlichen Thätigkeiten vollkommen zu erlernen, wurde nur durch das Beispiel des Vaters auf die Erlernung der väterlichen Thätigkeit gelenkt. Als der Sohn eines Generals wäre derselbe Knabe ein militärisches Talent, als der Sohn eines Malers ein talentierter Künstler geworden, in allen Fällen ein anständiges Mittelmaß, doch schwerlich mehr erreichend. Das Vorkommen mehrerer Talente derselben Art in einer Familie, weit entfernt die Erblichkeit des Talents zu zeigen, beweist geradezu das Gegenteil, es beweist, daß ein normal entwickeltes Kind in jeder Laufbahn, auf die es durch Familienüberlieferung hingewiesen wird, es zum Rang eines Talentes bringen kann, durch die bloße Wirkung des Beispiels, ohne daß eine besondere organische Bildung dazu notwendig ist. Es giebt eine Kreuzprobe, welche die Frage endgiltig lösen könnte, aber sie ist meines Wissens nie gemacht worden. Sie bestände darin, daß ein auf der Straße aufgelesenes, im Findelhause erzogenes Kind trotz einer Schule, die keinen Beruf besonders hervorhöbe, aus entschiedener Neigung einen bestimmten Beruf wählte, es in demselben zu anständigen, wenn auch nicht außerordentlichen Erfolgen brächte, später seine Herkunft entdeckte und fände, daß es aus einer Familie stamme, welche in demselben Berufe bereits Talente aufzuweisen hatte. Diese Probe müßte wiederholt geliefert werden, damit man die Einwirkung eines Zufalls ausschließen könne. Dann erst wäre bewiesen, daß ein bestimmtes Talent erblich ist. Aber ich wiederhole, es ist mir nicht bekannt, daß eine solche Kreuzprobe bisher jemals vorgekommen ist, und ich zweifle sehr, daß sie je vorkommen wird.

Ganz anders liegen die Dinge beim Genie. Dieses ist nicht ein anderer Ausdruck für Fertigkeit, durch hinreichende Übung erlangt. Es ist kein Normaltypus, der sich infolge günstiger Bedingungen gut entwickelt hat. Das Genie ist eine außerordentliche Bildung, die von den normalen Bildungen abweicht. Es beruht auf der besondern Entwickelung eines Nervenzentrums, manchmal möglicherweise auch mehrerer oder sogar aller Zentren. Es verrichtet deshalb alle Thätigkeiten, denen die bei ihm ungewöhnlich entwickelten Zentren vorstehen, in einer außerordentlich vollkommenen Weise, viel vollkommener als Menschen vom Durchschnittstypus, und hätten sie durch Übung ihre gleichen Zentren zu der ihnen erreichbaren Vollkommenheit ausgebildet. Vom rein physiologischen Standpunkte aus mühte man eigentlich in jedem Falle von Genie sprechen, wo irgend ein Zentrum, ja irgend ein Gewebe in außerordentlicher, das normale Maß weit überragender Weise ausgebildet ist. Ein überaus robuster Mensch, der imstande wäre, anhaltend die härtesten Arbeiten zu verrichten, allen Unbilden des Wetters ausgesetzt zu bleiben, des Schlafes beraubt, unzureichend genährt, mangelhaft bekleidet zu sein und dabei an seiner Gesundheit keinen Schaden zu leiden, könnte ein Genie der Lebenskraft genannt werden, denn seine allerniedrigsten Zentren, diejenigen, welche die einfachsten Verrichtungen des Organismus, die intimsten mechanischen und chemischen Arbeiten der lebendigen Zelle besorgen, müßten bei ihm außerordentlich vollkommen sein. Milo van Kroton war in diesem Sinne ein Muskelgenie. Das Muskelgewebe hatte bei ihm eine Entwickelung wie bei keinem andern Menschen, von dem die Alten Kenntnis hatten. Er konnte darum Dinge thun, die vor ihm nie gethan wurden, die den Normalmenschen nicht möglich schienen und auch nicht möglich waren. Er riß Bäume mit den Händen entzwei. Das war eine Methode des Spaltens, auf die vor ihm niemand verfallen und die man ihm mit aller Übung nicht nachmachen konnte. Höchstens mochte man es an viel dünneren und schwächeren Bäumen versuchen. Es hat gewiß Muskeltalente gegeben, die durch anhaltende Übung dahin gelangten, an jungen Stämmen das Kunststück fertig zu bringen, welches das Muskelgenie allein an alten Bäumen ohne Vorbild und Übung beim ersten Versuche vollbringen gekonnt. Es könnte einen Menschen geben, der ein so vollkommenes Gehör hätte, daß er, auf der Straße dahinwandelnd, mit größter Deutlichkeit vernähme, was in den innersten Gemächern der Häuser gesprochen oder selbst nur geflüstert würde. Er wäre ein Gehörgenie. Er würde ohne Mühe, ganz von selbst, Dinge erfahren und hinter Geheimnisse kommen, die zu erraten dem Normalmenschen gar nicht denkbar schiene. Solche Vollkommenheiten nennen wir aber nicht Genie, weil sie nicht ausschließlich menschlich sind. Die niedrigsten Zentren der Lebensvorgänge hat jedes Lebewesen und wenn der vorhin gezeichnete robuste Mensch als Genie der Lebenskraft angesprochen würde, so hätte auch ein Frosch, der in einen Stein eingewachsen ungezählte Jahrhunderte lang fortlebt, oder eine Katze, die sechs Wochen lang ohne Nahrung in einer Eisenröhre unter Brandschutt eingeschlossen bleibt, ohne umzukommen, ein Recht auf dieselbe Bezeichnung. Ebenso wird Milo von Kroton durch seine Muskelentwickelung nur in eine Reihe mit einem besonders starken Elefanten oder selbst nur mit einem Ausnahme-Floh gestellt, der viel weiter springen kann als alle seine Artgenossen, und ein Gehörgenie ragt nicht über die Tiere hervor, bei denen der eine oder der andere Sinn bis zu einer uns unbegreiflichen Vollkommenheit entwickelt ist, wie der

Gesichtssinn bei den Tag-Raubvögeln und der Geruchssinn bei den Hunden. Gewisse Tiere haben Fähigkeiten, welche ein eigenes Zentrum voraussetzen, was dem Menschen fehlt. Der Zitteraal kann elektrische Schläge austeilen; die Brieftaube findet über ganze Kontinente hinweg den Weg zu ihrem Schlage zurück; gewisse fleischfressende Wespen haben eine so genaue Kenntnis der Anatomie der Gliedertiere, daß sie durch Stiche, die mit unfehlbarer Sicherheit geführt sind, die Nervenganglien sämtlicher Leibesringe einer Raupe mit Ausnahme der Kopfganglien durchbohren, so daß die Raupe vollkommen gelähmt ist, aber nicht stirbt und der Wespenbrut lebendigen Leibes zur Nahrung dienen, sie aber nicht durch Bewegungen in dem engen Neste beschädigen kann. Alle diese Fähigkeiten gehen dem Menschen ab. Er wird sie auch schwerlich jemals erlangen, weil er sie nicht braucht. Er ersetzt sie überreichlich durch eine höhere, umfassendere Fähigkeit, die des Urteils. Er baut sich mächtigere Elektrizitätsquellen als die des Zitterrochen. Er findet mit Kompaß und Landkarten seinen Weg ebenso sicher wie die Brieftaube. Er erlernt die Anatomie, bis er in ihr noch bewanderter ist als die Raubwespe. Aber theoretisch wäre es doch denkbar, daß ausnahmsweise einmal ein Mensch geboren würde, der das elektrische Organ des Gymnotus besäße, oder das Orientierungs-Organ der Brieftaube, oder das Organ, welches der Raubwespe ein Lehrbuch der Anatomie und Physiologie ersetzt, oder ein Organ, das ihn befähigte, die Bewegungen, welche in arbeitenden fremden Hirnzentren vorgehen, so wahrzunehmen, wie wir mit den Augen und Ohren Bewegungen anderer Art wahrnehmen, also Gedanken zu lesen. Ein solcher Mensch würde Dinge vollbringen, die wir nicht anders als wunderbar nennen könnten. Bei allen anderen als den Höchstgebildeten würde er für einen Zauberer gelten. Aber als ein Genie würde man ihn schwerlich bezeichnen. Wir müssen eben diesen Namen solchen Wesen vorbehalten, bei denen nicht irgend ein unter- oder außermenschliches, sondern ein rein und ausschließlich menschliches Zentrum, eines jener höchsten Zentren, die der Mensch allein unter allen Organismen in voller Ausbildung besitzt, ausnahmsweise mächtig entwickelt ist.

Diese Begrenzung seines Sinnes schließt den Mißbrauch des Wortes aus, dessen sich selbst die sorgfältiger bedachte Rede gewöhnlich schuldig macht. Es ist mir leid, daß ich Namen heranziehen muß, aber ich glaube, ihrer nicht entbehren zu können, wenn diese Ausführungen ganz deutlich werden sollen. Man nennt einen Liszt, einen Makart, einen Damison ein Genie. Das ist nicht richtiger, als wenn man nach meinem Beispiele von vorhin einen außerordentlich muskelstarken Menschen ein Genie nennte. In allen drei Fällen handelt es sich um eine besondere Vollkommenheit sehr niedriger Zentren. Um dies zu beweisen, muß man nur die offenbar höchst zusammengesetzte Erscheinung eines Klavierspielers, Farbenkünstlers und Tragöden zergliedern und in ihre einfachen letzten Bestandteile auseinanderlegen.

Nehmen wir zuerst das Klavierspiel. Dasselbe wird durch Finger-, Hand- und Armbewegungen (die vergleichsweise unwesentlichen Fußbewegungen können wir vernachlässigen) und durch Impulse hervorgebracht, welche diese Bewegungen stärker oder schwächer, langsamer oder rascher, gleichartiger oder unregelmäßiger machen. Es kommen also dabei in absteigender Reihenfolge in Betracht: ein Zentrum, das verschieden starke und verschieden geartete, ungemein rasch wechselnde Bewegungs-Impulse ausschlägt, Nerven, die empfindlich genug sind, diese Impulse mit größter Schnelligkeit und Genauigkeit zu übermitteln, so daß sie weder an dem Maße ihrer Stärke noch an ihrer Eigenart die geringste Veränderung erleiden, endlich Muskeln der oberen Gliedmaßen, die ihre Zusammenziehungen so genau abstufen, daß die Bewegungen den Impulsen stets vollkommen proportionell bleiben. Wir wissen, daß die Arbeit der zweckmäßigen Zusammenfügung von Muskelbewegungen, die Koordination, bestimmte Zentren hat, und mir dürfen annehmen, daß die musikalischen Impulse in einem Empfindungszentrum entstehen, dessen automatische Thätigkeit durch Eindrücke namentlich des Gehörssinns, aber auch anderer Sinne und Hirnzentren angeregt wird, wenn diese Eindrücke immer oder oft mit solchen des Gehörssinns zusammengesellt auftreten.

Solche nichtakustische, aber mit diesen gewöhnlich zusammengesellte Eindrücke sind in erster Linie die geschlechtlichen. Der Urmensch, wie noch heute eine ganze Reihe von Tieren, hat sein Liebeleben höchst wahrscheinlich mit Lautkundgebungen (rhythmischen Schreien, Gesang) begleitet und davon ist eine in unseren Hirnzentren organisierte Verknüpfung der Thätigkeiten des Fortpflanzungs- und des Tonempfindungs-Zentrums zurückgeblieben. Wird das eine Zentrum angeregt, so tritt gleichzeitig das andere in Thätigkeit. Liebesempfindungen regen also musikalische Impulse, Thätigkeit des Zentrums für die musikalischen Impulse die Arbeit des Liebes- (Fortpflanzungs-) Zentrums an. Aber das ist nicht entfernt die einzige Verknüpfung dieser Art. Jede Erscheinung der Außenwelt schließt Anregungen, nicht für einen Sinn, sondern für alle Sinne in sich. Nehmen wir die Erscheinung eines sonnigen Frühlingsmorgens. Der Hauptsinn, an den sich die Erscheinung wendet, ist allerdings das Gesicht, weil ihr wesentlichster Bestandteil das Sonnenlicht und dessen eigenartige Wirkung auf die Landschaft ist. Aber daneben erhält der Geruchssinn den Eindruck von Gras- und Blumenduft, Wasserdunst und Ozon, der Gefühlssinn den Eindruck von Kühle und einem bestimmten Grad von Feuchtigkeit und der Gehörssinn den gewisser Tier- und Vogelstimmen und Laub- oder sonstiger Geräusche. Jede einzelne zusammengesetzte Erscheinung besteht so aus Eindrücken mehrerer oder aller Sinns, diese verschiedenen Eindrücke, von denen die einen stärker, die anderen schwächer sind, werden vom Gedächtnis als Gesamtbild aufbewahrt und ein bestimmter Eindruck eines einzigen Sinnes erweckt auch in den anderen Sinnes- und Empfindungszentren die Eindrücke, die gewöhnlich mit jenem zusammen empfangen werden. So wird der charakteristische Geruch des Sommermorgens auf dem Lande oder im Walde die ganze Erscheinung des Sommermorgens in uns wachrufen, also auch die übrigen Sinneseindrücke, aus denen sie sich zusammensetzt: den Gefühlseindruck der Kühle und Frische, den Gehörseindruck des Hahnenschreis, Lerchengesangs, Hundegebells und Glockengeläutes u.s.w. Irgend eine ganz leise Anregung eines beliebigen

Sinnes kann also wie die übrigen, so auch das Tonempfindungs-Zentrum zu einer Thätigkeit anregen, die nach der Natur jener Sinnesanregung verschieden geartet sein wird. Die Verknüpfung der Thätigkeit der verschiedenen Zentren geht vollkommen außerhalb des Bewußtseins, vollkommen automatisch vor sich. Das Bewußtsein kann auch nicht immer unterscheiden, welcher Sinneseindruck die Thätigkeit eines anderen Zentrums angeregt hat, weil es nicht gewohnt ist, die Erscheinungen zu analysieren und festzustellen, welchen Anteil jeder Sinn an ihrem Zustandekommen hat, sondern gewöhnlich einen einzigen Sinneseindruck, weil er der stärkste ist, für den allein wesentlichen hält und die übrigen, schwächeren und untergeordneteren, ganz vernachlässigt. Um von meinem eigentlichen Gegenstande nicht allzuweit abzuschweifen, will ich dafür nur ein Beispiel anführen. Von der Erscheinung eines Ölgemäldes bildet auch ein Geruchseindruck, der von Ölfarbe oder Firnis, einen Bestandteil; doch ist derselbe ein so schwacher und namentlich so unwesentlicher neben dem Gesichtseindruck, daß wir uns seiner schwerlich bewußt werden, daß wir ihn vollkommen vernachlässigen und nicht bedenken, daß an der Ausarbeitung der Vorstellung "Ölgemälde« in unserm Bewußtsein auch das Geruchszentrum einen Anteil hat. Dennoch genügt es, daß das Geruchszentrum einmal einen ähnlichen Sinneseindruck, also den von Firnis oder Ölfarbe, erhält, um auch die übrigen Zentren zu der Arbeit anzuregen, die sie gewohnheitsmäßig zusammen verrichten, so oft sie die Vorstellung "Ölgemälde« ausarbeiten; in unserm Bewußtsein wird also plötzlich die Vorstellung eines Gemäldes erscheinen, ohne daß wir uns erklären können, woher uns dieses Bild ins Gedächtnis komme. Das ist eine der wesentlichsten Formen der Gedanken-Assoziationen; so erklären sich die Stimmungen, die uns beschleichen, wir wissen nicht wie; so vielleicht auch die meisten Träume, in denen die Sinneszentren bei schwacher oder aufgehobener Thätigkeit des Bewußtsein-Zentrums sehr geringe äußere Eindrücke automatisch zu den Vorstellungen verarbeiten, von denen sie einen Bestandteil bilden. Um ein ausgezeichneter Klavierspieler zu sein, muß also ein Individuum diese

Bedingungen erfüllen: es muß ein sehr empfindliches, das heißt leistungstüchtiges Nervensystem haben, sein Lautempfindungs-Zentrum muß durch äußere Eindrücke, nicht bloß des Gehörs, sondern nach dem vorstehend erklärten Mechanismus auch der übrigen Sinne, leicht angeregt werden, Impulse auszugeben, und sein Koordinations-Zentrum muß ein besonders vollkommenes sein, so daß es die feinsten, genauesten und verwickeltsten Bewegungen der Handmuskeln in raschester Abwechselung kombinieren kann. Den Rang des Klavierkünstlers bestimmt das Vorwiegen des einen oder des andern Zentrums. Ist hauptsächlich sein Koordinations-Zentrum entwickelt, so wird er ein glänzender Techniker sein, alle Schwierigkeiten spielend überwinden, aber den Eindruck der Kälte und Seelenlosigkeit machen. Ist dagegen neben dem Koordinations- auch das Lautempfindungs-Zentrum hervorragend entwickelt, so wird das Spiel nicht bloß technisch gewandt sein, sondern auch wechselnde und mannigfaltige Empfindungs-Impulse widerspiegeln, also belebt und seelenvoll wirken. Ein überaus hochentwickeltes Lautempfindungs-Zentrum wird imstande sein, mächtigere Impulse auszugeben als die gewöhnlichen und bekannten und dieselben in eigenartiger, neuer Weise zu kombinieren; es bildet die psychophysische Unterlage eines Tonsetzer-Genies; es ist das Merkmal eines Beethoven. Ein ebenso entwickeltes Lautempfindungs-Zentrum, zu dem sich ein gut entwickeltes Koordinations-Zentrum gesellt, giebt ein Individuum, das als Kompositeur ein Genie und dabei als Klavierspieler bedeutend ist; etwa einen Mozart. Ist das erste Zentrum noch immer ungemein vollkommen, aber dennoch das zweite vorwiegend, so entsteht einer jener Komponisten, deren Musik nur dann zur vollen Wirkung kommt, wenn sie von ihnen selbst oder ganz getreu nach ihrer Eigenart, das heißt nach der Eigenart ihres Koordinations-Zentrums, gespielt wird; also z.B. ein Chopin. Ein überaus gut entwickeltes Koordinations-Zentrum zusammen mit einem etwas, aber nicht viel über den Durchschnitt hervorragenden Lautempfindungs-Zentrum endlich giebt einen wunderbaren Klavierspieler und bemerkenswerten musikalischen Nachempfinder, aber kaum mittelmäßigen Komponisten wie Liszt, den man mißbräuchlich ein Genie nennt. Dieses Genie würde, wie die eingehende Analyse gezeigt hat, auf außerordentlicher Entwickelung des Koordinations-Zentrums beruhen, also ein Koordinations-Genie sein. Dieses Zentrum ist aber ein niedriges, nicht ausschließlich menschliches und seine besondere Entwicklung giebt keinen Anspruch auf die Bezeichnung Genie, die für die Vollkommenheit spezifisch menschlicher Zentren vorbehalten werden muß. Eine ausgezeichnete Koordination zeigen auch Tiere, so namentlich Affen, deren Kletter- und Gleichgewichts-Kunststücke von nicht vielen Menschen nachgeahmt werden können. Beim Menschen selbst setzt die hervorragend gute Verrichtung vergleichsweise niedriger Thätigkeiten ebenfalls sehr vollkommene Koordinations-Zentren voraus. Man muß z.B. ein hochentwickeltes Koordinations-Zentrum der unteren Gliedmaßen besitzen, um ein ausgezeichneter Schlittschuhläufer zu sein. Dieselbe Vollkommenheit, verbunden mit einem gut entwickelten Lautempfindungs-Zentrum, wird einen hervorragenden Tänzer geben; dagegen wird sie die psychophysische Unterlage eines ausgezeichneten Reiters bilden, wenn sie statt mit einem bemerkenswerten Lautempfindungs-Zentrum mit gut entwickelten Zentren des Willens, dieses wesentlichsten Bestandteils des Mutes, und des Urteils gesellt ist. Eine hohe Entwickelung des Koordinations-Zentrums der oberen Gliedmaßen giebt ebenfalls eine ganze Reihe von verschiedenen Fähigkeiten, je nach den höheren Zentren, die gleichzeitig gut entwickelt sind und ihre Impulse jenem mitteilen. Die Kombination des Koordinations- und Lautempfindungs-Zentrums giebt, wie wir gesehen haben, den Klavierkünstler; diejenige des ersteren und der Willens- und Urteils-Zentren wird einen ausgezeichneten Fechter geben. So besteht eine kuriose Parallele zwischen dem Tänzer und Klavierspieler einerseits, dem Reiter und Fechter andererseits. Von einem "genialen« Klavierspieler zu sprechen ist also nicht richtiger, als einem Tänzer, Reiter oder Fechter den Titel Genie zu geben. Der Stoff, den ich da behandele, ist ein ungeheuer großer. Er würde die weitläufigsten Entwickelungen nicht in Kapiteln, sondern in dicken Bänden gestatten.

Man könnte nahezu endlos die verschiedenen Zentren kombinieren und sehen, welche besondere Fähigkeit dabei herauskommt. Das muß dem Leser überlassen bleiben, der durch die vorstehenden Beispiele dazu angeregt sei. Noch eine Frage will ich, aber ebenfalls nur andeutend, nicht erschöpfend, behandeln. Was wird ein Mensch, der die organischen Anlagen eines Liszt hat, wenn er geboren wird, ehe das Klavier oder irgend ein Werkzeug erfunden ist, das durch Handbewegungen zum Tönen gebracht wird? Es entsteht dann eben nicht die charakteristische Kombination der beiden Zentren, von denen das eine außerordentlich, das andere gut entwickelt ist. Jedes arbeitet dann für sich und wir sehen statt eines Liszt ein Wesen, das sich durch große Fingerfertigkeit in allen Handarbeiten, also etwa durch geschicktes Knüpfen, oder Flechten, vielleicht auch durch bemerkenswerte Taschenspieler-Kunst auszeichnet und daneben musikalische Stimmungen hat, die sich bloß durch Vorliebe für Gesang, vielleicht auch durch Versuche im Singen oder Pfeifen ausdrücken können. Selbst die Thätigkeit des vornehmsten Zentrums, das bei einem Klavierkünstler in Betracht kommt und dessen höchste Entwickelung thatsächlich ein Genie, etwa einen Beethoven, giebt, die des Lautempfindungs-Zentrums, ist noch eine rein automatische, rein emotionelle und steht hinter jeder kogitationellen Thätigkeit zurück. Die des minder vornehmen, des Koordinations-Zentrums, ist überhaupt keine geistige, keine ausschließlich menschliche Thätigkeit mehr, sondern eine solche, die sehr vielen Organismen auch außerhalb der Menschheit, und zwar in hoher Vollkommenheit, eigen ist.

Wenden wir nun dieselbe Zergliederungsmethode auf die Erscheinung eines Farbenkünstlers, z. B. eines Makart, an. Ein malerisches Kunstwerk, ein Bild, ist wieder etwas sehr Zusammengesetzes, dessen einfache Bestandteile in den verschiedensten Verhältnissen an der Hervorbringung der Gesamterscheinung beteiligt sein können. Was bei einem Bilde in Betracht kommt; das ist zuerst die Farbenwirkung, dann die Form und schließlich der geistige Inhalt, man nenne ihn nun Gegenstand ("Anekdote«) oder Komposition. Unser Lichtempfindungs-

Zentrum ist so beschaffen, daß es die Eindrücke von gewissen Farben und deren Zusammenstellungen als angenehme, die von anderen als unangenehme empfindet. Worauf diese Verschiedenheit der subjektiven Empfindung beruht, das kann ich nicht mit Bestimmtheit erklären. Helmholtz und Brücke haben über diese Frage herrliche Untersuchungen veröffentlicht und es mindestens sehr wahrscheinlich gemacht, daß die subjektive Wirkung der Zusammenstellung von Farben wie von Tönen auf dem Verhältnisse beruht, in welchem die Zahl, Weite und Form der Schwingungen oder Wellenbewegungen zu einander stehen, die wahrscheinlich in unseren Sinnesorganen die Veränderungen hervorrufen, welche wir als Farben oder Töne empfinden. Es würde sich also nach diesen großen Forschern bei angenehmen und unangenehmen Farben- und Tonempfindungen um die unbewußte Feststellung einfacher oder komplizierter arithmetischer und geometrischer Verhältnisse der Äther- oder Stoffbewegungen handeln. Doch dem sei nun wie ihm wolle, genug es ist Erfahrungs-Thatsache, daß es angenehme und unangenehme Farben und Farbenzusammenstellungen giebt. Ein besonders gut entwickeltes Lichtempfindungs-Zentrum wird einen Menschen befähigen, zunächst die Farbeneindrücke besonders stark zu empfinden, also an gut zusammengestimmten Farben sich besonders zu erfreuen, von mißtönenden besonders abgestoßen zu werden, sodann selbst Farben und Farbenzusammenstellungen zu finden, die in hervorragendem Maße angenehm wirken. Das Zentrum, das hier in Betracht kommt, gehört, wie alle Sinneszentren, zu den niederen Hirnzentren. Es ist durchaus kein wesentlich menschliches, sondern ein durch das ganze Tierreich bis sehr tief hinunter verbreitetes. Wir dürfen annehmen, daß sehr viele Vögel, ja sogar Falter, Käfer und selbst Weichtiere es besitzen, da die prächtige Färbung dieser Tiere sonst vollkommen unverständlich wäre; seit Darwin giebt man aber ziemlich allgemein zu, daß die schönen Farben der Tiere durch die geschlechtliche Zuchtwahl erlangt worden sind, also dadurch, daß das Individuum, welches mit ihnen geschmückt war, von den Individuen des entgegengesetzten Geschlechts bevorzugt wurde, was undenkbar wäre, wenn man bei diesen Individuen nicht einen Sinn für Farbenwirkung, eine Freude an schönen Farben voraussetzte. Durch seinen bloßen Farbensinn, das heißt durch seine Freude an schönen Farben wird also ein Mensch erst zum Genossen der Elster, des Pfauenauges oder der Seeanemone. Die Entwicklung des Lichtempfindungs-Zentrums genügt bloß zu einer Kunstübung: zur Herstellung angenehm bunten Flächenschmucks, also von Teppichen, Tapeten und Wandbemalungen mit gut zusammengestimmten Farben. Eigentliche Bilder, die unter dem Impulse dieses Zentrums entstehen, werden vielleicht so wirken wie hübsche orientalische Teppiche, jedoch als Kunstwerke einen tiefern Rang einnehmen, weil sie in ihrer Art nicht entfernt so vollkommen sind wie diese.

Das zweite Element, das bei einem Gemälde in Betracht kommt, ist die Form. Das Bild sucht uns nämlich die äußere Erscheinung der Dinge vorzutäuschen. Die Mittel, deren sich die Malerei zur Herbeiführung dieser Täuschung bedient, sind die Zeichnung und die Farbe. (Wohlverstanden: diese Unterscheidung halte ich nur der Bequemlichkeit wegen fest; denn im Grunde ist das, was wir Zeichnung nennen, auch nur eine Farbenwirkung; die Zeichnung täuscht uns die Dinge ebenfalls durch einen Gegensatz von Lichtstärke-Graden oder Farben, gewöhnlich von Schwarz und Weiß, vor.) In der Wirklichkeit sehen wir die Dinge je nach ihrer Lage im Raume, also nach ihrer Entfernung von uns und von einander, nach ihrer Stellung über oder unter uns oder seitlich von uns in verschiedener Form, Größe und Beleuchtung. Eine und dieselbe Kugel erscheint uns groß, wenn sie uns nahe, klein, wenn sie von uns entfernt ist; einmal, wenn sie entsprechend beleuchtet ist, sehen wir eine volle Hälfte, in anderen Lagen bloß einen größern oder kleinern Abschnitt von ihr; daß sie rund ist, erkennen wir nicht direkt, sondern daran, daß der hervorgewölbteste, uns am nächsten liegende Teil anders beleuchtet ist, eine andere Färbung zeigt als die weiter zurück liegenden. Trotzdem das Bild, das wir auf unserer Netzhaut von dieser Kugel haben, in jeder Lage ein andres ist, führen wir es dennoch auf eine und dieselbe veranlassende Ursache zurück, das heißt wir erkennen in dem, was wir sehen, immer dieselbe Kugel, wir mögen sie nun in der Nähe groß, aus der Entfernung klein, wir mögen eine Hälfte oder einen kleinern Schnitt, wir mögen sie, von vorn beleuchtet, in der Mitte am hellsten und nach den Rändern des Kreisbildes hin dunkler, oder, von hinten beleuchtet, in der Mitte am dunkelsten und nach den Rändern hin heller sehen. Das, was uns die Bilder, das heißt die Netzhaut-Eindrücke, deuten gelehrt hat, ist die Erfahrung, die wir unter Mitwirkung der übrigen Sinne und des Urteils erlangt haben. In Wirklichkeit sehen wir nur Flächenbilder, die in einer und derselben Ebene liegen, deren Bestandteile verschiedene Größen, verschiedene Farben und verschiedene Helligkeitsgrade haben. Daß diesen Verschiedenheiten in der Farbe, der Größe, der Beleuchtung Verschiedenheiten in der Entfernung entsprechen, daß die uns in derselben Ebene erscheinenden Gegenstände thatsächlich in verschiedenen Ebenen liegen, das wissen wir durch die Erfahrung. Um zu wissen, daß ein Flächenbild von Kreisform, das in der Mitte anders beleuchtet ist als an den Rändern, eine Kugel sei, müssen wir einmal ein solches Bild abgetastet haben, wir müssen uns der Bewegungen erinnern, die unsere Hand ausführen mußte, um die Oberfläche dieses Gegenstandes zu umschreiben, der Muskelsinn muß unserm Gesichtssinn zu Hilfe kommen und dessen Angaben vervollständigen. Ebenso müssen wir, um zu wissen, daß ein uns klein und verschwommen scheinendes Haus thatsächlich groß, aber entfernt ist, einmal den Weg zu einem solchen kleinen und verschwommenen Objekte zurückgelegt haben und uns erinnern, welche Bewegungen unsere Beine machen mußten, damit schließlich aus dem kleinen und verschwommenen ein großes und scharf begrenztes Objekt werde. Die Malerei nun ahmt die Gegenstände nach, nicht wie sie wirklich sind, sondern wie sie sich auf unserer Netzhaut abzuspiegeln pflegen, also in ihren scheinbaren Größen-, Farben- und Beleuchtungs-Verhältnissen, und wenn sie diese richtig wiedergiebt, so folgen wir unserer erworbenen Gewohnheit und deuten dieses Flächengemälde, wie wir die Flächenbilder unserer Netzhaut zu deuten pflegen, das heißt wir sehen in einem Pünktchen, das unklar gemalt ist, trotz seiner Kleinheit ein großes Haus, trotzdem es eine Spanne vor unserem Auge auf der Leinwand dasteht, ein entferntes Haus, und trotzdem es mit vielen anderen Gegenständen auf derselben Leinwandfläche liegt, ein Haus, das in einer ganz anderen, weit mehr zurückgerückten Ebene liegt als etwa die Bäume oder andere Gegenstände des Vordergrundes. Die Arbeit der Deutung geht natürlich nicht im Auge, sondern in den höheren Zentren, denen des Gedächtnisses und Urteils, vor sich, sie wird nur durch den Gesichtseindruck angeregt. Um also in unserem Bewußtsein ein Bild hervorzurufen, braucht der Maler uns eigentlich bloß ein einziges Merkmal, sei es den Umriß, sei es die Lichtwirkung des betreffenden Gegenstandes, vor das Auge zu führen. Die übrigen Merkmale fügt das Gedächtnis automatisch hinzu, weil es gewohnt ist, dieses Merkmal immer zusammen mit anderen auftreten zu sehen. Auf diese Weise glauben wir oft auf einem Gemälde mit den Augen Dinge zu sehen, die gar nicht auf der Leinwand sind, die also unser Auge gar nicht sehen kann, die unsere Hirnzentren hinzufügen und mit denen sie selbstthätig die Andeutungen ergänzen, die der Maler allerdings in sein Gemälde eingeführt hat. Ich will das nur durch ein einziges Beispiel erläutern. Wir glauben auf einem Gemälde die einzelnen Haare eines Bartes, die einzelnen Blätter eines Baumes zu sehen. Der Maler hat aber weder Haare noch Blätter gemalt, sondern eine gewisse Wirkung von Licht auf einer unregelmäßigen braunen oder grünen Fläche; da wir aber diese Lichtwirkung oft auf Bärten und Baumkronen beobachtet und die Erfahrung gemacht haben, daß sie Haare oder Blätter voraussetzt, so legt unsere Erinnerung ihr auch auf dem Gemälde die Haare oder Blätter unter, die gar nicht dort sind, und wir sehen in unseren Hirnzentren etwas, was unsere Augen durchaus nicht sehen. Die Kunst des Malers besteht nun darin, die Merkmale der Dinge zu finden und sie so nachzuahmen, wie sie unsere Netzhaut in der Wirklichkeit zu empfinden pflegt. Er kann alle Merkmale wiedergeben ober nur einige, aber die wesentlichen. Der bloße Umriß erinnert nur an ein einziges Merkmal, an die Begrenzung der Dinge, erfordert also eine sehr ausgedehnte

Nachhilfe der Hirnzentren, wenn er allein eine Vorstellung der Dinge erwecken soll. Die perspektivische Umrißzeichnung giebt uns bereits eine Vorstellung von den Verhältnissen der Dinge im Raume, denn wir finden in ihr die scheinbaren Größenverschiedenheiten wieder, die wir in der Wirklichkeit beobachten. Die schattierte Zeichnung fügt den Dingen ein weiteres Merkmal hinzu, nämlich die Verschiedenheit der Beleuchtung, die uns in der Wirklichkeit die Schätzung der Größe und Entfernungen und damit die Erkenntnis der Beschaffenheit des Objekts erleichtert. Die Farbe endlich liefert uns das letzte Merkmal, welches der Gesichtssinn überhaupt wahrnehmen kann, und das in den Umrissen, der Perspektive, der Beleuchtung und der Farbe richtige Gemälde bringt im Auge ganz denselben Eindruck hervor wie die Dinge selbst, so daß es den höheren Zentren unmöglich ist, den einen Eindruck von dem andern zu unterscheiden und bei dem Vorhandensein aller optischen Merkmale in der gemalten Nachahmung der Dinge nicht die Dinge selbst zu erkennen. Die Arbeit des Malers ist eine sehr scharfe Analyse seiner Vorstellungen, in denen er den Anteil der höheren Zentren von denen der Gesichtseindrücke unterscheiden muß. Um beim obigen Beispiele zu bleiben: wenn er Laub sieht, so muß er diese Vorstellung zergliedern und bemerken, daß er mit den Augen keine Blätter, sondern nur eine eigenartig beleuchtete, unregelmäßige grüne Fläche sieht, welche erst sein Gedächtnis in das Bild einzelner Blätter auflöst; er darf also auch keine Blätter, die er sich vorstellt, aber nicht wirklich sieht, sondern nur die eigenartig beleuchtete grüne Fläche, die sein Auge wirklich wahrnimmt, wiedergeben. Der Laie hat gar keine Vorstellung, wie verschieden das, was unser Auge wirklich sieht, von dem ist, was wir uns vorstellen, wenn wir einen bestimmten Gesichtseindruck empfangen. Der Maler aber muß von der Vorstellung ganz absehen und sich bloß an den Eindruck halten, der sie hervorruft. Diese Analyse geht unbewußt vor sich. Sie beruht auf einer Fähigkeit, von den Lichtwahrnehmungs-Zentren aus die Muskeln, welche beim Zeichnen und Malen in Bewegung gesetzt werden, zu innervieren, ohne daß eine Dazwischenkunft der höheren, der Gedächtnis- und Urteils-Zentren, stattfindet. Die Hand kann auf diese Weise bloß das zeichnen und malen, was das Lichtempfindungs-Zentrum wirklich empfindet, das heißt sieht, und nicht das, was die höheren Zentren ergänzend oder ändernd hinzufügen. Ganz schließt die direkte Verbindung der Lichtempfindungs- mit den Bewegungs-Zentren, welche die organische Unterlage der malerischen und zeichnerischen Begabung ist, die Dazwischenkunst höherer Zentren nicht aus. Diese treffen nämlich unter den Bestandteilen des Eindrucks, den das Lichtempfindungs-Zentrum von einem Dinge empfängt, eine Auswahl und behalten nur einige, die wesentlichen, zurück, welche dann mittels Muskelbewegungen nachgebildet werden, während die nichtwesentlichen mehr oder weniger vernachlässigt bleiben. Die auch noch in vielen Fällen unbewußte Empfindung, daß das eine Merkmal, eine Umrißlinie, eine Lichtwirkung, eher geeignet ist, eine Vorstellung von einem bestimmten Objekte zu erwecken als ein anderes, erhebt die Thätigkeit des Malers von einer Sinnes- und Muskel- zu einer geistigen Thätigkeit und bewirkt, daß ein Gemälde etwas anderes ist als eine Photographie. Immerhin ist diese Thätigkeit noch eine recht tiefstehende; sie geht nur zum kleinsten Teile von den höchsten Zentren aus und wendet sich nicht an die höchsten Zentren. Ihr Ergebnis ist ein Kunstwerk, dessen einziges Verdienst die Wahrheit ist; aber eine uninteressante, in keiner Weise anregende Wahrheit. Ein Individuum, das die Fähigkeit besitzt, seine Gesichtseindrücke rein, ohne Beimischung der von der Erinnerung und dem Urteil gelieferten Ergänzungen wiederzugeben, wird ein vortreffliches Stillleben zeichnen und, wenn es auch noch Farbensinn hat, malen können. Es wird ein Klassiker des Spargels und der Austern werden und in der Abbildung von Kupferkesseln und Römern triumphieren. Darüber hinaus wird es aber nicht gelangen.

Und nun kommen wir zum dritten Elemente, das bei einem Gemälde in Betracht zu ziehen ist, zu seinem geistigen Inhalte, also zu dem, was es darstellt, zu seinem Stoffe oder Gedanken. Dieselbe Gabe der Analyse, die es dem Maler ermöglicht, die wirkliche optische Erscheinung der

Dinge von ihrem psychischen Bilde zu trennen und von jener Erscheinung die wesentlichsten Bestandteile zu erfassen und wiederzugeben, gestattet ihm in höherer Ausbildung, auch die wirkliche optische Erscheinung von Vorgängen festzuhalten und nachzubilden. So wenig wir die Rundung einer Kugel wirklich sehen, so wenig sehen wir eine Bewegung oder eine Gemütsverfassung. In jenem Falle sehen wir thatsächlich einen charakteristisch beleuchteten flachen Kreis, in diesem eine Reihe aufeinanderfolgender Bilder oder eine gewisse Stellung der Gesichtsmuskeln, der Gliedmaßen und des Leibes. Aber die Erfahrung hat uns gelehrt, daß der flache Kreis, wenn er in der gewissen Weise beleuchtet ist, eine Kugel bedeutet, und ebenso wissen wir aus Erfahrung, daß eine Reihe identischer Bilder, die nacheinander auf unserer Netzhaut erscheinen und, um immer deutlich gesehen zu werden, Bewegungen unserer Augen- und Halsmuskeln erfordern, Bewegung des gesehenen Gegenstandes, und daß gerunzelte Brauen und geballte Fäuste bei einem Menschen Zorn bedeuten. Der Maler erfaßt nun das optische Merkmal, das z. B. für den Zorn, die Freude, den Kummer bezeichnend ist, und indem er es getreu wiedergiebt, erweckt er in uns die Vorstellung, daß er die eigentlich nicht darstellbare entsprechende Gemütsverfassung dargestellt hat. Aus dem Vorangeschickten ergeben sich die Grenzen der Kunst des Malers. Diese Kunst ist zunächst eine rein historische; das heißt sie kann nur Vorgänge darstellen, die wir bereits so oder ähnlich gesehen haben, deren optische Merkmale uns bekannt sind. Wollte der Maler solche Vorgänge darstellen, die uns gänzlich unbekannt sind, so würden wir vor einer optischen Erscheinung stehen, die wir nicht deuten könnten; die Netzhaut empfinge Eindrücke, Gedächtnis und Urteil würden diesen aber nichts hinzufügen und das Gemälde würde bloß eine Sinneswirkung, aber keine Vorstellung hervorbringen, die ja der Maler mit den Mitteln seiner Kunst nicht geben, nur anregen kann und die unser eigner Geist auf Grund der vom Maler gelieferten Veranlassung ausarbeiten muß. Die Malerei ist ferner nicht fähig, sehr differenzierte Geistesvorgänge darzustellen, sondern muß sich an weite, umfassende Allgemeinheiten halten. Sie kann den besondern Gedanken nicht ausdrücken: "Ich bin unzufrieden mit der Art, wie ich meine letzten zehn Jahre verbracht, und namentlich mit der Laufbahn, die ich gewählt habe,« höchstens kann sie im allgemeinen die Empfindung ausdrücken: "Ich bin unzufrieden.« Warum? Weil wohl die Unzufriedenheit im allgemeinen ein sichtbares Merkmal hat, nämlich eine gewisse Miene und Haltung, während sich die Unzufriedenheit mit einer Laufbahn oder einem Lebensabschnitte durch kein besonderes, ihr allein eigenes optisches Merkmal von der Unzufriedenheit im allgemeinen unterscheidet. Diese Grenzen der Malerei bedingen, daß sie eine rein emotionelle Kunst ist und keine kogitationelle sein kann. Das völlig Neue, das rein Persönliche, das an nichts Bekanntes Anknüpfende ist ihr unzugänglich. Das Genie des Malers wird aber darin bestehen, daß er erstens selbst an sehr verwickelten Vorgängen optische Merkmale herausfindet, die nur ihnen und keinen anderen eigen sind, die jedoch jede andere als die schärfste und eindringlichste Analyse übersieht, daß er zweitens die Merkmale, die er wahrgenommen hat, mit höchster Treue wiedergiebt und daß er drittens bedeutende Vorgänge zum Gegenstande seiner Darstellung wählt. Das bloße Talent und gar die Talentlosigkeit würden es wenigstens in den beiden ersten Punkten dem Genie niemals gleichthun können, denn sie sind unvermögend, die Erscheinung selbst auf ihre wesentlichen optischen Merkmale zu analysieren und diese Merkmale charakteristisch wiederzugeben; alles, was sie können, ist, die vom Genie ihnen gebotene malerische Analyse der Erscheinungen nachzuahmen.

Wir haben nun die einfachen Bestandteile, die zusammen ein Malergenie geben: Farbensinn, die Fähigkeit, an einer Erscheinung das vom Auge wirklich Gesehene von dem durch die Geistesthätigkeit Hinzugefügten zu unterscheiden, endlich das Vermögen, zusammengesetzte Vorgänge auf die ihnen allein zukommenden optischen Merkmale zurückzuführen, die ihre richtige Deutung sofort gestatten. Die beiden ersten Fähigkeiten sind niedere und automatische; ihr Besitz kann auf die Bezeichnung "Genie« keinen Anspruch geben. Die dritte dagegen setzt bereits die

Dazwischenkunft hoher Zentren voraus und bedingt eine neue, selbständige Thätigkeit: das Herausfinden bezeichnender optischer Merkmale, die vorher nie als solche erfaßt worden waren. Alle drei Fähigkeiten müssen nicht notwendig vereint und in gleichem Maße entwickelt sein. Je nach dem Vorwiegen der einen oder der andern wird auch die Physiognomie des Malergenies eine andere werden. Analytische Fähigkeit, Wahrhaftigkeit und Farbensinn in annähernd gleicher Vollkommenheit geben einen Raphael; damit schafft man eine sixtinische Madonna, welche die wesentlichen Merkmale derjenigen Erscheinung wiedergiebt, die im Manne (im Weibe viel weniger und im halbwüchsigen Individuum gar nicht) die mächtigsten Emotionen erweckt, nämlich des vollkommen schönen und reinen Weiblichen, das seine Geschlechtszentren anregt, und des Göttlichen, das zu seinem ererbten Sinne für das Mystische spricht, welche dabei in Zeichnung und Farbe den Eindruck der Wahrheit macht und durch ihre Farbenstimmung sinnlich angenehm wirkt. Ein Murillo und Velasquez haben ebenso angenehme Farbenstimmung und größere optische Wahrheit, erwecken aber nicht dieselben Emotionen, weil der Inhalt ihrer bedeutendsten Werke sich nicht an zwei so mächtige Gefühle wie die Geschlechtlichkeit und den Mystizismus, sondern entweder an den letztern allein oder an die bloße Neugierde, an die mehr oder weniger oberflächliche Teilnahme an einem menschlichen Vorgänge, wendet. (An die Madonnen Murillos denke ich dabei nicht, weil ich sie nicht für seine besten Schöpfungen halte, sondern an seine großen epischen Bilder in der Caridad.) Farbenreiz, leidliche Wahrheit und Anknüpfung, nicht an tief menschliche, sondern an vaterländische, nationale Emotionen geben einen Paolo Veronese, Wahrheit und bedeutender Inhalt ohne besonderen Farbenreiz einen Cornelius oder Feuerbach. Fehlt die höchste Gabe des Malers, nämlich die, bedeutende Erscheinungen oder Vorgänge in ihren wesentlichen optischen Merkmalen wiederzugeben, sind aber optische Wahrheit und Farbensinn hervorragend vorhanden, so bekommen wir einen Leibl, einen Meissonier, einen Hondekoeter, Künstler, die Überraschendes und Angenehmes schaffen, jedoch schwerlich tiefere Emotionen erregen können und die man nicht mehr Genie wird nennen dürfen. Starkes Vorwiegen der Fähigkeit, optisch wahr zu sehen und nachzubilden, bei geringer oder fehlender Entwickelung des höchsten analytischen Vermögens und Farbensinns giebt einen Courbet, dessen Bilder weder farbensinnlich angenehm noch inhaltlich bedeutend, aber so optisch wahr sind, daß sie uns ganz dieselben Empfindungen geben wie die dargestellten Dinge in der Wirklichkeit selbst. Da sind wir beinahe schon bei der Photographie angelangt, mit dem einen kleinen Unterschiede, daß diese alle optischen Merkmale der Dinge – bis auf deren Farbe – gleichmütig wiedergiebt, während bei einem Courbet doch noch ein höheres Zentrum das Bild auf seinem unbewußten Wege von der Netzhaut zur malenden Hand aufhält, einige unwesentliche Bestandteile unterdrückt und nur die charakteristischen durchläßt. Der bloße Farbensinn allein endlich giebt einen Makart, der angenehme Farben nebeneinander zu legen versteht wie der australische Kragenvogel vor seiner kunstvollen Laube auch, aber weder die Dinge optisch wahr sieht und wiedergiebt, noch imstande ist, bedeutende Vorgänge oder Erscheinungen in ihren wesentlichen sichtbaren Merkmalen so darzustellen, daß man sie begreift und von ihnen die Emotionen erhält, welche die Vorgänge oder Erscheinungen selbst zu geben vermöchten. Einen Makart ein Genie zu nennen wird nur dann zulässig sein, wenn man diese Bezeichnung auch auf den Kragen- oder Atlas-Laubenvogel anwendet.

Mit dem Schauspieler können wir viel rascher fertig werden. Seine eigenartige Fähigkeit beruht auf der durch besondere Pflege erreichten Entwickelung solcher organischen Eigenschaften, die zu den allgemeinsten nicht bloß der Menschen, sondern auch der höheren Tiere gehören, nämlich des Nachahmungs-Vermögens und der Wechselwirkung der Vorstellungen auf die Bewegungen, der Bewegungen auf die Vorstellungen. Über das Nachahmungs-Vermögen brauche ich kein Wort zu verlieren. Jeder weiß, was das ist, und zu zeigen, auf welchen organischen Voraussetzungen es beruht, wird die

Aufgabe eines folgenden Kapitels sein. Die Wechselwirkung der Vorstellungen und Bewegungen dagegen bedarf eines Wortes der Erläuterung. Alle äußeren Eindrücke, die durch die Sinnesnerven den Rückenmarks- oder Hirnzentren zugetragen werden, erregen in diesen eine Arbeit, die als Bewegungs-Impuls zu sinnlicher Wahrnehmung gelangt. (Hier sei nur nebenhin bemerkt, doch nicht des weiteren ausgeführt, daß selbst dann, wenn der äußere Eindruck scheinbar bloß bewußte Gedankenarbeit – Kogitation – oder unbewußte, automatische Arbeit der höheren Zentren – Emotion –, jedoch keine verspürbare Bewegung anregt, auch ein, wenn schon nur sehr schwacher, Bewegungs-Impuls mit ausgelöst wird, den besonders empfindliche Personen wie die bekannten "Gedankenleser« in manchen Fällen eben noch wahrnehmen können.) Nehmen wir grobe und darum deutliche Beispiele. Die Empfindungsnerven einer Fingerspitze, die unvorsichtig einer heißen Ofenplatte genähert wurde, tragen dem Rückenmark und Gehirn einen Eindruck zu, der im niederen Rückenmarkszentrum allgemein als Gefahr, im höhern Hirnzentrum bestimmter als Schmerz und zwar als brennender Schmerz empfunden wird. Die Antwort darauf giebt das Rückenmarkszentrum in Gestalt eines Bewegungsimpulses an die Armmuskeln, der ein rasches Zurückfahren der Hand bewirkt, und das Hirnzentrum in Gestalt eines Bewegungsimpulses an die Gesichts-, Atem- und Kehlkopf-Muskeln, der ein schmerzliches Verziehen der Miene und das Ausstoßen eines Schreis zur Folge hat. Die Empfindung oder Vorstellung eines Brandschmerzes hat also bestimmte Bewegungsimpulse hervorgerufen. Umgekehrt erwecken nun dieselben Bewegungen, also das jähe Zurückziehen der Hand, das charakteristische Verziehen der Gesichtsmuskeln und das durch kräftige Zusammenziehung der Zwischenrippenmuskeln und des Zwerchfells bei entsprechender Haltung der Kehlkopfmuskeln bewirkte Ausstoßen eines Schreis in den höhern Hirnzentren zwar nicht die Empfindung, aber die Vorstellung eines plötzlichen Schmerzes an der Hand. Jedermann kann folgenden Versuch machen: er stelle zunächst fest, in welchen Bewegungen bei ihm der Seelenzustand tiefer Trauer zum sichtbaren

Ausdruck gelangt; etwa durch Senken des Hauptes, eine bestimmte Miene, eine bestimmte Klangfarbe der Stimme, Schluchzen u. s. w.; er mache nun alle diese Muskelbewegungen genau nach und er wird sehr bald, vielleicht zu seinem Staunen, bemerken, daß er tief traurig gestimmt ist. Er wird dann sogar wahrnehmen, daß selbst diejenigen Begleiterscheinungen dieser Stimmung mit auftreten, die nicht willkürlich hervorgerufen werden können, weil sie nicht auf Bewegungen der quergestreiften Muskeln beruhen, also Thränen-Absonderung und trübe Gedanken-Verbindungen, Phantasiebilder u. s. w. Man muß sich eben immer gegenwärtig halten, daß die Nerven, die von den Körpergrenzen zu den Zentren gehen, dann diese Zentren selbst und die Nerven, welche von ihnen zu anderen Zentren oder zu Muskeln ziehen, einen einzigen Apparat bilden, dessen Verbindungen organisch und automatisch geworden sind, und daß der Apparat seine ganze automatische Arbeit abhaspelt, wenn man ihn an welcher Stelle immer in Thätigkeit setzt, entweder in der richtigen oder in umgekehrter Reihenfolge, durch die Vorstellung zur Bewegung oder durch die Bewegung zur Vorstellung. Das ist der Mechanismus, mit welchem der Schauspieler seine Aufgabe erfüllt, die darin besteht, gegebene Seelenzustände, diejenigen der Person, welche er darstellt, sinnlich wahrnehmbar zu machen. Er kann diese Aufgabe auf zwei Arten erfüllen, auf eine bewußte und auf eine unbewußte. Mit Bewußtsein kann er genau und scharf beobachten, durch welche Muskelbewegungen, also Gesten, Mienen und Stimmbiegungen, gegebene Seelenzustände, etwa Heiterkeit, Mißtrauen, Träumerei u. dgl., bei bestimmt organisierten Personen, bei ruhigen, bei nervösen, bei wohlerzogenen, bei rohen Männern zum sicht- und hörbaren Ausdruck zu gelangen pflegen, und sich bemühen, durch den bloßen Willen diese sämtlichen Gruppen von Bewegungen nachzuahmen. Oder er kann sich im allgemeinen den auszudrückenden Seelenzustand vorstellen, der Vorstellung durch einige von ihr gewöhnlich veranlaßte Bewegungen nachhelfen und es diesen dann überlassen, rückwirkend die Vorstellung zu einer sehr lebhaften zu machen, so daß sie dann unbewußt und automatisch alle Bewegungsimpulse ausgiebt, die ihr geläufig sind, die willkürlichen ebenso wie die unwillkürlichen. Die erste Methode ist die schwierigere und sie bleibt immer höchst unsicher. Sie setzt dieselbe Gabe der Beobachtung und Analyse der Erscheinungen voraus, die wir beim Maler als notwendig erkannt haben. Der mit Bewußtsein nachahmende Schauspieler muß die Seelenzustände, die er darstellen will, tatsächlich beobachtet haben; es darf ihm von ihren wahrnehmbaren Äußerungen keine einzige wesentliche entgangen sein und er kann sich nicht, wie der Maler, auf die optischen Merkmale der Erscheinungen beschränken, sondern muß auch die phonetischen berücksichtigen. Findet er in seinem Gedächtnis nicht das Vorbild, das er nachahmen will, oder hat er dieses nicht genügend scharf beobachtet, so wird seine Nachahmung unbeholfen und unvollkommen sein und nicht den Eindruck der Wahrheit machen können. Die zweite Methode ist dagegen leicht und sicher. Da dieselben Seelenzustände mit ganz leichten individuellen Anpassungen bei allen Menschen dieselben wahrnehmbaren Kundgebungen anregen und der Schauspieler doch auch ein Mensch ist, so wird er, wenn er einmal den betreffenden Seelenzustand in sich hervorgebracht hat, diesen ruhig arbeiten lassen können; die für ihn bezeichnenden wahrnehmbaren Kundgebungen, alle ohne Ausnahme, die willkürlichen wie die unwillkürlichen, selbst Thränen, Augenausdruck u. s. w., werden nacheinander unfehlbar zum Vorschein kommen und die volle menschliche Wahrheit der Nachahmung wird erreicht sein. Das einzige, was zur Übung dieser Methode nötig, ist ein sehr unstäter loser Gleichgewichtszustand der Hirnzentren. Man darf keine festen Stimmungen, kein kräftiges Bewußtsein, keine eigenartige Persönlichkeit haben. Die kogitationelle Thätigkeit der höchsten Zentren darf nicht über deren emotionelle vorherrschen, nicht deren automatische Arbeit hindern und beeinflussen. Der ausgezeichnete Schauspieler muß gleichsam eine Flinte mit ungemein leichtem Spiel des Hahns sein. Wie in diesem Falle die leiseste Berührung den Schuß losgehen macht, so führt bei jenem der geringfügigste äußere Eindruck den Seelenzustand herbei, der dargestellt werden soll und der dann seine eigene Versinnlichung automatisch ausarbeitet. Ein solches Verhalten, das leuchtet wohl ein, ist nur von einem Gehirn zu erwarten, dessen höchste Zentren in der Regel unbeschädigt sind, also keine eigene Gedankenarbeit verrichten und deshalb bereit sind, auf alle Sinneseindrücke mit den entsprechenden Stimmungen und Vorstellungen zu antworten. Wo bleibt da für ein Genie Platz? Die allenfalls noch kogitationelle Gabe der Beobachtung und bewußten Nachahmung stattet nur einen Schauspieler zweiten Ranges aus. Gerade die ausgezeichnetsten, wahrsten und wirkungsvollsten Menschendarsteller dagegen müssen untergeordnete Geister sein, ein leeres Bewußtsein und eine verkümmerte Persönlichkeit haben und ihre Zentren müssen mit einer fast schon als krankhaft anzusprechenden Leichtigkeit in automatische Thätigkeit versetzt werden können. Ist es doch bezeichnend, daß Leibesschönheit und gute Eigenschaften der Stimme, also niedere organische Vollkommenheiten, mit zu den wesentlichen Voraussetzungen gehören, die einen wirkungsvollen Menschendarsteller geben! Der ausgezeichnete Schauspieler hat recht eigentlich die psychologische Beschaffenheit des Kindes und des Wilden: die hemmende (inhibierende) Thätigkeit der Bewußtseins-Zentren übt bei ihm keinen Einfluß auf die automatische Arbeit der Bewegungszentren. Die Erziehung hat beim Menschen der Gesittung gerade die Aufgabe, diese hemmende Thätigkeit zu üben und zu stärken; wir werden dazu angehalten, unseren Gemütszuständen nicht zu gestatten, daß sie sich in Bewegungsimpulsen, in Schreien, Gesichtsverzerrungen und Gesten, versinnlichen, und wir bringen es tatsächlich dahin, daß wir die automatische Arbeit der Zentren völlig unterdrücken, daß wir jede oder fast jede sinnlich wahrnehmbare Kundgebung unserer Gemütszustände verhüten und durch kein äußeres Zeichen verraten, was in unserem Bewußtsein vorgeht. Der Schauspieler, der dieses Erziehungsideal erreichen würde, könnte seine Kunst nicht länger üben.

Es ist also, wie wir nun gesehen haben, durchaus mißbräuchlich, in der Musik einen Instrumentisten, in der Malerei einen Zusammensteller angenehmer Farben und einen Schauspieler überhaupt ein Genie zu nennen. Besondere Entwickelung so niederer Zentren, wie es das Koordinations- oder das Lichtempfindungs-Zentrum sind, oder besonders rege Wechselwirkung von Bewegungen und sie gewöhnlich veranlassenden Seelenzuständen geben nicht mehr den Anspruch auf die Bezeichnung Genie als etwa eine besonders vollkommene Muskelentwickelung oder ein besonders gutes Auge. Das Genie beruht nur auf der ausnahmsweisen Vollkommenheit der höchsten und darum rein menschlichen Hirnzentren, als deren Thätigkeit wir das Urteil und den Willen betrachten. Urteil und Wille, das sind in letzter Linie die Fähigkeiten, deren Zusammenwirken den Menschen über das Tier und deren außergewöhnlich mächtige Ausbildung das Genie über den Durchschnittsmenschen erhebt. Durch Urteil und Willen allein und durch nichts anderes ist das Genie ein Genie. Was ist Urteil? Eine Thätigkeit, die aus Vorstellungen, welche von Sinneseindrücken oder vorangegangener Urteilsthätigkeit gegeben sind, selbständig neue Vorstellungen entwickelt. Den Stoff, den das Urteil verarbeitet, liefern das Gedächtnis, welches seinerseits aus den Sinneseindrücken schöpft, und der Verstand, der die Sinneseindrücke deutet. Die Gesetze, nach denen das Urteil arbeitet, bilden zusammen das, was wir Logik nennen. Also der Sinneseindruck wird von den Empfindungszentren aufgenommen, vom Verstande gedeutet, vom Gedächtnis bewahrt und zuletzt vom Urteil nach festen Regeln, denen der Logik, zu neuen Vorstellungen verarbeitet, die nicht mehr auf direkter sinnlicher Wahrnehmung beruhen. Ein allereinfachstes Beispiel wird dies selbst demjenigen Leser klar machen, der nie etwas von wissenschaftlicher Psychologie gehört hat. Meine Sinne, Gefühl und Gesicht, gaben mir einmal den Eindruck, daß auf mich im Freien Wasser fiel und der Himmel schwarz war. Mein Verstand verknüpfte diese verschiedenen Sinneseindrücke und deutete sie zu der Vorstellung: es regnet aus den Wolken. Mein Gedächtnis bewahrte die Eindrücke und ihre Deutung.

Nun sehe ich einmal dicke Wolken heraufziehen und alle sonstigen Bedingungen (Temperatur, Barometerstand, Windrichtung u. s. w.) sich wiederholen, unter denen es zu regnen pflegt. Mein Urteil wird nun aus der ihm vom Gedächtnis gelieferten Vorstellung von Regengüssen in der Vergangenheit, deren Bedingungen der Verstand festgestellt hat, nach dem von der Erfahrung gegebenen logischen Gesetze, daß dieselben Ursachen unter denselben Bedingungen dieselben Wirkungen veranlassen, die neue Vorstellung ausarbeiten: es wird alsbald regnen, eine Vorstellung, die auf keinem Sinneseindruck beruht, da ja ein Vorgang, der erst in der Zukunft eintreten wird, noch keinen Sinneseindruck hervorbringen kann. Daß auch das Urteil auf der Thätigkeit eines Organs, eines Hirnzentrums beruht und nicht eine außerhalb des Stoffes stehende Erscheinung sein kann, wie der sonst so große und tiefe Denker Wundt annimmt, ist schon dadurch bewiesen, daß es sich durch häufige Wiederholung wie jede andere Hirn- und Rückenmarkszentrums-Thätigkeit im Einzelwesen wie durch Vererbung in der Gattung organisiert, also automatisch wird. Wenn wir bei meinem einfachen Beispiel bleiben, so finden wir, daß auch sehr niedere Tiere, sogar Würmer, des Urteils fähig sind, daß es regnen wird, wenn gewisse Erscheinungen auftreten, denn sie treffen bei drohendem Regen die bei ihnen üblichen Vorbereitungen für denselben, Verkriechen sich, graben sich ein u. s. w. Je vollkommener aber das Urteilszentrum ist, um so leichter wird es ihm, aus dem ihm von den Sinnen, dem Gedächtnis und dem Verstande gelieferten Stoffe neue Vorstellungen zu bilden und um so weiter werden sich diese neuen Vorstellungen zeitlich, räumlich und artlich von den Sinneseindrücken entfernen, welche zu ihrer Bildung die erste Veranlassung gegeben haben. Es wird sich also von dem minder vollkommenen Urteilszentrum darin unterscheiden, daß letzteres bei der Bildung von neuen Vorstellungen, also Urteilen, sich nicht gern von der sichern Unterlage, den Sinneseindrücken und den Erinnerungen, entfernt, während das erste in wunderbar kühner Thätigkeit aus den Sinneseindrücken und Erinnerungen ein Urteil ausarbeitet, dieses Erzeugnis seines eigenen Schaffens wieder als ein dem Sinnes-,

Gedächtnis- und Verstandes-Material gleichwertiges Produkt behandelt und aus ihm mit den Gesetzen der Logik weitere Urteile ableitet und dieses Ableiten von Urteilen auseinander, dieses Aufhäufen neuer Vorstellungen auf der manchmal überaus kleinen Unterlage eines Sinneseindrucks frei und leicht bis zu Grenzen treibt, die dem Durchschnittsmenschen unerreichbar scheinen. Man kann dieses Verhältnis von Sinneseindruck und Urteil veranschaulichen und sagen, die Urteilsthätigkeit gleiche beim Durchschnittsmenschen einer Pyramide, deren Basis der Sinneseindruck, deren Spitze das Urteil ist, beim Genie dagegen einer umgekehrten Pyramide, die auf einer Spitze von Sinneseindruck steht und sich zu einer Basis von Urteil verbreitert. So befähigt der Besitz eines mächtigen Urteilszentrums, aus einem einzigen Eindrucke, einem Blicke, einem Laute, den verwickeltsten Zusammenhang der Dinge zu erraten, aus der Gegenwart die Zukunft, oft die ferne Zukunft vorherzusehen, aus einer Erscheinung ihr Gesetz zu erkennen, das Ergebnis der Einwirkung verschiedener Erscheinungen aufeinander noch vor der unmittelbaren Beobachtung vorauszuwissen; ein solches Urteilszentrum giebt, um es volkstümlich auszudrücken, Menschenkenntnis, Herrschaft über die Lage, sicherste Selbstführung und Führung anderer, Weisheit, Einsicht und Erfindungskraft. Das Urteil, wie ich es bisher definiert habe, hat die Annahme der Kausalität zur Voraussetzung, das heißt die Annahme, daß jede Erscheinung eine Ursache hat, daß gleiche Ursachen unter gleichen Verhältnissen gleiche Wirkungen haben und daß die Größe der Ursache zur Größe der Wirkung in geradem Verhältnisse steht. Nur bei dieser Annahme hat das Material, welches ihm vom Gedächtnis geliefert wird, für das Urteil einen Wert und kann dieses aus Erinnerungsbildern neue Vorstellungen formen, aus der Vergangenheit auf die Zukunft, aus Nahem auf Fernes, aus sinnlich Wahrnehmbarem auf außerhalb des unmittelbaren Sinnesbereichs Liegendes schließen. Ich kann mir aber ein so gewaltiges Urteilszentrum vorstellen, daß es zu seiner Arbeit keines Gedächtnismaterials, also auch keiner Kausalität bedürfte, sondern fähig wäre, den Sinneseindruck unmittelbar zu neuen Vorstellungen zu verarbeiten, die auf der Erkenntnis eines eigenen Gesetzes in jeder neuen Erscheinung beruhten und nicht einfache Projektionen von Erinnerungsbildern in die Zukunft, sondern wirklich vollständig eigenartige, nichts Bekanntes wiederholende Bewußtseinszustände wären. Doch ich will diesen Gedanken nicht ausspinnen, da ich mich innerhalb der Grenzen des heute gegebenen Menschlichen halten möchte.

Neben dem Urteil, haben wir gesagt, ist der Wille der wesentlichste Bestandteil des Genies. Was ist Wille? In der Beantwortung dieser Grundfrage habe ich die Kühnheit, sowohl von Kant, vor dessen erdrückender Größe ich mich sonst in Demut beuge, als auch von Ribot, dessen Tiefsinn und Forschergründlichkeit ich übrigens freudig anerkenne, abzuweichen. Wenn uns Kant erklärt, der Wille sei zugleich das Befehlende, das Gesetz und das Gehorchende, so ist das eine transscendentale Definition, die schwerlich verständlicher und einleuchtender ist als die theologische Erklärung von der Einheit der drei Naturen Gottes. Ribots Definition, nach welcher der Wille die Reaktion des Ichs auf die Einwirkungen der Außenwelt wäre, ist viel zu weit und umfaßt eigentlich das ganze Bewußtsein, das, insofern es auf Sinneseindrücken beruht und seinen ganzen Inhalt aus Sinneseindrücken schöpft (die Frage, ob wir es nötig haben, aprioristische Vorstellungen anzunehmen, lasse ich hier unberührt), auch nur eine "Reaktion des Ichs auf die Einwirkungen der Außenwelt« ist; eine Definition aber, welche zur Annahme führen müßte, daß Bewußtsein und Wille identisch seien, kann nicht richtig sein. Wer auf dem naturwissenschaftlichen Standpunkte steht, der wird mit mir sagen dürfen: der Wille ist die Thätigkeit eines Zentrums, dessen einzige Aufgabe im Organismus es ist, Muskelzusammenziehungen zu veranlassen, anders gesagt, Bewegungsimpulse auszugeben. Philosophisch kommt diese Definition des Willens derjenigen Schopenhauers nahe, denn Schopenhauer nennt das, was Bewegungen veranlaßt, nicht nur bei einem Organismus, sondern auch bei unorganischen Dingen Willen und da jede Erscheinung in letzter Analyse eine Bewegung oder ein Widerstand gegen eine Bewegung, also eine passive Bewegung ist, so wäre der Wille das Wesen aller Erscheinungen, also der Welt. So weit gehe ich nicht. Trotz der theoretischen Ähnlichkeit oder meinethalben selbst Identität des Falles eines Steins und des Schrittes eines Menschen ist man dennoch berechtigt, praktisch diese beiden Bewegungen voneinander zu unterscheiden und für das, was den Steinfall und was den

Menschenschritt veranlaßt, nicht dieselbe Bezeichnung anzuwenden. Wir werden also die Ursache von Bewegungsimpulsen nur bei Organismen Willen nennen und den Willen bloß als eins Begleiterscheinung des Lebens gelten lassen. Daß man Muskelzusammenziehungen nicht bloß mit dem Willen, sondern auch durch andere Einwirkungen, z. B. einen galvanischen Strom, veranlassen kann, beweist nichts gegen die Richtigkeit meiner Definition; denn erstens ist es nicht ausgeschlossen, daß dieselbe Erscheinung von verschiedenen Ursachen hervorgerufen sein kann, und zweitens beweist uns nichts, daß nicht auch der Wille eine Art elektrischer Erscheinung ist, wie man denn auch von "Nervenströmen«, "Nervenkraft«, "Nervenfluidum« spricht, Ausdrücke, die alle auf die Vorstellung zurückführen, daß das Willenszentrum eine Art elektrischer Batterie und der den Muskeln gesandte Bewegungs-Impuls eine Art elektrischen Stromes sei. Man wendet vielleicht ein, daß der Wille auch Erscheinungen hervorrufe, die nicht geradezu Muskelbewegungen genannt werden können; man macht z. B. zweifellos Willensanstrengungen, um sich einer Sache zu erinnern, Gedächtnis aber ist keine Muskelthätigkeit. Darauf erwidere ich: das Gedächtnis gehorcht denn auch tatsächlich dem Willen nur sehr unvollständig und ich glaube, der Wille wirkt nur ganz indirekt auf das Gedächtniszentrum in der Weise ein, daß er Zusammenziehungen und Erweiterungen, also Bewegungen der nicht unter der direkten Kontrole des Bewußtseins stehenden glatten Muskeln in den Gefäßen veranlaßt, welche dem Gedächtniszentrum Blut zuführen. Durch die reichlichere Blutzufuhr wird das Organ zu größerer Thätigkeit angeregt und es kann dann manchmal dem Bewußtsein das gewünschte Erinnerungsbild liefern, welches von ihm nicht zu erlangen war, solange es weniger Blut erhielt und weniger lebhaft arbeitete. Ich bleibe also dabei, daß keine mir bekannte psycho-physiologische Erfahrung dem Satze widerspricht, der Wille sei die Thätigkeit eines Organs, welches Bewegungsimpulse ausgiebt. Nun sind die Fragen zu beantworten, wie die vom Willen ausgegebenen einfachen Bewegungsimpulse zweckmäßige Bewegungen veranlassen und wie der Wille selbst zu seiner spezifischen Thätigkeit angeregt wird. Man findet die Antwort auf diese Fragen, wenn man sich gegenwärtig hält, daß das Leben überhaupt eine sehr zusammengesetzte Erscheinung ist und namentlich jede höhere Lebensthätigkeit nur durch ineinandergreifendes Zusammenwirken verschiedener Organe zustande kommt. Der Wille veranlaßt bloß Zusammenziehungen der Muskeln; nichts anderes. Die Koordinationszentren nehmen aber den Impuls auf und verteilen ihn an diejenigen Muskeln, welche sich zusammenziehen müssen, um die beabsichtigten, zweckmäßigen Bewegungen herbeizuführen, um sie nicht bloß in der gewünschten Form, sondern auch in der gewünschten Stärke herbeizuführen. Die Koordinationszentren spielen also dem Willen gegenüber die Rolle wie in einem elektrischen Apparat etwa die eingeschalteten Kommulatoren, Relais und Widerstände der Batterie gegenüber. Wer hat aber die Koordinationszentren gelehrt, die Muskeln zu erkennen, die sich zusammenziehen müssen, damit eine bestimmte Bewegung in der beabsichtigten Weise und Stärke ausgeführt werde? Die Erfahrung des Einzelwesens und der ganzen Gattung seit ihrem Entstehen, eine Erfahrung, die organisiert ist und automatisch wirkt. Und wie wird der Wille zu seiner spezifischen Thätigkeit angeregt? Durch Einwirkung aller anderen Zentren, durch Induktion, möchte ich mit Heranziehung einer Vorstellung aus dem Bereiche der Elektrizitäts-Wissenschaft sagen. Ein bloßer Sinneseindruck kann ohne Dazwischenkunft des Bewußtseins den Willen zum Ausgeben eines Bewegungs-Impulses veranlassen; es entsteht eine Reflexbewegung, die ganz falsch "unwillkürlich« genannt wird. Unwillkürlich, das heißt nicht vom Willen angeordnet, ist sie nicht; nur unbewußt. Die automatische Thätigkeit der hohen Zentren, also die Emotionen, regen ebenfalls den Willen an. Diese Ursache einer Willenshandlung gelangt mit der oben geschilderten den Emotionen eigentümlichen Halbdeutlichkeit zum Bewußtsein. Endlich kann auch die selbständige, neue, nicht organisierte Thätigkeit des Bewußtseins, also das Urteil, die Kogitation, eine Willensarbeit veranlassen. Das Urteil selbst "will« nicht; es bildet nur eine Vorstellung von irgend einer einfachen oder zusammengesetzten Bewegung oder selbst langen Reihe aufeinander folgender Bewegungen, die ihm in einer gegebenen Lage zweckmäßig scheinen; ist der Organismus gesund, regelrecht entwickelt und im Gleichgewichts, so genügt diese Vorstellung, um das Willenszentrum zur Ausgabe eines Bewegungsimpulses zu veranlassen. Daß die Bewegung vollzogen ist, erfährt das Bewußtsein wieder durch die ihm gemeldeten Eindrücke des Muskelsinnes. Der Vorgang ist also dieser: das Urteil bildet eine Vorstellung von Bewegungen, der Wille giebt die Impulse zu ihnen, die Koordinationszentren verteilen die Impulse zweckmäßig und der Muskelsinn meldet die geschehene Bewegung ins Gehirn zurück. Bewußt sind nur der Anfang und das Ende dieses Vorganges, die Bewegungsvorstellung, welche das Urteil ausgearbeitet hat, und die Kenntnis der vollzogenen Bewegung. Was dazwischen liegt, das entzieht sich dem Bewußtsein. Wie die Bewegungsvorstellung zur Bewegung wurde, das erfährt es nicht. Ungenaue Beobachtung aber hat diese so einfache und klare Folge organischer Akte verdunkelt. Weil man sich der Bewegungsvorstellungen und der ausgeführten Bewegungen bewußt wird, hat man den Willen selbst ins Bewußtsein verlegt. Und doch lehrt die Erfahrung, daß auch die allerlebhafteste Bewegungsvorstellung nicht notwendig von einer Bewegung gefolgt, daß also das Urteil noch durchaus nicht der Wille sei. In einer Krankheit, welche man Neurasthenie oder Nervenschwäche nennt, ist das Willenszentrum dem Einflusse des Urteils entzogen. Man hat dann gut sich Bewegungen vorstellen, man führt sie nicht aus. Man erkennt vollkommen die Zweckmäßigkeit, ein Buch zu nehmen oder über die Straße zu gehen, allein man vermag die Arme oder Beine nicht zu den hierzu notwendigen Bewegungen zu bestimmen; man ist aber nicht etwa gelähmt, sondern vollkommen imstande, z. B. fremde Befehle auszuführen. Der Kranke sagt dann wohl: "Ich will, aber ich kann nicht.« Das ist jedoch unrichtig. Die Wahrheit ist, daß er denkt, aber nicht will. Das Urteilszentrum arbeitet, das Willenszentrum nicht. Man sagt sehr häufig von Menschen, daß sie willensschwach seien. Das ist in der Regel unrichtig. Das, was meistens schwach ist, das ist das Urteilszentrum. Dieses ist nicht fähig, bestimmte Bewegungsvorstellungen in genügender Schärfe auszuarbeiten. Darum kann auch der Wille nicht in Thätigkeit treten. Wenn aber ein fremdes Urteil ihnen solche Bewegungs-Vorstellungen mitteilt, also ihnen rät oder befiehlt, so führen sie die Bewegungen gewaltig, sicher und unwiderstehlich aus, ein Beweis, daß ihr Willenszentrum stark genug ist. Dasselbe gilt von den Fällen, in welchen man von einem Willenszwiespalt oder von einer dem Einflüsse des Willens entzogenen Handlung der Leidenschaft spricht. Der Zwiespalt herrscht nicht im Willen, sondern im Urteil. Man hat nicht "zwei Willen, die einander bekämpfen«, sondern zwei Vorstellungen, deren keine klar und deutlich genug ist, um den Willen zu einem Impulse anregen zu können. Sowie eine Vorstellung ganz deutlich wird, besiegt sie die andere und versetzt den Willen in Thätigkeit. Hamlet ist nicht willenlos, sondern urteillos. Sein Urteilszentrum erweist sich nicht als stark genug, um eine bestimmte Vorstellung zweckmäßiger Bewegungen auszuarbeiten. Könnte er dies, so würde sein Wille die Bewegungen auch vollziehen, vorausgesetzt, daß das Willenszentrum gesund ist, worüber uns Shakespeare keine Andeutung giebt. Und wenn man in der Leidenschaft etwas thut oder unterläßt, was scheinbar die Vernunft verbietet oder befiehlt, so ist nicht etwa "der Wille ohnmächtig gewesen«, wie die Romanphrase geht, sondern die automatische, emotionelle Thätigkeit der höchsten Zentren war stärker als ihre freie, kogitationelle, die bewußten Vorstellungen des Urteils haben gegen die halb- oder unbewußte organisierte Arbeit der Hirnzentren nicht Vorgewogen, der Wille hat die kräftigere Anregung von ihrem Automatismus erhalten und die Bewegungsbilder verwirklicht, die automatisch, und nicht diejenigen, die vollbewußt hergestellt morden sind. Der Wille ist also mächtig genug gewesen; ohnmächtig war nur das Urteil, die automatische Arbeit der höchsten Zentren zu hemmen und mit seiner freien, bewußten Arbeit auf den Willen einzuwirken. Wir werden die Verwechselung von Urteil und Willen nicht begehen und bei Unentschlossenheit oder vernunftwidrigen Handlungen der Leidenschaft oder bloßer Gewohnheit nicht von Willens-, sondern von Urteilsschwäche sprechen. Wirkliche Willensschwäche werden mir nur dann annehmen dürfen, wenn bei einem gesunden Menschen (wo also nicht etwa die Verbindung zwischen dem Urteils- und Willenszentrum gestört ist und beide zwar kräftig genug, aber unfähig sind, einander regelrecht zu beeinflussen) ganz klare und bestimmte Bewegungsvorstellungen des Urteils nicht verwirklicht oder nur unvollkommen und zögernd ausgeführt werden und wo auch Impulse der Leidenschaft bloßes Gefühl, Wunsch, Sehnsucht bleiben, aber nicht zur That werden. Denn das einzige Maß der Stärke des Willens ist seine Fähigkeit, Widerstände zu überwältigen. Nicht die Muskeln sind es, die Hindernisse besiegen, sondern der Wille ist es, die Menge von Anregung, die er den Muskeln giebt. Wahnsinnige, bei denen das Willenszentrum krankhaft erregt ist und außerordentlich starke Impulse an die Muskeln ausgiebt, vollbringen Handlungen, die man nicht für möglich halten würde. Schwächliche Greise oder Frauen zerbrechen Eisenstäbe, zerreißen Ketten, können im Ringen von mehreren handfesten Aufsehern nicht überwunden werden. Wenn dieselben Personen in gesundem Zustande Ähnliches leisten könnten, so würde man sie zu den stärksten Individuen des Zeitalters rechnen. Sie können es aber nicht, obwohl sie doch im Besitze desselben Muskelsystems sind wie zur Zeit ihres Wahnsinns. Man ersieht daraus, daß es bei großen Kraftleistungen nicht entfernt so viel auf die Muskeln als auf die Stärke des Impulses ankommt, den ihnen das Willenszentrum sendet. Der erste Widerstand, den der Wille zu besiegen hat, ist der Leitungswiderstand, der ihm von den Geweben, den Nerven und Muskeln, entgegengesetzt wird. Je kürzer die in Betracht kommende Nervenbahn, je kleiner und zarter die anzuregende Muskelgruppe ist, um so geringer ist dieser Widerstand, um so schwächer kann der Willensimpuls sein, der zur Hervorbringung einer Bewegung notwendig ist. Die feinsten quergestreiften Muskeln, die wir besitzen, sind der Reihe nach diejenigen des Kehlkopfs, des Auges, der Mundhöhle, des Gesichtes, der Hand. Schon ein sehr schwacher Wille genügt also, um diese Muskeln in Bewegung zu setzen und zu schmatzen, Gesichter zu schneiden, grimmig oder froh zu blicken und zu gestikulieren. Darauf beschränken sich dann auch die Handlungen gewöhnlicher Menschen. Etwas schwerer ist es schon, die groben Muskelgruppen der Arme, noch schwerer, die der Beine und des Rumpfes zur Zusammenziehung zu veranlassen. Das erfordert eine stärkere Impulsion, also eine kräftigere Arbeit des Willenszentrums. Wirklich willensschwache Menschen gelangen deshalb kaum dazu, dem Schwatzen und Gestikulieren ein Unternehmen folgen zu lassen, das Gänge oder ein Schaffen mit den Armen erfordert. Am schwersten endlich ist die Ausführung solcher Bewegungen, die den Zweck haben, äußere Widerstände, sei es unbelebter Dinge oder lebender Wesen, zu überwältigen. Da muß der Wille nicht blos die inneren Leitungshindernisse, die uns als Trägheit oder Bewegungsunlust zum Bewußtsein kommen, sondern Naturkräfte (z.B. die Schwerkraft) oder die Impulse eines fremden Willens besiegen; er muß also imstande sein, kräftige Impulse auszugeben, jedenfalls kräftigere als die des gegnerischen Willens, wenn der zu überwindende Widerstand von einem Menschen herrührt. Ist der Wille dazu nicht stark genug, so werden die Bewegungsvorstellungen des Urteils, und wären sie noch so klar und bestimmt, unverwirklicht bleiben. Man wird genau wissen, was man thun sollte, man wird auch aufs lebhafteste wünschen, es zu thun, aber thun wird man es doch nicht. Das, was man Mangel an Ausdauer und Feigheit nennt, ist nichts anderes als eine Erscheinungsform der Willensschwäche. Man verharrt nicht bei einem Unternehmen oder schreckt schon vor dessen Beginn zurück, wenn man entweder aus Unkenntnis desselben seine Schwierigkeiten überschätzt oder es kennt und seinen Schwierigkeiten nicht gewachsen zu sein glaubt. In beiden Fällen formt das Urteil die im gegebenen Falle angezeigten Bewegungsvorstellungen nicht deutlich, weil ihm das Gedächtnis Erinnerungsbilder von Fällen vorhält, in welchen der Wille sich zur Bewältigung ähnlicher Schwierigkeiten zu schwach erwiesen hat. Lauheit und Feigheit beruhen demnach auf der Erfahrung von Willensschwäche.

Mächtige Entwickelung des Urteils- und des Willenszentrums sind also die organischen Unterlagen der Erscheinung, die man Genie nennt. Einseitige Entwicklung des Willenszentrums genügt noch nicht zur Ausstattung eines Genies. Riesen an Willen werden imstande sein, alle Hindernisse zu überwinden, die sich der Verwirklichung ihrer Bewegungsvorstellungen entgegenstellen, mögen sie nun die Form von Dingen oder Menschen, von Gesetzen oder Sitten annehmen; aber sie werden nicht selbständig bedeutende und zweckmäßige Bewegungsvorstellungen ausarbeiten können. Herkules vollbringt die zwölf Arbeiten, aber Eurystheus muß sie ihm auftragen. Mit dem Willen allein wird man im besten Falle ein Heerführer unter Alexander dem Großen, ein Seleukus, ein Ptolemäus, oder ein Marschall Napoleons; man wird der berühmte Minister eines genialen Monarchen oder, und zwar viel häufiger, der unsterbliche Souverän eines genialen Ministers; im schlechtesten Falle wird man ein Wüstling, von dessen Orgien Länder und die Geschichte widerhallen, oder ein Verbrecher, der alle Zeitgenossen in Schrecken versetzt; ein Cäsar Borgia oder ein Schinderhannes. In jenem Falle verwirklicht man die Bewegungsvorstellungen, die ein fremdes, geniales Urteilszentrum ausgearbeitet hat, in diesem die halb- oder unbewußten emotionellen Anregungen der eigenen Zentren. Einseitige Entwickelung des Urteilszentrums bringt dagegen für sich allein ein Genie hervor, nur wird dieses einen andern Charakter haben, je nachdem neben dem Urteils- auch das Willenszentrum weniger oder mehr ausgebildet ist. Urteilsgenie ohne besondere Willenskraft giebt einen großen Denker, einen Philosophen, Mathematiker, vielleicht noch Naturforscher. Denn bei ihren Thätigkeiten sind die geringsten dynamischen Hindernisse zu überwältigen, die schwächsten Muskelzusammenziehungs-Impulse auszugeben; ihr Urteil braucht nicht grobe Bewegungsvorstellungen auszuarbeiten, sondern erweist seine Größe und Gewalt auf andere Art, indem es aus den Sinneseindrücken endlose, neue, unsinnliche Vorstellungen ableitet; aus einer einfachen Zahlenbeobachtung den pythagoräischen Lehrsatz, die Theorie der Zahlen, die Integral- und

Differenzialrechnung; aus dem Falle eines Apfels das Gesetz der Schwerkraft; aus dem Wahrnehmungsinhalt des Bewußtseins eine Erkenntnistheorie, aus den Erfahrungsthatsachen der Entwicklungslehre und Paläontologie das evolutionistische System Darwins. Ich kann die Anschauung Bains nicht teilen, der in der Rangordnung des Genies das philosophische Genie obenan stellt. Meine Theorie zwingt mich, dem reinen Denker und Forscher den untersten Platz in dieser Rangordnung anzuweisen; denn ihre Größe beruht auf ihrem Urteil allein, dieses ist aber für sich, ohne Mitwirkung des Willens, außer stande, die von ihm ausgearbeiteten Vorstellungen, und wären sie noch so wunderbar, zu sinnlich wahrnehmbaren Erscheinungen zu machen. Um sie wenigstens auszusprechen oder aufzuschreiben, bedarf es schon einer Muskelthätigkeit, also eines Willensimpulses. Würde der Wille eines Urteilsgenies nicht einmal zur Veranlassung der Schreib- oder Sprechthätigkeit genügen, so blieben dessen erhabenste Vorstellungen rein subjektive Bewußtseins-Zustände, von denen niemand außer ihm selbst eine Ahnung hätte. Sie wären molekulare Bewegungsvorgänge in seinem Gehirn und von anderen nur in dem Maße wahrnehmbar, in welchem solche durch den Raum hindurch von einem andern Gehirn empfunden und wiederholt werden können, sofern man nämlich diese Art der Wahrnehmung, also ein Gedankenlesen höchster Art, für möglich hält.

Tritt zum Urteilsgenie ein Willenszentrum von guter Durchschnittsbildung, so erhalten wir den großen Förderer der Experimental-Wissenschaften und den Erfinder. Das Wesen der Anlagen und Thätigkeit dieser beiden ist eigentlich identisch. Der Experimentator wie der Erfinder leitet aus den Erscheinungen Gesetze ab und sinnt stoffliche Bedingungen aus, die ihm gestatten, die gefundenen Gesetze nach seiner Willkür wirken zu lassen. Der Unterschied zwischen ihnen ist kein theoretischer, nur ein praktischer. Jener begnügt sich damit, solche Umstände und Vorrichtungen zusammenzustellen, die ihm zeigen sollen, ob die sinnlichen Vorgänge mit den Vorstellungen seines Urteils übereinstimmen, ob ein von seinen Hirnzentren gefundenes Gesetz sich in der Welt der Erscheinungen bewahrt; dieser dagegen sucht solche Veranstaltungen zu schaffen, die den ausschließlichen Zweck haben, die menschliche Bequemlichkeit im weitesten Sinne zu erhöhen. Allerdings haben wir da einen Irrtum zu vermeiden. Eine Erfindung, eine Entdeckung muß nicht notwendig das Ergebnis von Urteilsgenie gepaart mit ausreichender Willenskraft sein. Der Zufall kann an ihr mitgearbeitet haben. Der Mönch Schwarz suchte nicht das Pulver, als sein Schwefel-, Salpeter- und Kohlengemenge im Mörser aufflog, und Professor Galvani dachte nicht im Entferntesten an eine unbekannte Naturkraft, als er seinen sezierten Froschschenkel an den Kupferhaken steckte. Im ganzen bin ich aber dennoch nicht geneigt, dem Zufall mehr als einen ganz geringen Anteil an den großen Entdeckungen und Erfindungen einzuräumen. Es gehört immerhin ein außergewöhnliches Urteil dazu, eine unbekannte Erscheinung richtig zu beobachten, sofort zu bemerken, daß sie mit den zur Zeit vorhandenen Kenntnissen nicht befriedigend erklärt werden kann, ihre Ursachen und Bedingungen zu finden und aus ihr neue Vorstellungen abzuleiten. Der Zufall wird also nur dann zum Ausgangspunkte einer Entdeckung oder Erfindung, wenn er einen bedeutenden kogitationellen Menschen zum Zeugen hat. Der emotionelle Durchschnittsmensch mit seinem automatisch arbeitenden Gehirn bleibt stumpf vor Erscheinungen, die sich mit seinen ererbten und organisierten Vorstellungen nicht decken. Wäre der Mörser von Schwarz vor einem Durchschnittsmenschen losgegangen, so hätte dieser sich bekreuzt, an eine Teufelserscheinung geglaubt und aus seiner Beobachtung höchstens die Lehre gezogen, daß er sich hüten müsse, je wieder an Schwefel zu rühren. Das Pulver hätte er nicht erfunden. Die gewissen fruchtbaren Zufälle ereignen sich täglich vor den Augen der Menschheit und haben sich immer vor ihnen zugetragen. Es muß aber erst ein außerordentlich mächtiges Urteil vor sie hintreten, um sie zu verstehen, ihre Gesetze und Anwendungen zu finden. Der ganze Stoff an Erscheinungen, die den biologischen, chemischen und physikalischen Wissenschaften, den Erfindungen im Gebiete der Dampfkraft, der

Elektrizität, der Mechanik zu Grunde liegen, ist unverändert seit ewigen Zeiten da und er war für die Menschen der Steinzeit ganz so vorhanden wie für uns. Allein um ihn zu verstehen und zu bemeistern bedurfte es einer Entwicklung des Urteils, die weder von den Urmenschen noch von den Menschen des Altertums erreicht war. Ebenso sind wir auch heute zweifellos von Erscheinungen der wunderbarsten Art umgeben, bei denen wir uns nichts denken, die wir nicht zu deuten wissen und deren Gesetze wir nicht suchen, weil unter den Mitlebenden niemand ein genug mächtiges Urteil besitzt, um aus ihrer sinnlichen Wahrnehmung die Vorstellung ihrer Ursachen und möglichen Wirkungen abzuleiten. Es ist aber äußerst wahrscheinlich, daß später Genies kommen werden, denen dies erreichbar, ja leicht sein wird, und unsere Nachfolger auf Erden werden nicht begreifen, daß wir blöd und stumpf, an den merkwürdigsten Erscheinungen vorübergehen konnten, wie wir nicht verstehen, daß die Menschen nicht schon vor Jahrtausenden auf Sprengstoffe, Dampfmaschinen und Anwendungen der Elektrizität gekommen sind. Sehen wir nun von der, wie ich zu zeigen gesucht habe, winzig kleinen Mitarbeit des Zufalls ab, so bleibt die Thatsache übrig, daß Versuche im Sinne Bacons, "an die Natur gerichtete vernünftige Fragen«, die mit Bewußtsein und Absicht gestellt sind und auf die man eine im Voraus erratene Antwort erwartet, also die methodischen Arbeiten eines Robert Meyer, Helmholtz, Röntgen, ein Urteilsgenie und ein tüchtig organisiertes Willenszentrum zur Voraussetzung haben. Die Gesellung des Willenszentrums ist nötig, weil es sich ja beim Experimentieren und Erfinden wesentlich darum handelt, vom Urteilszentrum ausgearbeitete Vorstellungen zu versinnlichen, die Versinnlichung aber nur durch Muskelthätigkeit bewirkt werden kann, die wieder bloß durch Willensimpulse zustande kommt.

Wenn endlich das Willenszentrum ebenso außerordentlich entwickelt ist wie das Urteilszentrum, wenn wir also einen Menschen vor uns haben, der zugleich ein Urteils- und ein Willensgenie ist, so grüßen wir eine jener Erscheinungen, welche den Lauf der Weltgeschichte verändern. Ein solches Genie äußert sich nicht in Gedanken und Worten, sondern in Thaten. Sein Urteil arbeitet neue, persönliche Vorstellungen aus und sein Wille ist rege und stark genug, sie allen Hindernissen zum Trotze in Handlungen umzusetzen. Es verschmäht die bequemeren Arten der Versinnlichung von Vorstellungen, nämlich die durch Laute und Zeichen, und strebt diejenigen an, die ein Überwältigen der größten Widerstände nötig machen. Es spricht und schreibt also nicht, sondern handelt, das heißt verfügt über andere Menschen und über Naturkräfte im Sinne seiner Vorstellungen. Dieses Genie wird in der Menschheit, was es will und thut, was es will. Es entdeckt Weltteile. Es erobert Länder. Es beherrscht Völker. Es geht den Lebensgang Alexanders, Mohameds, Cromwells, Napoleons. Seinem Walten setzt nichts Menschliches eine Grenze, es müßte denn ein gleich großes ober noch größeres Urteils- und Willensgenie zum Zeitgenossen haben. Es kann nur an einer Naturkraft scheitern, die mächtiger ist als die Kraft seines Willens. Ein Orkan hätte Columbus vernichten können; Krankheit fällte Alexander; Napoleon wurde an einem russischen Winter zu Schanden. Das Urteilszentrum kann in seinen Vorstellungen selbst die Natur überwinden. Das Willenszentrum vermag nur Kräfte zu besiegen, die schwächer sind als seine eigene Kraft.

Die Organisation eines solchen Urteils- und Willensgenies bringt es mit sich, daß es mehr oder weniger, in äußersten Fällen vollkommen, dessen entbehrt, was man Gefühl und künstlerischen Sinn, Schönheits- und Liebesbedürfnis nennt. Seine mächtigen Zentren setzen alle Eindrücke in klare Vorstellungen um und leiten vollbewußte Urteile aus ihnen ab. Eine automatische Thätigkeit findet höchstens in den niederen Zentren der Koordination und Ernährung statt; die höheren arbeiten eigenartig, nicht nach ererbter Schablone. Von dunkeln, halb- oder unbewußten Regungen ist das Genie beinahe ganz frei. Es ist in keiner Weise sentimental. Es macht deshalb den Eindruck der Härte und Kälte. Diese Worte besagen aber nichts anderes, als daß es rein kogitationell, nicht emotionell ist. Mit dieser Organisation hängt es auch zusammen, daß das Genie den fertigen

Gedanken anderer Köpfe sehr schwer zugänglich ist. Seine Zentren sind auf eigenartige, nicht auf Nachahmung fremder Arbeit gerichtet. Sie müssen sich dem Rohstoff sinnlicher Wahrnehmungen gegenüber befinden, um denselben in ihrer persönlichen Weise zu neuen Vorstellungen zu verarbeiten. Vorverdaute Erzeugnisse des Urteils, das heißt ein Rohstoff sinnlicher Wahrnehmungen, der bereits in fremden Hirnzentren die Umwandlung in Vorstellungen erfahren hat, also gerade die, ich möchte sagen geistigen Peptone, die der Durchschnittsmensch allein assimilieren kann, widerstehen ihnen.

Bei diesem Punkte meiner Betrachtungen richtet sich eine bedrohliche Frage vor mir auf. Wenn das Genie Urteil und Wille in außerordentlicher Vollendung ist, wenn seine Thätigkeit in Hervorbringung neuer, unsinnlicher Vorstellungen und in deren sinnlicher Verwirklichung besteht, was fange ich dann mit den emotionellen Genies, mit den Dichtern und Künstlern an? Habe ich dann überhaupt das Recht, zuzugeben, daß Dichter und Künstler ebenfalls Genies sein können? Nun, dieses Recht ist in der That mindestens zweifelhaft. Halten wir uns nur gegenwärtig, was eigentlich Emotion ist. Sinneseindrücke werden zu den zuständigen Sinneszentren geleitet, diese Sinneszentren versetzen andere Sinneszentren, nämlich diejenigen, welche gewöhnlich mit den anderen zusammen Eindrücke zu empfangen pflegen, in Thätigkeit; sie regen die Willens- und Koordinationszentren an und rufen irgend eine Handlung des Organismus, sei es auch nur einen Gesichtsausdruck, eine Änderung im Herzrhythmus, einen Ruf, als Gegenwirkung hervor; alles das automatisch, nach ererbter, organisch gewordener Gewohnheit, ohne Dazwischenkunft des Urteils, das von den Vorgängen in den niederen Zentren nur eine dunkle Halbkenntnis, eine unbestimmte Ahnung erhält. Diese Vorgänge, die außerhalb des Bewußtseins stattfinden, sind eben die Emotionen. Die Dichtung, die Musik, die bildenden Künste haben keine andere Aufgabe, als Emotionen hervorzubringen. Jede sucht mit ihren Mitteln in unserem Organismus die Vorgänge anzuregen, welche in der Wirklichkeit durch eine bestimmte Folge von Sinneseindrücken veranlaßt werden und die wir als Emotionen empfinden. Der lyrische Dichter strebt mit Worten, der Musiker mit Tönen, der Maler mit Farben unsere Hirnzentren zu der Arbeit zu bestimmen, welche sie zu liefern pflegen, wenn die Sinne ihnen die Eindrücke zutragen, die etwa von einem schönen und liebreizenden Wesen des entgegengesetzten Geschlechts, einem Feinde, einer zerstörenden Naturgewalt, einem leidenden Mitgeschöpfe, einer bestimmten Jahreszeit ausgehen. Je richtiger sie die durch ihre Kunst darstellbaren, also die in Worten ausgedrückten geistigen, die optischen, die akustischen Merkmale der Vorgänge zu erfassen und nachzuahmen wissen, um so näher werden die von ihnen angeregten Emotionen den Emotionen kommen, welche die Vorgänge selbst hervorrufen würden. Eine Hervorbringung der Dichtkunst, Malerei u. s. w., die in uns keine Emotionen erregt, wird von uns nicht als Kunstwerk anerkannt, und wenn unser Urteil noch so sehr erkennt, daß sie klug erdacht, mit großem Aufwand an Fleiß und Geschicklichkeit, mit Besiegung mächtiger Hindernisse hergestellt ist. Die Wirkung des Kunstwerks beruht also auf automatischer Thätigkeit unserer Zentren; diese wird aber nur durch Eindrücke angeregt, die der Organismus und die ganze Reihe seiner Vorfahren zu empfangen gewohnt waren; dies schließt jede wirkliche Neuheit des Kunstwerks aus; dasselbe muß, um zu wirken, alte, gewohnte, organisierte Eindrücke zum wesentlichen Inhalt haben. Als das Eigentümliche des Genies haben wir aber die Fähigkeit erkannt, neue, von den bis dahin bekannten abweichende Vorstellungen zu bilden und in sinnlich wahrnehmbare Erscheinungen umzusetzen. Wie verträgt sich das nun mit der Kunst, in der es sich ausschließlich darum handelt, alte, der ganzen Gattung eigene und in ihr organisch gewordene Eindrücke zu wiederholen?

Die Antwort auf diese heikle Frage macht mich bloß insofern verlegen, als ich mit ihr gegen weitverbreitete Anschauungen verstoßen muß. Es ist wahr, das emotionelle Genie ist nicht eigentlich ein Genie. Es schafft in der That nichts neues, giebt dem menschlichen Bewußtsein keinen reicheren Inhalt, findet keine unbekannten Wahrheiten und übt keinen

Einfluß auf die Welt der Erscheinungen, aber es hat dennoch gewisse psychophysische Voraussetzungen, die es zu einem Sonderwesen machen und vom Durchschnittsmenschen unterscheiden. Die Zentren, welche die emotionellen Thätigkeiten liefern, müssen bei ihm mächtiger entwickelt sein als in gewöhnlichen Organismen. Die Folge davon ist, daß nicht bloß ein Sinneseindruck bei ihm die automatisch arbeitenden Zentren zu intensiverer Thätigkeit anregt, sondern auch, daß sein Bewußtsein von dieser Thätigkeit mehr wahrnimmt, weil dieselbe in ihm sozusagen geräuschvoller, großartiger, aufsehenerregender vor sich geht. Ich kann dies ganz deutlich machen, wenn ich an ein früheres Bild anknüpfe. Ein emotionelles Genie ist auch nur ein mechanisches Spielwerk, kein frei erfindender und frei spielender Virtuose; gut; aber es giebt Spielwerk und Spielwerk, von der winzigen Musildose, die ein schwindsüchtiges, kaum hörbares Gesäusel von sich giebt, bis zur mechanischen Orgel, deren Donner die Mauern erzittern machen kann. So muß man sich vorstellen, daß die automatisch arbeitenden Zentren beim emotionellen Genie wohl auch mechanisch, aber unvergleichlich lauter spielen als bei den Durchschnittsmenschen, daß jenes die Orgel ist; während diese bloß Dosen sind. Und eine Folge der Gewalt seines Mechanismus ist, daß das Bewußtsein des emotionellen Genies an dessen Thätigkeit mehr teilnimmt als bei den gewöhnlichen Menschen; aber wohlgemerkt, nicht schaffend und beeinflussend, sondern wahrnehmend. Sein Urteil kann an der automatischen Arbeit seiner Zentren nichts ändern, aber es kann zusehen und beobachten, wie sie vor sich geht. In diesem beschränkten Sinne erfüllt das emotionelle Genie ebenfalls die Forderung der Neuheit und Eigenartigkeit, die ich an die Arbeit des Genies stelle. Es bringt allerdings nur Emotionen hervor, die der Menschheit angeerbt und altgewohnt sind, aber es bringt sie mächtiger hervor, als andere Menschen vor ihm es vermochten. Seine Wirkung ist also im Grade, wenn schon nicht in der Art, neu.

Die Rangordnung der Genies wird durch die Würde des Gewebes oder Organs bestimmt, auf dessen ausnahmsweiser Vollkommenheit sie beruhen. Jede andere Rangordnung ist unnatürlich und willkürlich, und wäre sie selbst so geistreich begründet wie die, welche Bain aufstellt. Je ausschließlicher menschlich ein Hirnzentrum ist, ein, um so höheres Genie wird seine besondere Entwickelung geben. Es ist kaum nötig, diesen Gedanken durch einen Hinweis auf früher Gesagtes zu erläutern. Die Entwicklung von Knochengewebe kann kein Genie geben, denn große Knochen sind nicht menschlich im engsten Sinne, sondern eignen auch den Walen und Elefanten; ebensowenig die Entwickelung von Muskelgewebe, die einen Milo von Kroton auszeichnet, ihn aber noch nicht über den Rang starker Tiere erhebt; auch die Sinneszentren sind nicht geeignet, die organische Unterlage eines Genies zu bilden, denn in der Scharfsichtigkeit wird der Kondor immer auch das vollkommenste menschliche Äuge und Lichtwahrnehmungszentrum meistern, in der Feinhörigkeit der Mensch es nie mit gewissen Antilopenarten aufnehmen können u. s. w. Selbst die höchsten Zentren sind noch nicht rein menschlich, wenn ihre Vollkommenheit nicht über den Automatismus hinausreicht. Denn aller automatischen Gegenwirkungen des Organismus auf die Eindrücke von außen sind auch die höheren Tiere fähig und diese Gegenwirkungen kommen ihnen sogar unverkennbar als Emotionen zum Bewußtsein. Handlungen und die sie begleitenden Psychischen Erregungen der Liebe, des Hasses, der Rache, der Furcht, der Rührung beobachten wir beim Hunde oder Elefanten ganz so wie beim Menschen und der einzige Unterschied zwischen den Tieren und dem Menschen ist in dieser Hinsicht der, daß die menschlichen Emotionen auch durch künstliche Nachahmungen oder Symbolisierungen von natürlichen Erscheinungen angeregt werden können, die tierischen dagegen bloß durch diese Erscheinungen selbst, daß also am Zustandekommen der Emotionen beim Menschen die deutende Thätigkeit des Urteils, folglich auch des Gedächtnisses und Verstandes einen viel größeren Anteil hat als beim Tiere. Rein menschlich ist dagegen das Urteil, soweit es über die einfache, unmittelbare Deutung des Sinneseindrucks hinausgeht, soweit es aus diesem Vorstellungen bildet, denen kein vor den Sinnen stattfindender

Vorgang entspricht, soweit es also, um es mit dem Fachausdrucke zu bezeichnen, abstrahiert und von Abstraktionen wieder Abstraktionen ableitet. Urteil in diesem Sinne hat außer dem Menschen kein anderes Tier. Und ebensowenig ist die organische Abhängigkeit des Willenszentrums vom Urteilszentrum bei irgend einem Tiere so ausgesprochen wie beim Menschen. Urteils- und Willenszentrum bringen also durch ihre hohe Entwicklung ein echt menschliches Genie hervor, das der höchste Ausdruck der bisher erreichten organischen Vollkommenheit des Menschen ist. Am höchsten stehen folglich unter den Genies diejenigen, die Urteils- mit Willensgenialität vereinigen. Das sind die Männer des Handelns, die die Weltgeschichte machen, die Völker geistig und stofflich formen und ihnen auf lange Zeit hinaus ihre Geschicke vorschreiben, die großen Gesetzgeber, Organisatoren, Staatenbilder, Revolutionäre mit klaren und von ihnen erreichten Zielen, auch noch Feldherren und Eroberer, wenn sie nach scharf umrissenen Vorstellungen ihres eigenen Urteils und nicht halbbewußten Impulsen oder fremden Eingebungen handeln. An Erkenntnis stehen diese vornehmsten Genies ganz so hoch wie diejenigen der folgenden Kategorie, sie leiten aus ihren Wahrnehmungen ebenso sicher unsinnliche Vorstellungen ab, finden also ebenso zuverlässig den sinnlich nicht wahrnehmbaren Zusammenhang der Erscheinungen, ihre Ursachen, ihre Gesetze, ihre fernen und fernsten Folgen in der Zeit und im Raume. Doch haben sie vor ihnen die Fähigkeit voraus, ihre Vorstellungen nicht bloß gegen die Widerstände des unbelebten Stoffes, sondern auch gegen die lebendiger Organismen, gegen die der Menschen, zu verwirklichen; sie dürfen also ihrem Urteile gestatten, mit Aussicht auf Versinnlichung durch den Willen Vorstellungen zu bilden, welche Völker, ja die ganze Menschheit zum Inhalt haben und die sie nur auf die Weise verwirklichen können, daß sie die Willenszentren von Völkern, ja der Menschheit von ihrem eigenen Willen und Urteil abhängig machen.In zweiter Linie kommen die Genies des Urteils mit guter, aber nicht genialer Entwicklung des Willens, die großen Forscher, Versucher, Entdecker und Erfinder. Was sie hinter den Genies der ersten

Kategorie zurückstehen macht, das ist ihr Unvermögen, sich der Menschen als des Stoffes zur Verwirklichung der Vorstellungen ihres Urteils zu bedienen. Sie werden also nur solche Vorstellungen verwirklichen können, die den unbelebten Stoff zum Inhalt haben. Ihr Wille ist stark genug, um tote, nicht, um lebendige Hindernisse zu überwinden. Den dritten Rang nehmen die reinen Urteilsgenies ohne entsprechende Ausbildung des Willens ein, die Denker, die Philosophen. Durch ihre Erkenntnis, ihre Weisheit, ihre Gabe des Erratens sinnlich nicht wahrnehmbarer, zeitlich oder örtlich entfernter Vorgänge kennzeichnen sie sich als vollbürtige Genies von derselben Familie wie die Staatengründer und die Entdecker. Aber sie sind darin unvollkommen, daß die Vorstellungen, die ihr Urteil in herrlicher Vollendung ausarbeitet, in ihrem Gehirn bleiben oder höchstens in Gestalt von geschriebenen oder gesprochenen Worten eine Versinnlichung erfahren. Einen direkten Einfluß auf die Menschen oder die unbelebten Dinge haben sie nicht. Bewegungserscheinungen veranlassen sie nicht. Ein fremder Wille muß erst von ihren Vorstellungen angeregt werden, damit die Vorgänge in ihrem Urteilszentrum Vorgänge außerhalb ihres Organismus veranlassen. Hinter den drei Kategorien der kogitationellen Genies, hinter den Bändigern der Menschen, den Bändigern des Stoffs und den bloßen Denkern, kommen endlich die emotionellen Genies, die sich durch eine größere Stärke der automatischen Arbeit ihrer Zentren, aber nicht durch eine persönliche Sonderentwickelung derselben von der Durchschnittsmenge unterscheiden und der letzteren keine neuen bewußten Vorstellungen, auch keine bewußten Bewegungs-Anregungen, sondern nur halb- oder unbewußte Emotionen geben können. Unter den emotionellen Genies nehmen wieder die Dichter den ersten Platz ein, denn erstens hat an ihrer Arbeit das Urteil einen großen Anteil und zweitens bringen sie ihre Wirkung durch ein Mittel hervor, welches von allen sinnlichen Mitteln weitaus das geeignetste ist, Bewußtseins-Zustände, diesen höchsten Inhalt aller Kunst, wahrnehmbar zu machen, nämlich durch das Wort. Während sich bildende Künstler und Musiker auf das Erfassen und Wiedergeben solcher sinnlich wahrnehmbaren Merkmale von Bewußtseins-Zuständen beschränken müssen, welche diese nur in großer Allgemeinheit erkennen lassen, ist der Dichter imstande, sie scharf zu umgrenzen und so zu spezialisieren, daß man sie kaum mit anderen, verwandten Bewußtseins-Zuständen verwechseln kann. Der Mitwirkung des Urteils kann höchstens der Lyriker entbehren, dessen "Aug' in schönem Wahnsinn rollt« und bei dem die Eindrücke ohne Umweg durch das Bewußtsein die Sprachzentren automatisch zur Thätigkeit anregen. In allen anderen Dichtungsarten dagegen hat der Dichter mit seinem Urteile bewußte Vorstellungen zu bilden, die sich von denen des Denkers nur darin unterscheiden, daß sie die Vergegenwärtigung ererbter Emotionen und nicht das Erraten nicht wahrnehmbarer Beziehungen der Erscheinungen zum Gegenstande haben. Diese Rangordnung ist die allein natürliche, denn sie beruht auf organischen Voraussetzungen. Die gewöhnliche Schätzung der verschiedenen Kategorien von Genies weicht aber allerdings von ihr sehr bedeutend ab. Kogitationelle Naturen bewerten das Genie nach dem Nutzen, den es der Gesamtheit bringt und den sie zu erfassen vermögen, emotionelle Naturen nach der Stärke und Wonnigkeit der Emotion, die es in ihnen zu erregen vermag. Für ein ursprüngliches Gemeinwesen ist ein tapferer und kräftiger Krieger das wichtigste Mitglied. Muskel- und Willensstärke, also Mut, werden deshalb als die herrlichsten Gaben eines Menschen geschätzt, ihr glücklicher Besitzer wird über alle seine Stammesgenossen gestellt und als Halbgott verehrt werden. In einem solchen Gemeinwesen kann offenbar kein großer Denker und Forscher, kein Philosoph, kein Mathematiker, kein Experimentator auf Würdigung Anspruch erheben. Wenn einem Stamme der Rothäute ein Descartes oder Newton erstände, so würde man ihn als unnützes Mitglied der Horde betrachten und jeden glücklichen Bärenjäger, jeden Krieger, der bereits mehrere feindliche Skalpe am Gürtel trägt, hoch über ihn stellen. Und vom Nützlichkeitsstandpunkte aus mit vollem Rechte, denn was der Indianerstamm auf der von ihm erreichten Entwicklungsstufe braucht, das ist keine Mathematik und Metaphysik, sondern Fleisch und

Sicherheit. Ein Überlebsel dieser Anschauungsweise von Wilden und Barbaren ist es, wenn man mitten in unserer angeblichen Gesittung dem Soldaten den Vornehmsten Rang anweist und seiner Kriegstracht, den kriegerischen Tätowierungen an seinem Kragen, seinen Ärmeln und der Brust seines Waffenrocks die Verehrung erweist, die im Urzustände der Menschen durchaus natürlich und verständlich war, auf unserer heutigen Kulturhöhe aber ohne vernünftige Bedeutung ist. Und ebenso natürlich ist es, daß die emotionellen Naturen den Wert eines Genies nach den Emotionen bemessen, die dasselbe ihnen giebt. Sie sind eigenartigen, persönlichen Denkens unfähig, dagegen mag ihre automatische, organisierte Hirnthätigkeit ganz tüchtig sein. Ihr Bewußtsein ist also nicht mit klaren Vorstellungen, sondern mit den hier wiederholt geschilderten Halbdunkeln, verschwommenen Bildern gefüllt, als welche die automatische Thätigkeit der Hirnzentren vom Bewußtsein wahrgenommen wird. Das wirkliche, das heißt das Urteils-Genie verlangt von ihren höchsten Zentren bewußte, nicht organisierte, nicht ererbte Arbeit, und die können sie nicht leisten. Das Urteils-Genie besteht also für sie gar nicht. Das emotionelle Pseudo-Genie dagegen regt die automatische Thätigkeit ihrer Zentren an und wird deshalb von ihnen wahrgenommen; es ist für sie eine Quelle von Empfindungen und da man das Leben nach seinem Inhalt an Empfindungen mißt, so ist das emotionelle Genie für sie geradezu ein hehrer Lebensspender. Frauen (und Männer, die ihnen an Geistesentwickelung gleichkommen) werden daher einen Künstler immer höher schätzen als einen Denker und Forscher und unter den Künstlern steht ihnen sehr natürlich der Musiker am höchsten, weil die Emotionen, welche ihnen die Musik giebt, auch die Geschlechtszentren anregen und darum die tiefsten und angenehmsten sind. Auch der Maler und selbst der Schauspieler werden bei ihnen einen sehr hohen Platz einnehmen, der erstere, weil seine Kunst keinerlei kogitationelle Thätigkeit anregt, also von ihnen ohne die Beschwerlichkeit des Denkens genossen werden kann, der zweite aus demselben und dem dazutretenden Grunde, daß sich die Wirkung seiner nachahmenden und emotionelle Seelenzustände verwirklichenden

Thätigkeit durch die menschliche Wirkung seiner Persönlichkeit verstärkt. Den Dichter werden die emotionellen Naturen, also in erster Linie auch wieder die Frauen, nur in dem Maße schätzen, in welchem seine Arbeit eine rein emotionelle, nicht kogitationelle ist; also den Lyriker mehr als den Epiker, den Schilderer äußerlicher, aufregender Vorgänge mehr als den Zergliederer von Seelenregungen. Eine solche Bewertung des Genies kann natürlich für uns nicht maßgebend sein. Wenn die Stärke der von ihm erregten Emotionen für den Rang des Genies bestimmend sein soll, so müßte beispielsweise dem Manne seine Geliebte, dem Weibe sein Geliebter höher stehen als irgend ein Genie, das die Menschheit bisher hervorgebracht hat, denn zweifellos, ruft Julie in Romeo und Leander in Hero gewaltigere Empfindungen hervor als Goethe oder Shakespeare, Beethoven oder Mozart, von Kant oder Laplace, Julius Cäsar oder Bismarck natürlich nicht zu sprechen. Und ich glaube auch, wenn man diese interessanten Pärchen befragte, sie würden nicht anstehen, ihre Julie oder ihren Leander als das herrlichste aller denkbaren vergangenen, gegenwärtigen und künftigen Genies zu erklären.

Nicht die Wirkung einer Persönlichkeit auf andere ist also der Maßstab ihrer Bedeutung, denn diese Wirkung ist eine ganz verschiedene, je nachdem die Menschen, auf die sie geübt wirb, mehr oder minder hoch entwickelt, mehr oder minder kogitationell sind, – sondern der mehr oder minder ausschließlich menschliche Charakter der Hirnzentren, deren außergewöhnliche Entwickelung die psychophysische Grundlage ihrer Erscheinung ist. Und da das höchste und menschlichste Hirnzentrum das Urteilszentrum ist, so stattet die Urteilsentwickelung allein ein wahres Genie aus, das allerdings auch entsprechender Willensentwickelung bedarf, um die Arbeit seines Urteilszentrums anderen sinnlich wahrnehmbar zu machen. Das Urteilsgenie ist bis jetzt das letzte Wort menschlicher Vollkommenheit. Ob die organische Entwickelung der Menschheit noch weitergehen und welche Richtung sie nehmen wird, das konnte höchstens kraft seiner Fähigkeit, aus

Gegebenem auf Entferntestes in Raum und Zeit zu schließen, ein großes Urteilsgenie erraten.

Suggestion.

Der Leser hat nun erfahren, wie ich mir den Mechanismus des Menschheitsfortschritts denke. Dieser geschieht nicht in breiter Front mit den Offizieren in Reih und Glied. Eine ganz winzige Minderheit von Pfadfindern geht einzeln vor, durchbricht den Busch, kerbt die Bäume, richtet Wahrzeichen auf und zeigt den Weg; die Menge kommt dann nach, zuerst in kleinen Gruppen, dann in dicken Haufen. Jede Förderung der Menschheit ist das Werk des Genies, das in ihr dieselben Verrichtungen übt wie die höchsten Hirnzentren im Einzelwesen. Das Genie denkt, urteilt, will und handelt für die Menschheit; es verarbeitet Eindrücke zu Vorstellungen, es errät die Gesetze, deren Ausdruck die Erscheinungen sind, es antwortet auf die äußeren Anregungen mit zweckmäßigen Bewegungen und bereichert fortwährend den Inhalt des Bewußtseins. Die Mehrheit thut nichts anderes, als das Genie nachahmen; sie wiederholt, was ihr das Genie vorgethan hat. Die vollkommen normal gebildeten, gut und gleichmäßig entwickelten Individuen thun es sofort und erreichen annähernd das Muster. Man nennt sie Talente. Die in einer oder der andern Richtung zurückgebliebenen, an die Durchschnittsmaße des jeweiligen Menschentypus nicht heranreichenden Individuen gelangen erst später und mühsamer dazu und ihre Nachahmung ist weder geschickt noch treu. Das sind die Philister.

Auf welche Weise wirkt nun aber das Genie auf die Menge? Wie bringt es diese dazu, seine Gedanken nachzudenken, seine Handlungen nachzuthun? Oberflächlichkeit ist mit der Antwort rasch genug bei der Hand. "Beispiel! Nachahmung!« Mit diesen Schlagworten glaubt man alles gesagt zu haben. In Wirklichkeit erklären sie nichts; sie machen weder verständlich, weshalb der Mensch, und übrigens auch das Tier, den Drang hat, nachzuahmen, noch mit welchen Mitteln ein Wesen das andere bestimmt, seine Hirnzentren und Muskeln in ungefähr derselben Weise arbeiten zu lassen wie es selbst. Hier ist ein Mensch, der etwas denkt oder thut. Hier ist ein anderer Mensch, der innerlich denselben

Gedanken, äußerlich dieselbe Handlung wiederholt. Ich kann nicht umhin, den Gedanken oder die Handlung des einen als Ursache, den Gedanken oder die Handlung des andern als Wirkung aufzufassen. Ich sehe das Beispiel und die Nachahmung. Aber zwischen den beiden klafft eine Lücke. Ich sehe das Band nicht, das sie verknüpft. Ich weiß noch nicht, womit die Kluft zwischen der Ursache und der Wirkung überbrückt ist. Wir stehen da ungefähr vor derselben Schwierigkeit wie in der Kinematik oder Bewegungs-Wissenschaft, die wohl feststellt, daß Bewegungen vorhanden sind, auch ihre Gesetze mit größerer oder geringerer Sicherheit findet, aber noch niemals auch nur den leisesten Versuch gemacht hat, zu erklären, wie die Bewegung eines Körpers sich auf einen andern überträgt, wie die Kraft von einem Atom durch den nicht mit Stoff ausgefüllten Zwischenraum auf das andere Atom hinüberspringt und auf dasselbe einwirkt. Die Unfähigkeit des menschlichen Geistes, sich vorzustellen, wie Kraft oder Bewegung, die selbst nichts Stoffliches, sondern ein Zustand des Stoffs ist, einen stoffleeren Raum zwischen Stoffteilchen soll durchschreiten können, ist sogar der stärkste Vernunfteinwand gegen die atomistische Theorie, welche feit Anaxagoras die Philosophie beherrscht und unserer heutigen Mechanik und Chemie zu Grunde liegt; sie ist es, die zur Annahme des völlig unverständlichen Äthers, der die Atome umgeben soll, genötigt und zu allen Zeiten, auch in der Gegenwart wieder, einige der tiefsten Geister, wie z.B. Descartes, bestimmt hat, die Theorie der Einheit und Kontinuierlichkeit des Stoffs durch den ganzen Raum der atomistischen Theorie vorzuziehen.

Die Psychologie, glaube ich, wird mit ihrer Schwierigkeit leichter fertig, als die Bewegungswissenschaft. Sie kann sich auf eine erst in neuerer Zeit kennen gelernte Erscheinung berufen, welche eine recht befriedigende Erklärung der Erfahrungsthatsache in sich schließt, daß Menschen aufeinander geistig wirken, daß Menschen andere Menschen nachahmen. Diese Erscheinung ist die Suggestion.

Ein Wort der Erläuterung für diejenigen, die nicht wissen sollten, was man in der Psychologie unter Suggestion versteht. Wir haben im vorigen Kapitel gesehen, daß alle Bewegung vom Willen veranlaßt wird und daß der Wille auf bewußte Anregungen des Urteils oder auf unbewußte, automatische Anregungen emotioneller Art seine Bewegungsimpulse ausschlägt. Wenn nun diese Anregungen, die den Willen in Thätigkeit versetzen, nicht von dem eigenen, sondern von einem fremden Gehirn ausgehen, wenn sich der Wille eines Individuums zum Diener eines fremden Urteils oder einer fremden Emotion macht und Bewegungsvorstellungen verwirklicht, die in einem andern Zentralnervensystem ausgearbeitet wurden, so sagen wir, daß diesem Individuum seine Handlungen suggeriert sind, daß es unter dem Einflüsse einer Suggestion steht. Am besten ist die Suggestion natürlich zu beobachten, wenn sie krankhaft übertrieben wirkt. Dies ist der Fall im Zustande des Hypnotismus. Ein Individuum, das hypnotisiert werden kann, also in der Regel ein hysterisches, wird in diese seltsame und noch nicht genügend erklärte Verfassung des Nervensystems versetzt. Derjenige, der es hypnotisiert hat, sagt ihm dann: "Du wirst morgen früh um 8 Uhr in die X-straße Nummer Soundsoviel zu Herrn Mayer gehen und ihn mit einem Küchenmesser, das du mitnimmst, erstechen.« Das hypnotische Individuum wird geweckt und geht fort. Es hat nicht die geringste Erinnerung von dem, was während seiner Bewußtlosigkeit mit ihm vorgegangen ist. Es kennt Herrn Mayer nicht, ist vielleicht auch nie in der X-straße gewesen und hat namentlich nie einer Fliege etwas zu Leide gethan. Am nächsten Morgen aber nimmt es ein Küchenmesser, es, wenn es sein muß, einfach irgendwo stehlend, geht in die X-straße, klingelt Schlag 8 Uhr bei Herrn Mayer und würde ihn ganz gewiß erstechen, wenn eben Herr Mayer nicht vom Experiment unterrichtet wäre und die nötigen Vorsichtsmaßregeln getroffen hätte. Man nimmt das Individuum nun fest, entwaffnet es und fragt, was es vorgehabt habe. In der Regel gesteht es sofort seine verbrecherische Absicht, manchmal versucht es anfangs zu leugnen und bekennt erst nach einigem Drängen. Wenn man zu wissen wünscht, weshalb es den Mord habe begehen wollen, so sagt es, sofern es von der Natur einfältig ist, entweder: "Es hat sein müssen«, oder es hüllt sich in ein verstocktes Schweigen; ist es dagegen aufgeweckt oder klug, so ersinnt es die merkwürdigsten Geschichten, um seine Handlungsweise sich selbst und den anderen zu erklären. Herr Mayer ist dann ein alter Feind seiner Familie. Er hat im Geheimen gegen das Individuum gewühlt. Er hat es verleumdet, ihm in seiner Laufbahn geschadet u. dergl. Niemals ahnt es, daß ihm seine Handlung von einem fremden Urteil eingegeben, suggeriert worden ist. Aber die Suggestion wirkt nicht bloß von einem Tage auf den andern, man hat sie ihren Einfluß schon sechs Monate lang bewahren sehen. Eine Handlung, die im hypnotischen Zustande suggeriert wurde, erfuhr ein halbes Jahr später, an dem vorher bestimmten Tage, die volle Verwirklichung, ohne daß das betreffende Individuum während der Zwischenzeit von der Suggestion, unter welcher es stand, auch nur die leiseste Vermutung hatte. Die Suggestion braucht nicht in der Form eines bestimmten Befehls aufzutreten. Eine Andeutung genügt. Man macht eine traurige Miene und spricht in weinerlichem Tone einige gleichgiltige Worte zum hypnotisierten Individuum. Dasselbe gerät sofort in die kläglichste Stimmung und spricht und handelt, wie man es in tiefster Niedergeschlagenheit zu thun pflegt. Man sagt ihm leichthin: "Bist du gern Soldat?« und es hält sich, auch wenn es ein Frauenzimmer ist, sofort für einen Soldaten, beginnt zu kommandieren, zu exerzieren, vielleicht auch zu fluchen, kurz all das zu thun, was nach seiner Auffassung für einen Soldaten wesentlich ist. Man reicht ihm ein Glas Wasser und fragt: "Wie schmeckt dir dieser Wein?« Das Individuum empfindet den Weingeschmack und ist imstande, wenn es ein Kenner ist, Gattung und Jahrgang des Gewächses anzugeben; läßt man es viel davon trinken, so wird es sogar vollständig berauscht. Ich könnte noch hundert derartige Beispiele der Suggestion anführen, über die namentlich in Frankreich bereits eine ganze Litteratur vorhanden ist und mit der sich so hervorragende Beobachter und Versucher wie Charcot, Bernheim, Luys, Dumontpallier und Magnin eingehend beschäftigt haben.

In all diesen Fällen handelt es sich um krankhafte Übertreibung. Bei einem gesunden Menschen kann die Suggestion nicht so grell auftreten. Es ist unmöglich, ihm weis zu machen, Wasser sei Wein, oder er sei ein Kardinal, wenn er in Wirklichkeit ein Referendar ist, und es wird schwerlich gelingen, ihm nahezulegen, daß er mittels rechtsgiltiger Urkunde sein Vermögen einem Fremden schenke, den er nicht einmal dem Namen nach kennt. Allein daß auch bei ihm die Suggestion, wenngleich in weit beschränkterem Maße, ihre Wirkung übt, daß auch seine Vorstellungen und Handlungen unter dem Einflüsse der Suggestion stehen, das ist kaum zu bezweifeln.

Ich wollte erklären, wie ein Mensch auf den andern wirkt, wie einer Gedanken und Handlungen des andern nachahmt, ich habe aber bis jetzt bloß an die Stelle eines Wortes ein anderes gesetzt, statt "Beispiel und Nachahmung« "Suggestion« gesagt. Was ist nun aber das Wesen der Suggestion und auf welche Weise kommt sie zu stande? Die Antwort, welche ich auf diese Frage zu geben habe, ist natürlich nur eine Hypothese, aber sie scheint mir ausreichend und es wird ihr von keiner bisher beobachteten Thatsache widersprochen. Suggestion ist die Übertragung der Molekularbewegungen eines Gehirns auf ein anderes in der Weise, wie eine Saite ihre Schwingungen auf eine benachbarte Saite überträgt, wie eine heiße Eisenstange, wenn man sie gegen eine kältere hält, dieser ihre eigenen Molekularbewegungen mitteilt. Da alle Vorstellungen, Urteile und Emotionen Bewegungsvorgänge der Hirnmoleküle sind, so werden natürlich durch die Übertragung der Molekularbewegungen auch die Urteile, Vorstellungen und Emotionen übertragen, deren mechanische Unterlage jene Bewegungen sind.

Um diesen Vorgang ganz deutlich zu machen, habe ich nur noch einige kurze Ausführungen hinzuzufügen. Wie wir schon im vorigen Kapitel gesehen haben, besitzt unser Organismus nur ein einziges Mittel, um Zustände seines Bewußtseins, also Urteile, Vorstellungen und Emotionen, auch für andere sinnlich wahrnehmbar zu machen, nämlich Bewegungen.

Bestimmte Zustände des Bewußtseins veranlassen bestimmte Bewegungen, die also ihr Ausdruck sind. Wir gewöhnen uns daran, die Bewegungen mit den sie veranlassenden Bewußtseins-Zuständen zu verknüpfen und von jenen auf diese zu schließen. Eine Bewegung ist entweder ein direkter oder ein symbolischer Ausdruck eines Bewußtseins-Zustandes. Wenn ein Mensch einem andern einen Faustschlag versetzt, so ist diese Muskelhandlung der direkte Ausdruck eines Bewußtseins-Zustandes, der die Vorstellung in sich schließt: "Ich will schlagen«. Wenn man dagegen den Kopf hängen läßt und seufzt, so sind diese Bewegungen der Hals- und Brustmuskeln der symbolische Ausdruck eines Bewußtseins-Zustandes, den wir Niedergeschlagenheit oder Trübsinn nennen können. Die Symbole der Bewußtseins-Zustände zerfallen wieder in zwei Gruppen, in natürliche und konventionelle. Die natürlichen Symbole sind solche, die organisch mit bestimmten Bewußtseins-Zuständen verknüpft sind. Diese können nicht bestehen, ohne jene hervorzurufen. Gähnen, Lachen sind natürliche Symbole der Ermüdung und Heiterkeit. Die Einrichtung unseres Organismus bringt es mit sich, daß im Zustande der Ermüdung, das heißt bei einer durch Arbeit hervorgerufenen Anhäufung von Zersetzungsprodukten (z. B. Milchsäure) in den Geweben, die Nervenzentren, welche die Atemmuskeln innervieren, gereizt werden und den Krampf dieser Muskeln veranlassen, den wir mit dem Ausdrucke Gähnen bezeichnen. Da die großen Züge des Organismus in der ganzen Menschheit, ja teilweise in allen Lebewesen dieselben sind, so bleiben auch die natürlichen Symbole durch die ganze Menschheit dieselben, sie werden von allen Menschen, zum Teil sogar von den höheren Tieren, verstanden und die Erfahrung, welche man durch bloße Selbstbeobachtung erlangt, genügt, um ihre Bedeutung erkennen zu lassen, um zu erraten, welchen Bewußtseins-Zustand die betreffenden Symbole ausdrücken. Die konventionellen Symbole dagegen sind solche, die nicht organisch mit den Bewußtseins-Zuständen, welche sie ausdrücken sollen, verknüpft sind, von diesen nicht notwendig hervorgerufen werden, sondern nur durch menschliche Übereinkunft ihre Bedeutung erlangt haben.

Kopfnicken, Heranwinken mit dem Finger sind konventionelle Symbole der Bewußtseins-Zustände, welche die Vorstellungen in sich schließen: "Ich stimme zu« oder "komm her«. Es ist eine willkürliche Verabredung, daß wir diesen Bewegungen eine solche Bedeutung geben (ganz willkürlich ist sie freilich auch nicht, vielmehr sind die konventionellen Symbole ebenfalls aus natürlichen hervorgegangen, doch ist hier nicht der Ort, dies zu entwickeln), und sie haben auch nicht bei allen Völkern dieselbe Bedeutung. Die Orientalen beispielsweise bewegen bei der Bejahung den Kopf nicht wie wir von oben nach unten, sondern von rechts nach links und zurück. Das beste und wichtigste Beispiel einer konventionellen symbolischen Bewegung ist das Wort, dieses Ergebnis der Muskelthätigkeit in den Atmungs- und Sprachwerkzeugen. Um den Bewußtseins-Zustand, dessen Ausdruck das Wort ist, zu erraten, muß man gelernt haben, beide mit einander zu verknüpfen, und die durch Selbstbeobachtung gewonnene Erfahrung reicht dazu nicht aus. Der klügste Mensch wird nicht vermuten, daß "Fu« Seligkeit bedeutet, wenn er nicht chinesisch kann.

Die Molekularbewegungen im Gehirn, welche Bewußtseins-Zustände geben, regen also Muskel-Bewegungen an. Diese werden in einem andern Gehirn mit Hilfe seiner Sinne zur Wahrnehmung gebracht; und zwar können dazu alle Sinne dienen. Manche Bewegungen und die von denselben zurückgelassenen Spuren, z. B. die Schrift, wenden sich an den Gesichtssinn, andere an das Gehör, noch andere an das Gefühl. Der Sinn nimmt den Eindruck auf, leitet ihn weiter, regt den Vorgang der Deutung an, das heißt bestimmt ein Zentrum, den Eindruck in eine Vorstellung umzuarbeiten, und versetzt das Bewußtsein in denselben Zustand, dessen Ausdruck die vom Sinne wahrgenommene Muskel-Bewegung war. Mit Anknüpfung an mechanische Vorstellungen kann man denselben Vorgang so darstellen: Durch Bewegungs-Erscheinungen angeregte Veränderungen in den Sinnesnerven veranlassen ihrerseits Veränderungen in den Sinneswahrnehmungs-Organen des Gehirns, welche wieder die Bewußtseinszentren zu Molekularbewegungen bestimmen, deren Form und Stärke bedingt ist durch die Natur der Anregung, also durch die Form und Stärke der Molekularbewegungen des andern Gehirns, welches die Muskelbewegungen veranlaßt hat. So wird mit Hilfe der Muskeln einerseits, der Sinne andererseits der Zustand eines Gehirns auf ein anderes mechanisch übertragen, das heißt die Suggestion ausgeübt.

Damit ein Gehirn auf die geschilderte Weise die Molekularbewegungen eines anderen Gehirns annehme, also dessen Urteile, Vorstellungen, Emotionen und Willensimpulse wiederhole, darf es selbst nicht der Schauplatz eigener Molekularbewegungen von anderer Form und ebenso großer oder größerer Stärke sein, das heißt es darf nicht selbst kräftige Gedankenarbeit liefern, wie ja auch eine schwingende Saite nur eine ruhende oder schwächer bewegte, jedoch weder eine stärker noch eine anders schwingende Saite zum Hervorbringen ihres eigenen Tones anregen kann. Je organisch unbedeutender also ein Gehirn ist, um so leichter folgt es der Bewegungs-Anregung, die von einem andern Gehirn ausgeht; je vollkommener und mächtiger es ist, je lebhafter seine eigenen Bewegungsvorgänge sind, um so größere Widerstände setzt es den fremden entgegen. Unter normalen Verhältnissen übt also das vollkommnere Individuum auf das unvollkommnere eine Suggestion aus, nicht aber umgekehrt. Freilich können sich die Bewegungsvorgänge auch minder vollkommener Gehirne summieren und dadurch eine solche Stärke erlangen, daß sie die Bewegungsvorgänge selbst eines sehr vollkommenen Gehirns besiegen. Wenn große Menschenmassen dieselbe Emotion empfinden und ausdrücken, so können sich selbst geistesstarke und eigenartige Individuen ihr nicht entziehen. Sie werden gezwungen, die Emotion zu teilen, und wenn sie sich noch so sehr anstrengen wollten, das Zustandekommen dieses Bewußtseins-Zustandes durch abweichende Vorstellungen und Urteile zu verhindern. Daß die Suggestion bei hypnotischen Individuen am leichtesten und mit größtem Erfolge geübt wird, erklärt sich daraus, daß in diesem Zustande des

Nervensystems die Gehirnmoleküle die geringste eigene Bewegung vollziehen und in einer besonders unstäten Gleichgewichtslage sind, also schon durch den leisesten Anstoß in die durch die Form und Stärke der Anregung bedingte Bewegung versetzt werden können.

Die Sinneseindrücke, durch welche die Suggestion vermittelt wird, können mit Bewußtsein wahrgenommen werden, es ist aber möglich, ja wahrscheinlich, daß im Gehirn fortwährend Molekularbewegungen auch durch solche Sinneseindrücke angeregt sind, deren man sich in keiner Weise bewußt wird. Die Londoner Gesellschaft für psychologische Untersuchungen hat Berichte über Versuche veröffentlicht, die diese Thatsache unzweifelhaft feststellen. Ein Individuum, das in einem Raume mit einem andern ist, zeichnet auf eine schwarze Tafel Figuren, welche sich dieses denkt. Wohlgemerkt, das zeichnende Individuum wendet dem denkenden den Rücken, das letztere spricht auch kein Wort und es findet zwischen den beiden überhaupt kein sinnlich wahrnehmbarer Verkehr statt. In anderen Versuchen schrieb das eine Individuum Worte, Zahlen oder Buchstaben auf, die sich ein anderes dachte. Manchmal gelangen diese Versuche, andere Male mißlangen sie. Immerhin war das Gelingen so häufig, daß man den Zufall ausschließen muß. Die Gesellschaft ist eine ernste und besteht aus Männern von anerkannter Ehrbarkeit und zum Teil von gelehrtem Rufe. Sie giebt sich mit spiritistischem Schwindel nicht ab und wenn sie sich auch durch ihre Forschungen über Geistererscheinungen in ein etwas ungünstiges Licht gesetzt hat, so hätte man dennoch Unrecht, deshalb ihre übrigen Arbeiten gleichfalls gering zu schätzen. Die unbewußte Suggestion kann um so leichter zugegeben werden, als sie einer befriedigenden Erklärung durch sichergestellte Thatsachen zugänglich ist. Jede Vorstellung, die eine Bewegung in sich schließt (und andere Vorstellungen giebt es nicht, da selbst die abgezogensten in letzter Linie sich aus Bewegungs-Bildern zusammensetzen), regt diese Bewegung, wenn auch im denkbar schwächsten Maße, tatsächlich an. Die Muskeln, welche die betreffende Bewegung auszuführen haben, erhalten einen ganz leisen Impuls und die höchsten Zentren werden sich desselben durch den Muskelsinn bewußt, welcher den empfangenen Impuls zurückmeldet. Man muß sich den Vorgang so vorstellen, daß das Gedächtnis, der Verstand und das Urteil, wenn sie eine Vorstellung ausarbeiten, eine Innervation der bei jener eine Rolle spielenden Muskeln anregen und daß die Vorstellung ihre volle Intensität erst erlangt, wenn das Urteil die Mitteilung von der erfolgten Innervation empfängt. Stricker in Wien ist es, der diese Thatsache zuerst genau beobachtet und dargestellt hat, allerdings zunächst bloß im Hinblick auf das Zustandekommen von Lautvorstellungen. Wenn man sich, sagt der gelehrte Experimental-Pathologe, beispielsweise den Buchstaben B denkt, so wird durch diese Vorstellung eine Innervation der Lippenmuskeln angeregt, die am Zustandebringen des Buchstaben B mitwirken. Die Vorstellung "B« ist also thatsächlich ein Bild der Lippenbewegung, durch welche das B hervorgebracht wird, und die Bewegung wird auch, natürlich nur ganz diskret, in den Lippen gespürt. Was Stricker von den Bewegungen der Muskeln des Sprachapparats sagt, das gilt wohl auch von denen aller anderen Muskeln. Wenn im Bewußtsein die Vorstellung des Laufens erscheint, so hat man eine Bewegungsempfindung in den Muskeln der unteren Gliedmaßen u.s.w. Daß nicht jede Vorstellung einer Bewegung sofort die Bewegung selbst zur Folge hat, liegt daran, daß erstens der Impuls, den das bloße Bewegungsbild in die betreffenden Muskeln sendet, zu schwach ist, um deren wirksame Zusammenziehung zu veranlassen, und daß zweitens das Bewußtsein allen Bewegungsbildern, deren Verwirklichung nicht beabsichtigt wird, eine Hemmungsvorstellung entgegensetzt. Ist die Vorstellung eine sehr lebhafte oder hat das Bewußtsein nicht die Kraft und Übung, Hemmungsvorstellungen von hinreichender Intensität auszuarbeiten, so genügt das Bewegungsbild in der That, um wenigstens eine deutlich wahrnehmbare Skizzierung der Bewegung selbst anzuregen. Das gedachte Wort wird gemurmelt; es entsteht ein Selbstgespräch; die gedachte Reihe von Bewegungen wird mit den Händen und Armen angedeutet; man gestikuliert. Selbstgespräch und Gestikulation, diese

Eigenschaften lebhafter oder ungenügend zur Selbstbeherrschung erzogener Personen, die aber auch an kaltblütigen und wohlerzogenen Individuen bei besonders starken Erregungen beobachtet werden, sind naheliegende Bestätigungen der Richtigkeit und Allgemeinheit des Strickerschen Gesetzes von den "Bewegungs-Bildern«. Was aber im Selbstgespräch und in der Gestikulation grobsinnlich wahrnehmbar wird, das geschieht fortwährend und bei jeder Vorstellung in ganz geringem, mit unseren Sinnen gewöhnlich in bewußter Weise nicht wahrnehmbarem Maße. Das Wort, das wir uns denken, formen wir thatsächlich mit unseren Sprachorganen; die Bewegung, die wir uns vorstellen, wird von unseren Muskeln andeutungsweise thatsächlich ausgeführt. Da wir nun bloß in Worten und anderen Bewegungsbildern denken, so kann ich sagen, daß wir eigentlich all unsere Gedanken mit Wort und Geberde aussprechen. Die Regel ist freilich, daß dieses unbewußte Selbstgespräch, dieses unbeabsichtigte Geberdenspiel nicht gehört und gesehen wird. Sie würden dies aber sofort werden, wenn wir entweder genug feine Sinne hätten oder Werkzeuge nach Art des Mikroskops und Mikrophons besäßen, welche winzigste Bewegungen der Muskeln des Sprachapparats und der Gliedmaßen, des Gesichts u.s.w. deutlich sicht- und hörbar machten. Wer sagt uns nun, daß unsere Sinne, oder doch die Sinne mancher besonders gearteten Individuen, diese schwächsten Bewegungen nicht dennoch wahrnehmen? Bewußt wird man sich dessen freilich nicht, aber das kann noch nicht als Beweis dienen, daß es nicht wirklich geschieht. Denn wir wissen aus Erfahrung, daß ein Sinneseindruck schon eine gewisse Stärke haben muß, um vom Wahrnehmungszentrum dem Bewußtsein mitgeteilt zu werden, und daß selbst recht starke Sinneseindrücke vom Bewußtsein unbemerkt bleiben, wenn dasselbe ihnen nicht seine Aufmerksamkeit zuwendet, daß aber diese vom nicht genügend angeregten oder nicht aufmerksamen Bewußtsein unbeachtet gelassenen Sinneseindrücke dennoch stattfinden und vom Gehirn außerhalb des Bewußtseins automatisch in emotioneller Weise verarbeitet werden. So ist es also nicht bloß möglich, sondern sehr wahrscheinlich, daß unser Geist ununterbrochen von allen anderen

Menschengeistern beeinflußt ist. Vom Bewußtsein unbemerkt, doch von den Hirnzentren wahrgenommen, redet und gestikuliert unsere ganze nahe und ferne menschliche Umgebung auf uns los, Millionen und Millionen leiser Stimmen und seiner Geberden dringen auf uns ein und wir hören im verwirrenden Durcheinander buchstäblich unser eigenes Wort nicht, wenn es nicht mächtig genug ist, um das Gesumme zu übertönen. Das Bewußtsein aller Menschen wirkt auf das unsrige ein, die Molekularbewegungen aller Gehirne teilen sich dem unsrigen mit und es nimmt deren Rhythmus an, wenn es ihnen nicht einen andern von größerer Lebhaftigkeit entgegensetzen kann, obwohl auch ein solcher wohl modifiziert, wenn schon nicht ganz den auf ihn einschwirrenden Rhythmen angepaßt werden dürfte. Das wäre die unbewußte Suggestion. Lassen wir diese nun und kehren zur bewußten zurück, die vielleicht nicht die wichtigere, aber jedenfalls die sicherer zu unserer Kenntnis gelangende ist. Sie wird durch alle Kundgebungen geübt, mittels deren Bewußtseins-Zustände sich ausdrücken, am häufigsten durch das Wort, doch auch durch Handlungen, die man beobachten kann. Der ausgesprochene Gedanke regt nach dem oben erklärten Mechanismus im Gehirn des Lesers oder Hörers denselben Gedanken, die vollzogene Handlung im Willen des Zuschauers dieselbe Handlung an. Nur die Minderheit der Eigenartigen, der Genies, wird sich diesem Einflusse ganz entziehen können. Suggestion ist alle Erziehung, aller Unterricht. Das noch unentwickelte Gehirn des Kindes bildet sich nach den Molekularbewegungs-Anregungen, die ihm von den Eltern und Lehrern beigebracht werden. Durch Suggestion wirkt das Beispiel der Sittlichkeit wie der Verderbtheit. Die Masse eines Volks übt Thaten der Liebe oder des Hasses, der Bildung oder Rohheit, der Menschlichkeit oder Bestialität, je nachdem ihm die einen oder anderen von den gewaltigen Individuen der Epoche suggeriert werden. Was redet man da von Volksseele oder nationalem Charakter? Das sind sinnlose Worte. Der nationale Charakter ist in jedem Zeitalter ein anderer. Die Volksseele wechselt von Tag zu Tag. Will man Beispiele? Hier sind einige. Das deutsche Volk war in der vorigen Generation weichlich sentimental, romantisch schwärmerisch, kurz emotionell. Es ist in der gegenwärtigen hartpraktisch, kühl erwägend, mehr handelnd als sprechend, mehr rechnend als duselnd, kurz kogitationell. Das englische Volk war im ersten Drittel des 19. Jahrhunderts sittlich entartet; es soff, fluchte, trieb Unzucht und breitete seine Laster im Tageslichte aus; heute ist es zimperlich, nüchtern bis zur Enthaltsamkeit und im höchsten Grade ehrbar; es findet seine Volksideale in Mäßigkeitsvereinen, in Liebeswerken zur Rettung Gefallener, in augenverdrehender Andacht; es vermeidet anstößige Ausdrücke in der Rede und unbescheidene Auffälligkeiten im Thun. Solcher Umschwung ist das Werk kurzer dreißig oder fünfzig Jahre. Wie kann man da glauben und behaupten, die Denkungs- und Handlungsweise eines Volkes sei das Ergebnis bestimmter organischer Eigentümlichkeiten desselben? Solche Eigentümlichkeiten könnten sich nur sehr allmählich in langen Zeiträumen ändern. Es handelt sich da um etwas ganz anderes, was die Völkerpsychologen von Beruf bisher nicht gesehen haben. Es handelt sich um Suggestion. Die großen Menschenerscheinungen innerhalb eines Volkes suggerieren diesem das, was man die Volksseele und den nationalen Charakter nennt und fälschlich für ein Dauerndes und Unwandelbares hält, da es doch fortwährend von einzelnen Geistern umgemodelt wird. Man muß sich den Hergang so vorstellen, daß eine ganz kleine Anzahl von Ausnahmemenschen vor einem Volke oder selbst vor einer Rasse so steht wie Bernheim vor einer hypnotisierten Hysterischen und dem Volke oder der Rasse Gedanken, Gefühle und Handlungen suggeriert, die ohne Widerstand und Kritik nachgedacht, nachempfunden und nachgethan werden, als wären sie im eigenen Bewußtsein der Menge entstanden. Suggerieren jene Ausnahmemenschen Tugend und Heldenmut, so sieht die Welt ein Volk von Gralsrittern und Winkelrieden; suggerieren sie Laster und Erbärmlichkeit, so hat die Weltgeschichte von einem Byzanz der Verfallszeit zu erzählen. Confutse erzieht ein Volk zu Feiglingen, Napoleon der Erste zu Streitern und Siegern. Das Genie formt das Volk nach seinem Ebenbilde und wer die Volksseele studieren will, der hat dies nicht in der Masse, sondern im Gehirn der Führer zu thun. Das, was allerdings im Volke organisch vorgebildet ist, das ist seine größere oder geringere Tüchtigkeit. Wohl wird ihm all sein Denken und Thun suggeriert, aber wenn es ein starkes Volk ist, so wird es der Suggestion intensiv, wenn ein schwächliches, flau gehorchen. Es ist ein Unterschied wie zwischen der Dampfmaschine von tausend und der von einer Pferdekraft: dieselbe Einrichtung, dieselben bewegenden Kräfte, dieselbe Form; aber die eine versetzt Berge und die andere treibt eine Nähmaschine. So ist das eine Volk gewaltig in Tugend und Laster, das andere unbedeutend im Guten wie im Bösen; das eine Volk stellt große, das andere kleine Kräfte in den Dienst seiner Genies. Aber das, was diesen organischen Kräften die Verwendung vorschreibt, ist die Suggestion, die von den Ausnahmemenschen ausgeht. Man spreche darum nicht von der Volksseele, sondern höchstens vom Volksleibe, von der Volksfaust oder dem Volksmagen. Dagegen glaube ich allerdings, daß es organisch in einem Volke liegt, seltener oder, häufiger Genies hervorzubringen, doch ist dies ein Punkt, den ich in einem späteren Kapitel behandeln will.

Die Gleichartigkeit der Anschauungen und Empfindungen innerhalb eines Volks erklärt sich also nicht aus organischer Gleichartigkeit, sondern aus der Suggestion, die auf alle Angehörigen des Volks durch die gleichen Beispiele der Geschichte, die gleichen lebenden Häupter der Nation, das gleiche Schrifttum geübt wird. So erhalten die Bewohner großer Städte die gleiche geistige Physiognomie, obwohl sie in der Regel die verschiedensten Ursprünge haben und einer Unzahl von Stämmen angehören. Ein Berliner, ein Pariser, ein Londoner hat psychologische Eigenschaften, die ihn von allen seiner Stadt fremden Individuen unterscheiden. Können dieselben organisch begründet sein? Unmöglich. Denn die Bevölkerung dieser Städte ist ein Gemisch der mannigfaltigsten ethnischen Bestandteile. Aber sie steht unter dem Einflüsse derselben Suggestionen und zeigt darum notwendig die allen Beobachtern auffallende Übereinstimmung im Thun und Denken. Verirrungen des

Geschmacks und der Sitte, moralische Epidemien, Strömungen des Hasses oder der Begeisterung, die zu einer gegebenen Zeit ganze Völker unwiderstehlich fortreißen, werden erst durch die Thatsache der Suggestion begreiflich.

Wir haben gesehen, daß das Hauptmittel der Übertragung von Vorstellungen aus einem Bewußtsein in ein anderes das Wort ist. Das Wort ist aber nur ein konventionelles Symbol von Bewußtseins-Zuständen und hierin liegt eine große, manchmal unbesiegbare Schwierigkeit für die Versinnlichung ganz neuer Vorstellungen. Ein Genie arbeitet in seinem Bewußtsein eine Vorstellung aus, die vor ihm noch nie in einem Gehirn kombiniert worden ist. Wie wird es versuchen, diesen neuen und eigenartigen Bewußtseins-Zustand auszudrücken und anderen sinnlich wahrnehmbar zu machen? Offenbar durch das Wort. Die Bedeutung des Wortes ist aber eine durch Übereinkommen festgestellte. Es versinnlicht einen Bewußtseins-Zustand, der von früher her bekannt ist. Es erweckt im Hörer bloß eine alte, von jeher damit verknüpfte Vorstellung. Wenn der Hörer oder Leser es als Symbol nicht der Vorstellung, welche das Wort bis dahin ausgedrückt hat, sondern einer anderen, ihm noch völlig unbekannten, erfassen soll, so muß mit ihm ein neues Übereinkommen getroffen werden, das Genie muß streben, ihm auf anderem Wege, durch Hinweis auf Ähnlichkeiten oder Gegensätze, den neuen Begriff beizubringen, für den es das alte Wort angewandt hat. Das kann meist nur annähernd, fast nie vollkommen geschehen. Unsere Sprache trägt beinahe in jedem Worte, in jeder Redewendung Spuren dieses Bemühens der eigenartigen Ausnahmemenschen, neue Vorstellungen mit Hilfe der alten Symbole in die Gehirne der Masse zu übertragen. Alle Bildlichkeit des Ausdrucks leitet sich daraus ab. Wenn dieselbe Wurzel, etwa in Minne, zuerst Erinnerung und dann Liebe bedeutet, so läßt sie die Gedankenarbeit eines eigenartigen Geistes erkennen, der, um eine neue Vorstellung, die der selbstlosen, treuen Zärtlichkeit, auszudrücken, sich eines Wortes bedienen mußte, welches bis dahin eine andere, gröbere, aber immerhin mit ihr oberflächlich verwandte Vorstellung ausdrückte, die des bloßen Gedenkens. Jedes Genie bedürfte eigentlich einer neuen, eigenen Sprache, um seine neuen Vorstellungen richtig zu versinnlichen. Dadurch, daß es sich der von ihm vorgefundenen Sprache, das heißt der Symbole von früheren Bewußtseins-Zuständen anderer Individuen, bedienen muß, richtet es oft genug Verwirrung an, da es seinem Worte einen andern Sinn giebt als der Hörer, für den es bis auf weiteres bloß die herkömmliche Bedeutung haben kann. Das Genie füllt recht eigentlich neuen Wein in alte Schläuche, mit dem erschwerenden Umstande, daß der Empfänger des Schlauchs den Wein bloß nach dem Aussehen des Schlauches beurteilen, nicht aber diesen öffnen und seinen Inhalt kosten kann.

Die Natur der Sprache, der Umstand, daß dieselbe alte und älteste Vorstellungen symbolisiert und den Wortwurzeln eine bildliche Bedeutung geben muß, um sie zur Bezeichnung neuer Bewußtseins-Zustände schlecht und recht tauglich zu machen, ist ein mächtiges Hindernis der Übertragung des Denkens eines genialen Gehirns in die Gehirne der Menge. Diese ist notwendig geneigt, die neue bildliche Bedeutung des vom Genie vertieften und in eigenartigem Sinne angewandten Wortes mit dessen alter buchstäblicher Bedeutung zu verwechseln. Die alten und ältesten Vorstellungen leben störend und verwirrend unter den neuen fort, der Volksgeist denkt bei der Erdachse an ein Ding,' das ungefähr wie eine Wagenachse beschaffen sein mag, und beim elektrischen Strome an eine Flüssigkeit, die im Innern eines Drahts dahinströmt wie Wasser in Bleiröhren, und wo das Genie mit dem Worte zu erklären geglaubt hat, da hat es manchmal verdunkelt, da hat es nicht seine eigenen Vorstellungen im fremden Geiste erweckt, sondern solche, die ihnen oft gerade entgegengesetzt sind. Doch das ist wieder eine menschliche Unvollkommenheit, die wir nicht ändern können. Vielleicht entwickelt sich unser Organismus noch so weit, daß die Bewußtseins-Zustände sich nicht mehr durch konventionelle Symbole, sondern direkt ausdrücken. Dann wird das eigenartige Gehirn nicht mehr des Wortes bedürfen, um seine Molekularbewegungen anderen Gehirnen mitzuteilen, es wird möglicherweise genügen, eine Vorstellung klar und bestimmt zu denken, um sie wie Licht oder Elektrizität durch den Raum zu verbreiten und anderen zu suggerieren, und man wird nicht mehr nötig haben, sie in die alten Flicken einer Sprache zu kleiden, die uns zwingt, beispielsweise die Vorstellung eines Alls, dessen Teile wir sind, mit dem Worte Natur auszudrücken, welches ursprünglich die Gebärende bedeutet, uns also die Vorstellung einer Mutter mit allen Attributen der bei der Fortpflanzung nach Säugetierart notwendigen Geschlechtlichkeit nahelegt. Bis wir aber diese fabelhafte Vollkommenheit erreicht haben werden, müssen wir uns schon mit dem Worte begnügen und wir sollten nur ehrlich trachten, einander zu verstehen, so weit uns dies eben möglich ist.

Dankbarkeit.

Als "eine lebhafte Empfindung künftiger Gunsterweisungen« hat der englische Satiriker die Dankbarkeit definiert. Er glaubte einen Witz zu machen und gab in Wirklichkeit eine das Wesen dieses Gefühls erschöpfende Erklärung. In allen gesund und natürlich empfindenden Individuen liegt der Dankbarkeit die deutliche oder unklare Erwartung weiterer erfreulicher Leistungen zu Grunde. Ist auf eine Fortsetzung oder Erneuerung der Wohlthaten durchaus nicht zu hoffen, so hört jede Erkenntlichkeit für den Wohlthäter auf oder wenn sie trotzdem noch fortbesteht, so ist dies nur eine Folge entweder organischer Gewohnheit oder durch die Gesittung geübter künstlicher Hemmung natürlicher Rückbildungsvorgänge im Gefühlsleben. Ich glaube mit den evolutionistischen Philosophen, mit Darwin, Spencer und Bain, daß alle menschlichen Gefühle ihren Ursprung in ihrer Notwendigkeit oder Nützlichkeit für die Erhaltung des Einzelwesens und der Gattung haben. Wir empfinden heute z. B. Liebe als eine Wonne, Mißbilligung unserer Handlungen durch die öffentliche Meinung als Unannehmlichkeit. Das ist evolutionistisch leicht zu erklären. Von zwei Urmenschen, deren einer bei den Liebesvorgängen angenehme Empfindungen hatte, während sie im Organismus des andern nichts derartiges erregten, wird der eine eifrig gestrebt haben, sich solche Empfindungen zu verschaffen, während der andere sich um sie schwerlich bemüht haben wird. Der eine wird viel, der andere wenig oder keine Nachkommen hinterlassen haben. In diesen wiederholt sich durch Vererbung die organische Eigentümlichkeit der Väter, die Liebeseifrigen werden immer zahlreicher, die Liebeskühlen immer seltener geworden und bald ganz ausgestorben sein, so daß nur solche Menschen übrig bleiben, in denen die Liebe mit wonnigen Empfindungen verknüpft ist. Ebenso wird von zwei Urmenschen derjenige, dem die Meinung seiner Stammesgenossen gleichgiltig war, leicht Handlungen geübt haben, die jene ärgern oder schädigen konnten; der Stamm wird sich das schwerlich haben gefallen lassen und ihm rasch genug durch Verjagung ungünstigere Daseinsbedingungen bereitet oder ihn kurzweg getötet haben; der andere dagegen, der fortwährend die Wirkung seines Thuns auf die Nebenmenschen in Betracht zog, wird mit dem Stamme gut ausgekommen sein, von demselben Hilfe und Schutz erfahren, dadurch leichter und sicherer gelebt und mehr Nachkommen erzeugt haben, denen er seine organische Eigentümlichkeit vererben konnte, so daß in der heutigen Menschheit nur noch Individuen anzutreffen sind, denen der Gedanke an die Feindseligkeit der öffentlichen Meinung eine Unlustempfindung erregt, welche stark genug ist, um sie von Handlungen abzuhalten, die eine solche Feindseligkeit wachrufen könnten. Ist nun aber Dankbarkeit ein Trieb, der sich durch den evolutionistischen Grundsatz erklären läßt? Durchaus nicht. Die Dankbarkeit kann nie einem Urmenschen nützlich gewesen sein, ihm nie bessere Daseinsbedingungen verschafft haben. Er zog aus diesem Gefühle keinen Vorteil und dessen Mangel hatte keinerlei Nachteil im Gefolge. Wenn man scharf zusieht, so findet man sogar, daß ein mit der Anlage zur Dankbarkeit behaftetes Individuum übler daran war als solche, die von ihr frei waren; denn während es seine Zeit mit Aufmerksamkeiten und seine Kraft mit Handlungen vergeudete, die ihm keinen denkbaren Nutzen bringen konnten, verwendeten die anderen Kraft und Zeit zu ihrem Vorteile. Die Dankbarkeit war und ist also in allen Fällen, wo sie nicht ein von Selbstsucht und Eigennutz eingegebenes Gefühl ist und den Zweck hat, einen Wohlthäter durch Unterwürfigkeit und Schmeichelei zu weiteren Wohlthaten zu verlocken, für die Erhaltung des Einzelwesens und der Gattung unnütz und konnte darum zu keinem natürlichen Triebe der Menschen werden. Wie erklärt es sich da, daß den religiösen Vorstellungen der Menschheit dennoch Dankbarkeit zu Grunde liegt, daß man die Götter für die Gaben lobte, die sie den Menschen bescherten, daß man sich ihnen dafür mit Opfern erkenntlich zeigte, daß man den Dahingegangenen, den eigenen Vorfahren wie den toten Stammeshelden, dankbare Verehrung erwies? Einfach aus den groben Irrtümern eines unwissenden Geistes. Die Menschen hielten die Götter, die toten Ahnen und Heroen für lebende Wesen, die noch immer die Macht haben, ihnen nützlich zu sein, und ihre Gefühle der liebenden Hingebung, ihre Opfer und Lobpreisungen waren keine Dankbarkeit für vergangene, sondern dringende Einladungen zu künftigen Leistungen. Noch heute wirkt die abergläubische Grundvorstellung vom Dasein eines persönlichen, mit Menscheneigenschaften ausgerüsteten Gottes und der Fortdauer des Individuums nach seinem Tode in den Gemütern mächtig nach und veranlaßt ab und zu, allerdings selten genug, Kundgebungen der Dankbarkeit für totes Verdienst. In einer fernen Zukunft, wenn dieser durch hunderttausendjährige Denkgewohnheit organisierte Aberglaube aus dem Gehirn der Menschen verschwunden sein wird, dürfte auch der Heroenkult in seiner heutigen Form bis auf die letzte Spur aufgehört haben. Vielleicht errichtet man dann noch großen Männern Denkmäler, hält ihre Gräber in stand und feiert ihre Gedenktage, aber nicht mehr mit der Vorstellung, ihrer Person ein Liebes zu erweisen, eine Schuld an sie abzutragen, für empfangene Wohlthaten eine Gegenleistung zu gewähren, sondern ausschließlich zu volkserziehlichen Zwecken, mit der Absicht, die Gestalt des gefeierten Heros als Suggestion auf die Masse wirken zu lassen und dieser die Nachahmung seiner Tugenden nahezulegen, und weil die Gesellschaft immer das Bedürfnis empfinden wird, die Eigenschaften, welche sie im Interesse ihrer Selbsterhaltung von ihren Mitgliedern fordern muß, in Idealgestalten verkörpert vorzudemonstrieren.

Wenn Dankbarkeit für eine Handlung Sinn und Zweck haben sollte, so müßte sie vor der Vollendung dieser Handlung erwiesen werden. Dann hätte sie vielleicht einen Einfluß auf deren Zustandekommen, Art und Umfang. Was soll sie aber nützen, wenn die Handlung einmal gethan ist? Was kann sie dann an ihr ändern, was bessern oder verschlechtern? Hat der Mohr seine Arbeit gethan, so bleibt ihm wirklich nichts übrig als zu gehen, und wenn er sich beklagt, so mag ihm jemand, der zu einem so überflüssigen Geschäfte Zeit hat, einen Vortrag über Naturgesetze halten und ihm erklären, daß Gegenwärtiges und Künftiges Vergangenes nicht beeinflussen kann und daß eine gegenständlich gewordene Leistung in aller Ewigkeit das bleibt, was sie ist, ob der Mohr, von dem sie herrührt, nachträglich eine verbitterte Grimasse oder ein vergnügtes Gesicht zu ihr macht. Man wende nicht ein, daß das Beispiel der Dankbarkeit oder des Undanks, wenn es auch auf die Handlung, welcher sie gilt, keinen Einfluß zu üben vermag, doch vielleicht auf künftige Handlungen bestimmend wirkt; daß der Lohn der Verehrung, der einem Vorgänger geworden ist, einen Nachfolger aneifern kann, in seine Fußstapfen zu treten; daß der Anblick der Undankbarkeit gegen die Dahingegangenen die Spätgeborenen abhalten wird, Anstrengungen altruistischer Natur zu machen, die sie sonst unternommen hätten. Das ist nicht der Fall. Der Genius wirkt seine Großthaten für die Menschheit, weil er muß und nicht anders kann. Es ist ein Drang seines eigenen Organismus, den er befriedigt. Er würde leiden, wenn er dessen Forderungen nicht erfüllte. Daß die Durchschnittsmenge dabei gut fährt, ist für ihn nicht bestimmend. Der Strom braust dahin, weil die Gesetze der Hydraulik es so erfordern. Es ist aber für ihn nicht wesentlich, ob sich an seinen Ufern Mühlen ansiedeln, die aus ihm ihre Bewegungskraft schöpfen, oder nicht. Das Bild Scipios, auf den Trümmern von Karthago sitzend, hat noch keinen möglichen Retter des Vaterlands im Keime zu einem Ephialtes gemacht, obwohl doch die Vorstellung eines alten Mannes, der in der Zugluft mitten zwischen scharfkantig gebrochenen Steinen hockt und beim Weitergehen voraussichtlich über Schutt stolpern oder in ein Kellerloch fallen wird, nur für freiwillige Feuerwehrleute nicht abschreckend sein dürfte. Und ich rufe die deutschen Verleger als Zeugen an, ob die Erinnerung an Camoëns, den seine undankbaren Landsleute in Not und Elend umkommen ließen, die dichterische Hervorbringung wesentlich vermindert hat!

Der Leser hat bereits erkannt, daß die Dankbarkeit der Einzelperson gegen die Einzelperson von der gegenwärtigen Betrachtung ausgeschlossen ist, weil sie nicht als Beispiel einer selbstlosen, auf keinen neuen Lohn hoffenden, bloß dem bedankten und durchaus nicht dem dankenden Wesen zu Gute kommenden Regung angeführt werden kann, sondern nur eine mehr oder minder kluge Kapitalsanlage ist, von der man sich gute Zinsen verspricht, also nicht in die Moralphilosophie, sondern ins Geschäftliche gehört. Nur die Dankbarkeit der Masse gegen den Einzelnen, den sie persönlich gar nicht kennt, von dem sie persönlich nichts zu erwarten hat, der vielleicht schon tot ist, wäre ein derartiges Beispiel. Aber ein experimentell reines und wirklich beweiskräftiges Beispiel dieser Art, das sich weder durch nationale Eitelkeit noch durch Erbaberglauben erklären, also auf selbstsüchtige Beweggründe zurückführen ließe, wird man in der ganzen Geschichte der Menschheit vergebens suchen. Nein, eine Dankbarkeit der Massen, der Völker oder der Menschheit, giebt es nicht und kann es nicht geben, weil sie keine anthropologische Begründung hat. Das Genie, von dessen Geistesarbeit die Art lebt, das in sich allen Fortschritt der Art vollzieht, das den Ansatz zu aller neuen Entwickelung der Menschheit darstellt, hat auf Dank zu verzichten. Es muß seinen einzigen Lohn darin finden, daß es denkend, handelnd und schaffend seine höheren Eigenschaften auslebt und sich seine Eigenart in Begleitung mächtiger Lustgefühle zum Bewußtsein bringt. Eine andere Befriedigung als die der möglichst intensiven Empfindung des eigenen Ichs giebt es für das erhabenste Genie ebensowenig wie für das letzte Lebewesen, das in einer

Nährflüssigkeit wimmelt. Das Genie schmeichelt sich manchmal mit der Vorstellung der Unsterblichkeit. Es hat Unrecht. Die Unsterblichkeit, die Klopstock einen "schönen Gedanken« nennt, ist weniger als ein schöner Gedanke, sie ist ein Nebelbild der Phantasie, ein in die Zukunft projicierter Schatten der eigenen Individualität, ähnlich dem, den ein Baum bei tiefem Sonnenstande weit in die Ebene hinaus wirft. Im Augenblicke, wo der Baum gefällt ist, Verschwindet auch sein Schatten. Die Vorstellung der Fortdauer des Namens, das Streben, sich Nachruhm zu sichern, fließt aus derselben Quelle, der auch der Aberglaube einer individuellen Fortdauer nach dem Tode entsprungen ist. Es ist immer wieder eine Auflehnung des lebenden Individuums gegen das Aufhören seines Bewußtseins, eine Form des ohnmächtigen Kampfes gegen das Allgesetz der Endlichkeit individueller Erscheinung, ein Beweis der Unfähigkeit des denkenden, sein eigenes Sein empfindenden Ichs, sich selbst als nicht denkend und nicht seiend sich vorzustellen. Der Mann, der Großes geschafft, sein Volk oder die Menschheit gefördert hat, möchte wohl wenigstens dieser schwächsten und billigsten Kundgebung der Dankbarkeit sicher sein, die im Festhalten seines Andenkens besteht. Eitler Wunsch und eitles Bestreben! Das Gedächtnis der Menschheit ist widerwillig, den Namen und das Bild von Einzelmenschen festzuhalten und einen blassen Widerschein van deren individuellem Dasein mindestens in der Erinnerung über die natürliche Grenze des Menschenlebens hinaus zu verlängern. Wie lange dauern selbst die allerberühmtesten Namen? Bisher hat die Menschheit keinen bewahrt, der zehntausend Jahre alt ist, und was sind zehntausend Jahre im Leben der Menschheit, vom Leben unseres Planeten- oder Sonnensytems gar nicht zu sprechen! Nur wenn lebende Menschen einen stofflichen Vorteil daraus ziehen, das Andenken an bestimmte Personen nicht untergehen zu lassen, bewahrt die Masse von diesen eine helle Erinnerung; so von Religionsstiftern oder Stammvätern einer Herrscherfamilie; denn da haben Priester und Monarchen ein Interesse daran, die Menge künstlich zu verhindern, daß sie ihrem tiefen und auf die Dauer unwiderstehlichen Triebe undankbaren Vergessens gehorche. Wo aber kein solches

Interesse obwaltet, da beeilt sich die Menschheit, die Toten zu vergessen, und wären sie ihre größten Wohlthäter gewesen. Es ist ein bemitleidenswerter Anblick, die verzweifelten Anstrengungen zu beobachten, die das Individuum macht, um seine individuelle Form dem Gesetze der Vernichtung zu entziehen. Es häuft gewaltige Steine zu riesigen Baudenkmälern, es zwingt das Erz, die Linien eines Umrisses zu bewahren, es schreibt seinen Namen auf jede Seite von Büchern, es gräbt ihn in Marmor und Bronze, es verknüpft ihn mit Stiftungen, Straßen und Städten. Die Paläste und Statuen, die Bücher und Inschriften sollen in den fernsten Zeiten den Menschen den einen Namen in die Ohren rufen und sie gemahnen, daß einst ein großer Mann ihn trug und daß dieser große Mann sich den Anspruch auf dankbare Verehrung erworben hat. Die toten Gegenstände, denen das Individuum die Sorge um die Pflege seines Andenkens anvertraut, thun nicht lange ihre Schuldigkeit. Selbst wenn sie der Zerstörung entgehen, verlieren sie die Stimme und hören bald auf, den Namen auszusprechen, den sie den spätesten Geschlechtern wiederholen sollten. Der Palast dient Menschen, die über seinen Ursprung eine willkürliche Geschichte erfinden; der Statue hängen sie einen beliebigen Namen an, selbst im Namen der Stadt verdunkeln sie den des Gründers, indem sie etwa aus Konstantinopel Stambul machen, und unbekümmert streichen sie die Spur des großen Mannes aus, wie ein unbewußtes Kind mit spielendem Finger die Buchstaben auf einer Schiefertafel verwischt. Und wer wird den Menschen daraus einen Vorwurf machen? Nur derjenige, der für die deutlichsten Erscheinungen und Bedingungen des organischen Lebens keinen Sinn hat. Das Individuum hat bloß für sich einen Wert, aber nicht für die Natur, nicht für die Gesamtheit. Für die Natur ist es bloß eine Gußform, in welcher der Stoff organisch gemodelt wird; eine Durchgangsstation im großen Entwicklungsgange des Stoffes vom Unbelebten zum Belebten. Ist der Guß vollzogen, so wird die Form zerschlagen. Ist die Durchgangsstation zurückgelegt, so wird sie vergessen. Das, was im Individuum dauernd und zu einem Dasein ohne absehbares Ende bestimmt ist, sein Fortpflanzungs-Prinzip, ringt sich von ihm los und beginnt ein neues, selbständiges Leben, das in keiner Weise mehr des Zusammenhanges mit dem Organismus bedarf, in welchem es entstanden ist; der elterliche Organismus aber geht dann zu Grunde wie die Blüte, aus der sich die Frucht hervorgerungen hat. Ganz derselbe Vorgang wiederholt sich bei den geistigen Funktionen des Individuums. Dieselben lösen sich vom Organismus los, werden gegenständlich und bilden Erscheinungen für sich, zu deren Vollkommenheit es in keiner Weise nötig ist, daß sie an das Individuum erinnern, welches sie hervorgebracht hat; sie sind das zur Dauer Bestimmte, gleichsam das Fortpflanzungs-Prinzip der geistigen Individualität, und hat diese ihr Bestes von sich gegeben, hat sie lebendige Gedanken und Thaten hervorgebracht, die selbständig weiter wirken und neues Leben anregen können, so ist es nicht ungerecht, daß sie das Los alles Lebendigen und Lebengebenden teile und verschwinde. Der alte Mythus von Saturn, der seine Kinder verschlingt, beruht auf verkehrter Naturauffassung. Nicht der Vater ist es, der seine Sprößlinge aufißt, diese sind es, die sich von den Eltern nähren. Dieses Beispiel urgewaltiger, rücksichtsloser Selbstsucht hat nichts Abstoßendes. Im Gegenteil. Es ist schauerlich und schön zugleich wie jedes mächtige Naturschauspiel. Indem das Gezeugte den Lebenskeim vom Zeuger übernimmt und weiter in die Zukunft hinausträgt, erneuert und verjüngt es den elterlichen Organismus, aber nur das, was an ihm das Wesentliche ist. Diese Arbeit der Erhaltung des Wesentlichen erheischt so viel von der Kraft des neuen Organismus, daß es für die Bewahrung des Unwesentlichen, nämlich der Zufälligkeiten individueller Lebensform, keine übrig behält.

Das Gesetz, welches ich das umgekehrt saturnische nennen möchte, das Gesetz, kraft dessen das Erzeugende in dem Maße in Finsternis taucht, in welchem das Erzeugte in Helle rückt, duldet keine Ausnahme. Wie es das menschliche Wesen nicht giebt, das sich seinen fernen Ahn lebendig erhalten hätte, so giebt es die menschliche Geistesthat nicht, die ihren Lebensweg dauernd in Begleitung ihres Urhebers zurücklegte. Was wissen wir von den Individualitäten, aus deren Geistesarbeit unsere ganze Gesittung und Bildung besteht? Wie groß war der Mensch, der uns zuerst das Feuer gegeben hat! Wer hat sein Andenken bewahrt? Wem fällt es ein, sich seiner dankbar zu erinnern, wenn er sich im Winter an der Ofenwärme labt? Welch ein Genie muß es gewesen sein, das zuerst auf den Gedanken kam, sich vom Zufall eines Pflanzenfundes loszumachen und die notwendigen Körner methodisch vom Boden zu fordern! Segnen wir etwa seinen Namen, wenn wir unser tägliches Brot genießen? Heute kennen wir noch den Erfinder des Telegraphen, der Dampfmaschine, der Eisenbahn. Aber diese Erfindungen sind von gestern. Die Menschen leben zum Teil noch, vor deren Augen sie gemacht wurden. Wie lange dauert es, so sind die Soemmering, Oersted und Ampère, die Graham Bell und Edison, die Papin, Watt und Stephenson ebenso vergessen wie die gleichgroßen oder größeren unbekannten Erfinder der künstlichen Feuererzeugung oder des Ackerbaues und die Menschheit bedient sich ihrer Fernsprecher und Schnellzüge wie des Feuers und Brotes, ohne den kleinsten Zoll dankbarer Erinnerung an ihre Wohlthäter zu entrichten. Und die Erfinder sind nicht übler daran als die Denker, die Menschenbeherrscher, die Staatsmänner, die Gesetzgeber, die Künstler. Eine Wahrheit wird gefunden, sie bleibt ein ewiger Besitz der Menschheit, um ihren Urheber aber kümmert man sich nach wenigen Generationen nicht mehr. Spezialisten wissen heute noch, von wem die einzelnen Fortschritte in der Mathematik, den Naturwissenschaften, der Astronomie herrühren. Wie viele giebt es aber selbst unter den Gebildeten und Hochgebildeten, die zu sagen vermöchten, welchen persönlichen Anteil Phythagoras und Euklid, Hipparchus, Hero von Alexandrien und Descartes, Aristoteles, Roger Bacon und Harvey, ja selbst so nahe Menschenerscheinungen wie Lamarck, Young, Leslie, Bell, Joule und Schwann an unserer Naturerkenntnis und Weltanschauung haben? Von welchen Einzelmenschen rühren die römischen Staatseinrichtungen her, deren Grundriß noch heute in unserem Staatsbau beibehalten ist? Wie hießen die Gesetzgeber (nicht die Kompilatoren), welche die Bestimmungen des römischen Rechts formten, das noch heute unsere Rechtsanschauungen beherrscht? Das Werk steht da, der Urheber ist verschollen oder der Legende anheimgefallen. Die Ilias wird noch gelesen, allerdings hauptsächlich von Gymnasiasten, die sich an ihr wenig erfreuen, aber Homer ist uns so vollständig verloren gegangen, daß seine Existenz geleugnet werden kann. Die Nibelungen leben und blühen, ihr Verfasser ist von der Vergangenheit verschlungen. Wer die Venus von Milo gemacht, können wir ebensowenig vermuten wie den Namen des Bildhauers, der den Apollo von Belvedere gemeißelt hat.

Vergebens schmeicheln sich die Genies von heute, daß es von nun ab anders sein werde. Der persönliche Ruhm steht auf Zeitungen und Büchern und Buchstabenbildern in Erz und Stein. All das verweht die Zeit wie die Asche eines verbrannten Blattes. Einige tausend Jährchen und alles ist verschwunden. Die Menschheit aber hat vielleicht noch Millionen Jahre vor sich. Bismarck wird das Schicksal der vergessenen Staatengründer des Altertums teilen, Goethe und Shakespeare werden zum Verfasser des Buches Job und zum Sänger der Veden hinabtauchen, das deutsche Volk aber wird sich mächtig weiterentwickeln und Faust und Othello werden den Menschen tiefe Emotionen geben, solange man auf Erden deutsch und englisch verstehen wird.

"Es kann die Spur von meinen Erdetagen nicht in Äonen untergehn!« sagt sich Faust mit tröstender Selbstüberredung. Er hat buchstäblich Recht. Seine Spur, das heißt das, was er gewirkt hat, geht nicht bald unter, wenn es bedeutend ist. Aber er hat Unrecht, wenn er mit der Dauer der Spur die Vorstellung von der Dauer seiner Individualität verknüpft. Er hat dem Meer ein Land entrissen? Gut. Eine fröhlich wimmelnde Menge bewohnt es und erfreut sich darauf des Lebens und Sonnenscheins. Aber dem Menschen danken, der die Dämme aufgeführt und den Ackerboden geschaffen? Mit Nichten. Der Dank macht die Ernte nicht reicher und das Land nicht blühender; man ist nicht gezwungen, ihn zu empfinden, und darum empfindet man ihn nicht.

Die Volkswirtschafts-Lehre hat festgestellt, daß nicht ihre Unentbehrlichkeit fürs Menschenleben den Wert der Dinge bestimmt, sondern die größere oder geringere Leichtigkeit, mit der man sich sie verschaffen kann. Die Luft ist das Nötigste, was der Mensch braucht; sie hat aber keinen Wert, weil er sie jederzeit ohne Mühe haben kann, weil er, um seinen Bedarf an Lebenslust zu schöpfen, keine Arbeit leisten muß. Man kann die Hervorbringung des Genies in diesem Sinne den Gütern gleichstellen, die keinen Wert haben. Einmal vollendet, einmal objektiv geworden, bildet sie einen Bestandteil der Natur selbst, ist sie wie die Luft; die man atmen, das Wasser, das man schöpfen kann, ohne Mühe, ohne Gegenleistung, ohne Dank. Die Wahrheit, die ein Mensch gefunden und ausgesprochen, ist allen Menschen zugänglich; in dem dichterischen Kunstwerk, das ein Mensch geschaffen, können alle Menschen sich Emotionen holen, wenn es sie danach dürstet; die Erfindung, die staatliche und gesellschaftliche Einrichtung, die ein Menschenhirn ersonnen und ein Menschenwille verwirklicht hat, finden alle Menschen bei ihrer Geburt fertig vor wie die Erde, auf der sie dahin wandeln, und die Jahreszeiten, deren Wechsel die Einförmigkeit der Zeit unterbricht. Was der Einzelne von diesen Wahrheiten und Schönheiten, Erfindungen und Einrichtungen für sich braucht und nimmt, das vermindert ihre Menge nicht, das nutzt sie nicht ab, das entzieht sie keinem andern. Er hat darum Recht, sie ohne Dank und Lohn zu benutzen.

Und die Menschen, die für die Masse arbeiten, haben dennoch keinen Grund, über Undankbarkeit zu klagen, wenn man sie über ihren Leistungen vergißt, wenn Mitwelt und Nachgeborene ein von ihnen entdecktes Amerika besiedeln und für den Columbus des neuen Nährbodens nicht einmal ein Andenken übrig behalten. Ihr Organismus hat seine Schöpfungen hervorgebracht, wie ein mütterlicher Organismus ein Kind gebiert: weil er sie nicht in sich bergen konnte, sie ausstoßen mußte, als sie reif waren. Überdies hat jedes Genie auch für die größte Leistung eigentlich seinen Lohn dahin, ja es arbeitet sogar erst nach Vorausbezahlung. Denn ihm kommt die Arbeit aller vorausgegangenen Genies zu Gute, jener namenlosen Männer, welche die Urheber aller unserer Bildung und Gesittung, all unserer Bequemlichkeiten und Triumphe über die Natur gewesen sind. Es tritt auf die Schultern seiner Vorgänger, es ist billig, daß die Nachfolger auf seine Schultern treten. Es ist den vergessenen Führern und Förderern der Menschheit nicht anders dankbar, als indem es deren hinterlassene Schätze benutzt, es darf nicht erwarten, daß seine Erben ihm in anderer Weise danken werden. Die geistigen Güter, die es vorfindet und in denen es schöpfen kann, tragen längst nicht mehr die persönliche Marke ihrer Erzeuger an sich; warum sollte das Genie sich da nicht darüber trösten, daß auch die Güter, die es selbst hervorbringen wird, ohne Ursprungszeichen zum Erbgut der Menschheit geschlagen werden und deren Reichtum vermehren?

Inhalt der poetischen Litteratur.

In welcher Wechselbeziehung stehen Leben und Dichtung zu einander? Geht die Unterhaltungslitteratur aus der Beobachtung der Wirklichkeit hervor? Bemüht sich nicht vielmehr diese, die Dichtung zum Vorbilde zu nehmen und ihr ähnlich zu werden? Was ist Muster? Was ist Nachahmung? holen sich Roman und Theater ihre Gestalten vom Markte? Formt sich die Menge nach den Gestalten des Romans und Theaters? Mir ist die Beantwortung dieser Fragen keinen Augenblick lang zweifelhaft. Die Wirkung des belletristischen Schrifttums auf das Leben ist eine unvergleichlich größere als die umgekehrte. Vor Allem macht sich der Dichter oft von den Thatsachen völlig unabhängig und wendet seine Aufmerksamkeit ausschließlich dem willkürlichen Spiele seiner Einbildungskraft zu. Und selbst wenn er seine Anregungen aus der Wirklichkeit schöpft, so hält er sich nicht an die Durchschnittsthatsachen und Wahrheiten, welche der gewissenhafte Beobachter aus dem gewöhnlichen Laufe des Massenlebens ableiten würde, sondern liest sich irgend einen Ausnahmefall aus, den ihm der Zufall vor die Augen geführt oder der aus persönlichen, organischen Gründen auf ihn Eindruck gemacht hat, und giebt übrigens auch diesen nicht treu wieder, sondern gestaltet ihn nach seiner Eigenart um. Das ist also die ganze Berührungsfläche zwischen dem Leben und der Dichtung. Sie ist so schmal wie ein Messerrücken. Ein von einem launischen Windstoß versprühter, in seltsamen Farben schillernder Gischttropfen vertritt in der Dichtung den breiten und tiefen Ozean des Lebens. Wenn da überhaupt noch von einer Einwirkung des Lebens auf die Dichtung die Rede sein kann, so ist sie nicht größer als die der Wirklichkeit auf die Träume, die ja auch teilweise durch sehr schwache Sinneseindrücke angeregt werden, diese aber maßlos und willkürlich zu den unwahrsten Vorstellungen verarbeiten. Die Wirkung der Dichtung auf das Leben ist dagegen eine ungeheure. Sie übt eine gewaltige und unablässige Suggestion aus, die sich die ganze geistige Persönlichkeit, die ganze Denkungs- und Handlungsweise des Lesers unterwirft.

Man vergegenwärtige sich nur die Daseinsbedingungen der durchschnittlichen Menge. Das Individuum verbringt da sein Leben in den engsten Verhältnissen. Es lernt nicht viele Menschen außerhalb seines Familienkreises näher kennen und hat kaum jemals Gelegenheit, ins Innere eines fremden Geistes Blicke zu werfen. Er weiß aus eigener Anschauung nichts von den großen Leidenschaften und Gefühlen, den Wirrnissen und Zwiespältigkeiten der Menschheit und würde, auf seine persönlichen Erfahrungen angewiesen, schwerlich vermuten, daß es außerhalb der Küche, des Ladens, allenfalls noch der Kirche, des Marktes und Gemeindehauses, noch eine Welt gebe. Aber es liest Unterhaltungsschriften, es geht ins Theater und sieht Gestalten vor sich, die es in *seinerWirklichkeit nie gegeben hat: Märchenprinzen und vornehme Damen mit Diamantsternen im Haare, Abenteurer und Verbrecher, engelsgütige Lichtmenschen und arglistige Ränkeschmiede; es beobachtet seltsame Lagen, in denen es sich nie befunden hat, und erfährt, wie die Phantasiegestalten des Dichters in denselben denken, fühlen und handeln. Nach allen Gesetzen der Psychologie ist es unvermeidlich, daß das Individuum, welches die in Form positiver Mitteilungen auftretenden Versicherungen des Dichters nicht durch eigene Beobachtungen einschränken oder berichtigen kann, ihm ohne Mißtrauen glaube, seine Vorstellungen vom Leben aus dessen Werken schöpfe, seine Menschen sich zum Vorbild nehme, seine Urteile, Neigungen und Abneigungen sich aneigne. Wie jede Suggestion beeinflußt auch die durch Roman und Theater geübte das geistig minder entwickelte oder minder gesunde mehr als das bedeutende, eigenartige und völlig normale Individuum; also in erster Linie die Schablonennaturen, die Jugend, das Weib, die Hysterischen und Geistes- oder Nervenschwachen. Ich kann das in Paris seit Jahren direkt beobachten. Die Pariserin ist vollständig das Werk der französischen Journalisten und Romanschreiber. Diese machen aus ihr buchstäblich, was sie wollen, leiblich und geistig. Sie spricht, sie denkt, sie fühlt, sie handelt, ja sie kleidet sich, geberdet sich, geht und steht, wie ihre Modeschriftsteller es wollen. Sie ist eine Gliederpuppe in deren Hand und gehorcht willenlos allen ihren Eingebungen. Ein verkommener Kerl von widerlich verfaultem Geschmacks schildert in einer Zeitung oder einem Buche sein Ideal eines Weibes, wie er es eben in der Verwesungsatmosphäre seiner entarteten Phantasie erbrüten konnte: ihr Gang ist trippelnd, ihre Stimme aus der Fistel wie die eines Kindes, ihre Augen sind weit geöffnet, ihr kleiner Finger gabelt während des Essens von den übrigen abstehend in die Luft. Sofort beeilen sich alle Leserinnen, dieses Ideal zu Verwirklichen, und man sieht nur noch Äffinnen, die mit winzigen Schrittchen dahinhopsen, mit hoher Stimme piepsen, die Augenbrauen bis in die Mitte der Stirne hinaufziehen, den kleinen Finger krampfhaft von der übrigen Hand wegspreizen und sich mit ihrem falsch kindlichen Gethue jedem gesunden Geschmack unsagbar widerwärtig machen. Dabei ist das nicht einmal bewußte und gewollte Ziererei, sondern automatische, zur Natur gewordene Gewohnheit. "Ein anderer Satyr der Feder, dessen stumpfe Sinne durch andere Vorstellungen als die eines weiblichen Wesens im Kindesalter wachgekitzelt werden, lüstelt sich in eine Beschreibung der Haarlöckchen hinein, die sich in den Nasen mancher Frauen ringeln; er spricht von ihnen in den frech liebkosenden Ausdrücken, die für sinnliche Erregungszustände bezeichnend sind, und umschmeichelt sie mit raffinierten Worten, die so schamlos sind wie gewisse Blicke und Berührungen. Unverzüglich streichen sich die Leserinnen den Haarsaum vom Hinterhaupts abwärts, richten sich ihn zu Zotteln und steif gedrehten Korkziehern zurecht und gehen mit einer in den Rücken hängenden Halskrause daher, die ihnen eine täuschende Ähnlichkeit mit einem Kondor oder Aasgeier verleiht, alles bloß, um wie das Weib auszusehen, das ihnen ihr Dichter als geeignet geschildert hat, einen Mann (allerdings einen durch und durch im Laster vergorenen Mann, aber das sagt er ja nicht dazu) erotisch zu reizen. Es ist bei uns in Deutschland nicht anders. Wie Clauren's Frauengestalten, wie heute die Goldelfen und Geierwallys ganze Generationen deutscher Mädchen und Frauen nach ihrem Ebenbilde geformt haben, das weiß jeder, den die Gegenwart des Weibes nicht gleich so von Sinnen bringt, daß das Urteil gelähmt ist und die Betrachtung zur Anbetung wird. Glücklicherweise sind die Schöpfer der Goldelfen und Geierwallys keine schmutzigen Volksvergifter und die Gestalten, die sie ihren Leserinnen als Muster vorhalten, sind, wenn auch unwahr, naturwidrig und geschmacklos, doch mindestens sittlich einwandfrei. Der Mann steht weniger als das Weib unter der Wirkung der Roman- und Theater-Suggestion, vor allem auch, weil er weniger Unterhaltungsschriften liest als jenes, aber er entgeht ihr ebenfalls nicht. Als die Leiden des jungen Werther erschienen, da schwärmte es in Deutschland alsbald von Werthers, die sich nicht bloß den Anschein gaben, wie ihr Vorbild zu denken und zu fühlen, sondern dies aufrichtig thaten und ihre Ernsthaftigkeit in vielen Fällen durch den Selbstmord bewiesen, bis zu welchem bloße Schauspielerei schwerlich gegangen wäre. In Frankreich hat das Liebes- und Schicksalsopfer Antony eine ganze Rasse von Antonys hervorgebracht und Byron ist dafür verantwortlich, daß in den dreißiger Jahren die ganze Kulturwelt von dämonischen Jünglingen mit blassen Wangen, langen Haaren, breitem Hemdkragen, verwüsteter Stirne und schauerlich geheimnisvollem Blicke wimmelte. So stellen sich die Dichter und Erzähler wie der biblische Jakob vor die geistige Tränke hin und legen nach Belieben ihre "Stäbe von grünen Pappelbäumen, Haseln und Kastanien«, an denen sie "weiße Streifen losgeschält« haben, in die Rinne und verursachen "sprenglige, fleckige und bunte« Generationen.*

Das wäre nun weiter kein Unglück, wenn das schönwissenschaftliche Schrifttum der Menge gesunde und wahre Muster vorhielte. Das thut es aber nicht. Die poetische Litteratur enthält mit so geringen Ausnahmen, daß man sie vernachlässigen muß, nichts als Unmöglichkeiten, Unwahrscheinlichkeiten und Anomalien. Die Fälle, die sie schildert, sind Ausnahmefälle, die sich nie oder nur äußerst selten ereignet haben; die Menschen, die sie zeichnet, gehören einer winzigen Minderheit an, wenn sie überhaupt noch in Fleisch und Blut denkbar sind; die Anschauungen, die Gefühle, die Handlungen, die sie darstellt, sind nach einer oder der andern Richtung krankhaft übertrieben und sehr verschieden von denen der typischen Durchschnittsmenschen, die sich des geistigen und sittlichen Gleichgewichts erfreuen. Die poetische Litteratur ist eine ungeheure Sammlung von Krankengeschichten, von denen einige wenigstens gewissenhaft beobachtet, weitaus die meisten aber noch dazu mit grausamer oder unwissender Phantasie ausgeheckt sind, ein endloses Verzeichnis aller Störungen, die den Menschen heimsuchen können, von der leichten Trübung des Urteils durch eine unvernünftige Leidenschaft bis zur monströsesten moralischen Entartung.

Schon die Zeitung hat diesen Charakter des ausnahmweisen und krankhaften. Die Neuigkeiten, die sie ihren Lesern erzählt, betreffen Mord und Totschlag, Feuersbrünste, Eisenbahnunfälle, Überschwemmungen, Erdbeben, alles Ereignisse, die von hundert Menschen in gesitteten Ländern kaum einer während eines ganzen Lebens mit eigenen Augen gesehen hat. Das ist ja auch natürlich. Das normale Leben scheint nach herkömmlicher Anschauung nichts Mitteilenswertes zu enthalten. Daß Gevatter Hinz gut geschlafen, seinen Morgenkaffee genossen, Vormittag seine Kunden bedient und mit gutem Appetit zu Mittag gegessen hat, alles wie gewöhnlich, das bietet keinen Anlaß zu einer Tagesneuigkeit. Verzeichnet wird nur, was von der Norm abweicht, und das ist eben die Ausnahme, das Krankhafte. Wenn deshalb ein weiser Thebaner, dem die Zeitung eine unbekannte Einrichtung wäre, unter uns erschiene und ein Blatt zur Hand nähme, er würde sicherlich fragen: "O edler Gastfreund, ist die Welt und die Menschheit so schlecht geworden, daß nichts anderes mehr vorgeht als Verbrechen? Zürnen die Götter den Bewohnern der Erde, daß sie sie mit allem Unglück heimsuchen? Brennen sämtliche Völker, einander mit Krieg zu überziehen?« Nur die Börsen- und Marktberichte und die Inserate würden sein bekümmertes Gemüt einigermaßen beruhigen und ihm zeigen, daß es neben den Greueln und Aufregungen auch noch stillfriedliches und regelmäßiges Alltagsleben gebe.

Roman und Theater haben in ihrer höhern Form doch dieselbe Richtung wie die Zeitung. Sie beschäftigen sich bloß mit der Ausnahme und dem Krankhaften. Der belletristische Schund erzählt roh äußerliche Vorgänge von ungewöhnlichem Charakter, also Abenteuer, unerhörte Zufälle und Verbrechen, die anspruchsvollere Litteratur schildert außergewöhnliche Menschen und Seelenzustände ungewohnter Art.

Dem Leser von niedriger Bildung kommen die für ihn arbeitenden Schriftsteller mit den Blut- und Gespenstergeschichten der Kolportage-Romane, bestenfalls mit Entdeckungsfahrten, sonderbaren Erlebnissen unter Land- und Seeräubern, in Kriegen und Schiffbrüchen, dem Leser von hoher Bildung tischt man Leidenschaften und innere Konflikte auf, die auch nicht gerade auf der Straße angetroffen zu werden pflegen; immer aber ist es etwas von gewöhnlichen Menschengeschicken Abweichendes, was den Gegenstand des poetischen Werkes ausmacht. Freilich besteht da wieder der Unterschied, daß die berufenen Dichter sich nur insofern von der Wahrheit entfernen, als sie sie übertreiben, oder bloß in den Voraussetzungen willkürlich sind, aus diesen aber richtige Folgerungen ableiten, während die Mittelmäßigen und Nachahmer in ihrem Versuche, die Wirklichkeit darzustellen, nicht die Linien bloß nachdrücklicher ziehen und die Farben stärker auftragen, sondern fehlerhaft zeichnen und stümpernd malen. Nie aber hat der Dichter das Recht, zur Mehrheit seiner Leser, nicht zu einem mühsam auserlesenen, mit einer Diogeneslaterne gesuchten, das tiefsinnige *"Tat twam asi!«"Das bist du!« des indischen Weisen zu sagen. Wie viele Bücher giebt es, die dem gesunden, normal entwickelten Menschen gegenüber mit dem alten Römer wiederholen dürfen: "Von dir wird die Fabel erzählt«? – Suchen wir einmal zusammen. Jeder Germane, vielleicht jeder auf eine höhere Stufe der Ausbildung gelangte Mensch, hat etwas von Faust in sich, den Durst nach Wahrheit und Erkenntnis, das wurmende Gefühl seiner Endlichkeit; aber wie viele von uns empfinden jenen Durst quälend genug, um ihn mit dem Inhalt der "krystallnen, reinen Schale« stillen zu wollen? Die meisten Mädchen werden in einem gewissen Abschnitte ihres Lebens ähnlich wie Julie fühlen; aber die wenigsten von ihnen treiben die Exzentrizität ihrer Liebe zu Romeo so weit, daß sie zum alten Klausner gehen und sich in die Gruft hinlegen. Eifersüchtige Männer giebt es genug und leider haben viele von ihnen mehr Ursache zu Qual und Argwohn als Othello. Aber ihre Desdemona erwürgen sie doch nicht, auch nicht wenn sie zur verschwindenden Minderheit der Generäle und Statthalter gehören. Ich für meinen Teil habe nur einen Mann leibhaftig gekannt, der den Versuch machte, Shakespeares Suggestion zu verwirklichen. Aber die ganze Geschichte wird dadurch kläglich verdorben, daß Othello, ein Hausknecht in einer Kaffee-Großhandlung, sich zuvor in Schnaps zu seiner That Mut trank und sich, als er nach der übrigens nur halb gelungenen That verhaftet wurde, an nichts erinnern wollte. Dabei sind die bisher als Beispiele angeführten Dichtungen mit die allerwahrsten und allermenschlichsten der Weltlitteratur. Wenn wir zu den minder vornehmen Rängen derselben hinabsteigen, so wird die Sache weit schlimmer. Die lustigen drei Musketiere haben nie gelebt und könnten namentlich in unserer heutigen Welt ihr aus unregelmäßiger Liebe, Spiel und Rauferei gewobenes Dasein nicht eine Woche lang führen, ohne alle Gendarmen des Kreises auf ihren Fersen zu haben. Von Millionen Lesern ist noch nicht einer der Möglichkeit ausgesetzt, ein Robinson Crusoe zu werden, und der gute Freitag bedeutet uns allen unvergleichlich weniger als Hekuba den Schauspielern. Giebt es denn aber keine Dichtung, die ganz wirklich, ganz allgemein menschlich ist? Ich antworte in gutem Glauben: ich sehe keine. Selbst Hermann und Dorothea, dieses treuherzige, schlichte Gemälde deutschen Bürgerlebens in der Kleinstadt, ist insofern nicht thatsächlich, als es von Voraussetzungen ausgeht, die sich in Jahrhunderten einmal bewahrheiten. Man sieht kaum jemals ganze Gemeinden mit Kind und Kegel ihre Heimat verlassen und landfahrend umherirren und so findet Hermann keine Gelegenheit, Dorothea wie in der Patriarchenzeit am Brunnen zu finden und die Magd ins Vaterhaus zu führen. Alle diese Wesen, die sich im Roman und auf der Bühne umhertummeln, sind Leute aus dem Monde, Jahrmarkts-Sehenswürdigkeiten mit einem Horn auf der Stirne, bärtige Weiber, Zauberer, Riesen und Zwerge, sie schleppen ein kurioses Schicksal mit sich, das wert ist, den Gaffern um zehn Pfennig Eintrittsgeld gezeigt zu werden, sie haben ein wertvolles Geheimnis in ihr Rockfutter eingenäht, sie sind innen um eine ganze Anzahl Meter tiefer als außen; die gewöhnliche, stille Menschheit, die nicht besonders gut und nicht besonders schlecht ist, die sich redlich nährt und mit einem Testamente stirbt, wenn sie etwas zu hinterlassen hat, und deren fröhliches Gewimmel auf der breiten Erde die*

Sonne bescheint, diese Menschheit ist es nicht, welche die Dichtung wiederspiegelt.

Ich hoffe, daß mir niemand den "Naturalismus« vorrückt, den einige moderne Franzosen als ihre funkelnagelneue Erfindung ausgeben. Ich weiß wohl, daß derselbe sich rühmt, bloß die nackte Wahrheit des Lebens zu schildern und nach "menschlichen Dokumenten«, das heißt nach beobachteten Thatsachen zu arbeiten. Aber das ist ja ein niederträchtiger Schwindel und die reinste Bauernfängerei. Die Schriftsteller, die mit dem Naturalismus spekulieren, thun genau dasselbe, was ich einen Winkelphotographen in einer kleinen Stadt Hessens habe thun sehen. Dieser besaß eine große Sammlung alter Visitenkarten-Porträts, die er einmal bei einer Versteigerung in Frankfurt um einen Pappenstiel erstanden hatte. So oft nun irgend eine Persönlichkeit von den Ereignissen in den Vordergrund des Tagesinteresses geschoben wurde, holte er einen Kopf, der seiner Vorstellung von der neuen Modeberühmtheit entsprach, aus seinem Wuste hervor und bot ihn als das Konterfei der betreffenden Persönlichkeit feil. So verkaufte er 1878 einen Disraeli mit einer Gurkennase von stark alkoholischer Beschaffenheit und vier Jahre später einen Gambetta mit einem ehrwürdigen Prophetenbart und einer Art Pelzkalpak auf dem Kopfe. Sein Handwerk wurde ihm erst gelegt, als er unter dem Namen Garfields die Photographie eines Mannes ausstellte, der ihm ein Fremder war, in welchem jedoch der ganze Ort den verstorbenen Steuerinspektor erkannte. Die naturalistischen Schriftsteller haben von ihren Vorgängern in den letzten dreitausend Jahren die alte Methode geerbt; weil aber jetzt die Richtung der Zeit eine ernste, wissenschaftliche, kogitationelle ist, weil das Publikum vorgiebt und vielleicht sogar selbst glaubt, nur noch für beobachtete Thatsachen und wissenschaftliche Versuche Interesse zu haben, so geben sie ihrer Methode solche Modenamen wie Naturalismus, Experimentalroman, menschliches Dokument u.s.w. Ein Roman von Zola ist genau wie ein Roman von Sue oder wie ein solcher von Prevost oder von Scarron: eine frei erfundene Geschichte, die bloß in der Phantasie des Verfassers und sonst nirgends vor sich gegangen ist. Wenn ein Schriftsteller mit Vorliebe im Kote sudelt und ein anderer reinliche Aufenthaltsorte vorzieht, wenn der eine gern Trunkenbolde, Straßendirnen und Blödsinnige, der andere reiche, vornehme und löbliche Musterbürger schildert, so ist dies persönliche Eigentümlichkeit, ändert aber an der Methode nichts. Der "Naturalismus« ist darum doch ebensowenig die Natur, das wirkliche Leben, wie der Idealismus oder der Konventionalismus, denn jede Statistik belehrt uns, daß selbst in der verderbtesten Großstadt erst auf hundert Einwohner eine Nana, auf fünfzig Bürgerwohnungen ein Assommoir kommt, daß der Fall Nanas oder des Assommoirs für die ungeheure Mehrheit ein unbekannter Ausnahmefall und darum ohne Bedeutung ist und daß Nana und der Assommoir, selbst wenn sie thatsächlich existieren, selbst wenn sie, was aber nicht zugegeben werden kann, ohne Übertreibung und willkürliche Zurechtmachung geschildert sind, höchstens den Wert einer kuriosen Nummer in einem pathologischen Museum, aber nicht den eines allgemein giltigen "menschlichen Dokuments« haben können. Weshalb beschäftigt sich aber die poetische Litteratur, die naturalistische ganz so wie die andere, bloß mit den ausnahmweisen und krankhaften Erscheinungen? Der eine Grund, der schon oben angedeutet wurde, liegt im Leser. Das Publikum will im Buche nicht das wiederfinden, was es ohnehin kennt. Es sucht Sensationen, diese giebt aber nur der Übergang aus einem bestehenden in einen neuen Bewußtseins-Zustand, das Aufhören eines und das Beginnen eines andern, verschiedenen Eindrucks. Die Verhältnisse, in denen wir gewöhnlich leben, sind unseren Sinnen und unserem Bewußtsein so vertraut, daß wir sie gar nicht mehr wahrnehmen, wie wir den Luftdruck nicht spüren, unter dem wir beständig stehen. Um es anzuregen, muß der Schriftsteller deshalb dem Publikum andere, unbekannte Verhältnisse und Menschen zeigen und die kann er naturgemäß nur außerhalb der Gewöhnlichkeit, außerhalb der Mehrheit und ihrer Norm finden. Der zweite Grund liegt nicht im Leser, sondern im Dichter. Heute und wohl schon seit hundert

Jahren ist der Roman- und Theaterdichter entweder der Sohn oder doch der lebenslange Bewohner einer Großstadt und von deren geistiger und sittlicher Atmosphäre beeinflußt. Er lebt unter aufgeregten und in vielen Fällen krankhaft entarteten Menschen. Man vergesse nicht, daß der Großstädter einen zum Untergang bestimmten Typus der Menschheit darstellt. Jede Familie von Großstädtern stirbt im dritten, spätestens vierten Geschlechte aus, wenn Zuzügler vom Lande ihr Blut nicht erneuern und ihr nicht frische Lebenskraft zuführen. Besonders die nervösen Störungen sind in dieser Menge häufig. Unzählige Individuen siedeln da in jenem Grenzlande zwischen der gesunden Vernunft und dem Wahnsinn, das in der letzten Zeit die Irrenärzte und Psychologen so mächtig anzieht. Sie sind noch nicht eigentlich verrückt, aber nicht mehr völlig normal. Ihre Hirnzentren arbeiten nicht, wie sie sollen. Das eine ist geschwächt und entartet, das andere übermäßig erregbar und unnatürlich vorwiegend. Sie fühlen, denken und handeln anders als gesunde und starke Menschen. Leise Berührungen erregen Stürme in ihnen;, ihre Empfindungen werden zu Leidenschaften, über welche das Urteil keine Macht hat; sie sind emotionell und impulsiv, übertrieben in Haß und Liebe, voll Wunderlichkeiten in ihren Anschauungen, unzusammenhängend in ihrem Thun und Lassen. Das sind die Menschen, welche die großstädtischen Schriftsteller beständig vor sich sehen, die sie beobachten, zu denen sie meistens selbst gehören. Es ist klar, daß das Zusammenleben derartiger Naturen Probleme erzeugt, die unter Normalmenschen nie entstehen können. Die Anziehungs- und Abstoßungs-Verhältnisse, die inneren und äußeren Konflikte, die Verwickelungen und Katastrophen sind ganz andere wie zwischen gesunden Leuten, in deren Leben Sonnenschein und Wiesenbachplätschern, Bergwaldschatten und die freien Winde der Ebene, kurz das Walten und Weben der Natur die Rolle eines beständig wirkenden Regulators spielen. Der großstädtische Dichter in seiner Umgebung von überempfindlichen oder abgestumpften, nervösen oder hysterischen, sentimentalen oder verderbten Ausbund-Menschen, die halbe Genies und halbe Idioten sind und ihr Lebelang zwischen den nach ihnen ausgestreckten Händen des Irrenarztes und Strafrichters hin- und herschwanken, verliert das Verständnis für die menschliche Wahrheit und weiß zuletzt gar nicht mehr, wie sich die Welt in einem klaren, ungetrübten Auge und in einem weder überreizten noch entarteten Gehirn abspiegelt. So schreibt man diese Zolaschen Romane der erblichen Geisteskrankheit, so schreibt man die "Gespenster« von Ibsen, so alle diese übergeschnappten Liebes-, Eifersuchts- und Ehebruchs-Geschichten, die einem kräftigen und tüchtigen Organismus ebenso fremd und unverständlich sind wie die Migränen und Magenkrämpfe bleichsüchtiger Siechlinge.

Und das Bild solcher unholden Leidenschaften, Seltsamkeiten und Gleichgewichtsstörungen des Verstandes und der Sittlichkeit wird dem Leser vorgehalten, wirkt als Suggestion auf ihn, dient ihm als *orbis pictus* , aus dem er Welt und Menschen kennen lernt, und als Muster, nach dem er sich selbst formt! Was ist dagegen zu thun? Die Unterhaltungs-Schriftsteller früherer Jahrhunderte, die noch keine Großstädter und Nervenleidende waren, boten ihrem Publikum die Anregungen, die es verlangte, in Gestalt von derben Schwänken, von Reise-, Jagd- und Kriegsabenteuern oder von eingestandenen Märchen, die nur ein armer Narr wie der edle Don Quixote ernst nehmen konnte. Für solchen Lesestoff sind unsere Zeitgenossen schon zu naseweis geworden und Rothäute, Kongoneger und verwunschene Prinzessinnen fesseln nur noch Kinder unter zwölf Jahren. Die Idealformel eines Werkes der Einbildungskraft wäre offenbar diese: besonders menschliche Thatsachen zu finden, aus denen allgemeine biologische und soziologische Gesetze abzuleiten wären, die auf die ganze Gattung oder doch mindestens auf ansehnliche Menschengruppen angewendet werden könnten; diese Thatsachen dürften nur insofern ausnahmsweise sein, als sie mit ungewöhnlicher Deutlichkeit und Kraft die Gesetze zeigen würden, deren Wirkung und Ausdruck sie sind und die gewöhnlich verschleiert bleiben. Kürzer gesagt: das gemeine Gesetz, verkörpert im seltenen Fall. Ein nach dieser Formel gebautes Werk würde zugleich die Forderung des

Philosophen erfüllen, der verlangt, daß es umfassend, wahr für viele und allgemein menschlich sei, und die des Durchschnittslesers, der wünscht, daß es von seiner Alltagserfahrung verschieden sei. Aber um diese Formel zu verwirklichen, ist nicht weniger als das höchste Genie erforderlich und dieses ist leider selten. Und da man ein solches Genie nicht immer zur Hand hat, so sehe ich kein Heil für die Durchseuchung der Leserphantasie mit belletristischen Zersetzungsstoffen, es sei denn, man entschlösse sich von Staatswegen, allen Roman- und Theaterdichtern den Aufenthalt in Großstädten zu verbieten und sie in friedliche Dörfer unter robuste Landleute zu verbannen, oder man überredete die Berufsschriftsteller, statt seltener Ausnahmefälle statistisch festgestellte Massen-Thatsachen, statt geistiger Pathologie geistige Physiologie unter das Volk zu bringen und statt des Buches vom kranken das Buch vom gesunden Menschen zu schreiben.

Ich fürchte nur, ich fürchte, daß dieses nützliche und empfehlenswerte Buch weder einen Verleger noch einen Leser finden würde.

Zur Naturgeschichte der Liebe.

Was hat die durch die poetische Litteratur geübte Suggestion gerade aus dem für die Gattungserhaltung wichtigsten Gefühle, aus der Liebe gemacht! Kein anderer Grundtrieb des Menschen ist so wie sie verkünstelt, aus seiner wahren Richtung gedrängt und ungesund umgezüchtet, keine andere psychische Erscheinung so wie sie verfälscht und systematisch verdunkelt worden.

Es ist so weit gekommen, daß es schwere Bedenken hat, an die Untersuchung der Liebe, ihrer Entstehungsweise, ihrer Zwecke, ihres Verlaufs und der mit ihr verbundenen Bewußtseins-Zustände mit kühlem Ernst und wissenschaftlicher Unvoreingenommenheit zu gehen. Alle emotionellen Duseler beiderlei Geschlechts, denen die Unterhaltungs-Litteratur, ihre einzige Geistesnahrung, die schwachen Köpfe verdreht hat, erheben ein Zetergeschrei und verlangen, daß man den unehrerbietigen Zergliederer steinige. Die Entrüstung gegen ihn kennt keine Grenzen. Er ist ein herzloser Cyniker, ein Seelenkrüppel, dem die Natur die erhabensten Empfindungen versagt hat. Er ist ein Verbrecher, der sich an der Majestät des Weibes versündigt, und ein Verruchter, der kirchenschänderisch ins Allerheiligste der Liebe eindringt. Das hat man von Schopenhauer und seinem Fortsetzer E. v. Hartmann gesagt, das würde der Haufe der Veilchenfresser von Darwin, Herbert Spencer und Bain sagen, wenn er diese Denker läse und verstände. Die Liebe darf nicht Gegenstand der unbefangenen Darstellung, nur verzückter Dithyramben sein. Man darf ihr nicht als Beobachter, nur als Verliebter nahen. Mit Verlaub: das ist eine unzulässige Forderung. Vom Hunger darf ich sprechen, ohne hungrig zu sein, von der Furcht, ohne Furcht zu haben. Es ist mir gestattet, diese Erscheinungen kaltblütig zu zergliedern und zu beschreiben, ohne daß man deshalb zur Annahme berechtigt ist, ich sei unfähig, die Freuden einer wohlbesetzten Tafel zu würdigen oder die Aufregungen zu empfinden, welche die Erkenntnis einer schweren und seinen Mitteln der Abwehr unverhältnismäßig überlegenen Gefahr im Menschen hervorruft. Weshalb soll die Liebe nicht auch der nüchternen Beobachtung zugänglich sein, ohne daß man deshalb gleich behauptet, der Beobachter sei unfähig, Liebe zu empfinden, folglich auch sie zu begreifen? Die denkbar schlechtesten Bedingungen zur Erforschung des Hungers oder der Furcht wären diese Empfindungen selbst. Vom Hungrigen ist nicht zu erwarten, daß er die Wirkung der Vorstellung eines Bratens auf sein Nervensystem methodisch feststelle, namentlich wenn derselbe vor ihm auf dem Teller duftet, und wer Furcht hat, handelt als ein kluger Mann, wenn er bloß ans Davonlaufen und nicht an Selbstbetrachtung denkt. Ebenso ist der Verliebte der allerletzte, von dem zu hoffen wäre, daß er über die seelischen Vorgänge während der Liebe Licht verbreite. Das kann nur der unbeteiligte Zuschauer. Und dieser hat keine Ursache, niederzuknien, die Augen zu verdrehen und sich in lyrischen Überschwang hineinzuschwindeln oder hineinzurasen, wenn er von Liebe spricht. Eben weil sie die mächtigste und für die Menschheit bedeutungsvollste Empfindung ist, muß man sie mit um so klarerem Kopfe betrachten und sich sorgfältig vor Aufregung und Schwärmerei, vor Bilder- und Blumensprache hüten, da auf diese Weise die wirklichen Thatsachen weder gesehen noch geschildert werden können. Es geht aber bei der Liebe ebenfalls nur mit ganz natürlichen Dingen zu, wenn auch die Verliebten es nicht wahr haben wollen. Das menschliche Gehirn enthält ein höchstes Geschlechtszentrum, von welchem niedrigere Zentren im Rückenmarke abhängig sind und das seinerseits von Erregungszuständen der letzteren beeinflußt wird. In der Lebenszeit, während welcher das Reproduktionssystem des Individuums in voller Reife und der Sitz lebhafter Ernährungsvorgänge ist, befindet sich auch das Geschlechtszentrum des Gehirns in einem Zustande der Spannung und Empfindlichkeit, der es für alle Reize sehr empfänglich macht. In emotionellen Naturen und in solchen, deren Geist müßig ist, übt es auf das ganze Bewußtsein einen vorwiegenden, häufig sogar alleinherrschenden Einfluß. Es wirkt auf das Urteil, die Phantasie, den Willen, regt Vorstellungen an, die dem Gebiete der Geschlechtlichkeit entnommen sind, und giebt aller Gehirnarbeit eine einzige Richtung, ich möchte sagen eine geschlechtliche Polarität. Subjektiv wird dieser Zustand vom Individuum als Liebesdrang oder Liebessehnsucht empfunden. Es genügt, daß das Individuum in dieser Verfassung einem solchen des andern Geschlechts begegne, damit der Drang und die Sehnsucht einen Gegenstand finden und zur Liebe werden. Alle vom Geschlechtszentrum angeregte Thätigkeit des Gehirns hat dann das geliebte Wesen zum Inhalte, das nicht so wahrgenommen und beurteilt wird, wie es ist, sondern so, wie es dem organischen Bedürfnisse des liebenden Wesens entspricht. Es ist eine Gliederpuppe, welche das letztere nach seinem Geschmacke kleidet und drapiert.

Jedes gesunde menschliche Individuum hat die triebhafte, unbewußte Empfindung der Eigenschaften, die das Individuum des entgegengesetzten Geschlechts haben muß, damit durch seine Vereinigung mit ihm die eigenen Eigenschaften in den Nachkommen erhalten und gesteigert seien. Je höher ausgebildet, je eigenartiger, je differenzierter es selbst ist, um so komplizierter sind auch die

Eigenschaften, mit denen es das gewünschte und erwartete Individuum des andern Geschlechts ausstattet. Hat es die Wahl unter vielen Individuen, so liest es sich mit unfehlbarer Sicherheit dasjenige aus, welches seinem mit dem Augenblicke der Geschlechtsreife fertig ausgearbeiteten organischen Ideale am nächsten kommt. Hat es keine Wahl, so nimmt es mit jedem Individuum vorlieb, wenn es nur von seinem Ideale nicht so vollständig verschieden und entfernt ist, daß es sein Geschlechtszentrum gar nicht mehr anzuregen vermag und diesem als etwas so Fremdes und Gleichgiltiges gegenübertritt wie etwa ein Individuum des eigenen Geschlechts, ein Tier oder ein unbelebter Gegenstand.

Je näher ein Individuum dem organischen Ideal eines andern kommt, um so rascher geht natürlich die Arbeit der Identifikation desselben mit dem Ideale vor sich; decken sich beide ungefähr vollständig, so schlägt der bekannte Blitzstrahl ein, man verliebt sich auf der Stelle, im ersten Augenblicke, und hat die Empfindung, das Objekt der Liebe immer gekannt und geliebt zu haben; bestehen einzelne Verschiedenheiten, so hat das Individuum erst eine Arbeit der Anpassung, Ausgleichung und Gewöhnung zu leisten, von den Ungleichheiten zwischen dem andern Individuum und dem Ideal abzusehen, im Geiste die beiden einander nach Möglichkeit anzunähern; man verliebt sich dann nur allmählich, schneller oder langsamer, je nachdem man den Gegenstand der Liebe dem vorbestehenden organischen Ideale schneller oder langsamer anpassen kann. In jedem Falle liebt man eigentlich nicht ein anderes Menschenwesen, sondern ein Ideal, das der eigene Organismus ausgearbeitet hat; Liebesdrang ist das Suchen nach einer Verkörperung des inneren Ideals, Liebe die Selbstüberredung, daß man diese Verkörperung gefunden habe, das geliebte Wesen die Projektion des innern Ideals nach außen. Das Liebeleben des Individuums beginnt darum auch mit seiner Geschlechtsreife und dauert so lange wie diese; das Ideal ist dann organisch ausgearbeitet und bleibt während der ganzen Zeit der Geschlechtsreife lebendig; ob es verwirklicht wird oder nicht, das kommt nicht in Betracht; es besteht und harrt der Gelegenheit, sich zu verkörpern; man liebt virtuell oder potentiell, wenn man auch nicht thatsächlich liebt; man liebt sein Ideal, wenn man kein bestimmtes Menschenwesen liebt. Je niedriger und einfacher das Ideal ist, um so leichter findet das Individuum dessen Verkörperung. Darum können gemeine und schlichte Naturen sich unschwer verlieben und einen Gegenstand der Liebe unschwer durch einen andern ersetzen, während feine und zusammengesetzte große Mühe haben, ihr Ideal oder etwas genügend Annäherndes im Leben anzutreffen und ihm, wenn es verloren gegangen ist, einen Nachfolger zu geben.

Bewerbung wirkt als ein starker Reiz auf das Geschlechtszentrum und das Individuum, das der Gegenstand einer solchen ist, kann unter dem Einfluß der Erregtheit seines Geschlechtszentrums leicht die Sicherheit der instinktiven Empfindung dessen, was ihm zur Erhaltung und Steigerung seiner Eigenschaften in den Nachkommen organisch notthut, einbüßen und einen Irrtum begehen, der aber die Bewerbung, das ist den störenden Reiz, nicht überlebt. Die Erkenntnis, daß man sich geirrt habe, läßt dann eine Beschämung und Demütigung zurück, die sich in Haß gegen das veranlassende Individuum verwandelt und zu den schärfsten Unlust-Empfindungen gehört, deren der Mensch fähig ist.

Die gesunde und natürliche Liebe ist sich immer ihres Zwecks klar bewußt. Sie ist das Verlangen des Besitzes, die Forderung jener leiblichen Vereinigung, welche die Entstehung von Nachkommenschaft anregen kann. In starken Individuen löst die Liebe genug mächtige Willensimpulse aus, um jeden entgegenstehenden Willen zu besiegen und jedes Hindernis zu überwinden. In willensschwachen Individuen hat sie diese Fähigkeit nicht; die Emotion bleibt subjektiv und setzt sich nicht in Handlungen um. Die Stärke der Liebe eines Wesens darf man also nicht nach den Anstrengungen messen, die es macht, um das geliebte Wesen zu erlangen, denn die Größe dieser Anstrengungen hängt von der Stärke seines Willens, nicht von der seiner Liebe ab. Doch muß einschränkend hinzugefügt werden, daß im gesunden und normalen

Menschen alle Hirnzentren ungefähr gleichmäßig entwickelt sind, so daß willensschwache Individuen auch schwerlich sehr kräftige Geschlechtszentren, solche Individuen, die heftig zu lieben vermögen, in der Regel auch einen mächtigen Willen haben werden.

Die verschiedene Bedeutung der beiden Geschlechter für die Gattungserhaltung bedingt auch entsprechende Verschiedenheiten in ihrem Liebeleben. Die Rolle des Weibes ist die ungleich wichtigere; dieses hat den ganzen Stoff zur Bildung eines neuen Wesens herzugeben, es im eigenen Organismus vollständig auszuarbeiten, ihm hauptsächlich die eigenen Eigenschaften, wie es sie von den Vorfahren geerbt hat, mitzuteilen; der Mann liefert zu dieser langwierigen und schweren, ja heroischen Arbeit bloß die Anregung, von deren Beschaffenheit übrigens bis zu einem gewissen Grade die Beschaffenheit jener Arbeit abhängt, wie ja auch beispielsweise dasselbe Dynamit ruhig verbrennt oder lebhaft aufflammt oder mit fürchterlicher Gewalt explodiert, je nachdem es durch eine glimmende Kohle oder ein flackerndes Streichholz oder einen Sprengstoff in Brand gesetzt wird. Beim Weibe ist deshalb daß Geschlechtszentrum stärker entwickelt, dessen Thätigkeit eine regere und in der Gesamtthätigkeit des Gehirns wichtigere; das Weib hat ein deutlicher ausgebildetes Ideal des ihm organisch notwendigen, es ergänzenden Mannes, es kann schwerer bestimmt werden, auf dieses Ideal zu verzichten und sich mit einem allzu unähnlichen Ersatze zu bescheiden; hat es sein Ideal gefunden, so ist es dem Weibe fast unmöglich, darauf zu verzichten, und die Emotion, als welche es die lebhafte Erregung seines Geschlechtszentrums empfindet, verdrängt aus seinem Bewußtsein jeden anderen Inhalt, so daß es nichts anderes mehr kann als lieben, seinen Willen, sein Urteil, seine Phantasie in den Dienst seiner Liebe stellt und einen Versuch des Urteils, die Emotion mit vernünftigen Vorstellungen zu bekämpfen, gar nicht aufkommen läßt. Das Weib hat die triebhafte Empfindung, daß es sich nicht irren dürfe, daß ein Irrtum für es selbst und die Nachkommenschaft nicht gut zu machende Folgen hätte, daß er unter allen Umständen die Vergeudung einer verhältnismäßig großen Menge organischer Arbeit nach sich zöge, und es ist deshalb gegen die Möglichkeit des Irrtums äußerst mißtrauisch und ängstlich; andererseits erkennt es auch sicher, daß es sich nicht geirrt hat, wenn es den richtigen Mann gefunden, und ist dann leichter bereit, das Leben, als den Mann aufzugeben. Beim Manne ist das alles anders. Er darf sich leichter irren, weil ein Irrtum für ihn gar keine organischen Folgen hat und sozusagen schon in der nächsten Minute gut gemacht werden kann, soweit es sich bloß um seinen Anteil an der Gattungserhaltung handelt. Darum ist auch sein Ideal des ihn organisch ergänzenden Weibes viel weniger deutlich vorgebildet, darum verliebt er sich viel rascher und leichter in das erstbeste Weib, darum ist er auch viel unbeständiger, darum kann er auch viel öfter lieben, viel leichter verzichten, viel müheloser vergessen, darum nimmt die Thätigkeit des Geschlechtszentrums in der Gesamtthätigkeit seines Gehirns keinen so großen Platz ein und darum kann seine Liebe verhältnismäßig leicht von seinem Urteil gemäßigt, gedämpft und sogar völlig besiegt werden.

Das ist in großen und flüchtigen Zügen die Naturgeschichte der Liebe, wie man sie bei ganz gesunden und normalen Individuen beider Geschlechter beobachten kann. Kommt denn aber diese einfache, wahre, zweckmäßige Liebe in den Kreisen, deren Geistesnahrung die Unterhaltungslitteratur ist, überhaupt noch vor? Ich bezweifle es sehr ernstlich. Was man da für Liebe hält und für Liebe ausgiebt, das sind Nachahmungen von ungesunden und unwahren Zuständen, deren Darstellung den Roman und das Theater füllt.

Störungen und Erkrankungen des Geschlechtszentrums gehören unter hochzivilisierten Menschen zu den allerhäufigsten Vorkommnissen. Ein im Niedergange begriffenes Geschlecht wird zuerst an dieser Quelle der künftigen Geschlechter heimgesucht. Schwäche, Erschöpfung, Entartung des Einzelwesens wie des Volkes und der Rasse drückt sich am frühesten in Funktionsanomalien des Geschlechtszentrums aus, so daß die Liebe in ihrer Form, ihrer Stärke, der Wahl ihres Gegenstandes unnatürlich wird. Auch sonst hat Zerrüttung des Nervensystems einen Widerhall im

Geschlechtszentrum, welches selbst im normalen Menschen das Bestreben hat, die ganze Thätigkeit des Organismus zu beherrschen und seinen eigenen Zwecken dienstbar zu machen, jedoch durch den Widerstand der übrigen Zentren an Übergriffen verhindert wird, während es in einem geschwächten, oder aus dem richtigen Gleichgewichte geratenen Gehirn ungehemmt schaltet und waltet, mit seinen Erregungen ganz allein das Bewußtsein füllt, den gesamten Organismus zu seinem Sklaven macht und auf den Trümmern des Verstandes und Urteils seine siegreiche Fahne aufpflanzt, die einmal ein Unterrock, ein andermal eine Narrenkappe, manchmal aber auch ein Prozessionsbanner oder die Stachelgeißel der Selbstkasteier ist. Die poetische Litteratur, besonders unserer Zeit, stellt nun durchgehends solche ungesunde Formen der Liebe dar. Der Grund dieser Erscheinung ist im vorigen Kapitel angegeben. Die Schriftsteller haben entweder selbst überreizte Nerven oder leben in einer großstädtischen Umgebung, in der sie keine anderen Beispiele als solche des gestörten organischen Gleichgewichts vor sich sehen. Wenn nun auch nicht jede poetische Gestalt geradezu an ausgesprochenem Liebeswahnsinn leidet, so gehören sie doch samt und sonders zu den Bewohnern jenes Grenzlandes zwischen der vollen Gesundheit und Geisteskrankheit, von dem im vorigen Kapitel die Rede war. Der Irrenarzt erkennt in der Darstellung der Seelenzustände und Handlungen Verliebter, wie sie in der Unterhaltungslitteratur zu finden ist, die Anzeigen von Formen der Geistesstörung, die ihm wohlbekannt sind. Gewöhnlich sind die bedenklichen Symptome bloß leicht angedeutet; wenn sie aber nur einigermaßen verstärkt wären, so gäben sie klassische Exemplare von erotischer Manie, von ekstatischem Delirium, religiösem Wahnsinn und noch anderen Gehirnkrankheiten, deren Erwähnung vor einem Laienpublikum nicht statthaft ist. Ein urteilsfähiger und namentlich ein fachlich gebildeter Leser glaubt sich in einer Klinik, wenn er sich in der poetischen Litteratur umsieht. Nichts als Kranke und Siechlinge! Da ist ein Individuum, das beim Anblick eines Weibes von Sinnen gerät, den Verstand verliert und die tollsten Dinge treibt; da ist ein anderes, das durch einen Handschuh oder eine Blume der geliebten Person in gefährliche laute oder stille Ekstase versetzt wird; hier veranlaßt die Liebe Impulsionen zu verbrecherischen Handlungen, dort Schwermut und Trübsinn; man zeigt uns einmal einen verdächtigen Wechsel von launenhafter Kälte und plötzlicher Zärtlichkeit, ein andermal den Bankbruch eines Charakters und Geistes bis zur jämmerlichsten Willenlosigkeit unter dem Einfluß der Leidenschaft. Und all diese Grillen und Wunderlichkeiten, diese Exaltationen und Entsagungen, diese Schwärmereien und Begierden, diese schwächliche Lüstelei und verrückte Gewaltthätigkeit werden ohne ein Wort der Warnung, ohne die Bemerkung, daß es sich um krankhafte Ausnahmen handelt, als regelmäßige und natürliche Erscheinungsformen der Liebe hingestellt!

Solcher Lesestoff macht einen tiefen und äußerst schädlichen Eindruck selbst auf den gewöhnlichen und nun gar auf den nervös angelegten und vielleicht schon ein wenig aus dem geistigen Gleichgewichte geratenen Leser, besonders auf das Weib der Großstadt. Die Frau neigt von Natur dazu, die Liebe für den einzigen Lebenszweck und Lebensinhalt des Menschen zu halten, und sie wird in dieser Auffassung, die für sie berechtigt sein mag, jedoch auf den Mann keine Anwendung findet, völlig bestärkt, wenn sie sieht, daß die Bücher, aus denen sie alle Kenntnis von Welt und Leben schöpft, sich von der ersten bis zur letzten Zeile um nichts als Liebe drehen. Die Schilderung der Kämpfe um ein Weib und der Verzückungen über den Sieg steigert ihre natürliche Eingenommenheit von sich selbst bis zum Größenwahn und zur Selbstvergötterung und sie glaubt thatsächlich, daß ihr Besitz ein überirdisches Glück sei, dessen Erlangung der Mann mit dem Verzicht auf alle anderen Aufgaben und Ziele seines Daseins noch lange nicht bezahlen könne. Sie lernt den Mann bloß wegen seiner Liebesfähigkeit schätzen; den elenden Schwächling, dessen blödsinniges Gehirn seinen verliebten Emotionen keinen Widerstand entgegenzusetzen vermag und der mast- und steuerlos im Strome der Leidenschaft treibt, findet sie rührend und liebenswert; den gesunden und starken Mann, dessen

Kogitation seine Emotion in Zaum hält, der selbst noch in der Erregung der Liebe vernünftig bleibt und ihren Eingebungen nur soweit folgt, als sie von seinem Urteil gebilligt werden, verabscheut sie als kalt und herzlos. Butterweiche Zerflossenheit und winselnde Rührseligkeit nennt sie Hingebung, stramme Kernhaftigkeit, die in Selbstbemeisterung geübt ist und in stolzer Schätzung des Eigenwerts gebotene Neigung ganz so hoch achtet wie empfangene, erscheint ihr als abstoßende Rohheit. Die krankhafte Entartung, welche aus einem Manne einen Spielball des Weibes und ein Opfer seiner eigenen Erregung macht, scheint ihr das Zeichen wahrer Männlichkeit und ihre Einbildungskraft giebt dem Liebeshelden schon als äußere Erscheinung blasse Wangen, schmachtenden Blick und träumerische Stirne, Züge, die nicht zu den Attributen männlicher Gesundheit und Rüstigkeit gehören. Sie stellt sich vor, daß die Liebe, wenn sie tief und aufrichtig sein soll, die Form von Übergeschnapptheit annehmen muß; sie erwartet von ihr geistige und leibliche Akrobatenkunststücke, unsinnige Ergüsse in Prosa und Versen, Seufzer, Thränen und Händeringen, unverständliche Mystik der Rede, Einfälle, auf die kein vernünftiger Mensch gerät, und Thaten nach Art derjenigen des rasenden Roland oder des Amadis von Gallien. Um als echt anerkannt zu werden, muß die Liebe sich haben und geberden; stilles, verhaltenes Gefühl, das weder schmatzt noch gestikuliert, den Schlaf und die Eßlust nicht wesentlich beeinträchtigt und mit Erfüllung der Berufspflichten vereinbar ist, gilt nicht als Liebe. Diese wird nur als Gewitter verstanden; sie muß mit Donner und Blitz auftreten; der Liebende muß zur Geliebten fahren wie Zeus zur Semele; erscheint er anders, so ist er nicht der erwartete Gott.

Das ist nicht alles. Die Unterhaltungslitteratur stört auch den natürlichen Entwickelungsgang der Liebesgefühle im jugendlichen Leser und ganz besonders in der Leserin. Die Regel ist, daß mit der Reife des Organismus das Geschlechtszentrum in Thätigkeit tritt und im Bewußtsein Emotionen und Vorstellungen erotischer Natur anregt. Bei der Jugend der gebildeten Klassen geschieht das Umgekehrte. Die erotischen Emotionen und Vorstellungen werden durch den Lesestoff künstlich in das Bewußtsein getragen und regen das Geschlechtszentrum zu verfrühter und darum schädlicher Thätigkeit an. Ist der Liebesdrang eine Folge der Geschlechtsreife des Individuums, so hat der Organismus auch die Zeit und Kraft gehabt, sich triebhaft das Ideal des Partners auszuarbeiten, das er als zu seiner Ergänzung notwendig empfindet, das Gefühl wird sicher und zuverlässig, der Einfluß der Grillenhaftigkeit beschränkt, die Gefahr eines Irrtums in der entscheidenden Wahl wesentlich verringert. Wenn dagegen die erotischen Vorstellungen dem Bewußtsein vorzeitig durch die Lektüre suggeriert werden, so wird der Organismus von ihnen überrascht, ehe er noch sein Ideal eines Partners bilden konnte; die fremde Suggestion stört diese heikle Arbeit; der Organismus hört nicht mehr auf seine eigenen dunklen Stimmen, sondern auf die der Dichter; die Phantasie empfängt die Vorstellung des ersehnten Individuums nicht aus den geheimen Tiefen der Zellen und Gewebe, sondern aus den Blättern der Romane; das Individuum gelangt nicht zur sichern Empfindung des notwendigen Partners und eine zufällige Begegnung kann in Ermangelung des innern Prüfers, welcher sie zu deuten hat, verhängnisvoll werden. Die Romanleserin oder Theatergängerin weiß nicht, ob der Mann, der ihr näher tritt, der rechte ist, denn sie hat kein organisches Ideal, sondern bloß Erinnerungen an Roman- und Dramenhelden. Sie verwechselt ihre Launen mit den wahren Bedürfnissen ihres Organismus und begeht leichtblütig die unheilvollen Verwechselungen, die ein Frauenleben für immer elend machen.

Neunundneunzigmal unter hundert Fällen ist in den gebildeten Klassen namentlich der großstädtischen Bevölkerung das, was man selbst für Liebe hält oder was man für Liebe ausgiebt, keine im Organismus entstandene Liebe, sondern Wirkung dichterischer Suggestion.

Wenn die Liebenden dieser Kategorie nie einen Roman gelesen oder ein sentimentales Theaterstück gesehen hätten, so würden sie sich wahrscheinlich nicht in dem Gemütszustande befinden, den sie an sich wahrnehmen, oder wenn sie wirklich verliebt wären, so würde sich ihr Gefühl jedenfalls in ganz anderen Gedanken, Reden und Thaten kundgeben, als es dies thut. Sie lieben nicht mit dem Geschlechtszentrum, sondern mit dem Gedächtnis. Bewußt oder unbewußt spielen sie eine Salon- oder Boudoir-Komödie und wiederholen mit Ernst und Eifer die Auftritte, deren Schilderung in Büchern, deren Darstellung auf der Bühne sich ihrer Phantasie bemächtigt hat. In Paris ist es üblich, daß Liebespaare in der Honigwoche ihrer jungen Minne zum Grabmal von Heloise und Abälard, diesem berühmten und unglücklichen mittelalterlichen Liebespaare, wallfahren. Es ist ein tiefer Sinn in diesem Spiele. Denn höchst wahrscheinlich danken die beiden Liebenden ihre Beziehungen, die sie als angenehme empfinden, den toten Wonneflötern aus dem zwölften Jahrhundert, anders gesagt, den Liebesgeschichten, die ihnen von Dichtern in Begleitung von Harfenakkorden vorgesungen worden sind. Der Mann, den ein belesenes Weib liebt, hätte Unrecht, sich etwas darauf einzubilden. Was sie wirklich liebt, das ist nicht seine Persönlichkeit, auch nicht ihr organisches Ideal, dem jene etwa nahekommt, sondern die romantische Figur, die irgend ein Schriftsteller erfunden hat und für die sie einen Darsteller sucht. Schlagen wir uns an die Brust, meine Brüder! So demütigend dies auch unserem Selbstbewußtsein scheinen mag, wir müssen uns doch ehrlich gestehen, daß wir alle in unseren Liebeserfahrungen mehr oder weniger der Zettel mit dem Eselskopfe aus dem Sommernachtstraum gewesen sind, in den Titania verliebt war, weil sie unter der Wirkung der Zauberblume stand. Der Oberon, welcher unseren Titanien den Saft der Zauberblume über den Augen ausgedrückt hat, war einfach der Dichter. Der für uns immerhin erfreuliche Zufall hat gemacht, daß gerade wir Titanien in den Weg kamen, als sie in diesem Zustande war. Aber ob Zettel, ob Squinz, Titania liebt sicherlich weder den einen noch den andern, sondern eine ihr vom schalkhaften Oberon suggerierte romantische Gestalt, wie Faust "mit diesem Zaubertrank im Leibe« in jedem Weibe eine ideale Helena sieht.

Der Pariserin ist von mehreren Generationen schablonenhaft arbeitender Schriftsteller aller Völker, ich weiß nicht welcher Reiz, welcher Schick oder *"chic«angedichtet worden. Die Folge davon ist, daß jeder Einfaltspinsel das Wasser im Munde zusammenlaufen fühlt und mit den Augen zwinkert, wenn man das Wort Pariserin ausspricht oder wenn er gar eine solche im Fleische vor sich steht. Fragt man den Idioten, was er an ihr findet, so begnügt er sich, wie ein Kalb immer das eine Wort zu blöken: "chic! chic!«Er sieht in der Pariserin das, was seine Bücher ihn überredet haben, in ihr zu sehen. Auch für Schauspielerinnen und Kunstreiterinnen hat die Litteratur, ich kann es nicht anders nennen, ähnliche Reklame gemacht und darum sind diese Personen vorzugsweise Gegenstand der Liebesschwärmerei aller Portepeefähnriche, Gymnasiasten und schöngeistigen Ladenschwengel. Der Frau hat die Litteratur, wenigstens in Deutschland, eigentlich bloß den Offizier auf diese Weise als das würdigste Objekt der Liebe suggeriert und das zweifarbige Tuch mag den Musen der Dichtung Weihkränze in den Tempel hängen, so oft es über ein Frauenherz siegt.*

Man untersuche, wenn man in der Lage ist, dies zu thun, die Liebesverhältnisse, die man in der eigenen gesellschaftlichen Umgebung entstehen, wachsen und zum Eheglück oder zu aufdringlich geräuschvollen Katastrophen führen sieht. In der Regel wird man ungefähr diesen schematischen Hergang finden: ein Mann beschäftigt sich, durch Tischnachbarschaft oder Tanzordnungs-Verpflichtungen veranlaßt, etwas mehr, und natürlich galant, mit einem Mädchen. Dieses empfindet zunächst nur eine Genugthuung über die gewöhnlich sehr überschätzte Wirkung seiner Person und seine geschmeichelte Eitelkeit versetzt es in eine liebenswürdige und entgegenkommende Stimmung, die wieder von der Selbstverliebtheit des Mannes mißdeutet wird. Jetzt hört die Arbeit des Zufalls auf und die Suggestion der Dichter beginnt ihr Werk. Er und sie haben eine leichte Anregung empfangen, die Phantasie arbeitet dieselbe aus, das Gedächtnis beschwört alle Bilder berühmter Liebespaare herauf, alle lyrischen Gedichte, Liebesbriefe und

Geständnisse, die man gelesen, fangen zu rumoren an und schießen in die Feder und auf die Lippen, man steigert sich immer mehr, versenkt sich immer eifriger in die erotische Rolle, die man zu spielen begonnen, und tritt schließlich vor den Altar, wo unsichtbar eine Schar von Schriftstellern segnende Hände über die Häupter des Paares breitet, das sie und niemand sonst zusammengeführt haben. Nachträglich stellt sich nur zu häufig heraus, daß Thekla die Rolle ihres Max mit einem ganz unzulänglichen Darsteller besetzt hat und umgekehrt, und dann wird wieder ein anderes Stück aufgeführt, das ebenfalls ein Dichter suggeriert hat, sei es ein Ehebruchsdrama, sei es eine Entsagungs- und Kloster-Romanze. Aber fast immer handelt es sich um eine phonographische Liebe, in der Männlein und Weiblein wie das listige Instrument des Amerikaners Edison mit blecherner Polichinell-Stimme getreu die Worte wiederholen, die der Dichter zuvor in sie hineingesprochen hat.

Ihr Spintisierer der Liebe, Quintessenzler der Leidenschaft und Pathologen des Menschenherzens, ihr Ausdiftler geschraubter Lagen, außergewöhnlicher Menschen mit doppelläufigen Seelen und unerhörter Zufälle, was habt ihr mit euren Mord- und Räubergeschichten aus dem schlichtesten, wahrsten und erfreulichsten Triebe des Menschen gemacht, was habt ihr an uns allen gesündigt!

Evolutionistische Ästhetik

Herbert Spencer sagt in seiner Biologie (ich zitiere nach dem englischen Originale, 2. Band S. 153): "Dies scheint mir ein ganz geeigneter Platz, um die Thatsache zu verzeichnen, daß der größte Teil von dem, was wir in der organischen Welt Schönheit nennen, in irgend einer Weise von den geschlechtlichen Beziehungen abhängt. Dies ist nicht nur mit den Farben und Düften der Blumen der Fall, sondern auch mit dem prächtigen Gefieder der Vögel und mit ihrem Gesange, welche beide nach Herrn Darwins Anschauung geschlechtlicher Auswahl zuzuschreiben sind; und es ist wahrscheinlich, daß auch die Farben der auffälligeren Kerbtiere teilweise ähnlich veranlaßt sind. Der bemerkenswerte Umstand daran ist, daß diese Eigentümlichkeiten, die durch Begünstigung der Hervorbringung der besten Nachkommen entstanden und die naturgemäß solche sind, welche die durch sie ausgezeichneten Organismen direkt oder indirekt einander gegenseitig anziehend machen, zugleich diejenigen sind, die auch uns so allgemein anziehend erscheinen und ohne welche Feld und Wald ihren halben Zauber für uns verlieren würden. Es ist auch interessant zu beobachten, in einem wie ansehnlichen Grade der Begriff menschlicher Schönheit auf diese Weise entstanden ist; und die alltägliche Bemerkung, daß das aus der geschlechtlichen Beziehung hervorgehende Element der Schönheit in ästhetischen Hervorbringungen, in Musik, Drama, Erzählung, Poesie so vorherrscht, erlangt eine neue Bedeutung, wenn wir sehen, wie tief in die organische Welt hinunter sich dieser Zusammenhang erstreckt.«

In diesen wenigen Zeilen, denen ich ihre etwas unbeholfene Fassung gelassen habe, sind alle drei oder sogar alle neun sibyllinischen Bücher einer natürlichen Schönheitswissenschaft enthalten.

Der menschliche Geist, auch derjenige der Massen, wird sich allmählich daran gewöhnen, evolutionistisch zu denken, das heißt in jeder Erscheinung eine Entwickelungs-Episode zu erkennen, die an sich unbegreiflich ist, jedoch durch Vorausgegangenes verständlich wird und im Zusammenhange mit der Vergangenheit gesehen weit weniger geheimnisvoll wirkt, als wenn man sie für sich allein betrachtet. Ist das menschliche Denken erst auf diesem Standpunkt angelangt, so werden wenige Dinge so komisch auf dasselbe wirken wie die Anschauungen und Erklärungsversuche, welche heute noch den Inhalt der amtlich gelehrten Ästhetik ausmachen.

Bis jetzt hat nämlich die Verstandeswissenschaft großenteils nicht evolutionistisch gedacht. Sie betrachtete die Erscheinungen des Seelenlebens so, wie sie sich uns heute darstellen, und suchte sie zu begreifen, ohne zu fragen, wie sie entstanden seien, aus welchen einfachen Anfängen sie sich bis zu ihrer gegenwärtigen Zusammengesetztheit herausgebildet haben, welche Teile von ihnen verkümmerte Überlebsel oder abgestorbene Reste, welche andere lebenskräftige Triebe seien.

Selbst Kant wird, wenn er von den Kategorien spricht, seiner Gewohnheit scharfen und klaren Denkens untreu und knüpft an sie die mystische Bemerkung, sie seien Formen des menschlichen Gedankens, die auf Außer- und Übermenschliches hinausweisen. In minder geheimnisvolle Sprache übersetzt will dies einfach sagen, daß die Formen des menschlichen Gedankens, wie Zeit, Raum und Ursächlichkeit, nicht auf Erfahrungen, das heißt sinnlichen Wahrnehmungen, des Einzelwesens beruhen, also auf anderem als dem sinnlichen Wege in sein Bewußtsein gelangt, mit ihm geboren sein müssen. Und dies sagte er, nachdem Hume schon so lange vor ihm wenigstens für eine dieser Kategorien, für die Ursächlichkeit, die Erklärung gefunden hatte, sie sei einfach dadurch entstanden, daß der menschliche Geist die Erscheinungen immer auf einander folgen sah und allmählich die Gewohnheit annahm, diese Folge ununterbrechbar zu glauben und zwischen den Erscheinungen dynamische Beziehungen zu vermuten. Die Vorstellung des Raumes ist seitdem – besonders von Bain, Spencer und Mill – als ein Ergebnis der durch den Muskelsinn dem Bewußtsein zugeführten Wahrnehmungen der eigenen Bewegungen des Individuums nachgewiesen worden und in neuester Zeit ist die Sprachforschung auf gutem Wege, aus dem Wurzelsinne der Wörter, welche heute Zeitvorstellungen ausdrücken, den Beweis abzuleiten, daß der Mensch unter Zeit ursprünglich bloß den Tag, die Dauer des Sonnenscheins verstand, nicht aber irgend etwas Absolutes, Aprioristisches, das außerhalb des Sonnensystems, außerhalb eines Wechsels der Tages- und Jahreszeiten, außerhalb einer eine Aufeinanderfolge von Veränderungen aufweisenden Natur besteht.

Mit der Moral hat man es gerade so gemacht. Man fand sie eines Tages bestehen, man erkannte, daß die Menschen den Begriff von Gut und Schlecht, von Tugend und Laster haben, und man fragte nicht, wie sich dieser Begriff wohl habe natürlich entwickeln mögen, sondern sprang sofort zur Annahme, daß er so, wie er ging und stand, den Menschen von einem göttlichen Wesen geoffenbart worden sein müsse. Heute wissen wir freilich, daß es an sich weder ein Gut noch ein Schlecht giebt, sondern daß die Notwendigkeit des Zusammenlebens die Menschen allmählich dazu geführt hat, Handlungen, die dem Interesse der Gemeinschaft abträglich wären, schlecht und lasterhaft, solche, die diesem Interesse vorteilhaft und fördersam wären, gut und tugendhaft zu nennen.

Die Ästhetik ist diesem allgemeinen Gesetze der menschlichen Schnellfertigkeit, die sich seltsamerweise für Tiefsinn ausgiebt, nicht entgangen. Da das Gefühl des Schönen, wie der Mensch es heute besitzt, nicht unmittelbar durch irgend eine Nutzwirkung oder einen sinnlich wahrnehmbaren Vorgang erklärt werden kann, so waren von Plato bis Fichte, Hegel, Vischer und Carrière hundert Philosophen flugs mit der dogmatischen Behauptung bei der Hand, dieses Gefühl sei auch wieder eine jener geheimnisvollen Erscheinungen, welche auf ein Übermenschliches im Menschen hindeuten, eine Form, in welcher der endliche Menschengeist annähernd eine Vorstellung der Unendlichkeit erfassen könne, eine erhabene Ahnung des unsinnlichen Wesens, das aller sinnlichen Erscheinung zu Grunde liegt, und was dergleichen völlig inhaltlose Wortverknüpfungen mehr sind.

Der Volksmund sagt, man solle einem Narren kein ungebautes Haus zeigen. Da spricht der Volksmund eine wahre Ketzerei aus. Gerade umgekehrt: dem Narren soll man kein gebautes Haus zeigen; denn steht es erst fertig da, so staunt er es augen- und maulaufsperrend an und kann nicht begreifen, wie es so hoch und breit und prächtig geworden ist; wenn man es ihm dagegen ungebaut zeigt, wenn man ihn zusehen läßt, wie Stein an Stein und Balken an Balken sich fügt, so wird es ihm nicht schwer, das Werden und Sein des blauen Wunders, seine Einrichtung und seinen Zweck, das Warum seiner Teile und das Wie seiner Gestalt zu verstehen. Eine bekannte Anekdote erzählt, König Georg III. von England sei einmal vor Pflaumenklößen, die ihm gelegentlich einer Fuchsjagd in einer Farm vorgesetzt wurden, tiefsinnig geworden und nach schwerem Nachdenken in den Ruf ausgebrochen: "Wie zum Henker sind die Pflaumen in die Klöße hineingelangt.« Die Metaphysik steht vor den Erscheinungen des Seelenlebens wie Georg III. vor den Pflaumenklößen. Da es ihr nicht denkbar scheint, daß auf natürlichem Wege eine Pflaume in einen ringsherum geschlossenen Kloß hineingelangen könne, so nimmt sie unverzagt einen außer- und übernatürlichen Weg an. So müssen die Vorstellungen von Zeit und Raum und Ursächlichkeit als Postulate menschlichen Denkens angeborene, "aprioristische Intuitionen«, so muß die Moral eine göttliche Offenbarung, so muß das Schönheitsgefühl eine Wahrnehmung des Übersinnlichen und Unendlichen sein. Da kommt nun die evolutionistische Philosophie und zeigt mit der schlichten Weisheit einer Köchin, daß der Pflaumenkloß, so wie er rauchend auf den Tisch kommt, freilich nicht zu begreifen und nicht zu erklären sei; er sei aber nicht immer in seiner Rundung ohne Ende und in seiner Gänze ohne Öffnung das Sinnbild der Ewigkeit gewesen, sondern habe sich als schmeidiger Teig ganz natürlich und ganz faßlich um die Pflaume herumgelegt, womit das Mysterium aufhört, ein Mysterium zu sein.

Wie die Moral, wie die Vorstellung von Zeit, Raum und Ursächlichkeit, so darf man auch den Schönheitsbegriff nicht in seiner heutigen Vollendung betrachten, wenn man ihn verstehen will, sondern muß untersuchen, wie er zu dem geworden, was er jetzt ist. Gegenwärtig ist er etwas sehr Zusammengesetztes, ursprünglich war er etwas sehr Einfaches. Wir nennen heute eine ganze Reihe von Erscheinungen schön, die den verschiedensten Charakter haben und sich an die verschiedensten Sinne wenden: Musik und Gemälde; eine Landschaft und einen Wasserfall; einen Dom und einen Seesturm; eine Dichtung und einen Juwelenschmuck. Ebenso bezeichnen wir eine ganze Reihe von Empfindungen als ästhetische, die einander durchaus unähnlich sind: das wonnige Grauen beim Anblick einer donnernden Springflut-Brandung ebenso wie das heitere Wohlgefallen bei der Betrachtung der

Oberländerschen Bilder in den Fliegenden Blättern; die Bewunderung der Venus von Milo ebenso wie die Billigung eines stattlichen Gebäudes. Die metaphysische Ästhetik hat sich abgerackert, diese Mannigfaltigkeit auf eine Einheit zurückzuführen. Das war eine Marter, bei der nichts herauskommen konnte. Um die verschiedenen Erscheinungen einander ähnlich zu machen, mußte man sie ihrer wesentlichen Eigenheiten entkleiden, der einen etwas anfügen, was die andere hatte, der andern etwas wegnehmen, was der einen fehlte. Und wenn selbst dieser Fälscher- oder Gleichmacher-Kniff nicht ausreichte, so lieh man allen Erscheinungen eine willkürliche Zugabe und stellte auf diese Weise eine sophistische Ähnlichkeit her, die nicht in natürlichen Zügen, sondern in künstlichen Ankleidungen der Erscheinungen begründet ist. Wir wollen es mit einer ehrlichern Methode versuchen; anstatt die Bestandteile des zusammengesetzten Phänomens noch eifriger durcheinander zu quirlen und sie durch einen Aufguß von metaphysischer Unendlichkeits-Brühe noch unkenntlicher und scheinbar gleichförmiger zu machen, wollen wir sie im Gegenteil aufmerksam auseinander lesen und jedem seine ursprüngliche Physiognomie wiedergeben.

Eine Eigenschaft ist allen ästhetischen Empfindungen allerdings gemein: die, daß sie das Gegenteil von Unlust-Empfindungen sind. Aber die angenehmen Sensationen, welche die verschiedenen Arten des Schönen in uns erregen, fließen aus verschiedenen organischen Quellen. Ehe wir diesen nachgraben, nur ein Wort über die Lust- und Unlust-Empfindungen selbst. Lust-Empfindungen sind solche, die durch Eindrücke oder Vorstellungen von Eindrücken erregt werden, welche in irgend einer Weise der Erhaltung des Einzelwesens oder der Gattung förderlich sind, Unlust-Empfindungen das Gegenteil. Daß dies so ist, hat einen natürlichen und selbstthätigen Grund. Ein Wesen, in welchem Eindrücke, die sein Dasein bedrohten oder schädigten, keine unangenehmen Empfindungen erweckte, hatte keine Ursache, diese Eindrücke zu vermeiden, und mußte ihnen alsbald unterliegen, so daß es keine Nachkommen hinterlassen konnte, also in der heutigen organischen Welt nicht mehr vertreten sein kann. Umgekehrt hatte ein Wesen, welches schädliche und bedrohliche Eindrücke als unangenehme empfand, einen genügenden Antrieb, sie zu vermeiden oder abzuwehren, sich also vor Schaden zu hüten und sich eine regelrechte Entwicklung zu sichern, welche auch die Hervorbringung von Nachkommen in sich schließt. Bis jetzt handelte es sich um Vermeidung von Schädlichkeiten. Damit ist es aber nicht genug. Um besonders reich zu gedeihen, mußte der Organismus Bedingungen aufsuchen, die ihm nicht nur nicht schädlich, nicht nur gleichgültig, sondern geradezu förderlich waren. Er mußte günstige und zuträgliche Eindrücke als angenehme empfinden und dadurch veranlaßt werden, sie zu wünschen und anzustreben. Je stärker seine Lust-Empfindungen bei nützlichen Eindrücken waren, um so lebhafter bemühte er sich, sie zu erlangen, und um so günstiger konnten sie auf sein Gedeihen und seine Entwickelung wirken. Die heutigen Organismen stellen deshalb die Auslese solcher Vorfahren dar, in welchen ihr Dasein gefährdende Eindrücke die stärksten Unlust-, es fördernde Eindrücke die stärksten Lust-Empfindungen erregten. Nur ein einziges Beispiel zur Veranschaulichung, dieser Thatsache. An sich sind alle Düfte gleichwertig und es giebt unter ihnen weder angenehme noch unangenehme. Verwesungsduft und Rosenduft sind an sich nicht verschiedener als etwa blaues und grünes Licht, Trompeten- und Flöten-Ton. Wenn es außer dem Geruchssinn noch irgend etwas anderes, etwa einen Stoff gäbe, auf den der Duft einen Eindruck machte wie das Licht auf Chlor- oder Bromsilber, so daß man eine Vorrichtung herstellen könnte, welche für Düfte das wäre, was der photographische Apparat für Lichterscheinungen ist, so würde man auch dem unphilosophischsten Geiste mit größter Leichtigkeit begreiflich machen können, daß der Fäulnisduft an sich ein Duft ist wie jeder andere und nur auf die menschliche Nase in ihrer heutigen Beschaffenheit einen unangenehmen Eindruck macht. Nun fügt es sich aber, daß der Fäulnisduft flüssigen und gasförmigen Stoffen anhaftet, welche durch die organische Thätigkeit von winzigen Lebewesen entstehen, die den höheren Tieren sehr gefährlich sind, wahrend der Rosenduft einer Blume eigen ist, die an trockenen, sonnigen Stellen vorkommt und in der schönen Jahreszeit blüht. Ein Wesen, dem beide Düfte gleichgiltig waren oder das gar den Fäulnisduft vorzog, scheute die Orte nicht, wo Verwesungsvorgänge stattfanden; es atmete giftige Gase, aß vielleicht faulige Stoffe, welche Leichengift (die sogenannten "Ptomaine«) enthielten, kam mit Mikroorganismen in Berührung, die in ihm gefährliche, vielleicht sogar tödliche Krankheiten hervorriefen, und mußte früher oder später der Verkümmerung und dem Untergange anheimfallen. Ein Wesen dagegen, in welchem Fäulnisduft unangenehme und Rosenduft angenehme Empfindungen hervorrief, vermied alle Schädlichkeiten, die in Begleitung des ersteren auftreten, und suchte mit Vorliebe im Frühling und Sommer warme und sonnige Stellen im Freien auf, was seiner Gesundheit offenbar sehr zuträglich war. Es gedieh und brachte kräftige Nachkommen hervor, die durch größere Starke und Fruchtbarkeit bald die Nachkommen des Wesens verdrängen mußten, welches Fäulnisduft nicht als unangenehm oder gar als angenehm empfand, so daß es heute nur noch Menschen giebt, denen im gesunden Zustande des Nervensystems Fäulnisduft Unlust-, Rosenduft dagegen Lust-Empfindungen giebt. In krankhaft entarteten Individuen allein wird das Gegenteil beobachtet und ihre Vorliebe für Gerüche, welche von der gefunden Mehrheit als Gestank empfunden und gescheut werden, trägt häufig zu einer Verschlechterung ihres Zustandes bei. Verstärkt wird diese Wirkung beider Düfte dann noch durch die Gedanken-Verbindungen, welche sie anregen. Mit dem Fäulnisduft verbinden wir nämlich die Vorstellung von Erscheinungen, welche mit Tod und Vernichtung des Organismus zusammenhängen, mit dem Rosenduft die Vorstellung der Jahreszeit, in welcher die Nahrung dem Naturmenschen reichlich zu werden begann, die Wärme wiederkehrte und sein Leben überhaupt leichter und angenehmer wurde.

Diese Regel, daß alle Lust- und Unlust-Empfindungen ursprünglich auf der Nützlichkeit oder Schädlichkeit der sie hervorrufenden Erscheinungen für das Einzelwesen oder die Gattung beruhen, duldet keine Ausnahme. Die Thatsachen, die man gegen sie anführt, sind schlecht beobachtet oder oberflächlich gedeutet. Auch dafür nur ein Beispiel. Weingeisthaltige, berauschende Flüssigkeiten rufen im Trinker entschieden Lust-Empfindungen hervor und sind seiner Gesundheit und seinem Leben dennoch im höchsten Grade schädlich. Das ist richtig. Aber weshalb wirken alkoholische Getränke so? Weil sie zuerst, ehe sie den Organismus lähmen und betäuben, das Nervensystem zu höherer Thätigkeit anregen, intensives Kraftgefühl, Fröhlichkeit, Willensimpulse und reichliche Vorstellungen des Urteils hervorrufen, also einen Zustand, den auf natürliche Weise bloß solche Umstände herbeiführen, die der Gesundheit und dem Leben des Individuums im höchsten Grade vorteilhaft sind, nämlich ausgezeichnete Ernährung, hinreichende Ausgeruhtheit, vollkommenes Wohlbefinden, Aufenthalt in sauerstoffreicher Luft, Gesellschaft gerngesehener Genossen, Jugend, Mangel jeder Ursache zu Angst und Besorgnis u.s.w. Der ursprüngliche Mensch lernte die gehobene Stimmung, die dem eigentlichen Rausche vorangeht, nur in Begleitung dieser günstigsten Umstände kennen und mußte sie nach obigem Gesetze als Lust-Empfindung wahrnehmen. Erst sehr viel später, als die Freude an jener Stimmung bei ihm schon zum organischen Triebe geworden war, erfand er den Wein und Schnaps und gewann die Möglichkeit, dieselbe überaus angenehme Steigerung der Hirn- und Nerventhätigkeit durch ein anderes, schädliches Mittel hervorzurufen. Das ist aber erst wenige tausend Jahre her und in dieser vergleichsweise kurzen Zeit konnte ein Trieb nicht umgestaltet werden, zu dessen Organisierung die Menschheit Hunderttausende von Jahren gehabt hatte. Gäbe es in der Natur fertigen und leicht zugänglichen Alkohol wie Wasser oder Baumfrüchte, so daß der Mensch und seine Vorgänger bei ihren Lebensanfängen den Schnaps kennen gelernt und von vornherein die gehobene Stimmung mit ihm in Verbindung gebracht hätten; so wären alle Wesen, welche diese Stimmung als angenehm empfunden und deshalb gestrebt hätten, sich sie durch reichlichen Schnapsgenuß zu verschaffen, Säufer geworden, hätten auch alle Übel des Alkoholismus an sich erfahren und wären sehr bald ausgestorben; es gäbe dann heute nur noch Menschen, denen weingeistige Flüssigkeiten so widerwärtig röchen und schmeckten wie etwa Petroleum oder Fäulnisjauche und welche die gehobene Stimmung, die der Alkohol hervorbringt, als Unlust-Empfindung wahrnähmen.

Die Lust-Empfindungen nun, die das Schöne im weitesten Sinne in uns anregt, haben keinen andern Ursprung als alle übrigen Lust-Empfindungen. Sie sind eine Folge davon, daß das, was wir heute als schön empfinden, entweder ursprünglich auch dem Einzelwesen oder der Gattung zuträglich oder förderlich war oder daß die Lebewesen es zuerst in Begleitung zuträglicher oder förderlicher Erscheinungen kennen lernten und mit der Erinnerung an diese organisch gesellten.

Die Erscheinungen, die als schön empfunden werden, zerfallen naturgemäß in zwei große Klassen. Sie beziehen sich entweder auf das Dasein des Einzelwesens oder auf das der Gattung. In die erste Klasse gehören das Erhabene, Reizende und das Zweckmäßige, in die zweite Klasse das eigentlich Schöne im engern Sinne und das Niedliche. Diese fünf Formen des Ästhetischen werden häufig verwechselt, während sie doch um ihrer Verschiedenheit willen sorgsam auseinandergehalten werden müssen. Wir werden sie der Reihe nach untersuchen und zu verstehen trachten, wie sie mit dem Selbsterhaltungstriebe des Einzelwesens und der Gattung zusammenhängen.

Das Erhabene ist die Empfindung eines ungeheuren Mißverhältnisses zwischen dem wahrnehmenden Individuum und der wahrgenommenen Erscheinung und der zermalmenden Überlegenheit der letztern über das erstere. Alles überaus Große und Mächtige wirkt erhaben. Die der Empfindung des Erhabenen zu Grunde liegende Vorstellung ist die: "An dieser Erscheinung gemessen bin ich nichts. Gegen diese Erscheinung sind meine Kräfte verschwindend. Gegen sie anzukämpfen, sie zu überwinden, ist vollkommen unmöglich. Müßte ich mit ihr kämpfen, so würde ich vernichtet werden.« Diese Empfindung ist eine ganz nahe Verwandte der Angst und sie unterscheidet sich von ihr eigentlich bloß dadurch, daß sie neben der Vorstellung der eigenen gänzlichen

Ohnmacht noch die zweite Vorstellung enthält, daß glücklicherweise eine Bekämpfung der gewaltigen Erscheinung nicht notwendig ist und diese ihre zermalmende Übermacht nicht thatsächlich zur Überwindung und Vernichtung des wahrnehmenden Wesens gebrauchen wird. Der Anblick des brennenden Roms von der Terrasse des Kaiserpalastes kann die Empfindung des Erhabenen erwecken, weil die gewaltige Erscheinung da den Betrachter nicht gefährdet. Stände dieser dagegen mitten in der Feuersbrunst, so würde dieselbe Erscheinung in ihm nicht die Empfindung des Erhabenen, sondern die der Todesangst erwecken. Die Meeresbrandung ist, vom Badestrande gesehen, erhaben; dem Schiffbrüchigen, der durch sie hindurch an die Küste gelangen soll, erweckt sie Todesangst. Die körperlichen Erscheinungen, welche die Empfindung des Erhabenen begleiten, sind dieselben wie die, welche mit der Angstempfindung gesellt sind. Es ist dieselbe Beklommenheit, dasselbe Stillstehen des Herzens, dieselbe Unterbrechung des Atmens, alles Anzeichen der Erregung des sogenannten Vagus; es ist derselbe über den Rücken hinabrieselnde Schauer, dieselbe Unbeweglichkeit, die man eine momentane Lähmung nennen kann. Das Starrwerden, das Versteinertsein tritt in empfindlichen Naturen angesichts des Erhabenen ebenso ein wie angesichts eines Schrecklichen, das sie wirklich bedroht. Das Erhabene hängt also am direktesten mit dem Selbsterhaltungstriebe des Individuums zusammen, nämlich mit seiner Gewohnheit, sich als Gegensatz zur Außenwelt zu empfinden, diese als möglichen Feind aufzufassen und die Aussichten des Sieges oder der Niederlage im Falle des Zusammenstoßes abzuschätzen.

Das Reizende ist die Empfindung, welche von Erscheinungen erregt wird, die in einer gegebenen Zeiteinheit eine große Zahl von Sinneseindrücken hervorbringen und eine lebhafte Thätigkeit der Wahrnehmungs-, Verstandes- und Urteilszentren veranlassen. Eine nackte Wand wirkt langweilig, weil sie bloß einen einzigen Gesichtseindruck hervorbringt und keine regere Deutungs-Thätigkeit des Gehirns notwendig macht. Eine reich geschmückte Wand wirkt dagegen reizend, weil sie auf einen einzigen Blick zahlreiche Gesichtseindrücke und eine große Deutungs-Thätigkeit des Gehirns anregt. Das Einförmige kann, wenn es in ungeheurer Ausdehnung auftritt, erhaben, aber niemals reizend wirken, dies kann nur das Mannigfaltige. Dasselbe hört nur dann auf, als reizend empfunden zu werden, wenn es nicht mehr übersichtlich und faßlich, wenn es nicht mit einem einzigen Blick aufgenommen und vom Verstande mühelos gedeutet werden kann, sondern den Hirnzentren eine anstrengende Arbeit des Suchens, Einteilens und Zergliederns auferlegt. Darum ist das Verworrene und Überladene nicht mehr reizend. Selbstverständlich wird das Mannigfaltige auch in dem Falle nicht reizend sein, wenn seine einzelnen Bestandteile an sich nicht als angenehm empfunden werden. So wird eine mit sehr vielen Schmutzflecken von verschiedenster Größe und Form besudelte Wand trotz der Mannigfaltigkeit ihres Anblicks nicht reizend wirken. Das Reizende hängt also damit zusammen, daß das Individuum das Bewußtsein seines eigenen Lebens als angenehm empfindet. Dieses Bewußtsein besteht aber, im Wahrnehmen von Eindrücken und was viele gleichzeitige, noch ohne Mühe wahrnehmbare Eindrücke giebt, das giebt dem Bewußtsein eine größere Intensität und dem Individuum eine reichere Empfindung seines Lebens.

Das Zweckmäßige wird eigentlich nicht als schön, sondern als befriedigend empfunden, da aber auch dieses eine Lust-Empfindung ist, so verwechselt man letztere leicht mit dem Schönen. Das Zweckmäßige ist das Verständliche, dasjenige, was den menschlichen Vorstellungen von den Gesetzen der Erscheinung entspricht. Eine auf der Spitze stehende Steinpyramide würde als durchaus unschön empfunden werden, weil sie unzweckmäßig scheint, weil ihre Anordnung unserer Vorstellung vom Gesetze der Schwere und dem daraus abgeleiteten Gesetze des Gleichgewichts zuwiderläuft. Wir würden die Empfindung haben, daß sie in dieser Lage nicht dauernd verharren könne, daß sie fallen müsse. Ähnlich wirkt beispielsweise auch der schiefe Turm von Pisa. Er macht auf natürliche Menschen einen unschönen Eindruck, er erweckt Mißtrauen und Besorgnis, also Unlust-Empfindungen. Ein Haus, dessen steinerne massive Stockwerke auf einem Erdgeschoß von ganz dünnen Eisenpfeilern ruhen, wirkt unschön, weil seine Anordnung unzweckmäßig scheint. Wenn die Menschen sich Jahrhunderte hindurch an den Anblick von Bauten gewöhnt haben werden, bei welchen Eisen und Stein auf diese Weise verwendet sind, so wird die Empfindung allgemein sein, daß eine geringe Menge von Eisen eine große Tragkraft besitzt, welche viel größere Mengen von Stein oder Holz nicht überwinden können, der Anblick breiter Steinmassen, die auf schmalen Eisenträgern aufruhen, wird nicht mehr die Vorstellung des Absurden und Unzweckmäßigen erwecken und man wird Häuser mit eisernen Erdgeschossen und steinernen Stockwerken nicht mehr als unschön empfinden, wie man heute den Anblick eines Baumes mit breit ausladenden Ästen, trotzdem er von unserem Grundbilde des fest und sicher stehenden Gegenstandes, nämlich einer auf breiter Basis aufruhenden und nach oben sich verjüngenden Figur, abweicht, nicht als unschön empfindet, weil man weiß, daß der Stamm trotz seiner Schmalheit im Verhältnis zur Gesamterscheinung fest, die Krone trotz ihres großen Umfanges leicht ist. Die ästhetische Wirkung des Zweckmäßigen hängt mit dem Triebe des Menschen zusammen, die Erscheinungen zu begreifen und ihre sinnlich nicht wahrnehmbaren Gesetze zu erraten. Er empfindet das Unbekannte und Unverständliche als etwas Feindliches und Unheimliches, als etwas Drohendes, dem er nicht gewachsen ist, während das Einleuchtende und Vernünftige ihn vertraut und befreundet anmutet. Deshalb wird das Zweckmäßige, welches nur eine andere Bezeichnung für das Bekannte und Verständliche ist, angenehme, das Unzweckmäßige Unlust-Empfindungen anregen.

Wir haben gesehen, daß das Erhabene, das Reizende und Zweckmäßige an die Grundvorstellungen des Menschen von seinem gegensätzlichen, also feindseligen Verhältnisse zur Außenwelt, das heißt zum Nicht-Ich, anknüpfen und Regungen seines Selbsterhaltungstriebes veranlassen. Wir werden jetzt sehen, daß das Schöne im engern Sinne und das Niedliche mit dem Gattungs-Erhaltungstriebe des Menschen zusammenhängen.

Als Schönheit wird jeder Eindruck empfunden, der in irgend einer Weise, sei es direkt, sei es durch Gedankenverbindungen, das höchste Geschlechtszentrum im Gehirn anregt. Der Urtypus alles Schönen ist für den Mann das im geschlechtsreifen Alter stehende und fortpflanzungstüchtige, also junge und gesunde Weib. Von diesem empfängt sein Geschlechtszentrum die mächtigsten Anregungen, die Erscheinung und die Vorstellung desselben giebt ihm also die stärksten Lust- Empfindungen, die ein bloßer Anblick oder Gedanke überhaupt geben kann. Die organisch gewordene Gewohnheit, die Erscheinung des Weibes mit dem Begriffe der Schönheit und mit den von dieser angeregten Lust-Empfindungen zu gesellen, legt es dem menschlichen Geiste nahe, auch jeder als angenehm oder schön empfundenen abgezogenen Vorstellung die Form des Weibes zu geben. Darum versinnlicht man sich den Begriff des Vaterlandes, des Ruhmes, der Freundschaft, des Mitleids, der Weisheit u.s.w. als Weib. Für die Vorstellungswelt des Weibes sollte all das eigentlich nicht gelten. Der Anblick oder die Vorstellung einer Person seines eigenen Geschlechts kann das Geschlechtszentrum des Weibes in keiner Weise anregen, sein Schönheitsideal müßte also der Mann sein. Daß dennoch das Weib ungefähr dieselben Schönheitsbegriffe hat wie der Mann, das rührt daher, daß der Mann als der kräftigere Organismus seine eigenen Anschauungen durch Suggestion auf das Weib übertragen und dessen abweichende Anschauungen überwinden kann. Übrigens ist der Schönheitsbegriff beider Geschlechter tatsächlich nur "ungefähr« und nicht vollkommen derselbe und wenn das Weib die Fähigkeit und Übung der genauen Selbstbeobachtung, Zergliederung und Darstellung seiner Bewußtseins-Zustände besäße, so hätte es längst festgestellt, daß seine Ästhetik in vielen Punkten von der des Mannes wesentlich verschieden ist.

Das Niedliche ist diejenige Erscheinung, die direkt oder durch Gedankenverbindung an die Vorstellung des Kindes anknüpft und den unmittelbar mit der Gattungserhaltung zusammenhängenden Trieb der Kinderliebe anregt. Als niedlich wird also alles Kleine, Zierliche, jugendlich Unbeholfene empfunden, besonders aber die verkleinerte Nachbildung von bekannten Gegenständen, die in Wirklichkeit bedeutend größer vorzukommen pflegen. Derartige Verkleinerungen erwecken die Vorstellung, daß sie sich zu den wirklichen Vorbildern so verhalten wie Kinder zu Erwachsenen. Von dieser Anschauungsweise sind bei Naturvölkern und in weniger entwickelten Sprachen deutliche Spuren anzutreffen. Die Indianer glauben tatsächlich, daß ein Schiebkarren der Sohn eines Lastwagens sei, und die Pistole heißt auf Magyarisch "Flinten-Junges« (*kölyök-puska*). Die körperlichen Erscheinungen und Gegenwirkungen, welche das Niedliche hervorruft, haben die größte Ähnlichkeit mit den vom Anblick des Kindes veranlaßten. Frauen finden das Niedliche "zum Küssen« und haben thatsächlich den manchmal unwiderstehlichen Drang, es in charakteristisch mütterlicher Weise zu liebkosen, nämlich es abzutasten, in die Arme zu nehmen und an die Lippen zu führen.

Manche Erscheinungen wenden sich infolge der ausgebreiteten und mannigfaltigen Gedankenverbindungen, die sie wachrufen, zugleich an den Selbst- und den Gattungs-Erhaltungstrieb und an Verschiedene Unter-Formen dieser Triebe und werden auf verschiedene Weise als schön empfunden. Der Frühling in der freien Natur ist zum Beispiel zugleich schön, reizend und zweckmäßig. Er regt das Geschlechtszentrum an, weil er für den Urmenschen und seine organisch niedriger stehenden Vorfahren die Jahreszeit der Fortpflanzung war, welche er dadurch begünstigte, daß er den Lebewesen reichlichere Nahrung brachte und ihnen eine kräftigere Lebensthätigkeit gestattete. Er ist ferner reizend, weil er eine große, aber dennoch nicht verwirrende Fülle von an sich angenehmen Einzelerscheinungen in sich schließt und darum in einer gegebenen Zeiteinheit die größte Menge von

Sinneseindrücken gewährt, er ist endlich zweckmäßig, weil er die Vorstellung von günstigen Bedingungen für das individuelle Leben erweckt.

Ich habe oben von der Verschiedenheit der Ästhetik beider Geschlechter gesprochen. Sie ist durch die Beschaffenheit und Arbeitsteilung der Geschlechter in der heutigen Menschheit organisch bedingt. Der Mann vertritt in der Gattung den Individualismus, die eigenartige Bildung, darum auch in einem gewissen Sinne die Selbstsucht, die bloß für sich sorgt oder für andere nur, wenn die eigenen Bedürfnisse es unvermeidlich machen; er ist ein Streiter wider die Natur und die Artgenossen und hat in seinen Kämpfen um Nahrung und Liebe fortwährend Gefahren abzuwehren, Widerstände zu besiegen und Angriffsmethoden auszusinnen. Bei ihm ist also der Selbsterhaltungstrieb besonders entwickelt, weil dieser allein Gefahren vermeiden und Feinde überwinden lehrt. Auf ihn wirken darum auch die Erscheinungen, die an den Selbsterhaltungstrieb anknüpfen, stärker als auf das Weib; für das Erhabene, das Reizende, das Zweckmäßige hat er mehr Sinn und Empfindung als dieses. Das Weib dagegen ist die Trägerin der Erbeigenschaften in der Gattung; ihm liegt hauptsächlich deren Erhaltung ob. Es kämpft nicht, ist deshalb weniger Gefahren ausgesetzt und bedarf keiner besonderen Entwickelung des Selbsterhaltungstriebes; dagegen ist in ihm der Gattungserhaltungstrieb stärker ausgebildet und es empfindet die Eindrücke, welche auf die Geschlechts- und Mutterschafts-Vorstellungen wirken, mächtiger als der Mann. Es hat also mehr Sinn für das, Schöne im engern Verstande und namentlich für das Niedliche, das sich noch weit mehr als das Schöne an einen spezifisch weiblichen Trieb, den der Kinderliebe, wendet.

Ursprünglich wird die Empfindung des Schönen bloß durch natürliche Erscheinungen hervorgerufen; die Kunst kann diese Empfindung nur insofern erregen, als es ihr gelingt, mit ihren Mitteln die Vorstellung solcher natürlichen Erscheinungen wachzurufen, welche als schön empfunden werden. Ihre Mittel sind die direkte Nachahmung, die

Symbolisierung und die Aufwindung des Mechanismus der Gedanken-Verknüpfung durch Vorstellungen oder Sinneseindrücke. So kann das Wort die Empfindung des Erhabenen hervorrufen, wenn es die Vorstellung von etwas Gewaltigem, dem Menschen unermeßlich Überlegenem anregt, z.B. wenn es ein allmächtiges Gott-Wesen schildert, das Walten ungeheurer Kräfte in Naturerscheinungen, Schlachten, Menschengeschicken zeigt u.s.w. Die Baukunst wird die Empfindung des Erhabenen geben, wenn sie so großartige Räume und Konstruktionsmassen herstellt, daß der Beschauer sich ihnen gegenüber so klein und schwach vorkommt wie dem Walde oder dem Urgebirge gegenüber. Die Vorstellung des Zweckmäßigen giebt ein Kunsterzeugnis, wenn es durch seine Form seinen Zweck und sein Entstehungsgesetz erkennen läßt, was es nur dann thut, wenn es an uns bekannte natürliche Erscheinungen erinnert, deren Zweck uns durch Erfahrung vertraut geworden ist und deren Entstehungsgesetz wir – immer mit Ausschluß der letzten Gründe – erraten haben. Organische Tier- und Pflanzenformen, Kristallumrisse und die Gruppierung größerer Stoffmassen unter dem Einflüsse der mechanischen Gesetze sind die uns vertrauten und verständlichen natürlichen Erscheinungen, welchen die Kunsterzeugnisse ähnlich sein müssen, damit sie von uns als zweckmäßig begriffen und als schön empfunden werden. Jede einzelne Kunst kann nicht alle ästhetischen Eindrücke geben, sondern bloß solche, welche mit den Erscheinungen verbunden sind, die sie nachzuahmen oder an die sie zu erinnern vermag. Die Architektur kann z. B. nicht den Eindruck des Schönen im engern Sinne geben, das heißt das Geschlechtszentrum anregen, es sei denn durch Verwendung bildhauerischen Schmucks, was aber nicht mehr Baukunst ist. Die Musik kann nicht den Eindruck des Niedlichen geben, weil sie die wesentlichen Züge der Kindeserscheinung weder nachahmen noch durch Gedanken-Verbindung auf sie bringen kann u.s.w.

Das sind die Grundzüge der natürlichen, evolutionistischen Ästhetik, die, wie man sieht, kein übersinnliches Element anzurufen braucht, um die Empfindung des Schönen zu erklären. Und wenn jetzt ein geduldiger Methodiker diese Leitgedanken zu einem dreibändigen Kompendium auswalzen will, so wünsche ich ihm dazu gute Verrichtung.

Symmetrie

Beginnen wir zunächst damit, festzustellen, daß es in der Natur kein einziges Beispiel von vollkommener Symmetrie giebt, nämlich von einer Form, welche dadurch entsteht, daß sich dieselbe Bildung zu beiden Seiten einer gedachten Mittellinie gleichmäßig wiederholt. Selbst diejenigen natürlichen Erscheinungen, in welche der Mensch mit dem geringsten Zwange ein Gesetz des Gleichmaßes hineintragen kann: die Kristalle, die Blumen, die zweireihig angeordneten Blätter, die rechts und links von einer Längenachse sich entwickelnden Tiere, sind nicht wirklich symmetrisch und können nicht thatsächlich in zwei oder mehrere Teile zerlegt werden, welche einander vollkommen decken würden. Alles, was wir mit unseren Sinnen wahrnehmen können, ist unregelmäßig. Es weicht in nie vorherzusehender Weise mehr oder weniger von dem Plane ab, den der menschliche Geist ihm unterlegen möchte, es lehnt sich stets mit größerer oder geringerer Heftigkeit gegen das Gesetz auf, von welchem wir es gern gebunden glauben. Kein Himmelskörper ist mathematisch rund, keine Sternbahn fügt sich genau der ihr von uns gegebenen wissenschaftlichen Formel. Kein menschliches Gesicht sieht rechts genau so aus wie links, kein Vogel hat zwei ganz gleiche Flügel. Und diese allgemeine Asymmetrie herrscht nicht bloß in den Erscheinungen, welche wir mit dem freien Auge wahrnehmen können, sondern auch in der geheimsten und innersten Anordnung des Stoffes, namentlich in seinen organischen Verbindungen. Die Thatsache, daß der Lichtstrahl auf seinem Wege durch Lösungen organischer Stoffe in den verschiedensten Winkelgraden abgelenkt wird, und zwar von einem Körper, der scheinbar seiner chemischen Zusammensetzung nach derselbe ist, einmal nach rechts und ein andermal nach links, ist von Pasteur als Beweis angesprochen worden, daß die Atome in den Molekülen nach einem unsymmetrischen Plane gelagert sind, und derselbe Gelehrte findet den Grund dieses Verhaltens darin, daß auch die natürlichen Kräfte, welche die Gruppierung der Atome und Moleküle veranlassen, also Wärme, Licht, Elektrizität,

Anziehung u. s. w., asymmetrische sind. Er entwickelt diese Vorstellung weiter und wagt sich bis zur Behauptung vor, Leben sei in letzter Linie Asymmetrie und es werde uns möglich sein, in Retorten aus den einfachen Urstoffen Leben zu brauen, wenn mir gelernt haben werden, uns asymmetrischer Kräfte zu bedienen.

Ich gestehe, daß mir diese Gedanken mehr an die Mystik als an die Chemie, Mechanik und Biologie zu rühren scheinen. Ich weiß nicht recht, was ich mir unter einer asymmetrischen Kraft oder Kraftwirkung vorstellen soll. Doch ihre Ursache sei welche immer, die Thatsache steht fest, daß die Natur keine Symmetrie kennt. Diese ist eine Erfindung des Menschengeistes, auf die ihn kein Vorbild hat bringen können. Er hat sie ganz aus sich heraus geschöpft. Die Kunst hat ein triebhaftes Bewußtsein dieses Verhältnisses und sucht in ihren höchsten Anstrengungen der launenhaft scheinenden Asymmetrie der Natur zu folgen. So oft sie symmetrisch wird, hört sie auf, reizvoll zu wirken. Die Natur bringt den Strom hervor, dessen geschlängelter Lauf auf jeder Strecke wechselnde Linien zeigt, die Kunst schafft den Kanal, der die Verwirklichung einer geometrischen Formel ist und von einem Ende bis zum andern keine unvorhergesehene Abweichung von seinem nach wenigen Schritten erkennbaren Bildungsgesetze darbietet. Im freien Forste bringt jeder Schritt eine Überraschung und man braucht immer nur eine Viertelswendung auszuführen, um eine neue Anregung zu empfangen. Der französische Garten ist wie ein Teppich, welcher auf jeder Gevierteile dasselbe Muster vorführt und bei genügender Aufrollung arm scheinen muß, auch wenn die erste Elle reich erfunden ist. Der menschliche Geschmack erbaut sich am Asymmetrischen und erhält von der Symmetrie eine Unlust-Empfindung. Er zieht, wenn er nicht verkümmert oder verbildet ist, auch im Menschenwerk die asymmetrischen Annäherungen an die Natur den symmetrischen Schöpfungen weit vor. Wir finden die Straße, die sich in grillenhaften Krümmungen über Berge und durch Thäler windet, ungleich schöner als die mit der Schnur gezogene strenge Eisenbahn, den englischen Park mit seiner künstlichen Verwilderung weit anmutiger als die Lenôtreschen Anlagen, eine Morrissche Tapete mit verwahrlost rankendem Blumen- und Blattwerk anregender als die Wandpapiere im französischen Rococo-Stil, den gotischen Dom, in dessen Fensterrosen und Wimpergen die schöpferische Phantasie des Baukünstlers frei waltet, an welchem nicht eine Fiale der andern, nicht ein Stück Maßwerk dem andern ganz gleich ist, unendlich reizvoller als den griechischen Tempel, dessen eine Säule genau so aussieht wie die andere, der vorn so ist wie hinten und rechts so wie links und den man wenden könnte wie ein gutes Tuch, ohne daß sich sein Anblick verändern würde. Wir bewundern ein Porträt, das alle Unregelmäßigkeiten einer individuellen Gesichtsbildung getreu wiedergiebt, und belächeln mitleidig selbst das bestgezeichnete Modenbild mit seinem ausdruckslosen, weil peinlich symmetrischen Idealkopfe. Das, was der japanischen Kunst so große Erfolge in Europa verschafft hat, ist ihr asymmetrischer Charakter. Eine sklavische Nachahmerin der Natur, folgt sie dieser in ihren scheinbaren Willkürlichkeiten. Sie verachtet den goldenen Schnitt, den Menschen erfunden haben, welche mehr Spekulation als Schönheitssinn hatten, und tyrannisiert keine Menschengestalt mit einem Kanon, der nicht deren ureigener ist.

Da nun aber die Symmetrie weder eine natürliche Bildung ist noch als schön empfunden wird, so muß man fragen, wie der Menschengeist auf sie hat verfallen können und welchem Bedürfnisse desselben sie entspricht.

Die Antwort ist durch die Grundeigentümlichkeiten der menschlichen Denkthätigkeit gegeben.

Wir haben zunächst die Gewohnheit des ursächlichen Denkens. Wir vermuten hinter den sinnlich wahrnehmbaren Erscheinungen ein unsinnliches, der direkten Beobachtung völlig unzugängliches Element, das wir nach unserer Willkür Ursache, zureichenden Grund, Gesetz nennen und dem verschiedene Philosophen andere Namen gegeben haben, z.B. Schopenhauer den Namen Wille, Frohschammer den Namen

Phantasie u.s.w. Niemand hat noch eine Ursache als solche leibhaftig wahrgenommen. Man hat immer nur Erscheinungen bemerkt, die auf einander ohne jeden wirklichen Zusammenhang folgten. Ihre Verknüpfung mittels eines unsinnlichen Bandes von Ursache und Wirkung geschieht ausschließlich durch unser Denken. Wir sehen den Blitz und wir hören den Donner. Wir bemerken auch, daß sie in der Regel nach einander auftreten. Aber daß vom Blitze gleichsam eine Kette ausgeht, die den Donner nachschleift, das sehen und hören wir nicht, das lehrt uns keiner der Sinne, welche die Erscheinungen des Blitzes und des Donners selbst unserem Bewußtsein zutragen, das fügt unser Gehirn ganz aus freien Stücken jenen Erscheinungen hinzu.

Durch die Gewohnheit der Ursächlichkeit sind wir sogar dahin gelangt, dem unsinnlichen, nicht wahrgenommenen Elemente der Erscheinung, also ihrer vorausgesetzten oder hinzugedichteten Ursache, eine größere Wichtigkeit beizumessen als der Erscheinung selbst. Das ist natürlich. Der Plan, den wir der Erscheinung unterlegen, ist eine Hervorbringung unseres Gehirns und kann, von unserem Bewußtsein ohne Vermittelung der Sinne direkt wahrgenommen werden, während die Erscheinung selbst außerhalb unseres Bewußtseins vor sich geht und dem Bewußtsein bloß durch die Sinne vermittelt wird; das Selbstgeschaffene, gleichsam vor dem Blicke des denkenden Ichs Entstehende, ohne Sinnesvermittelung Wahrgenommene muß aber diesem Ich wirklicher, wesentlicher und lebendiger scheinen als die außerhalb des Ichs stattfindende und nie ganz vollkommen wahrgenommene Erscheinung. Wenn darum die Erscheinung, so wie unsere Sinne sie wahrnehmen und unserem Bewußtsein melden, ihrem Plane oder Gesetze, wie unser Gehirn es ersonnen hat, nicht ganz gleichkommt, so opfern wir ruhig die Erscheinung dem Gesetze, wir fälschen jene, um dieses zu retten, wir glauben der innern Arbeit des Gehirns mehr als den Sinnen und zwingen unsere Wahrnehmung, sich unserer Erdichtung anzubequemen. Wir sehen z. B. einen Kristall, etwa den einfachsten, einen Würfel. Drei Seiten desselben sind regelmäßig, die drei anderen sind es nicht. Wir haben nun in unserem Gehirn für diese Erscheinung einen Plan ausgesonnen, der sechs gleichgroße viereckige Flächen, zwölf gleichlange Kanten und acht dreiflächige rechtwinkelige Spitzen bedingt. Der Kristall, den wir sehen, entspricht diesem von uns erdichteten Plane nicht. Wir zögern nun keinen Augenblick lang, der Erscheinung Unrecht und unserer Dichtung Recht zu geben, und sagen: "Dieser Kristall hat ein Würfel werden sollen. Der Stoff ist aber hinter dem Gedanken zurückgeblieben. An uns ist es, dem Stoffe nachzuhelfen, ihm die Gestalt zu geben, die er annehmen wollte, jedoch nicht konnte«, und so sehen wir in dem Gebilde, das eine Erscheinung für sich und von einem Würfel ganz verschieden ist, getrost und selbstzufrieden einen Würfel. Wir sind da in der geheimsten Werkstätte des menschlichen Gedankens und ich bitte den Leser um ein klein wenig Geduld, damit wir uns zusammen noch genauer in jener umsehen können. Eine Arbeitsbedingung des Bewußtseins ist die Aufmerksamkeit. Darunter hat man sich die durch reichlichere Blutzufuhr bedingte regere Thätigkeit bestimmter Nervenfasern und Zellen im Gehirn vorzustellen, während die übrigen Fasern und Zellen weniger Blut erhalten, schwächer genährt sind und deshalb völlig ruhen oder nur lässig arbeiten. Ein stärkerer Sinneseindruck übt auf die zu seiner Aufnahme bestimmten Hirnfasern und Zellen einen stärkern Reiz aus und rüttelt sie gleichsam aus ihrem Ruhezustande wach, ein schwächerer gestattet ihnen, mehr oder weniger in ihrer Müßigkeit zu verharren. Der stärkere Sinneseindruck erregt also unsere Aufmerksamkeit und kommt uns zum Bewußtsein, der schwächere thut dies nicht. Wir haben schon im Kapitel über Genie und Talent gesehen, daß wir von den Erscheinungen bloß die Elemente bewußt wahrnehmen, welche unsere Sinne am stärksten reizen, also unsere Aufmerksamkeit erregen. Das Beispiel, das ich dort angeführt habe, ist das eines Ölgemäldes. An dieser offenbar sehr zusammengesetzten Erscheinung ist es das optische Element, welches am stärksten unsern Gesichtssinn reizt und unsere Aufmerksamkeit erregt, also bewußt wahrgenommen wird; die anderen Elemente, z.B. der Ölduft, sind schwächer; sie regen die betreffenden Sinne, z.B. den Geruchssinn, nicht genug an, die entsprechenden Wahrnehmungszentren werden nicht kräftig genug gereizt, um zur Aufmerksamkeit zu erwachen, das Bewußtsein erfährt also nichts von jenen anderen Elementen der Erscheinung "Ölgemälde« und wenn es sich die Vorstellung des Ölgemäldes ausarbeitet, so wiederholt es sich bloß den Gesichtseindruck, während es die Wahrnehmungen der anderen, vom Bilde nicht bis zur Aufmerksamkeit angeregten Sinne vernachlässigt. Das, was wir bei der Wahrnehmung und Vorstellung des Ölgemäldes beobachtet haben, wiederholt sich bei der Wahrnehmung und Vorstellung aller anderen Erscheinungen. In jeder derselben wiegt ein Element vor, während die anderen schwächer hervortreten, also die Aufmerksamkeit weniger erregen. Wir machen nun – immer mit derselben Willkürlichkeit, mit der wir den Erscheinungen eine unsinnliche Ursache unterlegen – aus dem vorwiegenden Elemente der Erscheinung ihr wesentliches Element und vernachlässigen bei ihrer Wahrnehmung und Vorstellung die übrigen Elemente. Im verkümmerten natürlichen Würfelkristall, etwa vom Steinsalz, wiegt das Element der Würfelbildung vor. Einige mehr oder minder regelmäßige Flächen, Kanten und Spitzen erregen unsere Aufmerksamkeit und wir behalten für die Abweichungen von der Würfelform, für die verbildeten Flächen, die verfehlten Kanten, die fehlenden Spitzen, keine Aufmerksamkeit übrig. Die Folge davon ist, daß wir an der Erscheinung des unregelmäßigen Steinsalzkristalls nur ihr vorwiegendes Element, das der Würfelbildung, wahrnehmen und uns vorstellen, obwohl doch offenbar auch ihre schwächer hervortretenden Elemente, ihre Unregelmäßigkeiten, eigene Würde und Bedeutung haben und für den individuellen Steinsalzkristall, den wir gerade vor uns haben, ganz so wesentlich sind wie die dem vorausgesetzten Würfelplane entsprechend gebildeten Kristallteile.

Unser Gehirn ist nun einmal ein unvollkommenes Gerät. Es ist so gebaut, daß nicht alle seine Fasern und Zellen zu gleicher Zeit hinreichend von Blut umspült, hinreichend genährt und angeregt sein können, um den Grad von Thätigkeit zu erreichen, der uns als Aufmerksamkeit zum Bewußtsein kommt. Es arbeitet nur immer ein Teil des Gehirns voll, während der andere mehr oder weniger ruht. Aus dieser Unvollkommenheit ergiebt sich die notwendige Folge, daß wir nicht auf alle Elemente einer Erscheinung gleichmäßig aufmerksam sein, sie nicht alle gleichmäßig wahrnehmen können, sondern bloß die am stärksten hervortretenden bemerken, die unsere Sinne am meisten reizen und das nährende Blut zu den mit den gereizten Sinnen zusammenhängenden Hirnfasern und Zellen rufen, dieselben also zur Aufmerksamkeit erwecken. Das eine Element, das unsere Sinne am meisten reizt, scheint uns die ganze Erscheinung in sich zu fassen und wir wenden den Plan, den wir dem einen Elemente untergelegt haben, auf die ganze Erscheinung an. So erklärt es sich, daß wir die Neigung haben, die Erscheinungen zu schematisieren, sie auf eine einfache Voraussetzung zurückzuführen. Denn was ist ein Schema? Das Formgesetz, das wir einem willkürlich herausgehobenen Elemente einer Erscheinung unterlegen und in dessen Rahmen wir auch die übrigen Elemente derselben einfügen wollen, obwohl sie sich thatsächlich dagegen sträuben. Diese Neigung zum Schematisieren ist ein Fehler unseres Denkens, den die dargestellte Unvollkommenheit unseres Gehirns erklärt. Denn wenn wir schon ursächlich denken, wenn wir schon einer jeden sinnlich wahrnehmbaren Erscheinung eine unsinnliche Voraussetzung andichten, so müßten wir ja folgerichtig nicht bloß einzelnen willkürlich gewählten, sondern allen Erscheinungen diese Voraussetzung, also eine Ursache, andichten. Thatsächlich ist nicht eine Erscheinung ganz genau wie die andere; die individuellen Abweichungen müssen ebenso ihre Ursache haben wie die Ähnlichkeiten, wenn wir einmal annehmen, daß diese von einer Ursache, einem Gesetze, bedingt sind, und wir haben einer Erscheinung nicht einen einzigen Plan, ein Schema, sondern hundert Pläne, hundert Schemas unterzulegen, ein Schema für jedes Element, das ihr allein und keiner andern eigen ist. Bleiben wir bei dem Beispiele vom Steinsalzkristall. Wenn wir in dem unregelmäßigen Gebilde, das wir vor uns haben, einen Würfel sehen wollen, so berücksichtigen wir bloß die regelrecht ausgestalteten Teile und sagen uns: "Die Ursache der Form dieser Teile ist die, daß das Ganze ein Würfel werden wollte. Das Schema dieses Gebildes ist also der Würfel.« Wir haben aber nicht das geringste Recht, die Abweichungen von dem Schema zu vernachlässigen; wir müssen auch für diese eine Ursache annehmen; die Ursache, welche einzelne Flächen und Kanten verkümmern ließ, ist offenbar eine andere als die, welche andere Flächen und Kanten nach Würfelart gestaltete, thatsächlich wollte also das Gebilde, das wir vor uns haben, nicht ein regelmäßiger Würfel werden, sondern etwas Verschiedenes, Neues, von der Würfelform Abweichendes, gerade die individuelle Erscheinung, die wir sehen, und nichts anderes; das Würfelschema paßt also auf sie nicht und es ist ein Irrtum, wenn wir in dem Gebilde einen Würfel zu erkennen glauben. Wir begehen aber diesen Irrtum dennoch, weil wir unfähig sind, den Unregelmäßigkeiten, die uns weniger auffallen, gleichzeitig dieselbe Aufmerksamkeit zu schenken wie den regelmäßigen Teilen, und uns deshalb nicht gedrängt fühlen, für jene ebenso eine schematische Ursache zu erfinden wie für diese. So ist jede Klassifikation, jede Schematisierung ein Irrtum, jede Annäherung verschiedener Erscheinungen aneinander eine Willkür, jede Vereinfachung der Mannigfaltigkeit ein Bekenntnis unserer Unfähigkeit des Begreifens. Die Natur bringt bloß Individuen hervor; wir vereinigen sie künstlich zu Gattungen, weil wir unvermögend sind, jeden Zug, der dem einen Individuum eigentümlich ist und keinem andern, scharf zu bemerken, voll zu würdigen und auf eine individuelle Ursache zurückzuführen. Wenn es Ursachen giebt, so hat jede Erscheinung nicht eine, sondern hundert, sondern tausend verschiedene Ursachen, die sich nur einmal und nie wieder in dieser Art kombinieren, so ist jede Erscheinung eine Resultierende von ungezählten Einwirkungen, die alle gleich wichtig sind, da die Erscheinung etwas anderes sein müßte, als was sie ist, wenn nur eine einzige jener Einwirkungen fehlte oder anders geübt würde; giebt es dagegen keine Ursachen, so ist jede Erscheinung ein selbständiger Zufall und kann mit keiner andern Erscheinung verglichen, sondern muß an sich beurteilt und streng individuell angesehen werden. Das ist ein Dilemma, dem wir nicht entgehen können und aus welchem sich logisch ergiebt, daß das Schema in allen Fällen ein Fehler unseres Denkens ist und uns verhindert, die Erscheinungen so zu sehen und aufzufassen, wie sie wirklich sind; denn giebt es Ursachen, so verhüllt uns die Annahme eines schematischen Plans, also einer einzigen bestimmten Ursache, die Aussicht auf alle übrigen Ursachen, deren Ergebnis die individuelle Erscheinung ist, und giebt es keine Ursachen, so ist der vorausgesetzte schematische Plan überhaupt nur ein Traum, der mit der Erscheinung selbst nicht das Geringste gemein hat. Daran ist aber nichts zu ändern und wenn wir nicht annehmen wollen, daß unser Gehirn einen viel höhern Grad organischer Vollkommenheit erreichen und einst fähig sein wird, in seiner ganzen Ausdehnung mit gleicher Aufmerksamkeit zu arbeiten, so bleibt uns nichts übrig, als uns in das Notwendige zu fügen und in aller Zukunft an den Erscheinungen einen Zug deutlicher wahrzunehmen als die anderen, diesen einen Zug mit der ganzen Erscheinung zu verwechseln, ihm die anderen Züge zu opfern, ihn zum Range eines Schemas zu erheben und die Erscheinung als die Verwirklichung dieses Schemas aufzufassen. Jetzt bleibt uns noch übrig, eine letzte Eigentümlichkeit der menschlichen Denkarbeit zu betrachten. Wie fängt es der Geist an, um den vorausgesetzten idealen Plan zu ersinnen, als dessen Verwirklichung er die Erscheinung auffaßt? Er bedient sich bei diesem Geschäfte einer sehr einfachen Methode: er wiederholt den Zug, der als der auffallendste seine Aufmerksamkeit geweckt und sich seinem Gedächtnisse und Bewußtsein eingeprägt hat. Er konstruiert sich also das Würfelschema des Steinsalzkristalls, indem er die Bildungen, die ihm aufgefallen sind, also die gleichmäßigen Flächen und Kanten, wiederholt, bis sie eine geschlossene Figur geben. In dieser Weise vervollständigt der Geist unvollkommene gekrümmte Linien zu regelmäßigen, vollendeten Kreisen, verkümmerte Kristall-, Blumen- oder Blattbildungen zu schematischen Figuren u. s. w. Die Phantasie verhält sich den Sinneseindrücken gegenüber wie ein Kaleidoskop; sie wiederholt die an sich unregelmäßigen Erscheinungen, so daß sie eine regelmäßige Figur geben; denn Regelmäßigkeit ist ja nichts anderes als mehrmaliges Vorkommen derselben Erscheinung. Der Vorgang im Gehirn ist demnach folgender: eine Erscheinung wird durch Vermittelung der Sinne wahrgenommen und dem Gedächtnisse eingeprägt; am deutlichsten wird ein auffallender oder ein an sich nicht besonders hervorstechender, aber sich wiederholender Zug wahrgenommen und behalten, letzterer in der Weise, wie auf den GaltonschenFamilien-Photographien .

Die dargestellten Bedingungen unserer Geistesthätigkeit machen es begreiflich, wie der Mensch zur Erfindung der Symmetrie gelangt ist. Unfähig, mit allen Teilen seines Gehirns zugleich aufmerksam zu sein, hat er von den Erscheinungen nur einzelne Züge wahrgenommen und behalten. Um sich später der Erscheinungen zu erinnern, hat er durch Vervielfachung dieser Einzelzüge die Lücken ergänzt, welche durch den Ausfall der nicht wahrgenommenen und darum auch nicht behaltenen übrigen Züge entstanden. Wenn er sie künstlich darstellte, so ahmte er nicht die wirkliche Erscheinung nach, sondern das kaleidoskopisch regelmäßige, aus Wiederholungen der wahrgenommenen Züge bestehende Bild, das er davon in seinem Bewußtsein hatte. Jedes symmetrische Menschenwerk ist also die Verwirklichung eines von der Phantasie ausgearbeiteten schematischen Erinnerungsbildes mangelhaft beobachteter natürlicher Erscheinungen. Es gehört den Anfängen menschlicher Kunstthätigkeit an. In dem Maße, in welchem der Mensch sich entwickelt, wird sein Geist größerer Aufmerksamkeit fähig; er nimmt mehr Elemente der Erscheinungen wahr; er prägt von ihnen seinem Gedächtnisse ein vollständigeres Bild ein; seine Phantasie hat weniger nötig, die fehlenden Teile durch Wiederholung der vorhandenen zu ersetzen. So sieht er die Dinge richtiger und genauer und wenn er sie künstlich darstellen will, so giebt er sie individueller und weniger schematisch wieder. Je oberflächlicher und flüchtiger die Betrachtung ist, um so symmetrischer ist die Erinnerung, die sie zurückläßt. Das ist für Einzelwesen wie für Völker und Rassen wahr. Die Symmetrie in der

Kunst tritt in zurückgehenden Nationen und in Perioden des Verfalls auf. Blühende Perioden und aufstrebende Völker begnügen sich nicht mit dem Schema und der kaleidoskopischen Vervielfältigung einzelner Züge, sondern sind bestrebt, den individuellen Eigenheiten der Erscheinungen möglichst weit nachzugehen.

Derselbe Hang des menschlichen Geistes, seine unvollständigen Vorstellungen durch Wiederholung ihrer in seinem Bewußtsein vorhandenen Bestandteile zu ergänzen, führt auch zu anderen psychologischen Erscheinungen als zu denen der Symmetrie; oder um genauer zu sein, er führt zu anderen als den stofflichen Anwendungen der letztern. Die Sagen vom Kaiser Rotbart, vom portugiesischen Dom Sebastian beruhen ebenfalls auf der menschlichen Neigung zur Symmetrie. Ein Teil des Lebens dieser Helden ist dem Volke bekannt und hat sich seinem Gedächtnisse eingeprägt; den andern Teil, das Ende, hat es nicht kennen gelernt oder vergessen; um nun von dem Leben kein unabgeschlossenes Bild zu behalten, ergänzt es das Fehlende durch Wiederholung des Vorhandenen und dichtet den Geschicken der Helden eine Fortsetzung an, welche in demselben Charakter gehalten ist wie der dem Volke bekannte Anfang. Diese Sagen sind also symmetrische Bildungen; sie sind Beweise, daß der Mensch das Schematisieren der Erscheinungen nicht auf sichtbare Formen beschränkt.

Auf entwickelte und gesunde Geister wirkt die Symmetrie langweilig und unerfreulich, weil sie keinen Reiz zu regerer Geistesthätigkeit übt. Das Urteil will, so oft es eine Erscheinung wahrnimmt, ihr Bildungsgesetz komponieren, ihr ein Schema andichten; das ist zwar eine Unvollkommenheit, aber eine solche, an die das Urteil gewöhnt ist und die es nicht ohne Widerstreben aufgiebt. Die symmetrische Erscheinung läßt ihr keine derartige Arbeit übrig. An ihr ist nichts zu erraten, ihr ist nichts hinzuzudichten. Ihr Bildungsgesetz? Sie drückt es weitschweifig und pedantisch aus. Ihr Schema? Es ist mit ihr identisch und sie weicht nirgends davon ab. Da giebt es keine hervorstechenden Züge zu behalten und durch ihre Vervielfältigung ein unvollständiges Erinnerungsbild zu vervollständigen. Die symmetrische Erscheinung hat dies schon selbst für uns gethan. Sie ist die Stoff gewordene Verlegenheitsarbeit unserer Phantasie und darum für diese eine Beschämung. Aber natürlich machen dieselben Gründe, welche sie dem aufgeweckten Geiste verleiden, sie für die stumpfen und trägen Gehirne erfreulich. Wer nie eine Erscheinung mit genügender Aufmerksamkeit betrachtet hat, um alle oder doch viele Züge derselben wahrzunehmen und um zu erkennen, daß sie ganz eigenartig, nur sich selbst und keiner andern gleich sei, der findet in einem symmetrischen Menschenwerk genau das wieder, was er in der Natur hat sehen können. Seine Erinnerungsbilder sind aus Wiederholungen einzelner grober Züge gezimmert; in seinem Geiste spiegelt sich die Welt symmetrisch und schematisch ab. Es gewährt ihm eine Genugthuung, seine oberflächliche Wahrnehmung von dem symmetrischen Kunstgegenstande bestätigt zu sehen, und er empfindet diesen als ein Kompliment für seine Flüchtigkeit. Die Symmetrie wird darum immer das Schönheitsideal der Philister bleiben, die mit offenen Augen schlafen und jede Störung der dauernden Siesta ihres Gehirns verabscheuen. Wer aber kein geistiger Siebenschläfer ist, der wird das Symmetrische als eine Karikatur seiner eigenen fehlerhaften Denkgewohnheit betrachten und aus seinem Wahrnehmungsbereiche möglichst verbannen.

Verallgemeinerung

Wir hatten beim Schoppen Bier von einem gewissen Volke gesprochen und waren dazu gelangt, über seinen Charakter, seine leiblichen und geistigen Eigentümlichkeiten ein weites Urteil zu fällen. Da unterbrach einer von uns das Gespräch mit dem Einwande: "Hüten wir uns vor Verallgemeinerungen.« Die Mahnung wurde allseitig als berechtigt anerkannt und ich mochte an ihr keine Kritik üben. Was aber an einem Kneipabend nicht am Platze gewesen wäre, das ist in der Stille des Arbeitszimmers statthaft.

Hüten wir uns vor Verallgemeinerungen! Die Forderung ist theoretisch unanfechtbar. Sie geht aus der Erkenntnis oder doch wenigstens der richtigen Empfindung hervor, daß eine Erscheinung uns über eine andere keine wirkliche, nur eine scheinbare Auskunft geben kann, daß die Erfahrungen, welche wir aus einer Erscheinung abgeleitet haben, auf keine andere, frühere oder spätere, volle Anwendung finden. Jedes Phänomen steht in der Wirklichkeit für sich allein da; es hat thatsächlich keinen sinnlich wahrnehmbaren Zusammenhang mit einem andern Phänomen und wenn es ihn zu haben scheint, so ist es, weil wir ihn in unserem Geiste künstlich herstellen. Um eine Erscheinung so aufzufassen wie sie ist, das heißt wie sie unseren Sinnen zugänglich ist, um ihr voll gerecht zu werden, um sicher zu sein, daß wir nur das wahrnehmen, was sich thatsächlich vor unseren Sinnen ereignet, müßten mir der Erscheinung gänzlich unbefangen, unwissend und ohne Vorurteil gegenüberstehen, das heißt wir müßten alles vergessen, was uns von früheren Erscheinungen bekannt geworden ist, wir müßten sorgfältig vermeiden, ein vorher empfangenes Bild mit dem neuen zu vermischen und der Erscheinung Züge und Beziehungen anzufügen, die nicht in ihr sind und die wir aus anderen Erscheinungen auf sie übertragen. Das wäre die unerläßliche Vorbedingung, um der Wahrheit so nahe zu kommen, wie unsere Organisation dies überhaupt möglich macht. Das wäre der Weg, um leidlich genau zu erfahren, was außerhalb unseres Ichs vorgeht, und um die Wirklichkeit auf uns wirken zu lassen, statt daß wir die Vorgänge in unserem Ich in die Wirklichkeit hinaus versetzen, diese mit den bunten Bildern der Zauberlaterne unseres Denkens bevölkern und dadurch ihren eigentlichen Inhalt überstrahlen und unsichtbar machen.

Das, wie gesagt, ist die theoretische Forderung. Aber sie ist praktisch unerfüllbar. Die Bedingungen, unter denen unser unvollkommmer Denkapparat allein arbeiten kann, widersetzen sich dem. Wir haben im vorigen Kapitel das sehr zusammengesetzte Gefüge der Denkgewohnheit zerlegt, welche den Menschen zur Erfindung der Symmetrie führte. Wir haben gesehen, wie unser Geist, welcher wahrnimmt, daß die Erscheinungen immer auf einander folgen, sie in einen Zusammenhang bringt, in jeder die Ursache der folgenden, die Wirkung der vorausgegangenen sieht, und wie er dazu gelangt, die Ursache als etwas thatsächlich Vorhandenes, Wesenhaftes, von der Erscheinung Getrenntes sich vorzustehen, das von der Erscheinung nur teilweise und unvollkommen versinnlicht wird; wir haben ferner gesehen, daß das Urteil sich die unsinnliche Ursache, welche es sich als die notwendige Vorbedingung der Erscheinung vorstellt, aus Erinnerungsbildern vorher wahrgenommener Erscheinungen aufbaut und daß es die Erinnerungsbilder selbst durch Vervielfältigung einzelner Züge herstellt, welche die Aufmerksamkeit erweckt haben. Ganz dieselbe Denkgewohnheit führt mit Notwendigkeit auch zur Verallgemeinerung. Denn was ist Verallgemeinerung? Ein Schließen von Erfahrenem auf noch nicht Erfahrenes, von Bekanntem auf Unbekanntes, von Vergangenem und Gegenwärtigem auf Zukünftiges. Alles an dieser Handlung unseres Denkapparates ist willkürlich und fehlerhaft. Wir haben kein wirkliches Recht, vorauszusetzen, daß sich überhaupt neue Erscheinungen ereignen oder daß sie, wenn sie sich ereignen, den früheren ähnlich sein werden. Die Zukunft ist unserer Erfahrung unzugänglich. Wir haben nicht einmal einen einzigen Beweis, daß es überhaupt eine Zukunft geben wird, daß überhaupt unseren Sinneserfahrungen neue Erfahrungen folgen werden. Und dennoch zweifeln wir keinen Augenblick lang, daß morgen auch ein Tag ist und daß er ungefähr die Wiederholung des heutigen Tages sein wird. Wie kommen mir zu dieser Sicherheit? Ausschließlich durch unsere Denkgewohnheit. Weil bisher jeder Wahrnehmung immer eine neue Wahrnehmung gefolgt ist, hat sich unser Geist an die Vorstellung gewöhnt, daß dies immer so sein werde und sein müsse, und wenn er die Leere der unbekannten und unkennbaren Zukunft ausfüllen will, so stattet er sie mit Erinnerungsbildern, das heißt mit Wiederholungen früher wahrgenommener Ereignisse aus.

"Vom heut'gen Tag, von heut'ger Nacht
Verlange nichts,

Als was die gestrigen gebracht«

sagt Goethe im West-östlichen Divan. Die Mahnung ist tiefsinnig, aber im Grunde überflüssig. Denn selbst wenn wir wollten, könnten wir vom Heute und nun gar vom Morgen nichts verlangen als was uns das Gestern gebracht hat; wir kennen und wissen nichts anderes, als was wir bereits erfahren haben, und was mir Zukunft nennen, ist nichts als ein Spiegelbild der Vergangenheit, welches mir infolge einer Sehtäuschung unseres Denkens vor uns zu erblicken glauben, während es tatsächlich hinter uns liegt.

Es ist wahr, unsere willkürlichen und fehlerhaften Annahmen haben sich bis jetzt immer verwirklicht. Wenn unsere Vorfahren sicher darauf rechneten, daß es eine Zukunft geben werde, so haben sie sich nicht getäuscht, denn ein Teil dieser Zukunft ist seitdem Gegenwart und Vergangenheit, eine Reihe ihrer auf keiner Wahrnehmung beruhenden Voraussagungen Sinneserfahrung geworden. Die Ereignisse treten in der Weise ein, wie wir es vermuten, und das vorausgeworfene Spiegelbild des Geschehenen wird leibhaft. Aber das beweist nicht, daß wir Recht haben. Es war und ist immer nur ein wildes Raten, mit dem wir Glück hatten. Einen überzeugenden und zuverlässigen direkten Beweis dafür, daß es auch ferner, daß es immer so sein werde, können wir nicht anführen.

Unsere in organischer Mangelhaftigkeit des Denkapparats wurzelnde Geistesgewohnheit der Verallgemeinerung liegt aller Welterkenntnis, allen Naturgesetzen zu Grunde. Diese sind deshalb nichts anderes als Selbsttäuschungen. Denn in Wirklichkeit haben wir vom Wesen der Welterscheinung nicht die leiseste Kenntnis und wir begreifen nicht ein einziges der sogenannten Naturgesetze. Oder kann von Begreifen die Rede sein, wenn wir nicht einmal imstande sind, zu einer Sicherheit darüber zu gelangen, ob die Erscheinungen einen Grund haben? Gäbe es keinen Grund, so könnte es auch keine Gesetze geben, sondern nur Zufälle, die sich wiederholen, wir wissen nicht wie. Angenommen aber, es giebt einen Grund und man kann ihn in Form eines Gesetzes ausdrücken, welches ist dieser Grund und wie lautet das Gesetz, welches ihn nennt und sein Wirken darstellt? Es giebt den lebenden Menschen nicht, der auf diese Frage eine vernünftige Antwort hätte. Wenn wir dennoch von Naturgesetzen sprechen, so ist das ein gefälliges Spiel mit Worten, das wir erfunden haben, um uns über die unleidliche, langweilige Öde unserer Unwissenheit hinwegzuhelfen. Das, was wir ein Naturgesetz nennen, ist einfach die Feststellung, daß gewisse Erscheinungen sich immer ereignet haben; aber es erklärt weder, wie dies geschah, noch schließt es einen Beweis in sich, daß dieselben Erscheinungen sich immer ereignen werden. Wir sagen: es ist ein Naturgesetz, daß die Körper einander anziehen, und zwar steht die Stärke der Anziehung in geradem Verhältnisse zur Masse der Körper und in umgekehrt quadratischem zu ihrer Entfernung. Das ist falsch. Richtig wäre es, zu sagen: man hat bisher stets beobachtet, daß die Körper einander angezogen haben und zwar in geradem Verhältnisse zu ihrer Masse und in umgekehrt quadratischem zu ihrer Entfernung. Eine Erklärung der Beobachtungsthatsache giebt das angebliche Gesetz nicht; es ist nur eine wichtigthuende Art, sie auszudrücken. Die mathematischen Formeln sind ja auch keine Erklärungen mechanischer Erscheinungen, sondern bloß Umschreibungen derselben in einer besondern Sprache. So giebt der komische Arzt in Molière Geronte, der ihn fragt, weshalb seine Tochter stumm sei, die Auskunft: "Sie ist ihrer Sprache beraubt und das ist der Grund, weshalb Ihre Tochter stumm ist.« Ein Gesetz ist ein Befehl, der eine Handlung oder Enthaltung vorschreibt. Die Naturgesetze, das heißt das, was wir so nennen, sind Befehle, welche wir erteilen, nachdem wir gesehen haben, daß die betreffende Handlung oder Enthaltung stattgefunden hat.

Wir finden es natürlich, daß die Erscheinungen, die wir stets beobachtet haben, sich immer wiederholen, und würden uns überaus wundern, wenn sie nicht mehr vorkämen und durch andere, abweichend geartete ersetzt würden. Dies zeigt wieder, wie unvernünftig unsere Denkgewohnheit ist. Wenn wir *logischwären, so müßten wir uns gerade über die Wiederholungen verwundern und die Abweichungen natürlich finden, wir müßten über die Gesetzmäßigkeit der Erscheinungen stets von neuem staunen und nur bei der Regellosigkeit gleichmütig bleiben. Denn unsere Sinne lehren uns, daß die Erscheinungen selbständig und für sich abgegrenzt sind und keinen wahrnehmbaren Zusammenhang miteinander haben; da wäre es dann viel natürlicher und vernünftiger, daß jede Erscheinung eine neue und eigenartige Sinneserfahrung veranlaßte, als daß sie frühere Erfahrungen erneuerte und vertiefte. Da jede Erscheinung etwas Individuelles ist, wie kommt es dann, daß sie mit anderen eine gewisse Ähnlichkeit hat? Das Naturgesetz, das heißt die prätentiöse Feststellung der Thatsache, daß sich die Erscheinungen wiederholen, ist nicht die Erklärung derselben, sondern ihr Geheimnis.*

Als kleiner Junge habe ich ein Spiel gekannt und geübt, das mir damals recht anregend schien. Es bestand darin, daß ich oder ein Altersgenosse auf ein weißes Blatt Papier willkürliche Punkte hinsetzte und der andere dann diese Punkte durch Linien so verband, daß vernünftige Figuren entstanden. Einer meiner kleinen Kameraden zeichnete sich in dieser Übung besonders aus. Wenn ich die Punkte noch so boshaft und toll hinsetzte, einen ganzen Schwarm in eine Ecke und nichts in die anderen, oder einen Wirbel, oder eine Anzahl Punkte in gleichmäßigen Abständen, er brachte es immer fertig, daß mit seinen Verbindungslinien irgend etwas herauskam, was einen Sinn hatte, einmal ein Löwe, ein andermal ein Haus oder eine ganze Schlacht mit den merkwürdigsten Zwischenfällen. Ja er trieb die Kunst so weit, daß er die Punkte mit verschiedenfarbigen Tinten in verschiedener Weise verband und sie zugleich zu einem roten Hunde, einer blauen Schwalbe, einem grünen Kehrbesen und einer gelben Alpenlandschaft anordnete. Unsere ganze Weltanschauung ist nichts anderes als dasselbe Spiel im Großen und mit tragischem Ernste geübt. Die Erscheinungen, die wir mit den Sinnen wahrnehmen, sind die gegebenen Punkte. Sie stellen nichts Vernünftiges vor und lassen keinen verständlichen Zusammenhang erkennen. Sie sind das Chaos und der Tumult. Wir aber ziehen geduldig und kunstvoll

Linien von einem Punkte zum andern und siehe da, es entstehen Figuren, die etwas Bekanntem ähnlich sehen. Wer nicht weiß, wie es gemacht wird, der könnte glauben, die Figuren seien auf dem Papiere gegeben, durch die Punkte bereits vorgezeichnet gewesen. Man muß ihm dann erst zeigen, daß das, was aus den Punkten erst Figuren macht, von der Menschenhand hinzugefügt ist und daß der Punkt auf dem Papier stand, rätselhaft und undeutbar, ein Selbstzweck, ehe ihn die Linie mit seinem Nachbar verknüpfte und dienend in den Umriß einer im Kopfe des spielenden Knaben entstandenen Gestalt einfügte. Die Philosophie thut sogar, was mein Spielgefährte gethan hat, sie verbindet mit verschiedenfarbiger Tinte dieselben gegebenen Punkte zu den verschiedensten Gestalten und jede Weltanschauung, jedes System giebt von denselben rätselhaften und undeutbaren Erfahrungs-Thatsachen ein anderes Zusammenhangs-Bild und wenn man mich dazu zwingt, so werde ich mich herbeilassen, jedes System und jede Weltanschauung gleich berechtigt, das heißt gleich willkürlich und subjektiv, nur mehr oder weniger hübsch und geschickt zu finden.

Die Namen, die wir für unsere willkürlichen Verallgemeinerungen ausgesonnen haben, klingen gut und treten mit vertrauenerweckendem Aussehen auf. Wir sprechen von Hypothesen, von Naturgesetzen. Was ist eine Hypothese? Eine Linie, die wir von einem gegebenen Punkte aus in beliebiger Richtung ziehen. Was ist ein Naturgesetz? Eine Linie, welche zwei gegebene Punkte verbindet und in derselben Richtung weiter hinaus verlängert ist, ins Unbekannte, ins Unendliche. Eine einzige beobachtete Thatsache genügt uns, um sie zu einer Hypothese zu verallgemeinern, die nicht bewiesen und nicht widerlegt werden kann und die aus dem festen Mittelpunkte nach allen Richtungen der Windrose laufen mag, wie es der Phantasie des Verallgemeiners beliebt; zwei beobachtete Thatsachen, zwischen denen wir eine Ähnlichkeit wahrnehmen, sind ausreichend, um sie in der Form eines Gesetzes auszudrücken, von dem wir annehmen, daß es nachfolgende Erscheinungen bis ins Unendliche bestimmen wird. Es ist immer das

Spiel meiner Kindheit, die Verbindung selbständiger Punkte zu zusammenhängenden Figuren!

Und doch – es hilft nichts, wir können der Verallgemeinerung nicht entbehren. Wir wissen, daß sie willkürlich und unberechtigt ist. Wir wissen, daß sie uns täuscht, daß sie für Zukunft ausgiebt, was Vergangenheit, und für Erraten, was Erinnern ist, daß sie als Erfahrung hinstellt, was Zusammenstoppelungs-Arbeit der Einbildungskraft ist, aber unsere organische Unvollkommenheit zwingt uns dennoch, uns ihrer unausgesetzt zu bedienen, und mir müssen sogar anerkennen, daß sie vielleicht die Grundbedingung aller Erkenntnis ist, jedenfalls aber diese erleichtert. Jede Wahrnehmung wird dem Bewußtsein deutlicher, wenn sie an Erinnerungen anknüpft und diese wachruft. Wenn wir einen Gegenstand wiederholt gesehen und seine Erscheinung unserem Gedächtnisse eingeprägt haben, so daß wir ihn uns bei geschlossenen Augen vorstellen können, so brauchen wir ihn nur ganz kurz und flüchtig zu erblicken, um ihn sofort mit der größten Deutlichkeit wahrzunehmen, während wir einen andern Gegenstand, der uns unbekannt wäre, viel schärfer und näher sehen und viel länger betrachten müßten, um von ihm ein annähernd ebenso deutliches Bild zu erhalten. Deshalb lesen wir unsere eigene Sprache leicht und schnell, eine fremde, uns unbekannte Sprache dagegen viel schwerer und langsamer, obwohl sie uns in denselben Lettern und unter denselben Bedingungen von Druck, Papier, Beleuchtung und Abstand vom Auge entgegentritt. Deshalb erkennen wir einen Freund auf eine Entfernung, in welcher mir noch kaum die Züge eines Unbekannten unterscheiden könnten. Wundt ist es, der in seiner Logik diese Thatsachen vortrefflich darstellt und sie als eine der Bedingungen der Gedanken-Gesellung auffaßt. Wir bekommen eben von den wenigsten Erscheinungen bei unserer ersten Begegnung mit ihnen einen klaren Sinneseindruck, der hinreicht, um dem Bewußtsein eine scharfe Vorstellung von ihnen zu geben. Wir müssen sie wiederholt wahrnehmen und dem Gedächtnis einprägen. Was wir von ihnen dann sehen oder hören, das sind weit weniger sie selbst als die Erinnerungsbilder, die sie im Gedächtnis heraufbeschwören. Das ist so wahr, daß unserem Denkapparate oft genug allerlei Verwechselungen widerfahren. Wir lesen z. B. eine Anführung in einer uns ganz vertrauten fremden Sprache inmitten eines deutschen Textes und glauben auch die Anführung deutsch zu sehen. Da steht *"sunt denique fines«und ich lese in Gedanken: "Es hat Alles seine Grenze!« Die lateinischen Wörter werden vom Auge nur flüchtig gesehen und das Bewußtsein nimmt nicht ihre wirkliche Form wahr, sondern nur das Erinnerungsbild ihres Sinnes, das der optische Eindruck im Gedächtnis geweckt hat.*

Durch diesen Mechanismus erklärt es sich, daß die Verallgemeinerung uns manchmal die Wahrnehmung der Erscheinungen erleichtert. Wir behalten von einer wahrgenommenen Erscheinung ein Bild im Gedächtnisse; wir gestalten dieses Erinnerungsbild zu einem Schema oder Gesetze aus; wenn dann auch nur ein Zipfel einer ähnlichen Erscheinung vor unseren Sinnen auftaucht, so genügt das, um das Erinnerungsbild im Bewußtsein heraufzubeschwören und uns die ganze Erscheinung wahrnehmen zu lassen. Gewiß ist dieser Vorgang nicht eine Erleichterung allein, sondern auch zugleich eine Fehlerquelle. Denn er macht, daß wir "Es hat Alles seine Grenze« vor uns zu sehen glauben, während tatsächlich *"sunt denique fines«dasteht; daß wir unserem inneren Schema mehr Aufmerksamkeit schenken als der äußern Erscheinung. Aber andererseits würden zahllose Erscheinungen, die wir auf diese Weise doch mindestens mangelhaft und verfälscht wahrnehmen, ganz unbemerkt an uns vorübergehen, wenn wir nicht schon ein schematiches Bild von ihnen im Geiste hätten.*

Wir können ohne Übertreibung sagen: wir sehen in der Regel nur, was wir schon gesehen haben und zu sehen erwarten. Sowie wir eine Erscheinung, die uns genugsam aufgefallen ist, um unsere Aufmerksamkeit zu erwecken, zu einer Hypothese oder einem Gesetze verallgemeinert haben, fällt uns plötzlich eine Fülle von Thatsachen in die Augen, die bis dahin vollkommen unbemerkt geblieben sind. Davaine und Villemain bemerken, daß im Blute von Tieren, die am Milzbrand erkrankt sind, mikroskopische Organismen auftreten und daß die Tuberkulose mit den Auswurfstoffen von einem Tiere auf das andere übertragen werden kann. Es vergehen keine zehn Jahre und man hat in fünfzehn oder sechzehn Tier- und Menschenkrankheiten und in etwa einem Dutzend außerhalb des Organismus vor sich gehender Gärungsprozesse Spaltpilze gefunden, welche dieselben veranlassen. Ein Arzt beobachtet eine neue Krankheit, die vor ihm nie gesehen oder beschrieben worden ist. In wenigen Monaten berichten hundert andere Ärzte über Fälle der neuen Krankheit, die ihnen in der kurzen Zeit vorgekommen sind. Heidenhain findet, daß man gewisse empfindliche Individuen in einen seltsamen Zustand versetzen kann, den er Hypnotismus nennt. Heute, wenige Jahre später, wissen wir, daß ungefähr jeder vierte Mensch hypnotisierbar ist, und auf Schritt und Tritt stolpern wir förmlich über hypnotische Erscheinungen. Haben diese früher nicht bestanden? Gewiß. Aber wir haben sie nicht wahrgenommen. Warum? Weil wir nicht schon im voraus ein Bild von ihnen im Geiste hatten. Das ist der Wert der Verallgemeinerung. Indem wir von einer sinnlich wahrgenommenen Thatsache auf eine andere, die wir noch nicht erfahren haben, schließen, beschwören wir diese thatsächlich vor uns herauf. Die Erscheinungen umwimmeln uns, aber sie tragen Tarnkappen, die sie uns unsichtbar machen. Durch die Hypothese reißen wir ihnen die Tarnkappe vom Haupte. Das Naturgesetz ist ein Vorstehhund, mit dem wir die listig verborgene Erscheinung aufspüren. Die Gefahr ist nur, daß unser Hund vor einem schlafenden Hirten vorsteht, wenn wir auf Rebhühner pürschen. Das widerfährt manchmal selbst den besten englischen Hühnerhunden. Die meisten Menschen sind ungenaue Beobachter, weil sie keines genügend hohen Grades von Aufmerksamkeit fähig sind. Sie sehen deshalb auch nur, was sie sehen wollen. Sowie darum eine Hypothese auftaucht, bauen sie sich mit Hilfe derselben im Bewußtsein ein Bild von Erscheinungen auf und übertragen dieses auf alles, was ihnen vor die Augen kommt, so daß sie überall nur noch Thatsachen sehen, die zu ihrer Hypothese zu passen scheinen. Es giebt einen einfachen Versuch, den jeder wiederholen kann. Man zeichne auf ein Blatt Papier oder eine Schiefertafel vier gleichlange und möglichst genau gleich stark aufgetragene Linien in der Weise, daß sie sich sämtlich im Mittelpunkte rechtwinkelig schneiden und ein lateinisches (gerades) und ein Andreas- (liegendes) Kreuz bilden. Diese Figur betrachte man mit der vorgefaßten Vorstellung, daß man in ihr hauptsächlich eins der beiden Kreuze, entweder das gerade oder das liegende sehe. Man wird thatsächlich das Kreuz, das man sehen will, stark hervor-, das andere, das doch gleich deutlich gezeichnet ist, zurücktreten, blasser und schmaler und zu einem bescheidenen Anhängsel des ersten werden sehen. Eine falsche Hypothese, die Mode wird, schafft sich ihr Beweismaterial haufenweise herbei und herrscht auf einem festen Unterbau angeblich mit den Sinnen wahrgenommener Thatsachen Jahrzehnte und Jahrhunderte lang, bis ein stärkeres Gehirn kommt, das größerer Aufmerksamkeit fähig ist, die Erscheinungen mehr mit den Sinnen als mit dem fertigen Erinnerungsbilde seines Bewußtseins beobachtet und herausfindet, daß die Erscheinungen sich mit der Hypothese nicht decken.

Ich kann mir bei diesem Sachverhalte nichts Erstaunlicheres denken, als daß die Philosophen sich Jahrhunderte lang darüber herumzanken konnten, ob die induktive oder die deduktive Methode die vorzüglichere sei. Die Induktion soll darin bestehen, daß man die Thatsachen vorurteilslos beobachtet und aus ihnen ein Gesetz ableitet, die Deduktion darin, daß man sich im Geiste ein Gesetz ausdenkt und es dann schlecht und recht auf die Thatsachen anwendet. Bacon von Berulam gilt als der Vater der übrigens schon von Aristoteles geübten Induktion, die scholastischen Philosophen des Mittelalters sieht man als die besten Beispiele deduktiver Denker an, obwohl eigentlich das erste Beispiel wissenschaftlicher Deduktion in der pythagoräischen Komposition der Welterscheinung nach vorgefaßten Zahlenvorstellungen zu sehen sein dürfte. Aber im Grunde genommen handelt es sich ja da bloß um ein eitles Spiel mit Worten, die ganz dasselbe bedeuten! Wie kommt man zu einer Deduktion, das heißt zu einer verallgemeinernden Vorstellung von den Dingen? Offenbar nur durch einen Sinneseindruck von den Dingen, wenn auch durch einen flüchtigen; durch eine Beobachtung der Dinge, wenn auch durch eine ungenaue. Die wildesten Begriffe, die man sich von den Erscheinungen macht, können nur entstehen, wenn man die Erscheinungen wahrgenommen hat. Sie sind also Induktionen, nichts als Induktionen. So ist selbst die pythagoräische Vorstellung von der Rolle der Drei, Sieben und Zehn aus der sinnlichen Wahrnehmung der drei Dimensionen, der Mondphasen und der Finger abgeleitet. Und was ist Induktion? Die Ableitung eines Begriffs von einem Sinneseindrucke. Die Verarbeitung einer wirklich wahrgenommenen Thatsache zu einem Schema, einer Verallgemeinerung, einer fertigen Vorstellung, mit welcher der Geist an alle ähnlichen künftigen Thatsachen herantreten wird. Diese fertige Vorstellung, die wir noch vor dem neuen Sinneseindruck in uns haben, die nicht von der individuellen Erscheinung, sondern von einer andern, ihr vorausgegangenen abgeleitet ist, mit der sie thatsächlich nicht das geringste gemein hat, ist Deduktion, nichts als Deduktion. Laßt mich also mit eurem Kauderwälsch zufrieden, denn es bedeutet nichts. All unser Denken ist immer zugleich Induktion und Deduktion; es beginnt mit Sinneseindrücken und Wahrnehmungen, also mit Induktion, und es schreitet zu deren Verallgemeinerung, zu ihrer Verarbeitung in von da ab vorbestehende Begriffe vor, also zur Deduktion. Der Astronom, der auf Grund des Newtonschen Anziehungsgesetzes eine Planetenbahn ausrechnet, und der Kongoneger, der überzeugt ist, daß die Europäer auf dem Meeresgrunde wohnen und von demselben auftauchen, um zu ihm zu kommen, weil er von den anlangenden Schiffen zuerst die Mastspitzen, dann allmählich die tieferen Teile am Horizonte aufsteigen und die sich entfernenden Schiffe in umgekehrter Ordnung nach und nach bis zu den Mastspitzen verschwinden sieht, üben ganz dieselbe zugleich induktive und deduktive Geistesthätigkeit. Beide beobachten Erscheinungen und leiten von ihnen eine Hypothese ab. Beide fügen den sinnlich wahrnehmbaren Thatsachen Züge hinzu, die ihnen in

Wirklichkeit nicht eigen sind, die sie an ihnen nicht thatsächlich wahrgenommen haben, die nur in ihrer Einbildungskraft existieren. Wir sagen allerdings: der Astronom hat Recht und der Kongoneger hat Unrecht. Was ist aber unser Kriterium? Die Hypothese, mit welcher der Astronom arbeitet, stimmt zu allen Thatsachen, die wir kennen, diejenige des Kongonegers thut dies nicht. Wüßte der Letztere, daß der Europäer ganz so beschaffen ist wie er selbst und nicht am Grunde des Meeres leben kann; wüßte er ferner, daß die Erde rund ist und ihre Krümmung ihm allmählich den Anblick des sich entfernenden Schiffes entzieht; oder wäre er endlich einmal selbst nach Europa gekommen, so sähe er ein, daß er sich irrt, und er würde für die Erscheinung des allmählichen Verschwindens der Seeschiffe von unten an und ihres allmählichen Sichtbarwerdens von oben an eine andere Hypothese finden. Und wer weiß, ob uns die Hypothese des Astronomen nicht bloß darum genügt, das heißt wahr scheint, weil wir die Thatsachen nicht kennen, die ihr widersprechen. Wer weiß, ob mir sie nicht aufgeben müßten, wenn sich unsere Kenntnis von Thatsachen erweitern würde! Wer weiß, ob nicht einst besser unterrichtete Menschen alle unsere heutigen Hypothesen so belächeln werden, wie wir heute die des Kongonegers belächeln, trotzdem sie mit derselben Methode erdacht ist wie die von der Anziehungskraft, trotzdem sie ebenfalls auf der Beobachtung einer sinnlich wahrnehmbaren Erscheinung beruht, nämlich des Versinkens fortsegelnder Schiffe im Meere und des Aufsteigens der ankommenden aus demselben, trotzdem sie also wirkliche Induktion ist.

Die Methode des Denkens ist bei allen Menschen dieselbe, bei den Kongo-, ja bei den Australnegern ganz so wie bei einem Universitätsprofessor der Naturwissenschaften. Das, was allein einen Unterschied zwischen ihnen macht, das ist die Menge der ihnen bekannten Thatsachen und die Fähigkeit der genauen Beobachtung, das heißt der Aufmerksamkeit, die wieder der Ausdruck größerer und geringerer Entwickelung des Gehirns ist. Je aufmerksamer wir zu sein vermögen, um so genauer werden wir die Erscheinungen wahrnehmen;

je mehr Thatsachen wir kennen, um so leichter werden wir es vermeiden, ihnen Züge anzudichten, deren Unrichtigkeit und Unmöglichkeit durch andere Thatsachen bewiesen wird. Aber wir alle haben den Drang, die von uns wahrgenommene einzelne Erscheinung zu verallgemeinern, sie mit anderen zu verknüpfen, mit denen kein sinnlich wahrnehmbarer Zusammenhang sie verbindet, und ihnen Züge anzufügen, die nicht in ihnen liegen. Diese Denkgewohnheit, eine Folge unserer organischen Unvollkommenheit, ist die Quelle aller unserer Irrtümer. Ließen wir die Erscheinungen auf unsere Sinne wirken, ohne ihnen mit fertigen Erinnerungsbildern anderer, vorausgegangener, ihnen mehr oder weniger oberflächlich ähnlicher Erscheinungen entgegenzukommen, wir könnten unwissend sein, aber uns nicht irren; wir könnten Thatsachen übersehen oder unvollkommen wahrnehmen, aber sie nicht falsch deuten; mir hätten in unserem Bewußtsein vielleicht wenig Vorstellungen, aber keine unrichtigen; denn der Irrtum ist nie die Wahrnehmung, sondern die Deutung, diese aber ist das, was nicht in der Erscheinung liegt, sondern was wir ihr aus eigenen Mitteln hinzufügen, was nicht die Sinne dem Gehirn mitteilen, sondern was das Gehirn den Sinnen weismacht. Wir halten aber auf unsere fehlerhafte Denkgewohnheit, denn sie giebt uns ein angenehmes Gefühl des geistigen Reichtums, indem sie unser Bewußtsein mit einem Gedränge von Vorstellungen erfüllt, die durch keinen ihnen angeborenen Zug erraten lassen, ob sie richtig oder unrichtig, Schemen oder Wirklichkeiten sind.

Ein Irländer, den sein ganzes Dorf als Bettler kannte, kam eines Tages in die Kneipe und ließ sich einen Schweinebraten und viel Whisky vorsetzen. Als ihm der Wirt seine Verwunderung über diese Üppigkeit ausdrückte, sagte Paddy stolz: "Ein Mann, der ungefähr hundert Pfund Jahreseinkommen hat, kann sich das erlauben.« "Wie, du hättest hundert Pfund Einkommen?« "Gewiß, ein englischer Herr, dem ich den Handkoffer zum Bahnhof trug, schenkte mir fünf Schilling, und fünf Schilling auf den Tag machen gegen hundert Pfund auf das Jahr.«

Jedesmal, wenn wir eine Wahrnehmung verallgemeinern, ahmen wir den Paddy dieser Anekdote nach und es könnte wohl sein, daß unser Reichtum an Erkenntnis den hundert Pfund Jahreseinkommen dieses zugleich induktiven und deduktiven Irländers gleichwertig sei.

Wo ist die Wahrheit?

Zufällig kam ich eines Abends in einem Salon neben eine Dame aus den sogenannten "höheren Finanzkreisen« zu sitzen. Da die Notwendigkeit bestand, mit ihr eine Unterhaltung zu führen, so mußte ich natürlich von den Dingen sprechen, die sie interessieren konnten. Alsbald waren wir bei ihrer letzten Badereise angelangt und sie erzählte mit Entzücken, wie herrlich es in Trouville gewesen sei, wo sie des Tags verblüffende Toiletten ausgestellt und die Nächte durch im Kasino Baccara gespielt habe.

Ich wagte die Frage, ob sie sich nicht vorzustellen vermöchte, daß man sein Leben besser ausfüllen könne.

"Nein,« erwiderte sie sehr bestimmt; "wenn man thut, was Einem volle und ganze Freude macht, so hat man das Richtige gethan.«

"Und glauben Sie nicht,« fragte ich weiter, "daß die Leute zu beklagen sind, denen Toiletten und Baccaranächte volle und ganze Freude machen?«

Die Bemerkung war zweifelsohne impertinent. Ich erhielt die spitze Antwort: "Mein Gott, es kann doch nicht jeder Bücher schreiben.«

"Richtig. Aber ist nicht vielleicht Bücherschreiben eine würdigere und höhere Beschäftigung als Toilettenausstellen und Baccaraspielen?«

"Durchaus nicht. Das Eine ist nicht besser als das Andere. Jenes amüsiert die Einen, dieses die Anderen. Einen Unterschied sehe ich nicht.«

"Die Mehrheit der Menschen ist doch wohl nicht dieser Ansicht?«

"Das weiß ich nicht. Und darum kümmere ich mich übrigens auch nicht. In *meinerWelt denkt man gewiß so wie ich und die anderen Leute sind mir gleichgiltig.«*

"Die besten und bedeutendsten Menschen stellen aber geistige Beschäftigung über Spiel und Tand und der Bücherschreiber ist im Staate und in der Gesellschaft angesehener als der Baccaraspieler und der Aufhisser glänzender Toiletten.«

"Finden Sie?« sagte sie mit unnachahmlicher Betonung, "ich habe das nie bemerkt. Wo ich noch hingekommen bin, da haben die, welche sie die Baccaraspieler und Aufhisser glänzender Toiletten nennen, mehr Beachtung und Ehren gehabt als die Bücherschreiber.«

Ich war so gründlich geschlagen, wie man es nur sein kann, und hatte meine Niederlage einzugestehen. Da standen also zwei Ansichten einander gegenüber und jede hielt sich ehrlich für die allein richtige und keine vermochte die andere zu Verdrängen. Für die eine Überzeugung bestanden die Gründe der andern einfach nicht und keiner der Gründe hatte ein unwiderstehliches Merkmal absoluter Richtigkeit und Geltung in sich, das jeden Menschengeist zwingen konnte, ihn als Wahrheit und alles, was ihm widerspricht, als Irrtum zu begreifen.

Ich kenne eine Frau, die häßlich und sogar mit einem Gebrechen behaftet ist (sie hinkt nämlich) und deren Verstand um einige Gänsekopflängen hinter dem eines begabteren Pudels zurücksteht. Sie liebt aber die Gesellschaft der Männer und weiß deren Artigkeit durch rückhaltloses Entgegenkommen herauszufordern. Man merkt natürlich sofort, daß ihr Komplimente angenehm sind und daß sie dieselben in jeder Stärke vertragen kann, und da Komplimente heute noch billiger sind als Brombeeren zur Zeit Falstaffs, so macht man ihr deren so viel sie nur will. Die Frau ist jetzt nahe an die Vierzig und sie hat in ihrem Leben noch keine anderen als glückliche Stunden gehabt. Sie ist fest überzeugt, daß sie die schönste, geistreichste und anmutigste Verkörperung der Weiblichkeit ist; daß jeder Mann, der sie erblickt, sich sterblich in sie verliebt; daß ihr Gebrechen selbst ihre Unwiderstehlichkeit erhöht. Alle Männer sagen es ihr, weil sie verlangt, daß man es ihr sage, und sie glaubt es. Eine abweichende Meinung hat sie nie gehört. Wenn Frauen das Entzücken und die Bewunderung der Männer nicht teilen, so stört sie das in ihrem Selbstbewußtsein nicht im Geringsten; denn die Frauen sind eben ihre Feindinnen, weil sie sie beneiden. Niemand wird ihr je verraten, daß alle Männer sich ihr Lebelang über sie lustig gemacht haben, und auf ihrem Sterbebette wird sie sich sagen: "Mein Leben war ein einziger, endloser, unvergleichlicher Triumph und mit mir stirbt das Weib, das alle männlichen Zeitgenossen für das schönste, geistreichste und anmutigste der Generation erklärt haben.« Das wird ihr volle und absolute Wahrheit dünken und nichts wird in ihr auch nur den leisesten Zweifel wachrufen, ob sie nicht vielleicht doch das Opfer einer Täuschung gewesen sei.

Im Februar 1881 kamen in Paris einige junge Leute, Mitarbeiter eines Winkelblättchens, auf den Einfall, sich wichtig und von sich reden zu machen. Sie beschlossen, für Viktor Hugo eine "nationale Apotheose« zu veranstalten. Sie begannen damit, daß sie sich zu einem "Viktor-Hugo-Feier Komitee« verbanden und zahlreiche wirklich hervorragende Persönlichkeiten – natürlich ohne sie vorher zu befragen – zu Mitgliedern desselben Komitees ernannten. Die stattliche Namensliste erschien in allen Zeitungen. Diese wagten es nicht, die Reklame-Notizen zurückzuweisen, mit denen sie von da an durch vier Wochen täglich überschwemmt wurden; denn wer will sich nachsagen lassen, daß er kein Patriot sei und für eine nationale Glorie kein Herz habe? Dem Publikum wurde weisgemacht; es handle sich um eine Kundgebung, deren Gedanke von selbst in hunderttausend Köpfen entstanden sei; die Behörden wurden gezwungen, an den Veranstaltungen teilzunehmen; die Bewegung riß sogar im Auslande naive oder reklamesüchtige Leute mit sich fort, welche die Gelegenheit benutzten, um in Pariser Zeitungen ihren Namen gedruckt zu sehen. An dem dafür anberaumten Tage kam die große Kundgebung zu stande. Etwa fünfzehntausend Menschen zogen an Viktor Hugos Hause vorüber; darunter waren etwa zweitausend fliegende Händler mit Schaumünzen, Bändchen, Gedichten und dergleichen, die ein Geschäftchen machen wollten; gegen zehntausend Neugierige, die sich den Ulk ansahen und von denen übrigens schwerlich die Hälfte einen einzigen Band der Werke Viktor Hugos gelesen hatte; endlich vielleicht dreitausend harmlose, überzeugte Gemüter, die sich wirklich in einen Begeisterungsdusel hatten hetzen lassen. Am nächsten Morgen las man in allen Pariser Zeitungen, daß fünfmalhunderttausend Personen jubelnd und verzückt Viktor Hugo begrüßt hatten, daß Paris eine in der Weltgeschichte einzig dastehende Feier erlebt und die ganze gesittete Menschheit sich mit Frankreich verbunden hatte, um dem größten Dichter des Jahrhunderts einen Triumph zu bereiten, wie er noch keinem Sterblichen zu teil geworden. Die ausländischen Blätter druckten das nach, die Legende verbreitete sich über das ganze Erdenrund und gilt heute überall, sogar in Paris selbst, als unanfechtbare Thatsache. Künftige Sittengeschichtschreiber werden sie verzeichnen und beim angestrengtesten Suchen in den zeitgenössischen Quellen nichts finden, was sie auf das Bedenken bringen könnte, ob sich alles auch wirklich so verhalten habe, wie es in der Presse beider Welten erzählt ist?

So ist es mit der Wahrheit bestellt, wenn es sich um ein Ereignis handelt, das vor vielen tausend Augenzeugen vor sich ging.

Geht es denn aber mit anderen als solchen flüchtigen Erscheinungen besser? Was wissen wir von all den natürlichen Verhältnissen, in deren Mitte wir leben? Die scheinbar einfachsten Thatsachen sind unsicher, die Gesetze, die für die festesten und bestgegründeten gelten, schwanken gefährlich unter dem Fuße der Forscher, nur die Halbgebildeten, welche ihre Kenntnisse gläubig und ohne Mißtrauen aus der Hand ungenauer Zusammenstoppler und Vulgarisatoren empfangen, glauben zuverlässige und unangefochtene Wahrheiten zu besitzen, die eigentlichen Gelehrten aber, welche die Thatsachen aus erster Quelle der Beobachtung schöpfen, wissen, daß es vielleicht keine einzige giebt, die so gewiß ist, daß man über sie keine zwei Meinungen haben kann. Wir sprechen geläufig – und oft mit großer Selbstgefälligkeit – über die Entfernung der Erde von der Sonne, ja sogar vom Sirius und wir wissen thatsächlich nicht einmal, wie lang die Linie vom Washingtoner bis zum Kapstädter Observatorium ist. Die Rechnungen, die von dem größten Astronomen der Zeit mit Hilfe der vollkommensten Instrumente und bewährtesten Methoden angestellt sind, gehen um mehr als eine englische Meile oder etwa ein Zehntausendstel des ganzen Abstandes auseinander. Die genaue Länge des astronomischen Tages, das heißt die wirkliche Dauer der Umdrehung unserer Erde um ihre Achse, ist zweifelhaft, ebenso die richtige Lage dieser Achse, das heißt der Winkel, in welchem sie zur Umlaufsbahn der Erde um die Sonne geneigt ist. Die Angaben über den Wärmegrad der Sonne schwanken zwischen 200 und 20 000 und ein so bedeutender Forscher wie W. Herschel konnte die Theorie aufstellen, daß die Oberfläche des Sonnenkerns fest und von Lebewesen bewohnt sei.

Den Naturwissenschaften ist es also bis jetzt noch nicht gelungen, der Wahrheit ganz nahe zu kommen oder gar sie sicher zu fassen. Dabei stehen sie Erscheinungen gegenüber, die sich unausgesetzt vor unseren Augen erneuern, die sich, soweit wir es wahrnehmen können, nicht verändern, die geduldig abwarten, daß der Mensch sie verfolge, sie erreiche, in Vorrichtungen sperre, mit Zangen zwacke, mit Fingern und Werkzeugen abtaste, sie umdrehe, ausweide, von innen und außen begucke und überhaupt alles mit ihnen vornehme, was ihm nur nötig und nützlich scheint. Was soll man nun gar zu den Geschichtswissenschaften sagen, welche sich vermessen, die Wahrheit solcher Erscheinungen zu finden, die längst vergangen sind und von denen ihnen nichts in den Händen und vor den Augen geblieben ist als eine halbverwehte Spur in tiefem Sande oder ein undeutlicher Widerhall oder noch weniger?

Ich will gegen die Geschichtswissenschaften nicht ungerecht sein. Sie nehmen in der Encyklopädie der Wissenschaften eine merkwürdige und einzige Stelle ein, denn im Gegensatze zu allen anderen arbeiten sie nicht mit Verallgemeinerungen und kennen weder Hypothesen noch Naturgesetze. Sie sind die einzigen, welche das im vorigen Kapitel aufgestellte Erfordernis der Erkenntnis erfüllen: sie suchen die Erscheinung so zu erfassen und darzustellen, wie sie wirklich mit den Sinnen wahrgenommen worden ist, und vermeiden es peinlich, ihr außersinnliche Züge anzufügen, die nicht in ihr sind. Da die Erscheinung das thatsächlich Gegebene, ihre Deutung, ihre Verallgemeinerung, ihre Verknüpfung mit anderen, sei es gleichzeitigen, früheren oder späteren, ihre Ableitung von außer ihr liegenden Ursachen, ihre Zurückführung auf Gesetze das willkürlich Hinzugefügte ist, da nur die sinnliche Wahrnehmung der Erscheinung zur Erkenntnis führen kann, jede Vermutung, Hinzudichtung u. s. w. aber dem Irrtum aussetzt, so wäre die Geschichte, welche sich vorsetzt, bloß die Erscheinung festzuhalten, der Hinzudichtung grundsätzlich aus dem Wege zu gehen und die Vermutung möglichst zu vermeiden, eigentlich die zuverlässigste Wissenschaft, diejenige, die am meisten Wahrheit und am wenigsten Irrtümer enthält, die die größte Summe gegenständlicher Erscheinungen und die kleinste Summe subjektiver Einbildungsarbeit in sich schließt. Im Gegensatze zur Mathematik, die leicht subjektiv wahr sein kann, weil sie nichts anderes ist als eine Form des menschlichen Denkens und sich nicht mit sinnlich wahrgenommenen äußeren Vorgängen beschäftigt, sondern mit solchen im Bewußtsein selbst, die ohne Vermittelung der Sinne wahrgenommen werden, im Gegensatze zur Mathematik, sage ich, welche die subjektiv wahrste Wissenschaft ist, wäre die Geschichte die objektiv wahrste, weil sie nicht das Mögliche, Wahrscheinliche oder dasjenige, was uns das Nötige dünkt, sondern das Wirkliche, das Ereignis zum Gegenstande hat, weil ihr Inhalt nicht subjektive Voraussetzung, sondern objektive Erscheinung ist. Ja, wäre! Die Geschichte wäre dies alles, wenn die menschliche Denkvorrichtung nicht das unvollkommene Werkzeug wäre, das sie eben ist. An dieser Unvollkommenheit scheitert sie, sie macht ihr Bestreben, bis zum objektiven Ereignis zu gelangen, aussichtlos. Die Geschichte will die Vorgänge darstellen, wie sie thatsächlich stattgefunden haben; sie kann jedoch im besten Falls nur herausdringen, wie dieselben wahrgenommen worden sind. Die Bedingungen aber, unter denen unser Gehirn arbeitet, machen, daß die Wahrnehmungen der Vorgänge nicht mit den Vorgängen selbst identisch sein können. Denn entweder sind diese unbedeutend, dann erwecken sie keine Aufmerksamkeit und werden nicht scharf wahrgenommen, gelangen nicht zum Bewußtsein, lassen kein deutsches Erinnerungsbild zurück; oder sie sind bedeutend, dann erwecken gleich ihre ersten Phasen einen so hohen Grad von Aufmerksamkeit, daß die Nervenkraft alsbald erschöpft ist, das Gehirn seine Wahrnehmungsfähigkeit verliert und die weiteren Phasen des Vorganges an den Zeugen wie ein verworrener Traum vorübergleiten. Daher kommt es, daß beispielsweise kein Teilnehmer an einem großen Ereignisse, einer Schlacht, einem Gewaltstreiche von Verschwörern, einem aufregenden parlamentarischen Auftritte, ein genaues Bild des Vorganges vom Anfang bis zum Ende bewahrt. Tausend Zeugen, die man vernähme, gäben tausend verschiedene Aussagen ab, die gerade in den wichtigsten Punkten aufs Seltsamste von einander abwichen. Nur eine Maschine, welche durch ein Uhrwerk getrieben jede Sekunde dem Ereignisse eine frische photographische Platte vorhielte und davon eine ununterbrochene Reihe von Augenblicksbildern aufnähme, könnte wenigstens dessen optische Erscheinung zuverlässig festhalten. Unser Organismus ist keine solche Maschine. Wir haben nicht eine endlose Reihe immer frischer photographischer Platten, sondern nur einen sehr beschränkten Vorrat an solchen. Ist derselbe aufgebraucht, so stehen wir dem Ereignisse wie eine leere Dunkelkammer gegenüber und wir müssen uns ausruhen, ehe wir neue Platten bereiten können. Darum sind die Teilnehmer an den Ereignissen deren unsicherste Beobachter, darum sind alle Zeugenschaften nur subjektiv wahr, darum bleibt der Geschichtswissenschaft kein Mittel, nachträglich mit Hilfe menschlicher, subjektiver Wahrnehmungen die absolute, gegenständliche Wahrheit der Ereignisse wiederherzustellen.

Wohlgemerkt, die Geschichte, von der ich bisher gesprochen, ist die naive, die nur erzählt und keinen Anspruch erhebt, auch zu erklären. Es ist die Geschichte der Chronisten, die treuherzig berichten, am ersten des Monats habe es geregnet, am zweiten eine Schlacht stattgefunden und am dritten sei ein neuer Papst gewählt worden. Dieser ursprüngliche Standpunkt, der mindestens theoretisch das Erfassen der Wahrheit und Vermeiden des Irrtums ermöglichte, ist aber nicht mehr derjenige der heutigen Geschichtsforscher. Diese wollen nicht nur erzählen, sondern auch erklären. Der Gewohnheit des menschlichen Denkens, den sinnlichen Erscheinungen unsinnliche Züge hinzuzufügen, ihnen Gesetze unterzulegen und Ursachen vorangehen zu lassen, kurz dem Spiele des Verbindens der Punkte durch willkürliche Linien zu Figuren, konnte natürlich auch die Geschichte nicht entgehen und die kühnsten Pfleger derselben möchten sie schon zu einer Naturwissenschaft machen, das heißt ihren Stoff so schematisieren, wie die letztere die Naturerscheinungen schematisiert. Sie möchten die Ereignisse, deren Schauplatz die Menschheit gewesen ist, auf allgemeine Naturgesetze zurückführen, für sie Hypothesen und Formeln finden und mit Hilfe derselben künftige Vorgänge vorhersagen, wie wir uns mit Hilfe der naturwissenschaftlichen Formeln, Hypothesen und Gesetze vorherzusagen getrauen, daß morgen die Sonne aufgehen wird und im nächsten Frühling die Bäume blühen werden. Sie sind ja auch in ihrem Rechte. Es giebt gar keinen Grund, die menschlichen Ereignisse anders zu behandeln als alle anderen Erscheinungen im Weltall. Ist nicht der Mensch, ist nicht die Menschheit so gut ein Bestandteil dieses Alls wie der Quarzfelsen, das Meteor, die Palme? Ist nicht ein menschlicher Gedanke oder eine That so gut ein organischer Vorgang wie Verdauung und Fortpflanzung, wie das Wandern der Vögel oder der Winterschlaf der Nagetiere, ist der Gedanke oder die That nicht ebenso gut ein dynamischer Vorgang wie das Fallen eines freien Gegenstandes oder das Kreisen des Mondes um die Erde? Wenn wir den Anspruch erheben, diese organischen und dynamischen Vorgänge nicht einfach zu beschreiben, sondern zu schematisieren und durch ein unsinnliches Band von Hypothesen und Gesetzen zu verständlichen Figuren zu verknüpfen, warum nicht dieselbe Methode auch auf die menschlichen Gedanken und Thaten anwenden? Wir thun es denn auch, aber damit verlassen wir den sichern Boden des Gegebenen und Sinnlichen und fliegen ins Außer- und Übersinnliche hinaus. Damit wird die Geschichte erst vernünftig, das heißt damit entspricht sie erst unserer Denkgewohnheit, die wir als eine unvermeidliche Folge unserer organischen Unvollkommenheit kennen gelernt haben, aber damit wird sie zugleich zum Tummelplatz aller subjektiven Irrtümer unseres Denkapparats, denn jedes Ereignis hat nur eine sinnlich wahrnehmbare Form, dagegen ist die Zahl der unsinnlichen Voraussetzungen, die ihm der menschliche Geist unterlegen kann, unbeschränkt und unbeschränkt ist darum auch die Zahl der möglichen Irrtümer.

Eine Schule der Geschichtschreibung erklärt die Vorgänge aus den Menschen heraus, die an ihnen teilnehmen. Sie mißt äußeren Einwirkungen höchstens die Rolle eines Anstoßes bei und verlegt die eigentlichen Beweggründe und Triebkräfte geschichtlicher Handlungen in die Seele der leitenden Persönlichkeiten eines Zeitalters. Bei dieser Auffassung wird die Geschichtswissenschaft zur Psychologie und die Geschichtschreibung zur Biographie. Man kann sich dann die Menschheit beinahe von der Natur losgelöst denken und darf von allen Einflüssen absehen, die etwa allgemeine Naturkräfte und die Veränderungen des Gleichgewichtszustandes derselben wie auf alle übrigen Organismen so auch auf die Völker und Menschen geübt haben mögen. Dann ist man berechtigt, anekdotische Geschichte zu schreiben und den Untergang großer Staaten von der Verdauung eines Heerführers abhängen zu lassen. Die schönen Augen Helenas veranlassen dann den trojanischen Krieg, die Franzosen werden bei Sedan geschlagen, weil General Wimpffen sich 1869 in Algier mit Marschall Mac Mahon wegen der Anwesenheit eines zweideutigen Frauenzimmers, der Geliebten des erstern, bei einem von der Gattin des letztern veranstalteten Wohlthätigkeits-Bazar verfeindete, und das Scribesche Lustspiel "Ein Glas Wasser« enthält die eigentliche Erklärung der Gründe, weshalb der spanische Erbfolgekrieg so und nicht anders verlaufen ist. Wenn man noch einen Schritt weiter geht und mit Wundt annimmt, daß die Kraft, welche im menschlichen Bewußtsein waltet und Vorstellungen ausarbeitet, Beschlüsse faßt u.s.w., undeterminiert ist, das heißt nicht durch äußere Anregung und in geradem Verhältnis zur Stärke dieser Anregung in Thätigkeit versetzt wird, so ist der letzte Zusammenhang zwischen dem Menschen und den außer ihm waltenden Kräften zerrissen und eine entschlossen psychologische Geschichtschreibung, die auf dem Wundtschen Standpunkte steht, kann jedes Ereignis als die durch nichts vorbereitete, von nichts Fremdem abhängige Offenbarung eines zufälligen und willkürlichen seelischen Vorganges in irgend einem mächtigen Einzelmenschen hinstellen.

Eine andere Schule der Geschichtschreibung, die ich im Gegensatze zur eben gekennzeichneten psychologischen die naturwissenschaftliche nennen will, sieht in den Ereignissen die Wirkung allgemeiner Naturgesetze. Ein Volk führt nach ihrer Auffassung Krieg, weil es hungrig ist, und nicht, weil sein König oder Führer Launen hat. Der einzelne Mensch verliert seinen Einfluß und verschwindet in der Bewegung der Masse. Er glaubt zu schieben und wird geschoben. Die Eigennamen hören auf, Wert und Bedeutung zu haben, und können aus der Geschichte gestrichen werden. Die Völker handeln und leiden, wie die Bäume im Frühling blühen und im Herbste die Blätter abwerfen; in den geschichtlichen Ereignissen kommen kosmische Gesetze zum Ausdruck und die Geschicke der Staaten werden nicht im Boudoir einer schönen Frau oder im Kabinet eines genialen Ministers, sondern recht eigentlich in den Sternen gelenkt. Die Astrologie erhält eine ungeahnte Rechtfertigung, nicht wie sie thatsächlich geübt wurde, sondern als Theorie, als Ahnung des richtigen Zusammenhanges der Dinge, und wir dürfen nicht mehr lächeln, wenn das Volk beim Anblick eines Kometen die Besorgnis hegt, daß er Krieg bringen wird. Hat man doch zu bemerken geglaubt, daß das Auftreten der Sonnenflecken mit den großen Handelskrisen zusammenfällt! Natürlich stellt man sich nicht vor, daß durch die Sonnenflecken direkt die Preisliste der Haupthandelswaren verändert oder alle Kauflust unterdrückt wird; man zweifelt nicht, daß die Wirkung eine viel indirektere ist; aber man kennt eben die Zwischenglieder der Verkettung nicht, nur ihren Anfang und ihr Ende. Warum sollte es dann nicht denkbar sein, daß astronomische Erscheinungen, Vorgänge in der Sonne, im Planetensystem, im Weltraum, in letzter Linie Aufregungszustände in den Menschen, Kriege, Umwälzungen, Fortschritts- und Stillstands-Zeitalter veranlassen?

Man braucht nicht so ausschließlich auf dem einen oder andern Standpunkte zu stehen, man kann auf jeden einen Fuß stellen und sagen, die allgemeinen Naturkräfte seien in der That wie in allen anderen Erscheinungen so auch in den geschichtlichen Ereignissen das Treibende, aber die Richtung werde ihnen von einzelnen Ausnahmemenschen gegeben. Dann tritt die Persönlichkeit wieder teilweise in ihre herkömmlichen Rechte; sie macht zwar nicht Geschichte, wie ein Dichter aus seiner Einbildungskraft heraus Dramen schöpft, aber sie führt die Völker wie ein Mechaniker einen Eisenbahnzug auf dem gegebenen Geleise, nach seinem Belieben die Lokomotive rascher oder langsamer laufen oder stillstehen lassend. Das Genie ist dann ein großer Experimentator mit der Menschheit; es schafft zwar seine Großthaten so wenig, wie etwa Harvey den Blutumlauf schafft, aber es findet die mechanischen Gesetze, die in den Völkern thätig sind, und es erprobt sie, indem es sie anwendet. Dann wäre es andererseits auch verständlich, daß "mit geringer Weisheit die Welt regiert werden« kann, da die Regierung der Welt von den Naturgesetzen besorgt würde und die scheinbar Regierenden sie nur nicht zu stören hätten.

Da sind drei Hypothesen; alle drei sind gleich einleuchtend und gleich willkürlich; keine von den dreien kann man widerlegen, keine beweisen. Alle drei können nicht zugleich wahr, wohl aber können sie alle drei falsch sein. Welches Vertrauen soll man dann zu einer Wissenschaft haben, die notwendig auf einer der drei Hypothesen ruht, also in jedem Falle möglicherweise auf einer falschen? Da spießt uns wieder ein mörderisches Dilemma auf seine Hörner. Entweder die Geschichte ist rein gegenständlich und verzeichnet die Ereignisse bloß, wie sie vor sich gegangen sind, dann wird sie inhaltlos, weil es ihr unmöglich ist, die Ereignisse in ihrer objektiven Wirklichkeit herzustellen; oder sie wird subjektiv und hypothetisch, sucht zu erklären und Ursachen anzugeben, die nicht ein sinnlich wahrnehmbares Element der Ereignisse bilden, dann bietet sie nicht länger eine Gewähr der Wahrheit und kann vom Anfang bis zum Ende ein Gewebe individueller Irrtümer sein.

Als ein Mittel, der Wahrheit näher zu kommen, gilt die Analyse der Erscheinung. Ist das Mittel ein zweckmäßiges? Man darf darüber schwere Zweifel hegen. Die Analyse führt vielleicht nicht zum Wesen der Erscheinung, aber sie zerstört sicher die Erscheinung. Nehmen wir ganz flach verständliche Beispiele. Ich habe einen Menschen in einer Soldatenuniform vor mir. Ich kenne kein Zögern und kein Schwanken und sage sofort mit Bestimmtheit: das ist ein Soldat. Jetzt beginne ich die Analyse dieser Erscheinung. Ich ziehe ihr die Uniform aus. Was habe ich nun noch vor mir? Nicht mehr eine deutlich gekennzeichnete, differenzierte Erscheinung, sondern etwas Unbestimmteres und Allgemeineres, einen Menschen der weißen Rasse. Wenn ich ihm die Haut abziehe, so ist er überhaupt ein Mensch und man kann ihn nur schwer von einem Neger oder Indianer unterscheiden. Wenn ich die Analyse noch weiter treibe und ein Stück Muskel unter das Mikroskop bringe, so kann ich nur noch sagen, daß die Erscheinung ein Tier war, aber ich weiß weder, daß sie ein Mensch, noch daß sie ein Weißer, noch daß sie ein Soldat gewesen ist. Zersetze ich endlich den Muskel in seine chemischen Bestandteile, so bleibt mir von der Erscheinung gar nichts Bezeichnendes und Wesentliches übrig und ich kann nur noch sagen, daß sie aus Stoffen bestanden hat, die in unserem Planetensystem vorkommen. So habe ich mit der unerbittlichen und immer weiter gehenden Analyse es glücklich dahin gebracht, aus einem deutlichen und faßbaren Soldaten, der mit nichts anderem verwechselt werden konnte, etwas Sauerstoff, Kohlenstoff u. s. w. zu machen, der ebensogut aus einem Weltnebel wie aus einer Habana-Zigarre herstammen mochte. Alle Eigenschaften der Dinge, die wir mit unseren Sinnen wahrnehmen, sind Bewegungen. Solche, die nicht weniger als 16 ½ und nicht mehr als 16896 mal in der Sekunde wechseln, zählen wir mit den Hörnerven und nehmen wir als Töne wahr; solche Bewegungen, die sich in der Sekunde zwischen 395- und 765 billionenmal wiederholen, zählen wir mit dem Sehnerven und empfinden sie als Licht und Farbe. Für die Bewegungen, die zwischen 16896 und 395 Billionen, unter 16 ½ und über 765 Billionen liegen, haben wir kein Zählorgan, also auch keine Wahrnehmung. Die

Wahrnehmung einer Erscheinung ist also nichts anderes als die Zählung von Bewegungen; somit sind alle Erscheinungen dem Wesen nach identisch und nur der Menge nach verschieden. Das ist das Ergebnis einer sehr weit getriebenen Analyse. Sehr schön. Es ist also das Schöne und das Häßliche, das Helle und das Dunkle, das Erfreuliche und das Betrübende ganz dasselbe, immer nur eine Bewegung, eine langsamere oder raschere Bewegung. Aber wie ist es dann doch, daß ich diese verschiedenen Bewegungen, die ganz dasselbe sind, verschieden empfinde, daß die eine mir angenehm, die andere mir unangenehm ist, daß die eine mir Befriedigung, die andere Kummer bereitet? Da bin ich wieder so weit wie bei der Analyse des Soldaten bis zu seinen einfachen chemischen Elementen. Ich habe die deutliche, faßbare, von allen anderen unterschiedene Erscheinung geopfert und mir doch nicht ihr Wesen dafür eingetauscht.

Solche Erfahrungen machen mißtrauisch und bringen uns auf die Vermutung, daß wir das Problem von vornherein falsch aufgestellt haben. Wir suchen das Wesen der Dinge und zerstören deren Erscheinung. Ist nicht die Erscheinung das Wesen selbst und thun wir, indem wir analysieren, nicht dasselbe wie das Kind, das, neugierig, was in der Zwiebel steckt, eine Schale nach der andern abreißt und, nachdem es die letzte weggeworfen hat, nichts mehr in der Hand behält? Das heißt nicht, das "Ding an sich« leugnen, sondern es statt in die geheime und unzugängliche Tiefe an die Oberfläche der Erscheinung verlegen und mit der Erscheinung identifizieren. Wir suchen ferner die gegenständliche, absolute Wahrheit. Und wer sagt uns, daß unser Ausgangspunkt nicht ein Irrtum ist? Woher wissen wir, daß es eine gegenständliche, absolute Wahrheit giebt? Wie, wenn das Unbekannte, das unsere Sinneseindrücke veranlaßt, erst in unserem Organismus zur faßbaren Erscheinung wird und als solche außerhalb unseres Bewußtseins gar nicht existiert? Es wird heute allgemein zugegeben, daß die Phänomene außerhalb unseres Organismus weder Farben noch Töne, weder Düfte noch Wärme oder Kälte haben, Sonde daß diese

Eigenschaften ihnen in unserem Organismus hinzugefügt werden. Könnte dies nicht auf das ganze Verhalten der Erscheinung seine Anwendung finden? Dann nähme die Erscheinung ihre menschlich faßbare Form überhaupt erst im Organismus an, es gäbe keine gegenständliche und absolute, sondern bloß eine subjektive Wahrheit, die nur dann für zwei Menschen dieselbe sein könnte, wenn ihr Organismus identisch wäre, dann wäre jeder Versuch, eine objektive Wahrheit zu finden, völlig aussichtslos und wir wären mehr als je dazu verurteilt, alle Erkenntnis ausschließlich in unserem eigenen Bewußtsein und nicht außerhalb desselben zu suchen.

Auf diesen Höhen des Gedankens ist es kalt. Mich fröstelt. Wir wollen in tiefere Regionen hinabsteigen, wo wir dem platt praktischen, aber behaglich warmen Menschentreiben näher sind.

Der Staat als Charakter-Vernichter.

Hundertmal hat man sich über das deutsche Rang- und Titelwesen lustig gemacht und der in Prosa und Versen darüber ausgegossene Spott bildet eine ganze Bücherei. Aber der Stoff ist unerschöpft und namentlich gewisse Seiten desselben sind noch kaum berührt worden. So hat man nicht entfernt genug eindringlich auf die Gefahr hingewiesen, die der Entwicklung, ja dem Dasein eines Volkes daraus erwächst, daß es den Mandarinen-Mützenknopf zu seinem privaten und öffentlichen Ideale erhebt.

Gehe in eine deutsche Gesellschaft und sieh dich in ihr um: du findest da Assessoren und Inspektoren, Majore und Räte, namentlich Räte jeder Farbe und jedes Formats, vom unmaßgeblichen Kommissionsrat bis zum hochansehnlichen "wirklichen geheimen«. Jeder Beruf hat seinen besonderen Rat, der gleichsam seine Blüte ist, und man muß sich nur wundern, daß es noch einzelne Berufe giebt, die keine solche Blüte haben, also die Kryptogamen in der Staats-Flora bilden. Es wäre so niedlich, wenn auch die gediegensten Bettler oder Schoppenstecher hoffen dürften, den absteigenden Teil ihrer erfolgreichen Lebensbahn mit dem Schmucke eines passenden Titels, der etwa Fechtrat und Kneiprat lauten könnte, zurückzulegen. Einen schlichten, einfachen Menschen, der es sich an seinem Vor- und Zunamen genügen läßt, suchst du unter all diesen Räten vergebens und wenn du mit einer Diogenes-Laterne herumgingest, die auf der vollen Höhe der neuesten Elektrizitäts-Beleuchtungs-Technik stände. Der Lakai, der die Mandelmilch herumreicht, ist anscheinend der einzige Vertreter des genus Adam Homo ohne Beilage, aber der Schein trügt auch in diesem Falle. Denn so oft der Staat Gelegenheit hat, sich mit ihm amtlich zu beschäftigen, sei es, daß er ihn zur Steuer heranzieht oder ihn wegen nächtlicher Ruhestörung verfolgt oder ihm für langjährige sorgfältige Pflege von Generals- oder Geheimratsstiefeln das allgemeine Ehrenzeichen an die Brust nagelt, spricht er ihn nicht "Friedrich Wilhelm Müller« an, sondern fügt ein unterscheidendes "der Lakai Friedrich Wilhelm Müller« hinzu. Das ist kein besonders auszeichnender Titel, aber doch ein Titel. Er nimmt wenigstens den Platz eines Titels ein und hält ihn warm. Er markiert, daß an der Stelle etwas stehen sollte. Er hält die Gewohnheit lebendig, an den Namen wie an einer Kasserole eine Handhabe befestigt zu sehen. Der Staat hat eine Schamhaftigkeit besonderer Art. Es entsetzt ihn, einen nackten Namen vor sich zu sehen. Pfui der Schande! Geschwind den Mantel eines Titels her! Oder doch wenigstens das Feigenblatt der Berufsangabe! Die Mathematik, die doch sehr auf Genauigkeit hält, erspart sich das Vorzeichen, wo sie kann, und trifft mit uns die Übereinkunft: wenn vor einem Ausdrucke gar nichts steht, so habt ihr euch ein Pluszeichen davor zu denken. Der Staat macht kein derartiges Zugeständnis. Jeder Name muß seinen Griff haben. Wer nichts anderes ist, der erhält wenigstens den Titel "Privatier«. Wie deutsch ist der Herzensschrei jenes Mannes in den Fliegenden Blättern, welcher ausruft: "Wenn ich gar nichts bin, ein Zeitgenosse bin ich doch!«

Wenn man dir einen Mann als den Herrn Rat Soundso vorgestellt hat, so weißt du alles, was du von ihm zu wissen brauchst. Nimm dir keine Mühe, seine Persönlichkeit kennen zu lernen; du brauchst dir nicht einmal sein Gesicht anzusehen und noch viel weniger seinen Namen zu merken. Das sind Nebensachen. Das Wesentliche ist der Rat. Dieser giebt die volle Definition des Mannes. Du kannst aus seinem Titel mit unfehlbarer Gewißheit entnehmen, was er ist und was er treibt; was er gelernt hat; was er liebt und was er haßt; wie und wo er seine Tage und Nächte verbringt, wie er über alles, vom Freihandel bis zur Unsterblichkeit der Seele, denkt, ja in vielen Fällen sogar, wie viel Geld er verdient. Es ist ein herrliches Gefühl der Sicherheit, das du einem solchen betitelten Manne gegenüber empfindest. Da giebt es keinen Vexier-Schleier, der das Antlitz einer geheimnisvollen Isis verbirgt. Maya steht in befriedigender Sichtbarkeit da und läßt dir nichts zu suchen und nichts zu erraten übrig. Ich wundere mich nur, daß man noch nicht auf eine Vereinfachung verfallen ist, die sich als sehr praktisch empfiehlt. Wozu den betitelten Herren überhaupt noch einen Eigennamen lassen? Ein solcher erinnert doch noch an eine Persönlichkeit, der höchste Triumph dieser Herren ist ja aber, keine Persönlichkeit zu haben, sondern einen Rang, eine Stellung, einen Titel. Dieser ist doch die Hauptsache, der Mensch ist bloß das unwesentliche Anhängsel. Gut, unterdrücken wir dieses vollständig und bezeichnen wir jeden Titelträger nur noch mit der Seiten- und Zeilenzahl des Staatshandbuchs oder der Rang- und Quartierliste, wo er verzeichnet steht. Oder wenn das unbequem scheinen sollte, so geben wir ihm einen bestimmten leicht zu behaltenden Namen, der für alle Zeiten derjenige des Inhabers einer bestimmten Stelle zu sein hat und mit dem Titel zugleich angenommen wird. Man zieht dann mit der Uniform auch einen Namen an und geht ganz, mit Haut und Haaren, in seinem Rang und Titel auf. Die großen Herren in Frankreich des vorigen Jahrhunderts wußten zu leben. Sie hatten für jeden Lakaien ein für allemal einen Erbnamen, auf den der Bursche zu hören hatte, wenn er in ihren Dienst trat. Der erste Kammerdiener hieß etwa Jeunesse, der Jäger Picardie, der Kutscher Viktor, den Namen übernahm er mit der Livree von seinem Vorgänger und trat ihn an seinen Nachfolger ab und die Herrschaft, der es nicht darum zu thun war, Individualitäten zu unterscheiden, sondern einen gleichmäßigen Dienst gleichmäßig verrichtet zu sehen, ersparte sich auf diese Weise die Notwendigkeit, Gedächtniskünste für die Gesindestube zu üben.

Es wäre übrigens noch nicht so schlimm, wenn bloß die Beamten die kindische Freude an ihrem Titel hätten und ihrer Uniform eine größere Bedeutung beilegten als ihrem Leibe. Aber diese Erscheinung ist ja nicht auf die Kreise beschränkt, in denen der Titel doch mindestens einer Thätigkeit entspricht und die Uniform keine Fastnachtsverkleidung, sondern eine Amtstracht ist; sie ist durch das ganze Volk verbreitet und wird bei zahllosen Leuten beobachtet, die mit dem Staatsdienste höchstens insofern zusammenhängen, als sie bei der Volkszählung zum amtlichen Gesamtergebnis eine Einheit liefern. Auch im bürgerlichen Leben strebt der Deutsche nach irgend einer staatlichen Anerkennung, irgend einer Marke oder einem Brande, der seine Zugehörigkeit zur Elektoral-Herde bezeugt. So lange der Staat nicht durch irgend eine Verleihung von seinem Dasein amtlich Kenntnis genommen hat, glaubt er nicht an sein eigenes Dasein. Ohne eine sogenannte Auszeichnung fühlt er sich nicht als einen Vollmenschen, sondern höchstens als einen Ansatz zu einem solchen. Seinen Beruf sieht er als Unterlage zu einem Titel an und die natürliche Bestimmung seiner Brust scheint ihm, einen Orden zu tragen. Freigeborene, unabhängige Männer haben nicht den Stolz, bloß auf sich selbst gestellt zu sein und niemand etwas verdanken zu wollen, sondern geben ihre Selbständigkeit, die mehr wert ist als Esaus Erstgeburt, für eine Gunsterweisung hin, die weniger bedeutet als das Linsengericht Jakobs. Als sich der Feudalismus entwickelte, da mußten die freien Männer ihren Vollbesitz in die Hände der großen Adeligen legen und ihn von ihnen als Lehen wie ein Gnadengeschenk wieder empfangen. Man thut heute ohne Not und Zwang, was das stolze Geschlecht jener Zeit nur nach hartem Widerstände thun wollte.

In Rußland nennt man die Leiter mit den Rang-Sprossen des Beamtentums den Tschin. Auf irgend einer Sprosse dieser Leiter muß jeder Russe stehen, wenn er in der Welt etwas mehr gelten soll als ein Hering in seiner Bank. Der Tschin ist aber keine russische Einrichtung geblieben, sondern hat seinen Weg über die Grenze gefunden. Die Leiter ist auch in Deutschland aufgelichtet und die Welt hat das wunderliche Schauspiel vor Augen, wie das erste und mächtigste Kulturvolk der Erde sein Leben damit hinbringt, gleich einer Anzahl abgerichteter Laubfrösche feierlich von einer Sprosse zur andern an derselben emporzuklettern. Die Entwicklung des Individuums geschieht nicht von innen heraus, sondern durch äußern Ansatz; nicht wie bei einem von Lebenskraft erfüllten selbstthätigen Organismus, sondern wie bei einem toten, trägen Steine. Der Staat ist es, der dem Individuum neue Zolle zu seinem natürlichen Maße hinzufügt und es von Zeit zu Zeit um einen Kopf größer macht. Das Wachstum besteht nicht in einem Höherwerden des Charakters, sondern in einem Längerwerden des Titels. Die Persönlichkeit verliert eine Eigenschaft, der Titel gewinnt ein Beiwort. Das Temperament wird ärmer, der Ordensschmuck wird reicher.

Und wehe dem Einzelnen, der sich dieser allgemeinen freiwilligen Knechtschaft entziehen will! Er wird angesehen wie in der Fabel der freie Wolf von den Haushunden. Oder richtiger: er wird gar nicht angesehen. Grimmelshausen erzählt von einem wunderbaren Vogelneste, das denjenigen, der es bei sich trug, unsichtbar machte. Der Titel hat die umgekehrte Wirkung des wunderbaren Vogelnestes. Er macht seinen Träger erst sichtbar. So lange man ihn nicht hat, wird man von der Gesellschaft gar nicht bemerkt, ist man ein Schemen, ein Luftgebilde. Der Mensch, der aus eigener organischer Kraft und seinem innern Wachstumsgesetze gehorchend sich zu einer Individualität gebildet hat, die für sich betrachtet und gemessen sein will und in ihrer Eigenart und Schönheit bloß begriffen werden kann, wenn sie frei ist von allen äußerlichen, willkürlichen Zuthaten, welche nur die Linien stören und die Gesamterscheinung verwirren, ein solcher Mensch verschwindet hinter gleichgiltigen Gliederpuppen, die nur als Träger von Uniformen und Rangabzeichen Verwendung finden! Das Kind in der Anekdote sagt, es wisse nicht, ob badende Kinder, die es gesehen, Knaben oder Mädchen gewesen seien, da sie keine Kleider angehabt. Die Gesellschaft steht auf dem Standpunkte dieses Kindes. Sie begreift das Menschliche nicht, wenn es nicht in einer bestimmten Tracht auftritt. Sie erkennt einen Mann nur, wenn er in vollem Wichs von Rang und Titel vor ihr erscheint. Diese Auffassung zwingt jeden, der den berechtigten Wunsch hat, bei seinen Mitbürgern etwas zu gelten, seine natürliche Entwickelungsbahn zu verlassen und sich der Menge anzuschließen, die sich im staatlich gezogenen, rechts und links von Schutzmännern beaufsichtigten Geleise in schläfrigem Gleichschritte vorwärts schiebt. So entsteht im Individuum die Anschauung, daß sein ursprüngliches Leben, welches es von der Natur hat, nicht zählt, daß es, um ins eigentliche Dasein einzutreten, zum zweiten Male mit Hilfe des Staats als irgend ein Rat geboren werden muß, wie in Indien die Angehörigen der drei höchsten Kasten "Dhwitschas« sind, das heißt sich als erwachsene Menschen einer symbolischen Zeremonie der Wiedergeburt unterziehen müssen, die darin besteht, daß sie, ganz weiß gekleidet, unter allerlei Förmlichkeiten durch ein schmales Pförtchen treten.

Welch ein kläglicher Rückschritt zu überwundenen Entwickelungsstufen! Welch ein Widerspruch zu allen Grundgedanken und treibenden Kräften der Zeit! Je höher ein Organismus ausgebildet ist, um so eigenartiger, um so differenzierter ist er, um so mehr tritt in ihm die Gattung hinter dem Individuum zurück. Unter diesem Gesetze stehen nicht bloß die Einzelwesen, sondern auch die Gesellschaften. Im Altertum, im Mittelalter war das Gemeinwesen als geschlossene Gesamtheit organisiert und der Einzelne galt nur als ein Teil des Ganzen. Da konnte und durfte man nicht eigenartig sein, sondern hatte sich in den genau gezeichneten Bauplan des Staates, der Gesellschaft, der Zunft oder Gilde zu fügen. Wen Behörden oder privilegierte Genossenschaften nicht in ihren Verband aufgenommen hatten, der war ein rechtloser fahrender Mann und vogelfrei. Die gesellschaftliche Entwicklungsstufe entspricht derjenigen eines Polypenstocks, wo die einzelnen Individuen zusammengewachsen, unvollständig ausgebildet, organisch unfrei sind, für sich allein weder leben noch sich herumbewegen können und nie über ein untergeordnetes und verkümmertes Teildasein hinausgelangen. Wir sind heute weiter. Wir bilden nicht mehr einen Korallenbau, sondern doch wohl schon eine Herde. Jedes Individuum führt ein Sonderdasein, wenn auch alle für gewisse Verrichtungen auf einander angewiesen sind. Das Band der Solidarität, das uns alle verknüpft, läßt uns doch ein genügendes Maß von Selbständigkeit und es ist jedem von uns die organische Möglichkeit gegeben, für sich zu grasen. Diesen Individualismus, die Errungenschaft der Neuzeit, opfert man freiwillig für den alten Kollektivismus, in welchem das Einzelwesen nur eine Zelle, weniger als ein Organ, ein zuckendes, sinnloses Nichts ist. Denn dahin gelangt man mit Naturnotwendigkeit, wenn man erkennt, daß aller Wert und alle Würde einem Manne nur von der Staatsgewalt kommen können und für seinen Platz inmitten der Menschen eine Ernennungs- oder Verleihungs-Urkunde maßgebender sei als eigener Wert, geistige Bedeutung und Handlungen, die nicht im Hinblick auf das Amtsblatt gethan wurden.

Was ist das, der Staat? Theoretisch heißt das: wir Alle! Praktisch aber ist es eine herrschende Klasse, eine kleine Anzahl von Persönlichkeiten, manchmal nur eine einzige Person. Die Anerkennung des Staats über alles stellen heißt, ausschließlich einer Klasse, wenigen Personen, einer einzigen Person gefallen wollen. Es heißt, sich nach einem Ziele hin entwickeln, das nicht von der eigenen Natur gegeben, sondern von einem fremden Gedanken, vielleicht sogar bloß einer fremden Laune aufgestellt ist. Es heißt, auf sein innerstes Wesen verzichten und sich nach einem äußern Muster formen, dem vielleicht alle ursprünglichen Anlagen und Neigungen widerstreben. Die ganze Bildungsschichte einer Nation verwandelt sich auf diese Weise in eine Art Jesuitenorden, der das "Opfer der Vernunft« gebracht und darauf verzichtet hat, mit dem eigenen Kopfe zu denken und mit dem eigenen Gewissen über Recht und Unrecht zu urteilen. Man gestaltet sich nicht nach dem organischen Drange, sondern tröpfelt sich wie weiches Metall in eine behördlich hergerichtete Gußform hinein und setzt seinen Stolz darein, statt eines

Lebewesens mit eigener Physiognomie eine billige Dutzend-Zinkfigur für Standuhren zu sein. Durch diesen Schmelz- und Gußprozeß wird das kristallinische Gefüge eines Volkes aufgelöst und sein fester Kern zerstört. Die schöne und reiche Mannigfaltigkeit natürlicher Entwickelungen weicht einer aufgezwungenen armseligen Uniformität. Wenn man den Einzelnen meuchlings fragt, wie er über irgend einen Gegenstand denke, so weiß er es nicht aus dem Stegreife zu sagen, sondern muß erst rasch nach dem Kastanienwäldchen gehen und sich die ausgegebene Parole holen. Millionen entsagen ihrer Mündigkeit und stellen sich mit all ihrem Denken und Handeln unter eine Vormundschaft, deren enge Tyrannei sie bald gar nicht mehr fühlen.

Man wende mir nicht ein, daß das nicht anders sein könne und daß ich ja selbst lang und breit nachgewiesen habe, wie die große Masse zu eigenartiger, selbständiger Geistesarbeit unfähig sei, wie diese ausschließlich von den Ausnahmemenschen verrichtet und durch die Suggestion von der winzigen Minderheit auf die ungeheure Mehrheit übertragen werde. Es ist eben ein gewaltiger Unterschied, ob das Denken eines Einzigen oder Weniger einem ganzen Volke durch natürliche Suggestion oder durch Zwang und Gewalt ins Gehirn getrichtert wird.

Das Regieren erleichtert ein solcher Massenverzicht aus menschliche Unabhängigkeit natürlich in hohem Grade. Der Pudel verhält sich nie so vollkommen ruhig, wie wenn man ihm das Stück Zucker auf die Schnauze legt und ihm als Lohn für braves Aufwarten die Erlaubnis es zu schnappen in Aussicht stellt. Ein Volk, das einen Menschen nur dann achtet, wenn er im Staatsanzeiger seine obrigkeitliche Wiedertaufe empfangen hat, und durch diese Gewohnheit allen seinen bedeutenderen Mitgliedern den Wunsch nahelegt, ja sie zwingt, um jeden Preis ins Heiligtum des Amtsblatts einzudringen, ein solches Volk ist ganz in der Hand seiner Regierung, das heißt seiner herrschenden Klasse. Der Gedanke: "was wird man hohen Orts dazu sagen?« ist der stete Begleiter aller seiner Bürger und guckt ihnen bei ihren geheimsten Arbeiten, Vorsätzen und Gesprächen über die Achsel. Unablässig bewacht von diesem Aufpasser, verliert der Bürger die notwendige und fruchtbare Übung des Alleinseins mit sich selbst und dem eigenen Gewissen und wird so unsicher, so komödiantenhaft, so augendienerisch, wie man es werden muß, wenn man sich beständig von einem krittlichen Zeugen beobachtet weiß. Aber die Regierung hat natürlich das größte Interesse, einen solchen Zustand zu unterhalten. Er verhindert unbequeme Widerstände des öffentlichen Gedankens. Er legt ein großes Land zu den Füßen eines Ministers und einiger vortragenden Räte. Er drückt die unabhängigen Männer zu Bürgern zweiter Klasse hinab, denen ein Makel anhaftet, da sie nie zu betitelten und mit Orden ausgezeichneten Vollmenschen heranreifen können, und giebt jeder politischen Gegnerschaft gegen die Regierung in den Augen der Menge den Charakter des Unehrenhaften, den Charakter einer Handlung, welche dem Verüber die als die wertvollsten angesehenen Ehrenrechte nimmt, nämlich die, eines Tages sein Knopfloch farbig zu schmücken und seinem Namen einen Titel aufzusetzen.

Das ist ein Zustand, der nicht bloß kläglich, nicht bloß unsittlich, sondern auch für die Zukunft eines Volks überaus gefährlich ist. Ich glaube, ich habe in Vasari gelesen, daß Michel Angelo, als er zweiundzwanzig Monate lang an der Decke der sixtinischen Kapelle gemalt hatte, so gewöhnt war, aufwärts zu blicken, daß er gar nicht mehr geradeaus oder rechts und links schauen konnte wie ein natürlicher Mensch, sondern selbst die Schrift, die er lesen wollte, sich mit hochgehobenen Händen über die Augen halten mußte. So ergeht es einem Volke, das die Gewohnheit angenommen hat, immer nach oben, immer nach den Häuptern der Regierung zu schielen. Es verliert die Fähigkeit des freien Um- und Ausblicks; es verlernt, die von den Seiten herankommenden Gefahren wahrzunehmen. Die Männer, die für das Gemeinwohl arbeiten oder zu arbeiten vorgeben, bemerken weder ihre Nachbarn noch die Wirkung ihrer Worte und Handlungen auf dieselben, sondern haben in ihrem ganzen künstlich beschränkten Gesichtskreise nur das Bild einer Persönlichkeit oder Gruppe, an deren Lippen und

Augenbrauen sie wie Hampelmänner hängen. Sie sehen das Gemeinwesen gar nicht mehr und nicht diesem zu nützen und zu gefallen ist ihr Ziel, sondern vom Gewaltigen eine herablassende Handbewegung oder ein Lächeln zu erlangen.

Ich weiß wohl, was zu Gunsten eines solchen Zustandes gesagt zu werden pflegt. Er soll die Zusammenfassung der ganzen Volkskraft zu großen Thaten erleichtern, ja erst ermöglichen, deren Zersplitterung in hundert Richtungen verhüten, eine einheitliche und zielbewußte Leitung der nationalen Geschicke unterstützen. In einem Lande, wo man den Bürger nur dann schätzt, wenn er von der durch die Regierung vertretenen Gesamtheit sichtbar ausgezeichnet worden ist, fühlt sich der Bürger angespornt, seine Kraft der Gesamtheit zu widmen und sich um sie verdient zu machen; die Selbstsucht, wird bekämpft und der Gemeinsinn großgezogen; eine enge Solidarität verknüpft alle Glieder der Nation und die straffe Mannszucht, ohne die selbst die mächtigsten Anstrengungen der Massen erfolglos sind, wird zu einem Grundcharakterzuge des Volkes. So sagt man, aber das ist ein Trugschluß vom ersten bis zum letzten Worte. Die Kraft einer Gesamtheit beruht in letzter Linie doch auf der Kraft ihrer einzelnen Bestandteile. Sind diese schwach, so wird aller Zusammenschluß, alle Manneszucht und Unterordnung unter einheitliche Leitung sie nicht stark machen. Tausend Schafe haben gut sich zur äußersten Solidarität erziehen, sie werden nie einem einzigen Löwen widerstehen oder gar ihm gefährlich werden können. Wenn man systematisch in einer Nation die mannhafte Selbständigkeit verkümmert und ausrottet, wenn man mit mächtigem Drucke die Charaktere zermalmt, so bleibt zuletzt kein lebendiger Volksorganismus übrig, sondern nur noch ein atomistischer Staub, durch den ein spielendes Kind mit dem Finger fahren kann. Eigenartiges Wesen gelangt nicht zur Entwickelung, die Mannigfaltigkeit verschwindet, die Quellen der Wahrheit, die dem Volke sonst in tausend Einzelköpfen zu sprudeln pflegten, versiegen und von einer Landesgrenze bis zur andern begegnet man nur noch Kommiß-Nachbildungen einer einzigen Figur, die von Amtswegen als der allein echte und richtige Nationaltypus verkündet worden ist.

In friedlichen Zeitläuften kann ein Volk einen derartigen Verfall lange erleiden, ohne sich seiner beängstigenden Lage bewußt zu werden und den Abgrund zu sehen, an dessen Rande es sich entlang bewegt. Es kann auch das Glück haben, von einem mächtigen und erleuchteten Geiste regiert zu werden, der sich hohe Aufgaben vorsetzt und große Thaten verrichtet. Dann geht alles leidlich gut, die Streber triumphieren, der Erfolg giebt denen Recht, die vom Volke verlangen, daß es einen einzigen Kopf für sich denken und einen einzigen Arm für sich handeln lasse, und das allgemeine Buhlen nach dem Regierungswohlwollen, das bloß durch vorbehaltlose Rückkehr zum Standpunkte des beschränkten Unterthanenverstandes zu erlangen ist, scheint dem Staate zum Heile zu gereichen. Aber auch das Genie lebt nicht ewig, nicht jedes Zeitalter bringt ein neues hervor und selbst das größte Volk ist nicht sicher, daß es an der Spitze seiner Regierung immer außerordentliche Männer haben wird. Die Geschichte lehrt, daß im Rate der Mächtigen die "winzige Weisheit«, von welcher Oxenstierna spricht, weit häufiger ist als große Geisteskraft. Wie dann, wenn die Mittelmäßigkeit oder gar die Beschränktheit, die Leichtfertigkeit, die Selbstsucht, der Eigennutz, das niedrige Laster die Geschicke des Volks in die Hände bekommt? Die alte Gewohnheit, die Regierung für sich denken und handeln zu lassen und ihre Ansichten als unfehlbare Offenbarungen zu verehren, bleibt bestehen, denn sie ist organisch geworden; die Menge fährt fort, nur den Rat für einen Vollmenschen und Bürger erster Klasse anzusehen, die Bildungsschichten der Nation fahren fort, sich um Titel und Orden zu bemühen, die Regierung fährt fort ihre Gunst nur denen zuteil werden zu lassen, die ihr Beifall klatschen. Wer also nach Ansehen bei der Menge trachte der fährt fort, vor der hohen Obrigkeit in Bewunderung um Verehrung zu ersterben, die Kritik verstummt, der Widerstand der wenigen Unabhängigen ist wirkungslos und in eine Idylle selbstzufriedenen Regierens und bewundernden Gehorchens kann ohne

Warnung über Nacht die furchtbarste Katastrophe einbrechen. Dann zeigen sich die Folgen des Systems allgemeiner Minister-Anbetung. Man hat es verlernt, an das Gemeinwohl zu denken und im eigenen Verstande und Gefühle zu suchen, was demselben frommen möchte; man hat immer nur an die Regierung gedacht und diese mit dem Volke, mit dem Vaterlande verwechselt; man hat sich gewöhnt, um Lohn und Anerkennung Augendienst zu treiben, nicht durch Auslebung des eigensten Wesens Selbstachtung und Selbstzufriedenheit zu erringen; das Unheil findet darum das ganze Volk unvorbereitet und wehrlos und dieses geht endgiltig zu Grunde, wenn es nicht noch in seinen Tiefen gesunde und urwüchsige Elemente enthält, die ihre eigenen Entwicklungswege gehen gekonnt, weil sie nie um Titel und Orden gesorgt, und deren unverwüstete Kernhaftigkeit in den Stunden der äußersten Gefahr alle Verbrechen einer blödsinnigen, Regierung und einer schranzenhaften Elite wieder gutmacht. Eine Nation, die das Staatshandbuch mit abgöttischer Verehrung umgiebt, hat nur, was sie verdient, wenn man ihr das Pferd Incitatus als Senator vorsetzt. Sie züchtet sich ihre Bedrücker und Entmanner selbst groß. Auf diese Weise geschieht es, daß man mit Roßbach einschläft und mit Jena erwacht.

Nationalität.

Wenn man nicht wüßte, wie vollkommen die Subjektivität unser Denken beherrscht, wie unfähig eine irrige Vorstellung, welche wir uns von einer Erscheinung ausgearbeitet haben, unser Bewußtsein macht, diese Erscheinung richtig wahrzunehmen und die Verschiedenheiten zwischen ihr und unserem innern Bilde zu bemerken, wenn man mit einem Worte nicht wüßte, um wie viel das Vorurteil zählebiger ist als das Urteil und das Märchen mächtiger als die Wahrheit, man würde nicht verstehen, daß es heute Menschen geben kann, welche die Nationalitätenfrage für einen Zeitirrtum und eine Modesache halten und sie allen Ernstes als einen Schwindel bezeichnen, der allerdings viele Köpfe ergriffen habe, jedoch binnen Kurzem vergessen sein werde. Es besteht tatsächlich eine Schule von Leuten, die den Mut haben, sich Staatsmänner zu nennen, und sich anmaßen, Völkergeschicke zu lenken, und diese Schule lehrt, die Nationalitätenfrage sei einfach von Napoleon III. erfunden worden, um fremden Staaten innere Verlegenheiten zu bereiten und im Auslande Förderer und Unterstützer seiner unruhigen Abenteuer-Politik großzuziehen. Nur ein einziger Umstand kann vernünftige Menschen abhalten, die angeblichen Staatsmänner, die so sprechen, für unheilbare Trottel zu erklären, und das ist der, daß sie ohne Ausnahme Ländern und Volksstämmen angehören, denen das Erwachen des nationalen Bewußtseins gefährlich wird, und daß sie deshalb durch ihre Wünsche und Leidenschaften, durch Angst vor der Zukunft, Haß auf die aufstrebenden Stämme und Grimm über den drohenden Verlust angemaßter Vorrechte in der Beobachtung und Deutung der Thatsachen gehindert sind. Man trifft sie in Frankreich, dem die Einigung Deutschlands und Italiens die herrschende Stellung in Europa nahm, in Österreich-Ungarn, wo unterdrückte Völker ihre Menschenrechte fordern, in Belgien, wo die Vlaemen von den Wallonen ihre Mündigsprechung ertrotzen. Wem nicht die Sorge um persönliche Interessen den Verstand verdunkelt, der erkennt, daß das Erwachen des nationalen Bewußtseins eine Erscheinung ist, die an einem bestimmten

Punkte der menschlichen Entwickelung im Einzelwesen wie in der Volksmasse notwendig und natürlich eintritt und die man so wenig hintanhalten oder gar verhindern kann wie die Gezeiten des Meeres oder die Sonnenwärme im Hochsommer. Die Leute, die den Völkern versichern, daß sie bald wieder von der Betonung ihrer Nationalität abkommen werden, stehen auf derselben geistigen Höhe wie das Kind, das seiner Mutter sagt: "Warte, wenn du einmal ein kleines Kind wirst, werde ich dich auch tragen.«

Worin ist die Nationalität begründet? Was ist ihr Kennzeichen? Es ist darüber viel gestritten worden und man hat die Frage verschiedentlich beantwortet. Die einen betonen das anthropologische Element, also die Abstammung. Das ist ein so handgreiflicher Irrtum, daß man ein inneres Widerstreben empfindet, ihn zu widerlegen. Ich glaube allerdings nicht an die Einheit des Menschengeschlechts; ich glaube, daß die verschiedenen Hauptrassen Unterarten unserer Gattung darstellen und daß ihre Verschiedenheiten der anatomischen Bildung und Hautfarbe nicht bloße Anpassungs-Erscheinungen und Folgen der Umbildung eines ursprünglich einheitlichen Typus durch örtliche Einwirkungen sind, sondern sich durch Verschiedenheit des Ursprungs erklären; es scheint mir, daß zwischen einem Weißen und einem Neger, einem Papua und einem Indianer die Verwandtschaft nicht größer ist als zwischen einem afrikanischen und indischen Elefanten, einem Hausrinde und Buckelochsen. Allein innerhalb einer und derselben Rasse, und namentlich innerhalb der weißen, sind die Unterschiede sicherlich nicht bedeutend genug, um eine schroffe Trennung und scharfe Begrenzung einzelner National-Typen zu rechtfertigen. In jedem weißen Volke giebt es große und kleine, licht- und dunkelhaarige, blau- und schwarzäugige, lang- und kurzschädelige Individuen, solche von ruhigem und andere von lebhaftem Temperament und wenn auch die einen in diesem und die anderen in jenem Volke vorwiegen, so haben alle ihre leiblichen und geistigen Merkzeichen doch nicht die Bedeutung, daß sie ein Individuum so zweifellos als Angehörigen eines bestimmten Volkes und keines andern charakterisieren wie etwa die schwarze Haut, die Gesichtsbildung und der Haarwuchs den Neger als Angehörigen einer bestimmten Rasse. Die oft gemachten Versuche, einen Durchschnittstypus für die einzelnen Völker zu finden, sind ohne wissenschaftlichen Wert; seine Schilderungen mögen sich angenehm lesen und die Eigenliebe mag sich bei seinem Bilde geschmeichelt fühlen, aber er ist nichts als eine Dichtung. So weit die Züge eines solchen Typus nicht willkürlich erfunden sind, bestehen sie aus Äußerlichkeiten, die dem Menschen nicht angeboren, sondern anerzogen sind und die er noch in reifem Alter ablegen kann, die er übrigens auch gar nicht erwirbt, wenn er als Kind in eine ausländische Umgebung gebracht und den Einflüssen eines fremden Volkstums ausgesetzt wird. Chamisso, der bereits ein halbwüchsiger Knabe war, als er noch kein Wort Deutsch konnte, ist ein so deutscher Mann und Dichter geworden wie nur irgend einer, in dessen Adern angeblich das Blut der alten germanischen Gastfreunde des Tacitus rollt; Michelet, nicht der französische Schwärmer, sondern der deutsche Philosoph, zeigt die geistigen Züge: den Tiefsinn, den sittlichen Ernst, ja selbst die Dunkelheit, die man als spezifisch germanisch anspricht; der liebenswürdige Denker Julius Duboc zeichnet sich durch einen undeutschen Idealismus aus; Du Bois-Reymond ist das Musterbild eines gründlichen deutschen Gelehrten; Fontane ist in seiner Naturbetrachtung und Seelenzergliederung nicht bloß deutsch im allgemeinen, sondern sogar norddeutsch u. f. w. Ähnliche Erscheinungen treffen wir in jedem andern europäischen Volke an. Wer wird behaupten, daß Ulbach und Müller (der Verfasser der Dorfgeschichte "La Mionette«) nicht Musterfranzosen sind? Wer findet in Hartzenbusch und Becker nicht alle Züge wieder, die für spanische Dichter bezeichnend sind? Was ist an Dante Gabriel Rossetti unenglisch, wenn man von seinem Namen absieht? Man braucht durch keinen Blutstropfen mit einem Volke zusammenzuhängen und nimmt dennoch dessen Charakter mit allen Vorzügen und Fehlern an, wenn man nur inmitten desselben erzogen wird und lebt. Wenn einzelne Schriftsteller oder Künstler einen Widerspruch zu dieser Behauptung darzustellen scheinen würden, so hätten wir erst noch zu untersuchen, ob sie und wir nicht unter dem Einfluß von zwei schwer zu vermeidenden Fehlerquellen ständen. Denn es ist klar, daß wir leicht in die Neigung verfallen, etwa in Chamisso Züge zu suchen, die wir willkürlich den Franzosen zuschreiben, und daß wir sie dann auch finden, da wir ja wissen, wie flink wir die Erscheinungen im Sinne unserer vorgefaßten Meinungen umgestalten; andererseits liegt es ja auch sehr nahe, daß etwa ein in England lebender Dichter oder Künstler fremder Abstammung fortwährend die Vorstellung des Vaterlandes seiner Vorfahren im Kopfe hat und sich einbildet, er müsse Eigenheiten haben, die an dieses Land erinnern; er wird unter der Suggestion, die dieser Gedanke auf ihn übt, unbewußt sein Wesen verändern, allerlei künstliche Manieren annehmen und dem Bilde ähnlich zu werden suchen, das er sich von einem Angehörigen seines Ursprungslandes macht; das Hübscheste an der Sache ist dann, daß er nicht etwa die Eigenschaften zeigen wird, die dem betreffenden Volke wirklich anhaften, sondern die, welche das englische Vorurteil demselben herkömmlich und irrtümlich zuschreibt.

Die Abstammung ist es also nicht, die dem Menschen seine bestimmte Nationalität giebt. Die Nachkommen der nach der Mark Brandenburg ausgewanderten Hugenotten sind ausgezeichnete Deutsche und die, der holländischen Besiedler von Neu-Amsterdam tadellose Nordamerikaner geworden. Kriege, Massenwanderungen und der Verkehr der Einzelnen haben die ursprünglich vielleicht deutlich genug verschiedenen Volkselemente unkennbar durcheinander gewirrt und die Gesetzgebung aller gesitteten Staaten zeigt, wie wenig Wert sie auf die Blutsangehörigkeit legt, indem sie es Ausländern möglich macht, sich "naturalisieren« zu lassen, das heißt Vollbürger eines ihnen ursprünglich fremden Staates mit den Rechten und Pflichten aller übrigen Volksangehörigen zu werden.

Da die anthropologische Grundlage der Nationalität nicht zu verteidigen ist, so hat man versucht, ihr eine geschichtliche und gesetzliche zu geben. Man hat gesagt: das, was Menschen zu

Angehörigen einer und derselben Nation macht, das ist eine gemeinsame Vergangenheit, gemeinsame Geschicke, das Zusammenleben unter derselben Regierung und denselben Gesetzen, die Erinnerung an gleiches Leid und gleiche Freuden. Die These gestattet hübsche rednerische Entwicklungen, aber sie ist dennoch rein sophistisch und wird von allen Thatsachen verächtlich mit dem Fuße bei Seite gestoßen. Man frage einmal einen Ruthenen Galiziens, ob er sich als einen Polen fühlt, trotzdem doch die Ruthenen seit mehr als einem Jahrtausend, ja so weit man in die Geschichte zurückblicken kann, Geschicke, Gesetze und Staatseinrichtungen mit den Polen teilen. Oder man erkundige sich bei einen Finnen oder Suomi, wie er sich selbst nennen wird, ob er glaubt, daß er derselben Nationalität angehört wie der finnische Schwede, mit dem er ebenfalls seit über einem Jahrtausend ein einziges politisches Volk bildet. Gewiß, Gemeinsamkeit der Gesetze und Einrichtungen, namentlich aber der Lebensgewohnheiten, Sitten und Gebräuche, bedingt Annäherungen, die ein gewisses Zusammengehörigkeits-Gefühl erwecken können, wie denn auch umgekehrt kaum zu bezweifeln ist, daß z. B. die Juden von den Völkern, unter denen sie leben, hauptsächlich darum als Fremde angesehen werden, weil sie mit unbegreiflicher Verblendung und Hartnäckigkeit an äußerlichen Gepflogenheiten, wie Zeitrechnung, Feier der Ruhetage und Feste, Speisengesetze, Wahl der Vornamen u. s. w. festhalten, welche von denen ihrer christlichen Volksgenossen völlig verschieden sind und in diesen das Gefühl eines Gegensatzes und einer Absonderung fortwährend lebendig erhalten müssen; aber jene Gemeinsamkeit ist keinesfalls hinreichend, um aus Völkern ein Volk zu bilden und Angehörigen eines Staats eine Nationalität zu geben.

Nein, all das sind pfiffige Künsteleien, welche die Wahrheit wie Seifenschaum zerbläst. Seine körperliche Abstammung trägt der einzelne Mensch nur äußerst selten auf die Stirne geschrieben, sie ist an ihm in der Regel nicht zu erkennen und nicht nachzuweisen, er fühlt sie nicht von selbst und auf eine elementare Art und was man von der Stimme des

Blutes faselt, das ist ein Hirngespinst von Verfassern schlechter Vorstadt-Melodramen; auch Gesetze und Einrichtungen, obwohl ihr Einfluß auf die Charakterbildung des Menschen nicht zu leugnen ist, bestimmen nicht die Nationalität. Das thut einzig und allein die Sprache. Durch sie allein wird der Mensch zum Angehörigen eines Volks; sie allein giebt ihm seine Nationalität. Man vergegenwärtige sich doch nur die Bedeutung der Sprache für das Individuum, ihren Anteil an der Formung seines Wesens, seines Denkens, seines Fühlens, seiner ganzen menschlichen Eigenart! Durch die Sprache nimmt das Individuum die Anschauungsweise des Volkes an, das diese Sprache gebildet und entwickelt und ihr die geheimsten Regungen seines Geistes, die feinsten Besonderheiten seiner Vorstellungswelt anvertraut und organisch eingefügt hat. Durch die Sprache wird es Adoptivkind und Erbe aller Denker und Dichter, Lehrer und Führer des Volks; durch die Sprache gelangt es unter die Wirkung der allgemeinen Suggestion, die von dem Schrifttum und der Geschichte eines Volks auf dessen sämtliche Glieder ausgeübt wird und sie einander im Empfinden und Handeln ähnlich macht. Die Sprache ist ganz eigentlich der Mensch selbst. Sie vermittelt ihm die Aufnahme der meisten und wichtigsten Züge der Welterscheinung und sie ist das Hauptwerkzeug, mittels dessen er auf die Außenwelt zurückwirkt. Unter Millionen denkt Einer selbständig und verarbeitet die Sinneseindrücke zu eigenartigen Vorstellungen; die Millionen aber denken nach, was ihnen vorgedacht worden ist und was ihnen bloß durch die Sprache zugänglich wird; unter Millionen handelt Einer und versinnlicht seine Vorstellungen durch Zwangseinwirkungen auf die Menschen und die Natur; die Millionen aber reden und bringen die Vorgänge in ihrem Innern durch das Wort zur Wahrnehmung. Die Sprache ist darum bei weitem das stärkste Band, das Menschen überhaupt miteinander verknüpfen kann. Geschwister, die nicht derselben Sprache mächtig wären, würden einander weit fremder gegenüberstehen als zwei wildfremde Leute, die einander zum ersten Male begegnen und einen Gruß in der gleichen Muttersprache austauschen. Wir haben es ja gesehen und sehen es noch fortwährend vor uns: Engländer und Nordamerikaner haben miteinander Kriege geführt und oft genug widerstreitende Interessen gehabt; aber dem Nicht-Engländer gegenüber fühlen sie sich eins, fühlen sie sich als Söhne Größer-Britanniens; Vlaemen und Holländer schlugen sich 1831 mit Erbitterung und sind jetzt im Begriffe, von neuem einen Bruderbund zu schließen; als die Boeren gegen die Engländer fochten, da pochte den Niederländern das Herz in angstvoller Erregung, trotzdem seit fast einem Jahrhundert jede politische Verbindung zwischen Holland und dem Kap aufgehört hat; die große Verschiedenheit der Gesetze, Sitten, Staatsangehörigkeit und geschichtlichen Erinnerungen zwischen Frankreich, der Schweiz und Belgien hat die französischen Schweizer und Belgier nicht verhindert, 1870 wild leidenschaftlich und ungerecht für die Franzosen Partei zu nehmen, und obwohl man in Norwegen Jahrhunderte lang die Dänenherrschaft gehaßt, sich schließlich von ihr befreit hatte und von den Dänen noch heute nicht besonders günstig denkt, sah man zur Zeit des Schleswig-Holsteinschen Krieges dennoch begeisterte Norweger den Dänen zu Hilfe eilen, mit welchen sie nichts gemein hatten als die Sprache. Dieses Nichts ist eben alles.

Auf einer weit hinter uns liegenden Stufe der Völker-Entwickelung konnte die Sprache für den Einzelnen wie für den Staat eine geringere Bedeutung haben. Das war zu einer Zeit, als die Masse der Nation rechtlos und hörig und nur eine ganz kleine Minderheit im Besitze der Gewalt war. Der Niedriggeborene brauchte damals sozusagen keine Sprache. Wozu hätte sie ihm denn auch dienen sollen? Höchstens dazu, in seiner Hütte zu ächzen oder zu fluchen oder in der Schänke grobschlächtige Spaße zu machen. Mit anderen Menschen als seinen Dorfgenossen, die ohnehin dieselbe Sprache redeten, kam er nie zusammen; in die Fremde zu ziehen oder Fremde bei sich zu sehen war nicht üblich. Regiert wurde mit der Peitsche, deren Lakonismen ohne Grammatik und Wörterbuch verstanden wurden; Schulen gab es nicht; in der Rechtspflege gelangte der sein kleines Recht suchende gemeine Mann nie dazu, vor dem Richter sein Herz in lebendiger Rede auszuschütten, sondern mußte einen Anwalt zum Dolmetscher seiner Beschwerde machen; die Verwaltung ließ sich auf keinen Austausch von Ansprache und Erwiderung mit den Unterthanen ein; selbst in der Kirche durfte das Volk nicht reden, wie ihm der Schnabel gewachsen war, denn der Katholizismus zeigte seinen Gott als einen ausländischen vornehmen Herrn, zu dem man nur durch Vermittelung sprachenkundiger Priester in fremder, lateinischer Zunge sprechen konnte. Für den Einzelnen gab es weder die Notwendigkeit noch selbst die Möglichkeit, aus der Enge angeborener Verhältnisse herauszutreten und mit Hilfe des Wortes auf größere Kreise zu wirken. Wo aber wie in den städtischen Gemeinwesen dennoch Selbstverwaltung bestand und die Bürger Gelegenheit hatten, über ihre Angelegenheiten zu beraten und zu beschließen, da gewann die Frage der Sprache sofort eine große Wichtigkeit und die Bürgerschaft schied sich, wenn sie verschiedenen Sprachstämmen angehörte, nach ihrer Zunge in Nationalitäten, die mit größter Erbitterung um die Übermacht rangen. Für den Vornehmen hatte die Sprache aus anderen Gründen keine Wichtigkeit. Sein Anteil an der Gewalt war ihm durch die Geburt gesichert und er war Herr und Gebieter, ohne den Mund aufzuthun oder eine Feder einzutunken. (Kann sich doch in England, dessen Einrichtungen mit so vielen mittelalterlichen Überlebseln durchsetzt sind, noch in unseren Tagen der Fall ereignen, daß ein Holländer, der Abkömmling eines vor mehreren Menschenaltern ausgewanderten Schotten, durch das Aussterben des im Lande gebliebenen Mannesstammes seiner Familie plötzlich englischer Peer und Mitglied des Hauses der Lords wird, also einen Anteil an der gesetzgebenden Gewalt des britischen Reichs erlangt, ohne daß er englischer Staatsangehöriger zu sein und ein Wort Englisch zu können braucht!) Und in den wenigen Fällen, in welchen Kundgebungen nötig wurden, bediente der Vornehme sich der lateinischen Sprache, deren er entweder selbst mächtig war oder die doch sein geistlicher Geheimschreiber zu handhaben verstand.

Bei solchen Verhältnissen war die Nationalität etwas Untergeordnetes, weil auch ihr Hauptmerkmal, die Sprache, es war. Darüber ist man aber heute überall hinaus, sogar in Rußland und der Türkei. Das Individuum ist mündig geworden und darf, selbst wenn es der niedrigsten Klasse angehört, über den Rang hinausstreben, auf den es der Zufall der Geburt gestellt hat. Die Rechtspflege ist mündlich, die Verwaltung menschlich nahbar geworden und steht dem Bürger Rede; in der Schule, im Heere wird zu jedem Angehörigen des Volks gesprochen und muß jeder antworten; der Protestantismus hat das Volk gelehrt, zu seinem Gott in der eigenen Sprache zu reden und von der Kanzel Belehrung und Ermahnung in der eigenen Sprache zu fordern. Für jede Laufbahn ist Handhabung des Worts nötig geworden; selbst der Vornehmste, selbst der Monarch kann bei zahlreichen Handlungen von Bedeutung die Sprachgewandtheit nicht entbehren und alle Einrichtungen der Gemeinde und des Staats erfordern den beständigen Gebrauch der freien Rede. Da gewinnt die Sprache eine ungeheure Bedeutung und das Individuum empfindet jede Beschränkung seines Rechts, sich der eigenen zu bedienen, jeden Zwang, sich in einer fremden auszudrücken, als eine unleidliche Schmach und Gewalt.

Was die Nationalitätenfrage eigentlich bedeutet, davon hat derjenige gar keine Vorstellung, der ruhig inmitten seiner Stammgenossen als Bürger einer Gemeinde und eines Staates sitzt, die national einheitlich sind, und der nie in die Lage kommen kann, sich seiner Sprache schämen oder sie verleugnen zu müssen. Schilderung und Erzählung können von der Wut und Beschämung, die ein Mann in einer solchen Lage empfindet, ebensowenig einen wirklichen Begriff geben wie von einem leiblichen Schmerze, den man nie empfunden hat. Über diesen Gegenstand darf nur der mitsprechen, der in einem Lande geboren wurde, wo seine Nationalität in der Minderheit und unterdrückt, wo seine Sprache nicht die Staatssprache ist und wo er sich gezwungen sieht, eine fremde Zunge, deren er sich doch nur wie ein Fremder bedienen wird, zu erlernen, wenn er nicht für immer auf jede höhere

Bethätigung seiner Persönlichkeit, auf jede bessere Laufbahn, auf jede Ausübung seiner Bürgerrechte in Gemeinde und Staat so verzichten will wie ein mittelalterlicher Sklave oder wie ein abgestrafter Verbrecher der Gegenwart. Man muß es selbst erlebt haben, um zu wissen, wie es thut, wenn man im eigenen Staate seiner ursprünglichen Menschenrechte beraubt und genötigt wird, vor einer fremden Nationalität die Stirne in den Staub zu beugen. Was ist die Aberkennung der Ehrenrechte gegen die Aberkennung der eigenen Sprache? Was ist die Fesselung von Händen und Füßen gegen die Fesselung der Zunge? Man möchte aus sich heraustreten und wird in sich zurückgesperrt. Man weiß, daß man beredt sein könnte, und muß in fremder Sprache kläglich lallen. Man sieht sich des mächtigsten Mittels der Wirkung auf andere beraubt und fühlt sich gelähmt und verstümmelt.

Gutwillig wird sich ein Mann, der diesen Namen verdient, in solche Verhältnisse niemals finden. Wer vermöchte ohne Widerstand auf die eigene Persönlichkeit zu verzichten? Wer könnte einwilligen, ein Leben anzunehmen, dem das wichtigste Attribut des Lebens geraubt ist, nämlich die Möglichkeit, die inneren Lebensvorgänge, das Fühlen und Denken, zu versinnlichen? Ich verstehe den gläubigen Indier, der sich unter den Wagen von Dschaggernaut wirft und sich zermalmen läßt; er glaubt nicht, seine Individualität zu opfern, sondern strebt im Gegenteil in einem künftigen Leben eine reichere Entfaltung derselben an; ich verstehe auch den Fakir, der freiwillig auf den Gebrauch eines Gliedes verzichtet und jahrelang bis zu seinem Tode als Halb- oder Pflanzenmensch hindämmert; er findet Anregung und Lohn in den Vorstellungen, die er sich von den Folgen seiner gottgefälligen Entsagung für sein Seelenheil macht. Aber ich verstehe die Überläufer nicht, die ihre Nationalität aufgeben, die sich herbeilassen, eine fremde Sprache anzunehmen und sie ihr Lebelang zu radebrechen, anderen zum Spott und sich zur fortwährenden Beschämung. Die ein solches Opfer aus Feigheit, Schwäche oder Dummheit bringen, erregen allenfalls noch Mitleid. Unsagbar widerwärtig sind jedoch diejenigen, die ihre Sprache, das heißt ihr Selbst, die Versinnlichung ihres denkenden Ichs, von sich werfen und in eine fremde Haut kriechen, um Vorteile zu erlangen. Sie stehen tiefer als die greulichen Skopzi, die russischen Selbstverstümmler; denn diese entmannen sich doch einer religiösen Überzeugung zu Liebe, während jene Renegaten sich um Geld und Geldeswert zu geistigen Eunuchen verschneiden lassen. Es giebt kein Wort, das eine solche bodenlose Verworfenheit der Gesinnung richtig zu kennzeichnen vermöchte.

Zur Ehre der Menschheit sei es gesagt: diese schmachvollen Überläufer bilden überall nur eine Minderheit. Die Mehrheit hält an ihrer Sprache fest und bewahrt ihre Nationalität wie ihr Leben. Der herrschende Volksstamm kann Gesetze geben, die seine Sprache zur Staatssprache machen und diejenige der unterjochten Nationalität zu einem niedrigen Kauderwälsch der Kärrner und Knechte herabdrücken, welches aus der Schule und Kirche, dem Gerichts- und Ratssaal ausgeschlossen ist; wenn diese Sprache eine entwickelte, wenn sie gar in einem andern Lande die herrschende ist, ein Schrifttum besitzt und irgendwo in der Welt zu den höchsten Kundgebungen des Menschentums in Staat und Wissenschaft dient, so ergiebt sie sich niemals in ihre Entehrung. Die vergewaltigte Nationalität wird dann zur Todfeindin ihrer Verfolgerin, sie beißt wütend die Faust, die sie zu knebeln sucht, sie stößt Notschreie um Hilfe aus, da man sie nicht reden lassen will, und sucht mit verzweifelter Anstrengung einen Staatshalt zu sprengen, der ihr kein Obdach, sondern ein unmenschlicher Kerker ist.

Durch Überredung bringt man keinen Menschen mit gesundem Verstande dazu, sich guillotinieren zu lassen; das hat schon der französische Humorist festgestellt; und durch Gesetze kann man keine Nationalität, die sich zum Bewußtsein ihrer selbst entwickelt hat, zum Verzicht auf ihre Sprache und Eigenart bewegen. Ein Staat, der mehrere Nationalitäten in sich schließt, ist darum zu erbarmungslosen inneren Kämpfen verurteilt, für die es keine andere als radikale Lösung giebt.

Eine radikale Lösung wäre die weitestgehende Dezentralisation, die von manchen Politikern vorgeschlagen wurde. In absehbarer Zeit ist aber eine solche nur theoretisch denkbar, nicht tatsächlich ausführbar. Denn man halte sich gegenwärtig, wie weit eine Dezentralisation gehen müßte, um alle Nationalitäten eines nicht auf der Grundlage der Volkseinheit aufgebauten Staates zufriedenzustellen. Das setzt voraus, daß jeder einzelne Bürger, welchem Stamme er auch angehöre, sich nach allen Richtungen und auf allen Gebieten voll ausleben, alle seine Menschen- und Bürgerrechte üben könne, ohne gezwungen zu sein, sich einer andern als seiner Muttersprache zu bedienen. Es müßte also nicht bloß die Verwaltung vom Dorf-Postamt bis zum Ministerium, nicht bloß die Rechtspflege vom Friedensrichter bis zum höchsten Reichsgerichte in allen Landessprachen amten, man müßte sich auch in den Gemeinde-, Landes- und Staatsvertretungen aller Landessprachen bedienen können, es müßten Volks-, Mittel- und Hochschulen für jeden Stamm errichtet sein, man mühte mit der schriftstellerischen Pflege der eigenen Muttersprache zu allen staatlichen und akademischen Ehren und Vorteilen gelangen können, die überhaupt den Lohn einer derartigen Thätigkeit bilden, kurz es dürfte für keinen Bürger eine Nötigung bestehen, eine fremde Sprache zu erlernen, wenn er etwas erlangen will, was anderen Landsassen ohne einen solchen Zwang erreichbar ist. Das sind praktisch unerfüllbare Forderungen. Das hieße den Staat in Atome auflösen, die miteinander in keiner wahrnehmbaren Weise mehr zusammenhingen. Eine so weit getriebene Gleichberechtigtes verschiedener Stämme innerhalb desselben Staates ist vielleicht dort möglich, wo bloß zwei ungefähr gleichstarke Nationalitäten nebeneinander leben wie etwa in Belgien, aber nicht in einem Staate mit zehn oder zwölf Nationalitäten wie etwa in Österreich-Ungarn, nicht dort, wo die Stämme an Zahl und Bildung ungleich sind und nicht in gesammelten Massen bei einander sitzen, sondern sich in seltsamer Zersplitterung mannigfach durcheinander schieben, wo oft ein Dorf drei oder vier, ein Kreis noch mehr Nationalitäten und Sprachen in sich schließt. Ein solcher Staat kann einer Staatssprache nicht entbehren, dadurch wird der Stamm, dessen Zunge die amtliche und vorwiegende ist, zum herrschenden, die Gleichberechtigung ist gebrochen, die übrigen Stämme sind benachteiligt und zu einem untergeordneten Dasein hinabgedrückt, es entstehen Voll- und Halbbürger, es entstehen Landesbewohner, denen das Gesetz die Zunge löst, und andere, die dasselbe Gesetz zur Stummheit verurteilt, das Märchen von den sieben Raben, wo ein Mädchen sieben Jahre lang kein Wort sprechen darf, wird zu einer staatlichen Einrichtung und die ihrer einfachsten und zugleich höchsten Menschenrechte beraubten Einwohner befinden sich in den unerträglichen Verhältnissen, die oben geschildert sind.

Es giebt schwärmerische Politiker, die ernstlich glauben, daß die gesittete Menschheit sich eines Tages in einer Verfassung befinden wird, welche größere Staatsbildungen nicht länger erforderlich macht. In diesem Zustand giebt es keine Kriege und keine auswärtigen Angelegenheiten mehr; die Menschen formen größere Gruppen, gleichsam erweiterte Familien oder mäßig umfangreiche Gemeinden, innerhalb deren der Einzelne sich aller Entwickelungsfreiheit erfreut und deren sämtliche Mitglieder einander alle die geistige und leibliche Unterstützung gewähren, deren der Mensch in seinem Dasein nicht entbehren kann; jede Gruppe ist von der andern unabhängig und nur wenn es sich um Unternehmungen handelt, die mehreren zugleich nötig und nützlich sind und von einer allein nicht ausgeführt werden können, setzen sich alle die, welche ein Interesse an der betreffenden Unternehmung haben, in ein vorübergehendes, bloß im Hinblick auf einen bestimmten Zweck getroffenes Einvernehmen. Bei einer solchen Verfassung der Menschheit gäbe es allerdings keine Nationalitätenfrage mehr, denn die selbständigen Gruppen könnten so klein sein, daß sie bloß aus Mitgliedern einer einzigen Sprachgemeinschaft bestanden; aber ehe ich an die einstige Verwirklichung dieses Zukunfts-Gesichts glaube, bin ich noch eher bereit, anzunehmen, daß die Menschen im Laufe ihrer organischen Entwickelung eines Tages dahin gelangen werden, zur Versinnlichung ihrer Bewußtseins-Zustände nicht mehr der Sprache oder überhaupt einer symbolischen Bewegung zu bedürfen, sondern daß sich die Molekularbewegungen eines Gehirns direkt durch eine Art Ausstrahlung oder kontinuierliche Übertragung den anderen Gehirnen mitteilen werden. Ich schreibe dieser mystischen Vorwärts-Entwickelung denselben Grad der Wahrscheinlichkeit zu wie der geträumten Rück-Entwickelung vom Nationalstaats zur unabhängigen Gemeinde. Um niemand zu kränken, will ich diesen Grad der Wahrscheinlichkeit einen sehr hohen nennen, aber ich erwarte dafür das billige Gegen-Zugeständnis, daß es bis zur Erreichung des einen oder andern der angegebenen Ziele noch sehr lange dauern wird, jedenfalls viel länger, als die heute unterdrückten Nationalitäten warten können und wollen. Auch zur Annahme einer Weltsprache werden sie sich schwerlich bestimmen lassen. Es mag sein, daß die höchstgebildeten Individuen der ganzen Menschheit in einer fernen Zukunft sich einer gemeinsamen Zunge bedienen werden, um miteinander in Gedankenverkehr zu treten. Es ist aber hart zu glauben, daß jemals weite Volkskreise dieser klassischen Bildungssprache genügend mächtig sein werden, um mit ihrer Hilfe regiert und Verwaltet werden zu können. Bei ihren wichtigsten Geistesverrichtungen, wenn sie die Jugend in die Geheimnisse der Wissenschaft einweihen, wenn sie ihre Mitbürger zu bedeutungsvollen Beschlüssen überreden, wenn sie den Wahrspruch ihres Gewissens über Recht und Unrecht abgeben, werden die hervorragenden Männer eines Volkes ihre Gedanken niemals in eine fremde Sprache verkleiden wollen; die ihnen notwendig ihre Eigenart verkümmert und die Freiheit der Bewegung beschränkt.

Nach der Beseitigung aller anderen radikalen Lösungen bleibt nur noch eine, die radikalste von allen: die Gewalt. Mit faulen Vermittelungen und hinkenden Ausgleichsversuchen ist nichts auszurichten. Wo es sich um ein Ureigentum wie die Sprache handelt, um einen wesentlichen Teil der Persönlichkeit selbst, da kann man keine Zugeständnisse machen, da muß man jedem Ansinnen eines Verzichts die schroffe Antwort entgegensetzen: Nichts oder Alles! Der Kampf um die Sprache ist eine andere Form des Kampfes ums Leben und muß wie dieser geführt werden; man tötet den Feind oder man wird von ihm getötet oder man flieht. Der Kampf der Nationalitäten ist die Abwickelung eines Prozesses, der vor Jahrhunderten, zum Teil vor Jahrtausenden begonnen hat und nur all die Zeit her gleichsam eingefroren war, jetzt aber endlich auftaut und seinem Abschlüsse entgegeneilt. Wie ist es denn geschehen, daß sich verschiedene Nationalitäten ineinander schoben? Ein Volk drang erobernd in die Sitze eines andern ein und verdrängte dieses nur teilweise; es blieben Inseln des besiegten Volkes inmitten der Sieger übrig; oder das Erobervolk war wenig zahlreich und verbreitete sich nur als dünne Deckschicht über die Besiegten. Der Kampf hat in diesem Falle heute dort aufgenommen zu werden, wo er zur Zeit der Eroberung einschlief. Das Erobervolk muß die letzte Anstrengung machen und das überfallene Volk vollends verdrängen oder geistig töten, indem es dasselbe mit rauher Gewalt seiner Sprache beraubt, es sei denn, das verfallene Volk raffte sich auf und erwehrte sich der Eindringlinge, würfe sie wieder zum Lande hinaus oder zwänge sie zum Verzicht auf ihr Volkstum. Auch andere Verhältnisse werden beobachtet. Ein Volksteil, der im eigenen Lande nicht genug Nahrung und Glück fand, verließ die Stammsitze und ließ sich in einem andern Lande nieder. War dieses Land unbesiedelt, ist aber heute von anderen, später eingewanderten Volksstämmen bewohnt, so haben die ersten Besitzergreifer heute den Kampf um ihre Sprache als eine Episode des Kampfes gegen die natürlichen Hindernisse zu betrachten, den ein ausschwärmender Volksüberschuß bestehen muß, wenn er in neuen Erdgegenden Pflanzstätten gründen will; wie der Sümpfe und Strome, wie der Gletscher und Klüfte, wie der Fieber und reißenden Tiere, wie der Hungersnot und Kälte, so müssen sie sich der menschlichen Gegner erwehren und sie dürfen das Glück, das sie in der Heimat nicht fanden und fern von ihr suchten, nur als Preis eines mit Einsetzung des Lebens zu erzwingenden Sieges über alle diese toten und lebenden Widerstände betrachten. War dagegen das Land, daß die Auswanderer zur neuen Heimat machten, bewohnt, so mußten sie ja wissen, unter welchen Bedingungen sie Gastfreundschaft verlangten und erhielten. War Aufgabe ihres Volkstums eine dieser Bedingungen und ließen sie sich sie gefallen, so verdient ihre Schwäche und Feigheit kein Mitleid und ihre Wirte haben Recht, von ihnen für das gereichte Brot den Verzicht auf die Sprache und Individualität zu fordern. Hatten sie aber die Kraft, sich einen Teil des fremden Landes ohne Zugeständnisse entehrender Art zu ertrotzen, so müssen sie jetzt auch die Kraft und den Willen haben, das zu thun, was sie gleich damals hätten thun müssen, wenn ihnen im fremden Lande feindselig begegnet worden wäre: nämlich von dannen zu ziehen oder mit dem Schwerte einen freien Anteil am Lande zu erzwingen oder im Abenteuer, dem sie nicht gewachsen sind, unterzugehen. So stellt sich mir die Nationalitätenfrage dar. Sie ist der fünfte Akt geschichtlicher Tragödien, die zur Zeit der Völkerwanderung und später, zum Teil sehr viel später, zu spielen begonnen haben. Die Zwischenakte haben lang gedauert, aber sie konnten nicht ewig dauern. Der Vorhang ist aufgegangen und die Katastrophe bereitet sich vor. Sie wird grausam und hart sein, aber hart und grausam sind die Geschicke alles Lebenden und das Dasein ist ein Kampf ohne Erbarmen. Es handelt sich da um keine Rechtsfrage, sondern im höchsten und menschlichsten Sinns um eine Machtfrage. Es giebt kein Recht, das ein Lebewesen dazu verhalten könnte, notwendigen Daseinsbedingungen zu entsagen. Das ist nur durch Zwang zu erreichen und Zwang fordert Widerstand heraus. Kein Fanatiker des Rechts hat noch vom Löwen verlangt, daß er ein Enteignungsverfahren einleite, wenn er ein Schaf fressen will. Der Löwe nimmt das Schaf, weil er muß; es ist sein Recht, das Schaf zu fressen. Freilich wäre es auch das Recht des Schafes, den Löwen zu töten, wenn es könnte. Wo es ums Leben oder um Gleichwichtiges geht, da fallen die Begriffe von Recht und Macht zusammen; das ist so klar, daß selbst das geschriebene Gesetz in allen Ländern dem Individuum die Notwehr als ein Recht vorbehält, also einräumt, daß es Lagen giebt, in denen der Mensch sein Recht in seiner Kraft zu suchen hat. Und was ist denn der Krieg anderes als ein solcher Fall der Notwehr, nicht eines Individuums, sondern eines Volks? Ein

Volk erkennt, oder glaubt zu erkennen, daß ihm zum Leben oder zur Bequemlichkeit des Lebens etwas nötig ist, und es streckt die Hand danach aus. Es hat ein Recht darauf, dasselbe Recht, das der Löwe auf das Schaf hat. Will ein anderes Volk es hindern, sich dieses Notwendige zu verschaffen, so hat es für sein Recht mit seiner Macht einzutreten. Der Besiegte darf sich nicht beklagen, er darf höchstens versuchen, den Kampf zu erneuern. Ist er endgültig geschlagen und bleibt ihm keine Aussicht, jemals der Stärkere zu werden, so muß er sein Schicksal als letzten Urteilsspruch der Natur hinnehmen und sich sagen: "Ich bin nun einmal als Schaf geboren und muß mich den Lebensbedingungen eines Schafes anbequemen; es wäre gewiß besser, ich wäre ein Löwe, ich bin aber eben kein Löwe und es ist zwecklos bis zur Lächerlichkeit, darüber mit der Natur zu hadern, daß sie mich nicht als Löwe geboren werden ließ.«

Ein Volksstamm, dem man seine Sprache nehmen will, ist im Falle der Notwehr. Er hat das Recht, für sein kostbarstes Gut zu kämpfen. Wenn er aber nicht stark genug ist, es zu verteidigen, so hat er sich nicht zu beklagen. Ebenso hat ein herrschendes Volk das Recht, sich die Freiheit seiner Rede durch die Anwesenheit eines andern Volksstammes in demselben Lande nicht verkümmern zu lassen und diesem keinerlei Zugeständnisse zu machen, die ihm seine Bequemlichkeit einschränken. Wenn es aber sein Recht nicht mit Zwang durchsetzen kann, so muß es sich eben herbeilassen, den andern Volksstamm als gleichberechtigt anzuerkennen, es muß von seinem höhern Standpunkte eines herrschenden Volks gedemütigt hinabsteigen, ja es muß zu Grunde gehen, wenn seine Herrschaft die Bedingung seines Lebens war. Dieses Schema wende ich unparteiisch auf alle kämpfenden Nationalitäten an, auf die Deutschen in Ungarn und Böhmen ebenso wie auf die Dänen in Nordschleswig und die Polen in Posen, auf die Rumänen in Siebenbürgen ebenso wie auf die Italiener im Trientinischen. Die fünf Millionen Magyaren haben Recht, wenn sie die elf Millionen Nicht-Magyaren Ungarns in Magyaren zu verwandeln suchen; sie setzen damit nur die

Eroberungsthat fort, die sie unter Arpad im Jahre 884 begannen; aber die Deutschen, Slaven und Rumänen Ungarns haben ebenfalls Recht, wenn sie sich wehren, und sollten sie die Stärkeren sein, sollten sie die in Europa vereinzelten Magyaren besiegen und ihnen ihre haltlose Nationalität vom Leibe reißen, so dürfen die Magyaren sich nicht beklagen, sondern müssen ihr Schicksal hinnehmen, dem sie sich vor tausend Jahren wohlbedacht aussetzten, als sie in ein fremdes Land einfielen und ihr Leben daran wagten, sich da üppige Sitze zu erobern. Die Czechen haben Recht, wenn sie einen unabhängigen Staat bilden und in demselben kein deutsches Volkstum dulden wollen; sie nehmen damit den Kampf auf dem Marchfelde und an den weißen Bergen wieder auf; aber die Deutschen haben ebenfalls Recht, der Gewalt die größere Gewalt entgegenzusetzen, nach den beiden geschichtlichen Entscheidungsschlachten eine dritte zu schlagen und den Czechen endgültig zu beweisen, daß sie nicht die Kraft besitzen, als Eroberer in dem Lande aufzutreten, in das sie sich vor zwölf Jahrhunderten einschleichen konnten, weil sich ihnen niemand widersetzte.

Europa wird der großen und gewaltthätigen Auseinandersetzung der Nationalitäten nicht mehr lange entgehen. Die versprengten Volksteile werden sich entweder ihrem Hauptstamme wieder anschließen oder dessen Hilfe anrufen und mit seiner Unterstützung die kleineren Völker überwinden, in deren Mitte sie sich befinden und deren Zwang sie jetzt erleiden. Die kleinen Völker, die ein Land mit anderen teilen und sich auf keine mächtigen Verwandten stützen können, sind zum Untergang bestimmt. Sie können sich im Kampfe ums Dasein gegen die stärkeren Landgenossen nicht behaupten. Sie müssen als Völker zu Grunde gehen. Dauern werden nur die großen Nationen und von den kleineren bloß diejenigen, die imstande sein werden, ein unabhängiges, nationales Staatswesen zu gründen, nötigenfalls durch Verjagung oder Unterdrückung fremder Volkselemente, die unter ihnen siedelten. Das zwanzigste Jahrhundert wird schwerlich zur Neige gehen, ohne das Ende dieses weltgeschichtlichen Dramas zu erleben. Bis dahin wird ein großer

Teil Europas viel Not und Blutvergießen, viel Gewaltthaten und Verbrechen sehen, man wird gegen Völker wüten und Stämme unbarmherzig zermalmen, neben Tragödien menschlicher Niedertracht werden sich solche hohen Heldentums abspielen, Horden von Feiglingen werden sich widerstandslos entmannen lassen, tapfere Scharen kämpfend und glorreich untergehen. Die Überlebenden aber werden sich dann des Vollbesitzes ihrer nationalen Rechte erfreuen und sprechend und handelnd immer und überall sie selbst sein können.

Es sind unheimliche Aussichten, die sich uns da eröffnen, aber sie können den nicht erschrecken, der sich mit der Härte des allgemeinen Lebensgesetzes abgefunden hat. Leben heißt kämpfen und die Kraft zum Leben giebt das Recht zum Leben. Dieses Gesetz beherrscht die Sonnen im Weltraum wie die Aufgußtierchen im Teichwasser. Es beherrscht auch die Völker und giebt ihren Erdengeschicken die Richtung, die keine heuchlerische Gesetzgebung und keine knifflige Politik, kein Interesse einer Dynastie und keine Verschlagenheit feiler Renegaten ablenken kann. Sentimentalität mag sich beim Anblick des Unterganges eines Volkes die Augen wischen. Der Verständige erkennt, daß es verschwand, weil es nicht die Kraft zur Dauer hatte, und reiht es zu den überwundenen Daseinsformen, über welche die Weltentwickelung hinweggegangen ist.

Blick in die Zukunft

Ich habe es gewagt, auf die große schwarze Tafel der Zukunft ein Bild zu zeichnen, das Bild von Ereignissen, an deren Eintreffen ich glaube. Auf der Tafel ist ungeheuer viel leerer Raum, ich kann der Versuchung nicht widerstehen, noch eine kleine Ecke mit Phantasie-Zeichnungen zu bedecken.

Die nächsten Menschenalter werden, wie ich im vorigen Kapitel ausgeführt habe, die gewaltsame Lösung der Nationalitätenfrage sehen. Die kleinen und schwachen Völker werden verschwinden, das heißt ihre Sprache und Eigenart verlieren, wie die Wenden in der Lausitz und in Mecklenburg, wie die Celten in der Bretagne, in Wales und Schottland.

Nahverwandte Stämme werden sich zusammenschließen und eine einzige große Nation zu bilden suchen, wie es Nieder- und Oberdeutsche, Provenzalen und Nordfranzosen bereits gethan haben, wie die Slaven unter russischer Führung, wie die Skandinaven es zu thun beginnen. Ausgewanderte Gruppen mächtiger Völker werden entweder untergehen oder mit Unterstützung der Hauptmacht ihres Volks sich zu Herren der von ihnen besiedelten Gebiete emporkämpfen und diese ihrem Nationalstaate als Teile angliedern. Das allgemeine Ringen und Drängen, Schieben und Stoßen wird für eine Weile ein chaotisches Durcheinander der Völker schaffen, aus dem schließlich einige wenige gewaltige Bildungen sich herauskristallisieren werden. Dann wird es in Europa nur noch vier oder fünf große Nationen geben, von denen jede vollständig Herrin in ihrem Hause sein, alle fremden und störenden Elemente ausgestoßen oder aufgesogen haben und keine Veranlassung kennen wird, über ihre Grenze anders als gutmütig und zu freundnachbarlichem Geplauder hinauszusehen. Welche Nationen nach dem großen Kampfe übrigbleiben werden, das wird nicht die Politik der Kabinette, nicht der Genius einzelner Staatsmänner, überhaupt kein Fehler und keine Großthat, keine Beschränktheit und keine Geisteskraft leitender Personen, sondern die eingeborene, natürliche Lebenskraft der Völker bestimmen, die in allen möglichen Formen sichtbar werden kann, als Leibestüchtigkeit wie als Fruchtbarkeit, als Überlegenheit auf dem Schlachtfelde wie als Vorsprung in Gesittung, Kunst und Wissenschaft, als unüberwindliches Zusammengehörigkeits-Gefühl wie, als Zähigkeit im Festhalten an der Nationalität. Ich glaube nicht, daß es Zufall ist, ob ein Volk zahlreich oder gering ist. Die Anzahl ihrer Individuen scheint mir auch im Tierreich einer der wesentlichen Züge, eins der kennzeichnenden Merkmale einer Gattung zu sein. Wenn die Celten fast überall verschwanden, wenn die Griechen es nie auf mehr als einige Millionen bringen konnten, wenn Magyaren, Albanesen, Basken, Romanschen ganz kleine Völker blieben, so ist es, weil es nicht in ihnen lag, große zu werden. Zur Zeit Alfreds des Großen gab es etwa zwei Millionen Engländer und wahrscheinlich (geschichtliche Angaben sind darüber nicht vorhanden) ebensoviel Skandinaven. Heute zählt England 39 Millionen Einwohner, alles skandinavische Land zusammen bloß acht Millionen. Die klimatischen und Bodenverhältnisse können es nicht sein, die ein so ungleiches Vermehrungs-Ergebnis herbeigeführt haben; denn Dänemark und das südliche Schweden und Norwegen sind vom größten Teile Englands nicht wesentlich verschieden und überdies haben die Engländer sich nicht auf ihre Insel beschränkt, sondern den größten Teil der Erde mit ihrer überschüssigen Volkskraft besiedelt. Ebenso ist es nicht aus klimatischen und Boden-Verhältnissen zu erklären, daß Frankreich zu Anfang dieses Jahrhunderts 22 Millionen Einwohner hatte und gegenwärtig 38 Millionen zählt, während die Bevölkerung Deutschlands in derselben Zeit von 16 Millionen auf 55 gestiegen ist. Die Franzosen hatten das günstigere Klima, die größere Bodenfläche, das fruchtbarere Land für sich und sind doch so bedeutend hinter den Deutschen zurückgeblieben. Es handelt sich also offenbar um eine organische Erscheinung, um eine leibliche Eigentümlichkeit, die von allem Anfang in einem Volke liegt, durch Blutmischungen und ungünstige Daseinsbedingungen allerdings verändert und verkümmert werden kann, unter leidlich naturgemäßen Verhältnissen aber immer wieder vorwaltet und auf die Dauer das unabwendbare, durch keine Menschengewalt zu verhindernde geschichtliche Ergebnis herbeiführt, daß ein Volk sich über weite Gebiete ausbreitet, mit jedem Jahrhundert zahlreicher und mächtiger wird und zuletzt ganze Erdteile beherrscht, während ein anderes Volk, das ursprünglich hinter jenem nicht zurückstand, allmählich aufhört, mit dem Nachbar Schritt zu halten, mit jedem Jahrhundert mehr zusammenschrumpft, immer mehr an Ausdehnung und Bedeutung verliert und zuletzt nur noch ein Schattendasein führt oder gänzlich untergeht.

So gelangen wir zu einem Europa, das sein inneres Gleichgewicht gefunden hat und in welchem die übriggebliebenen wenigen Völker an Gebiet, Macht und Einheitlichkeit all das erlangt haben, was sie mit höchster Anspannung aller organischen Kräfte überhaupt erlangen konnten. Ein europäisches Volk achtet dann das andere und betrachtet es wie eine unwandelbare Naturerscheinung, mit der man wie mit etwas Gegebenem rechnet. Man sieht die Grenzen als etwas so Unabänderliches an wie die des Festlandes gegen das Weltmeer und ein Russe denkt so wenig daran, in deutsches Land, oder ein Deutscher, in italienisches einzubrechen, wie ein Vogel, unter dem Wasser, oder ein Fisch, in der Luft leben zu wollen. Jedes Volk arbeitet im eigenen Lande an der Verbesserung der Daseinsbedingungen, räumt nacheinander alle Hindernisse weg, die sich der freien und allseitigen Entfaltung des Individuums, der höchsten Verwertung aller Kräfte, dem denkbar vollkommensten Wohlbefinden der Einzelnen wie der Gesamtheit entgegenstellen, und errichtet schließlich in allmählicher ruhiger Entwicklung oder mit gewaltsamen Umwälzungen die Formen des Staats, der Gesellschaft und des Wirtschaftslebens, die ihm oder seiner großen Mehrheit die passendsten scheinen. Neben intensivem Geistesleben haben die Völker nur noch eine allgemeine Beschäftigung: die, der Natur das tägliche Brot abzugewinnen. Die Zahl der Menschen, die von Berufen leben können, welche nicht die Hervorbringung von Nahrungsstoffen zum Gegenstand haben, wird immer kleiner. Ausgedehnteste Verwendung der Naturkräfte, Erfindung sinnreicher Maschinen macht neun Zehntel der Arbeiter entbehrlich, die heute im Gewerbebetrieb beschäftigt sind. Eine Organisation der Gesellschaft auf Grund der Solidarität verwandelt ganze Gemeinden in Verbrauchsgenossenschaften und unterdrückt den kleinen Zwischenhandel. Alles, was sich sonst als Krämer und Handlanger durch die Welt bewegte, muß zum Acker zurückkehren und die Scholle bearbeiten. Dabei fährt die Nation fort, sich zu vermehren, die Menschen rücken dichter zusammen, das Land, das jedem Einzelnen zugemessen werden kann, wird immer kleiner, der Kampf ums Dasein immer schwieriger. Man verbessert die Methoden des Ackerbaus und der Viehzucht, man verwandelt Wüsten in Gärten, Flüsse und Seen in Fischweiher, das Land bringt Erträge, die man früher nicht geahnt hat, aber schließlich kommt der Augenblick, wo mit allen Künsten der Boden zu einer weitern Steigerung seines Ertrags nicht mehr gezwungen werden kann und die Brotfrage wie ein Gespenst vor der Nation aufsteigt. Woher für die Erwachsenen, deren Leben eine entwickeltere Gesundheitswissenschaft verlängert, für die Kinder, die jährlich zu Hunderttausenden geboren werden und sich guter Eßlust erfreuen, die Nahrung nehmen? Das einfache Hinausströmen über die Grenze, das friedliche Überschwemmen der Nachbarländer ist nicht möglich. Denn in ganz Europa herrschen ungefähr dieselben Zustände und die Schwierigkeiten des einen Volkes sind auch die der anderen Völker. Ebenso ist die Anwendung von Gewalt ausgeschlossen. Man führt keinen Raubkrieg mehr, um eine andere Nation auszurotten oder von ihren Sitzen zu verdrängen und diese an sich zu reißen. Die Gesittung hat überall ungefähr dieselbe Höhe erreicht, die Gewohnheiten und Einrichtungen sind einander ähnlich geworden, der lebhafte, weil leichte und billige Verkehr hat tausend innige Beziehungen zwischen allen Völkern geknüpft, man würde es als ein Verbrechen betrachten, die Hand nach fremdem Gut auszustrecken. Und nicht nur als ein Verbrechen, sondern auch als ein allzugefährliches und darum thörichtes Unternehmen. Denn alle europäischen Völker haben dieselben furchtbar vollkommenen Waffen, dieselbe Wehrverfassung und Übung in der Kriegskunst und wenn man mit einem Nachbarvolke einen blutigen Streit begänne, um Grund und Boden wegzunehmen, so hieße das nicht, dem Volksüberschusse, für den das eigene Land zu eng geworden, neue Wohnsitze erringen, sondern ihn, weil für ihn daheim kein Platz mehr ist, in den sichern Tod schicken. Übrigens besteht auch kein Nationalhaß mehr, denn die Kämpfe zwischen den Nationen liegen in der Vergangenheit, die volle Daseinsberechtigung jedes übriggebliebenen großen Volkes ist von den andern Völkern anerkannt und die in ununterbrochenem Gedankenaustausch begriffene, gleichmäßig gebildete Bevölkerung des ganzen Erdteils hat sich allmählich gewöhnt, alle Völker Europas als Mitglieder einer einzigen Familie zu betrachten und zwar nur in den eigenen Landsleuten Brüder, aber in den übrigen weißen Menschen doch Vettern zu sehen. So wenig die Bewohner einer

Provinz eines Nationalstaates heute daran denken, in eine Nachbarprovinz einzufallen, die Bewohner zu verjagen und ihr Land an sich zu reißen, so wenig denkt dann ein Volk daran, an einem europäischen Nachbarvolk eine solche Gewaltthat zu verüben.

Was aber thun, um die Brotfrage zu lösen? Da tritt ein Naturgesetz in Wirksamkeit. Der Überschuß der europäischen Bevölkerung strömt nach der Richtung des geringsten Widerstandes aus dem Weltteile hinaus. Dieser geringste Widerstand wird von den farbigen Rassen geleistet, sie sind darum notwendig dazu verurteilt, von den Söhnen der weißen Rasse zuerst verdrängt, dann ausgerottet zu werden. Das Solidaritätsgefühl, das allmählich alle Europäer umfaßt, erstreckt sich nicht auf die Nichteuropäer. Die Gleichheit der Gesittung, welche die Völker Europas einander ähnlich macht, besteht nicht zwischen diesen und den Bewohnern der übrigen Weltteile. Die Anwendung der Gewalt, die in Europa aussichtlos ist, verspricht außerhalb seiner Grenzen leichte Erfolge. Der auswandernde Europäer entfernt sich von dem gemäßigten Himmelsstrich, der ihm am zuträglichsten und angenehmsten, nicht weiter, als unbedingt nötig ist. Er besiedelt zuerst ganz Nordamerika und Australien, ganz Afrika und Amerika südlich des Wendekreises. Dann besetzt er die südlichen Küsten des Mittelländischen Meeres und dringt in die wirtlichsten Teile Asiens ein. Die Eingeborenen versuchen zuerst, Widerstand zu leisten, sehen aber bald ihr einziges Heil in der Flucht. Sie weichen vor den Europäern zurück und wälzen sich ihrerseits über schwächere Hintersassen, die sie so behandeln, wie sie selbst von den stärkeren Weißen behandelt worden sind. Jedes Menschenalter bringt aber in Europa einen neuen überschüssigen Menschenschwarm hervor, der auswandern muß; der neue Guß spült über die Flutgrenze des ersten Stroms hinaus und die Spitzen der europäischen Kolonisation dringen immer tiefer in die fremden Kontinente, immer weiter gegen den Äquator hin vor. Die niedrigeren Rassen sind bald vollständig verloren. Ich sehe keine Rettung für sie. Missionare mögen ihnen noch so viel Bibeln und äußerliches Christentum beibringen, Theoretiker der

Menschenliebe, die einen Neger oder Indianer nur in Abbildungen oder Hagenbeckschen Karawanen gesehen haben, noch so sehr für den Sohn der Wildnis und die Maori- oder Karaiben-Romantik schwärmen, der Weiße ist zum Kampfe ums Dasein besser ausgerüstet als alle übrigen Menschenrassen und sowie er das Land der Wilden zum Leben braucht, nimmt er es ohne Bedenken. Der schwarze, rote oder gelbe Mensch ist dann nur noch ein Feind, der ihm das Dasein erschweren oder unmöglich machen will, und er behandelt ihn so, wie er die tierischen Feinde seiner Kinder, Herden und Felder, wie er die großen Katzen Afrikas und Indiens, die Bären, Wölfe und Auerochsen der europäischen Urwälder behandelt hat: er vernichtet sie mit Stumpf und Stiel.

Der erste Haltepunkt auf unserer Wanderung in die Zukunft war die endgültige Abgrenzung der im Kampfe um ihre Sprache und Eigenart übrig gebliebenen großen Nationalstaaten, der die allgemeine Geistesentwickelung und große Vermehrung der Völker Europas folgte. Der zweite Haltepunkt ist die Besiedelung der ganzen Erde mit den Söhnen der weißen Rasse, nachdem ihr zuerst Europa und dann auch die gemäßigten Himmelsstriche der übrigen Weltteile zu eng geworden sind, und die Ausrottung der niedrigeren und schwächeren Rassen. Viele Jahrhunderte, vielleicht Jahrtausende wird es dauern, bis die Geißel des Hungers den weißen Menschen an den Oberlauf des Kongo, an die Ufer des Ganges und Amazonenstroms getrieben haben und bis der letzte Wilde der Urwälder Brasiliens, Neu-Guineas und Ceylons vor ihm verschwunden sein wird, aber schließlich wird dies geschehen und die ganze Erde dem Pfluge und der Lokomotive der Söhne Europas unterthan sein.

Tritt jetzt ein Stillstand ein? Hört die Entwickelung der Menschengeschicke auf? Nein. Die Weltgeschichte ist das perpetuum mobile und sie läuft und läuft ins Unabsehbare. Die weiße Menschheit, die allein auf Erden übrig geblieben ist, fährt fort, in ihren alten Stammsitzen auf dem europäischen Festlands und in den gemäßigten Himmelsstrichen der übrigen Weltteile kräftig zu gedeihen; die Völker vermehren sich, immer wieder wächst eine frische Jugend heran, die einen Platz unter der Sonne und ein Gedeck am Tische fordert, und nach mehreren Zeitaltern tritt immer wieder die Notwendigkeit ein, daß ein neues Geschlecht aus dem alten Stocke ausschwärme. Aber jetzt giebt es keine niedrigere Rasse mehr, die man mühelos und ohne das lebhafteste Gefühl der Vergewaltigung eines Bruders verdrängen und vernichten kann. Überall findet man die eigene Gesichts- und Leibesbildung, überall verwandte europäische Sprachen, Anschauungen, Sitten und Gebräuche, überall die vertrauten Staats- und Kulturformen wieder und überall hat ein zivilisierter weißer Mensch mit den heiligen Furchen des Pfluges sein Eigentumsrecht in den Acker eingeschrieben. Wohin sollen sich die Auswanderer wenden? Was soll mit dem Überschuß der Geburten in den ältesten Kulturländern geschehen? Ein Gesetz bleibt in voller Geltung und hilft aus der Not: wieder das Gesetz des geringsten Widerstandes. Niedrigere Rassen giebt es nicht mehr, aber die Abkömmlinge der weißen Einwanderer, die am weitesten nach dem Äquator vorgedrungen sind, gehen in dem tropischen Klima organisch zurück und stellen nach wenigen Menschenaltern eine untergeordnete Menschengattung dar, welche sich gegenüber den Stammgenossen in den günstiger gelegenen Ländern so verhalten wie jetzt Neger oder Rothäute gegenüber den Weißen. Daß dies so kommen muß, ist nicht zweifelhaft. Die mannhaftesten und reisigsten weißen Völker verkommen in heißen Gegenden nach wenigen Geschlechtsfolgen und wenn sie nicht durch Unfruchtbarkeit und Krankheit gänzlich aussterben, so werden sie doch so schwächlich und welk, so dumm und feige, so widerstandlos gegen alle Laster und verderblichen Gewohnheiten, daß sie bald kaum mehr die Schatten ihrer Väter und Ahnen sind. Das war binnen weniger als hundert Jahren das Los der herrlichen Vandalen, die als germanische Hünen in Karthago einbrachen und als weinerliche Siechlinge von elenden Byzantinern daraus vertrieben werden konnten. Derselbe Vorgang wiederholt sich auch heute in allen tropischen Ländern, die sich der Weiße unterwirft. Die englische Regierung bemüht sich vergebens, die Ehen ihrer englischen Soldaten mit weißen Frauen in Indien zu vermehren. Man hat niemals, wie sich Generalmajor Bagnold ausdrückt, "genug männliche Kinder großziehen können, um die Regimenter mit Trommlern und Pfeifern zu versehen«. In Französisch-Guyana sind nach einer schönen Arbeit von Dr. I. Orgeas von 1859 bis 1882 zwischen Europäern 418 Ehen geschlossen worden. Von diesen sind 215 unfruchtbar geblieben, die übrigen 203 brachten 403 Kinder hervor. 24 dieser letzteren wurden tot geboren, 238 starben vom April 1861 bis zum Januar 1882 in verschiedenen Lebensaltern. 141 Kinder stellten also nach 33 Jahren die ganze Nachkommenschaft von 836 verheirateten Europäern dar. Und wie sah dieser Nachwuchs aus! Es waren beinahe durchgehends kleinköpfige, im Wachstum zurückgebliebene, runzelhäutige, mit mannigfaltigen Gebrechen behaftete Geschöpfe. Die Siedler zwischen den Wendekreisen fallen also der Verkümmerung anheim; nicht nur entwickeln sie die mitgebrachte Gesittung nicht weiter, sie büßen sie sogar ein und behalten von ihrem Stammes-Erbgut bald nichts weiter als eine verdorbene Sprache und die Eitelkeit der Kaste, von deren leiblichen und geistigen Kennzeichen nichts mehr übrig ist. Angesichts dieser entarteten Sterblinge empfinden die kräftigen Einwanderer kein Bedenken und der schwache Widerstand, den sie leisten können, kommt nicht in Betracht. Eine frische Schicht von Menschen, die Land und Nahrung brauchen, ergießt sich daher über diese in Sonnenglut gebadeten Länder, die ältere, ausgedorrte unter sich begrabend und den aussichtlosen Kampf gegen das Klima von neuem aufnehmend. Die Äquatorial-Gegenden verrichten also in der zukünftigen Menschheit-Geschichte dieselbe Arbeit wie in der Meteorologie. So wie die kalten Wasser der Pole nach dem Gleicher strömen, hier verdampfen und in Gestalt von Dünsten und Wolken wieder zurückgesendet werden, so wie durch diese Verdunstung ein Fallen des Meeresspiegels eintritt, welches von neuen Wassermassen aus den kalten Gegenden ausgeglichen werden muß, so wie endlich auf diese Weise die Wassermassen aller Meere in beständiger Bewegung erhalten, die Regenverhältnisse auf der ganzen Erde geregelt und die entferntesten Länder fruchtbar gemacht werden, so strömen dann die Überschüsse der

Geburten aus den alten Kulturländern nach den Tropen, gehen hier zu Grunde, verdampfen gleichsam und werden vom beständigen Nachguß wieder ersetzt. Der Äquator wird zum furchtbaren Dampfkessel, in welchem das Menschenfleisch schmilzt und verdunstet. Es ist eine Erneuerung des uralten Molochdienstes. Die Völker der mäßigen Zone werfen einen Teil ihrer Kinder in den Rachen des Glutofens und behalten dadurch Platz für eigenes Gedeihen und eigene Entwicklung. Das Bild ist grauenhaft, aber der Vorgang ist es nicht. Denn es ist kein schmerzlicher Tod, zu dem die Kinder der Völker verurteilt sind. Üppig lacht ihnen in den heißen Ländern ein überschwengliches Leben, lau umschmeicheln die Lüfte und Wogen ihre Glieder, Feld und Wald bieten die Fülle der Nahrung, ohne dazu gezwungen werden zu müssen, wonniger und leichter scheint ihnen das Dasein als den Vätern und Brüdern auf der alten widerspenstigen Scholle und mit süßen, brennenden Küssen, denen sie sich mit Schauern der Wollust hingeben, saugt ihnen die Sonne das Leben aus allen Poren. Es ist ein Sterben, das jede weichliche Natur dem rauhen Kampf ums Dasein vorziehen wird, es ist ein sanftes Verrinnen und Zerstießen, in das man geschmeichelt wird wie in einen Opiumtraum und das eher Neid als Mitleid erwecken kann.

Aber nicht ewig wirkt der Äquator als Dampfkessel oder Verdunstungs-Pfanne der Menschheit, nicht ewig ist er die Sicherheitsklappe, die sich öffnet, so oft in den alten Kulturländern der Druck zu stark wird. Es kommt ein Augenblick, wo sich die Verhältnisse vollkommen umkehren. Die Auskühlung der Erde schreitet vorwärts, der Eisgürtel der Pole gleitet tiefer und tiefer, schnürt sich um einen Breitengrad nach dem andern und erstickt immer neue Gegenden. Die Menschen wandern eifriger als je den Tropen zu, aber die heiße Zone ist jetzt nicht mehr die tückisch liebkosende Würgerin, sondern die Amme des Menschengeschlechts. Sie allein nährt ihre Bewohner noch reichlich, sie allein läßt sie sich voll entwickeln, fröhlich gedeihen und klug und stark bleiben. Alle Bildung und Gesittung zieht sich um den Äquator zusammen. Hier erheben sich die Paläste und Akademien, die

Hochschulen und Museen, hier wird gedacht, geforscht, gedichtet und geschaffen. Hier allein leben sich die Menschen noch vollkommen aus. Um so schlimmer für die Lässigen, Bequemen oder Ängstlichen, die sich in den alten Ländern verspätet haben. Wenn auch sie sich endlich unter der Pressung der vordringenden Eismauer entschließen, den Wanderstab zu ergreifen, finden sie die behaglichen Sitze eingenommen und wohlgehütet von einem starken Geschlechte, das blühender und mächtiger geworden ist, während sie selbst von Kälte und Hunger geschwächt sind. Sie lagern an den Rändern des Zauberringes wie ein Rudel Wölfe und blicken mit wildgierigen Räuberaugen in die Lebensfülle hinüber, so oft sie aber den Versuch wagen, einzubrechen und sich Beute zu holen, werden sie von den kraftvollen Herren der gesegneten Erde in ihre Eiswüste zurückgejagt.

Und dann? Ja, was dann ist, das weiß ich nicht. Hier wird die schwarze Zukunft noch viel schwärzer, ich kann gar nichts mehr unterscheiden und so muß das Märchen ein Ende haben.

Table des matières